통찰의 시대

THE AGE OF INSIGHT

통찰의
시대

뇌과학이 밝혀내는
예술과 무의식의
비밀

에릭 캔델 지음 | 이한음 옮김

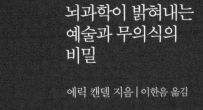

RHK
알에이치코리아

데니스에게,
영원한 사랑을 담아

서문

1902년 6월 오귀스트 로댕Auguste Rodin이 빈을 방문했을 때, 베르타 주커 칸들Berta Zuckerkandl은 그 위대한 프랑스 조각가와 오스트리아의 가장 뛰어난 화가인 구스타프 클림트Gustav Klimt를 야우제Jause, 즉 빈에서 흔히 볼 수 있는 오후 다과회에 초대했다. 손꼽히는 예술 비평가이자 빈의 가장 유명한 살롱 중 하나를 주최하여 지적 흐름을 선도하는 여성이었던 베르타는 자서전에서 이 잊지 못할 다과회를 이렇게 회상했다.

> 클림트와 로댕은 미모가 빼어난 두 젊은 여성 옆에 앉아 있었다. 로댕
> 은 넋을 놓고 그들을 바라보고 있었다. …… (독일 황제 빌헬름 1세의
> 궁정 피아노 연주자를 지냈고, 지금은 빈에 살고 있는) 알프레트 그륀
> 펠트Alfred Grünfeld가 널찍한 응접실의 피아노 앞에 앉았다. 응접실의
> 양쪽으로 열리는 큼지막한 문들은 활짝 열려 있었다. 클림트는 다가가
> 서 연주를 청했다. "슈베르트의 작품 좀 들려주세요." 그륀펠트는 입에
> 시가를 문 채로 연주를 시작했고, 꿈결 같은 선율이 시가에서 나는 연

기와 함께 허공을 떠다녔다.

로댕은 클림트에게 몸을 기울이면서 말했다. "이런 분위기는 내 평생 처음이오. 당신의 비극적이면서 장엄한 베토벤 프레스코화도 그렇고, 신전 속에 와 있는 기분을 느끼게 한 잊을 수 없을 당신의 전시회도 그렇고, 지금은 또 이렇게 멋진 정원과 여인들과 음악…… 모든 것이 마음을 달뜨게 만들어 어린아이처럼 행복감에 젖게 하는군요. …… 대체 왜 그런 걸까요?"

그러자 클림트는 멋진 머리를 천천히 끄덕이면서 한마디로 답했다. "오스트리아니까요."[1]

클림트와 로댕이 공유한, 그리고 현실과는 거의 관계가 없다시피 한, 오스트리아에서의 삶을 이상화한 이 낭만적인 관점은 내 상상 속에 새겨진 바로 그것이기도 하다. 나는 어릴 때 빈을 떠나야 했지만, 그 세기의 전환기에 접했던 빈의 지적인 삶은 내 피가 되어 유장하게 흐르고 있다. 내 심장은 그 시대의 음악에 맞추어 4분의 3박자로 뛴다.

이 책은 그 뒤로 내가 1890년부터 1918년까지의 빈의 지성사에 푹 빠져 지낸 매혹의 산물이자, 오스트리아 모더니즘 예술, 정신분석, 예술사에 대한 내 관심과 평생에 걸쳐 연구한 뇌과학을 종합한 결과물이기도 하다. 나는 이 책에서 세기말의 빈에서 기원하여 지금도 계속되고 있는 예술과 과학 사이의 대화를 살펴보고 그 대화가 주요한 세 단계를 거쳐 왔음을 밝히고자 한다.

첫 번째 단계는 모더니즘 예술가들과 빈 의대의 연구자들이 마음의 무의식적 과정에 관해 깨달은 것들을 서로 주고받으면서 시작되었다. 두 번째 단계는 1930년대에 빈 미술사학파가 도입한 미술과 인지심리학 사이의 상호작용이 지속된 시기다. 세 번째 단계는 20년 전에 시작되었는데, 이 인지심리학이 생물학과 상호작용을 함으로써 정서적 신경미학

emotional neuroaesthetic의 토대가 마련된 시기를 가리킨다. 이 신경미학이란 미술 작품에 대한 우리의 지각, 감정, 감정이입 반응을 이해하려고 애쓰는 분야를 말한다.

뇌과학과 미술 사이의 이 대화와 상호작용을 연구하는 노력은 오늘날까지도 계속되고 있다. 이 노력 덕분에 우리는 미술 작품을 볼 때 그 사람, 즉 관람자의 뇌에서 어떤 과정이 진행되는지를 처음으로 이해하기 시작했다.

21세기 과학의 핵심 도전 과제는 인간의 마음을 생물학적 용어로 이해하는 것이다. 20세기 말에 인지심리학, 즉 마음의 과학이 뇌의 과학인 신경과학과 융합되었을 때 이 도전 과제의 해결 가능성이 열렸다. 그 융합은 새로운 마음의 과학을 낳았고, 덕분에 우리는 우리 자신에 관한 다양한 질문을 규명할 수 있게 되었다. 우리는 대체 어떻게 지각하고 배우고 기억하는 것일까? 정서, 감정이입, 생각, 의식의 본질은 무엇일까? 자유의지의 한계는?

이 새로운 마음의 과학은 우리가 누구인지를 더 깊이 이해할 수 있게 해줄 뿐 아니라, 뇌과학과 다른 지식 분야들 사이에 의미 있는 대화가 이루어질 수 있도록 하기 때문에 중요하다. 이런 대화는 예술에서든 과학에서든, 인문학에서든 일상생활에서든 간에 지각과 창의성을 가능케 하는 뇌 메커니즘을 탐구하는 데 도움을 줄 수 있다. 더 넓게 보면, 이 대화는 과학을 우리 공통의 문화적 경험의 일부로 만드는 데에도 도움을 줄 수 있을 것이다.

나는 이 책에서 새로운 마음의 과학이 예술과 처음에 어떻게 관련을 맺기 시작했는지에 초점을 맞춰 이 핵심적인 과학적 도전 과제에 접근할 것이다. 재개되는 이 대화에 일관적이고 실질적으로 초점을 맞추기 위해서, 나는 의도적으로 미술의 특정 형태(초상화)와 특정한 문화적 시기(20세기가 시작될 무렵 빈의 모더니즘)에만 논의를 한정했다. 이렇게 한 것은 핵심이 되는 주제들에 논의의 초점을 맞출 수 있을 뿐 아니라 이 미술 형태와 이 시기가 예술과 과학을 결부하고자 한 일련의 선구적인 시도들을 대변하기 때문이다.

초상화는 과학적 탐구에 매우 적합한 미술 형태다. 이제 우리는 남의 얼굴 표정과 신체 자세에 자신이 지각적·정서적·감정이입적 측면에서 어떻게 반응하는지를, 인지심리학과 생물학 양쪽에서 지적으로 흡족하리만치 이해하기 시작했다. '빈 1900Vienna 1900'의 모더니즘 초상화는 더욱 더 적합하다. 겉모습 아래 놓인 진실을 탐구하려는 화가들의 노력이 의학과 정신분석, 문학 분야에서 무의식적 과정을 탐구하고자 한, 동시대에 비슷한 양상으로 펼쳐지고 있던 노력들과 나란히 나아가면서 영향을 받았기 때문이다. 따라서 빈 모더니스트들의 초상화와 모델의 내면 감정을 묘사하려는 그들의 의식적이면서 인상적인 시도는 심리학적·생물학적 통찰이 우리가 예술과 맺는 관계를 풍성하게 할 수 있음을 보여 주는 이상적인 사례다.

그런 맥락에서 나는 당대의 과학적 사유와, 더 넓게는 '빈 1900'이라는 지적 환경이 세 화가에게 미친 영향을 살펴보고자 한다. 구스타프 클림트, 오스카어 코코슈카Oskar Kokoschka, 에곤 실레Egon Schiele가 바로 그들이다. 그 무렵 빈 생활의 특징 중 하나는 미술가, 저술가, 사상가와 과학자 사이에 지속적인 상호작용이 수월하게 이루어지고 있었다는 점이다. 의학자와 생물학자뿐 아니라 정신분석학자와도 이루어진 이 상호작용은 이 세 화가의 초상화에 중대한 영향을 미쳤다.

빈 모더니스트들은 다른 측면들에서도 이 분석에 적합하다. 우선 그들은 몇 명 되지 않으면서도—고작 세 명의 주요 화가이니까—집단적으로, 또한 개별적으로도 미술사에 중요하기 때문에 깊이 있게 탐구될 수 있다. 한 집단으로서 그들은 무의식, 즉 사람들의 본능적인 욕구를 그림에 담고자 애썼지만, 각 화가는 얼굴 표정과 손과 몸의 자세를 통해 저마다 독특한 방식으로 자신이 깨달은 바를 전달하고자 했다. 그럼으로써 제각각 개념적·기교적 측면에서 현대 미술에 독자적으로 기여했다.

1930년대에 빈 미술사학파의 학자들은 클림트, 코코슈카, 실레의 모더니즘 의제를 발전시키는 데 치중했다. 그들은 현대 화가의 역할이 아름다움을 전달하는 데 있는 것이 아니라 새로운 진리를 전달하는 데 있다고 강조했다. 게다가 지그문트 프로이트Sigmund Freud의 정신분석에 어느 정도 영향을 받은 빈 미술사학파는 최초로 관람자에게 초점을 맞춘 과학 기반의 예술심리학을 발전시키기 시작했다.

오늘날 이 새로운 마음의 과학은 다시금 관람자에게 초점을 맞추면서 예술과 과학 사이의 새로운 대화를 이끌어 내고 활성화할 수 있을 만큼 성숙했다. 나는 현재의 뇌과학을 '빈 1900'의 모더니즘 그림과 연관 지음으로써, 일반 독자와 예술사 및 지성사를 공부하는 학생들에게 지각, 기억, 정서, 감정이입, 창의성의 인지심리학적·신경생물학적 토대를 현재 우리가 어느 정도까지 이해했는지 쉬운 용어로 개괄하고자 한다. 그런 뒤에는 인지심리학과 뇌생물학이 어떻게 서로 협력하여 관람자가 미술을 지각하고 미술에 반응하는 방식을 탐구해 왔는지 살펴볼 것이다. 나는 모더니즘 미술, 특히 오스트리아 표현주의 미술을 사례로 들었지만, 관람자가 미술에 반응하는 원리는 모든 시대의 미술에 적용할 수 있다.

우리는 왜 예술과 과학, 더 나아가 과학과 문화 전반의 대화를 촉진하고 싶어 하는가? 뇌과학과 미술은 마음을 보는 서로 다른 두 관점을 대변한다. 과학을 통해 우리는 우리의 모든 정신생활이 뇌의 활동에서 나온다는 것을 알게 되었다. 그 활동을 관찰함으로써 우리는 미술 작품에 대한 우리 반응의 토대가 되는 과정들을 이해하는 일을 시작할 수 있다. 눈을 통해 모은 정보는 어떻게 시각으로 전환되는 것일까? 생각은 어떻게 기억으로 전환될까? 행동의 생물학적 토대는 무엇일까? 한편, 미술은 마음의 더 덧없고 경험적인 특성들, 특정한 경험이 어떤 느낌인지에 대한 깨달음을 제공한다. 뇌영상은 우울증의 신경 징후들을 밝혀낼 수 있겠지만, 베토벤의 교향곡은 우울하다는 것이 어떤 느낌인지를 드러낸다. 마음의 본질을 제대로 이해하려면 두 관점이 다 필요하지만, 둘은 결합되는 일이 거의 없다.

하지만 '빈 1900'의 지적·예술적 환경에 자극을 받아서 처음으로 두 관점 사이에 교류가 이루어졌고, 그 결과 인간의 마음에 관한 생각에 엄청난 발전이 이루어졌다. 오늘날에 그런 교류가 이루어진다면 혜택이 무엇이고, 누가 혜택을 볼 수 있을까? 뇌과학이 얻는 혜택은 명백하다. 생물학의 궁극적 도전 과제 중 하나는 뇌가 지각, 경험, 정서를 어떻게 의식하는지 이해하는 것이다. 하지만 마찬가지로 그 교류가 미술의 관람자, 미술사와 지성사 연구자, 화가 자신에게 유용할 것이라고도 상상할 수 있다.

시지각과 감정 반응의 과정들에 대한 통찰력을 얻는다면 미술, 새로운 미술 형식, 더 나아가 예술 창의성의 새로운 표현 방식에 관한 새 언어가 출현하도록 자극할 수도 있다. 레오나르도 다빈치를 비롯한 르네상스 예술가들이 밝혀진 사람의 해부 구조를 이용하여 인체를 더 정확하고 압도적으로 묘사했던 것처럼, 현대의 많은 예술가는 뇌가 작동하는 방식에 관해 밝혀진 사항들을 토대로 새로운 재현 방식을 창안할지도 모른다. 예술적 통찰, 영감, 작품을 본 관람자의 반응 등의 배경이 되는 생물학을 이해하는 일은 창작력을 증진하고자 애쓰는 예술가에게 이루 헤아릴 수 없이 중요한 역할을 할 수 있다. 장기적으로 볼 때, 뇌과학은 창의성 자체의 본질을 밝힐 단서를 제공할 수도 있다.

과학은 복잡한 과정을 핵심 활동들로 환원하고 그 활동들의 상호작용을 연구함으로써 그 과정을 이해하고자 하며, 이 환원론적 접근 방식은 미술에도 확대 적용할 수 있다. 사실 한 미술 학파, 그것도 겨우 세 명의 주요 인물로 이루어진 학파에 초점을 맞추는 이 책은 바로 그런 접근법의 일례다. 일부에서는 환원론적 분석이 미술에 대한 흥미를 떨어뜨릴 것이고, 미술을 별 볼일 없는 것으로 만들고 미술이 지닌 특별한 힘을 앗아가 결국 관람자의 역할을 평범한 뇌 기능으로 환원할 것이라고 우려한다. 나는 정반대라고 주장한다. 과학과 미술 사이의 대화를 장려하고 한 번에 마음의 한 가지 과정만 집중적으로 살펴보도록 권함으로써, 환원론은 우리의 시야를 넓히고, 미술의 본질과 창작 과정을 간파하는 새로운 통찰을 줄 수 있다. 우리는 이 새로운 통찰을 토대로 생물학적 현상과 심리적 현상 사이의 관계로부터 나오는 미술의 의외의 측면들을 깨달을 수 있을 것이다.

환원론과 뇌의 생물학은 결코 인간 지각의 풍성함과 복잡성을 부정하지 않으며, 사람의 얼굴과 몸의 형태, 색깔, 감정을 이해하는 능력이나 음미하는 즐거움을 약화하지도 않는다. 현재 우리는 심장이 뇌를 비롯한 몸 전체로 혈액을 뿜어내는 근육질 기관임을 과학적으로 상당한 수준까지 이해하고 있다. 그 결과 우리는 더 이상 심장을 감정이 자리한 곳이라고 보지 않는다. 하지만 이 새로운 통찰을 얻었다고 해서 우리가 심장에 덜 탄복한다거나 심장의 중요성을 덜 인정하는 일은 일어나지 않는다. 마찬가지로 과학은 미술의 여러 측면을 설명할 수 있지만, 그렇다고 해서 미술이 불러일으키는 영감이나 작품 관람자의 즐거움이나 창작의 욕구와 목표를 과학이 대체하는 것은 아니다. 정반대로 뇌생물학의 이해는 예술사, 미학, 인지심리학을 위한 더 폭넓은 문화적 기본 틀을 구축하는 데 기여할 가능성이 가장 높다.

현재의 마음의 과학은 대체 미술 작품의 무엇이 우리의 흥미와 관심을 사로잡는지를 아직 대부분 설명하지 못한다. 하지만 라스코의 고대 동굴벽화에서부터 현대의 행위 예술에 이르기까지, 모든 시각예술이 지닌 중요한 시각적·정서적·감정이입적 요소들을 우리는 이제 새로운 수준에서 이해하고 있다. 그 요소들을 더 깊이 이해한다면 미술의 개념적 내용을 더 명확히 파악할 수 있을 것이고, 또 관람자가 어떻게 하여 미술 작품에 자신의 기억과 경험을 결부하는지, 그리고 그 결과 미술의 제반 측면을 더 폭넓은 지식 체계에 통합하는지를 설명할 수 있을 것이다.

뇌과학과 인문학은 앞으로도 각자 나름의 관심사를 계속 추구하겠지만, 내가 이 책을 쓴 목적은 마음의 과학이 지닌 관점과 인문학의 관점을 특정한 공통의 지적 문제에 집중하고 예술, 마음, 뇌를 연관 짓고자 하는 노력의 일환으로서 '빈 1900'에서 싹튼 대화를 앞으로 수십 년 동안 계속 이어 가는 일을 어떻게 하면 새롭게 시작할 수 있는지를 보여 주려는 것이다. 이 가능성에 고무된 나머지, 나는 과거에 과학과 예술이 서로 어떻게 영향을 미쳤으며, 앞으로 이 분야 간에 끼치는 영향이 예술뿐 아니라 과학의 지식과 즐거움을 어떻게 풍성하게 할 수 있을까 하는 더 폭넓은 문제들을 역사적으로 살펴보면서 이 책을 마감하고자 했다.

C O N T E N T S

무의식의
감정을 향한
정신분석 심리학과
예술

I

01

내면으로
돌아서다:
빈 1900

2006년 오스트리아 표현주의 미술 작품에 푹 빠진 수집가이자 뉴욕 시에 있는 표현주의 작품 미술관인 노이에 갤러리Neue Galerie의 공동 설립자인 로널드 로더Ronald Lauder는 무려 1억 3500만 달러라는 거금을 들여서 그림 한 점을 구입했다. 구스타프 클림트가 아델레 블로흐바우어Adele Bloch-Bauer를 그린, 금박으로 치장한 매혹적인 초상화였다. 아델레는 빈 사교계의 유명 인사이자 예술 후원자였다. 로더는 1907년 열네 살에 빈을 방문했을 때 상벨베데레 미술관Upper Belvedere Museum에서 그 그림을 처음 본 순간 매료되고 말았다. 아델레는 세기의 전환기에 있던 빈의 모습을 함축해 놓은 듯했다. 빈의 풍요로움, 관능적인 분위기, 혁신 능력을 말이다. 그 뒤로 오랜 세월이 흐르는 동안, 로더는 클림트의 아델레 초상화(그림 1-1)가 여성의 신비를 묘사한 것 중 가장 위대한 작품에 속한다는 확신을 갖게 되었다.

아델레의 의상에 담긴 요소들이 입증하듯이, 사실 클림트는 19세기 아르누보 전통에 속한 실력 있는 장식화가였다. 하지만 그 그림에는 한

그림 1-1 구스타프 클림트, 〈아델레 블로흐바우어 I〉(1907). 캔버스에 유채, 은, 금. 컬러화보 참고

가지 역사적인 의미가 더 있다. 클림트가 전통적인 삼차원 공간에서 벗어나 눈부신 장식으로 가득한 현대적인 평면 공간으로 나아갔음을 말해 주는 최초의 그림들 중 하나라는 것이다. 이 그림은 오스트리아 모더니즘 미술을 창시한 주요 공헌자이자 혁신가로서의 클림트를 보여 준다. 클림트 연구자인 소피 릴리Sophie Lillie와 게오르크 고이구슈Georg Gaugusch는 〈아델레 블로흐바우어 I Adele Bloch-Bauer I〉를 이렇게 설명한다.

그림은 블로흐바우어의 매혹적인 아름다움과 관능을 담았을 뿐 아니라, 그 복잡한 장식과 색다른 모티프를 통해서 급진적으로 새로운 정체성을 갖추고자 하는 문화와 현대성의 여명기가 온다는 점을 알렸다. 이 그림을 통해 클림트는 세기말의 빈에서 한 세대에 걸친 열망의 대상이 될 세속적인 아이콘을 만들어 냈다.[1]

이 그림에서 클림트는 르네상스 초기부터 화가들이 간직해 왔던, 이차원 캔버스에 삼차원 세계를 점점 더 사실주의적으로 재창조하려는 태도를 버린다. 사진술의 등장을 목격한 다른 현대 화가들과 마찬가지로, 클림트도 카메라가 포착할 수 없는 더 새로운 진리를 찾아 나섰다. 그와 특히 그의 피후견인인 오스카어 코코슈카와 에곤 실레는 화가의 시선을 내면으로 돌려, 삼차원인 바깥 세계를 벗어나서 다차원적인 내면의 자아와 무의식 쪽으로 나아갔다.

이 그림은 과거의 미술과 결별했을 뿐만 아니라 현대 과학, 특히 현대 생물학이 클림트의 미술에 어떻게 영향을 미쳤는지도 보여 준다. '빈 1900', 즉 1890년에서 1918년에 걸친 기간에 빈의 문화 중 상당 부분이 생물학에 영향을 받았던 것과 마찬가지로 말이다. 미술사학자 에밀리 브라운Emily Braun이 밝혀낸 것처럼, 클림트는 다윈Charles Robert Darwin의 책을 읽었고, 모든 생물의 기본 구성 단위인 세포의 구조에 매료되었다. 따라서 아델레의 옷에 그려진 작은 도상학적 이미지들은 아르누보 시기의 다른 이미지들처럼 단순히 장식적인 것이 아니다. 그 이미지들은 남성과 여성의 생식세포를 뜻하는 상징이다. 직사각형 정자와 타원형 난자다. 생물학에 영감을 받아 나온 이 번식력의 상징들은 모델의 유혹적인 얼굴을 완전히 성숙한 그녀의 번식 능력과 연결 짓기 위해 고안된 것이다.

아델레 블로흐바우어의 초상화가 당시 그림 한 점의 가격으로는 역대 최고 수준이었던 1억 3500만 달러를 지불할 만한 걸작이라는 사실은 클림트가 화가 생활을 시작할 무렵에 비록 능력이 출중하긴 했어도 눈에 띄

그림 1-2 한스 마카르트, 〈벨기에의 스테파니 공주(Crown Princess Stephanie of Belgium)〉(1881). 캔버스에 유채. 컬러화보 참고

는 인물은 아니었다는 점을 생각할 때 더욱 의아하게 여겨진다. 그는 뛰어나긴 했지만 전통을 답습하는 화가였다. 즉 전통 양식의 대가였던 스승 한스 마카르트Hans Makart(그림 1-2)를 본받아서 극장, 박물관, 기타 공공건물에 그림을 그리던 장식화가였다. 자신을 우상화하는 빈의 예술 후원자들로부터 새로운 루벤스라고 불리던 재능 있는 채색화가 마카르트처럼, 클림트도 우의적이고 신화적인 주제를 다룬 대형 초상화 작품을 그렸다(그림 1-3).

클림트의 작품이 대담하고 독창적인 방향으로 전환한 것은 1886년에 이르러서였다. 그해에 그와 동료인 프란츠 마치Franz Matsch는 각자 동일한 의뢰를 받았다. 허물고 새로 현대식 건물로 대체될 예정인 올드캐슬극장의 관객석을 기념으로 남길 그림을 그려 달라는 것이었다. 마치는 입구에서 무대를 바라보는 전경을 그렸고, 클림트는 그 극장의 마지막 공연 장면을 담았다. 그런데 클림트는 무대나 공연하는 배우를 그리는 대신에,

그림 1-3 구스타프 클림트, 〈우화(Fable)〉(1883). 캔버스에 유채. 컬러화보 참고

무대에서 관객석을 바라보면서 눈에 띄는 인사들을 화폭에 담았다(그림 1-4, 1-5). 이 관객들은 공연에 관심이 있다기보다는 자기만의 생각에 잠긴 모습이었다. 클림트의 그림이 의미하는 바는 빈의 실제 드라마가 무대 위가 아니라 관객의 마음속에 있는 내밀한 극장에서 펼쳐졌다는 것이다.

클림트가 올드캐슬 극장을 그린 직후에, 젊은 신경학자 지그문트 프로이트는 히스테리 환자들을 최면과 심리요법을 결합해 치료하는 일을 시작했다. 환자들이 내면을 돌아보고 자유연상free association을 하고 내밀한 삶과 생각을 털어놓을 때, 프로이트는 그들의 히스테리 증상을 과거의 정신적 외상과 연결 지었다. 매우 독창적인 이 치료 방식의 패러다임은 '안나 오Anna O'라는 빈의 지적인 젊은 여성을 연구한 요제프 브로이어Josef Breuer에게서 나왔다. 프로이트의 선배인 브로이어는 안나가 "가정생활이 단조롭고 적절한 지적 직업이 없어서 …… 공상에 빠지는 습관을 갖게 되었다."라고 결론지었다. 안나가 자신의 '내밀한 극장private theater'이

그림 1-4 구스타프 클림트, 〈올드캐슬 극장의 관객석(The Auditorium of the Old Castle Theatre)〉 (1888). 캔버스에 유채. 컬러화보 참고

그림 1-5 관객석의 세부 모습. 유럽의 손꼽히는 외과 의사인 테오도어 빌로트(Theodor Billroth), 10년 뒤 빈의 시장이 될 카를 루에거(Karl Lueger), 프란츠 요제프 황제의 정부인 여배우 카타리나 슈라트(Katharina Schratt)가 보인다. 컬러화보 참고

라고 일컫는 곳으로 숨는다는 것이었다.[2]

클림트의 나중 작품의 특징이 된 그 놀라운 통찰은 프로이트의 심리 연구와 동시대의 산물이었고, '빈 1900'에 모든 학문 분야에 배어들게될 내면으로의 전환이 이루어질 것임을 예고했다. 빈 모더니즘을 낳은 이시대에는 미술, 건축, 심리학, 문학, 음악에서 과거와 단호하게 절연하고새로운 표현 형식을 탐구하려는 노력이 두드러졌다. 이어서 이 분야들 사이를 연관 지으려는 시도들이 나타났다.

모더니즘의 출현을 이끌었던 '빈 1900'은 간단히 말해 유럽의 문화적 수도 역할을 했다. 몇 가지 측면에서 볼 때, 중세의 콘스탄티노플이나 15세기의 피렌체와 비슷한 역할이었다. 빈은 1450년 이래로 합스부르크가(家) 영토의 중심지였으며, 한 세기 뒤에는 독일어권 신성로마제국의 중심지가 되면서 더욱 명성을 얻었다. 신성로마제국은 독일어를 쓰는 국가들만이 아니라 보헤미아 국가와 헝가리-크로아티아 왕국까지 포함했다. 그뒤로 300년 넘게 이 지역은 통일된 공통의 명칭도 문화도 없이 이질적인국가들의 모자이크 상태로 남아 있었다. 오로지 합스부르크가의 신성로마제국 황제들이 대를 이어 통치함으로써 하나로 엮여 있었을 뿐이다. 1804년 신성로마제국의 마지막 황제인 프란츠 2세는 오스트리아 황제프란츠 1세라는 직함을 새로 내세웠다. 1867년 헝가리도 동등한 제국이라고 주장하고 나섬으로써, 이 합스부르크 제국은 이원군주제의 오스트리아-헝가리 제국이 되었다.

18세기에 권력이 정점에 이르렀을 때, 합스부르크 제국의 영토는유럽에서 러시아 제국 다음으로 넓었다. 더군다나 합스부르크 제국은 오랜 세월 안정적으로 통치를 해왔다. 하지만 19세기 후반에 잇달아 군사적으로 패배를 거듭하고 20세기 초에 내정 불안을 겪으면서 제국의 정치력은 약화되었고, 합스부르크가는 어쩔 수 없이 지정학적 야심을 버리고 국민들, 특히 중산층의 정치적·문화적 열망에 관심을 갖게 되었다.

1848년 오스트리아의 진보적인 중산층은 프란츠 요제프 황제가 다스리는 절대적이면서 거의 봉건적인 군주제를 더 민주적인 방향으로 개혁하도록 압박했다. 그리하여 영국과 프랑스의 진보적인 입헌군주제를 모델로 삼고 계몽된 중산층과 귀족 사이의 정치적·문화적 동반자 관계가 특징이 된 일련의 개혁 조치가 이루어졌다. 이 동반자 관계는 국가를 개혁하고, 국민의 세속적인 문화생활을 지원하고, 자유 시장경제를 확립하기 위해 나온 것이었다. 그리고 이 모든 개혁안은 이성과 과학이 신앙과 종교를 대체할 것이라는 현대적인 믿음을 토대로 했다.

1860년대에 이르자, 대다수의 오스트리아인들은 자국이 전환기에 있다는 점을 인식했다. 중산층은 황제와 협상을 통해 빈을 세계에서 가장 아름다운 도시 중 한 곳으로 변모시키는 데 성공했다. 1857년 프란츠 요제프는 빈의 시민들에게 주는 일종의 크리스마스 선물로서, 도시를 둘러싸고 있던 옛 성벽과 요새를 허물고 그 자리에 도시를 원형으로 둘러싸는 넓은 도로인 링슈트라세Ringstrasse를 건설하라고 명했다. 링슈트라세 양편으로는 장엄한 공공건물들이 세워졌다. 의회, 시청, 오페라극장, 올드캐슬 극장, 미술관, 자연사박물관, 빈 대학교 등이었다. 그와 더불어 귀족들의 대저택과 부유한 중산층을 위한 널찍한 공동주택도 들어섰다. 또 링슈트라세는 주변의 교외 지역들, 즉 상점 주인, 무역상, 노동자 등이 거주하는 지역들과 빈의 거리감을 더 좁혔다.

중산층과 황제의 진보적인 견해는 유대인 사회에 특히 중대한 영향을 미쳤다. 1848년 유대인 종교 행사가 합법화되었고, 유대인에게 부과되는 특별세도 폐지되었다. 또 처음으로 유대인에게도 전문직과 공직에 진출하는 것이 허용되었다. 1867년의 헌법과 1868년의 초교파적 협정Interconfessional Settlement(정교분리 원칙의 수립으로 이어졌다.-옮긴이)을 통해 유대인은 주로 가톨릭인 대다수의 오스트리아인과 동등한 시민권과

법적 권리를 지니게 되었다. 오스트리아 역사의 이 짧은 시기에, 반유대주의는 사회적으로 용납할 수 없는 것이 되었다. 이 법들은 종교 행위의 자유뿐 아니라 공교육 제도를 도입했고, 이전까지 금지되었던 기독교인과 유대인의 결혼도 허용했다.

마지막으로 모든 국민에게 적용되던 합스부르크 제국 내의 여행 금지 조치가 1848년에 완화되었고, 1870년에는 폐지되었다. 빈의 활기찬 문화생활과 경제적 기회에 혹해 제국 전역의 재능 있는 인물들, 특히 유대인들이 모여들기 시작했다. 그 결과 빈의 유대인 수는 1869년 인구의 6.6퍼센트였다가 1890년에는 12퍼센트로 증가했으며, 이 변화는 모더니즘의 출현에 지대한 영향을 미쳤다. 또 여행 제한이 폐지되면서 학자들과 과학자들의 사회적·문화적 이동도 증가했다. 빈은 다양한 종교적·사회적·문화적·인종적·교육적 배경을 지닌 재능 있는 인물들이 유입되면서 혜택을 보았다. 이 인구 유입과 함께 교육의 현대화가 이루어지며, 빈 대학교는 연구의 중심지로 우뚝 서게 되었다. 이 대학교에서 과학과 기술이 현대적으로 변모함에 따라 생동하고 상호작용하는 지적 분위기가 조성되었고, 이는 나중에 빈에서 모더니즘이 출현하는 데 중대한 기여를 했다.

1900년에 빈의 인구는 거의 200만 명에 이르렀고, 상당수는 지적인 우수성과 문화적 성취를 강조하는 그 도시의 분위기에 이끌려서 온 사람들이었다. 그중에는 넓은 의미의 모더니즘 운동에 선구적인 역할을 한 이들이 놀라우리만치 많았다. 철학에서는 모리츠 슐리크Moritz Schlick를 중심으로 하고 나중에 루돌프 카르나프Rudolf Carnap, 헤르베르트 파이글Herbert Feigl, 필리프 프랑크Philipp Frank, 쿠르트 괴델Kurt Gödel, 가장 중요한 인물인 루트비히 비트겐슈타인Ludwig Wittgenstein이 참여한 빈 학파가 모든 지식을 단일한 표준으로 정립하려는 시도를 했다. 카를 멩거Carl Menger, 오이겐 폰 뵘바베르크Eugen von Böhm-Bawerk, 루트비히 폰 미제스Ludwig von

Mises는 빈 경제학파를 설립했다. 위대한 작곡가 구스타프 말러Gustav Mahler는 하이든, 모차르트, 베토벤, 슈베르트, 브람스로 이루어진 제1차 빈 음악파로부터 아르놀트 쉰베르크Arnold Schönberg 알반 베르크Alban Berg, 안톤 베베른Anton Webern 같은 신세대 작곡가로 구성된 제2차 빈 음악파로 넘어갈 전기를 마련했다.

당대의 고딕, 르네상스, 바로크 양식을 모방한 링슈트라세의 장엄한 공공건물에 반발한 건축가 오토 바그너Otto Wagner, 요제프 마리아 올브리히Joseph Maria Olbrich, 아돌프 로스Adolf Loos는 산뜻하고 기능적인 건축 양식을 창안해 1920년대 독일 바우하우스 학파로 이어지는 길을 닦았다. 바그너는 건축이 현대적이고 독창적이어야 한다고 주장했고, 교통과 도시 계획이 중요하다는 점을 인식했다. 이 점은 빈의 도시 철도 체계를 이루는 서른 곳의 아름다운 역사의 설계와 육교, 터널, 다리의 설계에서 잘 드러났다. 이 모든 건축물에서 바그너는 예술과 목적 사이의 조화를 추구했다. 그 결과 빈은 유럽의 주요 도시 중에서 고도의 사회 기반 시설을 가장 잘 갖춘 곳이 되었다. 또 요제프 호프만Josef Hoffmann과 콜로만 모저Koloman Moser가 이끄는 예술과 디자인 연구 기관인 빈 공방Wiener Werkstätte은 보석, 가구, 기타 물건들의 우아한 디자인을 통해 일상생활에서의 아름다움을 추구했다. 아르투어 슈니츨러Arthur Schnitzler와 후고 폰 호프만스탈Hugo von Hofmannsthal은 소설, 희곡, 시를 다루는 현대 학파인 청년 빈파Jung-Wien를 창설했다. 앞으로 살펴보겠지만, 가장 중요한 점은 카를 폰 로키탄스키Karl von Rokitansky에서 프로이트에 이르는 과학자들이 인간의 마음에 관한 생각을 혁신한 새롭고 역동적인 관점을 확립했다는 것이다.

예술·예술사·문학에서 창의적인 노력이 진행되는 동안 과학과 의학 분야에서도 발전이 이루어졌으며, 의학·생물학·물리학의 낙관론은 종교의 영향력이 쇠퇴하면서 빚어진 공허감을 채웠다. 사실 세기의 전환기에 빈에서는 살롱과 커피집에서 과학자, 저술가, 화가가 한데 모여 영감과 낙관론과 정치적 논쟁을 한꺼번에 접할 수 있는 기회가 많았다. 생물학, 의학, 물리학, 화학, 그와 관련된 논리학과 경제학 분야의 발전으로 그들은 과학이 더 이상 과학자들의 협소하고 한정된 영역이 아니라 빈 문화의 일부가 되었음을 깨닫게 되었다. 이런 태도는 인문학과 과학의 거리를 더 좁혔고, 오늘날까지도 열린 대화를 가능케 하는 패러다임 역할을 하는 상호작용을 부추겼다.

게다가 '빈 1900'의 자유주의적인 지적 분위기와 대학교 과학 교수진의 진보적인 태도는 슈니츨러의 저술과 세 화가의 작품에서 옹호되었던 여성의 정치적·사회적 해방을 촉진하는 데 기여했다.

프로이트의 이론, 슈니츨러의 저술, 클림트와 실레와 코코슈카의 그림은 한 가지 공통적인 깨달음을 통해 인간의 본능적인 삶의 본질을 간파했다. 1890년에서 1918년에 이르는 동안 이 다섯 명은 통찰력을 발휘하여 일상생활의 비합리성을 간파함으로써, 빈이 모더니즘 사상과 문화의 중심지가 되는 데 기여했다. 우리는 지금도 그 문화 속에서 살고 있다.

모더니즘은 19세기 중반에 일상생활의 제약과 위선에 대한 반발이자, 계몽사상이 인간 행동의 합리성을 강조한 데 대한 반발 작용으로서 시작되었다. 계몽사상, 즉 이성의 시대는 인간의 행동이 이성의 통제를 받기 때문에 세상만사가 잘 돌아간다고 보았다는 점이 특징이었다. 우리가 계몽된 것도 이성을 통해서다. 우리의 마음은 자신의 감정과 정서에 통제력을 가할 수 있기 때문이다.

18세기에 계몽사상을 출현시킨 직접적인 촉매가 된 것은 16세기와 17세기의 과학혁명이었다. 이 혁명은 천문학에서 이루어진 세 가지 중요한 발견을 포함하고 있었다. 요하네스 케플러Johannes Kepler는 행성들의 운동을 관장하는 법칙들을 내놓았고, 갈릴레오 갈릴레이Galileo Galilei는 태양을 우주의 중심에 놓았다. 그리고 아이작 뉴턴Isaac Newton은 중력을 발견하고 미적분을 창안했으며(고트프리트 빌헬름 라이프니츠Gottfried Wilhelm von Leibniz도 동시에 독자적으로 창안했다), 미적분을 이용하여 운동의 세 법칙을 기술했다. 그럼으로써 뉴턴은 물리학과 천문학을 결합했고, 우주의 가장 심원한 진실조차 과학의 방법을 통해 밝혀낼 수 있음을 보여 주었다.

이들의 공헌은 1660년 세계 최초의 과학 학회가 설립되면서 제대로 인정받았다. 바로 자연 지식 향상을 위한 런던왕립학회였다. 아이작 뉴턴은 1703년에 이 학회의 회장으로 선출되었다. 왕립학회의 창립자들은 신을 수학자라고 보았다. 논리적·수학적 원리에 따라 우주가 돌아가도록 설계했다는 것이다. 과학자—자연철학자—의 역할은 과학적 방법을 써서 우주의 토대를 이루는 물리적 원리를 발견하고, 그럼으로써 신이 우주를 창조할 때 썼던 암호책을 해독하는 것이라고 보았다.

과학계가 이룬 성공에 힘입어 18세기 사상가들은 정치적 행동, 창의성, 미술을 포함한 인간 행동의 다른 측면들에도 이성을 적용하면 개선을 이룰 수 있고, 궁극적으로는 사회가 개선되고 모든 인류의 생활 조건이 나아질 것이라고 가정하기에 이르렀다. 이성과 과학에 대한 이러한 확신은 유럽의 정치적·사회적 삶의 모든 측면에 영향을 미쳤고, 곧 북아메리카 식민지로도 퍼졌다. 북아메리카에서 사회가 이성을 통해 개선될 수 있고 합리적인 사람이 행복을 추구할 자연권을 지닌다는 계몽사상은 오늘날 미국인이 누리는 제퍼슨 민주주의에 기여했다고 여겨진다.

계몽사상에 반발한 모더니즘은 산업혁명 이후에 등장했다. 산업혁명의 야만적인 효과로 18세기에 발전이 이루어질 때 사람들이 기대했던 것처럼 현대 생활이 수학적으로 완벽해지지 않았다는 사실이, 즉 확실하지도 합리적이지도 개화되지도 않았다는 것이 드러났다. 진실이 언제나 아름다운 것은 아니었으며, 늘 쉽게 알아볼 수 있는 것도 아니었다. 진실은 보이지 않게 숨겨져 있을 때가 많았다. 더군다나 인간의 마음은 이성만이 아니라 비합리적인 감정에도 지배되었다.

천문학과 물리학이 계몽사상을 고취했듯이, 생물학은 모더니즘을 자극했다. 다윈이 1859년에 낸《종의 기원On the Origin of Species》은 인간이 전능한 신의 특별한 창조를 통해 나온 것이 아니라, 더 단순한 동물 조상으로부터 진화한 생물이라는 개념을 제시했다. 후속 저작들에서 다윈은 이 주장을 더 다듬었고 생물의 일차적인 생물학적 기능이 번식을 하는 것이라고 지적했다. 우리는 더 단순한 동물로부터 진화했으므로, 다른 동물들에게서 뚜렷이 드러나는 것과 동일한 본능적 행동을 할 것이 분명했다. 따라서 성은 인간 행동의 핵심을 이루어야 했다.

이 새 견해를 접한 미술은 인간 존재의 생물학적 본성을 재검토하기에 이르렀다. 이 점은 아마 주제와 양식 양쪽으로 최초의 진정한 모더니즘 그림이라고 할 에두아르 마네Édouard Manet의 1863년 작 〈풀밭 위의 점심 식사The Luncheon on the Grass〉(그림 1-6)에서 뚜렷이 드러났다. 묘사 방식이 아름다운 동시에 충격적이기도 한 마네의 이 그림은 모더니즘 의제의 핵심이 될 주제를 드러낸다. 남녀 사이, 그리고 환상과 현실 사이의 복잡한 관계가 바로 그것이다. 마네는 정장을 차려입은 두 남자가 나무들이 서 있는 공원의 풀밭에 앉아서 점심을 앞에 두고 대화에 몰두하는 장면을 묘사한다. 그 옆에는 한 여성이 벌거벗은 채 앉아 있다. 그전까지 그림에 등장하는 나체 여성은 여신이나 신화적인 존재였다. 하지만 이 작품에서 마네는 전통과 결별하고, 동시대를 살고 있는 실제 여성을 나체로 그렸다. 그가 즐겨 그린 빅토린 뫼랑Victorine Meurent을 모델로 삼았다. 빅토린의 육감적인 몸매가 매력을 발산하고 있는데도 두 남성은 그녀에게 무심한 듯하며, 그녀도 남성들에게 별 관심을 보이지 않는다. 두 남성은 대화에 열중하는 듯하고, 나체 여성도 남성들과 마찬가지로 성적인 관심을 전혀 보이지 않고 관찰자만을 바라본다. 이 그림은 이렇듯 주제가 놀라우리만치 현대적인 동시에 양식 측면에서도 대단히 현대적이다. 세잔이 삼

그림 1-6 에두아르 마네, 〈풀밭 위의 점심 식사〉(1863), 캔버스에 유채. 컬러화보 참고

차원을 이차원으로 무너뜨리기 수십 년 전에 마네는 이미 깊이나 원근법
을 거의 쓰지 않음으로써 관찰자의 원근감을 평면화했다.

　　예술사학자 언스트 핸스 조지프 곰브리치Ernst Hans Josef Gombrich는
빈 모더니즘 미술이 이룩한 성취를 이렇게 설명했다.

> 미술은 우리가 놀라움의 충격을 느끼고 싶을 때 돌아보는 하나의 제도
> 다. 우리는 이따금 건강에 좋은 충격을 얻는 것이 좋다고 직감하기 때
> 문에 그리고 싶다고 느낀다. 그렇게 이따금 주의를 환기하지 않으면 우
> 리는 그저 틀에 박힌 생활에 빠져들게 되고, 삶이 우리에게 던지는 새
> 로운 요구 사항들에 더 이상 적응할 수 없게 된다. 다시 말해 미술의 생
> 물학적 기능은 시연rehearsal, 즉 예기치 않은 것에 내성을 기르는 마음
> 의 체육 활동이다.[3]

빈의 모더니즘은 세 가지 주요 특징을 지니고 있었다. 첫째는 인간의 마음이 본래 대체로 비합리적이라고 보는 새로운 관점이었다. 빈의 모더니스트들은 전통과 과감하게 결별하면서, 사회가 합리적인 인간의 합리적인 행동에 토대를 둔다는 개념에 도전했다. 그들은 오히려 모든 사람의 일상적인 행동에 무의식적 갈등이 존재한다고 주장했다. 모더니스트들은 이 갈등을 수면으로 끌어올림으로써 생각과 감정을 보는 새로운 방식을 제시하면서 기존의 견해와 가치관에 맞섰다. 또 그들은 현실을 구성하는 것이 무엇인지, 즉 사람·대상·사건의 겉모습 아래 놓인 것이 무엇인지 의문을 제기했다.

그 결과 다른 지역 사람들이 외부 세계와 생산수단을 더 잘 알고 통제하고 지식을 전파하고자 애쓰던 시기에 빈의 모더니스트들은 내면에 초점을 맞추고 인간 본성의 비합리성과 비합리적인 행동이 대인 관계에 어떻게 반영되는지를 이해하고자 애썼다. 그들은 사람들의 우아하고 세련된 겉모습 아래에 무의식적인 성애 감정과 남에게만이 아니라 자신에게 향하기도 하는 무의식적 공격 충동이 있다는 것을 발견했다. 프로이트는 나중에 이 어두운 충동에 죽음 본능death instinct이라는 이름을 붙였다.

우리의 마음이 대체로 비합리적이라는 발견에 힘입어서, 인류 사상에 일어난 세 가지 혁명 중 가장 급진적이고 큰 영향을 미쳤다고 할 수 있는 것이 촉발되었다. 프로이트의 말을 빌리면, 자기 자신과 우주에서의 우리 위치를 보는 관점을 결정한 혁명들이었다. 첫 번째 혁명은 16세기에 일어난 코페르니쿠스 혁명으로, 지구가 우주의 중심이 아니라 태양 주위를 도는 작은 위성에 불과하다는 것을 알렸다. 두 번째 혁명은 19세기의 다윈 혁명으로, 우리가 신이 특별하게 창조한 존재가 아니라 더 단순한 동물로부터 자연선택 과정을 통해 진화했음을 인식시켰다. 세 번째 위대한 혁명, 즉 '빈 1900'의 프로이트 혁명은 우리가 자신의 행동을 의식적으로 통제하는 것이 아니라 무의식적 동기가 우리 행동을 일으킨다는 사실을 깨닫게 했다. 이 세 번째 혁명은 나중에 인간의 창의성—코페르니쿠스와 다윈에게 혁신적인 이론을 떠올리게 만든 창의성—이 저류에 흐르는 무의식적 힘에 의식이 접근함으로써 나온다는 개념으로 이어졌다.

코페르니쿠스 혁명이나 다윈 혁명과 달리, 우리 마음의 작용이 대체로 비합리적이라는 깨달음은 19세기 중엽에 프리드리히 니체Friedrich Nietzsche를 비롯한 몇몇 사상가들의 마음에도 동시에 찾아왔다. 다윈과 니체에게 큰 영향을 받은 프로이트가 이 세 번째 혁명과 가장 자주 동일시되곤 하는 이유는 그가 이 혁명에 가장 깊은 영향을 미쳤고 그것을 가장 정연하게 설명한 인물이었기 때문이다. 하지만 그가 동떨어진 채 홀로 그 발견을 해낸 것은 아니었다. 같은 시대를 살던 슈니츨러, 클림트, 코코슈카, 실레도 무의식적 정신생활의 새로운 측면들을 발견하고 탐구했다. 그들은 프로이트보다 여성을, 특히 여성의 성욕과 모성 본능을 더 제대로 이해했으며, 아기와 엄마의 유대 관계가 중요하다는 것을 프로이트보다 더 명확히 간파했다. 더 나아가 그들은 프로이트보다 먼저 공격 본능의 중요성을 알아차렸다.

더군다나 우리의 정신생활에서 무의식적 과정이 어떤 역할을 하는지를 맨 처음 탐구한 사람도 프로이트가 아니었다. 이미 오랜 세월에 걸쳐 철학자들은 그 개념을 다루어 왔다. 플라톤은 기원전 4세기에 우리 지식의 상당수가 잠재된 형태로 정신에 들어 있다고 지적하면서 무의식적 지식을 논의한 바 있다. 19세기에 아르투어 쇼펜하우어Arthur Schopenhauer와 자신을 '최초의 심리학자'라고 부른 니체는 무의식과 무의식적 충동을 다룬 글을 썼고, 그 시대 내내 화가들은 남녀의 성욕을 다루어 왔다. 19세기의 위대한 물리학자이자 생리학자로서 프로이트에게도 영향을 끼친 헤르만 폰 헬름홀츠Hermann von Helmholtz는 무의식이 인간의 시지각에 중요한 역할을 한다는 개념을 내놓았다.

프로이트를 비롯한 빈의 지식인들이 달랐던 점은 그런 개념들을 발전시키고, 통합하고, 놀라우리만치 현대적이고 일관되며 극적인 언어로 표현하고, 그럼으로써 대중에게 인간의 마음, 특히 여성의 마음에 대한 새로운 관점을 보급하는 데 성공을 거두었다는 것이다. 오토 바그너가 산뜻한 직선을 써서 현대 건축을 과거의 형태들로부터 해방시켰듯이 프로이트, 슈니츨러, 클림트, 코코슈카, 실레는 무의식적인 본능적 욕구에 관한 선배들의 개념들을 통합하고 확장하고, 그것들을 압도적이면서 현대적인 양식으로 제시했다. 그들은 억압되어 있던 남녀 모두의 정서적 삶을 해방시키는 데 기여했고, 본질적으로 오늘날 서구에서 누리는 성적 자유가 펼쳐질 무대를 마련하는 데에도 한몫을 했다.

빈 모더니즘이 지닌 두 번째 특징은 자기분석self-examination이었다. 프로이트, 슈니츨러, 클림트, 코코슈카, 실레는 인간 성격의 본성을 지배하는 법칙들을 탐구하면서 남들을 살펴보는 데에만 열심이었던 것이 아니라 자기 자신을 살펴보는 일에 더욱더 열의를 보였다. 게다가 그들은 겉모습만이 아니라 내면세계와 자신의 내밀한 생각과 감정이 지닌 특색들도 살펴보았다. 프로이트가 자신의 꿈을 연구하고 정신분석가들에게 역전이(환자가 치료사에게 일으키는 감정과 반응)를 연구하라고 가르쳤던 것처럼, 슈니츨러와 화가들, 특히 코코슈카와 실레는 대담하게 자신의 본능적인 욕구를 탐구했다. 그들은 자기분석을 남들의 본능적 욕구뿐 아니라 그 욕구에 반응하여 자신이 겪는 감정을 이해하고 표현하는 수단으로 삼아 자신의 정신세계를 깊이 파헤쳤다. 이 자기분석이야말로 '빈 1900'을 정의하는 특징이었다.

빈 모더니즘의 세 번째 특징은 지식을 통합하고 일관화하려는 노력이었다. 이 노력은 인류를 다른 동물들과 똑같이 생물학적으로 이해해야 한다는 다윈의 주장에 자극을 받고 과학 발전을 추진력으로 삼아 이루어졌다. '빈 1900'은 의학, 미술, 건축, 비평, 디자인, 철학, 경제학, 음악에 새로운 전망을 열었다. 생물학과 심리학, 문학, 음악, 미술 사이에 대화를 열었고, 그럼으로써 우리가 오늘날까지도 몰두하고 있는 지식의 통합을 시작했다. 또 이 노력은 빈의 과학, 특히 의학을 변모시켰다. 마찬가지로 빈 의대는 다윈의 추종자였던 로키탄스키의 주도 아래 의료 행위를 더 체계적인 과학적 토대 위에 올려놓았다. 살아 있는 환자의 임상 진단과 환자의 사후에 이루어진 부검 결과를 으레 결부시킴으로써 질병의 진행 과정을 명확히 밝히고 정확한 진단을 내리는 방식이었다. 이처럼 의학에 과학적으로 접근하는 방식은 모더니스트의 현실 접근 방식을 보여 주는 비유가 되었다. 겉모습 아래로 파고들어야만 현실을 찾을 수 있다는 것이다.

이윽고 로키탄스키의 개념은 의대 바깥으로 퍼져 나갔고, 빈 지식인들과 화가들이 살고 일하는 문화의 일부가 되었다. 그럼으로써 현실을 보는 빈의 방식은 병원과 진료실을 넘어서 화가의 화실로, 궁극적으로는 신경과학 연구실에까지 이르게 되었다.

비록 로키탄스키와 직접 만난 적이 거의 없었지만, 프로이트는 1873년 빈 대학교에서 의학 공부를 시작했다. 로키탄스키의 영향력이 여전히 정점에 있던 시기였다. 그 결과 프로이트의 초기 생각은 로키탄스키가 조성한 시대정신에 중요한 방식으로 영향을 받은 듯하다. 이 시대정신은 로키탄스키가 의대에서 은퇴한 이후로도 계속 영향력을 발휘했다. 프로이트의 두 스승인 에른스트 빌헬름 폰 브뤼케Ernst Wilhelm von Brücke와 테오도어 마이네르트Theodor Meynert는 로키탄스키가 임용한 사람들이었고, 프로이트의 동료인 요제프 브로이어는 그와 함께 일한 바 있었다.

로키탄스키가 재직하고 있던 마지막 몇 년 사이에 의대에서 공부했고, 그의 동료인 에밀 주커칸들Emil Zuckerkandl과 일한 적이 있는 슈니츨러는 자신의 저술에서 무의식적 정신 과정을 다루었다. 거의 만족할 줄 모르는 끓어 넘치는 자신의 성적 욕구를 분석하듯이 묘사한 슈니츨러의 글은 당대 빈 젊은이들의 사고에 지대한 영향을 미쳤다. 프로이트와 마찬가지로 슈니츨러도 성욕과 공격성의 무의식적 심리학을 탐구했다.

   클림트, 코코슈카, 실레의 소묘와 그림에서도 그들이 마찬가지로 무의식에 매료되어 있었음이 뚜렷이 드러난다. 그들도 과거의 미술과 결별하고 성욕과 공격성을 새로운 방식으로 묘사할 때, 로키탄스키의 영향을 받았다. 프로이트와 슈니츨러가 의대 출신이었던 반면, 클림트는 주커칸들에게서 비공식적으로 생물학을 배웠다. 실레는 클림트를 통해서 간접적으로 로키탄스키의 영향을 받았다. 코코슈카는 겉모습 아래에 초점을 맞추는 법을 스스로 터득했고, 모델의 가장 내면에 담긴 생각과 충동을 꿰뚫는 듯한 걸작들 속에 그 깨달음을 담았다.

프로이트, 슈니츨러, 모더니즘 화가들은 무의식적 본능을 탐구하는 데 몰두했고 그것을 인간 행동을 이해하는 열쇠로 보았다는 공통점이 있었지만, 그들의 견해가 같은 것은 아니었다. 그 화가들이 프로이트와 슈니츨러에게 영향을 받았다는 점은 분명하지만, 그들은 '빈 1900'에서 그 영향에 저마다 독자적인 방식으로 대응했다.

   프로이트는 다른 네 사람보다 훨씬 더 체계적으로 생각했다. 그는 로키탄스키의 시대정신을 단순하면서도 우아한 언어로 명쾌하게 설명했고, 겉으로 드러나는 심리 밑으로 깊숙이 들어가서 심리적 갈등을 살펴봄으로써 그것을 마음에 적용했다. 더 중요한 점은 그가 그 관점을 이용하여 일관적이고 미묘하며 풍성한 '마음의 이론'을 발전시켰다는 것이다. 그는 그 마음의 이론을 이용해 정상적인 행동과 비정상적인 행동 양쪽을 다 설명했다. 프로이트의 이론은 슈니츨러와 화가들의 견해와 달랐고, 마음을 철학적 사색의 토대로서가 아니라 경험 과학의 영역에서 다루었다는 점에서 니체의 관점과도 달랐다. 프로이트의 마음 이론은 훗날 인지심리학이라고 불리게 될 것을 발전시키고자 한 최초의 시도로서 남아 있다. 인지심리학은 마음이 바깥 세계의 체계적인 내적 표상이라는 관점에서 인간의 생각과 감정의 복잡성을 설명하려는 시도다. 마지막으로 프로이트는 자신의 인지적 마음 이론 중 일부를 토대로 삼아서 개인의 고통을 완화할 요법을 고안했다.

현대 철학자 폴 로빈슨Paul Robinson은 로키탄스키 세대의 언어로 프로이트의 지적 유산을 강조한다.

> 그는 겉으로 드러난 행동의 이면에 있는 의미를 추구하는 현대의 우리 성향을 낳은 주요 원천이다. 우리 행동의 '실제'(그리고 아마도 숨겨진) 의미에 늘 주의를 기울이는 성향을 말이다. 또 그는 과거로, 아예 초창기로 가서 현재의 수수께끼의 기원을 추적할 수 있다면, 진상이 더 투명하게 드러날 것이라는 우리의 믿음을 부추긴다. …… 마지막으로 그는 관능적인 것에 우리가 매우 민감하도록, 무엇보다도 이전 세대들이 찾는 데 소홀히 했던 …… 영역들에서까지 그것을 찾아내도록 만들었다.[4]

프로이트는 정신생활의 상당 부분이 무의식적이라는 것을 강조했다. 무의식은 단어와 이미지로서만 의식적이 된다. 사실 프로이트, 슈니츨러, 클림트, 코코슈카, 실레가 글과 그림을 통해 해낸 일이 바로 그것이다. 그들 각자는 같은 문화 속에서 같은 관심사를 다루는 차원을 넘어서 자신의 작품에 '빈 1900'의 특징이었던 마음과 감정에 관한 과학적 호기심을 담아냈다.

02

겉모습에 감춰진
진리의 탐구:
과학적 의학의
기원

빈 의대는 '빈 1900'의 특징이었던 지식을 통합하려는 시도에서 중추적인 역할을 했다. 지그문트 프로이트와 아르투어 슈니츨러는 그곳에서 의사 교육을 받았고, 그 대학은 클림트의 미술과 과학에 관한 사유에 영향을 미쳤다. 이렇게 문화적으로 폭넓게 영향을 미친 한편으로, 빈 의대는 오늘날까지 의료 행위에 영향을 미치고 있는 과학적 의학의 표준을 확립했다.

오늘날 세계 어느 곳에서나 환자가 진료실로 들어와 숨이 가쁘다고 증상을 말하면, 의사는 청진기를 환자의 가슴에 대고서 환자가 호흡을 할 때 폐가 내는 소리를 들을 것이다. 거품 소리—폐에 액체가 차서 나는 비정상적인 소리—가 들린다면, 의사는 환자의 심장에 문제가 있다고 추측할지 모른다. 그러면 의사는 환자의 가슴을 톡톡 두드려 메아리를 들어 보면서 추측한 내용이 맞는지 확인할 것이다. 정상인 소리보다 더 둔탁한 소리가 나는지 말이다. 이제 의사는 다시 청진기로 심장박동이 비정상적일 가능성이 있음을 말해 주는 징후인 조기 심장박동이 일어나는지, 심장의 승모판막과 대동맥판막에 문제가 있음을 알려 주는 신호인 심장잡음이 들리는지 귀를 기울일 것이다. 경험 많은 의사는 이런 식으로 쉽게 이용할 수 있는 단순한 도구를 써서 심장이나 폐의 기능 이상 여부를 진단할 수 있다.

청진기를 몸 바깥에 대어 몸 속 깊숙한 곳을 살펴볼 때, 현대 의사는 한 세기 전 빈 의대에서 완성된 과학적 절차를 따르는 것이다. 의학에 쓰이는 이 현대적인 접근 방식의 기본 원칙은 표면에 나타난 증상의 아래로 향해서 피부 밑에서 벌어지는 질병 진행 과정을 파악한다는 것이다. 이 접근 방식은 어떻게 의학에 출현한 것일까?

현대 역사학자들은 체계적인 과학이 17세기에 기원했다고 본다. 그러니 18세기가 시작될 무렵까지 유럽의 의학이 대체로 과학 이전 시대에 속해 있었다고 해도 놀랄 일은 아니다. 당시 질병을 이해하는 핵심 도구는 의사가 병상에서 환자의 이야기를 듣고 환자를 관찰하는 것이었다. 과학과 인문학이 서로 별개인 두 문화를 대변하기 이전의 시대였다. 의학 학위는 그에 걸맞은 치료 능력만이 아니라 문화적으로 높은 수준의 학식을 갖추었다는 의미로 받아들여졌다. 사실 의학 학위가 자연 세계를 공부하는 가장 좋은 방법이었기에, 프랑스 계몽주의의 위대한 사상가 중 몇 명—드니 디드로Denis Diderot, 볼테르Voltaire, 장 자크 루소Jean Jacques Rousseau—은 인문학 지식을 넓히기 위해 의학을 공부했다.

의학이 과학뿐 아니라 문화에도 역점을 둔 것은 18세기 말까지도 많은 의사가 여전히 고대 그리스의 의사 히포크라테스Hippocrates가 2000년 전에 처방하고 서기 170년경 로마에서 개업한 그리스 태생의 영향력 있는 의사 갈레노스Galenos가 정립한 의술의 상당 부분을 그대로 따르고 있었기 때문이다. 갈레노스는 인체를 이해하고자 원숭이를 해부했으며, 그런 식으로 해서 신경이 근육을 통제한다는 개념 등의 몇 가지 놀라운 깨달음을 생물학에 안겨 주었다. 하지만 갈레노스는 인간의 생물학과 질병에 관해 부정확한 개념들도 수없이 퍼뜨렸다. 특히 그는 히포크라테스와 마찬가지로, 질병이 특정한 신체 부위의 기능 이상으로 생기는 것이 아니라 몸의 네 가지 체액인 점액, 혈액, 황담즙, 흑담즙의 불균형으로 생긴다고 보았다. 게다가 그는 네 체액이 정신의 기능도 통제한다고 믿었다. 흑담즙이 많아지면 우울증에 잘 걸린다는 식이었다.

그에 따라 의사들은 증상이 기원한 부위가 아니라 몸 전체에 초점을 맞췄다. 특히 피를 빼거나 설사를 일으키는 식의 치료로 네 체액의 균형을 회복하는 데 치중했다.[1] 1540년대 안드레아스 베살리우스Andreas Vesalius의 인체 해부도, 1616년 윌리엄 하비William Harvey의 순환계 발견 같은 실험 관찰, 1750년 조반니 바티스타 모르가니Giovanni Battista Morgagni의 병리학 분야 창설 등을 통해 4체액설 같은 개념에 계속 의구심이 제기되었지만, 갈레노스의 개념 중 일부는 19세기가 시작될 때까지도 여전히 의학 교육과 임상 치료에 영향을 미치고 있었다.

더 전체적으로 과학에 기반을 둔 의학으로 나아가는 주요한 단계 중 하나가 프랑스혁명 직후 프랑스에서 이루어졌다. 왕실이 의료 행위와 부검에 가하고 있던 각종 제약들이 제거된 것이다. 그러자 프랑스의 의사, 외과 의사, 생물학자는 의학 교육과 의료 행위를 재편하고 나섰다. 이제 의사가 되려면 병원이나 의원에서 임상 실습 과정을 반드시 거쳐야 했다.

당시 파리 의대를 이끌던 인물은 장니콜라 코르비사르 데마레Jean-Nicolas Corvisart des Marets였다. 그는 나폴레옹의 주치의로, 폐렴과 심장 기능 이상을 구분하기 위해 타진, 즉 가슴을 두드려서 진단하는 방법을 개발한 선구자였다. 폐렴과 심장 기능 이상 둘 다 폐에 울혈을 일으켰다. 이 초창기에 파리 의대에 역사적으로 공헌한 인물이 세 명 더 있었다. 마리프랑수아사비에르 비샤Marie-Francois-Xavier Bichat, 르네 라에네크René Laënnec,

필리프 피넬Philippe Pinel이었다. 비샤는 유럽 최초로 치료를 하려면 사람의 해부 구조를 반드시 이해해야 한다고 역설한 병리학자였다. 그는 인체의 각 기관이 몇 가지 유형의 조직으로 구성되었다는 것을, 즉 다양한 세포가 모여 공통의 기능을 수행한다는 것을 발견했다. 그리고 한 기관의 특정한 조직이 질병의 실제 표적이라고 주장했다. 라에네크는 청진기를 발명하여 심장의 다양한 소리를 파악하고 그 소리를 부검 때 발견한 해부학적 증상과 연관 지었다.

피넬은 의학의 한 분야로서 정신의학을 창시한 인물이다. 정신병 환자의 치료에 인간적이고 심리학 지향적인 원칙들을 도입했고, 환자들과 개인적이고 정신요법적인 관계를 형성하려고 시도했다. 피넬은 정신병이 하나의 의학적 질병이며, 유전적으로 정신 질환 성향을 지닌 사람이 지나친 사회적 또는 심리적 스트레스를 받을 때 일어난다고 주장했다. 이 견해는 오늘날 우리가 대다수 정신 질환의 원인을 바라보는 견해와 아주 흡사하다.

프랑스가 이렇게 새로운 과학 분야들을 창시할 수 있었던 것은 학업 성취도가 높은 중앙 집중적 교육체계, 생물학과 의학의 발전 덕분이기도 했다. 파리 의대는 기초의학과 임상 치료의 표준을 설정했고, 1800년에서 1850년에 걸쳐 유럽 의학의 체계를 세웠다.

시작이 이렇게 돋보였고 클로드 베르나르Claude Bernard와 루이 파스퇴르Louis Pasteur 같은 생물학 분야의 창의적 거장들이 재직했다는 점을 생각할 때 놀라운 일은 1840년대 이후 프랑스 임상의학이 쇠퇴하기 시작했다는 것이다. 아마도 루이 필리프Louis Philippe 치하의 7월왕정과 나폴레옹 3세 치하의 제2제정 기간에 우세했던 정치적 보수주의 때문일 것이다. 프랑스의 중앙 집중적 교육체계는 점점 경직되면서 과학의 창의성과 질을 쇠퇴시켰다. 역사학자 에르빈 아커크네히트Erwin Ackerknecht의 말을 빌리면, 1850년 무렵에 프랑스 의학은 "추진력을 다 써버리고 막다른 길로 나아가고 있었다."[2]

　　프랑스의 치료와 교육 분야에서 개척 정신이 소진되자 곧 외국인 의대생들이 파리에서 빈을 비롯한 독일어권 도시로 대규모로 빠져나갔다. 새로운 유형의 연구 중심 대학과 연구소가 세워지고, 실험실 기반 의학이 눈에 띄게 발전하고 있는 도시들이었다. 파리의 병원들과는 정반대로, 독일어권 국가의 주요 병원은 1750년 이래로 대학교의 일부로 운영되고 있었다. 빈에서는 모든 임상 실습이 대학교 교육과정의 일부로서 이루어졌고, 대학교의 성적 평가 기준에 맞춰야 했다. 1850년 무렵 빈 대학교는 독일어권 대학교 중 가장 크고 유명한 곳이 되었고, 그곳의 의대는 유럽 최고 수준이라고 할 수 있었다. 그곳과 경쟁할 만한 곳은 베를린 의대밖에 없었다.

　　빈에서 과학에 토대를 둔 의학으로 나아가는 첫 단계가 이루어진 것은 그보다 한 세기 전이었다. 마리아 테레지아Maria Theresia 여제가 빈 대학교를 개혁하면서부터였다. 그녀와 아들인 요제프 2세는 의학 교육과 의료가 국가 복지의 핵심이라고 보았기 때문에 의학 수준을 높이는 데 정책의 우선순위를 두었다.

　　테레지아는 새로운 의학 개혁을 이끌 수장으로 앉힐 출중한 의사를 찾고자 유럽 전역을 뒤졌다. 이윽고 1745년에 네덜란드의 위대한 의사 헤라르트 판스비텐Gerard van Swieten을 끌어올 수 있었다. 판스비텐은 현재 제1차 빈 의대First Vienna School of Medicine라고 알려진 것을 창설했다. 이 학교는 빈 의학을 인문 철학과 히포크라테스 및 갈레노스의 가르침을 토대로 한 돌팔이 치료 행위에서 자연과학을 토대로 한 치료로 변모시키기 시작했다.

　　1783년 황제 요제프 2세는 종합 의료 기관을 설계하라고 명을 내렸고, 1784년 판스비텐의 후계자인 요제프 안드레아스 폰 스티프트Joseph

그림 2-1 카를 폰 로키탄스키(1804~1878). 로키탄스키는 증상과 해당 질병 사이의 상관관계를 파악함으로써 의학에 확고한 과학적 토대를 마련했다. 그는 네 차례에 걸쳐 빈 의대 학장을 역임했고, 1852년에는 자유선거를 통해 빈 대학교 초대 총장이 되었다. 이 사진은 그가 빈에 있던 연방 내무부의 의학 고문으로 임명된 지 2년 뒤인 1865년경에 찍은 것이다.

Andreas von Stifft는 빈 종합병원Wiener Allgemeine Krankenhaus을 개원했다. 규모가 더 작은 빈의 병원들은 문을 닫았고, 모든 의료 시설을 이 거대한 종합 기관으로 이주시켰다. 이 기관은 병원 본관, 산부인과 건물, 소아과 건물, 진료소, 정신병원 건물로 이루어져 있었다. 유럽 최대의 의료 기관인 빈 종합병원은 현대적이고 과학적인 의학의 중심지가 되기를 열망했다. 세포병리학의 아버지인 베를린의 루돌프 피르호Rudolf Virchow는 빈 대학교 의대를 '의학의 메카'라고 불렀다.

1844년, 스티프트의 뒤를 이어 카를 폰 로키탄스키(그림 2-1)가 빈 의대 학장이 되었다. 그는 생물학과 의학에 모더니즘을 도입했다. 인류를 다른 동물들과 똑같이 생물학적으로 이해해야 한다고 주장한 다윈의 견해에 공감한 로키탄스키는 30년 동안 학장으로 재직하면서 빈 의대를 제

2차 빈 의대로 재편하고, 의료 행위를 새로운 과학적 토대 위에 올려놓았다. 그 결과 빈 의대는 국제적인 명성을 떨치게 되었다.

로키탄스키는 임상 관찰과 병리학적 발견을 체계적으로 연관 지어 의학에 더 확고한 과학적 토대를 마련했다. 파리에서는 임상의 본인이 병리학자 역할을 했다. 그 결과 의사들이 병리학적 분석을 소홀히 하게 되면서 질병을 진단하는 전문 능력을 계발할 수가 없었다. 로키탄스키는 임상의학과 병리학을 별개의 학과로 나누고, 각각을 경험이 풍부하고 매우 유능한 전문의의 손에 맡겼다. 모든 환자는 의사의 진찰을 받고 사후에는 병리학자의 부검을 받도록 했고, 두 전문의는 자신들이 발견한 사항을 연관 지었다.

이 발전의 토대가 된 것은 두 가지였다. 첫 번째 토대는 앞서 말했듯이 빈 종합병원에서 환자가 사망하면 고도로 훈련된 전문가, 즉 병리학 과장의 감독 아래 부검이 이루어졌다는 것이다. 1844년 로키탄스키가 그 자리에 취임했다. 30년에 걸쳐 재직하는 동안 그는 동료들과 함께 약 6만 건에 이르는 부검을 했다.[3] 그러면서 그는 조직과 기관의 질병에 관해 엄청난 양의 지식을 습득했다. 두 번째 토대는 빈 종합병원에 있었던 한 명의 뛰어난 임상의였다. 바로 로키탄스키의 제자이자 동료인 요제프 슈코다Josef Skoda였다. 슈코다의 임상 진단 실력은 로키탄스키의 병리학적 진단 능력에 비견될 만큼 뛰어났다. 두 사람 사이에는 협력이 일상화되어 있었고, 그 결과 깊은 동료애가 형성되어 전문 분야 사이의 편 가르기를 극복할 수 있었다.

이 엄밀한 협력 과정을 통해, 빈 의대는 병상 옆에서 지켜보면서 얻은 질병에 관한 통찰을 부검실에서 얻은 통찰과 이전보다 더 효율적으로 연관 지을 수 있었다. 또한 그 체계적인 상관관계를 토대로 질병을 이해하고 정확한 진단을 내릴 수 있는 합리적이면서 객관적인 방법을 개발할 수 있었다. 이 과정을 통해 의사들은 임상-병리학적 상관관계를 새롭게 이해할 수 있었고, 그 후로 죽 이 과정은 현대 의학의 특징이 되어 왔다.

로키탄스키는 이탈리아의 위대한 병리학자 모르가니의 지적 후계자였다. 모르가니는 갈레노스의 가르침과는 정반대로 임상 증상이 개별 기관의 장애에서 비롯된다고 주장했다. 고통받는 기관이 내는 울부짖음이 바로 증상이라는 것이었다. 그는 질병을 이해하려면 먼저 몸에서 질병이 기원한 부위를 찾아내야 한다고 주장했다.[4] 또 그는 사후 부검을 임상 관찰로부터 나온 추정이 옳은지 여부를 검증하는 데 쓸 수 있다고 가르쳤다. 그의 가르침은 장애마다 생물학적 근원을 따져서, 그리고 가능하다면 그 장애를 일으킨 구체적인 기관을 찾아서 이름을 붙여야 한다는 전혀 새로운 개념을 낳았다. 맹장염, 폐암, 심장 기능 이상, 위염이라고 하는 식으로 말이다.

로키탄스키는 의사가 환자를 치료하려면 먼저 질병을 정확히 진단해야 한다고 주장했다. 정확한 진단은 환자를 진찰하고 징후와 증상을 살펴보는 것만으로는 내릴 수 없었다. 같은 기관에서 부위가 다를 때에도, 심지어 질병이 달라도 같은 징후와 증상이 나타날 수 있기 때문이었다. 마찬가지로 사후 부검을 통해 병리학적 검사를 하는 것만으로는 환자의 징후와 증상을 판단할 수 없었다. 따라서 가능할 때마다 병리학적 검사 결과를 임상 관찰 자료와 연관 지어 살펴야 했다.

다행히도 슈코다는 로키탄스키의 과학적 접근법을 흔쾌히 받아들였고, 환자들을 진찰할 때 그 방식을 적용했다. 본래 심장 질환과 폐 질환을 담당하는 전문의였던 그는 타진과 청진의 사용법과 이론적 토대를 크게 개선했다. 슈코다는 라에네크의 청진기를 이용해 환자의 심장에서 나는 소리와 잡음을 상세히 연구한 뒤, 그 소리를 로키탄스키가 환자의 사후에 부검을 통해 알아낸 심장근육과 판막의 손상 자료와 연관 지었다. 또 그는 심장 소리의 물리적 토대를 더 깊이 이해하기 위해 시신을 대상으로 실험도 했다. 그럼으로써 그는 심장판막이 열리고 닫히면서 내는 정상적인 소리와 판막의 기능 이상으로 생기는 심장잡음을 처음으로 구분할 수 있게 되었다. 이런 방법으로 슈코다는 심장 소리를 잘 듣는 전문가가 되었을 뿐 아니라, 그 소리의 해부학적·병리학적 의미를 파악하는 탁월한 해석가가 되었다. 그의 해석 방식은 현대 의학의 표준이 되었다.

슈코다는 폐를 진찰할 때에도 이와 비슷하게 엄밀한 접근법을 적용했다. 그는 청진기로 환자의 호흡 소리를 들은 뒤, 그 소리를 빈의 요제프 레오폴트 아우엔브루거Josef Leopold Auenbrugger가 그보다 앞서 개발한 청진법을 썼을 때 들리는 소리와 연관 지었다. 이 청진법은 가슴을 두드리면서 가슴 안의 울혈 때문에 생기는 비정상적인 소리를 찾아내는 것이었다. 진단의 정확성을 높인 공로로 슈코다는 현대 진단학의 창시자라는 세계적인 명성을 얻었다. 환자를 진찰할 때 균형 잡힌 과학적 접근법을 택한 최초의 진단 방식이었다. 의학사학자 에르나 레스키Erna Lesky는 이렇게 썼다. "슈코다 덕분에 의료 진단은 …… 전에는 상상도 할 수 없었던 수준의 확실성을 갖추게 되었다."[5] 오늘날까지도 심장판막 손상에서 비롯한 질병의 대다수는 병상 옆에서 청진기를 대고 세심하게 귀를 기울이고서 슈코다가 개발한 기준을 이용해 그 소리를 해석함으로써 첫 진단을 내린다.

로키탄스키는 슈코다와 협력하면서 명성이 절정에 이르렀다. 그는 1849년부터 세 권짜리 주요 저작인《병리학적 해부 구조 편람Manual of Pathologic Anatomy》을 출간했다. 최초의 병리학 교과서였다. 이 책에는 다양한 조직의 병리학적 해부 구조가 하나하나 다루어져 있었다. 더 나아가 로키탄스키는 그 책을 진행될 대로 진행된 질병을 이해하고 궁극적으로 완치하려면 의사는 그 병의 기원과 자연적인 진행 과정을 연구해야 한다는 지론을 역설하는 발판으로 삼았다.

빈 의대가 이렇게 발전을 거듭하자 수많은 외국 학생이 빈으로 몰려들었다. 특히 많은 미국인 학생이 빈 의대로 찾아왔다. 19세기 미국의 의학 교육 및 치료는 몹시 형편없었던 반면, 빈 의대는 점점 더 우수하다는 평판을 얻고 있었고, 시신도 부검할 수 있었기 때문이다. 로키탄스키가 이끌던 시기가 우연히도 링슈트라세가 건설되고 무수한 변화가 일어나면서 빈이 활기 넘치는 현대적인 대도시이자 유럽에서 가장 아름다운 도시로 변모하고 있던 시기와 겹쳤다는 점도 이 학생 순례자들을 끌어들이는 데 기여했다.

지성사가인 앨런 재닉Allan Janik과 스티븐 툴민Stephen Toulmin은 미국의 현재 의학 수준이 높은 이유는 어느 정도는 미국의 의학 수준이 낮았던 시기에 수천 명의 의대생들이 빈으로 와서 공부를 했기 때문이라고 주장한다. 실제로 미국에서 주요 의학 기관을 창시한 인물 중 몇 명—윌리엄 오슬러William Osler, 윌리엄 할스테드William Halsted, 하비 쿠싱Harvey Cushing—은 지도자의 지위에 오르기 전에 빈에서 의학을 공부했다.

로키탄스키가 빈 의대에서 지도력을 발휘할 수 있었던 것은 소속 분야—임상 연구와 병리학적 연구—에서 독창성을 발휘했기 때문이 아니라 의대의 조직 개편, 집행, 영향력 파급 면에서 탁월한 능력을 보였기 때문이다. 그는 빈뿐 아니라 서양 세계 전체에서 병리학적 해부 구조가 의대 교육 과정의 중심에 놓이도록 했다. 환자를 치료하기에 앞서 질병을 생물학적으로 이해해야 한다고 역설할 때, 그를 비롯한 빈 의대 교수진은 현대 과학적 의학의 토대를 이루게 된 개념을 주창하고 있었던 것이다. 연구와 임상 치료는 서로 분리할 수 없고 서로를 자극하며, 환자는 자연의 실험 사례이고, 병상은 의사의 연구실이며, 대학의 교육 병원은 자연의 학교라는 것을 말이다. 또 로키탄스키와 슈코다는 질병의 다양한 단계를 비교함으로써 질병 진행 과정이라는 개념의 과학적 토대를 마련했다.

각 질병이 자연사를 지니며 생성부터 종말에 이르는 일련의 단계를 거치면서 진행된다는 개념이었다.

이전 세기에 프랑스와 이탈리아의 의학계에서 기원한 다양한 생물학적 흐름을 종합한 관점을 수립하고 그것을 가르친 인물로서, 로키탄스키는 의학에 다방면으로 폭넓게 영향을 미쳤다. 더군다나 그는 임상-병리학적 상관관계를 체계적으로 발전시킴으로써 원자론의 창시자인 고대 그리스 철학자 아낙사고라스Anaxagoras(기원전 500년)의 통찰을 의학에 적용하고 있었던 셈이다. "현상이란 숨겨진 것의 가시적인 표현이다."[6] 로키탄스키는 진리를 발견하려면 겉모습 아래를 들여다보아야 한다고 주장했다. 이 개념은 테오도어 마이네르트, 리하르트 폰 크라프트에빙Richard von Krafft-Ebing과 그들에게 영향을 받은 요제프 브로이어, 지그문트 프로이트, 아르투어 슈니츨러를 통해 신경학, 정신의학, 정신분석, 문학으로 확산되었다. 빈 모더니즘의 발전이라는 맥락에서 볼 때 특히 흥미로운 점은 로키탄스키의 영향력이 동료 해부학자인 에밀 주커칸들을 통해 클림트를 비롯한 빈의 표현주의 화가들에게까지 미쳤다는 것이다.

게다가 제국과학아카데미Imperial Academy of Science의 회장이자 교육부의 전문위원으로서, 로키탄스키는 연구가 정치에 휘둘리지 않도록 법으로 보장할 것을 강력하게 주장함으로써 빈 과학의 대변자가 되었다. 또 프란츠 요제프 황제가 로키탄스키를 오스트리아 의회의 상원위원으로 지명하면서 그는 대중적인 지식인이 되었다. 그는 강력한 대변인이었고, 더욱 막강해진 지명도와 영향력을 활용해 빈 대중에게 자신의 사상을 보급했다. 그의 견해는 그가 세상을 떠난 뒤에도 오랫동안 빈 의학계만이 아니라 빈 문화 전체에 영향을 미쳐, 인간 행동을 지배하는 심층에 놓인 생물학적 규칙들을 탐색하려는 모더니즘의 흐름을 촉발했다.

03

주커칸들의
살롱에서 만나는
빈의 화가,
저술가, 과학자

카를 폰 로키탄스키의 견해가 어떻게 빈 의대에서 빈의 모더니스트 화가들에게로 전파된 것일까? 세기의 전환기에 빈에서는 화가, 저술가, 의사, 과학자, 언론인 모두가 놀라우리만치 작고 끈끈하게 얽힌 인맥을 이루고 있었다. 런던의 블룸즈버리그룹Bloomsbury group(20세기 초반에 런던을 중심으로 활동한 지식인 모임-옮긴이)처럼 드물게 예외가 있긴 하지만, 서로 동떨어져 살면서 전문 분야의 사람들끼리만 주로 모이던 뉴욕, 런던, 파리, 베를린의 지식인들과 달리 빈의 지식인들은 정기적으로 서로 만남을 가졌다. 그러면서 많은 인사가 다른 분야의 사람들과 친구가 되었다.

이런 상호작용은 대학 입학 전 단계의 교육 기관인 김나지움에서 시작되었다. 김나지움의 학생들은 고학년 때 인문학과 과학을 다 배웠기 때문에 문화적으로 관심의 폭이 넓었다. 그런 교육 덕분에 그들은 과학, 인문학, 예술 사이의 틈새를 수월하게 메울 수 있었다. 케테 스프링거 Käthe Springer가 지적했다시피, 이 점은 빈 학파의 철학자들이 공통 문법을 통해 먼저 과학을 통합하고 이어서 예술과 과학을 통합할 가능성을 놓고

열변을 토했다는 점에서 잘 드러난다.¹

　게다가 빈에는 주요 대학교가 하나뿐이었고, 그 대학교는 걸어서 충분히 갈 수 있는 거리의 건물들과 종합병원으로 이루어져 있었다. 빈 대학교에서 만나 생각을 주고받을 때, 사람들은 종종 카페 그리엔스타이들이나 카페 켄트랄 같은 커피집으로 자리를 옮겨 이야기를 계속하곤 했다.

　유대인과 비유대인 사이에서 자유롭게 다방면으로 상호작용이 이루어졌다는 점도 19세기 말에 창의성이 폭발하는 데 기여했다. 사실 유대인 학자, 과학자, 예술가는 기독교인 동료들과 상호작용을 하면서 창의성을 크게 향상시킬 수 있었다. 그 결과 유대인 학자들은 8세기에서 12세기에 걸쳐 무어인이 지배하던 스페인의 황금시대에 유대인들이 공헌한 것에 비견될 만큼 '빈 1900'의 문화에 기여하게 되었다. 기독교인과 유대인의 상호작용은 20세기 초에 유대인이 다시금 공직과 사회생활의 여러 측면에서 차별받기 시작할 때까지 계속되었다.

　또 빈 사람들은 역동적이고 매혹적인 살롱에서도 만났다. 살롱에서 사상가들과 예술가들은 생각과 가치를 나눌 수 있었고, 자신들의 교육과 문화와 예술적 관심에 자부심을 가진 사업가, 전문직 엘리트들과 어울릴 수 있었다. 살롱은 가정집에서 정기적으로 열리는 모임을 의미했으며, 유대인 여성이 주최하는 곳이 많았다. 이 여성들은 자신의 살롱을 사교적이거나 종교적인 장소가 아니라 문화 시설로서 발전시켰다. 베르타 주커칸들(그림 3-1)이 주최했던 살롱은 빈에서 저술가, 화가, 과학자를 한데 모으는 데 특히 중요한 역할을 했다. 그녀는 재능 있는 저술가이자 〈비너 알게마이네 자이퉁Wiener Allgemeine Zeitung〉에 기고하는 유력한 예술평론가였으며, 잘츠부르크 음악 축제의 공동 창설자였다. 베르타는 학생 때 생물학과 다윈의 진화론을 공부하다가 로키탄스키의 동료인 해부학자 에밀 주커칸들(그림 3-2)을 만나 혼인했다.

　베르타는 빈 사람이라면 누구나 아는 유명 인사였다. 그녀는 "나의

그림 3-1 베르타 주커칸들(1864~1945). 자신의 응접실로 화가, 과학자, 저술가, 사상가를 한데 모은 유력한 살롱 주최자로, 예술평론가이자 작가이자 잘츠부르크 음악 축제의 공동 창설자이기도 했다. 1908년에 찍은 사진.

그림 3-2 에밀 주커칸들(1849~1910). 뛰어난 과학자로서 빈 의대의 해부학 교수였으며, 구스타프 클림트가 생물학과 의학에 관심을 갖도록 자극했다. 1909년에 찍은 사진.

소파에서 오스트리아는 살아 움직인다."[2]라고 썼다. 프로이트도 그녀의 지인이었다. 왈츠의 왕인 요한 슈트라우스 2세는 그녀를 "빈에서 가장 경이롭고 재치 넘치는 여성"[3]으로 표현했다. 아르투어 슈니츨러는 그녀의 친구로서 살롱에 종종 참석했다. 그가 위대한 연출가인 막스 라인하르트Max Reinhardt와 작곡가 구스타프 말러를 만난 곳도 바로 그녀의 살롱이었다. 사실 말러가 장래 아내가 될 알마 쉰들러Alma Schindler를 만난 곳도 거기였다. 클림트도 종종 들렀고, 여러 생물학자와 의학자도 참석하곤 했다. 정신의학자 리하르트 폰 크라프트에빙과 율리우스 바그너 폰 야우레크Julius Wagner von Jauregg, 외과 의사 테오도어 빌로트와 오토 주커칸들Otto Zuckerkandl(에밀의 동생)도 왔다.

베르타 주커칸들의 아버지 모리츠 스제프스Moritz Szeps는 빈에서 손꼽히는 진보 성향 신문인 〈노이에스 비너 타그블라트Neues Wiener Tagblatt〉의 발행인이자, 1889년 자살로 생을 마감한 오스트리아-헝가리 제국 루돌프 황태자의 수석 고문이었다. 과학 애호가였던 베르타의 부친은 1901년 오스트리아 최초의 대중 과학 잡지인 〈다스 비젠 퓌어 알레Das Wissen für Alle〉(모든 것의 지식)를 창간했다. 스제프스의 집에는 수많은 지식인과 정치가가 드나들었다. 그 결과 베르타는 아버지에게서 지적 호기심과 사교성뿐 아니라 젊은 나이에 혼자서는 그 누구도 가질 수 없었을 사회적 인맥까지 물려받았다고 할 수 있었다. 베르타의 살롱은 그녀가 1880년 혼인할 때부터 1938년 빈을 탈출하여 프랑스로 갈 때까지 지속되었다.

그곳은 진정한 모더니즘의 살롱이었고, 베르타는 모더니즘의 가장 강력한 지지자였다. 그녀는 심리학적 과장법을 써서 정신 상태를 드러냄으로써 자기 시대보다 한 세기를 더 앞서 살았던 인물인 프란츠 사버 메서슈미트Franz Xaver Messerschmidt의 '캐릭터 두상character head' 두 점을 구입해 그의 작품을 다른 누구보다 먼저 수집했다. 또 그녀는 〈예술과 문화〉라는 칼럼에서 클림트의 미술을 적극 옹호했고, 클림트가 이끌던 화가 집단이 빈 분리파Vienna Secession라는 생각을 처음으로 논의한 것도 그녀의 살롱에서였다. 빈 분리파는 당시의 보수적이었던 예술가협회와 결별한 급진적인 모더니스트 집단이었다. 베르타의 영향력은 빈 바깥까지 미치고 있었다. 그녀의 여동생 소피Sofie는 프랑스 총리인 조르주 클레망소Georges Clemenceau의 형제인 폴 클레망소Paul Clemenceau와 혼인했는데, 베르타는 소피를 통해 로댕을 비롯한 파리의 예술가들과도 친교를 맺었다.

베르타가 영향력을 발휘할 수 있었던 요인을 두 가지로 설명할 수 있다. 첫째, 그녀는 사람들에게 진정으로 관심을 갖고 있었고, 그들에 관해 폭넓게 지적 호기심을 표출했다. 둘째, 그녀는 자신이 보기에 탄복할 만한 재능을 지닌 사람들을 돕는 데 주저하지 않는, 유능하면서도 인맥이 좋은 미술과 문학의 비평가였다. 그녀와 그녀의 가족은 클림트의 그림이 팔리도록 적극 나섰다. 에밀의 형제이자 미술품 수집가인 빅토르는 클림트의 〈팔라스 아테나Pallas Athena〉, 그리고 중요한 풍경화를 다수 소유했다. 또 베르타는 글을 통해 화가들을 지원했을뿐더러 빈 분리파가 전시관을 세우는 데에도 자금을 지원했다. 그 덕분에 빈 분리파는 기존 예술가협회의 전시관을 이용하지 않고도 일 년 내내 전시회를 열 수 있었다. 그들은 젊은 오스트리아 화가들의 작품뿐 아니라, 유럽 각지에서 온 화가들의 작품도 전시했다.[4]

과학적 개념과 예술적 개념의 자유로운 교환은 그녀의 살롱이 내세우는 정신의 일부였다. 베르타 본인은 생물학에 관심이 많았을 뿐 아니라 상당히 정통하기도 했다. 그녀는 남편과 동료들의 연구에 흥미를 느꼈고, 로키탄스키가 이끄는 빈 의대의 의학계, 즉 남편이 속한 의학계에서 벌어지는 활동도 잘 알고 있었다. 이 맥락에서 가장 중요한 점은 에밀이 명석했을 뿐 아니라 그의 해부학 강의도 아주 인기 있었다는 점이다. 베르타와 에밀은 클림트에게 개인적으로 생물학을 가르쳤고, 다윈과 로키탄스키의 사상을 소개했다.

에밀 주커칸들은 1849년 헝가리 라브에서 태어났고, 빈 대학교에서 공부했다. 1873년 로키탄스키는 그를 병리해부학 조수로 채용했다. 1888년 주커칸들은 빈 대학교 초대 해부학과장이 되었고, 1910년 사망할 때까지 해부학과장 자리에 있었다. 생물학에 폭넓게 관심을 보인 주커칸들은 코, 얼굴의 뼈대, 청각기관, 뇌의 해부 구조를 밝히는 데 기여했다. 현재 주커칸들체Zuckerkandl bodies(자율신경계와 관련된 조직 덩어리)와 주커칸들 이랑 Zuckerkandl gyrus(뇌의 앞쪽에 있는 얇은 피질) 등 몇몇 해부 구조에 그의 이름이 붙어 있다.

주커칸들은 시신 해부 과정을 보러 오라고 클림트를 초청했고, 해부 과정을 관찰한 클림트는 인체를 깊이 이해하게 되었다. 그리고 그렇게 이해한 내용을 작품에 반복하여 그렸다. 주커칸들의 통찰에 자극을 받은 클림트는 그가 화가, 작가, 음악가를 대상으로 생물학과 해부학을 강연하도록 주선했다. 이런 강연을 통해 주커칸들은 청중에게 생명의 크나큰 수수께끼 중 하나를 소개했다. 하나의 세포, 즉 인간의 난자가 어떻게 수정되어 태아가 되었다가 여러 단계를 거쳐 아기로 발달할 수 있느냐는 것이었다. 베르타는 자서전에서 남편이 이런 강연 도중에 예술가인 청중들에게 그들의 '창의적인 환상'을 훨씬 초월하는 경이로운 신세계를 보여준 일을 묘사한다. 주커칸들은 방을 어둡게 한 뒤, 세포의 내부 세계를 보여 주는 염색한 현미경 조직 표본 슬라이드를 벽에 투영했다. 그리고 청중들에게 말했다. "피 한 방울, 작은 뇌 조각 하나도 여러분을 동화 속 세계로 데려갈 것입니다."[5]

주커칸들은 클림트에게 발생학뿐 아니라 다윈의 진화론도 소개했다. 이 두 분야의 주제들은 클림트의 그림에서 배경 장식으로 반복하여 나타난다. 사실 미술사학자 에밀리 브라운은 그의 과격한 나체 여성

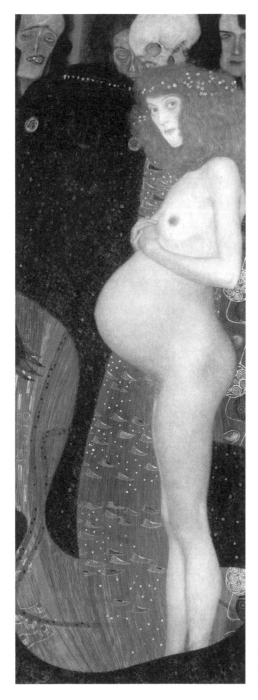

그림 3-3 구스타프 클림트, 〈희망 I〉(1903). 캔버스에 유채. 컬러화보 참고

묘사가 자연주의적이며 다윈주의 이후의 관점을 반영한다고 본다. "클림
트는 …… 여성을 더 고상한 이상이나 영적인 추월성의 매체로 삼는 알
레고리적 기능을 뒤엎는다. 다윈 이후에 그림에서 몸은 스스로 벌거벗
고 선다. 다른 모든 생물들과 똑같은 생식 법칙의 대상인 생물학적 종으
로서."[6]

    이 관점은 클림트의 작품 중 가장 논란이 많은 〈희망 I Hope I〉(그림
3-3)에서 뚜렷이 드러난다. 이 그림은 해산이 가까워진 여성의 벌거벗은
몸을 그린 것으로, 붉은 음모가 두드러져 보인다. 브라운은 여성의 불룩
한 배 뒤쪽으로 휘감기는 짙은 푸른색의 원시 해양 생물 같은 형상이 당
시에 유행하던 관점, 즉 인간 배아의 발생이 인류 진화와 같은 경로를 따
른다는 견해를 떠올리게 한다고 말한다. "개체 발생은 계통 발생을 반복
한다."는 이 견해는 독일 생물학자 에른스트 헤켈Ernst Haeckel이 주창한 것
으로, 인간의 배아가 원시적인 어류 조상을 떠올리게 하는 아가미와 꼬리
를 지니고 있다가 발달하는 과정에서 그런 특징들이 사라진다는 믿음에
서 유래했다. 공공연한 다윈주의자였던 프로이트가 매우 강력하고 원시
적인 성적 충동이 진화 과정에서 보존되어 왔다는 점을 생각하도록 우리
에게 요구한 것처럼, 클림트도 〈희망 I〉의 관람자에게 자연주의적이고 진
화적인 관점에서 인간의 생식 및 발생의 과정을 보라고 요구한다.

    또 클림트는 다나에Danaë에게 오는 제우스를 그린 그림에도 생물학
적 상징을 집어넣었다(그림 3-4). 이 그림에서 화가는 캔버스의 왼쪽에 그
린, 제우스의 정자를 상징하는 황금 빗방울과 검은 사각형을 오른쪽의 임
신을 상징하는 초기 배아 형태로 변형시킨다.

베르타는 당대 과학이 클림트의 작품에 미친 영향을 간파했다. 그녀는 클
림트를 "끊임없이 멈추었다 나아가는 인물"이라고 평했다. 브라운은 거기
에 "대상의 표면 아래 깊숙이"[7]라는 말을 덧붙였다. 브라운은 이렇게 덧

그림 3-4 구스타프 클림트, 〈다나에(Danaë)〉(1907~08). 캔버스에 유채. 컬러화보 참고

붙였다. "클림트는 나름의 진화 이야기를 함으로써 다윈 이후, 프로이트 이전 시대의 유동적인 문화적 모체 속에 편입된다."[8] 베르타는 자서전에서 남편의 열정적인 강연을 통해 클림트가 생물학에 관심을 갖게 되는 과정을 묘사한다. 의학사학자인 타치아나 부클리야스Tatjana Buklijas는 이렇게 풀어 설명한다.

　　베르타는 클림트의 색채 구도와 빈 공방의 장식 이미지들이 자연의 보고에서 꺼낸 것이라고 주장했다. 실제로 1903년 직후 몇 년에 걸쳐 클림트가 그린 작품들을 자세히 살펴보면, 하얀 '세포질' 안에 검은 '세포

핵'을 지닌 상피(세포)를 떠올리게 하는 …… 형태들이 많다는 사실이 드러난다.[9]

클림트 그림의 바로 이런 측면이 그가 생물학에 깊이 영향을 받았다는 점을 여실히 드러낸다.

클림트가 표면 아래 숨은 진실을 전하기 위해 생물학적 상징을 이용했듯이, 지그문트 프로이트, 아르투어 슈니츨러, 오스카어 코코슈카, 에곤 실레도 마찬가지였다. 게다가 이 다섯 모더니스트의 작품과 연구는 모두 무의식적으로 베르타 주커칸들과 그녀의 살롱에 경의를 표하고 있다. 과학자와 예술가 사이의 대화를 자극함으로써, 로키탄스키의 사상을 '빈 1900'의 문화에 통합한 지적 분위기를 조성했다는 점에서 말이다.

04

머리뼈 아래의
뇌 탐구:
과학적 정신의학의
기원

인간 마음의 모더니즘 관점은 행동 결정에서 무의식적 본능이 맡은 역할을 강조했다. 빈 의대는 세 가지 방식으로 이 마음에 대한 관점에 기여했다. 첫째, 모든 정신 과정이 뇌의 생물학에 토대를 둔다는 원리를 내놓았다(마음의 생물학). 둘째, 모든 정신 질환이 생물학적인 것이라는 개념을 내놓았다. 마지막으로 그 일원인 지그문트 프로이트는 인간 행동의 상당수가 비합리적이며 무의식적 정신 과정에 토대를 둔다는 것을 발견했다. 그는 일관성 있는 마음의 심리학을 발전시키려면 먼저 무의식적 마음의 복잡성을 생물학적 용어로 이해할 필요가 있다고 결론지었다.

마음의 모든 기능이 뇌에서 유래한다는 개념은 원래 히포크라테스가 주창한 것이었지만, 18세기 말에 프란츠 요제프 갈Franz Joseph Gall이 심리학과 뇌과학을 연관 지으려 시도하기 전까지는 거의 무시되어 왔다. 갈은 1781년부터 1785년까지 빈 의대에 다녔다. 졸업한 뒤 그는 빈에서 개업하여 큰 성공을 거뒀다. 심리학과 뇌생물학을 연관 짓다가 그는 마음의 생물학에 핵심이 되는 또 다른 개념을 떠올렸다. 바로 뇌―특히 바깥층인 대뇌피질cerebral cortex―가 단일한 기관으로서 기능하는 것이 아니라는 깨달음이었다. 마음의 각 기능이 서로 다른 영역에 들어 있을 수 있다는 것이었다.

갈은 이미 밝혀져 있는 대뇌피질에 관한 사항을 토대로 삼았다. 그는 대뇌피질이 좌우 대칭을 이루며, 전두엽·측두엽·두정엽·후두엽 네 영역으로 나뉘어 있다는 사실을 알고 있었다(그림 14-3). 하지만 그는 이 네 영역만으로는 1790년 이래로 심리학자들이 밝혀낸 40여 가지의 심리적 기능을 설명하기에 충분하지 않다고 생각했다. 그래서 그는 "음악가, 배우, 화가, 또 범죄자까지 수백 명의 머리를 손으로 만져서, 두피 안쪽의 머리뼈가 튀어나온 부위와 들어간 부위를 찾아서 당사자의 주된 재능이나 단점과 연관 짓기"[1] 시작했다. 갈은 머리뼈 촉진觸診 자료를 토대로, 피질을 약 40개 영역으로 세분하고서 각 영역이 특정한 마음 기능을 담당하는 기관 역할을 한다고 보았다. 그는 비교, 인과관계 파악, 언어 같은 지적 기능이 뇌의 앞쪽에 있다고 판단했고, 부모의 사랑, 연애 감정, 호전성 같은 감정 기능은 뇌의 뒤쪽에 있다고 했다. 그리고 희망, 존경심, 영성 같은 고상한 정서는 뇌 중앙이 맡는다고 보았다(그림 4-1).

모든 정신 과정이 뇌에서 유래한다는 갈의 이론은 옳다는 것이 입증되었지만, 그가 개별 기능의 담당 영역을 정한 방법에는 심각한 결함이 있었다. 현재 우리가 타당한 증거라고 여기는 것을 토대로 하지 않았기 때문이다. 갈은 환자의 뇌를 부검해 손상된 부위를 마음의 속성에 나타난 결함과 연관 짓는 식으로 자신의 생각을 경험적으로 검증하는 일을 하지 않았다. 그는 병에 걸린 뇌를 믿지 않았고, 그런 뇌가 정상적인 행동에 관해 무언가를 알려 줄 수 있을 것이라고 보지 않았다. 대신에 그는 근육이 쓸수록 부푸는 것처럼, 각 마음 기능이 쓰일 때 그 기능을 담당하는 뇌 영역도 커진다는 개념을 발전시켰다. 이윽고 그는 그렇게 하여 어느 영역이

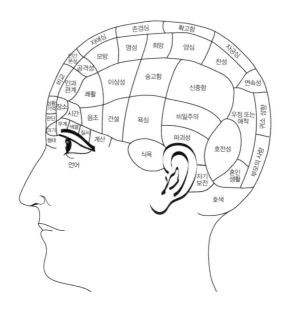

그림 4-1 요제프 갈은 골상학이라는 체계를 개발했다. 대상자의 성격과 외부에서 머리뼈를 측정한 자료 사이의 상관관계를 토대로 각 마음 기능을 특정한 뇌 영역에 할당했다.

상당히 부풀어 오르면 머리뼈를 밖으로 밀어내서 머리의 그 부위가 불룩해진다고 믿게 되었다.

　갈은 심리적으로 특정한 분야에서 강점을 보이는 사람이나 정신이상자, 아주 명석한 학생, 정신병적 행동을 보이는 사람, 광신자, 심각한 호색한의 머리뼈를 살펴보고, 불룩한 부위와 이 형질들을 연관 지으면서 자신이 옳다고 확신했다. 많이 쓸수록 크기가 커진다는 이론을 토대로, 그는 튀어나온 부위의 바로 밑에 놓인 뇌 영역이 해당 형질을 담당한다고 보았다. 이런 발견을 토대로 그는 신중함, 비밀주의, 희망, 숭고함, 부모의 사랑 같은 가장 추상적이고 복잡한 인간 행동까지도 대뇌피질의 개별 영역이 매개한다는 견해를 내놓았다. 오늘날 우리는 비록 갈의 이론이 전반적으로는 옳지만, 이런 생각들 자체는 황당하기 그지없다는 것을 잘 안다.

　마음 기능의 뇌 내 위치를 정하는 더 설득력 있는 접근법은 한 세대

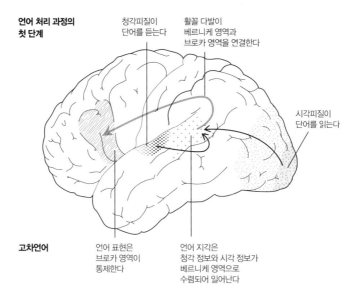

언어 처리 과정의
첫 단계

청각피질이
단어를 듣는다

활꼴 다발이
베르니케 영역과
브로카 영역을 연결한다

시각피질이
단어를 읽는다

고차언어

언어 표현은
브로카 영역이
통제한다

언어 지각은
청각 정보와 시각 정보가
베르니케 영역으로
수렴되어 일어난다

그림 4-2 복잡한 행동의 베르니케 모형. 언어같이 복잡한 행동에는 상호 연결된 서너 군데의 뇌 영역이 관여한다.

뒤에 나왔다. 프랑스의 신경학자 피에르폴 브로카Pierre-Paul Broca와 독일의 신경학자 카를 베르니케Carl Wernicke가 제시한 것이다. 브로카와 베르니케는 각자 언어장애가 있는 사람들의 뇌를 사후 부검하여, 각 언어장애가 뇌의 특정 영역에 일어난 손상과 관련 있다는 점을 발견했다. 즉 언어는 정말로 국소적으로 존재하는 것일 수 있다. 언어 이해는 피질 뒤쪽(왼쪽 뒤 상측두회)에서 담당하며, 언어 표현은 피질 앞쪽(왼쪽 뒤 전두엽)에서 담당한다. 그리고 두 영역은 신경섬유 다발로 연결되어 있다.

이런 발견들은 마음의 기능들이 뇌의 서로 다른 영역에 들어 있다는 갈의 전반적인 개념을 강하게 뒷받침했다. 하지만 그렇다고 언어같이 복잡한 마음 기능들이 반드시 뇌의 어느 한 영역에 국한되어 있다는 의미는 아니었다. 브로카와 베르니케의 발견은 그런 기능이 영역들이 서로 연결된 망을 필요로 한다는 점을 보여 주었다(그림 4-2). 그들이 이러한 발견을 한 뒤로 근육운동을 담당하는 피질 영역 등 많은 전담 영역이 발견되었다.

이런 발견들은 대뇌피질이 한 단위로 기능하며, 하위 영역들 사이의 기능 분화가 대체로 이루어져 있지 않다고 본 과학자들에게 심각한 타격을 입혔다. 그 견해를 옹호하는 이들은 마음 기능의 상실을 결정하는 것은 뇌 손상의 위치가 아니라 손상의 크기나 범위라고 틀린 주장을 내놓았다.

카를 폰 로키탄스키도 뇌 연구에 기여했다. 1842년 고작 서른여덟 살 때 그는 스트레스와 그 밖의 본능적 반응들이 뇌에서, 특히 뇌 깊숙이 자리한 작은 원뿔 모양의 구조인 시상하부hypothalamus라는 영역에서 나온다는 것을 발견했다. 그는 뇌 하부에 감염이 일어나서 시상하부에 영향을 미치면 위장의 정상적인 기능이 방해받고, 때로 위장에 극심한 출혈이 일어나기도 한다는 것을 알아냈다. 나중에 뇌외과 의사 하비 쿠싱은 이 연구를 더 확장해 시상하부에 손상이 일어나면 오늘날 우리가 '스트레스 궤양'이라고 부르는 것이 위장에 생길 수 있음을 밝혔다. 또 다른 과학자들의 후속 연구를 통해 시상하부가 뇌하수체와 자율신경계를 통제한다는 것, 따라서 성적 행동, 공격 행동, 방어 행동을 매개하고 허기, 갈증 등 몸의 항상성 기능을 조절하는 데 핵심적인 역할을 한다는 것도 드러났다.

정신 질환을 연구하기 위해 처음으로 머리뼈 밑을 들여다본 정신과 의사는 테오도어 마이네르트였다. 마이네르트는 뇌의 해부학에 세 가지 주된 기여를 했다. 첫째, 그는 뇌가 어떻게 발달하는지를 연구했다. 사람과 동물의 뇌를 비교 연구함으로써 그는 인간의 뇌가 진화 과정 내내 보존되어 온 영역들로 이루어진다는 것을 알아냈다. 예를 들어, 반사운동을 통제하는 기저핵basal ganglia과 운동 기능의 기억을 담당하는 소뇌는 어느 척추동물에서든 간에 매우 비슷하다. 더 나아가 마이네르트는 찰스 다윈의 사상을 받아들여 인간의 뇌에서 진화적으로 더 오래된 영역들이 먼저 발달한다고 주장했다. 이 개념을 토대로 그는 대뇌피질 아래쪽에 놓인 이 원시적인 구조들이 무의식적이고 선천적이며 본능적인 기능들을 매개한다고 주장하기에 이르렀다. 게다가 마이네르트는 본능적인 기능들이 대뇌피질을 통해 조절되며, 대뇌피질은 진화적으로만이 아니라 인간의 발생 과정에서도 더 나중에 출현한다고 주장했다. 마이네르트는 대뇌피질이 집행자, 즉 자아 기능을 하는 부위, 복잡하고 의식적인 학습과 반성적인 행동을 매개하는 영역이라고 생각했다.

둘째, 마이네르트는 뇌 해부 구조의 비교 연구를 통해서 캥거루가 높이 뛰는 데 쓰는 아주 큰 뒷다리와 캥거루의 유달리 큰 운동신경 경로 사이에 상관관계가 있음을 간파했다. 그럼으로써 그는 뇌 안에서 감각과 운동표상의 기본 원리를 하나 발견하게 되었다. 즉 뇌에서 어떤 신체 부위의 표상이 크다는 것은 그 신체 부위가 동물에게 기능적으로 중요함을 시사한다는 것이다.

셋째, 마이네르트는 대뇌피질이 여섯 층으로 나뉘어 있고, 층마다 신경세포의 분포 양상이 다르다는 것을 발견했다. 또 그는 피질의 어느 영역이든 이 층의 수는 달라지지 않지만 세포의 유형은 달라진다는 것도 밝혀냈다. 즉, 피질의 영역마다 신경세포의 분포 양상이 다소 달랐다.

이 세 가지 발견으로 마이네르트는 세계적인 명성을 얻었고, 로키탄스키의 강력한 지원을 받아서 금세 빈 대학교 정신의학과 학과장으로 영전했다. 학과장이 된 마이네르트는 로키탄스키의 사상을 뇌에까지 확장했다. 그는 "해부학적 토대를 파악해 정신의학에 과학 분야로서의 특징을 갖춰 주어야 한다."[2]고 주장했다. 그는 이 목적을 위해 다양한 정신 질환이 구체적으로 뇌의 어느 영역의 어떤 비정상과 관련 있는지를 추적하려고 부단히 노력했다. 정신 질환의 해부학적 토대를 찾으려는 마이네르트의 노력은 오늘날까지도 이어지고 있다.

마이네르트는 정신 질환을 뇌와 확고하게 연관 지었을 뿐 아니라 그런 질환이 돌이킬 수 없는 퇴행적 과정이라는(치매처럼), 오스트리아와 독일의 의대에서 일반적으로 받아들여져 있는 견해를 거부했다. 그는 자신의 발견을 토대로 정신 질환에 관해 새로운 견해를 두 가지 내놓았다. 뇌가 발달할 때 일어나는 교란이 정신 질환을 일으킬 가능성을 높이는 선행 요인이며, 필리프 피넬이 알아차렸듯이 되돌릴 수 있는 정신병도 있다는 것이다.

　　이 마지막 개념으로 마이네르트는 정신 질환을 더 낙관적인 관점에서 보게 되었다. 그는 머리의 정신적 외상이나 독소로 생긴 급성 정신병 증상은 완전히 되돌릴 수 있음을 말하기 위해 정신박약amentia이라는 용어를 창안했다. 그는 악성이 아닌 완치 가능 정신병(지금은 마이네르트 정신박약이라고 한다)을 따로 분리해 정신 질환 연구에 새로운 장을 열었다. 정신의학에 피넬이 주창한 비특이적이며 인본적인 치료와는 정반대의 특이적인 치료법을 처음으로 도입한 네 명이 마이네르트의 제자였다는 점은 아마 우연이 아닐 것이다. 요제프 브로이어, 정신분석으로 히스테리 같은 질병을 치료하는 데 성공한 프로이트, 매독에 열 치료법을 도입한 율리우스 바그너 폰 야우레크, 정신 질환 치료에 인슐린 혼수insulin coma 요법을 도입한 만프레트 사켈Manfred Sakel이 바로 그들이었다.

　　마이네르트의 뒤를 이어서 정신의학과 학과장을 맡은 리하르트 폰 크라프트에빙은 다른 방침을 채택했다. 그도 환자의 뇌를 사후 부검했고 정신의학과 신경학을 연관 짓는 데 관심이 있었다는 점에서는 마이네르트와 같았지만, 마이네르트와 달리 그는 무엇보다도 임상의학자였다. 더군다나 크라프트에빙은 정신의학이 분석적이지 않고 관찰과 기술 중심의 임상 과학이라고 보았다. 그래서 그는 임상 정신의학에서 뇌과학의 중요성이 낮다고 보았다. 기술하는 능력이 탁월한 정신과 의사이자 법의학적 정신의학과 임상 정신의학 분야의 주요 교과서 두 권을 저술하기도

한 그는 일상생활에서 성적 활동이 어떤 기능을 하는지에 초점을 맞춘, 따라서 "의학계와 더 나아가 그 너머에서도 말할 수 없던 것을 말할 수 있게 한"³ 최초의 정신과 의사였다.

1886년에 낸 고전《프시코파티아 섹수알리스Psychopathia Sexualis, with Special Regard to Contrary Sexual Feeling》에서 크라프트에빙은 성적 행동의 다양성을 기술하면서 성적 본능이 중요하다고 예측했다. 이 두 개념은 나중에 정신분석에 차용되었다. 사실 그는 성적 본능이 정상적이거나 비정상적인 성적 기능에서만이 아니라, 미술과 시를 비롯한 창의성의 발현 형태들에서도 중요하다고 개괄했다. 그는 성적 행동의 유형들을 기술하기 위해 사디즘, 마조히즘, 소아성애 같은 개념을 도입해 현대 성적 병리학의 토대를 마련했다.⁴ 비록 그 교과서는 처음에 라틴어로 출간되었지만—의학계 인사들을 대상으로 했으며, 한편으로는 감각적인 책을 찾는 젊은이들을 좌절시켰다—그럼에도 많은 독자를 끌어모았다. 그중에는 김나지움에 다닐 때 배웠던 라틴어를 처음으로 자발적으로 써보려고 마음먹은 예술가와 과학자도 있었을 것이다.

크라프트에빙은 인간의 성적 행동의 모든 표출 형태를 폭넓게 현대적으로 연구하는 분야를 창시한 인물 중 한 명이다. 그의 연구는 당대에는 통찰력이 엿보였지만, 오늘날의 견해와 어긋나는 것도 일부 있다. 그는 동성애를 비롯한 몇몇 성적 행위가 부르주아 규범의 변이 형태라기보다는 비정상과 질병을 시사하는 것이라고 보았다. 빈 의학사학자인 타치아나 부클리야스에 따르면, 많은 동성애자가 그의 견해를 받아들이고 적극적으로 치료를 받고자 나섰다고 한다.

프로이트와 슈니츨러는 빈 대학에서 마이네르트에게 배웠고, 크라프트에빙에게 영향을 받았다. 하지만 그들은 한 가지 점에서 크라프트에빙과 견해가 달랐다. 언제나 성공했다고는 할 수 없겠지만, 프로이트와 슈니츨러는 도덕적 판단을 개입시키지 않으려 애썼다. 그들은 자신의 일

그림 4-3 지그문트 프로이트(1856~1939). 파리에서 프랑스 신경학자인 장마르탱 샤르코(Jean-Martin Charcot)와 연구하던 시절인 1885년에 찍은 사진이다.

이 성적 행위의 다양한 변이 형태를 인정하고 탐구함으로써, 언제나 닫힌 문 뒤에 숨겨져 있던 것에 집단 경험이라는 조명을 비추는 것이라고 보았다.

지그문트 프로이트(그림 4-3)는 지금의 체코공화국에 속한 모라비아의 프라이베르크라는 소도시의 유대인 부모 밑에서 1856년에 태어났다. 1859년 그들은 빈으로 이사했고, 프로이트는 1938년 6월 독일이 오스트리아를 병합하면서 영국으로 이주할 때까지 빈에서 죽 살았다. 그는 1939년 9월 23일 영국에서 사망했다. 프로이트의 사망 소식을 들은 영국 시인 W. H. 오든Auden은 프로이트 사상이 더 이상 어느 한 개인의 것이 아니라 '전반적인 사조whole climate of opinion'를 대변한다고 평했다. 프로이트의 사상은 그의 긴 생애에 걸쳐 계속해서 발전했지만, 크게 두 단계로 나눌 수 있다. 첫 단계는 1874년에 시작되어 약 1895년까지 이어졌는데, 기본적으로 신경생물학 용어로 정신생활을 기술하는 데 초점을 맞춘 신경학자였던 기간이다. 두 번째 단계는 1900~39년에 해당하며, 이 시기에 그는 뇌의 생물학에서 독립한 새로운 마음의 심리학을 발전시켰다.

레오폴트스태터 김나지움에서 늘 학급 수석 자리를 놓치지 않은 걸출한 학생이었던 프로이트는 1873년 빈 대학교에 들어갔다. 그해에 주식시장이 붕괴한 직후였다. 그 주식시장의 붕괴로 일자리가 줄고 유대인을 향한 편견과 적대감이 되살아났다. 1924년에 쓴《자서전Autobiographical Study》에서 그는 대학교에 다닐 때 겪었던 따돌림이 나중에 독립심을 갖게 된 원천이었다고 썼다.

> 1873년 처음 대학에 들어갔을 때, 크게 실망했다. 무엇보다도 나 자신이 유대인이니 열등감과 이질감을 갖기를 사람들이 기대한다는 걸 알게 되었다. 나는 단호하게 그런 태도를 취하지 않았다. 나는 내 혈통, 즉 사람들이 입에 담기 시작한 내 '인종'을 부끄러워해야 할 이유를 전혀 찾을 수 없었다. 사람들이 나를 자기들 사회에 받아들이지 않으려 했어도 나는 꿋꿋하게 견뎌 냈다. 이렇게 따돌림을 당해도 적극적인 동료 학자라면 인문학의 기본 틀 내에서 비집고 들어갈 틈새나 자리를 찾지 못할 리가 없을 것 같았기 때문이다. 하지만 대학교에서 받은 이런 첫 인상은 나중에 중요한 것으로 드러난 한 가지 결과를 낳았다. 이른 나이에 나는 반대파가 되고 '단합된 다수'의 금지와 맞닥뜨릴 운명에 익숙해졌다. 그것이 토대가 되어 나는 어느 정도 판단의 독립성을 갖추게 되었다.[5]

프로이트는 처음에 법률가가 될까 생각했다가, 열일곱 살에 의대에 진학했다.

그는 모든 면에서 빈과 빈 의대의 산물이었다. 그가 의대에 진학했을 때는 여전히 로키탄스키가 학장직을 맡고 있었다. 사실 로키탄스키는 프로이트의 초기 신경해부학 연구에 관심을 갖고 살펴보기까지 했다. 1877년 1월과 3월에 로키탄스키는 오스트리아 과학아카데미에서 프로이트가 연구 논문을 발표할 때 참석했다. 두 번 다 로키탄스키가 평가에 참여했기에, 두 논문은 수준이 높아졌고 받아들여졌다. 1878년 로키탄스키가 사망했을 때, 의대의 거의 모든 사람들이 그러했듯 프로이트도 슬픔에 잠겼다. 그는 친구인 에두아르트 실버스타인Eduard Silberstein에게 "오늘 로키탄스키의 장례를 치렀어"라고 편지를 쓰면서, 묘지까지 운구를 했다고 적었다. 1905년 프로이트는 〈농담과 무의식의 관계Jokes and Their Relation to the Unconscious〉라는 글에서 "위대한 로키탄스키"라고 적었다. 말년에 그는 로키탄스키가 1862년에 한 '생물학 연구의 자유'라는 중요한 강연을 기록한 글을 서가에 두고 들춰 보곤 했다. 의학의 물질적 토대와 과학이 정치적 간섭에서 자유로워져야 한다는 점을 역설한 글이었다.

베를린 정신분석연구소의 지도자 중 한 명이자 후배 동료인 프란츠 알렉산더Franz Alexander는 프로이트의 부고 기사에서 프로이트가 빈 의대와 그곳의 지도자인 로키탄스키에게서 받은 교육이 훗날 프로이트 연구의 토대가 되었다고 했다. 1898년 빈 의대에 진학하여 나중에 프로이트의 동료가 된 정신분석학자 프리츠 비텔스Fritz Wittels도 로키탄스키가 프로이트의 '과학적 요람'의 핵심 부분이었다고 보았다. 비텔스는 이렇게 썼다.

> 정신분석에는 해석을 제멋대로 함으로써 관찰로부터 멀어져서 다소 더 창의적인 이념으로 향하거나 낭만적인 감상으로 회귀할 위험이 늘 있다. 스코다와 로키탄스키가 확립한 전통 덕분에 프로이트는 이 함정을 피할 수 있었다.[6]

기초생물학에 강하게 매료되고 다윈의 저서들을 폭넓게 읽고서 깊은 영향을 받았기에, 프로이트는 의학뿐 아니라 비교동물학 학위도 딸 생각을 품었다. 8년 동안 의대를 다닐 당시에, 그는 의학도라기보다는 기초과학자에 더 가까웠다. 그는 처음에 에른스트 폰 브뤼케에게서 연구하는 법을 배웠다. 브뤼케의 기초과학 연구실에서 6년 동안 지냈다. 그 뒤에는 빈 종합병원에서 일하면서 마이네르트에게 배웠다. 의대의 생리학과장이었던 브뤼케에게 영향을 받아 프로이트는 여생 동안 자신을 근본적이면서 실증주의적인 과학자라고 여겼다.

브뤼케와 그의 동시대인들인 헤르만 폰 헬름헬츠, 에밀 뒤부아 레몽Emil du Bois Reymond, 카를 루트비히Carl Ludwig는 생기론vitalism을 현대적이고 환원론적이고 분석적인 생물학으로 대체하기 위한 연구 계획을 수립하여 전반적으로 생리학과 의학의 성격을 바꾸었다. 생기론은 물리화학 법칙에 따르지 않는 생기가 세포와 생물을 통제하며, 따라서 세포와 생물은 과학적으로 연구할 수 없다고 가르쳤다. 1842년 에밀 뒤부아 레몽은 자신들의 관점을 다음과 같이 요약했다. "브뤼케와 나는 이 진리를 옹호하기로 엄숙히 맹세했다. 생물 안에서는 공통의 물리적-화학적 힘 외에 다른 어떤 힘도 작용하지 않는다는 것이다."[7] 프로이트는 브뤼케를 "내 평생에 걸쳐 어느 누구보다도 내게 가장 큰 영향을 미친 인물"[8]이라고 했다."

신경계를 연구하라는 브뤼케의 말에 힘을 얻은 프로이트는 단순한 척추동물인 칠성장어의 신경계 연구를 끝낸 뒤, 단순한 무척추동물인 가재의 신경계도 연구했다. 그는 무척추동물 신경계의 세포가 척추동물 신경계의 세포와 근본적으로 다르지 않다는 것을 발견했다. 이 연구로 프로이트는 신경세포, 즉 뉴런이 모든 신경계의 기본 단위이자 신호 전달의 기본 단위임을 발견했다. 산티아고 라몬이카할Santiago Ramón y Cajal(뉴런 연구로 노벨상을 받았다.-옮긴이)과는 별도로 발견했지만, 그는 자신이 관찰한 사항의 중요성을 알아차리지 못했다. 1884년에 펴낸《신경계 요소들의 구조The Structure of the Elements of the Nervous System》라는 강의집에서 프로이트는 척추동물의 뇌와 무척추동물의 뇌를 구분하는 것은 신경세포의 특성이 아니라 신경세포의 수와 그들이 상호 연결된 방식이라고 역설했다. 뇌 연구의 대가인 올리버 색스Oliver Sacks는 프로이트의 초기 연구가 진화가 동일한 기본적 해부학적 단위를 점점 더 복잡하게 배열하여 다양한 구조를 만들어 내는 식으로 보수적으로 작용한다는 다윈의 개념을 뒷받침한다고 지적한다.

이렇게 첫 출발이 유망했기에, 프로이트는 과학자로서 탄탄한 길로 들어섰다. 하지만 연구를 직업으로 삼으려면 개인적으로 소득이 있어야 하는데, 그에게는 그런 것이 없었다. 프로이트가 마르타 베르나이스Martha Bernays와 혼인할 예정임을 안 브뤼케는 그에게 연구실을 떠나 임상의학을 공부하라고 조언했다. 프로이트는 그의 조언에 따라 3년 동안 임상 경험을 쌓았다. 처음에는 마이네르트 밑에서 정신의학을 공부했지만, 병원의 다른 학과들에서도 일했다. 마이네르트 밑에서 연구를 하는 동안, 프로이트는 신경학자가 되어 빈 종합병원에서 진단 기술을 개선하는 쪽으로 애써 볼까도 생각했다. 이 시기에 프로이트는 연수(신경계에서 호흡과 심장박동의 중추가 있는 곳)의 신경해부학에 몇 가지 기여를 했으며, 뇌성마비와 언어상실증의 임상신경학 쪽으로도 몇 가지 중요한 연구를 했다.
　　1891년 프로이트는 언어상실증을 연구하다가 눈, 망막, 시신경이 정상인데도 시야에 있는 대상을 인지하지 못하는 환자들과 마주쳤다. 그는 뇌에 결함이 있어서 시각 상실이 일어났다고 추론하면서, 이것을 시각 인식불능증blindness agnosia이라고 이름 붙였다. 또 그는 약물인 코카인을 써서 연관성이 없는 이런저런 실험을 한 끝에, 코카인을 국소마취제로 쓸 수도 있다는 결론을 내렸다. 안과 의사가 수술할 때 쓰기 좋다는 것이었다. 마이네르트는 프로이트의 재능을 간파했다. 프로이트는 《자서전》에 이렇게 썼다. "어느 날 마이네르트는 …… 내게 뇌의 해부학에 전념해야 한다고 말하면서, 자신의 강의를 내게 넘겨주겠다고 약속했다."[9]

하지만 빈에는 신경학자가 많은 반면 환자의 수는 한정되어 있었다. 지적으로 중요한 공헌을 할 수 있는 한편으로 합당한 소득을 얻을 만한 관련 의학 분야들을 찾다가 프로이트는 신경증, 특히 히스테리에 관심을 갖게 되었다. 1880년의 빈에는 히스테리 환자가 많았다. 프로이트가 히스테리에 관심을 갖도록 자극한 사람은 빈에서 가장 잘나가는 개업의였던 요제프 브로이어였다. 그들은 브뤼케의 연구실에서 만나 친구가 되었다. 그들의 우정은 1886년 프로이트가 혼인한 뒤에 더 깊어졌다. 실제로 프로이트는 첫째 딸의 이름을 브로이어의 아내 이름을 따서 마틸데라고 짓기도 했다.[10] 또 1891년에 독자적으로 출간하는 첫 책 《언어상실증에 관하여On Aphasia》를 내면서 "우정과 존경을 담아" 브로이어에게 헌정했다.

같은 유대인이면서 프로이트보다 열네 살 연상인 브로이어는 1859년 빈 의대에 들어갔다. 그는 로키탄스키, 스코다에게 배웠고, 그 역시 브뤼케에게서 큰 영향을 받았다. 졸업 후에 그는 의대에 연구 조교로 임명되었다. 브로이어는 두 건의 세계적인 발견으로 과학계에서 명성을 얻었다. 속귀의 반고리관이 몸의 균형과 평형을 조절하는 기관이라는 것과 호흡이 미주신경을 통해 반사적으로 조절된다(헤링-브로이어 반사)는 것이었다. 하지만 프로이트의 흥미를 크게 자극해 그의 연구가 두 번째 단계로 넘어가게끔 한 것은 브로이어의 세 번째 발견, 즉 '안나 오'라는 가명으로 역사에 기록된 환자를 치료하면서 발견한 내용이었다. 브로이어와 프로이트가 빈 의대 역사상 가장 중요한 공헌 중 몇 가지를 하게 된 것은 안나 오를 통해서 연구의 방향을 전환하기 시작하면서였다. 임상이라는 맥락에서 볼 때, 그 발견은 무의식적 정신 과정이 존재한다는 것, 무의식적 마음의 갈등이 정신의학적 증상을 낳을 수 있다는 것, 밑에 놓인 무의식적 원인의 기억을 환자의 의식적 마음으로 끌어올리면 그 증상을 완화할 수 있다는 것이었다.

브로이어의 선구적인 연구에서 비롯한 정신분석은 프로이트를 통해 역동적이고 자기성찰적인 심리학으로 발전했으며, 이는 현대 인지심리학의 선행 형태다. 하지만 정신분석에는 한 가지 심각한 약점이 있었다. 그것은 경험적인 토대 위에 서 있지 않았기 때문에 실험을 통한 검증을 할 수 없었다. 그 결과 프로이트의 마음 이론을 이루는 구성 요소들이 잘못된 것임이 드러났고, 정신분석 이론을 이루는 많은 구성 요소의 기본 가정들이 여전히 검증을 거치지 않은 채로 남아 있다고 해도 놀랄 일이 아니다.

그럼에도 프로이트의 핵심 개념 중 세 가지는 근거가 확실하며, 현대 신경과학의 핵심을 이루고 있다. 첫 번째는 정서 생활의 대부분을 포함하여 우리의 정신생활 대부분이 어느 시점에서든 무의식적으로 이루어진다는 개념이다. 의식은 미미한 역할을 할 뿐이다. 두 번째 주요 개념은 공격 충동과 성적 욕구라는 본능이 먹고 마시려는 본능과 마찬가지로 인간의 정신에, 우리의 유전체에 새겨져 있다는 것이다. 게다가 이 본능적인 충동은 인생 초기에 뚜렷이 드러난다. 세 번째 개념은 정상적인 정신생활과 정신 질환이 하나의 연속체를 이루고 있으며, 정신 질환이 정상적인 정신 과정의 과장된 형태일 때가 종종 있다는 것이다.

이 핵심 개념들에 힘입어 프로이트의 마음 이론이 현대 사상에 기념비적인 공헌을 했다는 데에는 이견이 없다. 경험적이지 않다는 명백한 약점이 있음에도, 그 이론은 한 세기 뒤인 지금도 건재하다. 아마 정신 활동을 설명하고자 여태껏 제시된 이론 중에서 가장 영향력 있고 일관성이 있는 견해일 것이다.

05

마음,
뇌를 만나다:
뇌 기반
심리학의 발달

입증할 수 있기 전에 새로운 것을 생각할 용기를 지닌 이들이 없다면,

우리는 새로운 일을 할 수 없다.

— 지그문트 프로이트[1]

프로이트는 처음에 인간의 마음을 생물학적인 관점에서 탐구하고자 시
도했다. 즉 뇌의 기능이라는 관점에서 탐구하고자 했다. 이 초기 시도는
요제프 브로이어와 협력하면서 시작되었고, 브로이어의 환자인 안나 오
에게 초점이 맞춰져 있었다. 프로이트는 1924년에 출간한 《자서전》에서
안나 오의 사례에 처음 흥미를 느끼게 된 과정을 적었다. "브로이어가 그
사례의 진행 과정을 적은 기록을 내게 계속 읽어 주었기에, 나는 이전에
관찰한 다른 어떤 질환보다도 신경증을 더 잘 이해하고 있다는 인상을
갖게 되었다."[2]

실제 이름이 베르타 파펜하임Bertha Pappenheim인 안나 오는 훗날 독
일 페미니즘 운동의 지도자가 될 스물한 살의 매우 지적인 여성이었다.

1880년 처음 브로이어에게 진료를 받을 때, 그녀는 심한 기침, 몸 왼쪽의 감각소실과 운동마비, 말하기와 듣기 장애, 주기적인 의식상실이라는 증상을 앓고 있었다. 브로이어는 철저하게 신경학적 검사를 했지만, 검사 결과는 지극히 정상으로 나왔다. 그래서 그는 파펜하임의 병이 히스테리라고 진단했다. 히스테리는 신체에 병이 있다는 증거가 전혀 없이 팔다리가 마비되거나 말하는 데 어려움을 겪는 것과 같은 신경학적 증상을 보이는 환자를 가리키는 정신의학적 병명이었다.

당시 빈에서 어떤 환자를 히스테리라고 진단한 브로이어의 방식 자체에 새로운 사항은 전혀 없었다. 특이한 점—그리고 젊은 신경학자인 프로이트의 흥미를 가장 크게 끈 부분—은 브로이어의 치료 방법이었다. 브로이어는 프랑스 신경학자 장마르탱 샤르코의 최면법에 영향을 받아서 파펜하임에게 최면을 걸었다. 하지만 그는 여기에 한 가지 색다른 점을 추가했다. 그는 그녀에게 자기 자신과 자신의 질병에 관해 이야기해 보라고 부추겼다. 파펜하임이 훗날 '대화 치료talking cure'라고 한 이 복합 치료를 통해 그녀의 증상은 조금씩 사라져 갔다.

브로이어와 파펜하임은 공동 노력을 통해서 그녀의 몸 왼편의 마비 같은 히스테리 증상이 그녀가 과거에 겪었던 정신적 외상 사건들에 뿌리를 두고 있음을 발견했다. 최면 상태에 있는 동안 사건과 감정의 자유연상을 하면서 파펜하임은, 폐결핵으로 생긴 고름집 때문에 최근에 사망한 아버지를 간호할 때 그가 대개 그녀의 몸 왼편에 머리를 기대곤 했다고 기술했다. 현재 마비가 일어난 신체 부위에 말이다. 프로이트는 나중에 이렇게 설명했다.

깨어 있을 때 소녀는 다른 환자들과 마찬가지로 자신의 증상들이 어떻게 생겨났는지를 설명할 수 없었고, 그 증상들과 자신의 인생 경험 사이에서 아무런 연관 관계도 찾아낼 수 없었다. 하지만 최면에 빠지자,

그녀는 즉시 그 빠진 연결 고리를 찾아냈다. 그녀의 모든 증상들은 그녀가 아버지를 간호하면서 겪었던 감정적인 사건들로 거슬러 올라간다는 것이 드러났다. 즉 그 증상들은 나름의 의미를 지니고 있었고, 그 감정 상태의 잔류물 또는 추억이었다. 그녀가 아버지의 병상 옆을 지킬 때 억눌러야 했던 어떤 생각이나 충동이 있었는데, 증상은 대개 나중에 그것의 대체물로서 출현한 것임이 드러났다. 하지만 대체로 증상은 그런 "정신적 외상을 일으키는" 어느 한 장면의 침전물이 아니라, 많은 비슷한 상황이 더해진 결과물이었다. 환자가 최면 상태에서 환각을 보는 식으로 이런 상황을 회상하고 자신이 원래 억눌렀던 심적 활동인 감정을 자유롭게 표현하면서 결말에 이르기까지 그 상황을 죽 이어 가도록 하자, 증상이 사라지고 다시는 나타나지 않았다. 이 과정을 통해 브로이어는 오랫동안 힘겹게 애쓴 끝에 그녀의 모든 증상을 완화하는 데 성공했다.[3]

브로이어가 베르타 파펜하임에게 주의를 집중하여 자신의 능력을 쏟아붓기 전까지, 히스테리 환자들은 종종 꾀병 환자로 치부되곤 했다. 즉 관심을 받고 싶다거나 어떤 부수적인 혜택을 보려고 아픈 척한다는 것이다. 더군다나 의사에게 자신의 증상들이 어떤 식으로 확대되어 왔는지를 설명할 때, 히스테리 환자들은 처음에 그 증상들이 어떻게 생겨났는지 도무지 짐작조차 할 수 없다고 주장하곤 했다. 처음에 프로이트도 평소에 멀쩡하다가 히스테리 환자 특유의 무력화하는 신체 증상들—마비, 갑작스럽게 터지는 울음, 감정의 격발—을 드러내는 이들이 어떤 사건이나 치욕이 그런 증상을 낳는 데 기여했을 것이라고 나름대로 생각하는 바가 분명히 있을 것이라고 보았다. 하지만 그는 결국 이렇게 결론 내렸다.

상응하는 정신적 과정이 있어야 한다는 결론을 고수하면서도 아니라고 부인하는 환자의 말을 믿는다면, 환자가 마치 그 점을 알고 있는 양 행동하고 있음을 시사하는 많은 단서를 종합한다면, 환자가 살아온 역사를 파헤쳐서 바로 그런 감정의 표출을 야기할 법한 어떤 사건, 정신적 외상을 찾아낸다면, 그 모든 것이 가리키는 해답은 한 가지다. 환자가 자신이 받은 모든 인상이나 그것의 회상을 더 이상 연합 사슬을 통해 하나로 엮을 수 없는 특수한 마음 상태에, 또 다른 정신 과정들의 집합인 자아가 그것을 알아차리거나 개입하여 막을 수가 없는 채로 회상하는 이가 신체적 현상이라는 수단을 통해 그 영향을 표출하는 것이 가능한 마음 상태에 있다는 것이다. 잠든 상태와 깨어 있는 상태의 익숙한 심리적 차이를 염두에 둔다면, 우리의 가설이 좀 덜 낯설어 보일 수 있다.[4]

프로이트는 또 파펜하임의 사례를 통해 로키탄스키의 의학적 격언─진리를 찾으려면 몸의 표면 밑을 보라─이 정신생활에도 적용된다는 점을 깨달았다. 하지만 조사의 초점이 물리적인 뇌에서 환자의 과거에 담긴 정신적인 사건 쪽으로 옮겨 가면서 의사의 진찰 도구도 반사 망치와 주삿바늘에서 단어와 기억으로 바뀌었다. 뒤에서 살펴보겠지만, 언어를 써서 무의식을 탐구하는 프로이트의 능력과 무의식을 묘사하는 모더니즘 화가들의 능력 사이에는 놀라운 유사성이 있었다.

브로이어가 파펜하임을 치료하는 데 성공하는 것을 지켜보면서 프로이트는 히스테리와 최면에 관심을 갖게 되었다. 그래서 그는 1885년 가을 파리에서 6개월간의 연구원 자리를 얻어냈고, 살페트리에르 병원에서 샤르코에게 배웠다. 샤르코는 의사 생활 초창기에 근육위축가쪽경화증 amyotrophic lateral sclerosis(루게릭병)과 다발경화증 등 몇 가지 중요한 신경학적 이상들을 찾아내어 학계에 보고했다. 프로이트가 왔을 때 샤르코는 거의 은퇴할 무렵이었고, 순수한 신경학에서 히스테리 쪽으로 관심을 옮긴 상태였다. 샤르코는 어느 누구보다 앞서서 최면술이 돌팔이 치료 수단이 아니라 진단 및 치료에 유용할 수 있는 검사 방법이라는 의학적 견해를 피력했다. 예리한 관찰자이자 탁월한 임상의였던 그는 매주 공개 강연에서 극적인 효과를 자아내면서 카리스마 넘치는 최면 시범을 보였다. 그리고 과학적으로 타당하다는 점을 기록하기 위해 시연 장면을 사진으로 찍었다.

샤르코는 최면을 통해 히스테리 환자의 증상을 완화할 수 있고, 정상적인 사람에게 히스테리 환자와 다르지 않은 증상을 일으킬 수 있다는 것을 발견했다. 또 그는 히스테리 환자와 정상적인 지원자에게 특정한 과제를 수행하거나 특정한 감정을 느끼도록 후최면암시posthypnotic suggestion도 걸었다. 그러자 최면 상태에서 깨어난 사람들은 모두 자신이 왜 그런 행동을 하거나 그런 감정을 느끼는지 전혀 알아차리지 못한 채 암시한 과제를 하거나 감정을 느끼곤 했다. 사람들의 행동이 자신이 전혀 의식하지 못하는 무의식적 동기에 따라 결정될 수 있다는 발견을 접하면서, 프로이트가 브로이어와 토론을 하면서 갖게 된 초기의 확신, 즉 "사람의 의식이 모르게 숨겨진 강력한 정신적 과정들이 있을 수 있다."[5]는 확신은 더 굳어졌다.

프로이트는 사람이 최면 상태에서는 고통스러운 감정을 기억하고 표현하지만 깨어나면 방금 표출한 것을 전혀 기억하지 못한다는 사실을 알아차렸다. 마치 인격의 의식적인 부분은 그 경험에 참여하지 않는 듯했다. 그는 히스테리 증상이 너무나 고통스러운 것이라서 환자가 (울음이나 웃음 같은) 감정 발산, 운동 동작, 정상적인 사회적 상호작용의 형태로 차마 직면하거나 자유롭게 표출할 수가 없는 감정의 표현이라고 결론지었다. 샤르코의 최면 시범과 브로이어와 함께 관찰한 사항들을 토대로, 프로이트는 억압repression을 발견했다. 나중에 정신분석 이론으로 발전할 것의 초석에 해당하는 개념이었다. 억압은 일종의 방어 반응, 즉 받아들일 수 없는 감정, 소망, 행동 양상을 인정하지 않으려 하는 마음의 저항이다. 프로이트는 억압을 극복할 방법을 찾다가 이윽고 자유연상 개념에 이르게 되었다.

파리에서 연구원 생활을 마치고 빈으로 돌아온 프로이트는 파펜하임에게 썼던 치료법을 가르쳐 달라고 브로이어에게 요청했다. 이 무렵 프로이트는 의원 개업을 했다. 환자는 주로 브로이어가 소개한 유대인과 이민자들이었다. 브로이어는 대출까지 해주면서 프로이트에게 금융적인 지원도 아끼지 않았다. 프로이트는 많은 히스테리 환자에게 브로이어의 접근법을 적용했고, 모든 사례에 브로이어의 발견이 들어맞는다는 것을 관찰했다. 그래서 그는 공동으로 책을 내자고 브로이어에게 제안했다.

두 사람은 1893년 히스테리 증상을 보이는 환자들을 치료하는 문제를 다룬 논문을 냈고, 1895년에는《히스테리 연구Studies in Hysteria》라는 책을 펴냈다. 이 책에 실린 역사적 사례 다섯 편 중 네 편은 프로이트가 썼고, 마지막 한 편(안나 오)과 이론적 논의 부분은 브로이어가 썼다.

하지만 프로이트와 브로이어는 히스테리 환자들이 기억하려고 애쓰는 경험의 본질에 관해서는 서로 의견이 달랐다.

이제 나는 이 신경증 현상의 배후에서 작용하는 것이 어떤 [임의적인] 감정적 흥분이 아니라, 현재의 성적 갈등이든 이전의 성적 경험의 효과든 간에, 으레 [구체적으로] 성적인 특성을 지닌 것임을 …… 알았다. …… 이제 나는 중대한 걸음을 내디뎠다. 나는 히스테리의 영역을 넘어서, 진료 시간에 무수히 나를 찾곤 했던 이른바 신경쇠약 환자들의 성생활을 조사하기 시작했다. 이 실험을 통해 …… 나는 …… 이 모든 환자들에게서 성적 기능이 대단히 학대받고 있다고 [확신하게 되었다].[6]

히스테리의 이 '유혹 이론seduction theory' ─ 비교적 흔한 한 가지 정신 질환이 성적 유혹이라는 하나의 원천에서 비롯된다는— 은 브로이어가 보기에 너무나 과격하고 가망 없어 보였고, 빈 의학계의 인사들은 즉각 프로이트와 의절하고 나섰다. 결국 브로이어는 "우리의 공동 작업에서 사퇴"하기로 결심했고, 프로이트는 "그가 남긴 유산의 유일한 관리자"로 남게 되었다.[7] 1896년 프로이트는 〈유전과 신경증의 병인론Heredity and the Aetiology of the Neuroses〉에 이렇게 썼다. "성적 영향을 구체적인 원인의 지위로 승격함으로써 내 접근법은 특색을 갖추게 되었다."[8] 이 견해에 따르면, 히스테리 증상을 일으키는 정신적 외상 사건이란 예외 없이 환자가 아이 때 아버지나 가까운 친척에게 유혹을 당했던 것과 같은 신체적인 성적 학대 행위라는 것이다. 따라서 프로이트의 초기 사상은 본질적으로 환경론이었다. 그는 히스테리 행동이 유혹을 수반한 외부 감각 자극에 대한 개인의 반응을 나타낸다고 생각했다.

프로이트의 환경론은 그가 1895년에 쓴 〈과학적 심리학을 위한 계획The Project for a Scientific Psychology〉이라는 글에서 찾아볼 수 있다. 이 논문은 마음의 과학과 뇌의 과학에 관한 지식을 통합하려는 대담하면서도 다소 혼란스러운 시도였다. 이 글은 미국의 철학자이자 심리학자이면서 뇌 연구자이기도 했던 윌리엄 제임스William James의 비슷한 시도와 극적인 대조를 이룬다. 제임스는 1890년에 《심리학 원리Principles of Psychology》라는 두 권짜리 책을 썼다. 이 책은 명쾌하면서도 유려하게 저술된 논총인 반면, 프로이트의 글은 대단히 이해하기 어렵게 쓰였다. 프로이트의 이 글은 그가 발표한 저작들의 특징인 명쾌함과 세련된 문체가 결핍된 미완성 논문임이 분명하며, 그는 생전에 이 논문을 출간하지 않았다. 이 글은 그가 세상을 떠난 지 수십 년 뒤에 발견되어, 저명한 미술사학자이자 프로이트의 제자인 정신분석학자 에른스트 크리스Ernst Kris가 1950년에 편집하여 출간했다.

이 논문(원래 제목은 '신경학자들을 위한 심리학Psychology for Neurologists'

이다)에서 프로이트는 "자연과학의 확장"[9]을 염두에 두고서 과학적 심리학—신경세포에서부터 복잡한 정신 상태에 이르기까지—을 발전시키려 시도했으나 실패한다. 다시 말해, 그는 마음의 과학인 심리학에 생물학이라는 확고한 토대를 마련하고자 시도한다.

과학적 심리학을 정립하려 시도했다는 점에서 프로이트와 제임스는 시대를 거의 한 세기나 앞선 셈이었다. 사실 마음의 과학을 생물학이라는 토대 위에 올려놓겠다는 그들의 목표는 21세기 초인 지금 우리가 이제야 겨우 추구하기 시작한 목표에 완전히 부합된다. 하지만 제임스가 이 방향으로 계속 나아간 반면, 프로이트는 그 시도에 나선 직후에 포기하고 말았다. 프로이트는 왜 이 대단히 야심 찬 시도에 착수했던 것일까? 그리고 시작하자마자, 왜 그렇게 쉽사리 포기한 것일까? 이 시기에 프로이트가 쓴 주요 저술들을 검토한 끝에, 나는 그가 뇌가 어떻게 작용하는지에 관한 자신의 생각을 단순화했기 때문에 인간의 마음과 그 장애를 설명하는 생물학적 모형을 개발할 수 있다고 믿게 되었다는 결론에 이르렀다.

그는 세 박자가 갖춰진 덕분에 단순하면서 추상적인 생물학 모형을 개발할 수 있었다. 첫째, 그는 환경 자극, 즉 외부 감각 사건—실제 유혹—이 히스테리의 원인이라고 믿었다. 나중에 내부 자극, 즉 본능적인 욕구가 중요한 역할을 한다는 점을 인식하긴 했지만, 그는 처음에는 외부 자극의 지각에만 초점을 맞췄다. 그래서 그는 뇌가 중요한 정신 과정들을 수행하려면 상호 연관된 세 체계만 있으면 된다고 주장했다. 지각(바깥 세계에서 받는 감각 정보), 기억(무의식으로부터 오는 그 정보의 회상), 의식(그 기억의 인식)이 바로 그것이었다.

둘째, 영국의 위대한 신경학자 존 휼링스 잭슨John Hughlings Jackson의 영향을 받은 프로이트는, 프란츠 요제프 갈이 제안하고 오늘날 대다수 뇌과학자들이 믿고 있듯이 뇌 안의 사건이 정신적 사건을 일으키는 것이 아니라 정신적 사건과 뇌 사건이 병렬적으로 일어난다고 생각하기 시작했다. 프로이트는 더 앞서 1891년에 낸 논리 정연하게 서술된 책《언어상실증에 관하여》에서 이렇게 설명한 바 있다. "신경계에서 일어나는 연쇄적인 생리적 사건들과 정신 과정 사이의 관계는 아마도 인과적인 관계가 아닐 것이다. …… 정신 과정은 생리적 과정과 병렬적이다."[10]

셋째, 프로이트는 고등한 인지 기능이 뇌의 특정 영역 및 영역들의 조합에 국한되어 들어 있을 수 있다는 것에 의구심을 보였다. 그의 생각은 당대의 영향력 있는 해부학자와 신경학자—피에르폴 브로카, 카를 베르니케, 테오도어 마이네르트, 산티아고 라몬이카할—대다수와 오늘날 우리가 지닌 견해와 달랐다. 프로이트는 언어 영역이 따로 있다는 브로카와 베르니케의 고전적인 발견에 강하게 의문을 제기했고, 그 연구자들이 언어의 정확한 신경 회로를 찾는 데 몰두하고 있다고 해서 그들을 "언어상실증의 다이어그램 제작자"라고 비판했다.

프로이트는 에른스트 폰 브뤼케 밑에서 공부할 때 브뤼케의 학생이자 조수로 있었던 지그문트 엑스너Sigmund Exner가 내놓은 느슨한 구성주의적 대뇌 국소화 관점에 푹 빠져 있었다. 엑스너는 개를 대상으로 실험한 끝에, 대뇌피질의 영역들이 서로 뚜렷이 나뉘어 있지 않다는 견해를 내놓았다. 이 실험을 통해 그는 피질 영역들이 어느 정도 서로 겹친다고 결론을 내리고, 온건한 국소화 개념을 제시했다.

엑스너의 주장은 어느 정도는 언어상실증에 걸린 사람들을 연구한 결과에 토대를 두고 있었다. 그는 한 언어 영역이 온전히 남아 있고 그 주변 영역들만을 파괴하는 뇌 손상을 입었을 때에도 언어 결함이 나타난다고 지적했다. 프로이트는 이런 종류의 결함이 언어에 관여하는 다른 뇌 영역들과 그 온전한 영역 사이의 경로 교란으로 생길 수도 있다는 결론을 내리기보다는 그런 발견들이 언어가 해부학적으로 국소화하지 않았음을 시사한다고 해석했다. 사실 그는 브로카와 베르니케가 서로 다른 곳

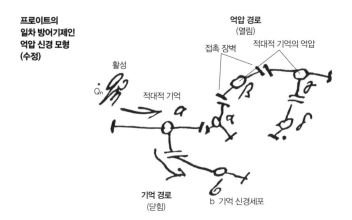

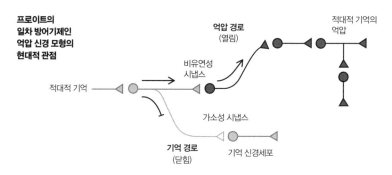

그림 5-1 마음의 신경 모형에 토대를 둔 프로이트의 억압 신경 모형.

이라고 기술한 수용성 언어 영역과 표현성 언어 영역이 사실은 하나의
커다란 연속된 영역이라고 생각했다. 그래서 그는 역동적인 기능 중추들
로 구성되는 전체적인 언어 기구가 있다는 개념을 내놓았다. 그는 그것을
피질 장cortical field이라고 이름 붙이고, 해부학적 경계가 아니라 뇌의 특정
한 기능 상태를 통해 정의했다.

　　이 개념에 힘입어 프로이트는 뇌에서 특정한 의식적 기능과 무의
식적 기능이 어디에 있는지를 걱정할 필요 없이 마음의 기능 모형을 자
유롭게 생각할 수 있었다. 그는 자신의 모형을 간단히 세 가지 추상적인

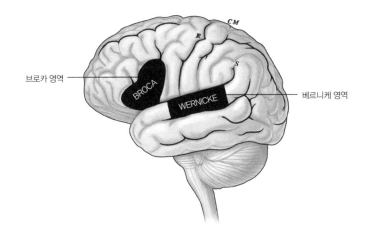

그림 5-2 윌리엄 제임스가 《심리학 원리》에 실은 좌반구 도해.

신경망의 집합이라는 토대에 올려놓을 수 있었다. 각 신경망은 지각, 기억, 의식이라는 서로 다른 기능을 매개하는 서로 다른 특성을 지니고 있었다. 이 세 체계는 뇌의 특정한 영역에 국한되어 있지 않았다. 프로이트는 이 모형의 일부를 이용하여 억압, 즉 일차 방어기제가 어떻게 작용할 수 있는지를 설명했다(그림 5-1). 이러한 점에서, 프로이트와 유사하게 《심리학 원리》에서 마음의 과학과 뇌의 과학을 결합하려는 시도를 한 제임스가 정신 기능의 국소화가 중요하다고 강조하면서 그 이론이 보편적으로 받아들여지지 않았음을 독자에게 주지시켰다는 점은 흥미롭다(그림 5-2, 5-3).

프로이트는 왜 마음의 생물학적 모형을 포기했을까? 한 가지 이유는 그 모형을 브로이어의 대화 치료를 수정함으로써 나온 결과물인 무의식적 과정에 관한 자신의 수정된 견해에 끼워 맞출 수 없었다는 것이다.

1895년 《히스테리 연구》를 출판한 직후에 프로이트는 최면술을 자신의 치료법에서 제외시켰다. 이제 그는 자유연상에 전적으로 의존했다.

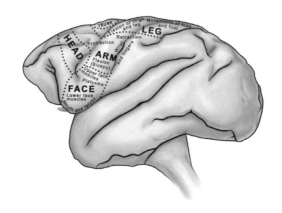

그림 5-3 윌리엄 제임스가《심리학 원리》에 실은 원숭이 뇌의 좌반구 그림.

깨어 있는 환자에게 마음에 떠오르는 것은 무엇이든 기술하도록 하는 연
상법이었다. 최면술이 프로이트와 환자 사이에 통제된 거리를 빚어낸 반
면, '대화 치료'는 그 관계를 직접적이고 개인적인 것으로 만들었다. 이
변화는 전이transference, 즉 환자가 자신의 핵심 관계, 특히 유년기의 관계
를 특징짓는 무의식적 감정 중 일부를 치료사에게 향하는 과정을 강화했
다. 프로이트는 환자의 전이 과정을 분석했고, 사람들이 정말로 성가신
문제에 대처하는 데 쓰는 무의식적 방어기제의 새로운 차원을 발견했다.

특히 프로이트는 환자들이 유혹이라는 환상을 의사인 자신에게 매
우 자주 투사한다는 사실을 알고 깊은 인상을 받았다. 그는 유년기의 성
적 학대로 설명하기에는 히스테리를 겪는 여성들이 너무나 많다는 점을
깨달았다. 그래서 그는 환자들의 말이 실제 사건이 아니라, "오로지 환자
가 꾸며 내거나 아마도 내 자신이 그들에게 강요했을 법한 환상"에 토대
를 둔다고 결론지었다.[11] 그 결과 그는 자신의 유혹 이론을 수정하게 되
었다. 이제 그는 환자가 경험한 정신적 외상을 일으키는 유혹을 실제 신
체 행위로서가 아니라 환자가 부모를 상대로 상상한 신체 경험이라고 보

았고, 그 환상이 보편적이라고 결론지었다.

1897년에 정립된 이 수정판은 몇 가지 면에서 프로이트 사상에 중요한 전환점이 되었다. 이 수정판은 성적인 소망과 욕구가 정신생활의 여러 측면에서 위장된 형태로 표출된다는 그의 믿음이 전이 분석을 통해 더욱 강화되고 있음을 보여 주었다. 아울러 그는 이제 어른의 가지각색의 성적 행동이 예외 없이 유년기에 근원을 두고 있다고 인식했다. 마지막으로 그는 일부 무의식적 정신 활동—역동적인 무의식—이 현실과 환상을 전혀 구분하지 않는다고 확신하게 되었다.

프로이트는 자신이 앞서 지녔던 마음의 환경론이 지나치게 단순했다고 결론지었다. 그는 내면의 본능적 충동을 새롭게 이해하여 마음이 외부(환경)의 자극뿐 아니라 내부(무의식)의 자극에도 영향을 받을 수 있다는 성숙한 견해를 도출할 수 있었다.[12] 나중에 살펴보겠지만, 이처럼 인간 행동의 사회적 외면 아래에서 어떤 일이 벌어지는지를 탐구하려는 태도는 프로이트뿐 아니라 아르투어 슈니츨러, 구스타프 클림트, 오스카어 코코슈카, 에곤 실레를 비롯한 빈의 무의식적 마음 탐구자들도 지니고 있었다.

프로이트가 자신의 생물학적 모형을 포기한 두 번째이자 더 중요한 이유는 행동, 마음, 뇌라는 세 분석 수준을 연결하려는 시도가 시기상조임을 그가 확신했기 때문이다. 뇌과학의 최전선에서 연구를 수행한 경험을 통해, 그는 뇌가 어떻게 작동하는지 거의 알려져 있지 않기에 지식의 거대한 두 분야, 즉 임상적인 행동과 마음 사이, 마음과 뇌 사이를 단숨에 훌쩍 뛰어넘을 진지한 노력을 할 때가 아직 아니라는 점을 알아차렸다.

그래서 프로이트는 생물학적 모형을 완성한 지 몇 달 지나지 않은 1895년 말에 그 모형을 포기하고, 〈과학적 심리학을 위한 계획〉 원고를 아예 제쳐 놓았다. 그 논문에 실린 생물학적 내용이 지나치게 단순하고

I 무의식의 감정을 향한 정신분석 심리학과 예술 **87**

미비하다는 점을 인식한 그는 믿고 의지하는 친구이면서 앞서 몇 차례 고치곤 한 그 원고를 다 읽은 코 수술 전문의 빌헬름 플리스Wilhelm Fliess에게 자신이 구상한 심리학으로는 마음의 상태를 더 이상 이해할 수 없다고 편지를 썼다. "일종의 일탈이었던 듯해요."[13]

생물학적 모형을 버린다는 것이 쉬운 일은 아니었다. 생물학을 거부한다거나 생물학과 결별하려고 애쓴 것이 아니었기 때문이다. 오히려 그는 그 결정이 불가피한 것이라고 보았고, 그것이 마음의 심리학과 뇌의 생물학 양쪽이 성숙할 때까지 시간을 벌어 주는 일시적인 결별이기를 바랐다. 훗날 둘을 궁극적으로 통합하려는 시도를 하기 전까지 말이다. 이 통합은 당대로서는 급진적인 개념이었다. 그는 인간의 행동을 뇌과학과 연결할 수 있으려면, 먼저 마음의 일관성 있는 역동적 심리학이 발전해야 한다는 점을 깨달았다. 이 견해는 행동과 뇌를 연결하는 3단계 접근법을 함축하고 있었다(그림 5-4). 이 접근법에서는 관찰 가능한 임상적 행동이 가장 낮은 수준이고, 정신분석—마음의 역동적 심리학—이 연결 고리 수준이며, 뇌의 생물학이 가장 상위 수준이다.

이 견해를 펼칠 때 프로이트는 과학에서 되풀이하여 적용되어 온 전략을 쓰고 있었다. 먼저 대상을 체계적으로 관찰하고 기술할 때 원인을 간파하는 깨달음이 찾아올 가능성이 가장 높다는 믿음에 토대를 둔 전략이었다. 예를 들어 뉴턴의 중력 발견은 케플러의 천체 관측 자료에서 도출되었고, 다윈의 진화 개념은 린네Carl von Linné의 상세한 동식물 분류를 토대로 한 것이었다. 아마도 프로이트에게 가장 직접적으로 영향을 미친 것은 헤르만 폰 헬름홀츠의 견해였을 것이다. 브뤼케의 가까운 친구이자 동료이면서 19세기의 가장 뛰어난 과학자 중 한 명이었던 헬름홀츠는 심리학을 물리학 및 화학과 결합하는 데에도 기여했다. 그는 시지각 연구를 하면서 심리학이 뇌의 생리를 이해하는 데 중요한 토대라고 보게 되었다.

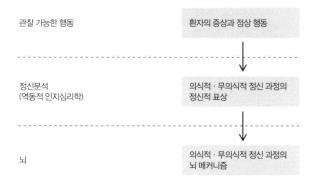

행동과 뇌 사이의 중간 역할을 할 수 있는
인지심리학의 출발점이 된 프로이트의 정신분석 개념 개요

관찰 가능한 행동	환자의 증상과 정상 행동
정신분석 (역동적 인지심리학)	의식적·무의식적 정신 과정의 정신적 표상
뇌	의식적·무의식적 정신 과정의 뇌 메커니즘

그림 5-4 정신 과정의 생물학적 분석을 위한 프로이트의 3단계 접근법. 핵심적인 중간 단계인 관찰 가능한 감정의 생물학적 분석을 하려면, 지각과 감정이 정신분석적-인지심리학적 관점에서 어떻게 재현되는지를 분석할 필요가 있다. 이와 똑같은 3단계 접근법은 21세기에 새로운 마음의 과학을 출범시켰다.

정신분석 심리학을 뇌과학과 분리한 프로이트의 결정은 오랜 기간 심리학에 유익한 역할을 했다. 그 덕분에 프로이트는 비록 실험 관찰에 토대를 두지 않았을지라도 한편으로는 신경 메커니즘과의 모호한 상관관계에도 기대지 않은 채 정신 과정을 기술할 수 있게 되었다. 프로이트의 판단이 옳았다는 점은 1938년 접근 방향이 전혀 달랐던 심리학자이자 엄밀한 실험행동학자인 B. F. 스키너Skinner가 과학적으로 볼 때 당분간 행동 연구를 뇌과학과 분리할 필요가 있다는 비슷한 주장을 펼쳤다는 사실에서도 드러난다.

이렇게 자기 입장을 강화하기 위해 결별을 했어도, 프로이트는 뇌과학이 궁극적으로 자신의 마음 개념을 혁신할 것이라고 내다보았다. "우리가 사용하는 심리학의 모든 임시 개념들이 언젠가는 유기적인 토대 위에 놓일 것임을 염두에 두어야 한다."[14] 1920년에 쓴 《쾌락원칙 너머

Beyond the Pleasure Principle》에서 그는 이렇게 설명했다.

> 우리가 심리학 용어를 생리학 용어나 화학 용어로 대체할 지점에 이미
> 와 있다면 우리의 설명에서 부족한 점들은 아마도 사라졌을 것이다.
> …… 우리는 〔생리학과 화학〕이 어쩌면 가장 놀라운 정보를 제공할 것
> 이라고 예상할 수 있지만, 우리가 힘겹게 씨름하고 있는 의문들에 그
> 것이 앞으로 수십 년 안에 어떤 답들을 내놓을지 추측할 수는 없다. 그
> 답들이 우리가 가설로 구축한 인위적인 구조 전체를 날려 버리는 것일
> 수도 있다.[15]

프로이트는 새로운 마음의 과학의 토대를 제공할 수 있는 심리학
을 개발하기 위해서 두 가지 과제를 해결해야 했다. 첫째, 그는 연상 학습
associative learning 분야의 두 거장인 이반 파블로프Ivan Pavlov와 에드워드 손
다이크Edward Thorndike의 이론보다 더 포괄적인 마음의 이론을 개발해야
했다. 연상 학습을 처음으로 설명한 사람은 아리스토텔레스였다. 그는 우
리가 개념들을 연상함으로써 배우는 것이라고 했다. 현대 심리학의 선구
자였던 존 로크John Locke를 비롯한 영국의 경험주의자들은 그 개념을 정
교하게 다듬었다. 파블로프와 손다이크는 한 단계 더 나아가서 관찰할 수
없는 심리적 사유 구성물을 거부하고, 관찰 가능한 행동 구성물인 반사
행동에 초점을 맞췄다. 손다이크와 파블로프는 학습이 관념 사이의 연상
이 아니라 자극과 행동의 결합이라고 보았다. 이렇게 패러다임을 전환함
으로써, 학습은 실험 분석의 대상이 될 수 있었다. 즉 반응을 객관적으로
측정할 수 있었고, 자극에 대한 반응을 보상 및 처벌과 구체적으로 연관
짓고 변화시키면서 살펴볼 수 있었다.

비록 프로이트가 관념 연상을 심적 결정론 원리principle of psychic deter-
minism(기억 속의 연상이 자기 인생의 사건들과 인과적으로 연결되어 있다는 원

리) 안에서 활용했을지라도, 그의 마음 이론은 파블로프와 손다이크의 이론보다 훨씬 포괄적이었다. 그는 인간의 정신에는 연상을 초월하는, 그리고 보상과 처벌에 관한 학습을 초월하는 것이 많이 있음을 알아차렸다. 그는 자극과 반응 사이에 개입하는 정신적 표상―인지 과정―을 포함하는 심리학을 원했다. 지각, 생각, 환상, 꿈, 야심, 갈등, 사랑, 증오를 포함하는 심리학이었다.

둘째, 프로이트는 정신병리학이라는 테두리 안에 갇혀 있고 싶지 않았다. 그는 정상적인 정신 상태와 정신병리학을 모두 설명할 수 있는 일상생활의 심리학을 정립하고자 했다. 그의 결심은 많은 신경학적 장애와 달리, 정신 질환―그리고 정신병 전반―이 정상적인 정신 과정의 확장과 왜곡 사례라는 놀라운 통찰에 토대를 두었다.

그리하여 울릭 나이서Ulric Neisser가 인지심리학이라는 용어를 창안하기 반세기도 더 이전에, 프로이트는 최초의 인지심리학을 개발했다. 과학적으로 근거가 빈약하긴 했어도, 그것은 훗날 등장한 인지심리학들의 선조였다. 나이서는 인지심리학을 거의 프로이트식 용어로 정의했다.

> '인지'라는 용어는 감각 자극이 변형되고 집약되고 정교해지고 저장되고 복원되고 사용되는 모든 과정을 가리킨다. 이 과정들은 상상이나 환각에서처럼 관련된 자극이 없는 상태에서도 작동한다. ······ 이런 포괄적인 정의를 염두에 두고서 보면, 인지가 인간이 할 수 있는 모든 일에 관여한다는 것이, 즉 모든 심리 현상이 인지 현상임이 명백하다.[16]

나이서와 그의 동시대 학자들은 원래 '앎의 기능faculty of knowing'에 초점을 맞추었고, 감정이나 무의식적 과정을 고려하지 않고 지식의 전환―지각, 생각, 추론, 계획, 행동―에만 인지심리학을 국한했다. 현재 이 분야는 훨씬 더 포괄적인 관점을 취하고 있으며, 행동의 모든 측면을 포함한다. 즉 지식 기반의 행동뿐 아니라 감정적·사회적 행동, 의식적 행동뿐 아니라 무의식적 행동까지 다룬다. 이런 의미에서, 현대 인지심리학의 목표는 프로이트가 원래 제시했던 역동적 심리학의 목표와 궤를 같이한다. 하지만 나이서와 그의 동시대 심리학자들이 제시했던 인지심리학은 프로이트 심리학과 달리 경험적인 것으로서 고안되었다. 그럼으로써 기본 개념들을 분리하고 타당성을 검증할 수 있도록 했다.

◆ ◆ ◆

돌이켜보면, 인지심리학이 행동과 뇌생물학 사이에서 왜 그토록 중요한 역할을 해왔는지가 명확해진다. 지난 20년 동안, 프로이트의 몇몇 개념을 검증하기 위해 많은 경험 연구가 이루어져 왔다. 그 연구자들은 성적본능과 공격 본능처럼 프로이트가 초점을 맞추기 시작했던 인지심리학적 특성들이 생존에 필수적이며, 진화를 통해 선택되고 보존되어 왔다는 것을 알아차렸다. 지각, 감정, 감정이입, 사회적 과정의 기본 요소들도 진화를 통해 보존되어 왔으며, 더 단순한 동물들에게서도 찾아볼 수 있다. 게다가 최근의 이런 발견들은 감정과 사회적 행동이 동물과 사람에게서 보존되어 왔다는 다윈의 주장을 더욱 뒷받침한다.

하지만 '빈 1900'과 가장 직접적인 관련이 있는 것은 행동, 마음, 뇌를 연관 짓는 프로이트의 3단계 접근법을 1930년대에 그의 동료인 에른스트 크리스, 크리스와 공동으로 연구한 더 후대의 인물인 언스트 곰브리치도 채택했다는 사실이다. 두 사람은 그 접근법을 써서 미술과 과학을 연관 지으려 했다. 크리스와 곰브리치는 궁극적으로 지각, 감정, 감정이입에 생물학적으로 접근할 수 있는 길을 닦게 될 개념을 통해 최초의 미술인지심리학—지각과 감정 사이의 학제 간 심리학—을 전개했다. 곰브리치는 예언하듯이 이렇게 말했다. "심리학은 생물학이다."[17]

06

뇌와 별개로
마음을 탐구하다:
역동적 심리학의
기원

생물학적 탐구에서 마음의 심리학적 탐구로 프로이트의 생각이 바뀌기 시작한 것은 개인적인 정신적 외상이라는 맥락 속에서였다. 바로 1896년 아버지가 세상을 떠난 사건이었다. 그 무렵 마흔 살이었던 프로이트는 훗날 부친의 사망이 "한 사람의 인생에서 가장 중요한 사건이자 가장 가혹한 상실"[1]이라고 적었다.

신기하게도 프로이트는 이 상실에 두 가지 방식으로 대처했다. 그는 골동품을 수집하기 시작했다. 그가 일찍이 과거, 신화, 고고학, 특히 1871년 하인리히 슐리만Heinrich Schliemann이 호머의 트로이 전쟁이 벌어졌던 지역인 현재 터키의 해안 평원에 자리한 일리오스Ilios를 발굴한 일에 매료되어 있었던 것도 이 새로운 열정에 불을 지피는 데 한몫을 했다. 프로이트는 심리치료사의 일과 고고학자의 일에서 비슷한 점들을 찾아냈고, 더 나아가 정신분석 개념을 정립하는 데 고고학적 비유를 쓰기도 했다. 그는 초기 환자 중 한 명인 늑대 인간Wolf Man(본명은 세르게이 판케예프)을 설명하면서 이렇게 썼다. "정신분석학자는 유적지를 발굴하는 고

고학자와 마찬가지로, 가장 깊이 묻혀 있는 가장 가치 있는 보물이 드러날 때까지 환자의 정신을 층층이 파헤쳐야 한다."[2]

또 부친의 영면에 자극을 받아서 프로이트는 새로운 환자를 한 명 받았다. 그는 여생 동안 그 환자가 밤에 꾸는 꿈을 충실히 기록하고 층층이 해석했다. 그는 1897년 플리스에게 이렇게 편지를 썼다. "내가 부지런히 만나고 있는 주된 환자는 나 자신입니다."[3] 그는 하루 일을 끝내고 나면 30분을 자기 자신을 분석하는 데 할애했고, 그렇게 자기분석은 표면 밑에 놓인 것을 발굴하려는 그의 평생에 걸친 노력의 일부가 되었다. 자신의 심리를 파헤치다가 프로이트는 새로운 대상에 관심의 초점을 맞추게 되었다. 바로 꿈의 의미였다.

· · ·

인류는 꿈을 두루 경험한다. 꿈은 흔하면서도, 거의 인류 역사 내내 수수께끼로 남아 있었다. 꿈은 무엇일까? 우리는 왜 꿈을 꿀까? 꿈은 어떤 의미가 있을까? 꿈은 신의 의사소통 수단일까? 예언을 보여 주는 계시일까? 일상생활의 사건들을 재연하는 것일까? 아니면 그저 뇌라는 기구에서 나는 잡음에 불과한 것일까?

프로이트는 자기분석을 통해 이런 의문들을 탐구했고, 그 탐구는 그의 가장 유명한 저서인 《꿈의 해석The Interpretation of Dreams》으로 이어졌다. 이 책에서 그는 의식적·무의식적 정신 과정에 관한 자신의 생각을 개괄하면서, 꿈에 고스란히 적용한다. 그는 꿈이 무의식적·본능적 소원의 위장된 성취라고 주장한다. 때로 이 소원은 깨어 있을 때 개인의 마음에 용납될 수 없는 것이어서 검열되곤 하며, 그것은 나중에 꿈속에서 자신을 드러낸다.

프로이트는 꿈이 원형적인 정신적 경험이라고 보았다. 즉 꿈의 분석이 무의식으로 나아가는 왕도가 되고, 인간의 마음이 어떻게 작동하는지를 알려 줄 강력한 단서를 제공한다고 생각했다. 꿈을 분석함으로써 그는 정신의 세 핵심 요소인 일상적 사건, 본능적 충동, 방어기제 사이에 어떤 상호작용이 일어나는지 추론했다. 그 깨달음을 발판으로 그는 뇌의 해부 구조가 아니라 심리적 과정을 토대로 한 새로운 마음 모형을 개발했다.

이제 프로이트는 공포증, 실언, 농담 등 모든 형태의 정신생활이 꿈 생산 양상을 따른다고 믿게 되었다. 게다가 마음의 한 부분은 흔히 다른 부분과 충돌하므로, 갈등은 인간의 모든 심리 활동의 핵심이다. 정상인의 꿈과 프로이트 환자의 증상은 이 숨겨진 싸움의 직접적인, 위장된 결과물이었다. 따라서《꿈의 해석》이 프로이트의 연구에 어떤 의미가 있는지는 꿈 자체가 무의식적 마음에 어떤 의미가 있는지를 보면 알 수 있다. 비록 이 책은 1899년 마지막 몇 주 사이에 완성되었지만, 출판사는 그 책이 20세기의 새로운 심리학을 상징한다는 프로이트의 믿음을 강조하기 위해 출간 연도를 1900년으로 표기했다.

프로이트는《꿈의 해석》첫 장의 첫 문단에, 향후 자기 저술의 특징이 될 우아하면서도 명쾌하고 설득력 있는 문체로 자신의 급진적인 꿈 이론을 소개한다.

> 이 책에서 나는 꿈을 해석할 수 있는 심리 기법이 있으며, 이 기법을 적용하면 모든 꿈이 의미로 가득한 하나의 심리 구조임이 드러날 것이며, 이 구조를 각성 상태에서 이루어지는 정신 활동의 특정한 자리에 끼워 넣을 수도 있다는 것을 보여 주고자 한다. 더 나아가 나는 꿈의 기이함과 모호함의 토대를 이루는 과정들을 밝혀내고 이 과정들로부터 갈등이나 협력을 통해 우리의 꿈을 빚어내는 정신적 힘들의 본질을 추론하고자 한다.[4]

더 나아가 그는 구약성서의 창세기에 실린 요셉의 꿈 해석을 시작으로 고대의 꿈 개념들을 검토한다. 고대인들은 꿈이 초자연적 세계와 관련 있으며, "신과 악마로부터 영감을 받는다."[5]고 믿었다. 프로이트는 꿈이 의미를 지닌다고 믿는 보통 사람이 회의론을 피력하는 대다수 의학자들보다 진실에 더 가까이 있다고 주장한다. 그는 자신과 브로이어가 개발한 자유연상 기법을 적용하면 꿈의 분석을 과학적 토대 위에 올려놓을 수 있다고 했다.

프로이트가 기술한 첫 번째 꿈은 자신이 여름을 보내고 있던 휴양지인 그린칭 바로 위쪽 코벤츨에 있는 슐로스벨레뷰에서 1895년 7월에 꾸고 분석한 것이다. 그 꿈은 그의 업무와 관련이 있는데, 가족의 친구인 젊은 환자 엠마 에크슈타인에 관한 내용이다. 프로이트는 그녀를 이르마라고 언급하면서 그 꿈을 '이르마의 주사Irma's Injection'라고 지칭한다. 그는 꿈에서 깬 뒤에 자유연상을 통해 그 꿈의 토대에 놓인 소원 성취가 무엇인지를 알아차리는 과정을 기술한다. 즉 자신이 내린 진단 실수를 자신의 잘못이 아니라 동료의 탓으로 돌리고자 했던 것이다. 또 그 꿈을 분석함으로써 그는 꿈속에서는 한 사람이 다른 사람으로 대체될 수 있고 용납할 수 없는 죄책감이 다른 형태로 표현된다는 것도 알아차렸다.

프로이트가 슐로스벨레뷰로 간 것은 아내 마르타의 생일을 맞이해 파티를 열기 위해서였다. 당시 아내는 장녀인 안나를 임신하고 있었다. 프로이트는 의사 친구 몇 명과 환자 몇 명을 파티에 초대했다. 엠마도 그들 중 하나였다. 그녀는 치료를 받으면서 신체 증상 중 몇 가지가 사라진 상태였다. 프로이트는 휴가 기간에 엠마의 치료를 중단하자고 제안했다. 그 젊은 여성은 최근에 흔히 하는 코 수술을 받았다. 프로이트의 친구이자 지지자인 빌헬름 플리스가 집도했다. 당시 프로이트는 요제프 브로이어와 관계가 악화되고 있던 터라, 플리스와의 우정은 그에게 아주 중요했다. 그는 코 수술이 엠마의 건강에 절대적으로 필요하다는 확신이 없었는데도 엠마에게 수술을 받으라고 권했다.

플리스는 1895년 2월에 엠마를 수술했고, 프로이트는 그 젊은 여성의 후속 치료 책임이 자신에게 있다고 생각했다. 그런데 수술할 때 플리스가 엠마의 코안에 거즈 조각을 그냥 놔두는 바람에 감염이 일어났다. 3월이 되자 그녀는 출혈을 일으키기 시작했고 목숨이 오락가락할 지경이 되었다. 엠마는 다른 의사들에게 수술을 받아서 거즈를 제거했다. 하지만 코는 계속 아팠고 피도 흘러나왔다. 프로이트는 엠마의 수술이 잘못되었다고 탓하기보다는 플리스와 어느 정도는 엠마에게까지도 그녀의 증상이 의학적인 것이 아니라 심리학적인 것이라고 우겼다. 몇 주가 흐르는 동안 엠마의 증상은 나아지기 시작했지만, 그녀는 여전히 뱃속이 거북했고 걷는 데 문제가 있었다. 그 꿈을 꾼 날 낮에 프로이트의 의사 친구인 오스카어 리Oskar Rie가 그에게 엠마가 계속 아프며 치료를 해도 듣지를 않는다고 알려 주었다.

꿈속에서 프로이트는 커다란 홀에서 파티에 참석하기 위해 오는 많은 손님을 환대하고 있다. 손님 중에 엠마도 있다. 프로이트는 그녀를 구석으로 데려가서, 남아 있는 통증이 심리적인 문제에서 비롯한 것이며 그녀 자신의 잘못이라고 다시금 확인시킨다. 그녀는 이렇게 대꾸한다. "내가 어떻게 아픈지 알기는 하나요?"[6] 그녀의 몸에 정말로 병이 있는데 간과했을 수도 있다는 생각이 든 프로이트는 그녀에게 목 안을 살펴볼 수 있도록 입을 벌리고 혀를 내밀라고 한다. 목 안에 커다란 회백색 반점들이 나 있다. 그는 자신이 제대로 보았는지 확인하기 위해, 의사인 친구들에게도 그녀를 봐달라고 부탁한다. 그중 한 명이 외친다. "감염이 틀림없네요."

꿈의 이 시점에서 프로이트는 트리메틸아민―성욕의 토대라고 믿었던 물질―의 화학 공식이 눈앞에서 둥둥 떠다니는 것을 본다. 엠마는 실제로 최근에 주사를 맞은 적이 있었고, 프로이트는 그 사실을 알았다.

그는 엠마에게 쓰인 주사기가 제대로 소독되지 않은 것이었을 수 있다고 생각하면서, 그렇게 부주의하게 감염을 일으킨 의사(아마도 플리스)를 질책한다.

프로이트는 이 꿈이 자기 죄의식의 반영이라고 해석한다. 자신을 제외한 모든 사람—플리스, 엠마, 다른 의사들—을 비난하고 마지막으로 트리메틸아민을 비난함으로써 대응한다. "그토록 많은 중요한 대상이 그 한 단어로 수렴되었다. 트리메틸아민은 성욕의 대단히 강력한 요인을 암시할 뿐 아니라, 내 의견에 아무도 동의하지 않는다는 고립감을 느낄 때마다 떠올리면서 흡족함을 얻는, 내 견해에 동조하는 사람[플리스]을 암시했다."[7] 또 그 꿈은 마르타의 예기치 않은 임신이 '부주의한 주사'의 산물이라는 프로이트의 불안도 반영한다. 하지만 가장 중요한 점은 그가 무엇을 믿느냐다. 그는 그 꿈이 전체적으로 말하는 바가 모든 신경증의 근원에는 성욕이 있다는 것이라고 믿는다. 자신이 입증하고자 애썼던 바로 그 핵심을 말이다.

이 꿈 분석은 의학적 추리소설처럼 읽힌다. 프로이트는 신경증 환자들의 증상을 살필 때와 똑같은 탐구 열정을 발휘하여 자기 꿈속의 인물, 요소, 사건이 지닌 정신적인 의미를 해독하려 시도한다. 정신분석의 대가인 찰스 브레너Charles Brenner는 꿈을 전반적으로 다음과 같이 설명한다.

잠잘 때 의식에 나타나고 깨어난 뒤 당사자가 꿈이라고 지칭하는 주관적 경험은 특성이나 강도로 볼 때 잠 자체를 방해할 위험이 있는, 잠자는 동안 일어나는 무의식적 정신 활동의 최종 결과물에 불과하다. 잠자는 사람은 깨어나는 대신에 꿈을 꾸는 것이다. 우리는 자던 사람이 깨어난 뒤에 떠올리든 떠올리지 못하든 간에, 잠자는 동안 일어나는 의식 경험을 발현몽manifest dream이라고 한다. 그 꿈의 다양한 요소는 발현몽의 내용이라고 한다. 잠자는 사람을 깨울 듯이 위협하는 무의식적 생

각과 소원은 잠재몽latent dream 내용이라고 한다. 잠재몽 내용을 발현몽

으로 바꾸는 무의식적 정신 작용은 꿈 작업이라고 한다.[8]

프로이트는 이 중요한 꿈의 두 가지 주요 특징을 살펴봄으로써 왜

곡되어 나타난 것들을 해석한다. 그 발현된 내용인 꿈의 실제 줄거리(파

티, 엠마의 등장, 엠마의 의학적 상태 등등)와 잠재된 내용인 꿈꾸는 사람의

근원적인 소원과 욕망이 그것이다. 그는 억압이 꿈의 잠재된 내용을 숨기

고 검열되지 않은 날것 상태의 자료가 발현된 내용에 담기지 못하게 막

는다고 주장한다. 더 나아가 그는 억압이 받아들일 수 없는 잠재된 생각

을 받아들일 수 있는 발현된 내용으로 어떻게 전환하는지를 보여 주면

서, 자신이 꿈의 심리적 기능을 연구하여 알아낸 가장 중요한 깨달음이라

고 생각하는 것을 결론으로 제시한다. "해석 작업이 끝났을 때, 우리는 꿈

이 소원의 성취임을 알게 된다."[9] 프로이트는 9년 뒤에 내놓은《꿈의 해

석》개정판에서 소원 성취 개념을 더 확장하여, 대부분의 꿈이 성적인 소

재를 다루며 성욕을 드러낸다고 주장한다.

　　마치 꿈의 수수께끼를 풀려는 시도만으로는 충분치 않다는 듯이,

그 책에는 전혀 알아차리지 못한 채 아버지를 죽이고 어머니와 혼인한

고대 그리스 신화 속의 인물인 오이디푸스 왕의 이야기에서 따온 오이디

푸스 콤플렉스의 초기 개념도 실려 있다. 프로이트는 유년기에 남아가 엄

마를 향한 성적 소망을 품으면서 엄마의 관심을 돌리는 경쟁자인 아버지

를 제거하려는 소망도 품는다고 주장한다. 여아는 정반대 방향의 소망을

품는다. 또 프로이트는 앞서 지녔던 생각도 계속 이어 간다. 즉 개인의 현

재 상태를 이해하려면, 내면으로 눈을 돌려서 그 사람이 아주 어렸을 때

겪었던 경험인 실제 경험과 상상 경험 양쪽을 이해해야 한다는 것이다.

　　다소 엉성한 설명이었지만 명쾌하게 다듬어지면서,《꿈의 해석》은

프로이트의 경력을 돋보이게 한 선구적인 업적이 되었다. 프로이트 본인

도 그 책을 대단히 자랑스러워했다. 1900년 6월 12일자로 플리스에게 보낸 편지에서 그는 5년 전에 '이르마의 주사'라고 이름 붙인 꿈을 꾸었던 곳인 슐로스벨레뷰를 다시 찾았다고 적었다. "훗날 이 집에 이런 글이 새겨진 대리석 판이 붙지 않을까요? '1895년 7월 24일, 지그문트 프로이트 박사가 꿈의 비밀을 풀었다'라고요."[10] 그는 죽는 날까지 그런 감상에 젖어 있었다. 1931년 《꿈의 해석》의 영어판 서문에 그는 이렇게 썼다. "지금 생각해도, 이 책에 내가 운 좋게 해낸 모든 발견들 가운데 가장 가치 있는 것이 실려 있다는 판단이 든다. 이런 깨달음은 평생에 한 번 찾아올까 말까 한 행운이다."[11]

《꿈의 해석》에서 일관성 있는 인지심리학으로 제시된 프로이트의 마음 이론은 모든 정신 활동이 원인과 뇌 안의 표상을 지닌다는 개념을 토대로 했다. 이 이론에는 네 가지 핵심 개념이 들어 있다.

첫째, 정신 과정은 주로 무의식적으로 작동한다. 의식적 생각과 감정은 전형적인 것이 아니라 예외 사례다. 이 가설은 정신생활의 피상적인 현상들 아래에 놓인 내면의 현실을 탐구하려 한 프로이트의 이전 시도를 확장한 것이다.

둘째, 정신 활동 가운데 뇌 기구의 단순한 잡음에 불과한 것은 없다. 정신적 사건은 결코 우연히 일어나는 것이 아니라 과학 법칙에 따르는 것이다. 특히 정신적 사건은 심적 결정론 원리를 따른다. 즉 개인의 기억 속에서 결합되어 있는 것들은 실제 삶에서 일어나는 사건들과 인과적으로 연결되어 있다. 모든 심적 사건은 더 앞서 일어났던 실제 사건에 따라 결정된다. 관념 연상은 의식적인 정신생활뿐 아니라 무의식의 통제도 받지만, 양쪽의 통제는 뇌에서 전혀 다른 경로들을 통해 이루어진다.

셋째는 인간 무의식의 비밀을 푸는 데 핵심이 되는 개념인데, 프로이트는 비합리성 자체가 결코 비정상을 뜻하는 것이 아니라고 주장했다.

그것은 인간 마음의 가장 깊은 무의식 층에서 통용되는 보편적인 언어라는 것이다. 이 개념을 통해 프로이트는 자연히 그다음의 결론으로 나아갔다.

넷째, 정상적인 정신 기능과 비정상적인 정신 기능은 연속선상에 있다. 환자에게 제아무리 기이하게 보일지라도 모든 신경증 증상은 무의식적 마음에는 결코 기이하지 않다. 그것은 더 이전의 정신 과정들과 관련 있기 때문이다.

프로이트가 나중에 지적했다시피, 이 가운데 첫 번째와 두 번째 개념, 즉 브레너가 "정신분석의 두 가지 기본 가설"[12]이라고 한 개념들은 전적으로 독창적인 것이라고는 할 수 없다. 무의식적 정신 과정에 관한 프로이트의 생각은 철학, 특히 아르투어 쇼펜하우어와 프리드리히 니체의 저술에 영향을 받았다. 또 개인의 정신생활에 우연히 일어나는 것은 결코 없다는 주장은 고대 그리스 철학자 아리스토텔레스에게서 유래한 것이다. 기억이 관념 연상을 필요로 한다는 주장을 처음 내놓은 이가 아리스토텔레스였고, 나중에 존 로크를 비롯한 영국의 경험철학자들과 더 후대의 행동심리학자인 이반 파블로프와 에드워드 손다이크는 그 개념을 더 다듬었다.

프로이트는 무의식적 마음의 관념 연상이 심적 결정론을 설명한다고 보았다. 실언, 무관한 듯한 생각, 농담, 꿈, 꿈속의 이미지는 모두 더 앞서 일어났던 심리적 사건과 관련이 있고, 개인의 나머지 정신생활과 일관되고 의미 있는 관계를 맺고 있다는 것이다. 정신분석 치료의 핵심 방법론인 자유연상은 이 개념에서 유래했다.[13]

그의 개념 중에서 가장 독창적이면서 가장 크게 영향력을 끼친 것은 정신 활동이 과학 법칙에 따른다는 것이다. 아리스토텔레스부터 니체에 이르기까지 철학자들이 심오한 통찰력을 발휘하여 인간의 마음을 살펴보긴 했어도, 그들 중 마음이 과학 원리에 지배된다고 생각한 이는 아

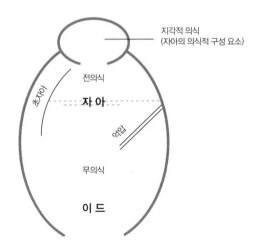

지각적 의식
(자아의 의식적 구성 요소)

전의식

초자아

자아

억압

무의식

이드

그림 6-1 프로이트의 구조론. 그는 자아, 이드, 초자아라는 세 주요 정신 구조가 있다고 생각했다. 자아는 감각 입력을 받고 외부 세계와 직접 접촉하는 의식적 구성 요소(지각적 의식)를 지닌다. 또 의식에 빨리 접근하는 무의식적 처리의 한 측면인 전의식이라는 구성 요소도 지닌다. 이드는 성적·공격적 본능을 일으킨다. 초자아는 대체로 도덕 가치의 무의식적 전달자다. 점선은 의식에 접근할 수 있는 과정과 전적으로 무의식적인 과정이 구분되어 있음을 나타낸다.(《새로운 정신분석 강의》, 1933)

무도 없었다. 또 프로이트 이후에 등장한 행동심리학자들은 경험 연구를 수행하긴 했지만, 자극과 반응 사이에 관여하는 정신 과정을 대체로 외면했다.

그 뒤로 30여 년에 걸쳐 프로이트는 이 개념들을 다듬어서 마음의 구조론structural theory of mind을 정립했다. 이 견해에 따르면, 마음은 상호작용하는 세 정신적 행위자로 이루어진다. 바로 자아, 초자아, 이드다. 각 행위자는 인지 양식, 목표, 기능, 의식에 직접 접근할 수 있는지 여부가 서로 다르다. 1933년 그는 그림 6-1에 실린 것과 같은 형태로 세 행위자를 도식으로 묘사했다.

자아('나', 즉 자전적인 자기)는 집행자다. 프로이트는 자기감sense of self 및 외부 세계의 지각이 마음의 이 구성 요소에 포함된다고 보았다. 자아는 의식적 요소와 무의식적 요소를 둘 다 지닌다. 의식적 요소는 시각, 청각, 촉각, 미각, 후각이라는 감각 기구를 통해 외부 세계와 직접 접촉한다. 지각, 추론, 행동 계획, 쾌락과 고통의 경험에 관여한다. 자아의 이 갈등이 없는 구성 요소는 논리적으로 작동하며 현실원칙을 따른다. 자아의 무의식적 구성 요소 중 하나는 자아가 이드의 성적·공격적 충동을 억제하거나 전달하거나 다른 방향으로 돌리는 기제인 심리적 방어(억압, 부정, 승화)를 담당한다. 프로이트는 일부 무의식적 정신 활동—역동적 무의식—이 적극적으로 억압되면서도 간접적으로 의식적 정신 과정에 영향을 미친다고 주장했다.

자아에 영향을 미치고 자아를 검열하는 초자아는 도덕 가치의 심적 표상이다. 프로이트는 유아가 부모의 도덕 가치 체계를 자신의 것으로 동일시함으로써 이 행위자가 형성되며, 이것이 죄책감의 근원이라고 보았다. 또 초자아는 자아를 위협하고 논리적으로 계획하고 생각하는 능력을 방해할 수도 있는 본능적인 충동을 억압한다. 따라서 초자아는 자아와 이드 사이의 갈등을 중재하는 역할을 한다.

이드('그것')는 니체에게서 빌려온 용어로서, 전적으로 무의식적인 행위자다. 논리나 현실이 아니라 쾌락을 추구하고 고통을 회피하는 쾌락원칙의 지배를 받는다. 그것은 유아의 원초적인 마음을 나타내며, 태어날 때부터 간직한 유일한 정신 구조다. 이드는 인간의 행동을 충동질하고 쾌락원칙에 지배되는 본능적인 충동의 원천이다. 프로이트는 초기에 정립한 이론에서는 이 본능적인 충동들이 모두 성적 본능에서 비롯된다고 했지만, 나중에 병렬 관계에 있는 공격 본능을 추가했다.

그는 신경증이 억압된 성적 충동과 마음의 의식적 구성 요소 사이의 갈등에서 나온다고 보았다. 역동적 무의식은 쾌락원칙과 일차 과정 사고primary-process thinking에 좌우된다. 일차 과정 사고는 논리나 시간 및 공간 감각에 구애받지 않으며, 모순이 있어도 전혀 불편해하지 않고, 만족이

지연되는 것을 견디지 못한다. 이 사고 양식은 창의적인 과정의 중요한 구성 요소이기도 하다. 대조적으로 의식 경험은 이차 과정 사고secondary-process thinking에 의존한다. 이차 과정 사고는 질서 있고 일관적이며, 합리적 생각과 만족의 지연이 가능하다. 초자아는 무의식적 도덕 행위자, 우리 열망의 구현이다.

프로이트는 구조론을 다룬 후속 저술들에서 무의식 개념을 수정했고, 그것을 세 가지 방식으로 사용했다. 첫째, 그는 그 용어를 역동적인, 즉 억압된 무의식을 가리키는 데 썼다. 고전적인 정신분석 문헌들에 나오는 '무의식'이라는 말은 바로 이것을 일컫는다. 여기에는 이드뿐 아니라 무의식적 충동, 방어, 갈등을 지니고 있는 자아 부분도 포함된다. 역동적 무의식에서는 갈등과 충동에 관한 정보가 억압 같은 강력한 방어기제에 눌려서 의식에 도달하지 못한다.

둘째, 프로이트는 자아에는 무의식적이긴 하지만 억압되지 않은 부분도 있다고 했다. 현재 우리가 암묵적 무의식implicit unconscious이라고 하는 것이다. 현재는 암묵적 무의식이 프로이트가 생각한 것보다 무의식적 정신생활에서 훨씬 더 큰 부분을 차지한다고 밝혀져 있다. 암묵적 무의식은 본능적인 충동이나 갈등과 관련이 없다. 대신에 그것은 습관과 지각 및 운동 기능을 담당하며, 여기에는 절차(암묵) 기억이 수반된다. 설령 억압되지 않는다고 할지라도, 암묵적 무의식은 결코 의식에 접근할 수 없다. 암묵적 무의식에 관한 프로이트의 생각에 토대를 제공한 사람은 저명한 생리학자 헤르만 폰 헬름홀츠였다. 그는 뇌가 처리하는 지각 정보의 상당량이 무의식적으로 이루어진다고 주장했다.

마지막으로, 프로이트는 무의식이라는 용어를 무의식적이지만 쉽게 의식에 들어올 수 있는 거의 모든 정신 활동, 대부분의 사고, 모든 기억을 가리키는 더 폭넓은 의미—전의식적 무의식—로도 썼다. 그는 사람이 자신의 거의 모든 정신 과정을 의식하지 않고 있지만, 주의를 기울임으로써 쉽게 의식적으로 접근할 수 있다고 주장했다. 이 관점에서 보면, 정신생활의 대부분은 대부분의 시간에 무의식적이다. 그것은 지각 표상—단어, 이미지, 감정—으로서만 의식적이 된다.

프로이트가 주장한 것처럼 우리 정신생활의 대부분이 무의식적이라면, 의식의 기능은 무엇일까? 그는 우리가 나중에 신경학자 안토니오 다마지오Antonio Damasio의 연구 맥락에서, 즉 의식이 다윈주의적이라는 관점에서 살펴볼 개념을 전개했다. 이 관점에 설 때, 우리는 사고, 감정, 쾌락과 고통의 상태가 종의 번식에 본질적인 것이라고 보게 된다.

프로이트는 뇌에, 심지어 경험적 증거에도 토대를 두지 않은 새로운 심리학을 발전시키는 쪽으로 방향을 돌렸지만 여전히 자신을 과학자라고 여겼다. 그는 생물학적 접근법이 "히스테리 연구에 무용지물인 반면, 상상력 풍부한 작가의 작품에서 우리가 으레 보는 것과 같은 정신 과정의 상세한 묘사를 몇 가지 심리학적 공식과 함께 사용하면 적어도 그 질병의 진행 과정에 관한 어떤 깨달음을 얻을 수 있다."[14]고 적었다. 아르투어 슈니츨러와 빈 모더니즘 화가들의 태도를 예견한 듯한 말이다. 프로이트는 이 새로운 정신분석을 발전시킬 때 자신의 진료실을 실험실이라고 생각했고, 환자—가장 중요한 환자인 자기 자신도 포함하여—의 꿈, 자유연상, 행동이 그의 관찰 재료가 되었다. 비록 그는 무의식에 관한 자신의 생각을 경험적으로 검증하는 데 성공하지 못했지만, 실험을 통해 타당성이 입증되지 않아도 좋은 과학적 직관이 과학적으로 의미 있는 결과를 보장하고도 남는다고 확신했다. 비록 잘못된 생각이었지만 말이다.

자기 이론의 많은 부분이 사변적인 특성을 지닌다는 것이 명백한데도, 프로이트는 자신의 마음의 과학을 철학의 일종이라고 보지 않았다. 그는 남은 평생 동안, 자신의 목표가 철학과 결별하고 마음의 생물학과 연결될 수 있는 과학적 심리학을 구축하는 것이라고 주장했다. 그는 자신이 본래 과학도였다는 점과 자신의 목표를 내세웠으며, 생물학에서 나온 본능과 기억 흔적이라는 개념을 정신분석의 기본 구조적 개념으로 삼았다. 앞서 살펴보았듯이, 프로이트의 연구는 과학 연구로부터 나온 개념을 출발점으로 삼아 몇 단계 더 끌고 나간 것일 때가 종종 있었다.

연구자로 살아가는 내내 프로이트는 다윈에게서 깊은 영향을 받았다. 그 영향은 프로이트의 초기 신경해부학 연구에서도 뚜렷이 드러난다. 무척추동물 신경세포의 특징들이 진화적으로 더 나중에 나온 척추동물의 신경세포에서도 나타난다는 것을 밝혀낸 연구였다. 프로이트의 더 나중 연구에서는 다윈의 영향을 받았음이 더욱 뚜렷해진다. 다윈은《인간의 유래와 성선택The Descent of Man, and Selection in Relation to Sex》과《종의 기원》에서 성선택이 진화에서 어떤 역할을 하는지 다룬다. 그는 생물—식물이든 동물이든 간에—의 주된 생물학적 기능이 번식이기 때문에, 성이 인간 행동의 핵심이라고 주장한다. 따라서 성적 매력과 짝 선택은 진화에 대단히 중요하다. 성선택에서는 수컷들이 암컷을 놓고 서로 경쟁하며, 암컷은 수컷 중에서 고른다. 프로이트가 성적 본능이 무의식의 추진력이고 인간의 행동에서 성욕이 핵심적인 역할을 한다는 것을 강조한 데에서 바로 이 개념을 찾아볼 수 있다.

또 프로이트는 본능적 행동에 관한 다윈의 더 일반적인 개념도 정교하게 다듬었다. 다윈은 인류가 더 단순한 동물로부터 진화했으므로 다른 동물들에게서 뚜렷이 드러나는 똑같은 본능적 행동을 인간도 지니고 있을 것이 분명하다고 주장했다. 성적 본능만이 아니라 먹고 마시는 본능까지도 말이다. 거꾸로 인류에게서처럼 더 단순한 동물들에게서도 모든 본능적 행동은 어느 정도는 인지 과정에 좌우될 것이 분명하다. 프로이트는 다윈의 본능적 행동 개념에서 인간의 타고난 행동 중 상당수를 설명할 방법을 엿보았다. 마지막으로, 프로이트의 쾌락원칙—쾌락을 추구하고 고통을 회피한다는 것 ― 은 다윈이 마지막 걸작인《인간과 동물의 감정 표현》(1872)에서 개괄한 것이다. 그 책에서 다윈은 감정이 쾌락을 추구하고 고통에 노출되는 것을 줄이도록 고안된, 보편적이며 원시적인 접근-회피 체계의 일부라고 적었다. 이 체계는 어느 문화에서든 나타나며, 진화를 통해 보존되어 왔다. 따라서 종종 마음의 다윈이라고 불리곤 했던 프로이트는 자연선택, 본능, 감정에 관한 다윈의 혁신적인 개념들을 확장하여 자신의 무의식적 마음에 관한 개념을 구축한 것이었다.

프로이트는 크라프트에빙의 개념에도 영향을 받았다. 인간의 성욕을 다룬 첫 이론 연구서인《성욕 이론에 관한 논문 세 편Three Essays on the Theory of Sexuality》(1905)에서 프로이트는 리비도, 즉 다양한 형태로 표출되는 성적 충동이 무의식적 정신생활을 추진하는 주된 본능이라는 개념을 전개했다. 그는 크라프트에빙이 지적한 것과 흡사하게 성욕이 다양한 형태를 취할 수 있다고 하면서도, 그 표면 밑에 쾌락원칙, 즉 태어날 때부터 존재한 만족하려는 본능적 갈망이 있다고 보았다. 다양하기 그지없는 인간의 성적 경험과 행동을 기술하면서, 그는 이 만족이 성적인 혹은 색정적인 것일 뿐 아니라 승화되어 사랑, 유대, 애착의 감정을 일으킬 수 있다는 것을 깨달았다. 게다가 프로이트는 본능적 충동의 승화가 미술, 음악, 과학, 문화, 문명 구조를 낳는다는 크라프트에빙의 개념을 더 발전시켰다.

이렇게 심오한 통찰력을 발휘했음에도, 프로이트는 여성의 성욕에 관해 놀라우리만치 무지한 채로 있었다. 이 무지는 자신의 생각을 환자들을 살펴보면서 검증하려고 한 그의 성향을 극단적으로 보여 준 사례일 것이다. 그는 역전이가 일어난다고 스스럼없이 말하곤 하면서도, 이런 탐구 과정에서 자신이 관찰자의 편견을 투사하고 있다는 점을 알아차리지는 못한 듯하다. 그는《성욕 이론에 관한 논문 세 편》과 1931년에 낸 여성의 성욕에 관한 논문에서 자신이 여성의 성생활을 거의 이해하지 못한다고 거리낌 없이 인정했다. 그럼에도 그는 말년까지도 여성의 성욕에 관해 강력한 견해를 계속 피력하곤 했다. 이 부분은 그의 환자인 도라를 이야기할 때 다룰 것이다(7장). 프로이트는 리비도를 "남성에게 나타나든 여성에게 나타나든 간에, 그리고 상대가 남성이든 여성이든 간에 예외 없이 필연적으로 남성적인 속성을 띠는"[15] 것이라고 정의했다. 그는 여성이 한 단계 낮고 이류라고 보는 이 단순하면서도 가부장적인 견해를 계속 유지했다. 그래서 인생이 끝나갈 무렵까지도 그는 이렇게 썼다. "우리는 강하고 적극적인 모든 것을 남성적이라고, 약하고 수동적인 모든 것을 여성적이라고 말한다."[16] 정신분석가 로이 샤퍼Roy Schafer는 이렇게 결론짓는다. "소녀와 여성에 관한 프로이트의 일반화는 그의 정신분석 방법 및 임상적인 발견 양쪽에 비추어 볼 때 부당하기 그지없다."[17]

놀랍게도 프로이트는 1920년까지 별개의 본능적인 충동인 공격성에 주목하지 않았다. 그의 생각은 제1차 세계대전 때 잔인성, 공격성, 야만성을 목격한 뒤에 크게 바뀌었다. 그는 쾌락을 추구하고 고통을 최소화하는 것이 인간 존재를 이끄는 유일한 심리적 힘이라는 견해—고집스럽게 고수하고 있던—를 더 이상 유지할 수 없다는 것을 깨달았다. 전쟁 때 전선에서 들려오는 죽고 죽이는 소식을 접하면서, 그는 인간의 정신이 공격적 충동을 타고난다는 것을 알아차리기 시작했다. 그것은 힘과 중요성 면에서 성적 충동과 대등한, 마음의 독자적인 본능적 구성 요소였다.

이 시점에서 프로이트는 인간의 심리적 기능이 대등하게 중요한 두 가지 타고난 본능적 충동의 상호작용을 통해 추진된다고 단언했다. 삶의 본능인 에로스Eros와 죽음의 본능인 타나토스Thanatos가 그것이다. 삶의 본능은 종의 보전, 섹스, 사랑, 먹기, 마시기를 포함하며, 죽음 본능은 공격성과 절망 속에서 드러난다. 제1차 세계대전이 끝날 때까지도, 프로이트는 죽음 본능을 별개의 충동이 아니라 성적 본능의 파생물로 보았다. 이와 대조적으로 구스타프 클림트는 프로이트보다 10여 년 앞서 〈죽음과 삶Death and Life〉(그림 8-29), 〈유디트Judith〉(그림 8-27)에서 공격성과 성욕을 연관 지었다.

• • •

지금은 프로이트가 '빈 1900', 특히 빈 의대에서 나온 시대 분위기와 문화에 따라 무의식과 본능적 충동에 가해지는 속박에 초점을 맞추게 되었다는 점을 쉽게 알아볼 수 있다. 설령 프로이트가 과학적 엄밀함, 상세함, 자기비판을 갖추고 자신의 개념을 발전시키려 애썼다고 주장할지라도, 사실 덜 정교한 형태이긴 하지만 그보다 앞서 본능에 관한 비슷한 개념들이 나와 있었으며, 빈의 지식 사회에서 흔히 쓰이는 언어의 일부가 되어 있었다.

하지만 프로이트는 단순히 '빈 1900'의 공용 언어로 그 개념들을 정교하게 다듬은 것이 아니었다. 몇 가지 잘못된 판단을 내리긴 했어도 그는 시야의 폭과 사고의 깊이가 현저히 넓고 깊었으며, 사고방식이자 조사 방법으로서의 과학에 매진했다. 게다가 문학적 재능만으로도 그는 현대 문화에서 영구히 한자리를 차지할 수 있었을 것이다. 명쾌하고 흥분을 자아내는 글솜씨 덕분에 인간 행동과 무의식적 과정에 관한 그의 연구는 마치 인간 정신의 작동이라는 비밀을 다루는 추리소설처럼 읽힌다. 그의 5대 주요 연구 사례에 등장하는 환자들—도라, 꼬마 한스, 쥐 인간, 슈레버, 늑대 인간—은 도스토예프스키 작품의 등장인물 못지않게 현대문학 속에 영구히 자리를 잡았다.

결함이 있고 결론 중 상당수가 불확실함에도 불구하고, 프로이트는 현대사상에 엄청난 영향을 미쳤다. 압도적인 성공을 거둠으로써 그는 마음이라는 개념을 철학의 영역에서 빼내어 심리학이라는 새로 출범한 과학의 핵심 연구 과제로 삼았다. 그 과정에서 그는 마음의 정신분석학을 지배하는 원리들이 궁극적으로 임상 관찰 수준을 넘어서서 로키탄스키가 몸의 과학에 적용하고 라몬이카할이 뇌의 과학에 적용하고 있었던 것과 똑같은 실험 분석의 적용 대상이 되리라는 점을 이해하고 역설했다.

07

문학에서의
내면의 의미
탐구

지그문트 프로이트가《꿈의 해석》을 출간한 바로 그해에 아르투어 슈니츨러는 오스트리아 문학에 내면의 독백을 도입해 마음의 현대적 관점에 그 나름으로 기여했다. 이 문학적 장치를 써서 그는 허구적 인물을 통해 개인의 마음속에서 자연스럽게 펼쳐지는 생각과 환상을 재현할 수 있었다. 슈니츨러는 기존의 서사 형식을 배제하고 대신에 독자가 등장인물의 마음을―인물의 충동, 희망, 열망, 생각, 인상, 지각의 자유로운 흐름을―직접 접할 수 있도록 했다. 프로이트가 자유연상 기법을 통해 환자의 마음에 접근하고자 한 것과 흡사한 방식이었다. 등장인물들에게 각자의 목소리를 제공함으로써, 슈니츨러는 독자가 등장인물의 동기에 관해 나름의 결론을 내릴 수 있도록 했다.

　　슈니츨러는 1900년에 발표한 중편소설《구스틀 소위Lieutenant Gustl》에서 내적 독백 기법을 처음 썼다. 구스틀은 자기중심적인 젊은 귀족이자 오스트리아–헝가리 군대의 그다지 명석하다고 할 수 없는 장교다. 그는 다음날 아침 결투를 벌일 예정이고, 그 자리에서 죽을 가능성도 있다. 그

런데 그날 밤 음악회에 갔다가 제빵사인 노인과 사소한 말다툼을 벌이게
된다. 제빵사에게 모욕을 당한 그는 그 사실이 알려졌을 때 자신이 어떤
운명에 처할지를 두려워하며, 자기 삶에서 이런 관계들이 어떤 의미가 있
는지를 곱씹어 보는 중이다. 그가 떠받드는 군법이 민간인과의 결투를 금
지하고 있기에 제빵사와 결투를 할 수는 없다. 구스틀은 장교로서의 명예
가 더럽혀지는 꼴을 보기보다는 자살을 할까 생각 중이다. 그러다가 그는
제빵사가 발작을 일으켜서 죽었다는 것을 알고 크게 안도한다. 슈니츨러
는 소설 전체에서 한마디도 하지 않는다. 그는 보이지 않는 채로 있고, 대
신에 구스틀의 생각이 이야기를 끌고 나가도록 한다.

소설은 구스틀이 다투기 전에 음악회에 가 있는 장면으로 시작하
는데, 이는 슈니츨러가 구스틀의 속물적인 사고 과정을 묘사할 때 내면의
독백을 어떻게 사용하는지를 보여 준다.

> 대체 언제 끝나는 거야? 시계 좀 볼까. …… 이런 진지한 음악회에서
> 예의 바른 행동은 아니겠지만, 누가 쳐다보겠어? 설령 누가 본다고 해
> 도, 나보다 더 유심히 보지는 않을 테니까, 실제로 당황할 필요는 없어.
> …… 이제 9시 45분밖에 안 됐어? …… 족히 세 시간은 지난 것 같은
> 데. 아니, 음악회에 익숙하지 않아서 그런 것뿐이야. …… 그런데 지금
> 연주하는 작품이 뭐지? 연주곡목을 보자. …… 그래 맞아, 그거야. 오
> 라토리오! 미사곡이라고 생각했어. 이런 음악은 사실 교회에서 쓰는
> 거지.[1]

또 슈니츨러는 오스트리아 문학에 새로운 실질적인 차원들을 도입
했다. 그는 유례없이 노골적으로 섹스를 다룸으로써 자기 세대의 부도덕
한 목소리를 대변했고, 당대의 다른 작가들보다 훨씬 더 세심하게 여성을
묘사했다. 그의 등장인물들은 제1차 세계대전이 임박하면서 많은 빈 사

람이 겪고 있는 사회적 가치의 쇠퇴와 삶의 의미 상실을 대변한다. 젊은 이들은 기만·실망·공허함으로 가득한, 지루하고 방향성 없고 불행한 삶을 살고 있다. 그들의 열망과 성취 사이에는 엄청난 간격이 있다. 그의 젊은이들은 사랑을 추구하지만 얻지 못한다. 그들은 친밀한 부부 관계를 열망하지만 이룰 수 없다. 그들은 수용과 쾌락이라는 절실한 욕구를 충족하고자 성관계를 맺지만, 거기에서도 낙심한다.

슈니츨러는 프로이트와 독자적으로 섹스가 다양한 영역에서 중요한 역할을 한다는 점을 이해했다. 그는 열일곱 살 때부터 세상을 떠나는 날까지 일기를 계속 썼다. 그 안에는 자신의 수많은 성 경험─열여섯 살 때부터 정기적으로 매춘부를 찾기 시작했다─이 적혀 있고, 자신이 경험한 절정들이 하나하나 상세히 기록되어 있다. 이 자전적인 강박관념은 그의 소설 속 등장인물들에서 찾아볼 수 있다. 그들은 대부분 성욕을 강하게 느끼고 지나칠 정도로 추구한다. 슈니츨러는 쾌락을 추구하는 빈의 귀족이나 (자신 같은) 상류 중산층의 불륜과 정사, 금방금방 바뀌는 애인과의 성관계를 집요하리만치 상세히 적었다.

1893년 슈니츨러는 자기분석을 적용하여 자신의 첫 작품이자 가장 유명한 희곡인 《아나톨Anatol》을 내놓았다. 7막으로 이루어진 이 작품에서 젊은 바람둥이인 아나톨은 다양한 연애 사건을 일으킨다. '묻지 않으면 아무런 이야기도 듣지 못한다'라는 첫 막에서 슈니츨러는 일그러진 이중 잣대를 드러낸다. 애인이 부정을 저지른다고 의심한 아나톨은 진실을 알아내기 위해 그녀에게 최면을 건다. 하지만 막상 그녀가 최면에 빠지자, 아나톨은 그 중요한 질문을 하지 않겠다고 결심한다. 아예 모른 채로 있다면, 자신과 사귀는 여성이라면 모름지기 자신에게 충실할 것이라는 확신을 계속 간직할 수 있다. 그래서 그는 의구심이 자신을 좀먹고 있는 상황에서도 자기기만 상태를 유지한다. 아나톨의 역설적 행동은 슈니츨러 자신의 모순된 성격을 반영한다. 그는 프로이트가 "도덕의 이중 기준double code of morality"[2]이라고 부른 것을 고스란히 보여 준다. 슈니츨러처럼 아나톨도 모든 관계를 불신하지만, 자신과 관계를 갖는 모든 여성이 절대적으로 충실하기를 기대한다. 이 자기애적 환상이 실현 불가능하기에, 슈니츨러의 작품에 등장하는 남성들은 애인이나 정부의 성생활에 관해 대체로 묻지 않고 지낸다.

　　슈니츨러는 오스트리아 문학에 정치적인 차원도 도입했다. 그의 작품 가운데 정치적으로 가장 중요한 것은 1908년에 발표한 《자유를 향한 길The Road into the Open》이다. 그 책에서 그는 빈에서 부상하고 있는 반유대주의와 싹트고 있는 시오니즘 운동을 다룬다. 이 책은 에렌베르크 가문의 살롱에 참석하는 친구들에 초점을 맞춰 빈의 유대인 사교계를 묘사한다. 바로 여기서 슈니츨러는 프로이트가 나중에 《모세와 일신교Moses and Monotheism》에서 개괄할 주제를 도입한다. 반유대주의가 오이디푸스 콤플렉스의 일종이라는 것이다. 여기서 오이디푸스 콤플렉스는 아들이 아버지의 종교를 불신하는 형태를 취한다. 살롱의 주인인 부유한 기업가 오스카어 에렌베르크는 자신이 유대인이라는 것을 자랑스럽게 내세운다. 사회적 지위 상승을 추구하고 있는 그의 가족, 특히 아들은 그 점에 몹시 불만이다. 아들은 로마 가톨릭 귀족처럼 보이고 싶어 한다. 에렌베르크 살롱에 모이는 이들은 빈에서 반유대주의가 점점 확산되고 있다는 사실에 몹시 불안해한다. 그들은 자신의 유대인 정체성, 그리고 스스로를 오스트리아인으로 봐야 할지 유대인으로 봐야 할지를 놓고 끊임없이 토론을 벌인다. 또 막 출현하고 있는 시오니즘 세력에 참여하라는 요청과 팔레스타인에서 살 가능성에 감정적으로 혹하고 귀를 기울인다.

　　《자유를 향한 길》의 핵심 주제는 자유를 향한 길은 많지만—자유주의, 사회주의, 정치적 반유대주의, 시오니즘—각각의 길을 막고 있는 이들이 있다는 것이다. 에렌베르크 살롱 참석자들은 각자 특정한 경로를

그림 7-1 아르투어 슈니츨러(1862~1931). 《자유를 향한 길》을 탈고한 직후인 1908년에 찍은 사진이다. 이 책에서 그는 오스트리아 사회에서 확산되고 있는 반유대주의의 사회학과 개인 심리를 탐구했다.

통해 자유를 향해 탈출하려고 시도하지만, 다른 참석자의 방해 때문에 목표를 이루지 못한다. 진퇴양난에 빠진 젊은 세대는 늙은 세대를 환멸에 빠뜨린 정치 대신 예술을 대안으로 선택한다. 예술이 자유를 얻을 수 있는 유일한 길이라는 슈니츨러의 암묵적인 메시지는 아마도 빈 문화를 냉소적으로 비판한 것인 듯하다. 어쨌거나 세기말의 빈에서 일상적인 것이 된 탈출은 현실로부터 자기 마음속 극장으로의 탈출이었다.

슈니츨러(그림 7-1)는 원래 소설가가 아니라 의사였다. 그는 1862년 빈의 유대인 부모 밑에서 태어났다. 아버지 요한 슈니츨러Johann Schnitzler는 유명한 이비인후과 전문의이자 빈 대학교 교수였다. 슈니츨러는 1879년 빈 의대에 입학하여 1885년 졸업했다. 로키탄스키는 그 직전에 퇴임했지만, 그의 사고방식은 슈니츨러에게 영향을 주었다. 슈니츨러는 로키탄스키의 동료인 에밀 주커칸들에게 배웠다. 슈니츨러와 지그문트 프로이트가 의대를 다니던 시기는 서로 겹친다. 프로이트처럼 슈니츨러도 일찍이 정신과 의사인 테오도어 마이네르트와 리하르트 폰 크라프트에빙에게 영향을 받았다. 더 뒤에 그는 심리학에 매료되어서 프로이트처럼 히스테리와 신경쇠약증에 관심을 가졌다. 1903년, 마흔한 살이었던 슈니츨러는 유대인 집안 출신의 스물한 살 여배우 올가 구스만Olga Gussmann과 혼인했다. 3년 동안 연애를 하고 아들을 하나 낳은 지 1년 뒤의 일이었다. 1910년에 둘 사이에 둘째 릴리가 태어났고, 둘은 1921년에 이혼했다. 1927년 릴리는 20년 연상인 남자와 혼례를 올렸다. 불행했던 결혼 생활은 1928년 릴리가 자살하면서 끝을 맺었다. 딸의 죽음에 슈니츨러는 엄청난 충격을 받았고, 결코 회복되지 못했다. 그는 3년 뒤 뇌출혈로 세상을 떠났다.

슈니츨러는 꿈과 최면에 관심이 많았다. 그는 저명한 프랑스 신경학자 장마르탱 샤르코의 조수로 일했고, 최면을 주제로 학위논문을 썼다. 그리고 목소리를 내지 못하는 발성불능증 환자들을 최면으로 치료했다. 그 주제를 다룬 슈니츨러의 첫 논문《기능적 발성불능증과 최면과 암시를 통한 치료에 관하여On Functional Aphonia and Its Treatment through Hypnosis and Suggestion》에는 요제프 브로이어와 프로이트가 논의한 주제들도 일부 담겨 있다. 프로이트는 슈니츨러의 논문을 높이 평가했고, 1905년 정신분석 문헌의 고전인 도라의 사례 연구서에 그 논문을 인용했다.

아버지가 죽은 뒤 슈니츨러는 의학계를 떠나서 오로지 문학에 심취했다. 그는 짧은 형식의 문학—희곡, 단편소설, 중편소설—에서 탁월한 실력을 보여 세계적인 유명 인사가 되었지만, 장편소설도 두 편 썼다. 프로이트가 정신분석 운동의 지도자가 되고 클림트가 오스트리아 모더니즘 화가들의 지도자가 되었다면, 슈니츨러는 아방가르드 문학 운동인 청년 빈파의 중심이 되었다. 의사였던 슈니츨러는 프로이트와 마찬가지로, 임상 사례 연구가 지닌 문학적 힘을 잘 알고 있었다. 그는 환자의 질병 역사를 기록할 때 의사는 이야기를 쓰고 있는 것이고, 그 이야기는 환자 자신의 이야기와 의사의 해석 양쪽에 달려 있음을 깨달았다.

특히 사례 연구는 그 자체가 연극이다. 환자와 의사의 관계가 인물-청중 관계로 쉽게 전환되기 때문이다. 사실 슈니츨러는 여러 해 동안 주로 희곡을 썼다. 그는 연극 관객이 정신과 의사처럼 인간 행동만을 토대로 직접 결론을 이끌어 낸다는 점을 깨달았다. 인간 행동을 면밀히 관찰하는 인물이었던 그는 자신의 다양하면서도 남다른 성 경험과 주변 인물들의 성 경험을 토대로, 개인의 기쁨과 슬픔이 상당한 수준까지 본능적인 충동에 좌우된다는 것을 알아차렸다.

슈니츨러는 프로이트의 연구, 특히《꿈의 해석》에 영향을 받았다. 그 점은 1925년에 쓴《꿈 이야기Traumnovelle》에서 뚜렷이 드러난다. 나중에 스탠리 큐브릭Stanley Kubrick의 영화 〈아이즈 와이드 셧Eyes Wide Shut〉으로 각색된 이 소설은 이틀 밤에 걸쳐 빈의 젊은 의사 프리돌린 부부에게 갑작스럽게 펼쳐지는 모호한 사건들을 추적한다. 슈니츨러는 그들의 욕망과 하루의 사건 사이의 경계를 흐릿하게 함으로써 꿈, 환상, 현실 사이의 경계 영역을 탐구한다. 프리돌린과 알베르틴 부부는 함께 참석한 가면무도회에서 각자 낯선 사람과 별 탈 없이 희롱거린 일을 서로에게 고백하면서 소원해진다. 고백한 뒤에 둘은 각자 혼외정사의 욕망을 담은 꿈을 꾸었던 일을 상세히 이야기한다.

프리돌린은 자신 역시 은밀한 성적 갈망을 지니고 있다는 것을 시인했음에도, 아내가 내면에 성적인 욕구를 간직하고 있다는 점을 알고 분개한다. 그는 밤늦게 도시에서 왕진 요청을 받자, 그것을 불륜 환상을 꿈꾼 아내에게 복수하고 자신의 욕망을 충족시킬 기회로 삼는다. 그는 밤이 깊어지면서 점점 더 꿈같고 초현실적인 양상을 띠는, 성적인 불행한 사건―여러 여성의 유혹에 응하지 못하는 상황에서부터 가면을 쓴 비밀 난교 파티에 이르기까지―에 휘말린다. 이윽고 집으로 돌아온 그에게 알베르틴은 지난 휴일에 함께 만났던 해군 장교와 성관계를 갖는 성적인 꿈을 꾸었다고 고백한다. 이때 알베르틴의 꿈에는 프리돌린을 향한 그녀의 고통스러운 분노가 섞여 있다. 아내의 말에 분개한 프리돌린은 질투심에 불타서 자신도 불륜을 저지르러 나선다. 따라서 알베르틴은 오로지 꿈을 통해서만 남편의 둔감함으로부터 해방될 수 있다. 꿈은 그녀가 무의식적 욕망을 분출할 수 있게 해준다. 하지만 프리돌린은 꿈 이상의 것을 할 수 있다. 그는 자신의 환상을 실현할 수 있고, 바깥 세계에서 자신의 꿈을 실행해 보일 수 있다.

꿈은 슈니츨러의 작품에서 그의 내적 독백과 마찬가지로 등장인물의 정신생활을 드러냄으로써 치료 역할과 파괴 역할을 둘 다 수행한다. 성적 욕망이 꿈이라는 경관에서 수월하게 펼쳐지는 양상은 슈니츨러가 프로이트의 꿈 분석을 이해하고 있었음을 보여 준다. 즉 꿈은 낮에 일어난 사건들의 잔재물을 통합하고, 그것을 충족되면 즐겁겠지만 사회적으로 용납될 수 없기에 억압되는 본능적인 충동과 결합한다는 것이다. 프로이트는 슈니츨러의 문학적 묘사를 읽고 지적인 동류의식을 느꼈고, 그 묘사를 "과소평가된 훨씬 더 유해한 형태의 성욕"[3]이라고 했다. 사실 프로이트의 동류의식은 경쟁의식에 근접해 있었던 듯하다. 슈니츨러의 예순 살 생일 전날인 1922년 5월 14일자로 보낸 편지에서 그는 이렇게 썼다.

한 가지 고백을 하고 싶은데, 혼자만 간직하고 있기를 간청드립니다. …… 내가 곱씹고 있는 의문은 그 긴 세월 동안 당신과 사귀려는 노력을 왜 전혀 하지 않았을까 하는 것입니다. …… 내 '대역double'을 만나기가 두려워서 피해 온 것이 아닐까 합니다. …… 당신의 결정론과 회의론 …… 무의식과 인간의 생물학적 본성에 대한 당신의 심오한 이해 …… 사랑과 죽음의 양극성을 천착한 사유의 범위, 그 모든 것이 기괴하리만치 친숙한 느낌을 줍니다. …… 내가 고생스럽게 연구하여 남들에게서 발견한 모든 것을 당신은 직관 — 사실은 섬세한 자기관찰 — 을 통해 안다는 인상을 받았습니다. 사실 나는 근본적으로 당신이 그 심오한 세계의 탐험가라고 믿고 있습니다.[4]

무의식을 파헤친 이 두 탐험가 가운데, 여성의 '심층'을 탐사하는데 더 뛰어난 심리학자는 슈니츨러였다. 그는 리비도가 사회 계급에 관계없이 모든 사람에게 있음을 알아차린 한편으로, 자기애 성향을 지닌 상류계급 남성과 불륜 관계를 맺는 노동계급 여성의 삶을 더 명확하게 조명했다. 특히 그는 '아리따운 처녀das süsse Mädl'를 탐구했다. 이 용어는 자신의 성적 호기심을 자유롭게 추구할 수 있다고 느끼는 아리땁고, 젊고, 단순한 미혼 여성을 가리키기 위해 그가 도입한 것이다. '빈 1900'의 지성사가인 에밀리 바니Emily Barney는 이런 젊은 여성들과 그들의 연애를 슈니츨러가 어떻게 보았는지를 다음과 같이 기술한다.

아리따운 처녀는 하층계급의 예쁜 여성을 의미했다. 상류계급 남성들은 그런 여성을 애인으로 삼기에 좋다고 여겼는데, 거기에는 몇 가지 이유가 있었다. 우선 매춘부보다 성병을 옮길 위험이 적었다. 또 그녀의 남자 친척들은 상류계급의 애인에게 결투를 하자고 도전할 사회적 지위에 있지 않았다. 그리고 (이론상) 남성은 선물과 사치품을 조금 안겨 주고서 하찮게 취급할 수 있는 반면, 아리따운 처녀는 그에게 사랑과 관심을 보여 줄 터였다.[5]

1925년 슈니츨러는 《엘제 양Fräulein Else》을 출간했다. 하층계급의 아리따운 처녀가 아니라 상류계급 가문의 젊은 여성을 다룬 인상적인 중편소설이었다. 여기에서 슈니츨러는 여성의 심리학자로서 새로운 수준의 능력을 발휘한다. 슈니츨러 연구자이자 그의 작품을 영어로 옮긴 번역가 마거릿 섀퍼Margret Schaefer는 프로이트가 20년 전에 자신의 환자인 도라를 무신경하게 다룬 유명한 사례에 반발하여 슈니츨러가《엘제 양》을 쓴 것이라고 주장한다.[6]

《엘제 양》에서 슈니츨러는 더 급진적인 형태의 내적 독백을 도입한다. 덕분에 독자는 견뎌 낼 수 없어 보이는 성적인 상황에 직면한 열아홉 살 여성인 엘제의 마음 상태가 어떻게 변하는지를 목격할 수 있다. 낭만적이고 이해력이 뛰어난 유대인 여성인 엘제는 숙모, 사촌인 파울, 파울의 애인인 치시와 함께 멋진 온천에서 휴가를 보내고 있다. 엘제는 자신이 유대인임을 무척 자랑스러워한다. 이 점은 슈니츨러가 유대교와 고조된 성욕을 연관 짓는 빈 사람들의 틀에 박힌 태도를 활용하기 위해 쓰는 장치다. 휴가를 보내고 있는 엘제에게 어머니가 보낸 전보가 온다. 아버지가 빚 때문에 교도소에 갈 위험에 처했다는 내용이다. 어머니는 엘제에게 집안의 지인인 나이 든 폰 도르스다이 씨에게 가서 보석금을 융통하면 아버지를 구할 수 있을 테니, 그렇게 해달라고 요청한다. 걱정 때문에 꼼짝도 할 수 없을 것 같으면서도 엘제는 안뜰에서 도르스다이를 만나서 문제를 의논한다. 도르스다이는 호색적인 반응을 보인다. 처음에 노골적으로 성적인 제안을 했다가, 엘제가 경악하는 반응을 보이자 구슬린다. 남모르게 자기 앞에서 15분 동안 완전히 벌거벗고 서 있어 주면 돈을 주겠다고 한다. 엘제는 그 제안에 혐오감을 드러내며 거부한다.

그 뒤에 이어지는 내적 독백을 통해 슈니츨러는 한정된 대안들을 놓고 심각하게 갈등하는 엘제의 생각을 보여 준다. 자기 내면의 무대에 선 배우처럼, 엘제는 갑작스럽게 자신을 덫에 가둔 두 남성과 맞선다.

아니, 난 나 자신을 팔지 않겠어. 결코. 절대로 나 자신을 팔지 않을 거야. 나를 내놓겠어. 그래, 적절한 남자를 찾는다면, 나 자신을 내놓을 거야. 하지만 나를 팔지는 않겠어. 음탕한 여자는 될지언정, 창녀가 되지는 않을 거야. 폰 도르스다이 씨, 당신 헛짚었어. 아빠도 마찬가지야. 그래, 오산했지. 아빠는 이렇게 되리라는 것을 예상했을 거야. 어쨌거나 사람들이 어떻게 하리라는 것을 알아. 아빠는 폰 도르스다이를 알아. 그가 아무 대가 없이 돈을 내주지 않으리라고 짐작하셨을 게 분명해. 그렇지 않았다면 전신을 보내거나 직접 여기로 오셨겠지. 하지만 이편이 더 쉽고 편하겠지요, 아빠? 이렇게 예쁜 딸을 두고 있는데, 감옥에 들어갈 필요가 뭐가 있겠어요? 그리고 엄마는 늘 그렇듯이 어리석게도 아빠가 말하는 대로 편지를 썼을 거고.[7]

엘제가 아버지의 '도박 열정'을 이해하려고 애쓸 때 그녀의 감정은 크게 오락가락한다. 그 열정 앞에서 그녀는 남근숭배 경제 속에서 거래되고 내기에 거는 상품과 다름없어진다. 아버지의 행동을 지배하는 법칙들을 반항적으로 거부하면서, 엘제는 자기 의지와 몸의 통제권을 자신이 쥐려고 시도한다. 하지만 결국 그녀는 지배적인 가부장적 질서에 굴복한다.

아빠가 줄무늬 죄수복을 입고 우리를 맞이하네. …… 화난 표정이 아니라 그저 슬퍼 보여. 오, 이렇게 생각하실 거야. 엘제야, 그때 네가 돈을 융통했더라면. 하지만 아무 말도 하지 않으실 거야. 나를 꾸짖을 생각을 아예 안 하실 거야. 마음씨가 고우시니까. 그저 무책임할 뿐이지. …… 그 편지도 깊이 생각하지 않고 보냈을 거야. 도르스다이가 그 상황을 이용하여 내게 그토록 추잡한 요구를 하리라는 것을 생각도 못하셨을 거야. 집안의 좋은 친구였으니까. 전에 아빠가 그에게 8000굴덴을 빌려 준 적도 있잖아. 그러니 그자가 그런 짓을 하리라고 어떻게 생각하실 수 있었겠어? 아빠는 먼저 다른 방법을 시도했을 것이 분명해. 어쩔 수 없이 마지막 수단으로 엄마한테 편지를 쓰게 한 것이 아닐까? 이 친구 저 친구에게 부탁을 했을 것이 분명해. …… 모두 아빠를 외면했겠지. 이른바 친구들 모두가 말이야. 이제 도르스다이가 아빠의 마지막 희망, 유일한 희망이야. 그리고 돈을 구하지 못한다면, 아빠는 자살할 거야.[8]

하지만 자살하는 것은 엘제다. 그렇게 헨리크 입센Henrik Ibsen의 헬다 가블레르 및 아우구스트 스트린드베리August Strindberg의 율리에 아가씨 같은 동시대의 등장인물과 같은 운명을 맞이한다. 이제 5만 굴덴을 요청하는 엄마의 두 번째 전보를 받은 뒤, 엘제는 침대 옆 탁자에 다량의 진정제를 갖다 놓는다. 그녀는 옷을 다 벗고 외투만 걸친 뒤, 도르스다이를 찾아간다. 그가 방에 없자, 그녀는 아버지에게 필요한 액수가 더 늘어났다고 쪽지를 남긴다. 마침내 그녀는 사람들이 가득한 작은 음악회장에서 도르스다이를 발견한다. 그의 주의를 끌려고 애쓰던 중에, 뜻하지 않게 외투가 벌어지면서 방에 있는 모든 사람이 그녀의 나체를 보게 된다. 음악이 중단된다. 엘제는 기절하고, 파울과 치시가 그녀를 방으로 데려온다. 도르스다이는 극도로 흥분하여 떠난다. 아마도 엘제의 아버지에게 돈을 부치기 위해서일 것이다. 잠시 방에 혼자 남겨진 틈을 타서, 엘제는 미리 준비한 약물을 치사량이 넘게 삼킨다.

슈니츨러는 엘제를 통해 부모의 애정, 배신, 책임, 개인의 극심한 수치심을 놓고 고민하는 물정 모르는 젊은 여성을 지극한 공감의 시선으로 그려 냈다. 결국 그녀는 남성 위주의 세계 질서, 그녀가 상상했던 낭만적인 삶과 맞지 않는 세계 질서에 희생된다.

오스트리아 문학 연구자인 W. E. 예이츠Yates는 슈니츨러가 여성들이 이해받을 필요가 있지만 그러지 못해 왔음을 알아차렸다고 지적하면서, 여성 "평등권의 선구자"라고 찬사를 보낸다. 예이츠는 슈니츨러가 죽은 직후에 나온 클라라 블룸Klara Blum의 글을 인용한다.

슈니츨러는 사회, 직장, 사랑에서 여성이 평등권을 주장하는 것을 지극히 당연시했다. 그렇다고 해서 전반적으로 당연시하는 것은 아니다. 그렇기에 우리는 슈니츨러를 지난 시대의 대변자가 아니라 선구자로서, 여전히 주의를 끌고 있는, 집중 조명을 받고 있는 상태에서 싸움을 벌이고 있는 개념의 끈기 있는 선구자로서 보아야 할지 모른다. 성적인 영역에서의 평등권 개념의 선구자로서 말이다.[9]

프로이트의 도라 사례 연구는 엘제를 동정적인 시선으로 다룬 슈니츨러의 사례와 극적으로 대비된다. 본명이 이다 바우어Ida Bauer인 도라는 집안의 친구인 나이 많고 부유하고 지배력을 발휘하는 남성에게 계속 성적 접근을 받아 온 열여덟 살 여성이었다. 프로이트는 1900년 10월 14일에 그녀의 치료를 시작했다가 겨우 11주 뒤에 중단했다. 그러고는 1902년 4월 1일에 그녀를 잠깐 만났다. 그는 그 사례 연구를 3년 동안 발표하지 않았고, 발표할 때에도 상당히 망설였다. 여러 면에서 이 사례 연구는《꿈의 해석》의 연장선상에 있다. 그것은 프로이트가 앞서 요제프 브로이어와 함께 발표했던 사례들과 분명히 전혀 딴판이다.

도라는 부유한 상인인 부친에게 이끌려서 프로이트에게 치료를 받으러 왔다. 그녀의 아버지는 혼인하기 전에 매독에 걸려서 프로이트에게 치료를 받은 적이 있었다. 도라는 우울증, 사회적 접촉 기피(자살할 생각도 어느 정도 하면서), 졸도, 호흡곤란, 발성불능증을 보였다. 바우어 집안이 사회적·성적으로 친구인 K 집안과 얽혀 있었기에, 그 사례는 특히 복잡했다. 대단히 강박적인 여성인 도라의 어머니는 많은 시간을 집 안 청소에 몰두했고, 남편을 성적으로 거의 만족시켜 주지 못하는 듯했다. 그래서 남편은 K씨 부인과 열정적인 불륜 관계에 빠져 욕구를 해소했다. 한편 부인에게 암묵적으로 거부당하자 K씨는 도라에게 관심을 돌렸다. 도라는 프로이트가 히스테리를 시사한다고 본 징후를 몇 가지 드러내기 시작하고 있었다. 특히 편두통과 신경성 기침이 그러했다. 증상은 시간이 흐르면서 더 심해져 갔다.

자신의 우울한 상태와 예전에는 좋아하고 믿었던 K씨를 싫어하는 이유를 설명하기 위해, 도라는 그가 어떤 식으로 자신에게 성적으로 접근해 왔는지를 이야기했다. 도라가 열네 살이었을 때의 어느 날 그의 사무실에서 K씨는 갑자기 도라를 껴안고 열정적으로 입을 맞췄다. 도라는 기분이 상하고 혐오감이 일어서 그의 뺨을 때렸다. 매력적인 열여섯 살이되었을 때 도라는 K씨가 싫고, 그가 역겹게 접근한다고 노골적으로 말하기 시작했다. 그는 도라의 비난이 말도 안 된다고 하면서, 오히려 도라가 색정적인 책을 읽으면서 섹스만 생각한다고 주장하며 공격하고 나섰다. 도라의 아버지는 딸의 비난을 상상이라고 치부하면서 K씨 편을 들었다. 도라는 아버지가 K씨 부인과의 관계 때문에 자신의 말을 진지하게 받아들이지 않는다고 했다. K씨 부인은 도라의 부친이 K씨와 논쟁을 벌이지 않게 막았다. 이런 의미에서 도라는 아버지가 저지르는 불륜에 자신이 공범자로 이용되고 있다고 느꼈다.

도라의 정신분석에 착수한 프로이트는 그녀의 아버지가 말하는 이야기에 모순이 있음을 알아차렸고 판단을 유보하기로 결심했다. 아마 이때가 프로이트와 소녀의 관계에서 가장 공감이 이루어진 순간이었을 것이다. 하지만 관계가 발전하면서 상호 불신이 뚜렷해졌고, 프로이트는 놀라우리만치 둔감한 태도를 보였다. 그는 K씨가 도라의 신뢰를 모독했다는 점을 인정하는 대신에, K씨가 키스를 했을 때 느낀 도라의 혐오감은 그녀의 진정한 감정이 역전된 것이라고 해석했다.

프로이트는 어른의 접근에 도라가 성적으로 흥분하지 않은 이유를 이해할 수 없었다. 그는 K씨의 낭만적이고 성적인 접근으로는 그녀의 열띤 히스테리 증상들을 설명할 수가 없다고 주장했다. 그는 히스테리가 더 이전부터 있었던 것이 틀림없다고 결론지었다. 그는 도라의 증상이 부친,

K씨, K씨 부인을 향한 강력하고 무의식적인 성적 감정 때문에 나타난 것이라고 보았다. "이 상황이 순진한 열네 살 소녀에게 확연히 성적 흥분 감정을 불러일으켰을 것이 분명하다."[10] 프로이트는 도라의 아버지와 K씨 편에 서서, 그녀가 K씨를 격렬하게 거부하는 것이 신경증적인 방어기제라고 해석했다. 그는 믿었던 가족 친구의 배신이 사춘기 소녀의 마음에 정신적 외상을 일으켰을 수도 있다는 점을 이해하지 못했다. 도라의 감정을 무시하고 그녀의 이야기를 왜곡하면서, 그는 오로지 도라에게 이전부터 병이 있었다는 점만 강조했다. 결국 도라는 치료를 포기했다.

도라의 사례는 슬픈 이야기이며, 프로이트의 경력에서 최악의 사례가 되었다. 그것은 종종 그가 성적인 접촉을 여성의 관점에서 보는 능력이 없었음을 말해 주는 사례로 보이곤 한다. 프로이트는 그 치료가 실패했음을 인정했지만, 그 실패를 근본 원인을 파악하지 못한 탓으로 돌렸다. 즉 도라의 감정전이 때문이라고, 도라가 무의식적인 성적 관심을 프로이트 자신에게로 돌린 탓이라고 했다. 물론 프로이트가 실패한 데에는 더 깊은, 그리고 더 모호한 원인이 있었다. 그는 도라의 존재 자체와 그녀의 성적인 관심에 대한 자신의 무의식적 반응, 자신의 역전이의 특성을 상세히 살펴보지 않았다. 자신이 열린 마음으로 환자들의 입장에 선다고 주장하고 있음에도 그는 몇몇 초기 사례에서 자신의 해석을 환자들에게 강요하는 경향을 보였고, 도라에게도 바로 그러했다.[11] '이르마의 주사' 꿈으로 나타난 엠마 에크슈타인의 사례에서와 마찬가지로, 프로이트는 도라의 고통에 공감하지 않았다. 대신 그는 유혹을 당한 도라를 비난했다.

지금까지 살펴보았듯이, 프로이트는 여성의 성생활을 이해하지 않았다고 반복하여 인정했다. 그는 도라, 즉 희생자를 비난하고 그녀의 아버지와 의절한다. 이와 대조적으로 슈니츨러는 엘제의 불행한 운명이 그녀의 아버지, 어머니, 그리고 주변 세계의 다른 남성들 때문이라고 단호하게 비난한다. 사실 섀퍼가 말했듯이, 슈니츨러는 놀라운 수준의 솔직함

과 자기성찰을 보여 준다. 심한 방탕아였고 많은 도박 빚을 진 자기 자신
을 생각하면서 말이다.

이제 작가의 성격과 작품 사이의 모순이라는 전형적인 문제가 남는다. 슈
니츨러의 일기 중 어느 한 장을 펼쳐서 그가 여성을 착취했다고 주장하
거나, 여성을 대하는 아나톨의 편협한 태도를 슈니츨러의 궁극적인 입장
이라고 지적하기는 쉽다. 슈니츨러가 대체로 여성을 동정하기보다는 이
기적으로 행동했으니 말이다. 하지만 슈니츨러의 작품으로 판단할 때, 그
가 감정적인 수준에서 여성을 이해했다는 점도 확실하다. 작가로서 그는
여성과 공감했으며, 예민하고 상세한 성격 묘사를 통해 독자의 공감을 불
러일으켰다. 사실 슈니츨러가 바람둥이로서 성공한 것도 여성을 깊이 이
해한 데 힘입었을지 모른다.

　　슈니츨러의 작품에 등장하는 다양하고 다채로운 여성들은 세기말
빈의 여성성의 원형들과 유사점이 있다. 그의 여성들은 급진적이고 복잡
하며 성적이다. 그들의 내면화한 목소리들은 억압된 욕망의 합창이 되어
그것들을 침묵시키려 애써 온 사회 구성물에 맞서 한 세기 넘게 울려 퍼
지고 있었다. 그것은 남성 지배적인 세계, 남성인 슈니츨러가 살던 세계,
하지만 작가로서의 슈니츨러가 맞섰던 세계를 헤쳐 나가고 거기에서 살
아남기 위해 애쓰는 여성들의 목소리다.

08

미술에 묘사된
현대 여성의
성욕

슈니츨러가 여성의 내면생활이 지닌 풍성함과 미묘함, 남성과 별개의 사회적·성적 정체성을 확립하려는 여성의 투쟁을 묘사하고자 했다면, 구스타프 클림트는 오스트리아 미술에서 유사한 발전을 이끌고 있었다. 오스트리아 모더니즘 미술은 미술이 진정으로 현대적이려면 현대적 감성을 표현해야 할 뿐 아니라, 남녀 모두에게 동기를 부여하는 무의식적 충동을 정직하게 묘사해야 한다는 믿음에서 나왔다. 클림트와 그의 피후견인인 오스카어 코코슈카와 에곤 실레는 그림도 창의적 저술 및 정신분석과 마찬가지로 성과 공격성을 대하는 빈의 구속적인 태도의 밑을 파헤쳐서 인간의 진정한 내면 상태를 드러낼 능력을 지닌다는 점을 입증했다. 코코슈카는 이렇게 주장했다. "표현주의는 프로이트가 발전시킨 정신분석과 동시대에 발전했으며 정신분석과 경쟁 관계에 있었다."[1] 더 나아가 그는 이렇게 말했다. "우리 모두는 프로이트주의자이자 모더니스트다. 우리 모두 겉모습 아래로 깊숙이 들어가고 싶어 한다."

클림트는 빈 미술 분야에서 새로운 모더니즘 운동의 지도자로 알려져 있었다. 겉모습 아래쪽을 파헤친 최초의 오스트리아 화가로서, 그는 19세기 전반기 오스트리아 화가들의 특징이었던 극적이고 역사적인 양식과 결별하고, 인상주의와 폭발적으로 분출한 빈 표현주의 양식들 사이의 전이 단계에 해당하는 핵심적인 인물이 되었다. 클림트는 화려한 장식이 특징인, 세계를 휩쓴 아르누보 양식의 빈 형태에 해당하는 유겐트슈틸Jugendstil 미술을 프랑스 후기인상파 화가들과 세잔, 그리고 비잔틴 미술에서 이끌어 낸 추상적인 모더니즘 양식―평면적인 묘사―과 결합했다.

하지만 클림트가 양식 측면에서만 선구자였던 것은 아니다. 그는 그림에 죽음이라는 주제를 정면으로 등장시키고 여성의 성욕과 공격성이라는 금기시된 주제를 생생하게 묘사한 최초의 오스트리아 모더니스트였다. 빈의 선배 화가들과 달리, 그는 자기 눈앞에 보이는 나체 모델의 성적 욕망을 억누르거나 우의적이거나 양식화한 상징 속에 숨길 필요를 전혀 느끼지 못했다. 그는 성의 쾌락에 초점을 맞춘 섬세하면서도 감각적인 그림들을 그렸지만, 그의 그림 속에는 여성의 공격 능력도 묘사되어 있었다. 따라서 클림트는 양식 면에서는 장식적인 아르누보 화가였고 주제 면에서는 표현주의자였으며, 두 위대한 표현주의 화가인 코코슈카와 실레로 이어지는 길을 닦았다.

클림트는 그림과 소묘를 통해 모더니즘 시대를 인도했을 뿐 아니라, 빈 반체제 화가들의 지도자 역할을 했다. 1861년에 건축된 퀸스틀러하우스Künstlerhaus, 즉 화가들의 집은 유력 기관인 미술 아카데미Academy of Fine Arts와 긴밀한 관계를 맺고 있었다. 상당수의 화가들이 양쪽에 함께 적을 두고 있었다. 하지만 시간이 흐르면서 퀸스틀러하우스는 취향과 관점 면에서 점점 더 편협한 태도를 취해 갔다. 1897년 환멸을 느낀 화가 19명은 퀸스틀러하우스에서 탈퇴하여 빈 분리파를 만들었다. 클림트는 이 집단의 초대 회장으로 선출되었다. 빈 분리파는 자체 전시관을 건축한 뒤에, 신진 화가들뿐 아니라 빈센트 반 고흐Vincent van Gogh 같은 외국 화가들의 작품을 전시할 수 있게 되었다. 사실 클림트는 코코슈카와 실레의 초기 작품이 전시될 수 있도록 중요한 지원을 했다.

클림트는 그 나름의 의미가 있는 연애를 많이 했고, 이런 연애를 통해 여성에 관해 아주 많은 것을 배웠다. 그는 여성의 성욕을 깊이 이해했고, 그 것을 뛰어난 소묘 능력과 결합해 여성 나체의 관능적인 모습뿐 아니라 그 이상을 묘사할 수 있었다. 그는 여성성의 본질인 감정을 포착했다. 그 의 소묘는 전혀 새로운 방식으로 모델이 자의식을 갖고 화가에게 반응하 는 모습을 보여 준다. 알베르 엘센Albert Elsen은 그 점을 이렇게 표현했다.

> 그녀는 여러 가지 소품들과 함께 받침대 위에서 …… 관람자를 전혀 의
> 식하지 않는 듯이 보이면서 자세를 취하기보다는 …… 이제 시제poesy
> 로서가 아니라 여성으로서 자신에게 깊이 관심을 보이는 남성이 내밀
> 한 공간에 있음을 의식하고 있다.[2]

자신의 창의성을 가장 대담하게 드러내는 연필, 목탄, 크레용으로 그린 무수한 소묘 작품들에서, 클림트는 여성이 상대방—남성이든 여성 이든—이나 자기 자신으로부터 얻을 수 있는 강렬한 성적 쾌락을 노골 적으로 묘사했다. 그럼으로써 그는 서양 미술에 여성의 성생활이라는 새 로운 차원을 도입했다. 1913년에 그린 〈안락의자에 앉은 여성Seated Woman in Armchair〉(그림 8-1), 1912~13년에 그린 〈오른쪽을 향해 엎드린 나체 Reclining Nude Facing Right〉(그림 8-2)를 보라. 이 소묘에 등장하는 여성들은 프로이트의 환자들과 마찬가지로 자신의 환상 세계, 공상과 현실 사이를 오가는 듯한 세계에 빠져 있다. 이렇게 성생활을 솔직하게 묘사할 때, 아 마도 그는 스스로 쾌락을 즐기는 나체 여성들을 묘사한 오귀스트 로댕의 소묘들, 색정적인 측면을 강조한 오브리 비어즐리Aubrey Beardsley와 후기

I 무의식의 감정을 향한 정신분석 심리학과 예술 **129**

그림 8-1 구스타프 클림트, 〈안락의자에 앉은 여성〉(1913년경). 연필과 분필. 컬러화보 참고

그림 8-2 구스타프 클림트, 〈오른쪽을 향해 엎드린 나체〉(1912~13). 연필과 빨간색 및 파란색 연필. 컬러화보 참고

상징주의 화가들의 작품에서 영감을 받았을 것이다. 또 그는 로댕에게 모델을 직접 관찰하면서 작품을 그리는 법을 배웠다. 로댕은 모델에게 눈을 떼지 않고 윤곽을 그리는 기법을 개발했다. 그 이전의 화가들은 모델에게 눈을 뗀 뒤에 본질적으로 기억에 의존하여 소묘를 하는 방식을 썼다.

오늘날의 기준으로 보면, 클림트의 여성 소묘는 그저 여성의 성욕을 남성의 관점에서 묘사한 것으로 비칠지도 모른다. 어쨌거나 그의 소묘에 담긴 대상은 모델이었고, 그들의 자세는 그가 취하라고 했거나 아니면 그를 기쁘게 하기 위해 취한 것일 수 있다. 하지만 설령 클림트가 여성의 성생활 가운데 제한된 측면만을 포착했다고 할지라도, 그 측면들은 대다수의 예술 관람자에게 새로운 것이었다. 더군다나 그 측면들은 프로이트는 물론 여성의 성욕을 살펴본 빈의 인사들 대다수가 거의 알지 못하던 것이었다. 프로이트보다 클림트가 여성의 심리를 더 깊이 이해했다는 점은 의심의 여지 없이 명확하며, 인간의 성을 연구하는 학자 루스 웨스트하이머Ruth Westheimer도 그 점을 강조했다. 그녀는 그림과 조각을 다룬 《성적 흥분의 예술The Art of Arousal》에서 클림트의 소묘를 토대로 그린 실레의 소묘(그림 8-3)를 이렇게 평한다.

> 이런 작품들을 남성들을 위한 ─ 그리고 여성들의 품격을 떨어뜨리는 ─ 춘화라고 치부하기는 어렵지 않지만, 이 그림들은 여성이 성적 자족성을 점점 더 자각하고 있음을 표현한 것이라고 볼 수도 있다. 이 자각은 자연히, 하지만 지극히 서서히 삶의 모든 영역에서 여성의 독립으로 이어졌다. 아마 프로이트가 이 작품들을 보았다면, 여성이 질 삽입이 있어야 오르가슴을 얻을 수 있다는 신화를 우리에게 강요하지 않았을지도 모른다. 또 클리토리스 자극이 억압적인 것도 미성숙한 것도 아니며, 여성이 스스로 쾌락을 얻는, 혹은 누군가로부터 쾌락을 얻는 건강한 방식이라는 점도 깨달았을지 모른다.[3]

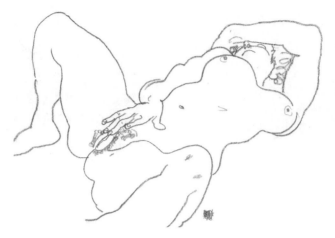

그림 8-3 에곤 실레, 〈누워 있는 나체(Reclining Nude)〉(1918). 종이에 크레용. 컬러화보 참고

그의 유화들과 달리, 현재 남아 있는 4000점에 이르는 소묘 작품은 대부분 그 자신이 개인적으로 소장하기 위해 그린 것이었다. 서명이 안 된 것도 많다. 그는 다른 남성 관람자들의 호색적인 관심을 끌기 위해서가 아니라 자기 안의 예술가를 즐겁게 하기 위해 이 그림들을 그렸다. 한 가지 중요한 예외는 1906년 클림트가 《헤타이라이의 대화Dialogues of the Hetaerae》새 번역본에 넣기 위해 그린 15점의 소묘였다. 이 책은 교양 있고 사려 깊고 재능 있는 매춘부들이 사랑, 섹스, 정절에 관해 토론하는 내용을 담고 있으며, 서기 2세기의 신학자인 사모사타의 루키안Lucian이 저술했다. 클림트가 삽화로 그려서 대중이 볼 수 있게 된 소묘들은 그가 개인적으로 간직한―비록 개인적으로 간직했던 소묘들도 시간이 흐르면서 대중에게 공개되었지만―소묘들과 매우 비슷하다. 예술사학자 토비아스 G. 나터Tobias G. Natter는 《헤타이라이의 대화》를 다룬 글에서 그 삽화들을 이렇게 설명한다.

클림트는 자위행위를 통해 희열에 빠진 여성들을 묘사하고, 자기 응시가 성적인 잠재력을 지니고 있음을 보여 주고, 여성의 동성애라는 관능적인 주제를 다뤘다. …… 이런 작품들을 통해 클림트는 현대적인 여성형을 정의했다. 아니 창조하는 데 기여했다. …… 그런 대담한 태도가 유럽이나 미국의 미술계에 다시 나타난 것은 1920년대가 되어서였다.[4]

비록 클림트의 여성 성생활 묘사가 '빈 1900'에는 급진적이고 혁신적이었을지라도, 미술사에서 처음은 아니었다. 생생한, 더 나아가 과장된 형태의 성적 묘사는 선사시대 미술에서도 볼 수 있으며, 에로티시즘은 역사 내내, 특히 동양 미술과 인디언 미술에서 주요 주제로 남아 있었다. 클림트는 기타가와 우타마로喜多川歌麿가 1803년경 두 권으로 낸 화집《화본소상호絵本笑上戸》등의 일본 목판화에도 영향을 받았다. 우타마로의 화집은 여성이 성적으로 독립될 수 있고, 스스로 성적 쾌락을 누릴 수 있음을 보여 준다.

　에로티시즘은 초기 서양 미술에서도 뚜렷이 나타난다. 특히 스탐노스에서 출토된 고대 그리스의 화분, 로마 폼페이 시의 조각과 벽화, 줄리오 피피Giulio Pippi(줄리오 로마노Giulio Romano)의 그림이 대표적이다. 베네치아 화파(감각파)의 위대한 마니에리슴 화가들—조르조네Giorgione, 티치아노Vecellio Tiziano, 틴토레토Tintoretto, 베로네세Paolo Veronese—은 모두 여성 나체를 찬미했으며, 그들의 스승인 라파엘로Raffaello Sanzio와 그들의 계승자인 루벤스Peter Paul Rubens, 고야Francisco Joséde Goya y Lucientes, 푸생Nicolas Poussin, 앵그르Jean Auguste Dominique Ingres, 마네, 로댕도 마찬가지였다(그림 8-4부터 8-9까지). 조르조네와 티치아노는 로마의 사랑의 여신인 비너스가 자위행위를 하는 모습을 그렸다.

　조르조네가 1508년 그린 〈잠자는 비너스The Sleeping Venus〉(그림 8-4)와 티치아노가 1538년 이전에 그린 〈우르비노의 비너스Venus of Urbino〉(그

그림 8-4 조르조네 다 카스
텔프랑코, 〈잠자는 비너스〉
(1508~10). 캔버스에 유채.
컬러화보 참고

그림 8-5 티치아노, 〈우르비
노의 비너스〉(1538년 이전).
캔버스에 유채. 컬러화보 참고

그림 8-6 프란시스코 호세
데 고야 이 루시엔테스, 〈벌
거벗은 마하〉(1800년경). 캔
버스에 유채. 뒤집은 그림.
컬러화보 참고

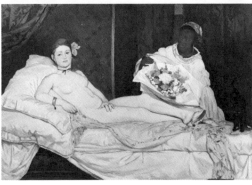

그림 8-7 에두아르 마네,
〈올랭피아〉(1863). 캔버스에
유채. 컬러화보 참고

그림 8-8 구스타프 클림트, 〈오른쪽을 향해 엎드린 나체〉(1912~13). 연필과 빨강 및 파랑 연필. 뒤집은 그림. 컬러화보 그림 8-2 참고

그림 8-9 아메데오 모딜리아니, 〈흰 방석에 누운 여성 나체(Female Nude on a White Cushion)〉 (1917~18). 캔버스에 유채. 컬러화보 참고

림 8-5)에서는 여신의 손이 음부 위에 손가락을 펼친 모습이 아니라 구부린 채 놓여 있다. 이 손 모양이 너무나 미묘하고 모호하기에, 관람자는 이 그림들의 에로티시즘을 억누르고서 이 자세가 자위행위가 아니라 여성의 정숙함을 묘사하는 것이라고 해석하기가 아주 쉬우며, 실제로 그렇게 보아 왔다. 미술사학자 데이비드 프리드버그David Freedberg는 《이미지의 힘The Power of Images》의 〈감각의 검열Censorship of the Senses〉이라는 장에서 미술사학자들조차 거의 예외 없이 자신의 성적 반응을 억누르고서 그림들의 이 측면을 언급하지 않고 대신 도상학적인 해석, 형태와 색채와 구도의 미학적 평가, 기타 흥미로운 특징들에 초점을 맞추어 왔다고 강조한다. 이와 대조적으로 관람자는 클림트의 스스로 쾌락을 느끼는 나체 그림을 보고서 그 인식, 즉 성적 반응을 억누르기가 거의 불가능하다.

클림트가 서양 미술의 나체 그림 전통—조르조네와 티치아노의 비너스 그림, 고야의 1800년경 작〈벌거벗은 마하The Naked Maja〉(그림 8-6), 마네의 1863년 작 〈올랭피아L'Olympia〉(그림 8-7)에 이르기까지—에 추가한 것은 철저한 모더니즘 관점이었다. 순결한 비너스 대신에 당대의 실제 여성을 묘사한 마네의 〈올랭피아〉에서도 클림트의 소묘에서 나타나는 노골적인 성욕이 드러나지 않는다. 더 이전의 많은 서양 화가와 달리 클림트는 죄의식에 사로잡혀 있지 않았으며, 따라서 모델의 성욕을 숨길 필요를 전혀 느끼지 못했다. 그의 소묘에 그려진 나체들은 신화 속의 인물이 아니라 실제 여성의 모습을 검열 없이 그린 것이었을 뿐 아니라, 현대적이면서 여성 해방적인 여성들이었다는 점에서 선배들의 그림 속 여성들과 다르다. 클림트는 성욕을 삶의 자연적이고, 종종 자발적으로 나타나는 부분으로서 묘사했다. 이 점은 옷을 다 입은 채로 흥분하여 자위행위를 시작하는 모습을 담은 여성의 소묘들에서 명백히 드러난다. 더 이른 시기에 그린 나체들은 대부분 캔버스에서 관찰자를 쳐다보는 모습이다. 마치 상대 남성이 없이는 완전한 성적 존재가 될 수 없는 것처럼, 말없이

에로티시즘을 함께하자고 하는 듯하다. 그런 한편으로 클림트의 나체 소묘들은 남성의 응시를 알아차리지 못하거나 그것에 개의치 않는다(그림 8-8). 그들은 자기 자신과 자신의 환상에 몰입해 있다. 이 소묘들에서 관람자는 자신을 바라보는 여성에게 적극적으로 관여하기보다는 내밀한 행위를 수동적으로 관찰한다.

이 역동성에는 대상의 성적 자족성뿐 아니라 관찰자의 관음증도 암시되어 있다. 따라서 이 그림들은 대상자 내면의 성적 욕망뿐 아니라 관찰자의 성적 욕망도 드러낸다. "여성의 몸이 말 그대로 당신의 얼굴을 바라본다."[5]는 점에서 경악케 한 나체 그림을 그린 후대 화가인 모딜리아니도 여성의 심리나 남성의 시선을 간파하는 통찰력 면에서는 클림트에 미치지 못한다. 다른 화가들의 이 모든 그림은 나체 여성의 몸이 유혹적이고 성욕을 자극한다는 것은 말해 주지만, 여성이 자신의 성욕을 어떻게 생각하고 어떻게 경험하는지는 거의 알려 주지 못한다.

클림트(그림 8-10)는 1862년 빈에서 금 세공인인 에른스트 클림트의 아들로 태어났다. 그는 어릴 때부터 놀라운 소묘 솜씨를 발휘했다. 경이로우리만치 사실적인 스케치로 풍경의 세세한 부분까지 거의 사진처럼 포착했다. 그는 고등학교를 건너뛰고 이른 나이에 빈 예술대학에 건축 장식가로서 진학했다. 그는 빈의 링슈트라세에 기념비적인 건물들을 건축하는 작업이 막바지에 이를 무렵 학업을 마쳤다. 링슈트라세 시기의 위대한 화가는 한스 마카르트였다. 그는 역사적이고 우화적인 내용을 담은 대작과 공식 초상화를 담당했다. 클림트는 젊은 화가로서 마카르트 양식을 좇아 극장과 공공건물을 치장했다. 1884년 마카르트가 사망하자, 클림트와 동생인 에른스트에게 링슈트라세에 마지막으로 남은 큰 건물 두 동의 장식을 맡아 달라는 요청이 왔다. 미술관과 캐슬 극장 신관이었다. 클림트는 캐슬 극장 구관 관객석을 그려 달라는 요청을 받았다(1장 참조). 1888년에

그림 8-10 구스타프 클림트(1862~1918). 〈키스〉를 그린 해인 1908년경에 찍은 사진.

그린 이 그림은 그가 마카르트와 단절하고 내면으로 시선을 돌려서 고도로 독창적인 자기만의 양식을 발전시키고 있음을 처음으로 시사했다.

1892년 클림트의 삶에 몇 가지 사건이 한꺼번에 일어났다. 첫째, 아버지가 세상을 떠났다. 그 직후 동생 에른스트가 사망했다. 클림트는 동생의 아내 헬레네 플뢰게와 조카딸을 돌봐야 한다는 책임감을 느꼈다. 그러다가 헬레네의 여동생 에밀리를 만나 사랑에 빠졌다. 에밀리도 화가였다. 이 일련의 감정이 밴 사건들을 겪으면서 클림트는 창작 위기를 겪은 듯하며, 그 과정을 통해 그의 그림과 도상은 새롭고도 고도로 개성적인 양식을 띠게 되었다.

클림트의 새 양식이 모든 이에게 높은 평가를 받은 것은 아니었다. 1894년 그는 문화종교교육부로부터 빈 대학교 강당의 벽에 걸 그림으로, 세 위대한 학부인 의학·법학·철학 분야를 찬미하는 작품 세 점을 그려 달라는 의뢰를 받았다. "어둠에 맞선 빛의 승리"를 그려 달라는 요청이었다. 그는 1900년에 〈철학Philosophy〉, 1901년에 〈의학Medicine〉(그림 8-11,

8-12), 1903년에 〈법학Jurisprudence〉을 완성했다. 각 그림은 벨기에 상징주의 화가인 페르낭 크노프Fernand Khnopff에게 영향을 받아서 고도로 비유적인 양상을 띠었고, 많은 교수가 마음에 들지 않는다고 평했다. 또 그 그림들은 너무 음란하고, 상징적이고, 이해하기 어렵다는 비판도 받았다. 게다가 클림트가 그린 인체는 너무 추하다는 평을 받았다. 앞장서서 불만을 표출한 교수는 철학자 프리드리히 요들Friedrich Jodl이었다. 그는 자신들이 나체 미술에 항의하는 것이 아니라 추한 미술에 항의하는 것이라고 주장했다.

빈 미술사학파의 프란츠 비크호프Franz Wickhoff 교수와 베르타 주커칸들은 비판자들에 맞서서 클림트를 격렬하게 옹호했다. 비크호프는 철학회에서 '추함에 대하여'라는 제목으로 매우 큰 영향을 미친 강연을 했다. 그는 현대가 그 나름의 감수성을 지니며, 현대 미술을 추하다고 보는 이들은 현대의 진리를 직시하지 못한다고 주장했다. 미술사학파의 창시자인 알로이스 리글Alois Riegl도 인생에서와 마찬가지로 미술에서도 진리가 반드시 아름다운 것은 아니라고 하면서 비크호프의 주장에 동조했다. 리글은 모든 시대는 그 나름의 가치 체계와 감수성을 지니며, 당대 예술가들의 작품 속에 그것이 구현된다고 말했다. 이 맥락에서 비크호프는 클림트의 작품이 "밤하늘의 별처럼"[6] 돋보인다고 주장했다.

그 그림들은 내용 면에서뿐 아니라 구도 면에서도 도발적이었다. 르네상스 이후로 화가들은 관람자가 그 장면 속으로 들어갈 수 있는 창문 역할을 하는, 현실적인 삼차원 공간을 모사한 그림을 그려 왔다. 클림트는 다른 접근법을 취했다. 예를 들어 〈의학〉에 등장하는 인물들은 삼차원으로 그려지긴 했지만, 서로에 대해서는 삼차원적이지 않다. 그들은 끝없는 허공에서 서로 겹쳐져 있다. 그 결과 일관적인 삼차원 이미지라기보다는 사유의 시각적 흐름에 더 가까워 보인다. 관람자가 걸어 들어갈 수 있는 장면이라기보다는 꿈속의 장면에 더 가깝게 느껴진다. 사실 이 그림

그림 8-11 구스타프 클림트, 〈히기에이아(Hygieia)〉(1900~07), 〈의학〉의 일부. 캔버스에 유채. 컬러화보 참고

그림 8-12 구스타프 클림트, 〈의학〉(1900~07). 캔버스에 유채. 1945년 화재로 소실.

은 "단절된 시각적 이미지의 단편들"이라는 꿈속의 무의식을 묘사한 프로이트의 말과 비슷하다. 즉 클림트는 바깥 세계를 현실적으로 묘사하는 대신에, 다른 화가들이 여태껏 그리지 않았던 방식으로 무의식의 단편적인 본질을 포착하고 있다.

대학교의 그림이 거부당한 데 반발하여, 클림트는 점점 발전하고 있는 통찰력을 '베토벤 프리즈Beethoven Frieze' 쪽으로 돌렸다. 1902년 그는 금편을 작품에 쓰기 시작했는데, 이 재료는 다음 몇 년 동안 자주 쓰이게 되었다. 20세기 초에 베토벤은 새롭게 조명을 받았다. 그것은 어느 정도는 작곡가 리하르트 바그너Richard Wagner와 철학자 프리드리히 니체가 그의 작품을 아주 높이 평가한 덕분이기도 했다. 빈이 베토벤의 삶에 중요한 역할을 했음을 알리기 위해 빈 분리파 화가들은 새 건물인 분리파 미술관의 개관식을 겸해서, 베토벤을 기리기 위한 종합 예술 작품Gesamt Kunstwerk―건축, 조각, 그림, 음악 등 예술적 노력의 조합―을 내놓을 계획을 세웠다. 작곡가 구스타프 말러는 베토벤 9번 교향곡을 지휘했고, 조각가 막스 클링거Max Klinger는 베토벤 흉상을 제작했고, 클림트는 그 흉상이 놓인 방의 벽의 위쪽을 따라 띠 모양의 장식인 프리즈를 그렸다. 이 프리즈는 리하르트 바그너의 베토벤 9번 교향곡 해석을 토대로 했다. 그 작품이 행복과 사랑을 얻기 위한 인간의 투쟁과 갈망을 담아냈으며, 예술의 종합을 통해 최고로 완성된 상태에 이른다는 것이었다. 클림트는 예술이 지상낙원이든 천국이든 간에 이상향으로 이어지며, 그 이상향에서만 순수한 기쁨, 순수한 사랑을 얻을 수 있다고 그려 냈다. 그는 프리즈의 마지막 두 장면에서 천사들이 합창하고 연인들이 껴안고 있는 모습을 통해 그 순수한 사랑을 묘사했다.

교수들에게 너무나 큰 충격을 안겨 준 벽 그림 세 점과 그 뒤의 베토벤 프리즈는 코코슈카와 실레에게 강력한 영향을 미쳤다. 캐스린 심프슨Kathryn Simpson은 이렇게 간파했다. "가장 진실한 그림은 대상들이 벌거벗고 질병에 걸리고 고통스럽게 노출되고 분노하고 일그러진 모습을 담은 것이다."[7] 일단 클림트가 미술과 진리를 연결하는 길을 닦자, 코코슈카와 실러는 아름다움 및 아름다움과 진리의 결합에 미적 초점을 맞춘 기존 관점에 대담하게 도전하는 작품을 내놓았다.

◆ ◆ ◆

클림트의 새로운 양식은 또 하나의 현대적인 개념을 통합했다. 관람자의 몫, 즉 관람자와 미술의 관계라는 개념이었다. 관람자의 참여가 미술 작품의 완성에 결정적이라는 개념은 20세기 초에 아마 당대의 가장 영향력 있는 미술사학자였을 알로이스 리글이 처음으로 일관되고 체계적인 방식으로 전개했다.

리글이 관람자에게 초점을 맞춘 것은 더 큰 목표의 일환이었다. 미술사를 미술과 문화를 연결하는 수단으로 발전시키겠다는 것이었다. 이 목표를 이루기 위해 그는 미술 작품을 분석하는 정형화한 방법을 도입했다. 리글은 미술 작품을 단순히 추상적이거나 이상적인 미 개념을 통해 보아서는 안 된다고 주장했다. 대신에 그 작품이 창작된 시대의 주된 양식이라는 관점에서 봐야 한다고 했다. 그는 이것을 예술 의욕Kunstwollen, 즉 한 문화 내의 미적 충동이라고 했고, 그것이 새로운 형태의 시각 표현으로 이어진다고 주장했다. 리글과 비크호프는 각 시대가 자신의 미학을 정의하는 새로운 가치 집합을 지닌다고 주장했다. 따라서 가장 넓은 의미에서 볼 때, 리글과 비크호프는 미술사를 위한 새로운 접근법을 개발했다. 미술에서 혁신이 어떤 역할을 하는지, 대중의 이해를 돕도록 고안된 것이었다.

리글과 비크호프의 미학관은 고전 미술에서 전통적으로 채택한, '아름답다'고 여겨지는 것을 맨 위에 놓고 '추하다'고 여겨지는 것을 맨 아래에 놓는 식의 계층 질서에 토대를 두지 않았다. 미술에서의 추함을 보는 그들의 관점은 더 이전의 미술사학자들이 지닌 관점과 전혀 달랐다. 사실 그들이 대학교 벽에 걸린 클림트의 그림을 옹호할 때 보았듯이, 많은 동료 학자의 견해와도 달랐다. 1790년 이마누엘 칸트Immanuel Kant가 《판단력 비판》에서 지적했다시피, 자연은 미술과 다르다. 자연에서 추한 것이 미술에서는 아름답게 보일 수도 있다. 아마 그 점을 가장 잘 표현한 것은 로댕이 예술가들을 대변하여 한 말일 것이다. "특징이 없을 때, 즉 제시할 외면의 진리나 내면의 진리가 전혀 없을 때 말고는 예술에서는 그 어떤 것도 추하지 않다."[8]

이 논리는 예술의 역설 중 하나를 드러낸다. 시대를 막론하고 예술가들이 관람자에게서 똑같은 감정을 환기해 왔는데도, 사람들은 예술을 결코 지겨워하지 않는다. 왜 질리지 않는 것일까? 왜 계속 새로운 형태의 미술을 추구하고 그것에 반응하는 것일까? 리글은 모든 시대의 예술가들이 미술을 새롭게 바라보고, 그것에서 진리의 새로운 차원을 찾도록 암묵적으로 대중을 교육한다고 답한다. 그는 20세기 화가의 작품에서 관람자의 감정을 자극하는 것과 17세기, 18세기, 19세기 화가의 작품에서 관람자의 감정을 자극하는 것은 전혀 다르다고 주장한다. 그리고 17세기, 18세기, 19세기에 살던 사람들의 감정을 자극한 것과도 분명 다르다. 취향은 진화하며, 그것은 어느 정도는 예술가들이 그 취향을 만들어 내고 관람자가 그것에 반응하기 때문이기도 하다.

의식하고 그런 것은 아니겠지만, 클림트와 후계자인 코코슈카와 실레는 관람자에게 삶의 표면 아래 놓인 무의식적인 본능적 충동에 관한 새로운 진리를 가르쳤다. 클림트, 그리고 현대는 인간에게 "자신의 진정한 얼굴"[9]을 보여 주는 시대라고 말한 건축가 오토 바그너는 19세기 말의 미술평론가 루트비히 헤베시Ludwig Hevesi의 외침에 동조했다. "시대에는 예술을, 예술에는 자유를."[10]

미술이 출현한 역사적 맥락과 그림의 완성에 관람자의 참여가 중요하다는 점을 강조함으로써, 리글은 미술이 보편적 진리에 이르고자 하는 것이라는 허세를 벗겨 내고 미술을 특정한 시대와 장소에서 나온 물질적 대상이라는 적절한 맥락에 놓았다. 에른스트 크리스, 언스트 곰브리치를 비롯한 후대 미술사학자들은 그의 개념에 영향을 받아서 더 객관적이고 엄밀한 미술사를 구축했다. 로키탄스키의 개념이 프로이트, 슈니츨러에게 영향을 미치고, 임상의학을 더 과학적 토대 위에 놓도록 당대의 의학자들을 자극한 것과 흡사하다.

　　리글은 클림트가 동료 모더니스트들과 오스트리아 미술의 빈 분리파 운동을 시작한 지 몇 년 뒤인 1902년에 출간한, 이제는 고전이 된 책 《네덜란드 단체 초상화The Group Portraiture of Holland》에서 자신의 개념을 펼쳤다. 이 책은 5세기부터 16세기까지의 이탈리아 미술을 16세기와 17세기의 네덜란드 미술과 비교했다.

　　비잔틴, 고딕, 르네상스 시대의 이탈리아 미술 중 상당수는 기독교의 영원한 진리를 묘사하고 관람자로부터 경건함, 신앙, 동정심, 연민, 경외심, 열정 같은 이상화한 감정을 이끌어 내도록 고안되었다. 로마 가톨릭 교회는 종교적 계층구조를 통해 자신의 견해를 확립하고 전파했으며, 그 구조는 당대의 단체 초상화에 반영되어 있다. 1427년경에 그린 톰마소 마사초Tommaso Masaccio의 〈삼위일체The Trinity〉(그림 8-13)가 대표적이다. 피렌체의 산타마리아 노벨라 성당의 벽에 그린, 십자가에 못 박힌 예수를 극적으로 묘사한 이 작품에서 인물들은 계층적으로 배열되어 있다. 이 계층질서 속에서는 모두가 세계에서 자신이 있을 위치가 어디인지를 안다. 관람자는 그림 바깥에 있고, 헌금자는 그림의 앞쪽 끝에 있다. 슬퍼하는 마리아와 요셉은 헌금자 뒤편으로 십자가에서 죽어 가는 예수의 양편에 있다. 그리고 하느님은 예수의 위에서 굽어보고 있다. 삼차원 장면을 벽이라는 이차원 표면에 투사한 직선 원근법은 이 계층구조를 더 강

그림 8-13 톰마소 마사초, 〈삼위일체〉(1427~28). 프레스코화. 컬러화보 참고

조하는 역할을 한다. 마리아가 그림 바깥을 바라보면서 손으로 우리 앞에 펼쳐진 장면을 가리키며 우리에게 말을 걸고 있긴 하지만, 이 그림은 그 자체로 완결된 드라마다. 이야기를 완성하는 데 관람자의 참여는 필요하지 않다. 이 자족성은 비잔틴, 고딕, 르네상스의 많은 그림이 지닌 특징이며, 리글이 '내적 일관성inner coherence'이라고 지칭한 것을 보여 준다.

16세기와 17세기의 네덜란드는 상호 존중과 시민의 책임 의식으로 결속된 민주 사회였다. 리글은 몇 가지 예외가 있긴 하지만, 이탈리아 그림에서 뚜렷이 나타나는 계층 조직화가 평등주의적인 네덜란드 화가들의 미적 충동과 맞지 않았다고 주장한다. 네덜란드 화가들은 창작 활동과

그림 8-14 프란스 할스, 〈성 조지 시민군 장교들의 연회〉(1616). 캔버스에 유채. 컬러화보 참고

작품에서 서로를 향한 '주의attentiveness', 즉 서로를 존중하는 개방적인 태도를 강조했다. 그들은 사회적 지위와 인간의 평등 사이에서 균형을 잡으려 한 최초의 화가였다. 따라서 1616년 프란스 할스Frans Harls의 〈성 조지 시민군 장교들의 연회A Banquet of the Officers of the St. George Militia Company〉(그림 8-14)의 경우, 계층구조가 있긴 해도 하인들까지 참여하는 공통의 가치 체계를 강조한다.

     마사초의 내적 일관성과는 대조적으로, 네덜란드 화가들은 리글이 '외적 일관성external coherence'이라고 부른 것을 빚어냈다. 외적 일관성에서는 관람자의 참여가 이야기와 그림을 완성하는 데 대단히 중요하다. 그림 속에 자리한 사람들은 서로 동등하고 적극적으로 관여할 뿐 아니라, 그림 밖의 관람자와도 동등하게 관계를 맺고 있다. 몇몇 초기 작품에서는 주로 시선을 마주치는 방식으로 이 평등성을 이루었다. 더 뒤의 그림들에서는 관람자를 그림의 이야기 속으로 끌어들이는 방식이 쓰였다. 뒤에서 살펴보겠지만, '관람자의 참여'를 인정한 리글의 견해는 미술에 대한 관람자의 반응이라는 문제를 고찰하는 방식에 지대한 영향을 미쳤다. 나중에 곰브리치는 이 개념을 더 다듬어서, 그것을 '관람자의 몫the beholder's share'이

그림 8-15 구스타프 클림트, 〈피아노 앞의 슈베르트〉(1899). 캔버스에 유채. 컬러화보 참고

라고 지칭했다.

미술평론가 볼프강 켐프Wolfgang Kemp는 클림트가 프란츠 슈베르트 Franz Schubert 탄생 100주년으로부터 2년이 지난 1899년에 그린 〈피아노 앞의 슈베르트Schubert at the Piano〉(그림 8-15)를 네덜란드 단체 초상화의 연속선상에 놓고 보아야 한다고 주장한다. 그것은 '주의의 윤리학ethics of attention'을 철저히 따른다. 슈베르트는 음악에 주의를 집중하고, 네 명의 청중은 슈베르트에게 주의를 집중하며, 청중 가운데 한 명(왼쪽에 있는 여성)은 관람자에게 주의를 기울임으로써 관람자를 그림으로 끌어들여서 원을 완성한다.

클림트, 코코슈카, 실레는 관람자의 역할과 관련해 두 가지 목표를 지니고 있었다. 첫째, 그들은 관람자와 그림 속 인물들 사이의 사회적 평등이 아니라 감정적(감정이입적) 평등을 토대로 한 외적 일관성을 지닌 작품을 그리고 싶어 했다. 네덜란드 화가들이 관람자를 그림 속이라는 물리적 공간으로 초청한 반면, 빈 화가들은 관람자를 그림의 감정 공간 속으로 초청했다. 빈의 화가들은 관람자의 감정이입을 일으킴으로써 관람자가 그림 속 인물의 본능적 충동을 자신의 것과 동일시하고 경험할 수 있도록 했다. 특히 빈 화가들은 감정 반응이 일어나도록 그림의 구도를 잡았다. 어떤 사회적 상황에 놓인 사람들을 많이 등장시키는 네덜란드 그림과 달리, 빈의 그림에는 대개 사적인 공간에서 두세 사람으로 이루어진 소집단이 등장한다. 관람자는 지위, 교육, 예법이라는 공식적인 장벽이 제거된 상태에서 그들을 직접 대하고 자신을 그들과 동일시할 수 있다.

둘째, 외적 감정이입적 일관성이 외적 사회적 일관성보다 더 선택적이고 이루기 어렵기 때문에 빈 화가들은 자신을 대중을 교육하는 사람으로가 아니라, 자신이 선택하고 자신의 가치를 공유하는 집단 또는 그 가치를 공유하도록 쉽게 교화할 수 있는 집단을 교육하는 사람으로 보았다. 클림트와 그 계승자들은 관람자가 모델의 정신세계를 인정하고, 따라서 모든 이에게 있는 무의식적 불안과 본능적 충동을 드러내는 새롭고 더 감정적으로 성찰하는 방식으로 미술과 자기 자신을 바라보도록 도우려 애썼다. 그들은 무의식적 감정을 전달하기 위해 인간의 형태를 과장하고 일그러뜨렸다. 그럼으로써 그들은 현대적이며 세속적인 관람자로부터 종교적인 관람자가 고딕 조각이나 마니에리즘 미술을 보면서 느끼는 것과 같은 유형의 강력한 감정을 이끌어 내려 애썼지만, 고통·연민·두려움 같은 더 의식적인 감정에 초점을 맞춘 종교 미술과 달리 오스트리아 모더니즘 미술은 무의식적 희열과 공격성에 초점을 맞췄다.

빈 미술사학파가 고전주의에서 모더니즘으로 옮겨 갈 때 리글과 비크호프, 그들의 제자들은 전통과 혁신 사이의 새로운 길을 모색했고, 미의 관점 변화를 새로운 철학적 관점에서 바라보기 시작했다. 빈 미술사학파에서 리글과 함께 연구한 후배 막스 드보라크Max Dvořák와 오토 베네슈Otto Benesch는 오스트리아 표현주의를 이 변화하는 미적 관점과 혁신의 대표적인 사례라고 보았다. 크리스의 스승인 드보라크는 코코슈카를 옹호하기 시작했고, 베네슈는 실레를 후원했다.

클림트는 자신의 벽 그림이 받은 반응에 몹시 마음이 상했다. 미술이 무
엇을 전달해야 하느냐는 문제에 대해 자신과 견해가 다른 사람들이 자신
의 그림을 소유하고 관람하기를 원치 않던 클림트는 그 그림을 되샀
다. 그는 다시 내면으로 관심을 돌려서 자신이 그 벽 그림에서 전개하기
시작했던 표현주의적 주제들을 장식적인 아르누보 양식의 그림들에 점
점 더 통합해 갔다.

　　당대의 다른 많은 화가가 그러했듯이, 클림트도 1850년 파리에서
출현한 나체 사진술을 포함하여 사진술이 점점 더 기술적으로 발전하고
대중성을 획득하고 있음을 의식하고 있었다. 그가 사진술의 사실주의에
어떻게 대응했는지는 그의 그림 속에서 엿볼 수 있다. 그는 사실에 충실
한 묘사에서 더 상징적인 회화로 넘어갔다(그림 8-16부터 8-23까지). 곰브
리치는 이 점을 잘 설명한다.

　　　사진사는 예전에 화가에게 속했던 기능들을 서서히 빼앗고 있었다. 그
　　리하여 대안 영역을 찾으려는 노력이 시작되었다. 그런 대안 영역 중
　　하나는 그림의 장식적 기능에 있었다. 자연주의가 형식적 조화를 위해
　　내버린 바로 그 기능 말이다. 또 하나는 뇌리를 맴도는 상징을 통해 꿈
　　같은 분위기를 자아냄으로써 단순한 사실 묘사를 초월할 수 있는 시적
　　인 상상력을 새롭게 강조하면서 나왔다. 둘은 상충되는 것이 아니었다.
　　세기말의 거장들은 종종 둘을 한 작품 속에 융합했다. 물론 구스타프
　　클림트도 그중 한 명이었다. 그의 그림들은 1900년경 빈의 미술계에서
　　논란거리로 부상했다.[11]

　　소묘에서 보이는 섬세함과 여성의 내면적 삶을 간파한 통찰력 면

그림 8-16 오토 슈미트, 〈여성 나체(Female Nude)〉(1900년경). 사진(세부).

그림 8-17 구스타프 클림트, 〈머리 뒤로 깍지를 낀 채 앉아 있는 나체(Sitting Nude, Arms Crossed Behind Her Head)〉(1913). 종이에 연필. 컬러화보 참고

그림 8-18 오토 슈미트, 〈여성 나체〉(1900년경). 사진.

그림 8-20 오토 슈미트, 〈여성 나체〉(1900년 경). 사진.

그림 8-19 구스타프 클림트, 〈얼굴을 가린 채 앞을 향한 여성 나체(Frontal Female Nude with Covered Face)〉(1913). 종이에 연필. 컬러화보 참고

그림 8-21 구스타프 클림트, 〈종아리를 덮은 채 누운 여성 나체(Reclining Female Nude with Covered Lower Legs)〉(1914-15). 종이에 파란색 연필. 컬러화보 참고

그림 8-22 오토 슈미트, 〈여성 나체〉(1900년경). 사진.

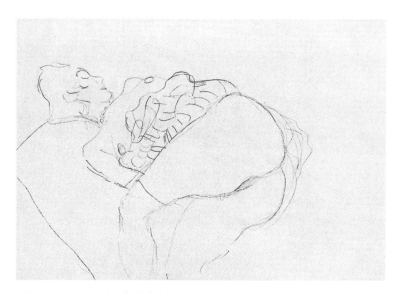

그림 8-23 구스타프 클림트, 〈누운 반나체(Reclining Half-Nude)〉(1914). 종이에 연필. 컬러화보 참고

에서 그는 당시의 사진술과 선명한 대조를 이룬다. 클림트의 여성들은 관능적인 몽상을, 그 어떤 사진기를 위해 자세를 취하는 것이 아니라 자족적이면서 자신을 의식하지 않은 채 자신만이 사는 자신의 세계를 만들어 낸다. 클림트는 종종 여성 주변을 도상적이고 성적인 상징으로 장식함으로써 그 몽상을 강화하고, 자신이 소묘에서 깊이 탐구한 여성의 심리와 사진술의 현실성 사이의 간격을 더욱 넓힌다(그림 8-1, 8-2, 8-17, 8-19, 8-21, 8-23).

1898년에서 1909년에 걸쳐 일어난 클림트의 화풍 변화는 겉모습 아래로 들어가서 모델의 감정 상태에 초점을 맞추고자 한 그의 태도를 반영한다. 그는 의식의 표면 밑으로 깊숙이 들어가는 첫 단계로서, 화폭에 담긴 그림의 본질적인 한계를 극복해야 한다는 점을 깨달았다. 프로이트는 비유를 써서 무의식적 힘이 인간의 행동을 어떻게 형성하는지 설명할 수 있었고, 슈니츨러는 내적 독백을 이용하여 그 힘들이 등장인물들에게 어떻게 작용하는지 설명할 수 있었다. 하지만 편평한 이차원 표면에 인간 정신의 깊이를 묘사하고자 한 클림트에게는 새로운 미술 전략이 필요했다. 그 전략을 짜내기 위해, 그는 훨씬 더 이전의 미술 양식에 눈을 돌려 영감을 얻었다. 바로 비잔틴 미술이었다.

　곰브리치가 지적했듯이, 서양 미술의 역사는 사실주의를 향한 체계적인 발전이 특징이다. 즉 편평한 이차원 표면에 믿을 수 있는 삼차원 세계를 그려 내는 것이다. 클림트는 비잔틴 미술의 특징인 이차원적 표현의 현대적인 형태를 구현하기 위해 삼차원 현실을 포기했다. 그는 평면적인 금박 장식을 입힌 넓은 영역과 삼차원 인물 묘사를 결합해 그림의 부분들이 서로 삐걱거리면서 밀고 당기는 듯한 놀라운 효과를 만들어 냈다. 이 효과는 작품의 관능적인 분위기를 더욱 두드러지게 한다. 에두아르 마네와 폴 세잔Paul Cézanne의 그림에서 이미 선보인 바 있는 이 이차원성을 강조하는 화풍은 20세기 내내 입체파를 비롯한 여러 화가에게 채택되어 널리 퍼졌다.

모더니즘 화가들이 이차원만을 이용하는 근거는 미술이 물리적 현실을 재현하려고 시도해서는 안 된다는 것이었다. 그저 재현할 수가 없기 때문이다. 게다가 현실은 결코 하나가 아니다. 따라서 미술은 더 고차원적이고 상징적인 진리를 추구하거나, 진리를 그저 하나의 대상으로 제시해야 한다는 것이다. 미술평론가이자 추상표현주의 그림의 대가인 클레멘트 그린버그Clement Greenberg는 1960년 모더니즘 그림을 다룬 선구적인 논문에서 이렇게 썼다.

> 모더니즘의 본질은 …… 한 분야의 특징적인 방법을 써서 그 분야 자체를 비판한다는 데 있다. …… 모더니즘은 미술에 주의를 집중시키기 위해 미술을 이용했다. 옛 거장들Old Masters은 그림의 매체 ―편평한 표면, 틀의 모양, 색소의 특성 ―에 내재된 한계를 암묵적으로 또는 간접적으로만 인정할 수 있는 부정적인 요인으로 다루었다. 모더니즘은 이 똑같은 한계를 긍정적인 요인으로 간주하고 공개적으로 인정했다. ……
> 평면성이 다른 예술에는 없는 그림만이 지닌 조건이었기에, 모더니즘 그림[1940년대와 1950년대]은 전적으로 평면성에 초점을 맞췄다.[12]

이제 클림트는 평면성을 진리로 여겼다. 그는 1898년 〈팔라스 아테나〉에서 평면성과 금박 장식을 실험하기 시작했다. 1903년, 그는 비잔틴 모자이크화를 연구하기 위해 이탈리아의 라벤나를 여행하면서 더욱 중요한 진전을 이루었다. 기독교 미술의 초기 사례에 해당하는 이 그림들은 벽에 그려진 모자이크화의 물질적 특성을 강조하는 평면성과 클림트가 그리고자 했던 고차원적 현실인 영성을 강조하는 금박 배경이 특징이다. 라벤나는 6~8세기에 이탈리아의 넓은 지역을 다스린 비잔틴제국의 수

그림 8-24 〈테오도라 황후와 수행원들(The Empress Theodora with Her Entourage)〉(547년경).
성당 모자이크화. 컬러화보 참고

도였고, 중세 유럽의 문화적·예술적 중심지 중 한 곳이었다. 라벤나의 모자이크화는 규모 면에서 기념비적이며 금, 밝은 색유리, 귀석으로 풍성하게 장식되어 있다.

클림트는 산 비탈레 성당Church of San Vitale의 모자이크화, 특히 547년경에 제작된 유스티니아누스 황제의 부인인 테오도라 황후의 모자이크화(그림 8-24)에 매료되었다. 매우 아름다운 여성이었다고 여겨지는 황후는 자주색 겉옷을 입고 사파이어, 에메랄드, 그 밖의 귀석들이 박힌 빛나는 왕관을 쓰고 있다. 클림트는 이차원성이 그녀의 이미지에 자연을 모사하려는 당대의 시도들과 달리 추상적인 초시간성과 율동적인 구도를 부여한다는 것을 깨달았다.

비잔틴 모자이크화의 영향을 받아서 클림트는 평면성을 고도로 장식적인 화풍과 결합하기 시작했다. 그는 정사각형 캔버스에 금과 금속 색깔을 써서 그림을 그렸다. 베토벤 프리즈에서 처음 사용했고, 아버지의 금세공 공방에서 친숙했던 색깔이었다. 초상화의 심리적 의미와 깊이를 돋보이게 하기 위해, 그는 도상학적인 성적 상징들을 써서 캔버스를 장식했다. 그는 베르타 주커칸들의 살롱을 드나들면서 그녀의 남편 에밀 주커칸들에게서 생식세포의 모양과 형태를 배웠다(3장 참조). 게다가 미술사학자 에밀리 브라운이 밝혀냈듯이, 클림트는 다윈과 진화론을 알고 있었고, 현미경으로 본 정자·난자·배아의 사진이 실려 있는 네 권짜리《동물계 자연사Illustrierte Naturgeschichte der Thiere》(1882~84)도 지니고 있었다. 이 사진들은 그의 그림에서 양식화한 형태로 모델의 의상에 장식 무늬로 그려져 있다. 클림트는 이 장식을 이용해 모든 인간 삶의 토대를 이루는 형태들을 제시한다.

평면성과 장식이라는 이 두 양식 변화를 통해 클림트의 황금기가 열렸다. 이 시기는 그가 빈으로 돌아온 1903년부터 1910년까지의 비교적 짧은 기간이었다. 평면성과 금박 장식의 결합은 아마도 그의 작품 중에서 가장 유명한 1907~08년 작 〈키스The Kiss〉(그림 8-25)에서 정점에 이른다. 이 그림에서 연인들의 몸은 거의 완전히 옷으로 덮여 있고, 옷은 이차원적인 금박 장식의 배경과 융합되어 있다. 이 그림은 탁월한 양식화를 통해 욕망을 전달하는 데 성공한다. 사실 두 사람의 몸이 너무나 밀착되어 있어서 언뜻 보면 융합된 듯하다. 게다가 연인들의 옷은 여성이 무릎을 대고 있는 꽃 장식 바닥과 마찬가지로 성적인 도상으로 장식되어 있다. 남성의 망토에 그려진 세워진 직사각형들은 정자를 상징하며, 여성의 옷에는 여성의 생식력을 상징하는 타원형과 꽃이 그려져 있다. 성적 상징으로 채워진 두 영역은 나란히 뻗어 가다가 서로 융합되어 약동하는 공통의 편평한 토대인 금빛 천을 이룬다. 클림트 연구자인 알레산드라 코미니Alessandra Comini는 이를 "원 형태와 수직 형태의 화려한 교합 속에서 아름답게 펼쳐지는 욕망의 상호 관계의 궁극적인 절정"[13]이라고 표현했다.

비록 클림트는 긴 생애 내내 여성을 그렸지만 가장 유명한 초상화

그림 8-25 구스타프 클림트, 〈키스〉(1907~08). 캔버스에 유채. 컬러화보 참고

들은 이 황금기에 그려진 것으로, 모두 이상화한 여성을 묘사하고 있다 (그림 8-26). 이 그림들 자체는 속세를 초월한 듯이 보인다. 그의 소묘와 대조적으로 이 그림들은 모델의 심리를 파헤치고 있지 않다. 오히려 여성들의 얼굴은 불가사의함, 전형적인 광휘, 모호한 감정을 발산하고 있다.

아마도 클림트의 초상화 중 가장 유명한 작품은 1907년에 그린 아델레 블로흐바우어의 초상화(그림 1-1)일 것이다. 2006년 로널드 로더가 구입한 바로 그 작품이다. 클림트는 이 작품에서 편평한 추상적 금박 장식을 배경으로 모델의 매우 사실적인 삼차원 모습을 그려 넣었다. 그는 비잔틴 모자이크화를 연구하기 위해 라벤나로 간 1903년에 이 그림을 그리기 시작했는데, 완성된 작품을 보면 테오도라 황후의 모자이크화에 영향을 받았음을 알 수 있다. 황후처럼 아델레도 기하학적 형상들에 둘러싸여—사실상 거의 구속되어—있다(그림 8-24와 1-1을 비교할 것). 비록 한

그림 8-26 구스타프 클림트, 〈아델레 블로흐바우어 II(Adele Bloch-Bauer II)〉(1912). 캔버스에 유채. 컬러화보 참고

눈에 드러나지는 않지만, 그녀는 나선 형태로 화려하게 장식된 안락의자인, 일종의 옥좌에 앉아 있다.

이 초상화는 클림트의 새 화풍을 구성하는 중요한 요소를 하나 보여 준다. 그림의 다양한 요소 사이의 경계를 의도적으로 흐릿하게 한 것이다. 관람자는 아델레의 덧옷, 의자, 배경의 경계를 구분하기가 어렵다. 사실 경계들은 서로 전환되면서 관람자의 공간과 형태 지각에 약동하는 이동 감각을 일으킨다. 배경을 편평하게 하고 아델레의 덧옷과 융합함으로써 클림트는 인물과 배경 사이, 인물과 표면 장식 사이의 전통적인 구분을 없앴다. 이 점은 초상화에서 더 두드러진다. 덧옷의 중심부, 몸에 가장 가까운 부분은 〈키스〉 같은 다른 작품들에 있는 것과 비슷한 직사각형과 타원형의 성적 상징들로 덮여 있다. 그녀의 구부린 손은 〈키스〉에 그려진 두 연인의 손 모양과 똑같다. 나중에 코코슈카와 특히 실레는 감정을 상징하는 데 손을 이용하는 클림트의 이 방식을 더 정교하게 다듬었다.

　　이동하는 듯한 경계와 상징적인 장식이 빽빽하게 채워진 옷을 통해 관람자는 배경의 엄밀하고 질서 있는 기하학이 구속하고 사회적으로 제약하는 것인 반면, 아델레의 옷에 그려진 상징들이 그녀의 본능적인 충동을 드러낸다는 인상을 받는다. 클림트 연구자 소피 릴리와 게오르크 고이구슈는 이 갈등을 이렇게 평한다. "클림트의 그림은 프로이트의 이론을 강렬하게 보여 주는 시각적 표현인 듯하다." 즉 프로이트가 몇 년 앞서 《꿈의 해석》에서 전개한 "의식 아래에 묻힌 감정이 위장된 형태로 표면으로 부상한다."는 이론이다.[14]

　　무정형의 배경으로부터 손과 얼굴을 드러내 모델의 정신을 표현하려 애쓴 렘브란트Harmensz van Rijn Rembrandt와 비슷하게, 클림트는 아델레 블로흐바우어의 손과 얼굴만을 노출시킨다. 하지만 테오도라 황후의 영적인 이미지와 달리 아델레의 초상화는 도톰한 입술, 발그레한 얼굴, 반쯤 감은 눈, 갈망하는 듯한 유혹적인 웃음을 통해 그녀를 표현한다. 루비와 사파이어가 박힌 다이아몬드 목장식은 아델레의 얼굴과 부유함에 주의를 집중시키며, 왼쪽 팔목의 황금 팔찌도 마찬가지다.

　　모델을 거의 사진처럼 똑같이 묘사하고 고도로 장식된 황금 덧옷과 배경 안에 넣는 원숙한 장식 솜씨 덕분에, 곧 초상화를 그려 달라고 클림트를 찾는 사람들이 늘어났다. 거의 다 여성이었다. 자화상을 끊임없이 그린 코코슈카, 실레와는 정반대로 클림트는 자화상을 그리지 않았다. "나는 결코 자화상을 그리지 않았다. 나는 그림의 대상으로서 나 자신보다는 남들, 무엇보다도 여성에게 관심이 있다."[15]

아르누보에서 모더니즘으로 나아가면서, 클림트는 부친과 동생의 죽음, 그리고 에밀리와 혼인한 이후에 자신이 주로 생각하게 된 두 가지 주제에 초점을 맞췄다. 이 주제들은 표현주의의 특징이 되었다. 바로 성욕과 죽음이었다. 그리하여 프로이트, 슈니츨러와 동시에 클림트는 인간 행동을 추진하는 무의식적 본능을 탐구하기 시작했다. 그는 여성 내면의 삶을 밝혀내는 무의식의 화가가 되었다.

클림트는 여성의 에로티시즘이 유혹하는 힘만이 아니라 파괴하는 힘도 지니고 있음을 잘 알고 있었다. 몇몇 작품에서 그는 새침 떠는 여성스러운 모습, 즉 심리적인 면을 전혀 깊이 파고들지 않은 천편일률적인 모습 대신에 더 노골적으로 관능적인 모습을, 남성과 똑같은 감정을 드러내는 여성을 그렸다. 쾌락뿐 아니라 고통도, 삶뿐 아니라 죽음도 느낄 수 있는 여성이었다. 그는 에드바르 뭉크Edvard Munch를 비롯한 더 이전의 화가들과 마찬가지로 여성의 위험한 비합리적 힘이라고 여긴 것을 탐구하기 시작했고, 그럼으로써 섹스의 결과가 반드시 즐겁기만 한 것은 아니라는 점을 보여 주기 시작했다. 그중 첫 번째 그림은 1901년 성서 속 인물 유디트를 그린 초상화였다(그림 8-27). 여기서 클림트는 여성의 힘이 남성을 매우 섬뜩하게 할 수 있음을 보여 주었다.

〈유디트서〉에는 용기와 힘과 지략으로 주민들을 구한 독실한 젊은 미망인 유대인 여걸의 이야기가 실려 있다. 기원전 약 590년에 홀로페르네스가 이끄는 바빌로니아-아시리아 군대가 베툴리아 시를 포위 공격했다. 포위당하자 곧 주민들의 생활은 피폐해지기 시작했다. 그래서 유디트는 그들을 구할 계획을 세웠다. 그녀는 하녀와 함께 도시를 탈출하는 척했고, 그러다가 홀로페르네스와 마주쳤다. 홀로페르네스는 그녀의 대단한 미모에 사로잡혔다. 그는 그녀를 즐겁게 하기 위해 잔치를 벌였고, 그녀는 그에게 술을 계속 권했다. 잔치가 끝난 뒤 유디트는 홀로페르네스와 함께 그의 막사로 갔고, 그곳에서 그를 유혹했다. 술에 취하고 만족을 느낀 홀로페르네스는 깊은 잠에 빠졌다. 유디트는 그의 머리 위에 놓인 칼을 들어서 홀로페르네스의 머리를 잘랐다. 그녀는 그의 머리를 들고 베툴리아로 돌아왔다. 적장의 머리를 본 시민들은 용기를 얻어 바빌로니아

그림 8-27 구스타프 클림트, 〈유디트〉(1901). 캔버스에 유채. 컬러화보 참고

인들을 물리쳤다.

클림트는 〈유디트〉에서 그 독실한 미망인을 극단적으로 해석한다. 그녀를 여성의 성적인 충동이 지닌 파괴적인 힘의 상징으로 묘사한다. 거의 벌거벗은 채 유혹한 뒤 홀로페르네스의 목을 자르는 유디트는 요염하기 그지없다. 아시리아 나무들의 황금 가지 사이의 어두운 하늘로 표현된 그녀의 검은 머리칼은 에로티시즘을 나타내는 생식력의 상징이다. 사치스럽게 치장하고 희열을 느끼고 있는 이 젊은 여성은 오르가슴의 환희에 젖은 듯 반쯤 감은 눈으로 관람자를 쳐다본다. 관람자에게 자신의 희열을 느껴 보라고 유혹하는 한편으로, 유디트는 홀로페르네스의 잘린 머리를 보여 준다. 그림에는 일부만이 드러나 있다. 참수斬首라는 주제는 유디트의 황금 목장식을 통해 더 강조된다. 배경과 똑같은 금박 양식으로 표현된 목장식은 유디트 자신의 머리를 몸과 분리한다. 비록 그림의 제목을 통해 이 여성이 유디트임을 알 수 있지만, 아델레 블로흐바우어를 닮은

그림 8-28 미켈란젤로 메리시 다 카라바조, 〈유디트와 홀로페르네스(Judith and Holofernes)〉 (1599). 캔버스에 유채. 컬러화보 참고

이 위험한 미모를 지닌 여성은 당시 빈 상류층의 우아한 귀부인 같은 모습이다. 클림트가 주로 그렸고, 그와 연애를 하기도 한 여성 말이다. 그녀의 장신구는 오래된 양식이긴 하지만 현대의 물건임이 분명하며, 그녀의 옷은 빈 공방 공예 양식의 특징인 고운 재질을 떠올리게 한다.

클림트의 유디트와 1598년 미켈란젤로 메리시 다 카라바조Michel-angelo Merisi da Caravaggio가 그린 유디트를 비교하면 흥미롭다(그림 8-28). 클림트와 마찬가지로 카라바조도 관습을 떨쳐 냈다. 그는 이상적인 미에 관한 전통적인 견해를 결코 존중하지 않았고, 새로운 방식으로 미술을 보고자 했다. 또 클림트처럼 카라바조도 대중에게 충격을 주려 한다는 비난을 받았다. 하지만 치명적인 유혹력을 즐김으로써 관람자를 충격에 빠뜨린 클림트의 유디트와 달리, 카라바조의 유디트는 순결해 보이며 유혹하는 행위와 성욕을 거부한다.

그림 8-29 구스타프 클림트, 〈죽음과 삶〉(1911년경). 캔버스에 유채. 컬러화보 참고

클림트의 유디트는 진정한 팜파탈femme fatale이다. 즉 그녀는 남성에게 욕정과 두려움을 함께 불러일으키고, 양쪽으로부터 쾌락을 얻는 존재다. 우리는 홀로페르네스가 왜 그녀에게 홀렸는지를 이해한다. 그녀는 아름다울 뿐 아니라 유혹적이다. 게다가 목을 베었음에도, 그림에는 피나 폭력의 흔적이 전혀 없다. 유디트의 홀로페르네스 살해는 그저 상징적으로만 표현되어 있다. 따라서 이 그림은 프로이트가 여성의 성욕이 해방될 때 수반될 것이라고 예측한 심리적 문제를 드러낸다. 즉 성적 불안 및 섹스와 공격성의 관계, 삶과 죽음의 관계에 관한 남성의 악몽을 드러낸다. 클림트는 프로이트가 거세 불안에 관해 쓰기 이전에 이미 이 문제를 인식했다.

이 그림은 여성의 성적 욕망에 관한 우리의 이해를 높이기 때문에 더 흥미롭다. 클림트가 자신의 섬세한 소묘들에서 상대방과 함께, 또는 방탕한 개인적 판타지에 빠져들어 성생활에 탐닉하는 여성을 통해 가장 흔히 보여 주는 것은 섹스의 쾌락적 측면이다. 하지만 그는 〈유디트〉에서 성욕의 파괴적인 측면도 드러냄으로써 여성이 경험할 수 있는 성적 감정의 범위가 남성의 것과 비슷하다는 점을 보여 주면서 우리의 인식을 확대한다.

클림트는 사랑과 죽음이라는 주제를 다양한 맥락에서 이해하고자 애쓴다. 아마도 가장 유명한 것은 생활사라는 맥락에서 다룬 그림들일 것이다. 1911년에 그린 〈죽음과 삶〉(그림 8-29)에는 오른쪽에 여러 사람들(생명력)이 모여 있고, 왼쪽에는 죽음만이 홀로 서 있다. 클림트는 별개의 색깔 영역을 통해 죽음을 삶에 통합한다. 죽음은 밤의 색깔로 자신을 감싸고 있고, 삶과 사랑을 나타내는 인체들은 다채롭고 화려한 장식으로 풍부한 다양성을 표현한다. 사랑과 죽음은 〈희망 I〉에 더 뚜렷하게 표현되어 있다. 여기서 자랑스럽게 드러낸 음모와 어울리는 빛나는 붉은 머리칼을 지닌 나체의 임신부는 아기 생각에 잠겨 있지만, 죽음의 해골이 그늘을 드리우고 있음을 알아차리지 못한다(그림 3-3 참조).

따라서 클림트의 뒤를 이은 코코슈카와 실레가 인간 행동의 밑바탕에 놓인 성, 공격성, 죽음 같은 무의식적 본능을 고도로 독창적인 방식으로 탐구한 것도 전혀 놀랄 일이 아니다.

09

미술에 묘사된
심리

비록 오스카어 코코슈카가 초기에 시각적으로 풍부하고 장식적인 구스타프 클림트의 화풍에 깊이 영향을 받은 작품을 그리긴 했지만, 그는 곧 클림트의 양식을 버렸다. 코코슈카는 유겐트슈틸 미술(아르누보)이 피부 속으로 깊이 파고들지 않는다고 주장했다. "겉모습을 미화하는 데만 몰두하고 내면의 삶에는 무심했다."[1] 그는 클림트가 성욕이 동해 시시덕거리는 사교계 귀부인들을 묘사했다고 하면서, 클림트의 그림이 상징과 장식을 통해 성적인 충동을 표현한다는 점을 비판했다. 게다가 그는 클림트의 여성 그림들이 감동을 주지 않는다고 생각했다.

코코슈카는 자신의 초상화에서 정신분석적 통찰과 표현주의 양식을 결합했다. 그는 미술에서 진리는 내면의 현실을 보는 데 달려 있다고 믿고서 그림을 그렸다. 그는 자신을 '심리학적 깡통따개'라고 했다.

초상화를 그릴 때, 나는 사람의 겉모습에 관심을 두지 않는다. 성직자,
세속적인 유명 인사, 사회적 출신 계급을 나타내는 단서들이 그렇다.

…… 내 초상화가 사람들에게 충격을 안겨 주곤 했던 것은 내가 얼굴과 표정으로부터, 손짓으로부터 당사자에 관한 진리를 직관하고자 시도했기 때문이다.[2]

코코슈카는 모델의 심리적 핵심을 드러내고자 했다는 점에서 오스트리아 최초의 표현주의 화가였다.

훗날 코코슈카는 자신이 인간의 무의식적 마음을 밝혀내는 데 지그문트 프로이트와 쌍벽을 이룬 사람이라고 자화자찬했다. 프로이트가 환자의 진정한 인격에 도달하기 위해 마음의 지층들을 하나하나 발굴한 것과 마찬가지로, 코코슈카는 스스로를 자기 자신과 모델의 내면 심리적 과정을 탐구한 인물이라고 여겼다. 1971년에 출간한 자서전에서 그는 자신이 동일시했던 표현주의가 "프로이트의 정신분석 발전과 막스 플랑크의 양자론 발견과 맞먹으며 동시대에 이루어졌다."고 아주 거리낌 없이 주장했다. "그것은 미술 사조가 아니라 시대의 징후였다."[3]

클림트와 마찬가지로 코코슈카도 생물학에 매료되어 있었다. 그는 자신의 어린 시절을 이렇게 묘사한다. "내가 글을 읽을 수도 없을 때 아버지가 처음으로 준 책은 요아네스 아모스 코메니우스Joannes Amos Comenius의 《그림으로 보는 세계Orbis Sensualium Pictus》였는데, 그 책은 늘 쓸모가 있었다. …… 생물과 무생물 세계의 현상을 다 기술했고, 인간을 우주의 진정한 자리에 놓았다."[4] 《그림으로 보는 세계》는 1658년에 처음 출간되어 1810년까지 계속 개정되어 나온 최초의 어린이 백과사전으로, 세계와 그 거주자들에 관해 알려진 모든 사항을 요약한 그림이 풍부하게 들어 있는 책이었다. 코코슈카는 생물학 그림, 특히 피부 밑에 놓인 뼈대, 근육, 내장 기관의 해부도(그림 9-1)에 푹 빠졌다.

그는 어른이 된 뒤에는 의료에 쓰이는 엑스선에 영향을 받았다.

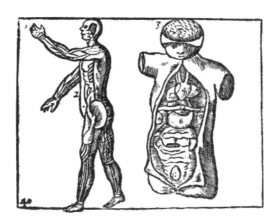

그림 9-1 요아네스 아모스 코메니우스, 《그림으로 보는 세계》(1672)에 실린 삽화.

1895년 독일 의사 W. C. 뢴트겐Wilhelm Conrad Röntgen은 엑스선이 피부 표면을 뚫고 들어가서 그 속의 뼈대를 볼 수 있게 해준다는 것을 발견했다. 이 놀라운 발견은 즉시 빈의 언론을 통해 널리 퍼지면서 소동을 일으켰다. 코코슈카 연구자인 클로드 세르누치Claude Cernuschi는 당시의 반응을 이렇게 묘사한다. "불투명한 물체를 들여다본다니! 닫힌 상자의 안을 들여다본다니! 살과 옷을 뚫고 팔, 다리, 몸의 뼈를 볼 수 있다니! 그런 발견은 적어도 우리가 지금까지 확실성을 생각할 때 써왔던 모든 것과 정반대된다."[5]

　　게다가 코코슈카는 프로이트의 정신분석 연구를 알고 있었을 가능성이 아주 높다. 설령 그의 저서를 읽지 않았다고 할지라도, 빈의 저명한 건축가인 아돌프 로스 같은 지식인들과 친하게 지내면서 알게 되었을 것이 확실하다. 로스는 사회평론가이자 극작가인 카를 크라우스Karl Kraus가 발간하는 신문인 〈횃불Die Fackel〉에 기고를 했는데, 그 신문에는 프로이트의 견해가 종종 실리곤 했다.

　　《그림으로 보는 세계》에 실린 해부 그림, 엑스선의 의학적 이용, 프로이트의 마음 이해는 모두 모델 내면의 삶을 묘사하려면 표면 밑에 있는 진리를 살펴보아야 한다는 코코슈카의 생각을 자극했다. 코코슈카는 초상화를 그리고자 할 때, 먼저 모델로 하여금 움직이거나 말하거나 책을 읽거나 생각에 잠기게 해 화가가 있다는 것을 의식하지 않도록 했다. 거의 똑같은 방식으로 정신분석가는 환자가 치료사의 존재를 잊고 편안히 자유연상을 시작할 수 있도록 환자를 치료사에게 등을 돌리고 긴 의자에 눕게 하곤 했다.

덴마크의 미술평론가 카린 미셸리스Karin Michaelis — 코코슈카는 1911년에 그의 초상화를 그린 바 있다 — 는 코코슈카가 "정신과 의사처럼 사람을 꿰뚫어보았으며, 사람들의 가장 은밀한 약점이나 슬픔, 악덕을 한눈에 알아차렸다."[6]고 썼다. 로스는 코코슈카가 "엑스선 눈"을 지녔다고 했다. 세르누치는 다음과 같이 말했다.

> 새로운 빈 의대가 확립한 실용적인 수술법에 내재된 것은 인체를 단순히 바깥층만 보고서는 파악할 수 없다는, 겉모습이 아니라 숨겨진 기반 구조를 통해서 '진리'가 드러나는 공간적인 실체인 삼차원 생물이라고 보는 …… 지적이고 해석적인 가정들이었다. …… 이 입장은 …… 로키탄스키 의술의 방법론적이고 지적인 뼈대이기도 했다. 사실 코코슈카가 자신의 시각적 실험을 진리 철학과 연관 지을 수 있었던 것도, 로스가 같은 실험을 엑스선의 발견과 의학적 이용과 연관 지을 수 있었던 것도, 미술사학자들이 해부라는 비유가 코코슈카의 시각 실험을 기술하는 효과적인 방법임을 발견한 것도 바로 그와 유사한 의학적 사고를 통해서였다.[7]

코코슈카는 1886년 빈에서 서쪽으로 약 100킬로미터 떨어진 다뉴브 강 연안의 소도시인 푀흘라른에서 태어났다. 클림트의 집안처럼 그의 집안 가업도 금세공이었다. 하지만 코코슈카의 아버지는 보석 회사의 외

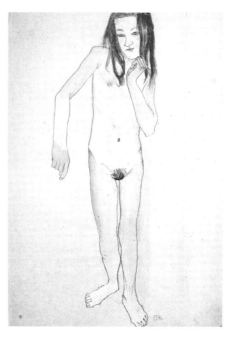

그림 9-2 오스카어 코코슈카, 〈턱에 손을 대고 선 나체〉(1907). 종이에 연필, 수채. 컬러화보 참고

판원으로 일하다가 나중에 빈에서 회계 업무를 했다. 또 클림트처럼 코코
슈카도 처음에 응용 미술을 배웠다. 1904년부터 1908년까지 그는 오스
트리아 미술 산업 박물관의 응용 미술 학교에서 공부했다. 그곳에서 그는
소묘와 회화뿐 아니라 인쇄와 삽화도 배웠다.

    1906년 그는 클림트, 오귀스트 로댕, 에드바르 뭉크뿐 아니라 폴 고
갱의 타히티 그림에도 영향을 받아서 사춘기 이전의 남녀 나체를 그리기
시작했다. 여기에서 그의 미술에는 그가 프로이트와 공유한 또 한 가지
개념이 반영되어 있다. 성욕과 공격성을 포함한 본능적인 충동이 어른뿐
아니라 아이와 청소년에게서도 뚜렷이 나타난다는 것이다. 유년기 성욕
은 1905년《성욕 이론에 관한 논문 세 편》이 출간된 뒤에 빈에서 화제로
떠올랐다. 그 책에서 프로이트는 사춘기의 물리적 성숙이 그저 유아기의

그림 9-3 오스카어 코코슈카, 〈머리 뒤에 손을 올리고 바닥에 앉은 여성 나체〉(1913). 포장지에 펜과 잉크, 수채, 연필. 컬러화보 참고

왕성한 성욕에 발맞추어 이루어지는 것이라고 했다. 하지만 대중은 코코슈카의 노골적인 성적 묘사는커녕 청소년의 성욕조차 미술의 주제로 받아들일 준비가 되어 있지 않았다.

어린 모델들에게서 싹트고 있는 성욕을 묘사할 때, 코코슈카는 그들의 타고난 개방성과 수줍음을 둘 다 포착했다. 예를 들어, 1907년 작품인 〈턱에 손을 대고 선 나체Standing Nude with Hand on Chin〉(그림 9-2)에서 모델의 어색한 자세는 그녀가 나체로 자세를 취하는 것을 불편해한다는 것을 시사한다. 이 그림과 〈머리 뒤에 손을 올리고 바닥에 앉은 여성 나체Female Nude Sitting on the Floor with Hands behind her Head〉(그림 9-3)에서, 우리는 코코슈카가 움직임이 심리적 특성이나 사회적 어색함을 어떤 식으로 드러내는지에 관심을 갖고 있음을 알 수 있다. 게다가 이 두 그림에서 여

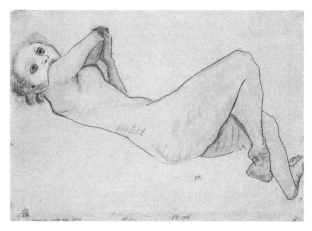

그림 9-4 오스카어 코코슈카, 〈누워 있는 여성 나체〉(1909). 두꺼운 갈색 종이에 수채, 구아슈. 컬러 화보 참고

성 몸의 소년 같은 형태와 모난 윤곽은 모델의 젊음을 강조한다. 두 그림의 모델은 응용 미술 학교의 열네 살 학생인 릴리트 랑Lilith Lang일 가능성이 높다. 이 초기 그림들, 특히 〈누워 있는 여성 나체Reclining Female Nude〉(그림 9-4)는 코코슈카가 모난 신체 윤곽을 통해 구속되지 않은 자유로운 몸짓과 소녀 모델의 무의식적인 감정적 충동 양쪽을 어떤 식으로 드러내는지를 보여 준다.

1907년, 아직은 학생 신분으로 코코슈카는 빈 공방에서 일하기 시작했다. 그곳에서 그는 포스터와 그림엽서를 디자인하고 부채를 장식하는 일을 했다. 그는 그곳에서 일하면서 표현주의 시 형태로 쓴 사춘기의 첫 연애에 관한 몽상을 여덟 장의 채색 석판화와 결부했다. 그것이 1908년에 출간된《꿈꾸는 소년들Die Träumenden Knaben》이다. 이 책은 흔히 20세기의 걸작 화집 중 하나로 꼽힌다.

성적인 의미를 띤 그림을 이용해, 코코슈카는 프로이트가 어른 환자들의 임상 연구를 통해 추론한 어린 청소년의 성적인 환상으로 가득한 삶을 표현한다. 저명한 미술평론가인 언스트 곰브리치는 코코슈카가 초

그림 9-5 오스카어 코코슈카,《꿈꾸는 소년들》(1908)에 실린 삽화. 채색 석판화. 컬러화보 참고

창기에 아이들의 미술과 그들의 독창성 및 독립심에 많은 주의를 기울였다고 지적한다. 이런 경향은《꿈꾸는 소년들》에서의 좀 어색한 묘사 속에서 뚜렷이 드러난다. 청소년 나체 소묘들과 마찬가지로, 코코슈카가 겨우 스물한 살에 완성한 이 장식적인 그림들도 클림트에게 강한 영향을 받았음을 보여 준다. 사실 이 책의 첫 부분에는 우아한 디자인의 서체로 클림트에게 헌정하는 글이 적혀 있을 뿐 아니라, 두 번째 그림에서도 헌사가 계속된다. 코코슈카가 후원해 준 클림트에게 감사를 표하는 장면이 묘사되어 있다(그림 9-5).

더 이전의 표현주의 시와 희곡에서처럼《꿈꾸는 소년들》에서도 코코슈카는 꿈, 유년기와 청소년기의 에로티시즘뿐 아니라 에로티시즘과 공격성의 융합을 다룬다. 이 모든 주제는 프로이트가 몇 년 앞서《꿈의 해석》에서 다룬 것이었다. 코코슈카가《꿈의 해석》이나《성욕 이론에 관한 논문 세 편》을 이 무렵에 읽었을 것 같지는 않지만, 그런 개념들에 친숙했을 가능성은 아주 높다. 그것들이 빈 문화의 일부가 되어 있었기 때문이다. 청소년의 꿈과 성욕, 오이디푸스 충동과 아버지와의 경쟁심을 그린 석판화들은 분명히 프로이트의 저술에 영향을 받았을지 모른다.

그 책은 원래 빈 공방의 지원을 받아 제작하는 동화책 전집의 일부로서 기획한 것이었고, 석판화의 선명한 색채와 굵고 검은 윤곽선은 실제로 동화책처럼 보인다. 하지만 그 책은 아이들을 위한 것이 아니며, 기존 동화에 토대를 둔 것도 아니다. 오히려 당시 열여섯 살이 된 릴리트 랑에게 보내는 연애편지 형태 속에서 성적인 성숙 과정을 독창적이고 지극히 사적으로 시를 통해 탐구한 것이다. 랑은 앞서도 그를 위해 모델이 된 적이 있었고, 둘은 1907~08년에 연애를 했다. 하지만 이 책이 출간될 무렵에 코코슈카가 결혼까지 생각했던 둘의 관계는 이미 끝난 뒤였다. 코코슈카는 자신의 지나친 소유욕 때문이라고 했다.

이 책의 석판화는 매우 독창적이다(그림 9-6). 평면적이고 장식적이며 양식화해 있으며, 느낌과 분위기가 비잔틴 미술과 원시 미술의 결합일 뿐 아니라 일본 목판화와 아르누보를 떠올리게 한다. 비록 석판화에 평면적이고 기하학적인 형태가 가득하지만, 코코슈카의 선은 클림트의 감각적인 필체보다 훨씬 더 모나고 불안하며 캐리커처에 더 가깝다. 이미지는 시의 내용을 그대로 묘사하려는 것이 아니며, 시와 마찬가지로 자신이 꿈꾸는 소녀(릴리트)를 추구할 때 자신의 신체에서 깨어나고 있는 성적 충동에 시달리는 청소년(아마도 화가)의 동요를 묘사하고 있다.

두 청소년 연인은 대체로 기이한 경관 속에 따로따로 그려져 있다. 이곳은 금붕어가 헤엄치는 연못, 사슴·새·뱀이 사는 섬들로 이루어진 일종의 에덴동산이다. 아담과 이브의 이 현대판에서 연인들은 마지막 그림에서까지 하나가 되지 않으며, 이 마지막 그림에서 그들은 동산에서 쫓겨난 모습이다(그림 9-6). 벌거벗었음을 자각한 채 그들은 따로 서 있으

그림 9-6 오스카어 코코슈카, 《꿈꾸는 소년들》(1908, 1917년 출간)에 실린 삽화. 채색 석판화. 컬러 화보 참고

며, 그들의 사랑은 여전히 이루어지지 않고 있다. 낙원과 순수한 젊음을 뒤로하고 떠날 때, 그들은 상당한 불안해하면서 성적인 충동이 솟구치는 어른 세계로 들어온다.

이 그림들은 나중에 표현주의 미술에 도입될 것들의 상당수를 강력하게 드러낸다. 특히 마지막 그림의 나체 자화상은 몇 년 뒤 에곤 실레가 급격히 쏟아낼 나체 자화상을 예고하며, 에밀리 브라운이 지적했듯이 그것은 1950년대와 60년대에 영국 구상 미술의 주요 주제로 다시 등장한다. 특히 프랜시스 베이컨Francis Bacon과 지그문트 프로이트의 손자인 루시안 프로이트Lucian Freud의 작품이 대표적이다.

이 시의 언어는 성적이고 표현주의적이며, 이해하기가 거의 불가능하다. 이 이야기 속의 젊은 시인은 머리말로 시작하여, 이어지는 일곱 가지 꿈을 서술한다. 각 꿈을 소개하는 말은 같다. "그리고 나는 쓰러져서 꿈을 꾸었지." 꿈속에서 시인은 늑대 인간으로 변해서 사랑하는 이의 정원을 침입한다.

너희 상냥한 숙녀들이여
무엇이 너희의 붉은 망토 속에서
너희의 몸에서
어제 이후로 그리고 늘
받아들인 이들의 기대를
샘솟게 하고 휘젓는 것인가?

너희는 느끼고 있는가?
따스한 공기가 떨리면서 전달하는 달뜬 온기를
나는 주위를 맴도는 늑대 인간이라네

저녁 종소리가 잦아들 때
나는 너희의 정원으로
너희의 목초지로 몰래 스며들지
나는 너희의 평화로운 우리로 뚫고 들어가지

나의 억제할 수 없는 몸
나의 몸은 색깔과 피에 흥분해서
너희의 나무 사이로 기어들지
너희의 마을로 스며들지
너희의 영혼 속으로 기어들지
너희의 몸을 괴롭히지

적막하기 그지없는 침묵을 깨는

내 날카로운 울부짖음에 너희는 깨지

나는 너희를 탐식하지

남자들

숙녀들

울부짖음에 잠이 덜 깬 아이들을

게걸스러운

너희 안의 사랑하는 늑대 인간

그리고 나는 쓰러져서

피할 수 없는 변화의 꿈을 꾸었지.

....

내 안을 관통하는 유년기의

사건들도 아니고

남자로서 겪은 사건들도 아니라

소년다운

주저하는 욕망

성장하는 것 앞에서의 근거 없는 수치심

그리고 설익은 상태

넘치는 감정과 외로움

나는 나 자신과 내 몸을 의식했지

그리고 쓰러져서 사랑의 꿈을 꾸었지[8]

이 석판화는 1908년 봄 클림트가 프란츠 요제프 황제의 재위 60주
년을 기념하기 위해 구상한 빈 예술 전시회인 쿤스트샤우 빈Kunstschau Wien
에서 처음 전시되었다. 클림트는 코코슈카가 자신과 전혀 다른 방향으

나아가고 있음을 눈치 채고 있었음에도 그를 적극 후원했고, 작품을 대중 앞에 선보일 첫 기회를 그에게 제공했다. 클림트는 이런 말로 자신의 판단을 정당화했다. "젊은 세대 중에서도 코코슈카는 탁월한 재능을 지니고 있다. 우리가 쿤스트샤우의 물리적 붕괴 위험을 무릅쓰는 것일 수도 있겠지만 어쩔 수 없다. 우리는 우리의 의무를 다할 것이다."[9] 사실 코코슈카의 석판화는 너무나 대담했기에 그에게 '짐승의 왕'이라는 별명을 안겨 주었고, 그가 몇 년 뒤에 표현주의에 돌파구를 열리라는 것을 예고했다.

로스는 그 전시회에서 《꿈꾸는 소년들》을 보고서 코코슈카에게 장식 양식을 바꾸고 빈 공방을 그만두라고 강력히 권했다. 그 뒤의 여름 무렵, 즉 응용 미술 학교를 졸업하기 1년 전에, 코코슈카는 미술 공예 양식과 클림트의 영향에서 벗어났다. 크라우스와 로스의 부추김을 받아서였다. 크라우스와 로스는 클림트의 놀라운 소묘를 본 적이 없었기에, 그의 극도로 장식적인 그림을 피상적인 것이라고 생각했다. 스물두 살 때 마흔여덟 살인 로스와 맺은 우정에 힘입어서 코코슈카는 아름다움이 아니라 진리에 관심을 쏟는 대담하고 독창적인 화가로 변모했다(그림 9-7).

　　세르누치가 지적했듯이, 코코슈카가 1909년에 만든 채색 점토 상인 〈전사로서의 자화상Self-Portrait as Warrior〉(그림 9-8)은 양식 면에서 클림트와 결별했음을 말해 준다. 코코슈카가 자서전에서 "감격에 겨운 탄성"을 내지르는 모습이라고 한, 입을 크게 벌린 다채색의 이 흉상은 그가 빈의 자연사박물관에서 본 폴리네시아 가면에 영향을 받았다. 또 프란츠 사버 메서슈미트Franz Xaver Messerschmidt의 독특한 캐릭터 두상(그림 9-9)에도 영향을 받았을 가능성이 아주 높다. 극단적 감정을 묘사한 오스트리아 바로크 시대 조각가 메서슈미트는 오스트리아 표현주의의 선구자였다.

　　코코슈카는 이 흉상에서 조형하는 데 쓴 기법을 노출시킴으로써 자신의 예술을 더 거슬리게 하는 한편으로 더 진실하게 만들고자 시도했다.

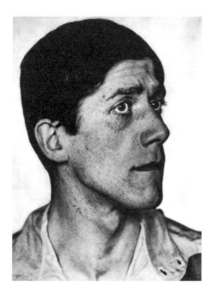

그림 9-7 오스카어 코코슈카(1886~1980). 드레스덴 미술 아카데미 교수로 임용된 뒤인 1920년쯤 찍은 사진.

그림 9-8 오스카어 코코슈카, 〈전사로서의 자화상〉(1909). 굽지 않은 점토에 템페라 채색. 컬러화보 참고

그림 9-9 프란츠 사버 메서슈미트, 〈무력한 바순 연주자(The Incapable Bassoonist)〉(1771~77?). 주석 주물. 컬러화보 참고

그는 굽지 않은 점토 표면을 조형하는 데 쓴 물리적 기법, 표면을 벗겨 내어 피부 바로 밑으로 피가 흐른다는 것을 암시하는 기법을 노출한다. 게다가 화가로서의 개성을 강조하기 위해, 그는 자신의 손을 점토에 대고 누르고 부자연스러운 색깔—눈꺼풀 위의 붉은색과 얼굴과 머리카락의 파란색과 노란색—을 써서 사회와 그림에서 통용되는 모든 수준을 넘어서 극단적인 감정을 전달한다. 이 작품은 코코슈카가 색깔과 질감을 사실적으로 사용하는 태도를 버리면서까지 감정을 고도로 표현하고자 시도한 최초의 사례다. 반 고흐가 이미 시도했다시피, 색깔을 재현 기능이라는 속박에서 해방시킴으로써 코코슈카의 미술은 사실적인 정확한 묘사에서 순수 표현으로 옮겨 갔다.

클림트의 벽 그림이 거부된 여파로, 빈 미술사학파는 진리와 아름다움을 연관 짓는 전통적인 관점을 거부하고, 가장 진실한 예술이 메서슈미트와 코코슈카의 작품처럼 화가 난 모습과 일그러진 모습까지 포함하여 대상을 있는 그대로 묘사한 것이라고 보기 시작했다. 빈 예술사학파의 알로이스 리글과 프란츠 비크호프의 제자인 막스 드보라크는 코코슈카의 강력한 후원자가 되었고, 나중에 코코슈카의 1921년 화집인《주제와 변주Themes and Variations》의 서문을 썼다. 서문에서 드보라크는 코코슈카가 몸으로 영혼을 표현한다고 했다.

1909~10년에 코코슈카는 일련의 비범한 초상화들을 쏟아냈다. 긁어내기, 지문 찍기, 부자연스러운 색채 등 조각상에 썼던 기법을 화폭에 옮긴 초상화였다. 이 초상화들은 클림트가 여성 초상화를 아름답게 장식함으로써 형성했던 당시의 취향을 철저히 벗어나 있었다. 코코슈카의 흉상, 초상화, 이 무렵에 쓴 두 편의 표현주의 희곡은 빈 사회를 혼란에 빠뜨렸다.

코코슈카의 초상화는 빈 모더니즘 화법의 진화라는 면에서 일종의 양자 도약에 해당한다. 클림트가 수세기 동안 이어져 온 환영주의 미술illusionist art을 버리고 현대 미술에 비잔틴 미술의 평면성을 도입해 과거와 단절했다면, 코코슈카는 형태와 색채를 과장하는 마니에리슴 방식을 원시 미술 및 캐리커처의 측면들과 융합해 새로운 토대를 마련했다. 마니에리슴 미술은 이탈리아 전성기 르네상스에 세계를 조화롭고 합리적이고 아름답게 묘사한 데 대한 반동이자 파생물로서 약 1520년에 출현했다. 마니에리슴 화가들은 꼼꼼한 관찰과 정확한 묘사를 통해 자연의 아름다움을 가장 잘 포착할 수 있다는 개념을 버렸다. 그들은 사람, 사물, 경관에 작용을 가하고 세세한 부분을 변형하고 과장함으로써, 더 극적인 심미적 충격을 일으키고 심리를 꿰뚫는 이미지를 만들어 냈다.

이 시기의 학자인 존 셔먼John Shearman의 설명을 빌리면, 마니에리슴은 형태를 과장하고 색채를 더 극적으로 사용함으로써 일으키는 극적인 관점과 인상을 통해 자연을 재구성한다. 그는 "인물이 움직일 때 가장 우아하고 감명을 준다."[10]는 말과 몸의 모든 움직임은 인물이 우아하게 보이도록 표현해야 하고 비틀어서 뱀 같은 형태를 취할 때 우아한 모습이 된다는 조언이 전성기 르네상스의 거장이자 초기 마니에리스트인 미켈란젤로가 한 것이라고 주장했다.

많은 미술사학자가 유럽 역사상 가장 혁신적인 초상화가라고 여기는 티치아노는 이 초기 마니에리즘 사상을 받아들여서 새로운 기법을 창안했다. 바로 캔버스에 유화를 그리는 방식이었다. 16세기가 시작될 때까지, 이탈리아의 르네상스 미술은 주로 목판에 프레스코화와 템페라화를 그렸다. 이 그림들은 물에 탄 색소로 그리며, 표면이 매끄럽고 빨리 마른다. 유화는 전혀 다르다. 유화는 서서히 마르기에, 화가가 그림의 특정 부분을 그리고 다시 그릴 수 있게 해준다. 또 유화는 그 위에 점성을 띤 투명한 막을 칠할 수 있기에, 마른 그림 위에 층층이 막을 칠해서 광택이 나도록 할 수 있다. 그럼으로써 화가는 깊이와 질감을 만들어 낼 수 있을 뿐 아니라 그림을 계속 수정할 수 있다. 티치아노는 투명한 층을 겹쳐 칠하고 강한 붓질로 표면을 강조하고 왜곡함으로써 감정을 잘 전달할 수 있었다. 홀랜드 코터Holland Cotter가 지적했듯이, 티치아노는 더 이상 그림에 서명을 하지 않았다. 그린 표면을 긁는 등의 '생경한' 채색법 자체가 너무나 독특했기에 굳이 서명을 할 필요가 없었기 때문이다.

자서전[11]에서 코코슈카는 움직인다는 착시를 일으킴으로써 색채로 원근법을 보완하는 티치아노의 빛과 색채 사용법에 영감을 받았다고 했다. 또 그는 티치아노의 〈피에타Pietà〉가 빛을 이용하여 공간을 변형하고 재창조함으로써, 관람자의 눈이 더 이상 윤곽과 국지적 색깔이라는 이정표를 향하지 않고 빛의 세기에 초점을 맞출 수 있도록 하는 결과를 빚어낸다고 했다. "그 결과 내 눈은 빛의 비밀을 처음 어렴풋이 엿보았던 유년기처럼 활짝 열렸다."[12]

그리스 태생의 스페인 마니에리슴 화가인 엘 그레코El Greco도 마찬가지로 코코슈카에게 깊은 영향을 미쳤다. 사실 1908년 10월 파리의 살롱도톤Salon d'Automne(파리에서 열리는 연례 미술 전시회-옮긴이)에서 엘 그레코의 그림들이 전시되었을 때 유럽 미술계는 큰 충격을 받았다. 그의 작품 복사본들이 빈에서 순회 전시될 때, 클림트는 엘 그레코의 원본을 보기 위해 1909년 스페인을 다녀왔고, 코코슈카는 엘 그레코 작품의 특징인 길쭉한 얼굴과 몸을 자신의 작품에 반영하기 시작했다.

따라서 티치아노와 엘 그레코의 마니에리슴에서 메서슈미트와 반 고흐의 초기 표현주의를 거쳐 코코슈카의 표현주의에 이르기까지 영향이 연쇄적으로 이어졌다는 것을 알 수 있다. 10년 뒤 빈 미술사학파에 속한 곰브리치와 에른스트 크리스는 마니에리슴에서 표현주의에 이르는 이 흐름에 주목하여, 표현주의를 고전적인 마니에리슴 전통, 원시 미술의 측면들, 캐리커처의 종합이라고 보았다. 이 종합은 유럽의 초상화 분야에서 메서슈미트의 캐릭터 두상과 코코슈카의 〈전사로서의 자화상〉과 1909~10년에 그린 초상화들을 통해 처음 이루어졌다.

베를린의 미술상 파울 카시러Paul Cassirer는 에드바르 뭉크의 작품을 인상주의 화가들의 작품과 구분하기 위해 '표현주의'라는 용어를 썼다. 뭉크의 미술은 스트레스와 불안으로 가득한 현대 세계에 깊이 뿌리박힌 보편적인 감정들의 영원하고 주관적인 표현을 강조한 반면, 인상주의 화가들은 자연광에서 사람과 사물의 덧없는 겉모습에 초점을 맞췄다. 가장 일반적인 의미에서, 표현주의는 예술 작품을 보는 관람자의 주관적 느낌을 강화하기 위해 과장된 이미지와 부자연스럽고 상징적인 색채를 사용한다는 점이 특징이다.

덧없이 지나가는 표면적인 인상에서 더 지속적이고 강력하며 감정적인 표현 수단으로 옮겨 가는 이 중대한 전이 양상은 반 고흐가 특히 잘 묘사했다. 그는 동생 테오에게 보낸 편지에서, 소중한 친구의 초상화를 그릴 때 친구의 모습을 포착하여 비슷하게 그려내는 것은 첫 단계일 뿐이라고 설명한다. 그는 그런 뒤에 모델과 배경의 색깔을 바꾸는 일에 착수한다.

> 이제 나는 마음껏 색깔을 칠하는 사람이 되는 거야. 그 머리카락의 금빛을 과장하여, 오렌지 색조, 연노란 레몬색으로 칠해. 머리 너머는 …… 무한해 보이게 칠해. 내가 만들어 낼 수 있는 가장 풍성하고 강렬한 파란색을 온통 배경으로 칠하는 거지. 짙은 파란색 배경과 밝은 색깔을 띤 머리의 이 단순한 조합은 한없이 깊은 파란 하늘에 뜬 별처럼 신비한 효과를 일으키지.[13]

코코슈카는 반 고흐가 개발한 짧은 붓질과 뭉크가 개발한 강렬한 감정 표현 기법을 썼지만, 그 마니에리슴 기법들을 더 확장해 이전에는 캐리커처에만 한정되어 있던 얼굴, 손, 몸을 과장하여 그리는 방식을 그림에 도입했다. 반 고흐가 주로 외부 특징을 두드러지게 하기 위해 과장법을 썼고, 뭉크가 주로 겉으로 드러나는 공포에 질린 표정을 전달하기 위해 과장법을 썼다면 코코슈카는 새로운 내면 현실, 즉 모델의 심리적 갈등과 화가 자신의 고통스러운 자기탐구를 드러내기 위해 과장법을 썼다. 그럼으로써 그는 클림트의 모더니즘을 넘어서서 오스트리아 표현주의를 활짝 꽃피웠다.

곰브리치는 표현주의 미술과 이 시기의 코코슈카 작품에 대해 이렇게 말한다.

> 대중이 표현주의 미술에 충격을 받은 것은 아마 자연을 왜곡시켰다는 사실보다는 그 결과 자연을 아름다움과 분리했다는 점 탓일 것이다. 캐리커처 화가가 인간을 추하게 그릴 수도 있다는 것은 당연했다. 그것이

그의 일이니까 말이다. 하지만 진지한 예술가라고 주장하는 이들이 대
상의 겉모습을 바꿀 일이 있을 때 추하게 만드는 것이 아니라 이상화해
야 한다는 점을 잊었다는 사실에 대중은 몹시 분개했다.[14]

역사적으로 초상화는 서양 미술에서 주된 역할을 해왔다. 얼굴이
아주 많은 정보를 담고 있기 때문이다. 사진술이 등장하기 전, 부유하고
유력한 가문의 사람은 초상화를 그려서 자신이 어떤 모습이었는지를 후
손에게 알렸다. 게다가 초상화는 관람자가 초상화 속 인물을 지위와 업적
을 자랑하는 다른 사람들의 얼굴을 머릿속에 떠올리면서 비교할 수 있기
때문에 성공을 거뒀다. 코코슈카는 이 점을 알고 있었고, 초상화의 토대
가 된 전제들 중 일부를 바꾸는 데 착수했다. 그는 왕족이든 귀족이든 평
민이든 간에 모델을 자기 계급의 모든 구성원을 대표하는 존재로 그리는
오랜 전통을 내쳤다. 클림트가 아델레 블로흐바우어부터 유디트에 이르
기까지 모든 여성을 대표하도록 의도된 듯한 이상화한 여성을 그린 반
면, 코코슈카는 고도로 개인화한 '정신 회화soul painting'를 통해 특정한 개
인의 내면생활을 드러내고자 했다. 미술사학자 힐턴 크레이머Hilton Kramer
는 코코슈카의 초기 초상화를 이렇게 평한다.

> 대중의 태도라는 구실에 넘어가지 않겠다는 결정과 감정이입의 깊이
> 가 결합되면서 정신 자체의 내면 핵심까지 꿰뚫는 듯한 효과가 나타
> 난다.[15]

클림트는 여성의 영속성을 강조하기 위해 심하게 장식을 한 배경
속에 여성을 그린 반면, 코코슈카는 밋밋하고 어두운 배경을 사용해 인물
의 얼굴, 눈, 손의 심리적이고 개인적인 특징을 두드러지게 했다. 〈뉴욕
타임스〉와 〈뉴욕 옵서버〉의 미술평론가 힐턴 크레이머는 이렇게 썼다.

코코슈카는 자연의 공간도 아니고 실내라고도 볼 수 없는 그림 속 공간
에 인물을 배치한다. 그곳은 악마가 출몰하고 치매의 위협을 받는 기괴
하고 섬뜩한 기운을 풍기는 지옥 같은 공간이다. 기이한 명암과 으스스
한 색조를 띤 이 공간에서 빛은 일시적이고 지극히 내밀하다.[16]

앞서 살펴보았듯이, 코코슈카는 클림트가 초상화 걸작들을 그릴 때
쓴 힘겨운 기법들로부터 관람자의 주의를 딴 곳으로 돌리기 위해 썼던
장식적 모티프를 거부했다. 코코슈카의 초상화는 마치 뭉툭한 수술칼로
그린 듯이 보이는데, 본질적으로 그렇다고 할 수 있다. 점토 흉상과 마찬
가지로 그 초상화들에서도 그가 내면 현실을 묘사하기 위해 사용한 방법
들이 그대로 드러나 있다. 대단히 놀라운 솜씨를 발휘하여, 그는 종종 화
폭의 표면이 거의 덮이지 않을 만큼 아주 얇게 칠을 하곤 했다. 그런 반면
에 질감을 만들기 위해 그림칼을 써서 두껍게 칠을 한 부위도 있었다. 지
나치게 칠한 부위는 천, 손가락, 납작한 금속 기구로 깎아 내곤 했다. 그
는 캔버스의 색칠한 표면을 눌러서 그림에 움푹 들어간 부위를 남기기도
했다. 때로 불투명한 흰 물감을 왕창 바르기도 한 두꺼운 부위와 이 얇은
층 사이의 상호작용을 통해 그의 그림의 특징인 질감의 미묘한 조화가
나타난다.

코코슈카는 모델을 곧이곧대로 묘사한 것이 아니라 이 기법을 써
서 개인의 심리적 특징, 감정, 기분을 포착했다. 이 과정에서 그는 자신의
억제되지 않은 본능적 충동을 무의식적으로 전달한다. 공격성이 뚜렷한
그림도 있고, 차분하고 고요한 기분을 드러내는 그림도 있다. 따라서 그
림은 이미지를 구성하는 코코슈카 자신의 무의식적 이야기, 그가 그리는
인물과 아예 무관할 때도 종종 있는 이야기 역할을 한다.

성격을 통찰하기 위해, 코코슈카는 네 가지 주된 개념에 초점을 맞
췄다. 첫째, 초상화를 그리는 것은 다른 사람의 정신을 파악하는 좋은 방

그림 9-10 오스카어 코코슈카, 〈몰입한 연주자, 에른스트 라인홀트의 초상화(The Trance Player, Portrait of Ernst Reinhold)〉(1909). 캔버스에 유채. 컬러화보 참고

법이다. 둘째, 남의 초상화를 그리는 것은 자기발견 여행, 화가가 자신의 본성을 밝혀내는 과정이기도 하다. 코코슈카는 초상화와 남의 정신에 이르는 지름길이 자신의 정신을 이해하고 더 나아가 자화상을 통하는 것임을 알아차렸다. 셋째, 몸짓, 특히 손짓은 감정을 전달할 수 있다. 넷째, 감정의 양쪽 극단—접근과 회피—은 예외 없이 성욕이나 공격성을 통해 형성된다. 게다가 그런 본능적인 충동은 어른뿐 아니라 아이에게서도 뚜렷이 나타난다.

코코슈카가 처음 그린 초상화의 모델은 친구 에른스트 라인홀트Ernst Reinhold(본명은 라인홀트 히르슈Reinhold Hirsch)다(그림 9-10). 그가 라인홀트의 초상화와 그 뒤의 초상화들을 그린 목적은 "자신의 그림 언어 속에서 살아 있는 존재의 정수를 재창조하는 것"[17]이었다.

라인홀트의 무의식적 충동을 묘사하기 위해, 코코슈카는 대담하고 화려하고 부자연스러운 색깔을 빠르고 불균등하게 칠하고 손가락과 붓 손잡이로 마구 문지른다. 초상화의 곳곳에서 그는 막대기나 손으로 캔버스의 물감을 긁어낸다. 그는 붉은 머리의 인물을 전면 중앙에 극적으로 배치하고, 꿰뚫는 듯한 파란 눈으로 관람자를 직시하도록 한다. 화가는 이 그림뿐 아니라 다른 초상화에서도 추상적인 배경을 사용한다. 그것은 클림트의 장식적 배경에 반발하는 차원이기도 하지만 인물, 특히 인물의 내면생활에 극적으로 초점을 맞추는 방식이기도 하다. 미술사학자 로자 벌랜드Rosa Berland는 이 배경과 그림의 거친 질감 및 으스스한 불빛이 그리는 과정에 주의를 기울이도록 하며, 따라서 '미술 창작 과정'의 시각적 비유 역할을 한다고 썼다.

훗날 코코슈카는 이 그림을 이렇게 설명했다.

내게 특히 중요한 그림인 라인홀트의 초상화에는 지금까지 간과되어 왔던 세부적인 사항이 하나 있다. 서두른 나머지, 나는 그의 가슴에 댄 손에 손가락을 네 개만 그렸다. 다섯 번째 손가락을 잊었던 것일까? 어쨌거나 나는 잊지 않았다. 내게는 손가락 다섯 개, 귀 두 개, 코 하나 같은 세세한 사항을 나열하기보다는 모델의 정신을 조명하는 것이 더 중요했다.[18]

코코슈카는 라인홀트를 그린 이 초상화의 제목을 〈몰입한 연주자 The Trance Player〉라고 고쳤다. "그에 관해서 말로 표현할 수 없는 생각들이 많았"[19]기 때문이다. 코코슈카가 말로 표현하지 못한 것 중 하나는 그와 같은 관찰자로서의 화가가 어떻게 친구의 손에서 손가락을 하나 빼놓을 수 있었는가였다. 〈몰입한 연주자〉로 시작한 위대한 초상화들의 시대를 따라간다면, 이것이 프로이트적 의미에서의 실언, 즉 크나큰 무의식적 의미를 지닌 누락이었음이 명확해진다.

모델의 왼손은 모델의 신체 부위를 왜곡하여 마음속의 생각과 감정을 전달하고자 한 코코슈카의 첫 시도를 보여 준다. 몸을 왜곡하는 방식은 나중에 그가 모델의 내면생활을 분석하고 표현하는 주된 수단으로 자리 잡았다. 《꿈꾸는 소년들》에서 코코슈카는 아직 클림트의 장식 양식을 쓰고 있으며, 그의 도상은 장식적이고 상징적이다. 〈몰입한 연주자〉에서 우리는 전통적이고 우화적인 상징에 토대를 둔 의미에서 몸에 더 전적으로 토대를 둔 의미로 대전환이 일어났음을 본다. 클림트도 〈키스〉와 〈아델레 블로흐바우어〉에서 손을 이용하여 의미를 상징했지만, 코코슈카는 거기서 더 나아간다. 라인홀트의 왼손에 그려진 네 손가락은 아마도 모델의 인격에 불완전한 점이 있다는 인식을 상징하는 듯하다. 이 손, 팔, 몸의 도상은 나중에 실레를 통해 더 완전히 발달하게 된다.

1910년 코코슈카는 유화 스물일곱 점을 전시회에 출품했다. 그중 초상화가 스물네 점이었는데, 사전 조사 같은 것도 하지 않은 채 모두 한 해에 그렸다! 1909년에서 1911년에 걸친 2년 동안 그는 쉰 점이 넘는 초상화를 그렸고, 모델은 대부분 남자였다. 이 초상화들에는 모델의 성격이 특히 모델의 눈, 얼굴, 손을 통해 극적으로 드러나 있다. 1910년에 그린 루돌프 블뤼너Rudolf Blümner의 초상화(그림 9-11)에서처럼, 그는 때로 신체 부위를 써서 깊은 불안—혹은 진정한 공포—를 전달한다. 코코슈카는 블뤼너를 동료 현대 미술가로서 존중했고, 그가 "현대 미술의 대의를 옹호하는 지칠 줄 모르는 투사 …… 자기 시대의 깊이 뿌리박힌 편견에 맞서 가망 없는 전투를 벌이는 일종의 현대판 돈키호테"[20]라고 썼다.

초기 초상화는 대부분 반신 초상화로, 대개 손 바로 위까지만 그려져 있다. 코코슈카는 손이 감정을 전달할 수 있다고 믿었고, 초상화에서 이 '대화하는 손'을 강조했다. 블뤼너의 초상화에서처럼 손을 붉은색으로

그림 9-11 오스카어 코코슈카, 〈루돌프 블륌너(Rudolf Blümner)〉(1910). 캔버스에 유채. 컬러화보 참고

윤곽을 그리거나 얼룩을 입힌 것들도 있다. 블륌너의 오른손은 마치 자신의 몸뿐 아니라 손과도 중요한 논쟁을 벌이려는 양 치켜든 상태다. 웃옷의 주름진 오른 소매는 손이 위로 움직이고 있음을 말해 준다. 블륌너의 얼굴에 칠해진 붉은색 때문에, 본래 능숙하게 연한 색으로 칠한 얼굴에 군데군데 불길한 혈색이 감도는 듯하다. 얼굴의 생김새는 붉은색으로 그려져 있고, 이 붉은색 선들은 정맥이나 동맥을 시사한다. 관찰자의 시선은 블륌너의 눈으로 향한다. 눈은 한쪽이 더 크게 그려져 있다. 모델은 관람자를 직시하는 것이 아니라, 마치 내면의 자아에 몰두하고 있는 듯이 다른 곳을 응시하고 있다.

이 초상화의 물감은 얇게 칠해져 있고 말라 있으며, 문지르거나 긁어낸 부위가 드러나 있다. 그것은 코코슈카가 자신의 흥분 상태를 포착하기 위해 세부적인 관찰을 기꺼이 포기하고 있음을 시사한다. 다른 많은 초상화에서처럼 여기에서도 코코슈카의 붓질과 캔버스의 물감을 긁어낸 흔적이 눈에 아주 잘 띄기 때문에, 관람자는 묘사된 사람에게 주의를 기울이는 동시에 그림의 표면에도 주의를 기울이게 된다. 이 질감은 모델의 무의식적 감정을 표현한 것은 아니지만, 모델에 대한 화가의 반응과 자신의 감정을 포착하는 것에 관한 화가의 불안을 표현하고 있다. 얇고 투명한 색칠은 속속들이 다 들여다보이는 듯한 기이한 느낌을 준다. 코코슈카는 모델의 머리뼈를 보여 주는 엑스선을 그림 속에서 시도했다고 주장했다.

모델의 정신을 들여다보는 코코슈카의 능력이 과연 어느 정도인지는 말하기 어렵다. 특히 그와 로스가 그의 능력을 반복하여 강조했기─사실 과장했기─때문에 더 그렇다. 코코슈카는 특유의 뻔뻔한 태도로 자서전에 이렇게 썼다. "나는 토양과 기후가 화분에 심은 식물의 생장에 영향을 미치는 것처럼 환경 조건이 타고난 성격을 어떻게 변화시키는지 사회학자처럼 관찰하면서 [앉아 있는] 당시 모델들의 장래 생활을 예견할 수 있었다."[21] 하지만 뻔뻔함을 제쳐 놓고 볼 때, 코코슈카는 모델의 현재뿐 아니라 미래의 측면들도 내다보는 기이한 능력을 지니고 있었다. 이 시기에 그려진 탁월한 초상화 두 점에서 이 선견지명이 드러난다. 오귀스트 앙리 포렐Auguste Henri Forel과 루트비히 리터 폰 야니코프스키Ludwig Ritter von Janikowski의 초상화다.

포렐은 프로이트처럼 세계적으로 알려진 정신과 의사였다. 또 그는 비교해부학과 행동에도 관심이 있었고, 프로이트나 산티아고 라몬이카할과 별개로 신경 이론을 세웠다. 1910년 봄, 코코슈카는 로스의 주선으로 포렐의 초상화(그림 9-12)를 그렸다. 당시 로스가 코코슈카의 모든 초상화 일을 관리했다. 이 시기의 다른 초상화에서처럼, 코코슈카는 붓과 손으로 물감을 문지르고 긁어서 모델의 존재감을 전달한다. 하지만 이 그림에서 포렐의 오른손과 오른쪽 눈은 비전형적이며, 왼손 및 왼쪽 눈과

그림 9-12 오스카어 코코슈카, 〈오귀스트 앙리 포렐의 초상화(Portrait of Auguste Henri Forel)〉
(1910). 캔버스에 유채. 컬러화보 참고

매우 달라 보인다. 그는 오른손을 구부린 자세로 들고 있는데, 오른손 엄
지를 웃옷 왼쪽 소매 안으로 넣어서 받치고 있다. 오른쪽 눈은 왼쪽 눈과
바라보는 양상이 전혀 다르다. 그것은 포렐의 뇌 왼쪽에 뇌졸중이 일어났
음을 시사했으며, 포렐과 그의 가족에게도 그렇게 보였다.

포렐은 완성된 작품을 받거나 거부할 선택권이 있었다. 초상화를
보자 그는 거부했다. 코코슈카는 그 그림이 포렐을 마치 뇌졸중에 걸린
것처럼 묘사하고 있다고 내심 인정했다. 2년 뒤 포렐은 현미경을 들여다
보고 있다가 뇌졸중을 일으켰고, 코코슈카가 그렸던 바로 그대로 오른쪽
얼굴과 오른손이 마비되었다. 코코슈카가 전적으로 우연히 포렐의 뇌졸
중이 임박한 것을 묘사한 것인지, 아니면 그가 포렐의 신체적·심리적 속
성을 자세히 관찰하고 감지해 뇌졸중의 전조인 일과성 허혈 발작을 알아

그림 9-13 오스카어 코코슈카, 〈루트비히 리터 폰 야니코프스키(Ludwig Ritter von Janikowski)〉
(1909). 캔버스에 유채. 컬러화보 참고

차린 것인지 여부는 분명하지 않다.

코코슈카의 선견지명을 보여 주는 또 한 사례는 1909년에 그린 루
트비히 리터 폰 야니코프스키의 초상화(그림 9-13)다. 문학 연구가이자
크라우스의 친구인 야니코프스키는 정신병에 걸려 점점 악화되어 갔는
데, 초상화가 완성된 직후에 증세가 나타났다. 코코슈카는 야니코프스키
의 머리에 초점을 맞춰 마치 그림의 바닥에서 머리가 미끄러져 올라오는
양 움직이는 듯 표현함으로써 이 정신 상태를 묘사한다. 얼굴과 배경에서
거의 초현실주의적으로 밝게 칠해진 부분은 공포스러운 느낌을 자아내
는데, 그것은 정신병에 무너지기 시작할 때 사람들이 으레 느끼는 감정이
다. 야니코프스키는 관람자를 직시한다. 우리는 그의 극심한 불안을 이해
하며 그에게 동정심을 느낀다. 그가 너무나 두려워하는 듯이 보이기 때문

이다. 그의 눈은 비대칭적이고 두려움에 젖어 있으며, 귀도 비대칭이다. 목이 보이지 않고 외투는 배경과 융합되어 있다. 야니코프스키가 광기를 일으키기 직전임을 더욱 분명히 시사하기 위해, 코코슈카는 붓의 반대쪽 끝으로 선을 긁어서 배경뿐 아니라 그의 얼굴, 눈, 입, 선홍색의 귀에 깊은 골과 주름을 만들어 낸다.

힐턴 크레이머는 코코슈카의 이 초기 초상화들을 이렇게 말한다.

> 초기 초상화에서 코코슈카가 완성한 화풍은 '신경 회화nerve painting' 또는 '정신 회화'라고 불리곤 했는데, 이 용어들은 사실적인 묘사라는 관습─그림을 통한 아첨을 결코 염두에 두지 않는─을 이 그림들에서 기대하지 말라는 건전한 경고를 담고 있다. …… 대신에 대중의 태도라는 구실에 넘어가지 않겠다는 결정과 감정이입의 깊이가 결합되면서 정신 자체의 내면 핵심까지 꿰뚫는 듯한 효과가 나타난다. …… 그리고 1913년 〈자화상(가슴에 손을 올린)〉을 그릴 때, 그는 이 극도의 솔직함을 자신에게도 예외 없이 적용했다.[22]

비록 코코슈카에게 허영심과 자기과시 성향이 있긴 했지만, 그런 성향은 자화상에 배어들지 않았다. 그는 '빈 1900'에 발맞춰 자신의 성격을 심리학 용어로 분석했는데, 이 자기분석은 선배 화가들이 같은 나이에 했던 것보다 훨씬 더 예리하고 냉철했다. 사실 코코슈카는 프로이트나 아르투어 슈니츨러보다 더 열린 마음으로, 더 비판적으로 자기분석을 했다. 그가 자신을 깊이 탐구하고 있었다는 사실은 이 초기 자화상에서부터 드러난다.

1911년 미술 잡지 〈슈투름Der Sturm〉(폭풍)에 실으려고 그린 유명한 자화상 포스터(그림 9-14)에서 코코슈카는 자신을 표현주의 미술과 희곡의 '야만인 추장chief savage'이라고 부른 빈 비평가들의 냉혹한 평가에 응

그림 9-14 오스카어 코코슈카, 잡지 〈슈투름〉의 표지 포스터(1911). 컬러화보 참고

답한다. 그는 자신을 추방자로서, 범죄자(바짝 깎은 머리, 강하게 내민 턱)와 예수의 잡종으로 묘사한다. 그는 인상을 찌푸리고 손으로 오른쪽 가슴의 피가 흐르는 성흔stigma을 가리키고 있다. 마치 자신에게 그런 상처를 입혔다고 빈의 인사들을 꾸짖는 듯하다.

코코슈카가 구스타프 말러의 미망인이자 빈에서 가장 아름다운 여성인 알마 말러Alma Mahler와 격정적인 연애를 하는 동안 그린 자화상들에서는 다른 형태의 자기비판이 뚜렷이 드러난다. 알마의 남편이 사망한 지 약 11개월이 지난 1912년 4월, 둘이 만난 지 3일 뒤에 코코슈카는 열정적인 편지를 써서 알마에게 청혼했다. 그렇게 하여 둘은 격렬한 연애를 시작했지만, 코코슈카는 그 관계가 끝장날지도 모른다는 불안감을 결코 떨치지 못했다. 당시 서른세 살이었던 알마는 스물여섯 살인 코코슈카보다 훨씬 더 성숙하고 사회 경험이 많았다. 비록 그들의 관계는 2년밖에

그림 9-15 오스카어 코코슈카, 〈손을 입에 대고 있는 자화상(Self-Portrait with Hard Near Mouth)〉 (1918~19). 캔버스에 유채. 컬러화보 참고

지속되지 못했지만, 그 관계는 그의 초기 삶에 결정적인 영향을 미쳤다. 알마가 유산을 하고 코코슈카가 구스타프 말러의 데스마스크를 부수면서 둘의 관계가 끝장났을 때 그녀는 그를 떠나 건축가 발터 그로피우스 Walter Gropius를 만났고, 코코슈카는 일련의 자화상과 알마의 모습을 담은 실물 크기의 삼차원 인형을 갖고서 둘의 관계를 우화적으로 연기한 장면을 묘사한 작품들을 통해 자신의 슬픔을 표현했다.

연애할 당시 코코슈카는 알마의 화려한 색깔의 긴 잠옷을 입은 자신의 모습을 그렸고, 때로는 그 옷을 입고 그림을 그리기도 했다. 한 자화상에서 그는 묻고 있는 듯이 눈을 크게 뜨고 있으며, 커다란 손이 그림의 중심을 이루고 있다. 그는 두려움에 빠진 듯 불안한 모습이며, 배경에서 그를 향해 다가오는 진녹색 줄무늬는 그런 인상을 더욱 강화한다(그림 9-15). 둘이 함께 등장하는 초상화(예를 들어 그림 9-16) 몇 점을 보면, 알

그림 9-16 오스카어 코코슈카, 〈연인(알마 말러)과의 자화상(Self-Portrait with Lover)〉(1913). 종이에 석탄과 검은 분필. 컬러화보 참고

그림 9-17 오스카어 코코슈카, 〈바람의 약혼녀〉(1914). 캔버스에 유채. 컬러화보 참고

마는 대개 차분한 반면 코코슈카는 정열적이고 흥분한 모습이다. 마치 정신이 붕괴하기 직전 같다. 그 가운데 가장 강력한 인상을 주는 그림인 〈바람의 약혼녀The Wind's Fiancée〉(그림 9-17)에서 코코슈카와 알마는 폭풍 같은 자신들의 관계가 일으키는 물결에 휩싸인 채 바다 한가운데 난파한 배 위에 누워 있다. 그녀는 평온히 잠자고 있는 반면, 으레 그렇듯이 그는 경직되고 동요한 모습으로 그녀 옆에 있다. 이 그림에서 코코슈카는 짙은 색으로 두껍게 칠하고 겹겹이 칠함으로써, 깊이감을 주고 자신이 겪고 있는 감정의 동요를 전달한다. 붉은색과 감정이 더 충만한 색깔들로 칠해진 그의 피부는 죽은 듯이 칙칙한 반면, 녹색이 섞인 황토색으로 칠해진 알마는 생기를 띤다.

1917년의 자화상(그림 9-18)에서 코코슈카는 오른손으로 왼쪽 가슴을 가리키고 있다. 얼굴과 눈에는 슬픔이 담겨 있는데, 그것은 3년 전 알마 말러를 잃고서 자아가 상처를 입었고 아직 완전히 회복되지 않았음을 반영할 뿐 아니라 전쟁에서 입은 상처, 즉 왼쪽 폐를 꿰뚫린 상처가 계속 남아 있음을 의미한다. 벌랜드가 지적했듯이, 이 이중의 고통은 동요한 상태임을 말해 주는 붓질과 폭풍을 알리는 듯한 배경의 대조적이고 위협적인 푸른 하늘에도 반영되어 있다.

이 자화상들에서 우리는 코코슈카의 화풍이 반 고흐에게 크게 영향을 받았지만 한편으로는 반 고흐의 화풍과 다르다는 점도 알 수 있다. 코코슈카는 반 고흐의 힘찬 붓질과 임의적이고 대담한 색채를 채택하여 변형했다.[23] 하지만 반 고흐는 감정적인 동요를 겪고 있을 때에도 훨씬 더 미묘하고 억제된 방식으로 그 동요를 관람자에게 전달하고자 애썼다. 이 차이가 가장 잘 드러나는 사례는 반 고흐가 1889년에 그린 걸작 자화상(그림 9-19)이다.

1888년 크리스마스 직전에 양극성 기분 장애에 시달리고 있던 반 고흐는 친구인 고갱과 심하게 다툰 뒤 면도날로 왼쪽 귀를 일부 잘라 버

그림 9-18 오스카어 코코슈카, 〈자화상(Self-Portrait)〉(1917). 캔버스에 유채. 컬러화보 참고

그림 9-19 빈센트 반 고흐, 〈파이프를 물고 귀에 붕대를 한 자화상(Self-Portrait with Bandaged Ear and Pipe)〉(1889). 캔버스에 유채. 컬러화보 참고

렸다. 그런 뒤 그는 왼쪽 귀를 붕대로 감은 채 자화상을 그렸다. 이 자화상은 그의 인생이 가장 처참한 상태에 있을 때 그린 것이라고 여겨지지만, 그럼에도 반 고흐는 관람자를 차분하게 내다보고 있다.

손과 몸짓이 성격을 보여 준다는 개념은 코코슈카의 단체 초상화에서 더욱 강하게 드러난다. 그는 이 초상화들에서 모델의 얼굴뿐 아니라 몸에도 주의를 기울이며, 특히 '대화하는 손'을 표현 수단으로 삼는다. 손은 시선을 사로잡는 손짓을 통해 감정을 표현하고, 몸의 긴장은 무의식적 충동을 드러낸다. 즉 심리적 긴장을 가시화한다. 이처럼 몸짓을 이용하는 방식은 로댕의 조각상과 소묘에 어느 정도 영향을 받았다.

　얼굴뿐 아니라 손을 강조하는 것은 전통적인 초상화법에 속하지만, 코코슈카는 클림트가 여성의 성욕에 대해 했던 것을 손에 했다. 즉 손에 현대적인 해석을 부여했다. 기독교의 비잔틴 미술에서 기도하거나 축복하는 손은 영성을 표현하지만, 코코슈카의 손은 모델의 심리적 상태, 즉 무의식적 성욕과 공격적 충동을 표현한다. 또 코코슈카는 손을 사회적 의사소통과 상호작용의 수단으로도 삼는다.

　코코슈카 연구자인 패트릭 웨크너Patrick Werkner는 코코슈카가 '빈 1900'에 새롭게 해방된 표현 형식으로서 출현한 현대 무용의 몸짓에도 영감을 받았다고 주장한다. 또 팔과 손이 온갖 형태로 뒤틀려 있는 히스테리 환자들을 찍은 장마르탱 샤르코의 사진에도 영향을 받았을 수 있다. 샤르코의 연구에 자극받아서 요제프 브로이어와 프로이트를 비롯한 의사들은 히스테리 환자들이 보이는 자세를 유심히 살펴보기 시작했다. 그들의 자세를 기술한 논문을 발표하는 과정에서 그들은 히스테리와 연관된 신체 모습의 미적 유형학—새로운 도상학—을 개발했는데, 그것은 당연히 코코슈카와 실레에게 영향을 미쳤을 것이다.

　코코슈카가 두 사람 사이의 감정 상태를 전달하기 위해 손을 어떻

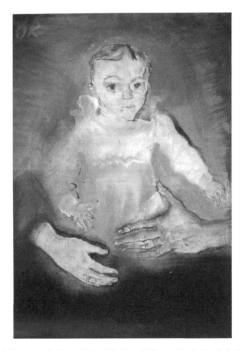

그림 9-20 오스카어 코코슈카, 〈부모의 손 안에 있는 아기〉(1909). 캔버스에 유채. 컬러화보 참고

게 쓰는지를 보여 주는 좋은 사례가 세 가지 있다. 첫 번째는 1909년에 그린 프레트 골드만이라는 아기의 초상화로 〈부모의 손 안에 있는 아기 Child in the Hands of Its Parents〉(그림 9-20)라는 제목의 그림이다. 엄마의 오른 손과 아빠의 왼손은 아기를 보호하고 있는 듯하다. 두 손은 부모를 대변 하며, 애정 어린 대화를 하고 있다. 두 손은 흥미로운 대조를 보이는 동시 에 역동적으로 협력하는 느낌을 준다. 아빠의 손은 활짝 펼쳐져 있고 보 호하는 동시에 제어를 하며, 생동감 있는 붉은 색조를 띤다. 엄마의 손은 연한 색깔에 훨씬 더 곱고 나긋나긋하고 부드럽다. 손을 이렇게 사용함으 로써 아이의 초상화는 가족의 초상화가 된다.

　애정이 깃든 이 뛰어난 그림에서조차, 코코슈카는 다른 사람들이 꼭 뚜렷이 알아차린다고는 할 수 없는 취약점을 찾아내는 기괴한 능력을

그림 9-21 오스카어 코코슈카, 〈한스 티체와 에리카 티체콘라트(Hans Tietze and Erica Tietze-Conrat)〉(1909). 캔버스에 유채. 컬러화보 참고

보여 준다. 그는 아빠 손의 손가락 하나를 부러진 형태로 그리고 있다. 모델 자신도 잊고 있었던 유년기의 상처를 간파했던 것이다.

한스 티체Hans Tietze와 에리카 티체콘라트Erica Tietze-Conrat 부부의 초상화(그림 9-21)에서는 손이 전혀 다른 방식으로, 아마도 더욱 강력할 듯한 형태로 대화를 나누고 있다. 둘 다 미술사학자인 이 부부는 다년간 거의 매일 한 책상에 앉아서 일했고, 공동으로 책을 내기도 했다. 이 초상화가 그려진 1909년에 한스는 스물아홉 살, 에리카는 스물여섯 살이었으며, 혼인한 지 4년째였다. 코코슈카는 이 부부의 초상화가 그들의 혼인 생활을 상징하고자 그린 것이라고 설명했다. 리글의 학생이자 빈 미술사학파의 일원인 한스는 나중에 곰브리치를 가르쳤고, 현대 미술을 옹호했다. 바로크 미술을 전공한 에리카는 초상화에서 별도로 자세를 취하고 있다.

그들은 부부였지만 코코슈카는 마치 그들이 서로 무관한 양 그리고 있다. 그는 남녀를 대조하는 데 초점을 맞추었으며, 남녀의 몸짓과 자세를 달리하여 대조적인 양상을 드러냈다. 불균형하게 큰 한스의 손은 부부 사이를 잇고 있지만, 두 사람은 서로 얼굴을 마주치지 않는다. 그들은 서로 다른 방향을 바라보고 있으며, 손으로 성적인 의미가 담긴 대화를 하는 데 몰두한 듯하다. 그 대화에는 관람자도 참여한다. 두 사람은 각자 내면과 성적 욕구를 지닌 독립된 인물로 그려진다. 칼 쇼스케Carl Schorske 는 한스 뒤편의 조명이 남성의 성적 에너지를 의미한다고 말한다. 〈바람의 약혼녀〉에서 알마 말러가 맡은 역할을 재현하고 있는 에리카는 다가오는 듯이 몸을 좀 앞으로 기울인 남편 앞에서 움츠리는 듯하다.

이 초상화는 손을 탁월하게 사용한 것 못지않게 화법 면에서도 뛰어나다. 빠른 붓질과 신경질적으로 긁어낸 흔적, 불균등한 화법은 그가 활기차게 실력을 발휘했다는 점을 뚜렷이 보여 주며, 그런 기법들이 종합되어 금색, 녹색, 갈색 사이를 오가면서 흔들리는 듯이 보이는 놀라운 표면을 만들어 냈다. 여기서도 여성의 손은 창백하고 남성의 손은 붉은 색을 띤다.

마지막으로 코코슈카는 손을 써서 아이들의 본능적 욕구를 드러내기도 했다. 그가 어린이의 내면생활에 관심이 있다는 사실은 1909년에 그린 탁월한 초상화 〈노는 아이들Children Playing〉(그림 9-22)에서 처음 드러났다. 이 초상화는 서점 주인인 리하르트 슈타인의 아이들인 다섯 살 된 로테와 여덟 살 된 발터를 그린 것이다. 코코슈카는 이전의 화가들이 했던 것처럼, 두 아이를 유년기의 순수함을 시사하는 이상적인 자세로 묘사하고 있지 않다. 대신에 그는 그들의 몸 언어, 불규칙한 색채, 아이들이 눕고 엎드려 있는 경계가 모호한 배경을 통해서 그들의 관계가 중성적이지도 순수하지도 않음을 시사한다.

아이들은 서로를 향한 끌림과 이 인력이 각자 안에 그리고 둘 사이에 일으키는 갈등에 맞서 싸우는 모습으로 그려져 있다. 옆모습으로 그려진 소년은 소녀를 유심히 보고 있고, 소녀는 엎드린 채 팔꿈치로 상체를 받치고 관람자를 쳐다본다. 티체 부부의 초상화에서처럼, 코코슈카는 아

그림 9-22 오스카어 코코슈카, 〈노는 아이들〉(1909). 캔버스에 유채. 컬러화보 참고

이들의 팔을 이용하여 둘 사이의 대화를 전달한다. 오빠의 왼손은 여동생의 주먹을 쥔 오른손을 향해 뻗어 있다.

대중은 이 초기의 그림을 보고 충격을 받았다. 아이들, 그것도 남매가 서로에게 낭만적이며 아마도 성적이기까지 한 생각을 품을 수도 있다는 이단적인 개념을 암시하고 있었기 때문이다. 사실 나치는 〈노는 아이들〉을 퇴폐 미술의 대표적인 사례로 삼았고, 1937년에 드레스덴의 국립미술관에서 그 작품을 떼어 냈다. 곰브리치는 그 그림을 다음과 같이 설명한다.

> 과거에 그림 속의 아이는 예쁘고 흡족해 보여야 했다. 어른들은 유년기의 슬픔과 고통에 관해 알고 싶어 하지 않았고, 그런 주제를 들이대면 분개했다. 하지만 코코슈카는 이런 관습의 요구에 동의하지 않았다. 우리는 그가 연민을 갖고 깊이 공감하면서 이 아이들을 바라보았다고 느낀다. 그는 아이들의 소망과 꿈, 자라는 신체의 부조화와 어색한 움직

임을 포착했다. …… 그의 작품은 관습적인 정교함이 없기 때문에 더욱
더 사실적이다.[24]

코코슈카는 정원의 늑대 인간처럼 빈의 미술 경관에 갑자기 등장
했다. 그는 인간의 정신—모델뿐 아니라 자신의 정신—깊숙이 놓여 있
는 무의식적 본능을 화폭에 포착했다. 프로이트처럼 그도 에로스가 어른
뿐 아니라 아이와 청소년에게도 중요하다는 점을 이해했다. 클림트, 슈니
츨러와 마찬가지로, 그도 빈 모더니즘 화가들의 특징적인 태도인 성적인
본능과 공격적인 본능 사이에 긴밀한 상호작용이 일어난다는 관점을 일
찍부터 받아들였다.

베를린과 드레스덴에서 지낸 뒤 코코슈카는 1934년에 프라하로,
1938년에 런던으로, 1939년에 영국 콘월 지방의 폴페로로, 1953년에는
스위스로 이사했다. 그리고 1980년 스위스에서 사망했다. 빈에서 코코슈
카를 알았고 나중에 영국에서 다시 만나기도 했던 곰브리치는 그를 20세
기의 가장 위대한 초상화가라고 평했다.

코코슈카의 작품이 영국에서 전시되어 충격을 주었으니, 앞으로 살
펴보겠지만 그와 실레가 영국 표현주의에, 그리고 간접적으로 프로이트
의 손자인 루시안에게 영향을 미쳤을 가능성도 있다. 나는 루시안 프로이
트의 탁월한 경력을 볼 때 시적 정의가 있다는 생각을 하지 않을 수 없다.
그는 로키탄스키, 할아버지, 코코슈카의 전통을 계승해 표면 깊숙이 파고
들어 그 아래 놓인 심리적 현실을 파헤쳐 왔다. 사실 루시안 프로이트는
21세기가 시작될 때 자신의 작품에 관해 썼는데, 100년 앞서 코코슈카가
했던 말과 흡사하다.

내 여행 개념은 사실상 아래로의 여행 …… 자신이 있는 곳을 더 잘 알
고 자신이 아는 감정을 더 깊이 탐구하는 것이다. 나는 "가슴으로 무언

가를 아는 것"이, 새로운 광경이 아무리 흥분되는 것이라고 할지라도 그것을 보는 것보다 훨씬 더 강력하고 심도 있는 가능성을 제공한다고 늘 생각한다.[25]

10

미술에서의
에로티시즘,
공격성,
불안의 융합

실존주의적 불안을 가시적으로 드러냈다는 점에서, 에곤 실레(그림 10-1)
는 현대 회화의 프란츠 카프카Franz Kafka다. 구스타프 클림트와 오스카어
코코슈카가 당대의 지식인들에게 자극받아 모델의 내면생활에 관심을
기울였다면, 실레는 당대의 그 어느 화가보다도 자신의 불안에 관심을 쏟
았다. 그는 수많은 자화상에서 이 깊은 불안을 표현하며—마치 자신의
사적인 세계가 찢겨 나가고 있는 양—자신의 성경험을 다룬 2인 초상화
속의 인물들을 포함하여, 자신이 그린 모든 사람들에게 상응하는 불안을
덧씌운다. 초상화 속의 인물들은 한 몸이 된 상태에서도 겁에 질린 채 동
떨어져 있다.

비록 스물여덟 살이라는 젊은 나이에 세상을 떠났지만, 실레는 300
점에 이르는 유화를 완성했고, 수천 점에 이르는 소묘와 수채화를 남겼
다. 클림트, 코코슈카와 마찬가지로 그도 공격성과 죽음에 깊이 관심을
가졌지만, 성욕을 즐기는 여성을 그린 클림트의 소묘와 달리 그의 작품은
섹스에 따른 여성의 더욱 다양한 감정을 드러낸다. 고통, 죄책감, 불안, 슬

그림 10-1 에곤 실레(1890~1918). 발리와의 관계를 청산하고 에디트 하름스와 혼인하기 직전인 1914년경에 찍은 사진.

폼, 거부, 호기심, 심지어 놀라움까지 말이다. 특히 실레의 초기 작품에서 여성들은 자신의 욕정을 즐기기보다는 괴로워하는 듯하다.

이런 의미에서 실레는 코코슈카의 선례를 따라 자신의 삶과 모델이 된 사람들의 삶을 깊이 탐구하려고 시도하고 있었다. 하지만 그는 몇 가지 중요한 점에서 코코슈카와 달랐다. 실레는 모델의 표면 아래로 들어가서 성격과 갈등을 간파하려고 할 때 오로지 얼굴 표정과 손짓에 초점을 맞추기보다는 몸 전체를 활용했다. 또 주로 다른 사람을 그린 코코슈카와 달리, 실레는 자기 자신을 주로 그렸다. 그는 슬픔, 불안, 극심한 두려움에 사로잡히거나, 자위행위를 하거나, 남과 성관계를 맺는 자신의 모습을 묘사했다.

실레의 불안은 그가 그리고 칠하기 위해 고른 이야기 주제라는 실질적인 측면뿐 아니라 양식적인 측면에서도 뚜렷이 드러난다. 클림트의 미술과 코코슈카의 초기 작품에서 볼 수 있는 장식이나 우아한 선과는 대조적으로, 실레의 성숙한 작품은 음침하며 밝은 색이 아예 없을 때도 있다. 그가 그린 사람들의 몸은 탈구되어 있고, 팔과 다리는 고통스럽게 비틀리고 뒤틀려 있다. 마치 장마르탱 샤르코의 히스테리 환자들 같다. 하지만 샤르코의 환자들이 무의식적으로 그런 자세를 취하는 것과는 달리, 실레의 인물 자세는 손, 팔, 몸을 이용하여 내면 감정을 전달하기 위해 의식적으로 연습한 것이다. 그는 종종 거울 앞에서 다양한 자세를 취하면서 분석을 하곤 했다. 그는 연극적인, 거의 히스테리적인—하지만 실제로는 잘 계획된—전신 자세를 통해 자신의 성격과 갈등을 표현했다.

따라서 실레의 미술은 단순히 마니에리슴적인 것이 아니라 독특한 양식을 띤다. 프로이트와 그 후계자들은 숨겨진 충동이 행동으로 표현되는 것을 '행동화acting out'라고 했다. 실레는 행동화를 이용하여 자기 내면의 동요, 불안, 성적 절망을 표현한 최초의 화가였다. 막스 드보라크가 코코슈카의 미술을 옹호했듯이, 빈 미술사학파의 일원으로서 드보라크와 동시대인이자 세계에서 가장 중요한 소묘와 판화 소장 기관인 빈 알베르티나 미술관 관장인 오토 베네슈는 은퇴하는 날까지 실레를 옹호했다. 게다가 베네슈 가문은 후원자로서 실레를 지원했다. 오토 베네슈의 부친인 하인리히도 실레의 후원자였다. 1913년 실레는 두 부자를 담은 초상화 〈오토 베네슈와 하인리히 베네슈 부자의 2인 초상화Double Portrait of Otto and Heinrich Benesch〉(그림 10-2)를 그렸다.

실레는 빈 인근에 있는 도나우 강 연안의 소도시 툴른Tulln에서 1890년에 태어났다. 독일인 혈통이었던 그의 부친은 철도 공무원으로서 툴른에서 역장으로 일했다. 실레 가족은 철도역 역사의 2층에서 살았다. 실레의 부모는 아이를 일곱 낳았는데, 셋은 사산아였다. 살아남은 넷 가운데 에곤을 뺀 나머지는 딸이었다. 엘비라, 멜라니, 게르트루더 또는 게르티였다. 실레는 막내 게르티를 무척 귀여워했다. 두 남매의 관계는 아주 특별했

그림 10-2 에곤 실레, 〈오토 베네슈와 하인리히 베네슈 부자의 2인 초상화〉(1913). 캔버스에 유채.
컬러화보 참고

고, 그는 청소년의 성욕을 묘사한 초기 작품에서 주로 게르티를 모델로
쓰곤 했다.

1904년 새해가 되기 전날 밤, 실레가 겨우 열네 살이었을 때 매독
말기였던 그의 아버지가 사망했다. 실레의 삶과 작품을 불안과 근심이 지
배한 것은 어느 정도는 이렇게 자신의 성욕이 막 싹트던 시기에 아버지
가 성병에 걸려서 심각한 치매 증상을 보이다가 일찍 사망하는 광경을
지켜보았기 때문이었을지도 모른다. 또 그가 섹스를 죽음 및 죄책감과 계
속 연관 짓고, 모델과 자기 자신을 늘 신경쇠약으로 무너지기 직전의 상
태로 그리곤 한 것도 그 때문일 수 있다.

가난한 학생이었던 실레는 소묘 능력이 비범했다. 그 재능을 인정

받아 그는 열여섯 살에 빈 미술 아카데미에 입학했다. 반에서 최연소 학생이었다. 그는 최근 조각가 오귀스트 로댕[1]이 개발하고 클림트가 채택한 바 있는, 먼저 모사를 한 뒤에 다듬는 윤곽 소묘법blind contour drawing을 써서 자신의 가공할 소묘 실력을 이미 완성하기 시작했다. 실레는 모델을 관찰하고서 모델에게서 눈을 떼지도 종이에서 연필을 떼지도 않은 채, 하나의 연속선으로 아주 빠르게 인물을 그리곤 했으며, 그 윤곽선을 결코 수정하거나 지우는 법이 없었다.

그 결과 신경질적이면서도 정확한, 매우 독특한 윤곽선이 나왔다. 클림트의 관능적인 아르누보 양식의 선이나 빈 아카데미의 세심하게 계산하여 그린 전통적인 선과 전혀 달랐다. 이 새로운 선을 써서 실레는 모델과 자신의 몸짓과 움직임을 포착했는데, 빛과 그림자보다는 윤곽을 통해 그것을 표현할 수 있었다. 실레는 생애 내내 이 소묘 기법을 써서 윤곽과 그림자의 힘을 통해 몸의 언어를 전달했다.

1908년 실레는 클림트가 주관한 쿤스트샤우 빈에 참석했다. 그곳에서 그는 처음으로 클림트의 그림과 코코슈카의 초기 석판화집인《꿈꾸는 소년들》을 보았다. 실레는 클림트의 그림에 감동을 받았고, 그 뒤에 클림트의 화실을 찾았다. 클림트는 실레의 재능에 깊은 인상을 받았고, 실레가 자신의 재능에 확신을 갖게끔 격려했다. 클림트는 코코슈카에게 영향을 주었듯이, 이제 실레에게도 영향을 미치고 있었다.

실레는 클림트의 화풍을 흉내 내는 한편으로, 클림트의 모델이 되기도 했다. 수도사 복장 같은 긴 옷을 입은 모습으로 그려져 있다. 그는 얼마간 '은색의 클림트Silver Klimt'라고 자칭하고 다녔다. 자기 그림에 금속 빛을 띠는 은색을 썼기 때문이기도 했고, 스스로를 클림트의 더 현대적인 젊은 판본이라고 생각했기 때문이기도 했다.[2] 실레는 클림트의 영향 아래 그다음 해에 평면적인 배경에 이차원적인 인물을 담은 그림을 몇 점 그렸다(그림 10-3, 10-4). 클림트의 그림에서처럼, 이 그림에서도 평

그림 10-3 에곤 실레, 〈게르티 실레(Gerti Schiele)〉(1909). 캔버스에 유채. 컬러화보 참고

그림 10-4 에곤 실레, 〈화가 안톤 페슈카의 초상화(Portrait of the Artist Anton Peschka)〉(1909). 캔버스에 유채, 은, 금동 채색. 컬러화보 참고

면성은 관람자가 모델의 내면세계에 주의를 기울이게 하는 역할을 한다.

실레는 1909년 쿤스트샤우 전시회에 새로운 작품을 전시했다. 여동생 게르티(그림 10-3), 나중에 게르티와 혼인한 안톤 페슈카Anton Peschka (그림 10-4), 빈 미술 아카데미의 급우인 한스 마스만Hans Massmann 등의 초상화였다. 게르티의 초상화는 특히 우아했다. 그녀는 관람자를 보지 않고 머리를 돌리고 앉아 있다. 의자는 숄과 담요로 덮여 있으며, 의자에는 클림트의 특징인 장식 무늬가 가득하다. 게르티의 그림에서처럼 페슈카의 그림에서도 몸의 윤곽선은 그가 앉아 있는 안락의자와 구분할 수 없이 융합되어 있다. 클림트의 첫 아델레 블로흐바우어 초상화에서 볼 수 있는 윤곽선과 거의 비슷하다. 실레의 이 그림들에서는 비록 온건한 양상을 띠기는 해도 세부적으로 장식을 볼 수 있다. 게르티의 옷 중 일부에서 보이는 무늬와 페슈카 초상화의 배경에 은색으로 멋지게 붓질하여 그린 무늬가 그렇다. 이 무렵 코코슈카는 클림트 화풍의 장식적 배경을 이미 자신의 그림에서 빼내고 더 단순한 배경으로 대체한 상태였고, 1909년 이후로 실레도 배경을 단순화하기 시작했다. 이윽고 실레는 장식무늬를 완전히 배제하게 되었다. 그리하여 실레 그림의 인물들은 캔버스에 동떨어진 듯한 고립감을 주게 되었다.

1910년 실레는 클림트에게서 완전히 벗어나 새로운 표현주의 양식을 확립하는 새로운 단계에 접어들었다. 처음에는 코코슈카에게 영향을 받았지만, 금방 자신만의 화풍을 정립했다. 그는 장식을 제거했을 뿐 아니라 자신의 정신 탐구를 주된 주제로 삼았다는 점에서 클림트와 달랐다. 따라서 클림트는 결코 자화상을 그린 적이 없는 반면, 실레는 1910~11년에 걸쳐 거의 100점에 이르는 자화상을 그렸다. 그 점에서 그는 생애 내내 자기 자신을 연구함으로써 생활사를 통한 인간 본성 탐구에 매달린 렘브란트와 막스 베크만Max Beckmann도 넘어섰다.

그림 10-5 에곤 실레, 〈검은 웃옷을 입은 반나체 자화상(Self-Portrait as Semi-Nude with Black Jacket)〉(1911). 종이에 구아슈, 수채, 연필. 컬러화보 참고

실레는 코코슈카와 마찬가지로 일상생활의 표면 아래 놓인 것을 탐구했다는 점에서, 프로이트 및 슈니츨러와 진정한 동시대 인물이었다. 그는 정신을 연구했고, 남의 무의식적 과정을 이해하려면 먼저 자신의 무의식을 이해해야 한다고 암묵적으로 믿었다. 실레는 소묘와 그림을 통해 강박적이리만치 자신을 표현했다. 혼자 또는 누군가와 함께한 모습으로, 때로는 팔다리가 잘려 나가거나 생식기가 사라진 모습으로, 근육을 왜곡하고 뼈를 구부리고 나병에 살이 썩은 모습으로 그리고 또 그렸다. 그는 때로는 벌거벗은 모습으로, 대개는 굶주리고 어색하고 일그러지고 고통스러워하는 모습으로 전신을 드러냈다. 심하게 일그러뜨리고 비튼 자세와 몸 형태를 이용해 불안, 걱정, 죄책감, 호기심, 놀람을 열정, 환희, 비극과 결합하여 인간 감정의 모든 범위를 표현했다.

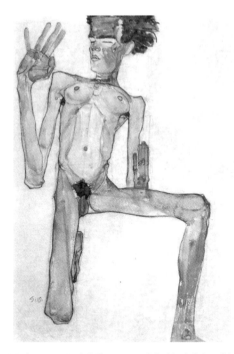

그림 10-6 에곤 실레, 〈무릎을 꿇은 자화상〉(1910). 종이에 검은 분필과 구아슈. 컬러화보 참고

실레의 자화상에는 모두 거울 앞에 있는 자신이 묘사되어 있으며, 때로는 자위행위를 하는 모습도 있다(그림 10-5, 10-6, 10-7). 자신의 자위행위 모습을 담은 그림은 몇 가지 면에서 대담하다. 당시 빈의 많은 사람이 남성의 자위행위가 정신병으로 이어진다고 생각했다는 점을 염두에 둘 때 더욱 그렇다.

하지만 이 자화상들은 단순히 나체를 보여 주는 것이 아니다. 이 작품들은 자아의 완전한 폭로, 자기분석, 프로이트의 《꿈의 해석》의 그림 판본을 제시하려는 시도다. 철학자이자 미술평론가인 아서 단토Arthur Danto는 '살아 있는 살Live Flesh'이라는 제목의 글에서 이렇게 썼다.

에로티시즘과 회화적 재현은 미술이 시작된 이래로 공존해 왔다. ……

그림 10-7 에곤 실레, 〈앉아 있는 자화상, 나체〉(1910). 캔버스에 유채와 불투명 채색. 컬러화보 참고

하지만 실레는 에로티시즘을 자신의 인상적인 …… 작품의 결정적인 동기로 삼았다는 점에서 독특했다. 그의 그림은 인간 현실이 본질적으로 성적인 것이라는 …… 지그문트 프로이트의 명제를 그림으로 표현한 것과 같다. 내 말은 실레의 관점에 예술사적인 설명 따위는 없다는 것이다.[3]

실레의 전신 나체 초상화는 대체로 서양 미술에서 유례없는 것이다. 그는 나체를 또 다른 수준으로 끌어올렸다. 무의식적 성적 충동을 드러내기 위해, 새로운 자기색정적autoerotic 미술을 창안한 것이다. 관람자는 그의 나체를 보면서 화가 안에 성적이고 공격적인 성향이 강하게 있음을 의식할 수밖에 없다. 그로부터 겨우 수십 년 뒤에 프랜시스 베이컨, 루시

안 프로이트, 제니 새빌Jenny Saville 같은 영국 화가들과 미국 화가 앨리스 닐Alice Neel은 작품 속에서 화가 자신의 벌거벗은 몸을 이용해 실레가 했던 식으로 역사적이고 예술적인 메시지를 전달하려 했다.

실레는 이 작품들에서 새로운 형태의 구상적 도상학도 도입한다. 손과 팔을 강조하는 코코슈카의 방식을 전신으로 확장한 것이다. 〈무릎을 꿇은 자화상Kneeling Self-Portrait〉(그림 10-6)과 〈앉아 있는 자화상, 나체 Sitting Self-Portrait, Nude〉(그림 10-7) 같은 벌거벗은 대형 자화상 작품에서는 남아 있던 클림트의 영향이 모두 사라지고 없다. 아마도 반 고흐나 코코슈카의 유화에 영향을 받았겠지만, 실레의 1910년 초상화들에서는 짧고 대담하게 붓질한 흔적이 종종 보인다. 그것은 공격성을 시각화하고 아르누보가 보여 주고자 한 꿈꾸는 상태를 억압적이고 고통스러운 현실로 바꿔 놓는다. 일상생활의 공포로 말이다. 관람자는 불길한 일이 벌어질 것 같은 예감이 드는 것을 피할 수 없다.

또 실레는 상처 나고 쇠약한 피부와 창백한, 때로는 소름 끼치는 색조 등 극적으로 왜곡한 해부학적 특징들을 이용해 극도의 절망과 일그러진 성욕, 내면의 붕괴를 표현한다. 인간 본성을 이렇게 봄으로써 그는 인간을 내면의 강박적인 충동과 숨겨진 역사의 복합체로 재평가하는 프로이트와 같은 입장에 선다. 더 일반적으로 말하자면, 실레는 아마도 당대 인류에게 늘 따라붙는 불안, 즉 쏟아지는 내부와 외부의 감각 자극에 심리적으로 압도당하지나 않을까 하는 두려움을 자신의 몸에서 포착한 최초의 현대 화가일 것이다.

◆ ◆ ◆

자신의 표현주의 양식을 확립할 때, 실레는 자신의 작품에 미술사학자 알레산드라 코미니가 실레의 미술 공식이라고 말한 것을 도입했다. 바로 인

그림 10-8 에곤 실레, 〈줄무늬 토시를 낀 자화상〉(1915). 종이에 연필과 물감 덧칠. 컬러화보 참고

물을 고립시키는 것이다. 인물의 정면을 그리고 인물의 축을 캔버스의 축과 일치시키며, 지나치게 크고 비뚤어진 눈과 손, 전신을 강조하는 것이다. 이런 과장된 특징들은 전체적으로 불편한 불안감을 준다. 게다가 미술사학자 제인 컬리어Jane Kallir는 이렇게 말한다. "실레의 소묘와 유화 양쪽에서 선은 통일시키는 힘이었다. …… 그럼으로써 변화가 완결되었다. 장식적 효과를 감정적 효과로 대체함으로써 …… 실레는 관능적이고 불길한 세계를 폭로했다. ……"4

1915년 작 〈줄무늬 토시를 낀 자화상Self-Portrait with Striped Armlets〉(그림 10-8)에서 실레는 자신을 사회 부적응자, 어릿광대 또는 바보로 표현한다. 수직으로 줄무늬가 난 토시는 궁정 어릿광대의 전형적인 복장을 떠올리게 한다. 화가는 머리카락을 밝은 오렌지색으로 칠했고, 크게 뜬 두 눈은 광기를 암시한다. 머리는 가느다란 목 위에서 불안정하게 기울어져 있다. 또 한 자화상(그림 10-9)에서는 머리의 윤곽 주위를 구아슈로 하

그림 10-9 에곤 실레, 〈자화상, 머리(Self-Portrait, Head)〉(1910). 종이에 수채, 구아슈, 목탄, 연필. 컬러화보 참고

얇게 후광처럼 두껍게 칠해 머리를 고립시키고 배경과 대비해 더 두드러지게 하는 동시에 커다랗게 보이게 만들고 강조하여 불안한 표정을 더욱 강화한다. 게다가 실레는 눈 위쪽의 넓은 부분, 즉 넓은 이마와 깊게 골이 진 주름살을 강조하여 표현한다. 이 초상화는 실레가 머리가 잘린 홀로페르네스를 그린 클림트의 그림을 재현하면서 자기 자신을 그 희생자로 묘사하고 싶어 했음을 시사한다. 실레는 종이 위쪽에 머리를 그려 몸이 없다는 것을 강조한다.

또 실레의 '대화하는 손'은 코코슈카의 대화하는 손과 전혀 딴판이다(그림 10-6, 10-7, 10-8). 과장되고 연극적이고 경련을 일으키는 듯하며, 뻗은 손가락은 잘린 나뭇가지나 히스테리 환자의 손을 닮았다. 코미니는 실레가 그림에서 비밀리에 몸짓을 실험해 왔다고 설명한다. 오른손의 극도로 긴 손가락을 오른쪽 눈 밑에 대고 잡아 내려서 흰자위를 드러낸 그림이 그렇다. 또 실레는 다양한 방식으로 머리를 묘사했다. 코미니는 이렇게 묻는다. "실레의 작품은 이 시기에 왜 그렇게 절박한 양상을 띠었으며, 자기 자신에게 집중할 것을 요구하는 새로운 미술 어휘를 어떻게 창안한 것일까?" 그녀는 이렇게 답한다.

> 몇 가지 외부적인 설명과 내면적인 설명이 있다. 하나는 세기의 전환기에 빈에서 자기 자신에게 관심을 갖는 태도가 유행했다는 것이다. ……
> 지그문트 프로이트와 …… 같은 도시에 살면서 같은 환경에서 활동하고 같은 자극을 받고 있었기에, 실레는 심리에 몰두하는 전반적인 사회 현상을 받아들였다. 실레의 자화상과 코코슈카의 자화상은 프로이트가 과학적으로 파악하고 분석한 성과 성격의 측면들을 직관적으로 다루고 있다.[5]

양식 면에서 실레의 자화상에 영향을 미친 요인은 몇 가지가 있는 듯하며, 그것들은 모두 생물학에 토대를 두고 있다. 첫 번째로 영향을 끼친 것은 손과 팔이 비정상적으로 뒤틀려 온갖 자세로 놓인 히스테리 환자를 찍은 샤르코의 사진들이었다. 이 환자들의 사진이 너무나 인기를 끌었기에, 살페트리에르 병원은 1888년부터 1918년까지 그런 사진을 실은 격월간지를 간행했는데, 시간이 흐를수록 사진은 점점 더 히스테리보다 체형을 일그러뜨리는 큰가락증(한 손가락이 유달리 길어지는 증상), 유아 거인증, 근육병 등 신경학적 질환들에 초점을 맞췄다. 또 실레는 틀림없이 빈의 하벨베데레 미술관Lower Belvedere Museum에서, 1780년대에 프란츠 사버 메서슈미트가 극도로 극적인 정신 상태를 묘사한 유명 캐릭터 두상 조각을 보고 영향을 받았을 것이다(11장 참고)(그림 10-11). 또 실레는 친구 에르빈 오젠Erwin Osen에게서도 영향을 받았을 것으로 여겨진다. 오젠은 빈 외곽에 있는 슈타인호프 정신병원에서 환자들의 일그러진 표정을 연구하여 자신의 그림에 활용했다. 또 로키탄스키의 전통 속에서 병리해

그림 10-10 에곤 실레, 〈비명을 지르는 자화상(Self-Portrait Screaming)〉(그림 정보 미상). 컬러화보 참고

그림 10-11 프란츠 사버 메서슈미트, 〈하품하는 사람(The Yawner)〉(1770년 이후). 납. 컬러화보 참고

부학을 공부한 의사 에르빈 폰 그라프Erwin von Graff는 실레에게 자신의 관점을 전파하고, 실레가 자기 병원에서 환자들을 그릴 수 있도록 허락했다. 이 환자들이 실레의 그림에 반복하여 나타나는, 병에 걸리고 일그러진 인체의 이미지를 그의 마음에 새겨 놓았을 수도 있다.

하지만 아마 실레에게 가장 중요한 영향을 끼친 것은 그 자신의 불안정한 심리 상태였을 것이다. 그는 점점 정신병이 악화되는 아버지를 지켜보면서 두려움에 시달렸을 수도 있고, 언젠가는 자신도 미칠지 모른다는 환영에 사로잡혔을지도 모른다.

1911년 스물한 살이었던 실레는 자칭 발리라고 하는 열일곱 살의 빨강머리 소녀 발레리 노이질Valerie Neuzil을 만났다. 클림트의 모델이자 아마 애인이기도 했을 그녀는 실레의 모델이자 애인이 되었다. 발리에게 영향을 받은 실레는 여성의 에로티시즘에 대한 이해의 폭이 훨씬 더 넓어졌고, 그 결과 사춘기의 성욕에 초점을 맞추게 되었다. 그는 청소년의 성욕에 매료됐고, 모델이 된 사춘기 소녀들에게 성적으로 노골적인 자세를 취하게 했다. 실레의 표현주의는 이 점에서도 새로웠다. 비록 고갱Paul Gauguin, 뭉크, 코코슈카를 통해 서양 미술에 도입된 사춘기 여성의 성욕 묘사가 독일 표현주의 화가들을 통해 흔해지기는 했을지라도, 그들도 코코슈카도 실레만큼 사춘기의 성욕을 노골적이고 불편하리만치 탐구하고 묘사하는 수준으로까지 나아가지는 않았다.

선배 화가들의 작품과 달리, 실레의 몇몇 작품은 생식기와 성행위에 노골적으로 초점을 맞춘다. 예를 들어, 1918년에 그린 〈머리를 기울인 채 웅크린 여성 나체Crouching Female Nude with Bent Head〉(그림 10-12)에서, 실레는 머리를 깊이 숙이고 생각에 잠긴 우울한 표정을 통해 소녀의 감정을 전달한다. 마치 보호와 안전을 갈망하는 양, 긴 머리카락이 흩어져서 얼굴에 드리워 있다. 1915년 작 〈성교Love Making〉(그림 10-13) 같은 그

그림 10-12 에곤 실레, 〈머리를 기울인 채 웅크린 여성 나체〉(1918). 종이에 검은 분필, 수채, 피막칠. 컬러화보 참고

그림 10-13 에곤 실레, 〈성교〉(1915). 종이에 연필과 구아슈. 컬러화보 참고

림에서는 성욕, 에로티시즘, 염세적 태도, 피폐함, 두려움이 융합되어 에로스와 불안을 분리할 수 없음을 표현하고 있다. 실레의 그림에서 아마도 자신의 감정을 투사하는 것일 나체는 딱딱하고 웃지 않고 겁에 질린 듯한 모습이며, 클림트가 그린 우아하고 나긋나긋하고 자기탐닉적인 여성들에 대한 표현주의적 캐리커처처럼 보인다.

실레의 첫 모델은 여동생 게르티였다. 게르티는 처음에 나체로 자세를 취하는 것을 불편해했다. 실레는 아이나 십 대 모델을 썼다. 어른 모델을 구할 돈이 없기도 했고, 자신이 어렸기에 어린 모델과 일하는 것이 더 편했을 수도 있다. 사실 실레의 초기 작품에 등장한 모델 중에는 그보다 몇 년 더 어린 이들도 있었다. 그들의 잠재된 성욕은 아마도 그 자신의 깨어나고 있는 감정에 해당했을 것이고, 성욕에 관한 청소년의 영속적인 질문들에 답하고자 하는 그의 시도를 대변하고 있었을 것이다.

1912년 실레가 미성년자를 유괴하여 성적으로 이용한다고 의심한 경찰이 빈에서 약 30킬로미터 떨어진 소도시 노일렝바흐에 있는 그의 화실을 수색했다. 연구자들은 대체로 실레가 이 어린 소녀들 중 어느 누구와 성관계를 가졌을 가능성은 없다고 본다. 소녀들이 자세를 취할 때 화실에는 발리가 함께 있었기 때문이다. 하지만 실레가 전통 가치를 중시하는 중산층 가정의 아이들에게 나체로 자세를 취하라고 요청했으며, 그것도 부모의 동의 없이 그렇게 하곤 했다는 점에는 의문의 여지가 없다. 한 소녀는 그를 사랑하게 되었고, 어느 날 밤 화실을 찾아와서 가지 않겠다고 고집을 피웠다. 그러자 발리가 나서서 소녀를 아버지에게 돌려보냈는데, 그 아버지는 딸을 납치하여 강간했다고 실레를 고발했다. 실레는 체포되었다가 제시된 의혹을 토대로 부도덕한 행위를 저질렀다고 유죄 선고를 받았다. 판사는 외설적인 소묘를 그렸다는 이유로 그를 24일 동안 구금하도록 했다. 더 나아가 벌금을 부과하고 실레의 화실에서 압수한 소묘 한 점을 법정에서 불태우도록 했다.

그림 10-14 에곤 실레, 〈죽음과 처녀〉(1915). 캔버스에 유채. 컬러화보 참고

발리와 만난 지 2년 뒤에 빈으로 돌아온 실레는 아델레와 에디트 하름스Edith Harms를 만났다. 그가 살던 거리의 맞은편 건물로 이사 온, 그와 같은 또래이고 같은 사회 계급에 속한 교양 있는 두 자매였다. 실레는 발리에게 그들을 만날 수 있도록 주선해 달라고 요청했다. 얼마간 그는 자매 양쪽에게 다 관심을 보였다가 1915년에 동생인 에디트와 사랑에 빠졌고, 둘은 혼인할 계획까지 세웠다.

에디트가 혼인하려면 발리와 관계를 끊으라고 최후통첩을 하자, 실레는 발리에게 보내는 고별사로서 2인 초상화인 걸작 〈죽음과 처녀Death and the Maiden〉(그림 10-14)를 그렸다. 위에서 내려다본 관점을 취한 이 그림에서 발리와 실레는 하얀 천으로 덮인 요 위에 누워 있다. 실레의 모습은 쉽게 알아볼 수 있다. 그는 수도사처럼 긴 옷을 입고 발리를 위로하고 있으며, 발리는 그의 가슴에 얼굴을 댄 채 그를 껴안고 있다. 발리는 예전에 실레가 그린 바 있는 술 달린 속옷 차림이다. 하얀 천이 구겨져서 깔려 있는 광경은 둘이 막 섹스를 했음을 시사한다. 비록 성교 후에 껴안은 채 누워 있음에도, 둘은 사실상 서로가 아니라 먼 곳을 바라보고 있다. 마치 실레의 마음이 이미 다른 곳에 가 있다는 것을 암시하는 듯하다. 여기서 죽음의 전령으로 묘사된 실레는 어려운 시기 내내 자신을 도왔으며 뜻깊고 친밀한 관계를 맺어 왔던 여성과 헤어져야 한다는 사실에 망연자실한 모습이다. 아마도 그는 에디트의 최후통첩 때문만이 아니라 스스로도 원했기 때문에 발리와 관계를 끊었을 것이다. 발리는 더 하층 계급 출신이었고, 성적으로 몹시 문란했다. 이제 더 관습적인 가치를 열망하는 실레가 에디트와 혼인하기 위해 내버리기를 원하는 바로 그 특징들을 지니고 있었던 것이다.

〈죽음과 처녀〉는 알마 말러와의 격동적인 관계를 묘사한 코코슈카의 〈바람의 약혼녀〉와 비교되곤 하지만, 두 그림은 사실 전혀 다르다. 두 작품에서 남자는 둘 다 불안해하지만, 〈바람의 약혼녀〉에서 알마는 차분히 잠을 자고 있는 반면 〈죽음과 처녀〉에서 발리는 실레 못지않게 외로움과 절망을 겪고 있다. 그녀는 자포자기한 인상이고, 그의 얼굴에는 만족감이 나타나지 않는다. 실레의 세계에서는 그 누구도 안전하지 않다.

실레는 인생 초년기에 자신을 남자로 보이게 하기 위해 애썼고, 자신을 도플갱어doppelgänger로 본 몇 점의 2인 자화상에서 그 갈등을 표출했다. 독일 낭만주의 문학의 인기 있는 주제인 도플갱어는 당사자 자신과 똑같이 행동하는 유령 같은 분신을 말한다. 도플갱어는 보호자 또는 가상의 동료 형태를 취할 수도 있지만, 종종 죽음의 전령이 되기도 한다. 민간 속설에서 도플갱어는 자신의 유령이다. 그림자도 없고 거울에 비치지도 않는다. 실레는 2인 자화상에서 도플갱어를 양쪽 의미로 사용한다. 1911년 작 〈죽음과 남자(자기 응시자들 II)Death and Man(Self-Seers II)〉(그림 10-15)에서 실레는 자신의 얼굴 또는 부친의 얼굴처럼 보이는 것을 뒤에 서 있는 해골처럼 보이는 존재와 융합한다. 실레의 많은 작품이 그렇듯이, 이 그

그림 10-15 에곤 실레, 〈죽음과 남자(자기 응시자들 II)〉(1911). 캔버스에 유채. 컬러화보 참고

림도 섬뜩하면서도 흥미를 자아낸다.

실레는 1년 뒤 또 다른 2인 초상화 〈은둔자들(에곤 실레와 구스타프 클림트)Hermits(Egon Schiele and Gustav Klimt)〉(그림 10-16)에서 아버지에게 다시 관심을 드러낸다. 이 초상화는 그와 클림트를 그린 것이며, 아마도《꿈꾸는 소년들》에 실린 코코슈카와 클림트의 모습에 영향을 받은 듯하다. 실레는 그 화집을 갖고 있었다. 코코슈카의 채색 석판화에서는 코코슈카가 스승이자 안내자인 클림트에게 지원해 달라고 기댄 모습이다. 하지만 실레의 초상화에서는 (실레의 화가로서의 아버지인) 클림트가 그에게 지원해 달라고 기대고 있다. 1912년 클림트는 여전히 전성기에 있었고, 빈의 미술계에 큰 영향을 미치고 있었지만, 그림 쪽에서는 실레에게뿐 아니라 자신의 생계에도 영향을 거의 미치지 못한 듯하다. 사실 그의 공허하게 벌어진 눈은 그가 앞을 보지 못한다는 것을 시사한다. 실레의 2인 초상화는 상상 속의 경쟁자인 클림트를 제거하고 자신이 빈의 최고 화가 자리를 넘겨받겠다는 무의식적인 오이디푸스적 욕망을 반영하는 것일 수도 있다.

그림 10-16 에곤 실레, 〈은둔자들(에곤 실레와 구스타프 클림트)〉(1912). 캔버스에 유채. 컬러화보 참고

실레는 유머 감각이 없는 인물이 아니었다. 아마 그의 풍자적인 유머 감각을 보여 주는 것으로 가장 잘 알려진 작품은 〈추기경과 수녀(애무)Cardinal and Nun(The Caress)〉(그림 10-17)일 것이다. 이 작품은 클림트의 유명한 그림인 〈키스〉(그림 10-18)를 패러디한 것이다. 성직자와 수녀의 입맞춤이라는 금기를 담은 실레의 그림은 발리가 수녀로 등장한다는 점에서 더욱 역설적이다. 하지만 실레는 클림트를 대단히 존경했으며, 컬리어가 주장했다시피 양식 면에서 클림트에게 가장 많은 영향을 받은 사람이 바로 실레였다. 이 점은 실레의 초기 그림(그림 10-3, 10-4)뿐 아니라, 성욕을 즐기는 여성들을 클림트 식으로 스케치한 후기 소묘(그림 8-3)에서도 뚜렷이 드러난다.

클림트는 1918년 2월 6일에 사망했다. 그의 부고를 들은 실레는 시신 보관소를 찾아가서 그의 얼굴을 그렸다. 클림트에게 바치는 마지막 헌사였다. 그 이후 9개월에 걸친 노력 끝에 실레는 처음으로 클림트의 그늘에서 완전히 벗어났다. 클림트는 세상을 떠났고 코코슈카는 베를린에 살

그림 10-17 에곤 실레, 〈추기경과 수녀(애무)〉(1912). 캔버스에 유채. 컬러화보 참고

그림 10-18 구스타프 클림트, 〈키스〉(1907~08). 캔버스에 유채. 컬러화보 그림 8-25 참고

고 있었기에, 실레는 빈에서 가장 중요한 화가가 되었다. 그의 작품은 날개 돋친 듯이 팔렸고, 수입은 급증했다.

하지만 실레는 1918년 10월 31일 폐렴에 걸려서 갑자기 요절하고 말았다. 아내가 같은 병으로 세상을 뜬 지 겨우 사흘 뒤였다. 폐렴은 당시 유럽을 휩쓸고 있던 유행병인 스페인 독감의 합병증이었다.

실레의 죽음은 빈에서 표현주의 시대가 끝났음을, 과학과 미술 사이의 대화로 이어지는 첫걸음을 뗀 시대가 끝났음을 의미했다. '빈 1900'에 출현한 다섯 거장들이 정신분석, 문학, 미술 분야에서 거둔 엄청난 성취는 겉모습은 기만적이며 진실을 얻으려면 표면 밑으로 깊숙이 들어갈 필요가 있다는 로키탄스키의 과학적 견해에 직접적으로 또는 간접적으로 영향을 받은 것이라고 할 수 있다. 하지만 이 다섯 명 중 그다음 걸음을 내디딘 사람은 아무도 없었다. 프로이트는 미술에 깊이 영향을 받았고 미술이 관람자의 무의식적 마음을 건드린다고 믿었지만, 자신의 눈앞에 미술 작품이 보일 때 이 연결이 이루어지고 있다는 것을 알아차리지는 못했다. 따라서 '빈 1900'은 생물학과 연결되지 않았고, 프로이트의 역동적 심리학은 미술과 의미 있는 방식으로 연관을 맺지 못했다. 또 '빈 1900'은 관람자가 미술에 어떻게 반응하는지를 설명할 인지심리학도 내놓지 못했고, 무의식적 감정과 미술을 대할 때 느끼는 감정에 관람자가 어떻게 반응하는지를 생물학적으로 이해하지도 못했다. 하지만 그러한 심리학적·생물학적 깨달음은 곧 출현하려 하고 있었다. 그 깨달음은 1930년 빈에서 시작되어 오늘날까지 이어지고 있다.

인지심리학으로 본
예술 앞에서의
감정 반응과 시지각

11

관람자의 몫을
발견하다

무의식적 본능의 서로 다른 측면들을 살펴본 지그문트 프로이트, 아르투어 슈니츨러, 구스타프 클림트, 오스카어 코코슈카, 에곤 실레의 노력을 심리적·예술적으로 수렴하고자 할 때, 몇 가지 의문이 떠오른다. 이 선구자들은 자신들이 나란히 나아가고 있다는 점을 알아차렸을까? 그렇다면 슈니츨러와 프로이트는 서로 대화를 하려고 시도했을까? 클림트, 코코슈카, 실레는? 누군가 심리학적 접근법과 예술적 접근법을 연관 지어서 무의식적 충동을 이해하려는 시도를 한 적이 있을까?

사실 화가들이 그랬듯, 프로이트와 슈니츨러도 상호작용했다. 오스트리아 모더니즘의 아버지인 클림트는 코코슈카와 실레를 적극 후원하고 그들에게 영향을 미쳤다. 두 젊은 화가는 비록 나중에 클림트의 영향에서 벗어나 각자 독특한 표현주의 양식을 발전시켰지만, 클림트를 존경했다. 실레는 클림트를 자신을 형성한 모더니즘 사조의 창시자라고 인정했으며, 비록 스스로 인정하지는 않았을지라도 빈 최초의 진정한 표현주의 화가인 코코슈카의 초기 작품에도 영향을 받았던 것이 분명하다.

프로이트와 슈니츨러―둘 다 빈 의대의 로키탄스키 전통에서 성숙한 의사이자 과학자였다―는 서로를 도플갱어, 즉 지적 닮은꼴이라고 보았다. 둘은 동일한 지적 주제를 서로 다른 방식으로 다루었다. 프로이트는 심리학자로서, 그리고 슈니츨러는 작가로서 각자 서로의 저술을 읽고 음미했다.

프로이트 및 슈니츨러와 그 화가들의 관계, 그리고 화가들과 그들의 관계는 잘해야 일방적이었다. 프로이트도 슈니츨러도 그 화가들의 작품을 높이 평가하지 않았고, 화가들도 무의식을 탐구하는 데 관심을 갖고 있다는 사실을 인정하지 않았다. 반면에 화가들이 프로이트와 슈니츨러의 저술을 알지 못했다거나 그들에게 영향을 받지 않았다고 보기는 불가능하다. 슈니츨러는 당대의 가장 중요한 오스트리아 작가인 후고 폰 호프만스탈, 《꿈의 해석》을 출간하여 유명 인사가 된 프로이트와 함께 빈의 문화를 주도하는 주요 인물이었다. 코코슈카는 프로이트와 매우 유사한 생각을 품고 있었다. 비록 그는 자신이 독자적으로 발전시켰다고 주장했지만 말이다. 코코슈카는 폭넓게 독서를 했고 매우 해박했다. 더욱이 초기에 그를 후원한 카를 크라우스와 아돌프 로스는 슈니츨러와 프로이트의 저서를 아주 잘 알고 있던 지식인이었다. 게다가 클림트는 생물학과 의학에 깊이 관심을 갖고 있었다.

이 다섯 명 가운데 미술과 과학을 연관 지으려 시도한 사람은 프로이트뿐이었다. 그는 자신이 찬미하는 두 르네상스 화가인 레오나르도 다빈치와 미켈란젤로의 창작 과정을 다룬 중요한 논문 두 편을 썼다. 하지만 그는 거기에서 관람자가 미술 작품을 보고 무엇을 떠올리는가 하는 지각의 심리학을 다루지는 않았다. 그는 그보다 화가의 심리에 초점을 맞췄다.

이 두 편 가운데 1910년에 쓴 〈레오나르도 다빈치와 그의 유년기 기억Leonardo da Vinci and a Memory of His Childhood〉이 더 유명하다. 이 논문에서 프로이트는 레오나르도가 기록한 내용과 특히 그의 유년기 회상 내용에 주로 의존해, 그의 삶과 작품의 진화를 분석했다. 레오나르도는 사생아로 태어났고, 미혼모 밑에서 어린 시절을 보냈다. 프로이트는 레오나르도의 어머니가 전형적으로 남편 없이 살면서 욕구불만을 느끼는 어머니였다고 주장한다. 그녀는 아들에게 열정적으로 뽀뽀를 하고, 아들을 애지중지하고, 아들에게서 친밀한 애정을 갈구했다. 어머니의 이러한 행동 때문에 레오나르도는 어머니에게 계속 애착을 느꼈고, 청소년기에 일찍부터 에로티시즘에 눈을 떴다. 프로이트는 이 발달 경로를 통해 레오나르도가 동성애 성향을 띠게 되었다고 주장한다. 프로이트는 레오나르도가 입을 중심으로 한 감각 경험을 기술한 유년기 회고 내용과 나중에 남성 제자들에게 감정적으로 깊이 빠진 모습에서 이 성향들을 찾아냈다.

레오나르도의 작품 변천 과정을 분석할 때, 프로이트는 그의 관심이 처음에는 그림 쪽에 있었다가 나중에 과학 쪽으로 옮겨 갔다는 데 초점을 맞췄다. 프로이트는 이 변천이 화가의 특징인 인간의 감정에 천착하는 태도를 벗어나서 과학자의 특징인 비인격성 쪽으로 나아간 것이라고 해석했다. 그는 이 변천이 레오나르도의 무의식적 심리 갈등에서 비롯했다고 보았다. 즉 동성애 성향을 거부하고자 했기 때문이라는 것이다.

프로이트는 레오나르도가 초기에 미술에 심취하고 나중에 과학에 심취한 것을 마치 임상 증상인 양 다루고 있다. 그는 레오나르도에 관한 미흡하기 짝이 없는 전기적 세부 사항이 마치 화가의 정신세계를 들여다볼 통찰력을 제공할 수 있다는 양 분석한다. 하지만 레오나르도가 직접 정신분석 진료실에 와서 자유연상을 통해 대화를 주고받으며 상세히 자신의 이야기를 할 수가 없었으므로, 프로이트는 자신이 내놓은 꿈 해석이나 다른 어떤 결론들을 검증하거나 평가할 방법이 없었다. 게다가 미술사학자 마이어 샤피로Meyer Schapiro가 지적했다시피, 프로이트는 미술사와 레오나르도에 관한 전문 지식이 부족했기 때문에 잘못된 해석을 피하고 레오나르도에 관한 의미 있는 미술사 논문을 쓸 수 있는 수준이 아니었다. 마지막으로, 프로이트는 중요한 주제로 떠오른 과학과 미술의 대화를 다루지 않았다. 관람자가 미술에 보이는 반응의 본질은 무엇일까, 하는 것 말이다.

그래서 프로이트의 미술 논문은 흥미롭고 유익하긴 하지만, 그의 사상이 잘 담긴 최고의 작품은 아니다. 이런 단점이 있다고는 해도, 이 논문들은 정신분석 심리학과 미술의 대화를 시도한 최초의 사례라는 점에서 역사적으로 중요하다.

프로이트의 연구에 어느 정도 영향을 받아서, 빈 미술사학파의 일원 중 셋은 심리학과 미술사 사이의 대화에 필요한 개념적인 발전을 이루었다. 8장에서 만난 알로이스 리글, 그의 두 제자인 에른스트 크리스와 언스트 곰브리치가 바로 그들이다. 이 세 사람은 공동으로, 또는 개별적으로 미술 작품을 보는 관람자의 반응에 초점을 맞춤으로써, 프로이트가 시도한 것보다 상당히 깊이 있고 엄밀하며 훗날 미학의 생물학이 출현하는 데 토대 역할을 한 전체론적인 미술의 인지심리학이 출현할 기반을 마련했다.

리글(그림 11-1)은 과학적 사고를 미술 비평에 체계적으로 적용한 최초의 미술사학자였다. 그와 빈 미술사학파의 동료들, 특히 프란츠 비크호프는 미술사를 심리학과 사회학에 토대를 둔 학문 분야로 정립하기 위해 노력함으로써 19세기 말에 세계적인 명성을 얻었다.

게다가 리글의 엄밀한 분석적 접근법 덕분에 미술 작품을 다른 역사적 시기의 작품들과 비교하고, 그에 따라 일반 원리를 정립할 수 있게 되었다. 이 과정에서 그와 비크호프는 이전에 미술사에서 무시되어 왔던 전환기라는 개념을 부활시키고 그 시기가 중요하다는 것을 역설했다. 예를 들어, 더 이전의 미술사학자들은 후기 로마와 초기 기독교 미술이 그

그림 11-1 알로이스 리글(1858~1905). 리글은 미술사학자이자 빈 미술사학파의 일원이었다. 그는 미술사에 심리학과 사회학의 요소를 통합해 미술사를 자립적인 학문 분야로 만들었다. 그는 미술 양식과 미적 판단이 역사적으로 문화적 가치와 규범의 변화에 따라 생성되고 달라진다고 믿었다. 이 개념을 통해 미술을 적극적이고 참여적인 문화 비평으로 새롭게 이해할 길이 열렸고, 에른스트 크리스, 언스트 곰브리치를 비롯한 빈 미술사학파의 일원들은 이 주제를 받아들여 발전시켰다.

리스 미술에 비해 쇠퇴했다고 치부했다. 정반대로 비크호프는 이 시기의 미술이 대단히 독창적이라고 주장했다. 그는 로마 미술이 그리스 미술에 빚지고 있다는 점을 인정하면서도, 새로운 문화적 가치에 응답하여 서기 2~3세기의 로마 화가들이 17세기까지는 다시 출현한 적이 없는 환영주의 양식을 개발했다고 지적했다. 또 비크호프는 독창적인 서사 원리를 개괄함으로써 초기 기독교 미술을 새롭게 이해하는 데 기여했다.

　　리글과 비크호프를 비롯한 빈 미술사학파의 일원들은 정치사와 마찬가지로 미술사에서도 칼 쇼스케의 말을 좀 바꾸어 표현하자면 "신의 눈에는 모든 시대가 평등하다."[1]는 점이 중요하다고 주장했다. 리글은 각 문화기의 특징을 파악하려면 각 시기에 속한 미술의 의도와 목적을 이해해야 한다고 주장했다. 그런 관점을 취할 때, 우리는 선험적인 단순한 미적 기준에 따라 각 시대의 미술을 단순히 진보인가 퇴보인가로 보는 것

그림 11-2 디르크 야코브스, 〈시민군〉(1529). 화판에 유채. 컬러화보 참고

이 아니라 끝없이 이어지는 변형의 사슬로 볼 수 있다. 그리하여 비크호프와 리글, 동료들은 미술사에서 사고의 초점을 특정한 그림의 내용과 의미에서 미술 양식 발전의 토대를 이루는 역사적·미학적 원리들과 작품의 구조라는 더 폭넓은 관심사로 서서히 옮기는 데 성공했다.

1936년 미국의 미술사학자 마이어 샤피로는 빈 미술사학파가 "현대 과학철학과 심리학의 발견을 미술사에 통합할 태세를 갖추고 미술의 새로운 형식적 측면들을 끊임없이 추구"했다는 점을 인정함으로써 그들의 노력에 관심을 환기했다. "미국의 미술사 저술이 심리학자, 철학자, 민족학자의 진보적인 연구를 거의 외면해 왔다는 것은 주지의 사실이다."[2] 이 관점에 설 때, 우리는 리글과 후배인 막스 드보라크, 오토 베네슈를 비롯한 빈 미술사학파의 동료들이 '빈 1900'에 출현한 새로운 미술을 왜 옹호했는지 이해할 수 있다.

프란스 할스의 〈성 조지 시민군 장교들의 연회〉(그림 8-14)와 디르크 야코브스Dirck Jacobsz의 〈시민군Civic Guards〉(그림 11-2) 같은 17세기 네덜란드의 단체 초상화 작품을 연구하면서 리글은 미술의 새로운 심리적 측면을 발견했다. 즉 관람자의 지각 및 감정이 참여하지 않는 한 미술은 미완성이라는 것이다. 관람자는 캔버스라는 이차원에 비슷해 보이게 그린 것을 시각 세계의 삼차원 묘사로 전환함으로써 화가와 협력할 뿐 아니라, 캔버스에서 보는 것을 개인적인 관점에서 해석함으로써 그림에 의미를 덧붙인다. 리글은 이 현상을 '관람자의 참여beholder's involvement'라고 했다(나중에 곰브리치는 이 개념을 더 다듬어서 '관람자의 몫the beholder's share'이라고 이름 붙였다).

다음 세대의 빈 미술사학자들인 에른스트 크리스와 언스트 곰브리치는 관람자의 직접적인 참여가 없다면 미술은 미술이라고 할 수 없다는 이 개념을 더 정교하게 다듬었다. 그들은 리글과 당대의 심리학파들에서 유래한 개념들을 토대로, 시지각과 감정 반응이라는 수수께끼를 통합하여 미술 비평에 접목하는 새로운 접근법을 고안했다. 훗날 게슈탈트심리학자인 루돌프 아른하임Rudolf Arnheim은 이 급진적인 변화를 이렇게 서술했다.

> 심리학으로 눈을 돌리면서, 미술 이론은 물질세계와 그것의 겉모습에 차이가 있고, 더 나아가 우리 눈에 보이는 자연과 미술 매체에 기록되는 자연 사이에도 차이가 있다는 점을 인식하기 시작했다. …… 눈에 보이는 것은 누가 보느냐와 보는 법을 누가 가르쳤느냐에 따라 달라진다.[3]

크리스(그림 11-3)는 미술 비평에 독특한 관점을 도입했다. 그는 1922년 빈 대학교에서 미술사 박사 학위를 받았고, 그곳에서 비크호프의 제자인 드보라크, 율리우스 폰 슐로서Julius von Schlosser와 함께 공부했다. 크리스는 프로이트의 친구인 오스카어 리Oskar Rie의 딸이자 나중에 아내가 될 마리안 리Marianne Rie에게 영향을 받아서 정신분석에 관심을 갖게 되었다. 그는 1925년 정신분석 과정을 수강했고, 3년 뒤에는 정신분석가로 개업했다. 그리고 1924년에 프로이트를 만났다. 크리스가 재능 있는 미술사학자임을 알아본 프로이트는 자신이 1896년부터 수집하기 시작한 골동품을 감정해 달라고 부탁했다. 만나면서 의견을 나누기 시작했을 때, 프로

그림 11-3 에른스트 크리스(1900~1957). 1930년대 중반, 메서슈미트의 청동 캐릭터 두상과 표현주의 전반에서 표현된 감정의 지각과 과장 문제를 연구하고 있던 시기에 찍은 사진이다. 크리스는 1927년 빈 미술사박물관의 조각 및 응용 예술 담당 큐레이터로 임용되었고, 1928년 빈 정신분석학회 회원이 되었다. 그는 미술사와 정신분석을 결합한 관점을 토대로 미술에 새롭게 접근하기 시작했다.

이트는 크리스가 미술사와 정신분석 양쪽에 기여할 핵심적인 위치에 있음을 알아차렸다. 그는 크리스에게 큐레이터와 정신분석가 양쪽 일을 다 계속하라고 권했고, 크리스는 1938년 9월 빈에서 탈출할 때까지 양쪽 일을 다 했다.

1932년 프로이트는 정신분석을 통해 얻은 깨달음을 토대로 미술과 심리학 같은 문화 분야들 사이를 연결하기 위해 창간한 학술지인 〈이마고Imago〉에 참여해 달라고 크리스를 초청했다. 크리스는 정신분석적 미술 비평의 초점을 프로이트가 시도한 화가의 심리적 전기psychobiography에서 화가와 관람자의 지각 과정의 경험적 탐구 쪽으로 옮겼다. 그는 시지각의 모호성을 연구하다가 이윽고 관람자가 미술 작품을 완성한다는 리글의 깨달음을 발전시키는 방향으로 나아갔다.

크리스는 화가가 자신의 인생 경험과 갈등으로부터 강력한 이미지를 도출할 때, 그 이미지가 본질적으로 애매하다고 주장했다. 이 이미지의 애매성ambiguity은 관람자의 의식적·무의식적 인지 과정을 유도하며, 관람자는 자신의 인생 경험과 갈등에 비춰 그 이미지에 감정적·감정이입적 반응을 보인다. 따라서 화가가 미술 작품을 창작하는 것처럼, 관람자는 작품에 내재한 애매성에 반응하여 그것을 재창작한다. 관람자가 기여하는 정도는 미술 작품의 애매성이 어느 정도인가에 달려 있다.

애매성을 이야기할 때 크리스가 염두에 둔 것은 1930년 문학평론가 윌리엄 엠프슨William Empson이 도입한 개념, 즉 "순수한 오독 없이 [한 예술 작품에] 다른 관점을 취할 수 있다."[4]는 개념이었다. 엠프슨은 애매성 덕분에 관람자가 화가의 마음속에 존재하는 미적 선지選支, 즉 갈등을 읽을 수 있다는 의미로 그 용어를 썼다. 반면에 크리스는 애매성 덕분에 화가가 자신이 느끼는 갈등과 복잡성을 관람자의 뇌로 전달할 수 있다고 주장했다.

또한 크리스는 스위스계 독일 미술사학자 빌헬름 보링거Wilhelm Worringer가 1908년에 쓴 논문인 〈추상과 감정이입Abstraction and Empathy: A Contribution to the Psychology of Style〉도 잘 알고 있었다. 리글에게 강하게 영향을 받은 보링거는 관람자에게 두 가지 감수성이 요구된다고 주장한다. 그림을 보면서 자기 자신을 잊고 그림 속의 대상과 하나가 되게끔 하는 감정이입과 관람자로 하여금 일상 세계의 복잡다단한 것들로부터 벗어나서 그림의 형태와 색채라는 상징 언어를 따라가게끔 하는 추상화가 바로 그것이다.

길쭉한 인물들과 왜곡시킨 원근법을 사용한 마니에리슴 화가들을 오스트리아 표현주의의 선구자라고 본 드보라크와 함께 연구를 하면서, 크리스는 화가가 인물의 심리를 파악한 깨달음을 전달하기 위해 왜곡을 어떻게 사용하는지와 관람자가 그 왜곡에 어떻게 반응하는지에 초점을 맞추기 시작했다. 빈 대학교 심리학과장인 게슈탈트심리학자 카를 뷜러Karl Bühler를 통해서 크리스는 얼굴 표정을 과학적으로 분석하는 일에 관심을 갖게 되었다. 그는 이 관심을 토대로 미술사 지식과 정신분석적 통찰력을 처음으로 결합하려 했다. 1932년과 1933년에 내놓은 논문 두 편에서 크리스는 1780년대에 프란츠 사버 메서슈미트가 조형한 탁월한 두상들의 과장된 얼굴 표정에 초점을 맞췄다. 비범한 재능을 지닌 두상 조각가였던 메서슈미트의 작품은 '빈 1900'에서 하벨베데레 미술관에 전시되어 있었고, 코코슈카와 실레는 그의 작품에 영향을 받아 표현주의에 돌파구를 찾았을 가능성이 아주 높다.

1760년, 겨우 스물넷 나이에 메서슈미트는 이미 빈의 궁정에서 활동하는 화가가 되어 상당한 성공을 거두고 있었다. 그는 마리아 테레지아 황후를 비롯한 중요 인사들의 청동 흉상을 제작해 달라는 의뢰를 받았다. 이 초기 흉상들에서 메서슈미트는 독특한 바로크양식으로 모델의 기품과 귀족 신분을 강조했다. 1765년 그는 로마를 여행했는데, 그곳에서 그의 양식은 더 고전적인 방향으로 발전하기 시작했다. 빈으로 돌아온 뒤 그는 옷과 천을 제거하고, 머리를 더 단순하고 직설적으로 표현하고, 얼굴을 더 이상 이상화하지 않는 등 장식이 덜한 양식을 채택했다. 그는 최면술을 정신장애 치료법으로 개발한 프란츠 안톤 메스머Franz Anton Mesmer 의 집에 얼마간 머물렀는데, 그때 영감을 얻어서 나중에 정신세계에 관심을 갖게 되었다.

메서슈미트는 빈 제국아카데미의 능력 있고 대단히 존경받는 조교수가 되었고, 당시의 학과장이 세상을 뜨면 뒤를 이어 조각학과 학과장으로 승진할 것이라고 모두가 예상하고 있었다. 그런데 막상 때가 되자, 메서슈미트는 외면당했다. 사실 그는 교수직도 잃었다. 아마 그가 3년 전에 겪었던 정신질환에서 아직 회복이 덜 되었다는 우려가 그런 결정을 내리는 데 작용한 듯하다. 그의 정신질환은 편집형 정신분열증이었던 듯하다.

이 결과에 몹시 기분이 상한 그는 1775년 빈을 떠났고, 이윽고 1777년 프레스부르크(지금의 브라티슬라바)에 정착했다. 그곳에서 그는 거울로 자신의 얼굴 표정을 관찰하면서, 자신―그리고 아마도 타인들―의 정신 상태를 묘사하는 청동 캐릭터 두상을 60점 넘게 만들었다. 이 놀라운 두상들은 극적이고 왜곡되고 때로는 고양된 표정을 통해 서로 전혀 다른 감정을 전달하고 있다(그림 11-4, 11-5).

크리스는 그 두상에 매료되었다. 두상들은 편집증에 시달리는 듯한 사람이 그럼에도 경이로운 미술 작품을 만들 수 있다는 것을 보여 주었다. 메서슈미트의 내면 갈등은 그의 상상력을 방해하지 않은 것이 분명했다. 사실 캐릭터 두상은 그가 앓고 있는 상태에서 만들었는데도 이전에 만든 탁월한 작품들보다 훨씬 독창적이다. 게다가 두상들은 아름답게 조각되어 있다. 그것은 메서슈미트의 놀라운 기법이 질병에도 끄떡없었음을 시사한다.

크리스는 두상에 표현된 감정이 관람자와 접촉하자마자 화가가 정신병을 앓고 있다는 의식적·무의식적 메시지를 전달한다고 보았다. 편집 망상과 환각을 강박적으로 겪고 있다는 것을 말이다. 크리스는 가장 환상적이고 과장된 두상이 양식 면에서 가장 발전한 것인 반면, 덜 과장된 두상이 가장 상투적이라는 것도 알아차렸다. 이 관찰을 통해 그는 캐리커처가 감정을 전달하고 뇌의 지각 및 감정이입 과정에 영향을 미치는 힘을 지닌다는 확신을 더욱 굳혔다.

크리스가 메서슈미트를 연구한 지 80년이 지난 2010년에, 스토니브룩에 있는 뉴욕 주립대학교의 미술사 및 철학 교수 도널드 커스피트 Donald Kuspit는 잡지 〈아트넷Artnet〉에 메서슈미트를 회고하는 '작은 광기가 위대한 창작을 낳는다A Little Madness Goes a Long Creative Way'라는 제목의 글을 실었다. 크리스의 선구적인 개념을 인용하고 메서슈미트의 작품을 21세기라는 맥락에 놓으면서 커스피트는 이렇게 썼다.

그림 11-4 프란츠 사버 메서슈미트, 〈하품하는 사람〉(1770년 이후). 납. 컬러화보 그림 10-11 참고

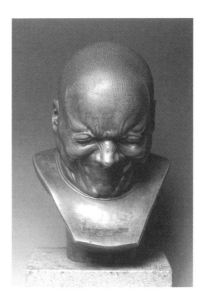

그림 11-5 프란츠 사버 메서슈미트, 〈대악당(Arch-Villain)〉(1770년 이후). 주석-납 합금. 컬러화보 참고

메서슈미트의 광기는 기이하게 해방시키는 작용을 한다는 것이 입증되었다. 대도시인 빈을 떠나서 소도시에 정착한 그는 자신에게 충실한 미술, 자신만큼 광기 어린 미술을 하기 시작했다. …… 자신의 미친 얼굴을 조각함으로써 …… 그는 진정한 자신이 되었다. 그의 악마들은 이제 그의 뮤즈였고, 그는 그들을 묘사함으로써 그들의 창작력을 최대한 활용했다. 그래야 했다. 그들은 자신의 거울 속에서 결코 사라지지 않았으니까. …… 메서슈미트는 자신의 광기로부터 즐거움을, 미술계의 높은 지위를 향해 힘겹게 오르는 동안에는 부정했던 바로 그 즐거움을 얻었다.[5]

관람자의 몫에서 창작 측면을 강조함으로써, 크리스는 화가와 관람자 사이에 창조성의 공통된 측면들이 있다는 것을 인정했을 뿐 아니라 화가와 과학자 사이에도 창조성의 공통된 측면들이 있다는 것을 암묵적으로 인정했다. 코코슈카와 마찬가지로 크리스도 구상회화가 인지심리학이든 생물학이든 간에 과학이 하는 것과 거의 똑같은 방식으로 탐구와 발견 과정에 의존하는 현실의 모델(초상화에서는 인물의 모델)을 제시한다는 것을 깨달았다. 나중에 곰브리치는 이 탐구 과정을 "미술을 통한 시각적 발견"[6]이라고 했다.

1931년 메서슈미트 연구를 시작했을 무렵 크리스는 훗날 20세기의 가장 영향력 있는 미술사학자로 손꼽힐, 갓 미술사 박사 학위를 받은 곰브리치(그림 11-6)를 만났다. 둘이 서로 견해를 주고받기 시작했을 때, 크리스는 리글에서 유래한 자신의 근원적인 우려, 즉 미술사학자들이 미술의 더 심층적인 구조를 거의 알지 못하기에 타당한 결론이란 것에 아예 이를 수 없다는 것을 곰브리치에게 이야기했다. 그러면서 곰브리치에게 심리적 사고를 연구에 통합하라고 강력하게 권고했다. 곰브리치는 크리스의 접근 방식에 몹시 흥미를 느꼈고, 자신이 왕성하게 활동하던 시기에

그림 11-6 언스트 곰브리치(1909~2001). 에른스트 크리스의 학생이었던 곰브리치는 런던 대학교 미술사 교수가 되었고, 《서양미술사》(1950)와 《예술과 환영》(1960)이라는 선구적인 책을 썼다. 후 자에서 그는 지각의 심리학과 그것이 미술의 해석에 끼친 영향을 탐구했다. 곰브리치는 게슈탈트심 리학과 지각의 인지심리학을 미술 이해에 처음으로 적용한 미술사학자 중 한 명이었다.

몰두했던 분야인 지각의 심리학 쪽으로 나아가라고 방향을 가르쳐 준 사 람이 바로 크리스라고 훗날 두고두고 말하곤 했다.

크리스는 곰브리치에게 캐리커처의 심리학과 역사를 다룬 책을 함 께 쓰자고 했다. 그는 캐리커처의 역사를 "얼굴 표정 읽기에 관한 일련의 실험"[7]이라고 보았다. 또 그는 1936년에 19세기의 판화 제작자이자 화가 이자 조각가인 오노레 도미에Honoré Daumier의 캐리커처를 중심으로 큰 전 시회를 열 예정인데 도와달라고 곰브리치에게 요청했다.

공동 연구를 하는 과정에서 크리스와 곰브리치는 표현주의 회화를 얼굴과 몸을 묘사하는 관습적인 수단에 맞선 반발이라고 보기 시작했다. 이 새 양식은 두 전통의 융합을 통해 나왔다. 마니에리슴 화가들로부터 유래한 순수 미술과 16세기 말에 아고스티노 카라치Agostino Carracci가 도 입한 캐리커처다. 마니에리슴 화가인 카라치는 왜곡과 과장을 통해 개인

그림 11-7 아고스티노 카라치, 〈라바틴 데 그리피와 그의 아내 스필라 포미나의 캐리커처 (Caricature of Rabbatin de Griffi and His Wife Spilla Pomina)〉, 종이에 펜과 잉크.

을 식별하는 특징을 강조했다(그림 11-7). 더 뒤에 로마의 건축가이자 조각가인 조반니 잔 로렌초 베르니니Giovanni Gian Lorenzo Bernini는 캐리커처를 새로운 수준으로 발전시켰다. 곰브리치와 크리스는 나중에《캐리커처 Caricature》라는 책으로 상세히 다듬은 미발표 원고에서 이렇게 묘사했다.

> 베르니니의 소묘는 신체적 특징의 차이가 아니라 얼굴에만, 그리고 얼굴 표정의 통일성에만 초점을 맞췄다. …… 베르니니는 구분되는 신체적 특징을 골라 강조하기보다 …… 부분이 아니라 전체로부터 시작한다. 그는 우리가 기억 속에서 누군가를 회상하려 시도할 때 마음속에 고정시키는 이미지, 즉 통일된 얼굴 표정을 전달한다. 그리고 그것은 그가 왜곡하고 과장하는 바로 그 표정이다.[8]

앞으로 살펴보겠지만 이 전체론적 관점은 하나의 게슈탈트 원리로,

베르니니는 직관적으로 그것을 이해했다.

캐리커처를 연구하던 곰브리치와 크리스는 그것이 미술사에서 너무나 늦게 출현했다는 사실에 놀랐다. 그들은 캐리커처가 등장한 시기가 화가의 역할과 사회에서의 위치가 극적으로 변한 시기와 일치한다고 결론지었다. 16세기 말이 되자 화가들은 더 이상 현실을 재현하는 데 필요한 기법을 숙달하는 일에 관심을 두지 않았다. 그들은 더 이상 육체노동자가 아니었다. 그들은 창작자가 되었다. 이제 그들은 사회에서 시인에 상응하는 지위를, 자기 나름의 현실을 창조할 수 있는 자라는 지위를 갖게 되었다. 이 변화를 처음 엿볼 수 있는 작품은 바위에서 튀어나오고 있는 듯한 모습의 미켈란젤로의 1500년 미완성 대리석 조각상들이다. 캔버스에서 유화가 어떤 힘을 발휘하는지 탐구한 레오나르도와 티치아노의 작품에서는 이 변화를 더 광범위하게 관찰할 수 있다. 마지막으로 우리는 1656년 벨라스케스Diego Rodríguez de Silva Velázquez의 〈시녀들Las Meninas〉에서 화가가 중심적인 역할을 한다는 것이 애매하게 선언되어 있음을 본다. 곰브리치는 미술을 화가 자신의 의식적 또는 무의식적 마음의 거울로 삼으려는 표현주의 화가들의 시도가 이러한 화가의 역할 변화가 누적되어 나타난 결과물이라고 썼다.

크리스의 격려를 받아 곰브리치는 정신분석, 게슈탈트심리학, 과학적 가설 검증을 통해 얻은 깨달음을 결합하여 미술에 다면적으로 접근하는 방법을 개발하기 시작했다. 그가 정신분석 측면에서 얻은 깨달음은 크리스로부터 나온 것이었다. 게슈탈트심리학적 측면은 처음에 뷜러에게서 영향을 받았다. 뒤에서 살펴보겠지만, 가설 검증으로서의 지각이라는 개념은 헤르만 폰 헬름홀츠와 카를 포퍼Karl Popper에게서 나온 것이다.

게슈탈트심리학자들은 시지각에 관해 근본적으로 새로운 개념을 두 가지 내놓았다. 그들은 전체가 부분들의 합보다 크며, 부분들의 관계를 이해하는 능력—감각 정보를 전체론적으로 평가하고 그것에 의미를 부여하는 능력—이 대체로 타고난 것이라고 주장했다.

독일어인 게슈탈트Gestalt는 배치 또는 형태를 뜻한다. 게슈탈트심리학자들은 이 단어를 우리가 대상이나 장면, 사람, 얼굴을 지각할 때 각 부분보다는 전체에 반응한다는 사실을 가리키는 의미로 쓴다. 우리가 이렇게 반응하는 이유는 전체가 부분들의 합보다 훨씬 더 의미를 갖도록 부분들이 서로 영향을 미치기 때문이다. 20세기가 시작될 무렵, 막스 베르트하이머Max Wertheimer는 하늘에서 이주하는 기러기 떼를 볼 때 각 새들의 집합으로서가 아니라 하나의 전체로서 본다는 사실을 깨달았다. 그는 그 깨달음을 글로 썼고, 그것은 게슈탈트심리학자들의 공식 선언문이 되었다.

> 전체의 행동을 개별 요소들로부터도, 그 요소들이 조합되는 방식으로부터도 이끌어 낼 수 없지만, 그 반대 방향으로는 가능한 존재들이 있다. 즉 부분들의 특성은 전체에 내재된 구조 법칙에 따라 결정된다.[9]

1910년경 베를린에서 시작된 게슈탈트 운동은 베르트하이머, 볼프강 쾰러Wolfgang Köhler, 쿠르트 코프카Kurt Koffka 세 심리학자가 주도했다. 이들은 모두 철학자이자 심리학자이자 수학자인 카를 슈툼프Carl Stumpf의 제자였고, 슈툼프는 빈 대학교의 프란츠 브렌타노Franz Brentano에게 배웠다. 브렌타노와 그의 학생인 크리스티안 폰 에렌펠스Christian von Ehrenfels의 지각 개념은 게슈탈트심리학의 토대를 마련한 에른스트 마흐Ernst Mach의 중요한 저작인 《감각의 분석Analysis of Sensations》에 영향을 받았다. 일반적으로 게슈탈트심리학의 출발점이 된 논문이라고 여겨지는 〈형태질에 관하여Gestaltqualitäten〉(1890)에서, 에렌펠스는 일상생활에서 나온 완벽한 사례를 제시한다. 바로 음악이다. 그는 선율이 개별 요소—각각의 음─로 이루어져 있지만, 각 소리의 합을 훨씬 초월한다고 지적한다. 우리는 똑같은 음들을 결합하여 전혀 다른 선율을 만들어 낼 수 있다. 우리는 선율을 부분들의 합이 아니라 전체로서 지각한다. 그렇게 하는 능력을 타고났기 때문이다. 사실 음 하나가 빠졌다고 해도, 우리는 여전히 그 선율을 알아차린다.

이런 개념들은 게슈탈트심리학이 등장할 무대를 마련했고, 이어서 게슈탈트심리학은 지각 연구에 지대한 영향을 미쳤다. 사실 베르트하이머와 쾰러의 제자인 아른하임은 게슈탈트심리학을 토대로 일관성 있는 미술심리학을 전개했다. 그는 지각이 체계적이고 구조적이듯이, 미술 작품 또한 체계적이고 구조적이라고 주장했다.

게슈탈트심리학자들이 등장하기 전까지, 심리학자들은 이미지의 지각을 구성하는 감각 자료가 환경에서 유래한 감각 요소들의 합이라고 가정했다. 하지만 게슈탈트심리학의 핵심 개념은 우리가 보는 것─이미지의 어떤 요소에 대한 우리의 해석─이 그 요소의 특성뿐 아니라 이미지의 다른 요소들 및 비슷한 이미지를 접한 우리의 과거 경험과 그 요소의 상호작용에도 의존한다는 것이다. 따라서 눈의 망막에 투영되는 어떤 이미지든 간에 수많은 해석이 가능하므로, 우리가 보는 각각의 이미지는 구축되는 과정을 거쳐야 한다. 이런 의미에서 모든 이미지는 주관적이다. 하지만 무수한 가능성이 있음에도, 두세 살이 되면 아이들은 주변 세계의 이미지들을 더 큰 아이들과 거의 동일하게 해석한다. 게다가 아이들은 부모로부터 시각에 관해 전혀 배우지 않은 채 그렇게 한다(부모 자신도 자신의 시각이 얼마나 창의적인지 모르고 있을 것이다).

어린이들은 문법을 습득하도록 해주는 규칙들과 비슷하게, 물질세계로부터 감각 정보를 추출하는 일을 하는 선천적인 보편적 인지 규칙들을 갖춘 시각계가 태어날 때부터 뇌에 들어 있기 때문에 이미지를 해석할 수 있다. 지각 연구자인 도널드 호프먼Donald Hoffman은 이렇게 썼다.

"타고난 보편적 시각 규칙들이 없다면, 아이는 시각을 재창안할 수 없고 어른은 앞을 볼 수 없을 것이다. 타고난 보편적 시각 규칙들을 갖추고 있기에, 우리는 대단히 미묘하고 아름답고 실용적인 가치를 지닌 시각 세계를 구축할 수 있다."[10]

게슈탈트심리학이 내놓은 깨달음은 혁신을 일으켰다. 19세기가 시작될 때까지, 마음을 이해하는 데 쓰인 주된 방법은 내성법introspection이었고, 정상적인 마음 활동을 연구하는 학문은 철학의 하위 분야를 이루고 있었다. 19세기가 흐르는 동안 내성법은 실험법에 밀려났고, 이윽고 독립된 실험심리학 분야가 탄생했다. 실험심리학은 초창기에 주로 감각 자극과 그것이 이끌어 내는 주관적 지각 사이의 관계에 초점을 맞췄다. 20세기에 들어서면서 실험심리학자들은 자극의 행동 반응을 관찰하는 쪽으로, 특히 관찰 가능한 그 행동 반응이 학습을 통해 어떻게 달라지는지에 초점을 더 집중했다.

헤르만 에빙하우스Hermann Ebbinghaus가 인간을 대상으로, 더 뒤에는 이반 파블로프와 에드워드 손다이크가 실험동물을 대상으로 학습과 기억을 연구할 단순한 실험 수단을 발견하면서, 심리학에 행동주의라는 엄밀한 경험주의 학파가 탄생했다. 후대의 행동주의자들, 특히 미국의 J. B. 왓슨Watson과 B. F. 스키너는 물리학과 같은 수준의 정확도를 갖추고 행동을 연구할 수 있지만, 뇌에서 무슨 일이 일어나는지 추측하는 것을 포기하고 관찰 가능한 행동에만 초점을 맞출 때 그럴 수 있다고 주장했다. 행동주의자들은 관찰 불가능한 정신 과정들, 특히 지각, 감정, 의식적 자각처럼 추상적인 것들은 그저 과학적 연구의 대상이 아니라고 치부했다. 대신에 그들은 온전한 동물에게서 특정한 신체 자극과 관찰 가능한 반응 사이의 관계를 연구하는 데 집중했다.

초기에 단순한 형태의 행동과 학습을 엄밀하게 연구하여 성공을 거두자, 그에 고무된 행동주의자들은 자극(감각 입력)과 그에 따른 행동

(운동 출력) 사이에 놓인 모든 과정들이 행동의 과학적 연구와 무관하다고 치부했다. 행동주의가 가장 크게 영향력을 끼치던 시기인 1930년대에 많은 심리학자는 가장 극단적인 행동주의 견해를 받아들였다. 즉 정신생활이 관찰 가능한 행동만으로 이루어진다는 것이다. 그럼으로써 실험심리학은 한정된 문제 집합만을 연구하는 쪽으로 범위가 축소되었고, 정신생활의 가장 흥미로운 몇몇 특징을 연구하는 쪽으로 나아가는 문을 아예 막아 버렸다. 반면에 정신분석과 게슈탈트심리학은 그 문을 열었고, 뇌가 현실의 모형을 만들어 내는 무의식적 과정을 연구하기 시작했다. 정신분석과 달리 게슈탈트심리학은 실험을 통해 검증할 수 있는 가설을 지닌 경험과학이었다.

게슈탈트심리학의 개념들은 그 자체로도 놀라울 뿐 아니라, 시대적 맥락에 놓고 보면 더욱 놀랍다. 게슈탈트심리학은 독일과 미국의 심리학자들이 행동주의의 철권통치가 "과학의 위기"[11]를 불러일으켰다는 점을 깨닫기 시작하면서 출현했다. 심리학자들은 인간의 마음이 어떻게 작동하는가라는 근본적인 의문에 과학이 답할 수 없다는 점을 심각하게 생각했다. 즉 뇌는 흔히 마음이라고 일컫는 다양한 정신 과정(지각하기, 행동하기, 생각하기)을 어떻게 매개하는 것일까? 게슈탈트심리학자들은 과학이 제한 요인인 것이 아니라 과학을 대하는 심리학자들의 사고방식이 문제라는 혁신적인 개념을 주창하고 나섰다. 이어서 그들은 강력한 개념이 심리학의 다양한 분야를 자연과학과 다시 연결할 것이라고 주장했다.

곰브리치는 게슈탈트심리학의 강력하면서 대체로 선천적인 원리들이 주로 시지각의 하층 수준에, 즉 '상향식' 시각 과정에 적용된다는 것을 알아차렸다. 고등한, 즉 '하향식' 지각도 학습, 가설 검증, 목표를 토대로 지식을 통합하는데, 그것은 반드시 뇌의 발생 프로그램에 통합되어 있는 것이 아니다. 우리가 눈을 통해 받는 감각 정보의 상당수는 다양한 방식으로 해석될 수 있기 때문에, 우리는 추론을 이용하여 이 애매성을 해소해야 한다. 우리는 현재 상황을 고려하고 경험을 토대로 삼아 눈앞의 이미지가 무엇일 가능성이 가장 높은지 추측해야 한다. 시지각에서 하향식 과정이 중요하다는 사실은 지그문트 프로이트가 이미 밝힌 바 있었다. 그는 모서리와 형태 같은 특징들은 정확히 검출할 수 있지만 그것들을 조합하여 대상을 인지할 수는 없는 실인증—대상을 인지하지 못하는 것—을 지닌 사람들이 있다고 했다.

곰브리치는 걸작인《예술과 환영Art and Illusion: A Study in the Psychology of Pictorial Representation》에서 심리학과 미술에 관한 자신의 생각을 종합했다. 그 책에서 그는 뇌가 이미지를 지각적으로 재구성하는 과정이 두 부분으로 이루어져 있다고 말한다. 뇌에 새겨져 있고 우리의 시각을 인도하는 무의식적이며 자동적인 규칙들을 반영하는 투사projection와 추론, 혹은 추론에 어느 정도 토대를 둔 의식적이거나 무의식적일 수 있는 지식이 그것이다. 크리스와 마찬가지로 곰브리치도 과학자들의 창의적 과정과 화가와 미술 관람자의 추론적이면서 창의적인 모형 구축 과정이 유사하다는 점에 깊은 인상을 받았다. 곰브리치는 자신의 개념을 발전시킬 때, 헤르만 폰 헬름홀츠와 빈의 과학철학자 카를 포퍼에게서 영향을 받았다.

19세기의 가장 중요한 물리학자로 꼽히는 헬름홀츠는 감각생리학의 여러 영역에서 중요한 기여를 한 인물인 동시에 시지각을 연구한 최초의 현대적이고 경험적인 과학자였다. 더 앞서 한 촉지각tactile perception 연구에서 그는 신경세포의 축삭을 따라 전기신호가 전달되는 속도를 측정하는 데 성공했다. 그는 그 속도가 놀라우리만치 느리며(초속 약 27미터) 우리의 반응 시간은 더욱 더디다는 것을 알았다. 이 발견을 토대로 그는 뇌의 감각 정보 처리 과정의 상당 부분이 무의식적으로 이루어진다고 주장했다. 더 나아가 그는 지각이 일어날 때와 수의隨意 운동이 일어날 때 정보가 전달되고 처리되는 뇌 영역이 서로 다르다고 주장했다.

이어서 시각 쪽으로 연구의 방향을 돌린 헬름홀츠는 정적인 이차원 이미지가 질이 떨어지는 불완전한 정보를 담고 있음을 알아차렸다. 뇌가 그 이미지로부터 역동적인 삼차원 세계를 재구성하려면 추가 정보가 필요하다. 사실 뇌가 오로지 눈에서 받은 정보에만 의존한다면 시각은 불가능할 것이다. 그래서 그는 지각이 과거 경험에도, 뇌에서 추측하고 가설을 검증하는 과정에도 토대로 두고 있음이 틀림없다고 결론지었다. 그런 경험에 기댄 추측educated guessing을 통해 우리는 과거 경험을 토대로 이미지가 무엇을 재현한 것인지 추론할 수 있다. 우리는 보통은 자신이 시각 가설을 구축하고 그것으로부터 결론을 이끌어 낸다는 것을 의식하지 않으므로, 헬름홀츠는 이 하향식 가설 검증 과정을 무의식적 추론unconscious inference이라고 했다. 따라서 우리가 어떤 대상을 지각하기 이전에, 우리 뇌는 감각에서 온 정보를 토대로 그 대상이 무엇일지 추론해야 한다.

헬름홀츠의 탁월한 통찰력은 지각 문제에서만 발휘된 것이 아니다. 뒤에서 말하겠지만, 그는 감정과 감정이입에도 적용되는 일반 원리를 한 가지 내놓았다. 유니버시티 칼리지 런던의 웰컴 트러스트 뇌영상 센터 Wellcome Trust Centre for Neuroimaging에 있는 저명한 인지심리학자 크리스 프리스Chris Frith는 헬름홀츠의 통찰을 이렇게 요약한다. "우리는 물질세계에 직접 접근하는 것이 아니다. 마치 직접 접근하는 것처럼 느낄지 모르지만, 그것은 우리 뇌가 빚어낸 환상이다."[12]

포퍼는 지각을 살펴보는 데 과학적 사고방식이 중요하다는 개념을 더욱 발전시켰다. 그도 뷜러의 제자였으며, 곰브리치를 만난 것은 1935년이었다. 포퍼는 대단히 큰 영향을 미친 책《과학적 발견의 논리The Logic of Scientific Discovery》에서 과학이 자료의 축적이 아니라 가설 검증을 통해, 문제 해결을 통해 발전한다고 주장했다. 그는 경험 자료를 단순히 기록하는 것으로는 과학자들이 자연과 실험실에서 관찰하는 복잡하고 때로 애매한 현상들을 설명할 수 없다고 역설했다. 과학자들이 자신이 관찰한 것을 이해하려면 시행착오를 거치면서 연구를 할 필요가 있다. 그들은 의식적 추론을 통해 현상의 가설 모형을 세운 뒤, 그 모형을 논박할 새로운 관찰을 추구할 필요가 있다.

곰브리치는 무의식적 추론 개념과 의식적 추론 개념 사이에 한 가지 유사성이 있음을 간파했다. 뇌가 시각 정보로부터 가설을 만들어 내는 방식과 과학자들이 경험 자료로부터 가설을 만들어 내는 방식 사이에 유사성이 있다는 것이다. 그는 과학자가 시행착오를 통해 자연계에 관한 가설을 만들어 내는 것과 흡사하게, 관람자가 이미지를 만들고 그것을 이전 경험에 비추어 본다는 것을 알아차렸다. 시지각에서는 그 가설이 내재된 지식, 즉 자연선택을 통해 유전되고 뇌 시각계의 회로 안에 저장된 지식을 토대로 한다. 이것이 바로 게슈탈트심리학자들이 말한 상향식 정보 처리 과정이다. 그런 다음 뇌는 가설을 이전에 경험하고 기억한 이미지와 비교함으로써 검증한다. 이것은 헬름홀츠가 지각을 다룬 저서에서 강조했고 포퍼가 과학적 방법이라고 기술한 하향식 정보 처리 과정이다. 곰브리치는 둘을 결합함으로써, 관람자의 뇌에서 일어나는 창의적 활동과 그것이 어떻게 관람자의 몫을 구축하는지를 알려 주는 가치 있는 깨달음을 제공했다.

관람자의 지각이 하향식 영향을 수반한다는 깨달음에 힘입어 곰브리치는 '순수한 눈innocent eye' 같은 것은 없다고 확신하게 되었다. 즉 모든 시지각은 개념을 분류하고 시각 정보를 해석하는 과정에 토대를 둔다는 것이다. 곰브리치는 분류할 수 없다면 지각할 수도 없다고 주장했다. 뒤에서 살펴보겠지만, 지각에 관한 곰브리치의 심리학적 통찰은 미술의 시지각과 생물학 사이에 놓일 다리의 토대 역할을 하게 된다.

12

관찰은
발명이다:
창작 기계로서의
뇌

에른스트 크리스와 언스트 곰브리치가 옹호했던, 뇌가 끊임없이 추론과 추측을 사용하여 외부 세계를 재구성하는 창작 기계creativity machine라는 견해는 17세기에 마음에 관한 사고방식을 지배한 당대 영국 철학자 존 로크의 소박한 철학적 실재론으로부터 극적으로 벗어난 것이었다. 로크 는 마음이 감각을 통해 모을 수 있는 모든 정보를 받아들이는 것이라고 생각했다. 마음이 단순히 외부 세계의 현실을 비추는 거울이라는 견해였 다. 크리스와 곰브리치의 뇌 관점은 감각 정보가 마음이 현실을 창조할 수 있게 해준다는 칸트 이론의 현대판이었다.

모든 이미지가 그렇듯이, 미술에서의 이미지도 현실이라기보다는 관람자의 지각, 상상, 기대, 다른 이미지들—기억에서 회상한 이미지 들—의 지식을 재현한 것이다. 곰브리치가 지적했듯이, 캔버스에 실제로 그려진 것이 무엇인지 보려면, 관람자는 먼저 그림에서 자신이 무엇을 보 게 될지 알아야 한다. 이 점에서 화가의 뇌에서 일어나는 창의적 과 정—물리적·정신적 현실의 모형 구축—은 일상생활에서 모든 인간의 뇌에서 진행되는 본질적으로 창의적인 과정들과 유사하다.

　미술사를 정신분석에서 유래한 직관적인 사고, 게슈탈트심리학의 더 엄밀한 사고, 무의식적·의식적 추론의 가설 검증과 결합함으로써 크리스와 곰브리치는 미술인지심리학의 토대를 마련했다. 게다가 그들은 미술이 어느 정도는 마음의 창작물이고 마음은 뇌가 수행하는 일련의 기능이므로, 미술을 과학적으로 연구하려면 인지심리학뿐 아니라 신경과학도 포함해야 한다는 것을 이해했다.

　곰브리치, 크리스, 리글은 그 원리에 이르는 중요한 걸음을 내디뎠다. 리글은 미술 연구에 심리학을 끌어들여 관람자의 몫이 있음을 알아냄으로써 첫걸음을 내디뎠다. 크리스는 미술이 화가와 관람자 사이의 일종의 무의식적 의사소통이고 관람자가 자신의 뇌에서 이미지를 무의식적으로 재창조함으로써 미술 작품에 내재된 애매성에 반응한다는 것을 알아차림으로써 한쪽 방향으로 더 나아갔다. 곰브리치는 시지각에 내재된 창의성에 초점을 맞추고 관람자가 미술 작품을 볼 때 게슈탈트 원리와 가설 검증의 조합을 어떻게 이용하는지를 분석함으로써 더 나아갔다. 크리스와 곰브리치는 자신들이 깨달은 사항들을 토대로 미술이 자의식적으로 관람자의 뇌에서 지각적·감정적 재창작 과정을 자극한다는 것을 보여 준다. 어떤 의미에서 크리스와 곰브리치는 정신 과정의 심리학을 마음의 생물학과 연결할 수 있는 인지심리학을 구축하려고 시도한 프로이트를 계승하고 있었다.

　크리스와 곰브리치는 이제 자신들의 인지심리학이 개인의 행동—관람자의 몫—과 그 행동을 매개하는 뇌 속의 생물학적 과정 사이에서 해설을 하는 핵심 위치에 놓인다는 것도 알아차렸다. 그들은 경험적인 토대 위에 서 있는 이 심리학이 이윽고 미술과 지각, 감정, 감정이입의 생물학 사이에서 이루어질 대화의 토대 역할을 하리라고 예견했다.

　마음 철학자 존 설John Searle도 관람자 몫의 토대가 되는 지각적·감

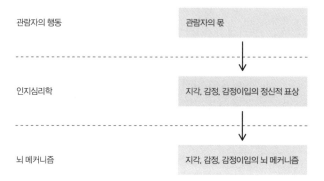

미술에서 지각, 감정, 감정이입의 3단계 분석

관람자의 행동	관람자의 몫
인지심리학	지각, 감정, 감정이입의 정신적 표상
뇌 메커니즘	지각, 감정, 감정이입의 뇌 메커니즘

그림 12-1 관람자의 행동에 관한 크리스-곰브리치-셀의 이 3단계 분석은 지각과 감정에 관여하는 뇌 메커니즘을 생물학적으로 분석하려면 중요한 중간 단계로서 지각과 감정이 어떻게 재현되는지를 인지심리학적으로 분석할 필요가 있음을 보여 준다.

정적 경험을 생물학적으로 이해하려면 3단계 과정을 거쳐야 한다고 비슷한 주장을 펼쳤다(그림 12-1). 첫째, 우리는 예술 작품을 접할 때 관람자가 보이는 외현 반응의 행동 분석이 필요하다. 둘째, 우리는 관람자가 작품에 보이는 지각적·감정적·감정이입적 반응의 심리 분석이 필요하다. 셋째, 관람자의 반응을 구성하는 이 요소들의 토대에 놓인 뇌 메커니즘의 분석이 필요하다. 사실 20세기의 마지막 10년 사이에 출현한 새로운 마음의 과학은 인지심리학(마음의 과학)과 신경과학(뇌의 과학) 사이의 대규모 수렴이 성공했음을 나타낸다.

곰브리치는 시지각을 점점 더 깊이 파고들다가 미술에서의 애매성에 관한 에른스트 크리스의 개념에 흥미를 갖게 되었고, 게슈탈트심리학자들을 통해 유명해진 애매한 형상과 착시를 연구하기 시작했다. 가장 단순한 사례를 들자면, 착시는 한 이미지를 뚜렷이 다른 두 가지 방식으로 읽게 한다. 그런 착시는 애매성의 가장 단순한 사례다. 크리스는 애매성

그림 12-2 오리-토끼.

이 모든 위대한 예술 작품과 위대한 작품에 관람자가 일으키는 반응의 핵심에 놓인다고 보았다. 한편 뇌를 꾀어서 지각 오류를 일으키게 할 수 있는 애매한 이미지를 포함한 착각들도 있다. 게슈탈트심리학자들은 이 오류를 시지각의 인지적 측면들을 살펴보는 데 이용했다. 그 과정에서 그들은 신경과학자들보다 먼저 뇌의 지각 조직화의 몇 가지 원리를 추론했다.

곰브리치가 그런 애매한 형상과 착시에 흥미를 느낀 것은 초상화나 풍경화를 볼 때 관람자에게 다중 선택이 가능하기 때문이다. 위대한 작품에는 몇 가지 애매성이 포함되어 있고, 그 각각은 관람자에게 저마다 다른 수많은 결정을 내리게 할 수도 있다.

곰브리치는 지각이 경쟁하는 두 해석 사이를 오락가락하게 하는 애매한 형상과 착시에 특히 관심이 많았다. 1892년 미국의 심리학자 조지프 재스트로Joseph Jastrow가 그리고 곰브리치가《예술과 환영》의 첫머리에 실은 오리-토끼 그림(그림 12-2)은 그런 형상의 일례다. 의식적으로 처리될 수 있는 정보의 양은 매우 한정되어 있기 때문에 관람자는 두 동물을 동시에 볼 수가 없다. 왼쪽에 긴 귀처럼 보이는 수평으로 그려진 두 띠에 초점을 맞춘다면, 우리는 토끼의 이미지를 본다. 오른쪽에 초점을 맞춘다면 우리는 오리를 보며, 왼쪽의 두 띠는 부리가 된다. 우리는 눈을 움직임으로써 토끼와 오리 사이를 오갈 수 있지만, 그 전환에 눈 운동이 반드시 필요한 것은 아니다.

곰브리치가 이 그림에서 그토록 깊은 인상을 받은 부분은 지면의 시각 자료 자체는 변하지 않는다는 것이었다. 변하는 것은 우리의 자료 해석이다. "우리는 토끼나 오리 중 어느 한쪽의 그림을 볼 수 있다. 양쪽 해석을 오가기는 쉽다. 하지만 한쪽 해석에서 다른 쪽 해석으로 전환할 때 어떤 일이 일어나는지 설명하기란 쉽지 않다."[1] 우리는 애매한 이미지를 본 뒤 우리의 기대와 과거 경험을 토대로 그 이미지가 토끼 또는 오리라고 무의식적으로 추론한다. 이것은 헬름홀츠가 말한 하향식 가설 검증 과정이다. 일단 그 이미지에 관해 성공적인 가설을 정립하고 나면, 그 가설은 시각 자료를 설명할 뿐 아니라 대안들을 배제한다. 따라서 일단 그 이미지를 오리라고 지정하고 나면, 우리는 오리 가설에 집착하고 토끼 가설은 배제한다. 이 지각 표상들이 상호 배타적인 이유는 각각의 이미지가 주도권을 쥘 때 설명해야 할 것을, 애매성을 전혀 남기지 않기 때문이다. 그 이미지는 오리 아니면 토끼이지, 양쪽 다는 될 수 없다.

곰브리치가 깨달았듯이, 이 원리는 세계에 관한 우리의 모든 지각의 토대를 이룬다. 그는 보는 행위가 근본적으로 해석하는 것이라고 주장했다. 우리는 이미지를 보고서 그것을 의식적으로 오리나 토끼로 해석하는 것이 아니라, 이미지를 볼 때 무의식적으로 해석을 한다. 따라서 해석은 시지각의 본질적인 부분이다.

1920년 덴마크 심리학자 에드가 루빈Edgar Rubin이 고안한 루빈 꽃병(그림 12-3)도 지각이 경쟁하는 두 해석 사이를 오가고 뇌가 무의식적으로 하는 추론에 의존하는 사례다. 하지만 토끼-오리 착시와 달리, 루빈 꽃병은 뇌가 대상(형상)과 배경(바탕)을 식별함으로써 이미지를 구축할 것을 요구한다. 또 루빈 꽃병은 뇌가 바탕으로부터 형상을 분리하는 윤곽

그림 12-3 루빈 꽃병.

의 '소유권'을 할당할 것을 요구한다. 따라서 뇌가 꽃병에 윤곽의 소유권을 할당하면 우리는 꽃병을 보며, 얼굴에 소유권을 할당하면 얼굴을 본다. 루빈은 착시가 일어나는 이유가 꽃병의 윤곽이 얼굴의 윤곽과 일치하며, 따라서 관람자에게 이쪽 또는 저쪽 이미지를 선택하도록 강요하기 때문이라고 본다.

1832년 스위스 결정학자 루이 알베르 네케르Louis Albert Necker가 발견한 네커 정육면체Necker cube(그림 12-4)는 경쟁하는 해석 사이의 더 복잡한 선택을 수반한다. 네커 정육면체는 깊이를 말해 주는 단서가 전혀 없이 경사 투영법으로 그린 이차원 선 그림이지만, 삼차원처럼 보인다. 신기하게도 정육면체의 양쪽 면이 다 앞면으로 보일 수 있다. 관람자가 그림에 초점을 맞출 때, 원근법이 두 선지 사이를 자발적으로 오가는 듯하다. 네커 정육면체는 시각계의 창의적 힘을 보여 주는 탁월한 사례다. 비록 우리 눈에는 두 정육면체가 오락가락하지만, 사실 정육면체 같은 것은 없다. 종이에는 하나의 이차원 그림만 있을 뿐이다. 우리는 거기에 없

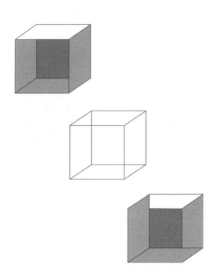

그림 12-4 네커 정육면체.

는 것을 보고 있다. 곰브리치는 착시 연구를 토대로 "따라서 지각과 착시 사이에 엄밀한 구분 같은 것은 없다."[2]고 쓰기에 이르렀다. 하지만 우리 가 번갈아 보는 두 방향만이 유일한 대안은 아니다. 사실 그 이미지에 들 어맞는 불규칙한 다각형 모양들이 무수히 있다. 그러나 시도는 할 수 있 겠지만, 설령 원한다고 해도 우리는 그런 모양을 지각할 수가 없다. 이 점 은 비록 하향식 추론이 대안들 중에서 선택을 할 수 있도록 해준다고 해 도, 무의식적 선택이 가장 설득력 있는 해석으로만 선지를 한정한다는 것 을 보여 준다.

　　이 세 가지 애매한 형상들과 지각 착시 중에서 네커 정육면체는 뇌 가 이차원 대상에서 삼차원 이미지를 유도하는 능력을 지니고 있음을 가 장 잘 보여 준다. 화가들은 이 능력을 교묘하게 이용하는 법을 터득했다. 뇌의 이 놀라운 능력은 뇌가 종이에 그려진 이차원 그림의 구성 요소들 을 이전에 뇌에 저장된 지식 및 우리가 삼차원 세계에 관해 예상하는 것 과 맞추어 본다는 사실에서 나온다.

그림 12-5 카니자 삼각형.

카니자 삼각형Kanizsa triangle(그림 12-5)도 시각계가 없는 현실을 구축하는 사례다. 1950년 이탈리아의 화가이자 심리학자인 가에타노 카니자Gaetano Kanizsa가 그린 이 착시 그림을 볼 때, 우리 마음은 두 개의 겹친 삼각형 이미지를 구축한다. 하지만 두 삼각형을 규정하는 듯이 보이는 윤곽은 전적으로 착각의 산물이다. 이 이미지에 삼각형이라고는 아예 없으며, 그저 세 개의 각과 세 개의 잘린 원만이 있을 뿐이다. 뇌가 이 감각 정보를 처리하여 하나의 지각으로 만들 때, 윤곽선이 따로 없는 검은 삼각형이 한 삼각형의 흰 윤곽선을 가린 형상이 출현한다. 뇌는 헬름홀츠의 무의식적 추론을 써서 이 이미지를 만들어 낸다. 뇌에는 이런 패턴들이 삼각형을 시사한다고 해석하도록 회로가 새겨져 있고, 따라서 실제 종이에 있는 것보다 더 검게 보일 정도로 강력한 삼각형이라는 지각을 구축한다. 설령 그것이 가짜라는 것을 알고 있어도 말이다.

곰브리치는 게슈탈트심리학자들의 개념을 확장하면서, 뇌가 미술작품에 반응할 때 상향식, 즉 시각 맥락적 단서뿐 아니라 하향식, 즉 정서적·인지적 단서와 기억도 사용한다는 것을 알아차렸다. 게다가 이 인지적 단서와 기억을 어떻게 활용하느냐에 따라 각 관람자의 몫은 독특하게 달라진다. 곰브리치는 수세기에 걸쳐 이루어진 미술가들의 실험이 인간의 마음이 어떻게 작동하는지를 알려 줄 단서들의 보고임을 깨달았다. 그는 모든 그림이 실제로 그것이 세계를 어떻게 묘사하는가보다는 관람자가 지금까지 보았던 다른 그림들에 더 좌우된다고 주장함으로써 인지 도식schema, 즉 뇌에서 형성되는 시각 세계의 내적 표상의 역할을 인정했다.

가설 검증과 기억―즉 관람자와 화가가 이전에 미술 작품들을 접한 사실―을 강조하는 이 미술 관점은 독일 태생의 미술사학자 에르빈 파노프스키Erwin Panofsky가 내놓은 미적 반응 이론에 쉽게 통합되었다. 파노프스키는 크리스, 곰브리치와 동시대 인물로서 1934년에 미국으로 이민을 갔다. 그는 미적 반응에 기억이 중요하다고 역설했다. 미술이 도상학적으로 세 가지 수준에서 읽히고 해석될 수 있고, 세 가지 수준 모두 관람자의 기억에 의존한다고 보았다.

첫 번째 수준은 전도상학적pre-iconographical 해석으로, 그림의 본질적 요소인 선, 색, 순수한 형태, 소재, 감정을 다룬다. 이 수준에서 관람자의 해석은 사실적·문화적 지식에 전혀 기대지 않은 채, 그 요소의 실질적이고 직관적인 경험에 토대를 둔다. 두 번째 수준은 도상학적iconographical 해석으로, 보편적인 기준 틀 속에서 형태의 의미와 그 표현을 살펴본다. 세 번째 수준은 도상해석학적iconological 해석으로 국가, 문화, 계급, 종교, 시대라는 더 제한된 문화적 맥락에서 미술 관람자의 반응을 다룬다. 예를 들어, 서양인 관람자들은 대부분 긴 식탁에 한 인물을 중심으로 12명이 모여 있는 그림을 예수의 최후의 만찬을 재현한 것이라고 인식할 것이다. 그들은 12명이 식사를 하는 모습을 도상해석학적으로(특정한 문화적 맥락에 따라 설정된 방식으로) 해석하지만, 서양인이 아닌 관람자는 12명이 식사를 하는 모습을 도상학적으로(보편적인 문화적 맥락에 따라 설정된 방식으로) 해석할 것이다.

상징, 문화적 맥락, 관람자의 개인적 기억을 강조하는 파노프스키의 개념 덕분에 미술 연구는 게슈탈트심리학만을 토대로 했을 때보다 더욱 풍성해졌다. 도상학적 해석은 미술이 역사적으로 상징과 신화를 통해 보편적인 개념을 전달해 왔다는 것을 밝혀냄으로써, 화가와 관람자 사이의 창의적인 동반자 관계에 새로운 차원을 추가했다.

크리스-곰브리치의 협력이 이루어진 뒤로 수십 년이 흐르면서 활짝 꽃을 피운 현대의 인지심리학은 여전히 감각 정보가 관람자를 통해 지각, 감정, 감정이입, 행동으로 전환되는 과정을 분석하는 데, 즉 자극이 어떻게 특정한 역사적 맥락에서 특정한 지각적·감정적·행동적 반응을 일으키는지를 살펴보는 데 관심을 갖고 있다. 이 전환이 어떻게 일어나는지를 밝혀내야만, 우리는 개인의 행동과 그 사람이 보거나 기억하거나 믿는 것 사이의 관계를 이해할 수 있을 것이다.

13

20세기
회화의 출현

오스트리아 표현주의 화가들은 원초적인 성욕뿐 아니라 뿌리 깊은 공포와 공격적인 충동도 분석했고, 단순한 회화 언어로 그것을 전달하고자 애썼다. 그럼으로써 그들은 미술에 반응하여 우리의 감정을 야기하는 요소들, 즉 감정적 기본 요소들emotional primitives을 묘사하려 했다. 더 넓게 볼 때 남들의 감정을 지각하고, 남에게 감정이입을 하고, 남의 의식적·무의식적 정신 상태를 읽는 능력을 이끌어 내는 요소들을 말이다.

인류 역사 내내 화가들의 주된 목표는 감정을 묘사하는 것이었다. 레오나르도, 렘브란트, 엘 그레코, 카라바조, 메서슈미트의 작품이 시대를 뛰어넘어 보편적인 호소력을 지니는 것은 특정한 개인을 사실적으로 묘사하는 과정을 통해 보편적인 감정을 표현하고 있기 때문이다. 반면에 20세기의 많은 화가는 다른 방식으로 감정을 묘사하고자 시도했다.

먼저 빈센트 반 고흐와 에드바르 뭉크, 이어서 앙리 마티스Henri Matisse를 비롯한 프랑스의 야수파 화가들, 그들과 동시대의 오스트리아와 독일의 표현주의 화가들은 공공연히, 그리고 더 심도 있게 색채와 형태가 무의식적·의식적 감정을 불러일으키는 데 어떤 역할을 하는지 탐구하기 시작했다. 인상파 화가들과 조르주 피에르 쇠라Georges Pierre Seurat 와 반 고흐 같은 후기인상파 화가들이 색 혼합의 과학에서 나온 깨달음을 토대로 자연광의 감각을 포착했다면, 표현주의 화가들은 주변의 의학과 심리학에서 유래한 깨달음을 이용하여 무의식적 마음을 더 깊이 이해하고자 애썼다.

탁월한 미술사 입문서인《서양미술사The Story of Art》에서, 언스트 곰브리치는 서양 미술이 세 단계에 걸쳐 발전했다고 말한다. 첫 단계에서는 화가들이 원근법이나 색 혼합을 이용하지 않았다. 따라서 그들은 자신이 아는 것을 그렸다. 두 번째 단계에서 화가들은 원근법과 색의 원리를 숙달했다. 이제 그들은 실제로 눈에 보이는 대로 그릴 수 있었다. 쇼베의 동굴 벽화에서 19세기 영국 화가들의 자연주의적 풍경화에 이르기까지 약 3000년에 걸쳐 있는 이 두 단계에서 미술의 주된 지향점 ― 우회, 곁길로 빠지기, 회귀 등이 있긴 했어도 ― 은 바깥 세계를 점점 더 사실적으로, 삼차원으로 묘사하는 것이었다. 하지만 19세기 중반에 현실을 탁월하게 포착하는 능력을 지닌 사진술이 등장하면서 미술의 이 발전 흐름은 멈추고 말았다. 회화는 곰브리치가 묘사 세계에서 고유의 생태 지위라고 부른 것을 상실했고, "다른 생태 지위를 찾으려는 노력이 시작되었다."[1]

인상파는 사진술로는 포착하기 어려운, 시시각각 분위기가 변하는 실외의 자연광 감각을 포착하는 쪽으로 관심의 초점을 맞췄다. 인상파는 관람자의 지각 경험을 현실에서 상상 쪽으로 노골적으로, 억지로 이전했다. 후대 화가들은 인상파가 대상의 겉모습과 무상함에만 지나치게 관심을 기울였다고 비판했다. 사진이 자신들이 할 수 없는 방식으로 현실을 포착할 수 있다는 점을 알아차린 이 후기인상파 화가들은 자연주의적인 묘사를 넘어서는 것을 찾아 나섰다.

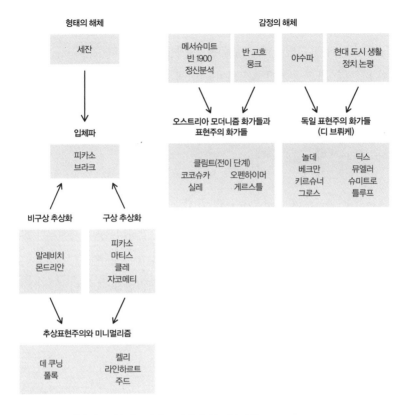

형태의 해체

세잔

↓

입체파

피카소
브라크

↑ 비구상 추상화 　　↑ 구상 추상화

말레비치
몬드리안

피카소
마티스
클레
자코메티

↓ 　　　　↓

추상표현주의와 미니멀리즘

데 쿠닝
폴록

켈리
라인하르트
주드

감정의 해체

메서슈미트
빈 1900
정신분석

반 고흐
뭉크

야수파

현대 도시 생활
정치 논평

↓ 　　↓ 　　↓ 　　↓

**오스트리아 모더니즘 화가들과
표현주의 화가들**

**독일 표현주의 화가들
(디 브뤼케)**

클림트(전이 단계)
코코슈카
실레

오펜하이머
게르스틀

놀데
베크만
키르슈너
그로스

딕스
뮈엘러
슈미트로
틀루프

그림 13-1 인상파 이후 미술의 특징인 두 가지 실험을 단순화한 도표.

　　그들의 탐구는 폭넓고 때로 겹치기도 하는 두 가지 실험을 낳았다. 이 두 실험은 사진술이 할 수 없는 방식으로 관람자의 경험 폭을 넓히도록 고안되었다. 하나는 폴 세잔, 후기인상파 중 나비파(모리스 드니Maurice Denis, 에두아르 뷔야르Édouard Vuillard, 피에르 보나르Pierre Bonnard), 그 밖의 일부 화가들의 작품에서 뚜렷이 드러나는데, 시지각을 해체하고 시지각의 새로운 차원을 모색하려고 시도한 것이었다. 또 한 실험은 반 고흐와 뭉크의 작품에 뚜렷이 나타나는데, 감정 경험을 해체하고 탐구하려 한 것이다(그림 13-1). 이 화가들이 형태와 감정을 해체하고 있던 바로 그 시기에, 미술에서 도상학, 즉 상징의 사용 방식에서도 변화가 일어나고 있었다.

그림 13-2 폴 세잔, 〈생트빅투아르 산(Montagne Sainte-Victoire)〉(1904~06). 캔버스에 유채. 컬러 화보 참고

세잔은 경치를 사실주의적으로 그리려는 시도를 포기했다. 대신에 그는 공간적인 깊이를 줄이려는 실험을 했다. 프로방스의 자택 인근에 있는 생트빅투아르 산을 그린 풍경화(그림 13-2)가 대표적이다. 미술사학자 프리츠 노보트니Fritz Novotny는 그 점을 이렇게 표현했다. "세잔의 그림 속에서 …… 원근법은 점점 수명을 다해 갔다. 옛 의미의 원근법은 죽었다."[2] 게다가 세잔은 모든 형태를 세 가지 형태적 기본 요소figural primitives —육면체, 원뿔, 구—로 환원할 수 있다고 믿었다. 그는 형태적 기본 요소가 바위와 나무에서 사람 얼굴에 이르기까지 복잡한 형상에 대한 우리 지각의 기본 요소, 기본 구성단위라고 주장했다. 그것은 자연에서 우리가 보는 것을 어떻게 볼 수 있는지를 알려 줄 열쇠다.

세잔의 원근법 실험과 자연에서 우리가 보는 것을 세 가지 고체 형태로 환원할 수 있다는 그의 개념은 파블로 피카소Pablo Picasso와 조르주

그림 13-3 조르주 브라크, 〈화실에서 본 사크레쾨르 성당(Le Sacré-Coeur vu de l'Atelier de l'Artiste)〉(1910). 캔버스에 유채. 컬러화보 참고

브라크Georges Braque의 입체파로 이어졌다(그림 13-3). 1905년에서 1910년 사이에, 이 두 화가는 겉모습이 아니라 본질을 화폭에 담기 위해 대상들을 해체함으로써 원근법과 자연의 형상들을 단순화했다. 자연에 있는 것의 본질을 추상화하고 그것을 윤색하지 않고 그려 넘으로써, 그들은 화가가 자연 및 시간으로부터 독립하여 존재할 수 있다는 것을 화폭에 보여줄 수 있었다. 그들의 뒤를 이어서 곧 더욱 급진적인 추상주의가 나타났다. 바실리 칸딘스키Wassily Kandinsky, 카지미르 말레비치Kazimir Malevich, 피터르 코르넬리스 몬드리안Pieter Cornelis Mondriaan의 작품이 대표적이다. 더나중에 스위스 조각가 알베르토 자코메티Alberto Giacometti는 삼차원 경관을 추상화했다. 그는 사람을 칼날처럼 가느다란 선형 이미지로 만들었다.

　20세기 초부터 작품 활동을 시작한 칸딘스키는 처음에는 구상화가였지만, 곧 대담하고 표현적으로 색깔을 써서 단순한 분위기만이 아니라 반 고흐, 뭉크, 오스카어 코코슈카가 그러했듯이 소재와 개념까지 화폭에 담기 시작했다. 1910년 무렵에 그의 그림은 더욱 기하학적이고 추상적인 형태가 되어 있었다. 이윽고 그의 작품에는 식별할 수 있는 형태의 흔적이 거의 남지 않게 되었다.

몬드리안도 구상화가로 시작했지만, 곧 자신의 이미지를 해체하면서 형태의 보편적인 측면을 탐구하기 시작했다. 1912년 작 〈나무 연구 I: 그림 연구 2/구도 VII Study of Trees I: Study for Tableau No. 2/Composition No. VII)〉(그림 13-4), 1915년 작 〈잔교와 바다 5(바다와 별이 빛나는 하늘)Pier and Ocean 5(Sea and Starry Sky))〉(그림 13-5)가 대표적이다. 세잔의 개념에 영감을 받은 몬드리안은 육면체, 원뿔, 구를 더욱 환원하여 직선과 색깔만으로 화폭을 채웠다. 그럼으로써 몬드리안은 비형태적 기초 요소nonfigural primitives―즉 자연에 있는 형태를 전혀 참조하지 않고서 만들어 낸 나름의 의미를 지닌 기하학적 형태와 색깔―를 토대로 한 새로운 미술 언어를 개발하는 데 기여했다. 말레비치와 구성주의 화가들도 순수추상, 비구상 미술을 창안했다. 이 화가들은 음악과 마찬가지로 그림도 순수 표현일 수 있다고 믿었다. 전성기일 때 추상 미술은 아마도 구상 미술에서의 애매성보다도 더 심하게 뇌의 창작 과정들에 의존할 듯한 애매성을 빚어냈다.

그 와중에 미술에서 상징의 이용 면에서도 변화가 일어나고 있었다. 구상 미술에서 기존 도상icon의 해체가 아니라 더 새로운 모더니즘 언어를 토대로 한 새로운 도상학이 출현했다. 이 변화는 '빈 1900'에서 뚜렷이 나타난다. 앞서 살펴보았듯이, 구스타프 클림트는 생물학 지식을 토대로 한 도상을 썼고, 코코슈카와 실레는 손을 비롯한 신체 부위를 도상으로 삼았다. 장마르탱 샤르코의 정신병 환자 사진에서 유래한 손의 모양처럼, 이 도상들 가운데는 내면의 동요나 정신 이상을 묘사하는 수단이 된 것도 있다(그림 13-6).

이 화가들의 실험에 어느 정도 자극을 받은 뇌과학자들은 형태적·비형

그림 13-4 피터르 몬드리안, 〈나무 연구 I: 그림 연구 2/구도 VII〉(1912). 종이에 목탄. 컬러화보 참고

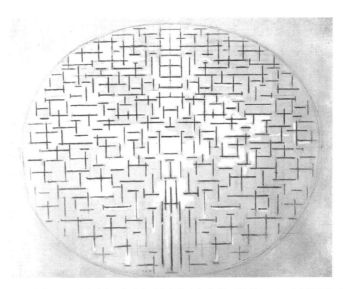

그림 13-5 피터르 몬드리안, 〈잔교와 바다 5(바다와 별이 빛나는 하늘)〉(1915). 종이에 목탄, 잉크, 구아슈. 컬러화보 참고

그림 13-6 앙드레 브루이에(André Brouillet), 〈장마르탱 샤르코의 히스테리 강의(A Lesson on Hysteria by Jean-Martin Charcot)〉(1887). 캔버스에 유채. 컬러화보 참고

태적·감정적 기본 요소의 존재 자체가 제기하는 핵심 질문들을 탐구하기 시작했다. 그들은 이렇게 물었다. 관람자 몫의 생물학은 무엇인가? 그들은 무엇보다도 뛰어난 창작 기계인 뇌가 어떻게 미술을 지각하며, 시지각의 기본 구성 성분인 형태적·비형태적 기본 요소들을 어떻게 선택하고 재현하는지를 알고 싶었다. 그다음에 알고 싶은 의문은 이러했다. 관람자의 뇌는 미술에 감정적으로 어떻게 반응하며, 감정적 기본 요소들을 어떻게 선택하고 재현하는 것일까?

다음의 다섯 장에서는 뇌과학이 밝혀낸 시지각에 관한 내용을 살펴볼 것이다. 시지각은 망막에서 대상과 얼굴의 형태를 해체한 뒤에 그 이미지의 핵심 구성 요소들을 신경 부호neural code로 전환하는 정보처리 장치로서 시작한다. 이 부호에 반응하여 뇌에서는 활동전위 패턴이 나타난다. 그 뒤에 신경 부호는 시각과 관련된 뇌의 점점 더 고등한 영역들로 가면서 정교하게 다듬어진다. 이 영역들을 분석하면 얼굴, 손, 몸 지각의 토대에 놓인 원리들이 드러난다. 낮은 수준의 정보 처리 과정은 게슈탈트 원리를 따른다. 고등한 영역들은 하향식 처리 과정, 무의식적 추론(가설 검증을 토대로 한), 기억을 이용하여 시지각 표상들을 통합하고 거기에 의미를 부여한다. 다음의 다섯 장에서는 먼저 관람자의 몫에 관여하는 감정적 기본 요소들과 감정이입 및 창의성의 생물학적 메커니즘을 살펴보고자 한다.

생물학으로 본
예술 앞에서의
시각 반응

III

14

뇌의
시각 이미지
처리 과정

에른스트 크리스와 언스트 곰브리치는 애매성과 관람자의 몫을 연구한
끝에 뇌가 창의적이라는 결론에 이르렀다. 화가로서든 관람자로서든 간
에 뇌는 주변 세계에서 우리가 보는 것의 내부 표상을 만들어 낸다는 것이
다. 또 그들은 우리 모두가 '심리학자'가 되도록 뇌에 회로가 배선되어 있
다고 보았다. 우리 뇌는 남의 마음—그들의 지각, 동기, 충동, 감정—의
내적 표상도 생성하기 때문이다. 이런 개념들은 현대의 미술인지심리학
이 출현하는 데 크게 기여했다.

하지만 크리스와 곰브리치는 자신들의 개념이 직접 검증할 수 없
고 따라서 객관적으로 분석할 수 없는 고도의 통찰과 추론의 산물이라는
점도 알아차렸다. 내적 표상을 직접 검사하려면, 즉 뇌라는 블랙박스를 열
어서 형태의 해체가 어떻게 형태적 기본 요소—지각의 기본 구성 요소—
를 생성하는지 엿보려면 인지심리학은 뇌생물학과 힘을 합쳐야 했다.

이 장과 다음 두 장에서는 뇌생물학자들이 시지각을 어떻게 연구
하기 시작했는지 살펴볼 것이다. 앞으로 알게 되겠지만, 관람자의 미술

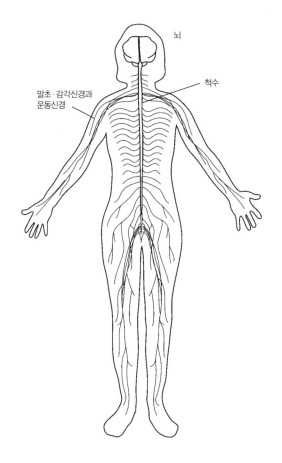

뇌

척수

말초·감각신경과
운동신경

그림 14-1 중추신경계는 뇌와 척수로 이루어지며, 좌우대칭이다. 척수는 말초신경이라는 긴 축삭을 통해 피부로부터 감각 정보를 받고 운동 명령을 운동신경의 축삭을 통해 근육으로 보낸다. 이 감각 수용기와 운동 축삭은 말초신경계의 일부다.

지각과 미술에 대한 감정 반응은 둘 다 뇌의 특정 영역에 있는 신경세포의 활동에 전적으로 의존한다. 하지만 시각 및 감정 과정의 토대에 놓인 신경 메커니즘을 살펴보려면, 먼저 중추신경계의 전반적인 구성을 기본적으로 이해할 필요가 있다.

중추신경계는 뇌와 척수로 이루어진다. 몸 전체와 마찬가지로, 뇌와 척수

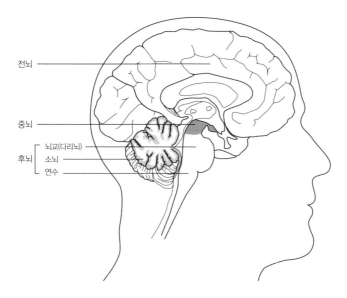

전뇌

중뇌

뇌교(다리뇌)
후뇌　소뇌
　　　연수

그림 14-2 척수는 위로 뻗어서 후뇌가 되며, 후뇌 위에는 중뇌와 전뇌가 있다.

도 본질적으로 좌우대칭이다(그림 14-1). 척수에는 단순 반사 행동에 필요한 기구가 들어 있다. 비교적 단순한 이 기구의 작용 방식 속에는 중추신경계의 핵심 기능 중 하나가 잘 드러나 있다. 신체 표면에서 감각 정보를 받아서 그것을 작용으로 번역하는 것이다. 반사 행동의 사례에서 피부의 수용기로부터 나온 감각 정보는 긴 신경섬유―감각 축삭―를 통해 척수로 보내지며, 척수에서 그것은 행동을 일으키는 조화된 명령으로 전환된다. 그 뒤 이 명령들은 다른 긴 신경섬유 다발―운동 축삭―을 통해 근육으로 전달된다.

척수는 위로 뻗어서 후뇌hindbrain(뒷뇌)가 된다. 후뇌 위쪽에는 중뇌 midbrain(중간뇌)와 전뇌forebrain(앞뇌)가 있다(그림 14-2). 이 영역 중에서 전뇌는 시각, 감정, 미술 관람자의 반응에 특히 중요한 역할을 한다.

관찰 시점을 바꿔 위에서 중추신경계를 내려다보면 전뇌, 즉 가장 상위 수준의 뇌가 먼저 보인다. 전뇌는 두 부분으로 나뉜다. 왼쪽 대뇌반

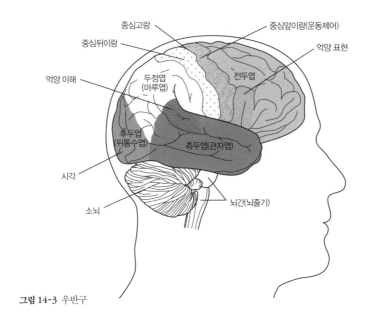

그림 14-3 우반구

구cerebral hemisphere와 오른쪽 대뇌반구다. 대뇌반구는 대뇌피질로 덮여 있다. 사람의 대뇌피질은 깊이 주름이 나 있어서 쉽게 알아볼 수 있다. 두께가 약 25밀리미터인 세포 덮개로서 신경세포, 즉 뉴런이 100억 개 들어 있다. 대뇌피질의 주름은 등성이처럼 튀어나온 이랑gyrus과 접혀 들어간 작은 홈인 고랑sulcus으로 이루어진다. 고랑은 넓은 대뇌피질―'펼치면' 넓이가 약 0.14제곱미터인 냅킨만 하다―을 머리뼈 안의 작은 공간에 끼워 넣기 위한 공간 절약 장치로서 진화했다. 또 뇌의 주름은 서로 의사소통이 필요한 부위들을 가까이 놓음으로써, 연결이 더 쉽게 이루어지도록 한다(그림 14-3, 14-4). 양쪽 반구의 구조는 대체로 똑같다. 사람마다 뇌가 조금씩 다르긴 하지만, 이랑과 고랑이 두드러진 부위는 누구나 거의 같다.

　　대뇌피질의 양쪽은 각각 네 뇌엽으로 나뉘고, 각 뇌엽에는 덮고 있는 머리뼈의 이름을 따서 전두엽, 두정엽, 측두엽, 후두엽이라는 이름이 붙어 있다. 대뇌피질 양쪽의 전두엽은 대체로 집행 기능, 도덕 추론, 감정

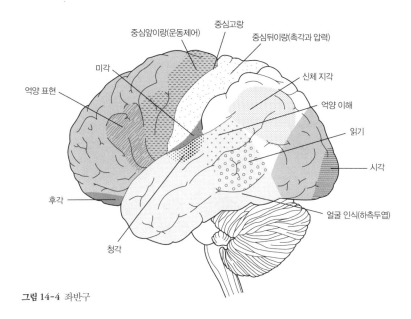

중심앞이랑(운동제어) 중심고랑

중심뒤이랑(촉각과 압력)

미각

신체 지각

억양 표현

억양 이해

읽기

시각

후각

얼굴 인식(하측두엽)

청각

그림 14-4 좌반구

조절, 장래 행동 계획, 운동 제어를 담당한다. 두정엽은 촉감, 우리 몸의 지각 이미지 형성, 신체 이미지와 주변 공간의 연결, 주의를 담당한다. 후두엽은 시각 정보의 처리를 맡고 있다. 측두엽은 얼굴 인식을 포함하는 시각 정보와 청각 및 언어에 관한 정보를 해석하는 데 중요한 역할을 한다.

    측두엽은 기억의 의식적 회상 및 기억과 감정의 경험을 담당한다. 이 기능들은 측두엽이 대뇌피질의 전뇌 아래쪽 깊숙한 곳에 놓여 있는 해마hippocampus, 편도체amygdala, 선조체striatum(줄무늬체), 시상thalamus, 시상하부라는 다섯 구조와 연결된 결과다(그림 14-5).

    해마는 최근에 형성된 기억의 부호화와 인출에 관여한다. 편도체는 우리 정서적 삶의 조율자다. 자율 반응과 호르몬 반응을 통해 감정 상태를 조절한다. 편도체도 전전두엽 피질 같은 다른 구조들과 협력하여, 의식적 감정의 생성을 비롯해 인지 과정에 감정이 미치는 영향을 매개한다. 해마와 편도체는 뇌의 좌반구와 우반구 양쪽에 있다.

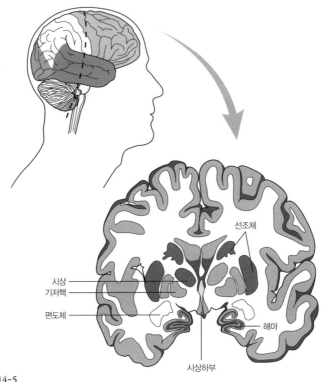

그림 14-5

    각 대뇌피질 반구의 중심에는 시상이 있다. 시상은 대뇌피질로 들어오는 모든(후각을 제외한) 감각 정보가 거치는 거대한 관문이다. 시상 안에는 외측 무릎핵lateral geniculate nucleus이 있다. 외측 무릎핵은 시각을 담당하며, 눈의 망막에서 온 정보를 분석한 뒤 대뇌피질로 전달한다. 시상 옆에는 기저핵이 있다. 기저핵은 학습된 운동과 인지의 여러 측면을 조절한다. 기저핵의 가장 바깥 부분인 선조체는 보상과 기대를 담당한다. 시상 아래쪽에는 시상하부가 있다. 시상하부는 작지만 많은 일을 하는 부위로, 자율신경계를 조절함으로써 심장박동, 혈압 등 여러 중요한 신체 기능을 좌우한다. 대개 우리가 살면서 어떤 상황에 감정적인 반응을 보일 때면 심장박동을 비롯한 신체 기능에 변화가 일어난다. 시상하부는 뇌하수체의 호르몬 분비도 조절한다.

뇌에서 가장 작은 영역인 중뇌에는 눈을 움직이는 기구가 들어 있다. 이 기구는 우리가 그림을 볼 때 무엇에 관심을 두는가를 포함하여 주변 세계의 대상 중에서 무엇을 관심 대상으로 선택하는가에 중요한 역할을 한다. 중뇌의 배쪽 뒤판 영역ventral tegmental area에는 주의를 집중시키고 보상을 예견하는 역할을 하는 화학물질인 도파민을 분비하는 신경세포도 들어 있다.

비록 뇌의 양쪽 반구가 서로 똑같아 보이고 서로 협력하여 지각, 이해, 운동을 일으킨다고는 하지만, 양쪽은 서로 다른 방식으로 그런 기능들에 기여한다. 예를 들어 언어와 문법의 수용, 이해, 표현—말이든 수화든—은 주로 좌반구에서 일어나는 반면(그림 14-4), 언어의 음조는 주로 우반구가 매개한다(그림 14-3). 좌반구는 언어뿐 아니라 읽기와 셈을 담당하며, 지식을 논리적·분석적·계산적으로 접근한다. 이와 대조적으로 우반구는 정보를 더 통합적이고 전체적이며 아마도 창의적이라고 할 방식으로 처리한다.

뇌, 특히 시각계는 정보를 어떻게 처리할까? 뇌는 먼저 감각 기관에서 받는 정보를 처리한다. 눈에서 오는 시각 정보, 귀에서 오는 청각 정보, 코에서 오는 후각 정보, 혀에서 오는 미각 정보, 피부에서 오는 촉각, 압력, 온도 정보가 그렇다. 그다음에 이 들어오는 감각 정보를 과거의 경험에 비추어 분석하고 내적 표상, 즉 바깥 세계의 지각을 만들어 낸다. 적절한 지각이 형성되면, 뇌는 자신이 받아들인 정보에 맞추어 의도적인 행동을 일으킨다. 이런 방법으로 뇌는 감각 정보의 지각, 생각, 감정, 기억, 행동 등 우리 정신생활의 모든 측면들을 통합한다. 내가 길을 가다가 맞은편에서 친숙한 얼굴의 두 사람을 보았다고 하자. 나는 무의식적으로 그 얼굴들의 이미지를 기억에 저장된 이미지들과 비교한다. 이제 나는 그들이 내

친구인 리처드와 톰임을 인지하며, 다가가서 그들을 환영한다. 이렇게 계산을 거쳐 분석하고, 기억을 떠올리고, 행동을 일으키려면 엄청나게 많은 신경세포 사이에서 신호 전달이 이루어져야 한다.

신경세포는 전기신호 전달의 기본 단위로, 뇌와 척수의 기본 구성 단위 역할을 한다. 신경세포는 활동전위를 생성해 신호를 전달한다. 활동전위는 아주 짧은 전기신호로, 진폭만이 약간 다를 뿐 켜지거나 안 켜지거나 하는 두 가지 방식만으로 작동한다. 대신에 신경세포는 활동전위의 발화 패턴과 빈도를 조절함으로써 다양한 정보를 전달할 수 있다.

시각, 청각, 촉각 등 뇌로 들어오는 모든 감각 정보는 신경 부호로 전환된다. 신경 부호는 신경세포가 일으키는 활동전위의 패턴이다. 아기의 얼굴 또는 아기가 웃는 모습을 바라보거나, 명화나 저녁놀을 보거나, 식구들과 휴일 저녁을 보내면서 편안하고 아늑함을 느낄 때, 이 모든 활동은 뇌의 신경 회로들이 서로 다르게 조합되어 신경세포들이 서로 다른 식으로 발화 패턴을 형성한 결과물이다.

경이로운 시지각을 가능케 하는 것이 무엇인지 이해하고자 할 때, 뇌의 정보처리 능력을 인공 계산장치와 비교하면 도움이 될 것이다. 1940년대에, 막 밝혀내기 시작한 뇌의 생물학과 정보처리 과정을 토대로 최초의 컴퓨터, 즉 '전자두뇌'가 출현했다. 1997년에는 IBM이 만든 슈퍼컴퓨터 딥블루Deep Blue가 세계 최고의 체스 선수라고 여겨지던 게리 카스파로프Garry Kasparov를 이길 정도로, 컴퓨터는 강력한 성능을 지니게 되었다. 하지만 컴퓨터과학자들은 체스의 규칙, 논리, 계산을 학습하는 데 그토록 뛰어난 능력을 보였던 딥블루가 얼굴 지각 규칙을 배워서 얼굴을 구분하는 일은 너무나 못한다는 것을 알아차리고 놀랐다. 오늘날의 가장 강력한 컴퓨터도 그 점에서는 별반 다를 바가 없다. 컴퓨터는 대량의 자료를 처리하고 조작하는 데는 인간의 뇌보다 낫지만, 우리의 시각계가 지닌 가설 검증 능력, 창의력, 추론 능력은 갖추지 못하고 있다.

시지각의 분석 능력은 어떻게 가능할까? 리처드 그레고리Richard Gregory 는 그것을 이런 식으로 물었다. "시각 뇌는 그림책일까? 우리가 나무를 볼 때 뇌에 나무처럼 생긴 그림이 형성되는 것일까?"[1] 그는 답이 명백하다고 말한다. 결코 아니라고 말이다! 뇌는 그림을 만드는 것이 아니라 '본다'는 의식적 경험에 대응하여 바깥 세계에 있는 나무를 비롯한 대상들에 관한 가설을 세운다.

DNA의 공동 발견자이자 20세기 후반기의 가장 창의적인 생물학자로 꼽히는 프랜시스 크릭Francis Crick은 세상을 떠날 때까지 수십 년 동안 의식적 시지각이라는 경이로운 능력을 연구하는 데 몰두했다. 크릭은 시각을 어떤 식으로 봐야 하는지를 설명하는 지면에서, 그레고리의 주장과 흡사하게도 우리의 뇌에 시각 세계의 그림이 있는 듯이 보이지만 실제로는 그 세계의 상징적 표상—가설—이 있는 것이라는 주장을 펼쳤다. 이 말에 놀랄 필요는 없다. 컴퓨터와 텔레비전 같은 장치는 우리에게 영상을 보여 주지만, 컴퓨터나 텔레비전을 열어 보았을 때 그 안에 다양한 색깔의 빛을 발하는 나무라는 질서 있는 이미지 형태로 전자적 구성요소나 컴퓨터 칩이 배열되어 있는 것은 아니다. 그 안에는 부호화한 자료를 처리하는 부품과 회로가 있다. 크릭은 이렇게 결론짓는다.

이것은 기호의 한 사례다. 컴퓨터 메모리에 든 정보는 사진이 아니다. 그것은 사진의 기호다. 기호는 단어와 마찬가지로 다른 무언가를 상징하는 것이다. 개라는 단어는 특정한 종류의 동물을 상징한다. 개라는 단어를 실제 동물과 혼동할 사람은 아무도 없다. 기호가 반드시 단어일 필요는 없다. 신호등의 빨간불은 '멈춤'의 기호다. 분명히 우리는 뇌에도 어떤 기호 형태의 시각 경관의 표상이 있을 것이라고 예상할 수 있다.[2]

크릭의 말이 시사하듯이, 우리는 아직 이 상징적 표상의 신경 메커니즘을 자세히 이해하지 못하고 있다.

우리는 바깥 세계의 모든 지각—시각, 청각, 후각, 미각, 촉각—이 우리의 감각 기관에서 시작된다는 것을 안다. 시각은 눈에서 시작되며, 눈은 빛을 통해 바깥 세계에 관한 정보를 검출한다. 눈의 수정체는 초점을 맞춤으로써 바깥 세계의 작은 이차원 이미지를 망막에 투영한다. 망막은 눈 뒤쪽을 덮고 있는 신경세포들의 막이다. 망막의 특수한 세포들에서 나오는 자료는 당신의 노트북 컴퓨터에서 이미지의 화소들이 당신이 화면에서 보는 실제 이미지를 닮은 것과 같은 방식으로 시각 세계를 닮는다. 이 생물의 시각계와 전자 시스템은 둘 다 정보를 처리한다. 하지만 시각계는 뇌가 눈에서 받는 적당한 양의 정보보다 훨씬 더 많은 정보를 필요로 하는 표상(신경 부호의 형태로)을 뇌에 만든다.

따라서 우리가 '마음의 눈'에서 보는 것은 실제 눈의 망막에 비친 이미지에 담긴 것을 훨씬 초월한다. 망막의 이미지는 먼저 해체되어 선과 윤곽을 기술하는, 따라서 얼굴이나 대상의 경계선을 설정하는 전기신호가 된다. 이 신호들은 뇌 속을 돌아다니면서 재부호화를 거치고 게슈탈트 규칙과 사전 경험을 토대로 재구성되고 다듬어져서 우리가 지각하는 이미지가 된다. 우리에게는 다행스럽게도 비록 눈이 받아들인 원자료가 시각이라는 내용이 풍부한 가설을 형성하는 데 충분하지 못하다고 해도, 뇌는 놀랍도록 정확한 가설을 만들어 낸다. 우리 각자는 남들이 보는 이미지와 놀라우리만치 비슷한 바깥 세계의 풍성하고 의미 있는 이미지를 만들어 낼 수 있다.

바로 이 시각 세계의 내적 표상이 구축되는 과정 속에서 우리는 뇌의 창의적 과정이 작동하는 것을 본다. 눈은 카메라처럼 작동하는 것이 아니다. 디지털카메라는 풍경이든 얼굴이든 간에 이미지를 우리에게 보이는 그대로 화소 단위로 포착할 것이다. 하지만 눈은 그런 식으로 할 수 없다. 인지심리학자 크리스 프리스는 이렇게 설명한다. "내가 지각하는 것은 바깥 세계로부터 내 눈과 귀와 손가락에 와 닿는 엉성하고 애매한 단서들이 아니다. 나는 훨씬 더 풍성한 것을 지각한다. 이 모든 엉성한 신호들을 풍부한 과거 경험과 결합한 모습이다. …… 우리의 세계 지각은 현실과 일치하는 환상이다."[3]

시각계는 어떻게 이 세계를, "현실과 일치하는 환상"을 만들어 내는 것일까? 뇌 조직화의 지도 원리는 각 정신 과정 — 지각, 감정, 운동 측면 — 이 뇌의 특정 영역에 질서 있게 계층적으로 배치된 전담 신경 회로 집합에 의존한다는 것이다. 시각계도 마찬가지다.

　　시각 정보를 처리하는 신경세포들은 모여서 시각계에 있는 두 병렬 경로 중 하나를 따라 정보를 보내는 계층적인 중계소를 구성한다. 이 중계는 눈의 망막에서 출발하여 시상의 외측 무릎핵을 지나 후두엽의 일차 시각피질로 이어지며, 그곳에서부터 다시 대뇌피질의 후두엽·측두엽·전두엽의 약 30개 영역으로 신호가 전달된다. 중계소마다 들어오는 정보를 특정하게 변형하는 과정을 수행한다. 시각계를 구성하는 중계소들은 촉각·청각·미각·후각에 관한 정보를 처리하는 중계소들과 구분되며, 뇌에서 나름의 영역을 차지하고 있다. 서너 가지 감각계에서 온 정보의 통합은 뇌의 가장 상위 수준에서만 일어난다.

　　시각계의 두 병렬 경로는 각각 시각 세계의 서로 다른 측면을 분석한다. 무엇 경로what pathway는 색깔 및 세계에서 무엇이 보이는가를 담당한다. 이 경로의 중계소들은 색깔, 대상, 몸, 얼굴 인식을 담당하는 측두엽의 영역들로 정보를 보낸다. 어디 경로where pathway는 대상이 어디에 있는가를 담당한다. 이 경로의 중계소들은 정보를 두정엽으로 보낸다. 따라서 각 경로는 시각 정보를 받고 처리하고 다음 중계소로 보내는 일을 하는, 계층적으로 배열된 중계소로 구성된다. 각 중계소의 세포는 다음 중계소의 세포와 연결되어 있고, 그것들이 모여서 시각계가 된다.

일단 무엇 경로의 더 고등한 영역에 도달한 정보는 재평가를 거친다. 이 하향식 재평가는 네 가지 원칙을 토대로 이루어진다. 첫째, 주어진 맥락에서 행동과 무관한 세부적인 사항들은 무시한다. 둘째, 항구성을 띤 것을 찾는다. 셋째, 대상과 사람과 경관의 본질적이고 항구적인 특징을 추상화하려 시도한다. 넷째가 특히 중요한데, 현재의 이미지를 과거에 접했던 이미지와 비교한다. 이런 생물학적 발견들은 시각이 단순히 세계를 내다보는 창문이 아니라 뇌의 진정한 창작물이라는 크리스와 곰브리치의 추론이 옳았다는 것을 입증한다.

뇌의 창의성은 빛과 거리가 놀라우리만치 상이한 조건에서도 시각계가 똑같은 이미지를 보여 주는 능력을 지닌다는 점에서 뚜렷이 드러난다. 예를 들어, 햇빛이 쨍쨍한 정원에서 흐릿한 불빛이 있는 방으로 들어갈 때, 망막에 도달하는 빛의 세기는 1000분의 1로 줄어들 수도 있다. 하지만 방의 흐릿한 불빛에서도 밝은 햇빛 아래에서와 마찬가지로 우리는 흰 셔츠를 흰색으로, 빨간 넥타이를 빨간색으로 본다. 우리가 넥타이를 빨간색으로 보는 이유는 뇌가 대상의 항구적인 특징, 여기서는 빛의 반사율에 관한 정보를 얻는 데 관심을 쏟기 때문이다. 이 과정이 어떤 식으로 이루어질까? 뇌는 빛의 변화에 맞춰 조정을 거친다. 즉 넥타이와 셔츠의 색깔을 다시 계산함으로써 이 핵심적인 식별 특징이 다양한 환경 조건에서 한결같이 유지되도록 한다.

폴라로이드 카메라를 발명한 에드윈 랜드Edwin Land는 현재 우리의 색깔 지각의 열쇠라고 널리 받아들여지고 있는 것을 주창했다. 그는 뇌가 흰 셔츠와 빨간 넥타이에서 나오는 빛의 파장을 표본 추출한 뒤 다양하게 변하는 조건들 사이에서 그 파장들의 비를 유지함으로써 색깔을 지각한다고 했다. 뇌는 표면에서 반사되는 빛 파장의 변이를 모두 무시하고서 빨간 넥타이를 모든 빛과 시간 조건에서 '빨강'이라고 규정한다. 이 과정

그림 1-1　구스타프 클림트, 〈아델레 블로흐바우어 I〉(1907).
캔버스에 유채, 은, 금.

그림 1-2 한스 마카르트, 〈벨기에의 스테파니 공주〉(1881), 캔버스에 유채.

그림 1-3 구스타프 클림트, 〈우화〉(1883), 캔버스에 유채.

그림 1-4   구스타프 클림트, 〈올드캐슬 극장의 관객석〉(1888).
캔버스에 유채.

그림 1-5   관객석의 세부 모습. 유럽의 손꼽히는 외과 의사인
테오도어 빌로트, 10년 뒤 빈의 시장이 될 카를 루에거,
프란츠 요제프 황제의 정부인 여배우 카타리나 슈라트가 보인다.

그림 1-6 에두아르 마네, 〈풀밭 위의 점심 식사〉(1863).
캔버스에 유채.

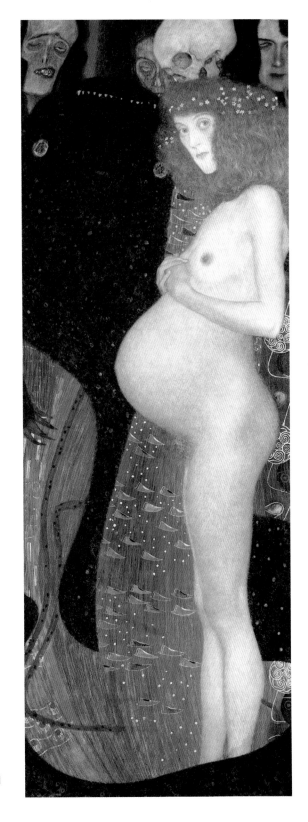

그림 3-3 구스타프 클림트, 〈희망 I〉(1903). 캔버스에 유채.

그림 3-4 구스타프 클림트, 〈다나에〉(1907~08). 캔버스에
유채.

그림 8-1 구스타프 클림트, 〈안락의자에 앉은 여성〉(1913년 경). 연필과 분필.

그림 8-2 구스타프 클림트, 〈오른쪽을 향해 엎드린 나체〉
(1912~13). 연필과 빨간색 및 파란색 연필.

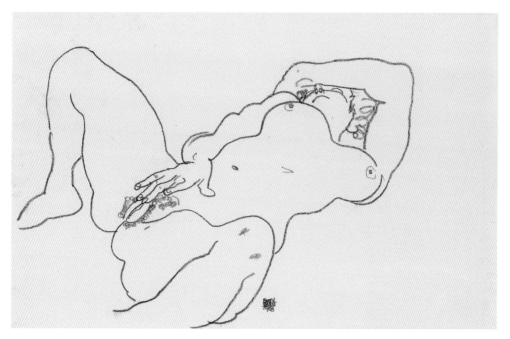

그림 8-3 에곤 실레, 〈누워 있는 나체〉(1918). 종이에 크레용.

그림 8-4 조르조네 다 카스텔프랑코, 〈잠자는 비너스〉(1508~10). 캔버스에 유채.

그림 8-5 티치아노, 〈우르비노의 비너스〉(1538년 이전). 캔버스에 유채.

그림 8-6 프란시스코 호세 데 고야 이 루시엔테스, 〈벌거벗은 마하〉(1800년경). 캔버스에 유채. 뒤집은 그림.

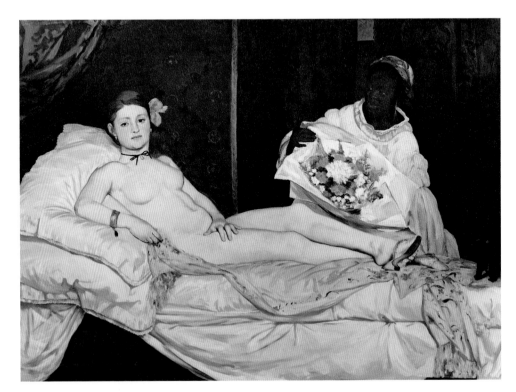

그림 8-7 에두아르 마네, 〈올랭피아〉(1863). 캔버스에 유채.

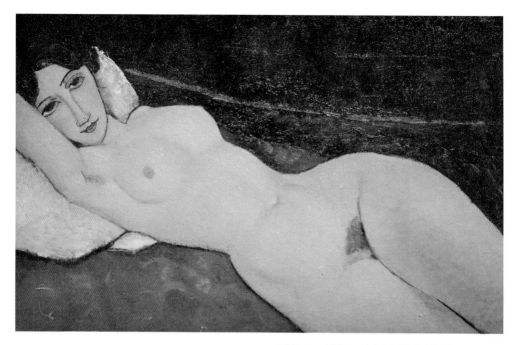

그림 8-9 아메데오 모딜리아니, 〈흰 방석에 누운 여성 나체〉(1917~18). 캔버스에 유채.

그림 8-11 구스타프 클림트, 〈히기에이아〉(1900~07), 〈의학〉의 일부. 캔버스에 유채.

그림 8-13   톰마소 마사초, 〈삼위일체〉(1427~28), 프레스코화.

그림 8-14 프란스 할스, 〈성 조지 시민군 장교들의 연회〉
(1616). 캔버스에 유채.

그림 8-15 구스타프 클림트, 〈피아노 앞의 슈베르트〉(1899).
캔버스에 유채.

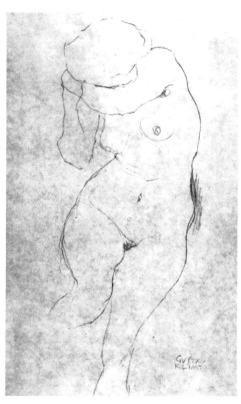

그림 8-17　구스타프 클림트, 〈머리 뒤로 깍지를 낀 채 앉아 있는 나체〉(1913). 종이에 연필.

그림 8-19　구스타프 클림트, 〈얼굴을 가린 채 앞을 향한 여성 나체〉(1913). 종이에 연필.

그림 8-21 구스타프 클림트, 〈종아리를 덮은 채 누운 여성 나체〉(1914~15). 종이에 파란색 연필.

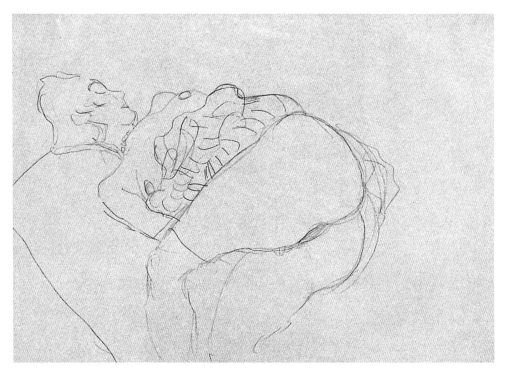

그림 8-23 구스타프 클림트, 〈누운 반나체〉(1914). 종이에 연필.

그림 8-24 ⟨테오도라 황후와 수행원들⟩(547년경). 성당
모자이크화.

그림 8-25 구스타프 클림트, 〈키스〉(1907~08), 캔버스에 유채.

그림 8-26 구스타프 클림트, 〈아델레 블로흐바우어 II〉(1912).
캔버스에 유채.

그림 8-27 구스타프 클림트, 〈유디트〉(1901). 캔버스에 유채.

그림 8-28 미켈란젤로 메리시 다 카라바조, 〈유디트와 홀로페르네스〉(1599). 캔버스에 유채.

그림 8-29 구스타프 클림트, 〈죽음과 삶〉 (1911년경). 캔버스에 유채.

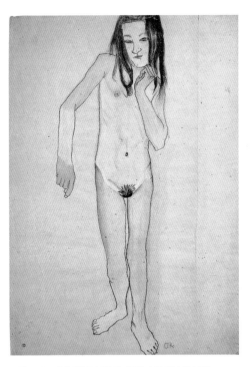

그림 9-2   오스카어 코코슈카, 〈턱에 손을 대고 선 나체〉
(1907). 종이에 연필, 수채.

그림 9-3   오스카어 코코슈카, 〈머리 뒤에 손을 올리고 바닥에
앉은 여성 나체〉(1913). 포장지에 펜과 잉크, 수채, 연필.

그림 9-4   오스카어 코코슈카, 〈누워 있는 여성 나체〉(1909).
두꺼운 갈색 종이에 수채, 구아슈.

그림 9-5　오스카어 코코슈카, 《꿈꾸는 소년들》(1908)에
실린 삽화. 채색 석판화.

ich greife in den see und
tauche in deinen haaren/
wie ein versonnener bin
ich in der liebe alles wesens/
und wieder fiel ich nieder
und träumte/
zu viel hitze überkam mich
in der nacht/ da in den wäl-
dern die paarende schlange
ihre haut streicht unter dem
heißen stein und der wasser-
hirsch reibt sein gehörn
an den zimmtstauden/ als
ich den moschus des tieres
roch in allen niedrigen
sträuchern/
es ist fremd um mich/ je-
mand sollte antworten/
alles läuft nach seinen ei-
genen fährten/ und die
singenden mücken über-
zittern die schreie/
wer denkt grinsende götter-
gesichter und fragt den sing-
sang der zauberer und alt-
männer/ wenn sie die boot-
fahrer begleiten/ welche
frauen holen/
und ich war ein kriechend
ding/ als ich die tiere suchte
und mich zu ihnen hielt/
kleiner/ was wolltest du
hinter den alten/ als du die
gottzauberer aufsuchtest/
und ich war ein taumelnder/
als ich mein fleisch er-
kannte/
und ein allesliebender/ als
ich mit einem mädchen
sprach/

dieses buch wurde geschrie-
ben und gezeichnet von
Oskar Kokoschka/ verlegt
von der wiener werkstätte/
gedruckt in den offizinen
Berger und Chwala/ 1908

그림 9-6　오스카어 코코슈카, 《꿈꾸는 소년들》 (1908, 1917년
출간)에 실린 삽화. 채색 석판화.

그림 9-8　오스카어 코코슈카, 〈전사로서의 자화상〉(1909). 굽지 않은 점토에 템페라 채색.

그림 9-9　프란츠 사버 메서슈미트, 〈무력한 바순 연주자〉 (1771~77?). 주석 주물.

그림 9-10 오스카어 코코슈카, 〈몰입한 연주자, 에른스트 라인홀트의 초상화〉(1909). 캔버스에 유채.

그림 9-11 오스카어 코코슈카, 〈루돌프 블륌너〉(1910). 캔버스에 유채.

그림 9-12 오스카어 코코슈카, 〈오귀스트 앙리 포렐의 초상화〉(1910). 캔버스에 유채.

그림 9-13 오스카어 코코슈카, 〈루트비히 리터 폰 야니코프스키〉(1909). 캔버스에 유채.

그림 9-15　오스카어 코코슈카, 〈손을 입에 대고 있는 자화상〉(1918~19). 캔버스에 유채.

그림 9-14　오스카어 코코슈카, 잡지 〈슈투름〉의 표지 포스터 (1911).

그림 9-16　오스카어 코코슈카, 〈연인(알마 말러)과의 자화상〉(1913). 종이에 석탄과 검은 분필.

그림 9-17 오스카어 코코슈카, 〈바람의 약혼녀〉(1914).
캔버스에 유채.

그림 9-18 오스카어 코코슈카, 〈자화상〉(1917). 캔버스에 유채.

그림 9-19 빈센트 반 고흐, 〈파이프를 물고 귀에 붕대를 한 자화상〉(1889). 캔버스에 유채.

그림 9-20 오스카어 코코슈카, 〈부모의 손 안에 있는 아기〉
(1909). 캔버스에 유채.

그림 9-21 오스카어 코코슈카, 〈한스 티체와 에리카 티체콘라트(Hans Tietze and Erica Tietze–Conrat)〉(1909). 캔버스에 유채.

그림 9-22 오스카어 코코슈카, 〈노는 아이들〉(1909). 캔버스에 유채.

그림 10-2 에곤 실레, 〈오토 베네슈와 하인리히 베네슈 부자의
2인 초상화〉(1913). 캔버스에 유채.

그림 10-3　에곤 실레, 〈게르티 실레〉(1909).
캔버스에 유채.

그림 10-4　에곤 실레, 〈화가 안톤
페슈카의 초상화〉(1909). 캔버스에 유채, 은,
금동 채색.

그림 10-5 에곤 실레, 〈검은 웃옷을 입은 반나체
자화상〉(1911). 종이에 구아슈, 수채, 연필.

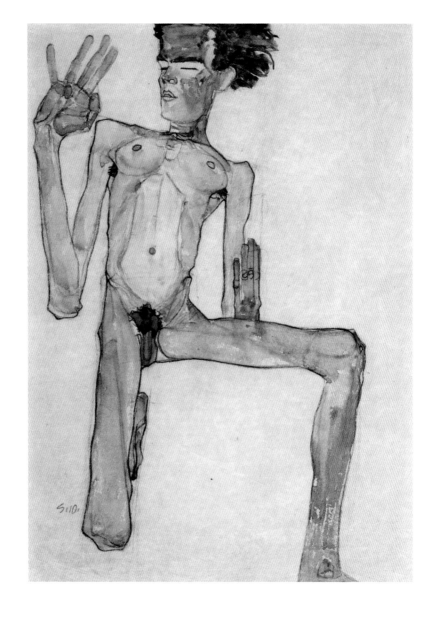

그림 10-6   에곤 실레, 〈무릎을 꿇은 자화상〉(1910). 종이에
검은 분필과 구아슈.

그림 10-7 에곤 실레, 〈앉아 있는 자화상, 나체〉(1910).
캔버스에 유채와 불투명 채색.

그림 10-8　에곤 실레, 〈줄무늬 토시를 낀 자화상〉(1915). 종이에 연필과 물감 덧칠.

그림 10-9　에곤 실레, 〈자화상, 머리〉(1910). 종이에 수채, 구아슈, 목탄, 연필.

그림 10-10　에곤 실레, 〈비명을 지르는 자화상〉(그림 정보 미상).

그림 10-11　프란츠 사버 메서슈미트, 〈하품하는 사람〉(1770년 이후). 납.

그림 10-12   에곤 실레, 〈머리를 기울인 채 웅크린 여성 나체〉
(1918). 종이에 검은 분필, 수채, 피막칠.

그림 10-13 에곤 실레, 〈성교〉(1915). 종이에 연필과 구아슈.

그림 10-14 에곤 실레, 〈죽음과 처녀〉(1915). 캔버스에 유채.

그림 10-15 에곤 실레, 〈죽음과 남자(자기 응시자들 II)〉(1911). 캔버스에 유채.

그림 10-16 에곤 실레, 〈은둔자들(에곤 실레와 구스타프 클림트)〉(1912). 캔버스에 유채.

그림 10-17 에곤 실레, 〈추기경과 수녀(애무)〉(1912). 캔버스에
유채.

그림 11-2 디르크 야코브스, 〈시민군〉(1529). 화판에 유채.

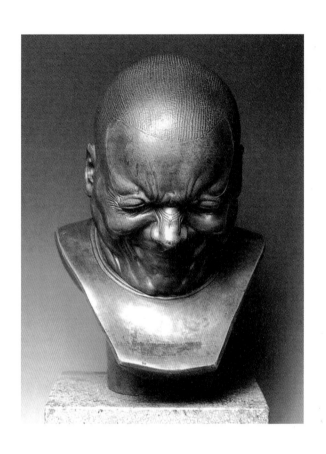

그림 11-5 프란츠 사버 메서슈미트, 〈대악당〉(1770년 이후).
주석-납 합금.

그림 13-2 폴 세잔, 〈생트빅투아르 산〉(1904~06). 캔버스에 유채.

그림 13-3　조르주 브라크, 〈화실에서 본 사크레쾨르 성당〉
(1910). 캔버스에 유채.

그림 13-4 피터르 몬드리안, 〈나무 연구 I: 그림 연구 2/구도 VII〉(1912). 종이에 목탄.

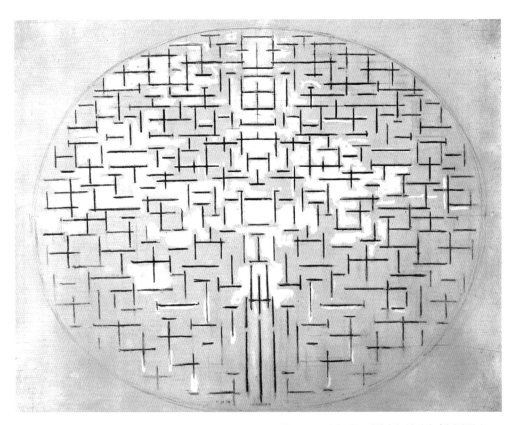

그림 13-5 피터르 몬드리안, 〈잔교와 바다 5(바다와 별이 빛나는 하늘)〉(1915). 종이에 목탄, 잉크, 구아슈.

그림 13-6 앙드레 브루이에, 〈장마르탱 샤르코의 히스테리
강의〉(1887). 캔버스에 유채.

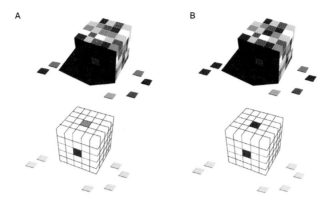

그림 14-6 색 항상성. A의 위쪽 그림에서 정육면체의 앞면과 윗면의 중앙에 있는 사각형은 동일한 오렌지색 색조를 띤 듯이 보인다. 하지만 아래 그림에서처럼 조명 단서들을 제거하고 나면, 사실 둘의 색깔이 다르다는 점이 드러난다. 둘이 똑같아 보이는 이유는 뇌가 정육면체의 앞면이 그늘져 있음을 이해하고서 더 어두운 색조들을 보상하는 쪽으로 색깔 지각을 조정하기 때문이다. B의 그림에서는 두 사각형의 색깔이 같다. 하지만 뇌는 그늘을 고려하여 보상을 하기 때문에, 두 사각형의 색깔이 달라 보인다.

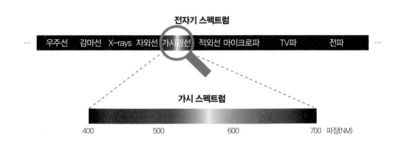

그림 15-2 인류는 전자기 스펙트럼 전체 중 일부인 가시 스펙트럼을 지각하는 쪽으로 진화했다.

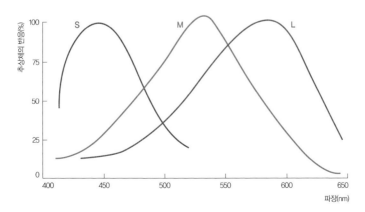

그림 15-3 세 추상체의 민감도.

그림 15-6

A. 총천연색 이미지   밝기의 변이와 색깔에 관한 정보를 포함하는 정상적인 총천연색 꽃 이미지.

B. 흑백만 있는 이미지   밝기 변이를 보여주는 흑백 이미지. 이 이미지에서는 공간적 세부 사항을 쉽게 식별할 수 있다.

C. 색깔만 있는 이미지   밝기 변이에 관한 정보가 없이, 색상과 채도 정보만 있는 순수한 채색 이미지. 공간적 세부 사항을 식별하기가 어렵다.

그림 15-7 레오나르도 다빈치, 〈모나리자〉(1503~06년경).
화판에 유채.

그림 16-3   구스타프 클림트, 〈누워 있는 나체 여성〉(1912~13). 종이에
파란 연필.

하르먼스 판 레인 렘브란트, 〈63세 때의 자화상〉(1669). 캔버스에 유채.

그림 16-20　라스코 동굴 벽화에 그려진 황소와 말. 프랑스 도르도뉴의 페리고르.

그림 17-3 주세페 아르침볼도, 〈채소 기르는 사람〉(1590년경).
화판에 유채. 위쪽은 뒤집힌 그림.

그림 17-4 레오나르도 다빈치, 〈모나리자〉(1503~06년경).
화판에 유채. 원본 및 뒤집고 수정한 그림들.

그림 18-1 구스타프 클림트, 〈양귀비 밭〉 (1907). 캔버스에 유채.

그림 18-5 구스타프 클림트, 〈여성의 머리〉(1917). 종이에 펜, 잉크, 수채.

그림 18-6 빈센트 반 고흐, 〈펠트 모자를 쓴 자화상〉
(1887~88). 캔버스에 유채.

그림 20-5　오스카어 코코슈카, 〈아버지 히르슈〉(1909).
캔버스에 유채.

그림 20-4　오스카어 코코슈카, 〈펠릭스 알브레히트 하르타의
초상화〉(1909). 캔버스에 유채.

그림 20-9　오스카어 코코슈카, 〈여배우 헤르미네
쾨르너의 초상〉(1920). 채색 석판화.

그림 20-13 빈센트 반 고흐, 〈고흐의 방〉(1888), 캔버스에 유채.

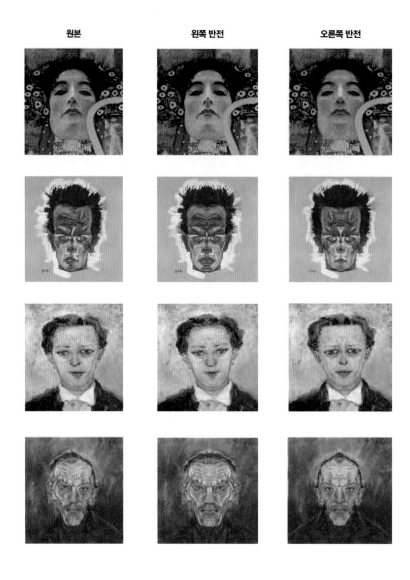

원본   왼쪽 반전   오른쪽 반전

그림 23-2   위쪽부터: 구스타프 클림트, 〈히기에이아〉
(1900–7), 〈의학〉의 일부. 에곤 실레, 〈자화상, 머리〉(1910)(부분).
오스카어 코코슈카, 〈몰입한 연주자, 에른스트 라인홀트의
초상화〉(1909)(부분). 오스카어 코코슈카, 〈루트비히 리터 폰
야니코프스키〉(1909)(부분).

그림 24-1 얀 페르메이르, 〈음악 수업: 신사 옆에서 버지널을 치는 숙녀〉(1662~65년경). 캔버스에 유채.

그림 24-2 디에고 로드리게스 데 실바 이 벨라스케스,
〈시녀들〉(1656년경). 캔버스에 유채.

그림 24-3 에곤 실레, 〈거울 앞의 나체〉(1910). 종이에 연필.

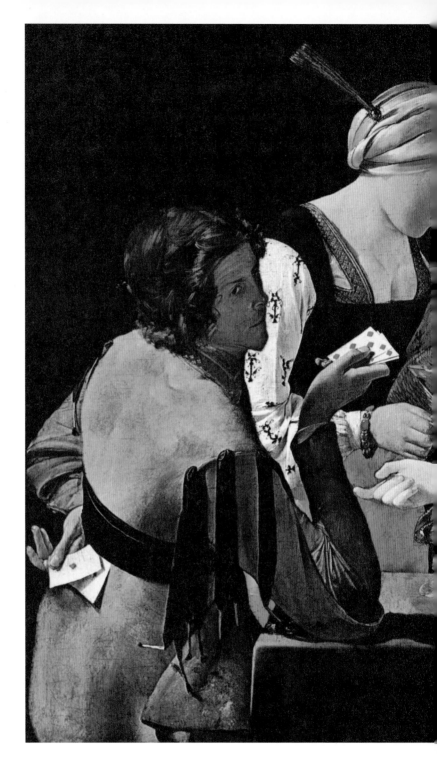

그림 25-1　조르주 드 라투르, 〈사기꾼〉(1635~40년경).
캔버스에 유채.

그림 28-1 오스카어 코코슈카, 〈토마시 가리구에 마사리크의
초상〉(1935~36). 캔버스에 유채.

을 색 항상성color constancy이라고 한다(컬러화보 그림 14-6 참고). 하지만 똑같이 변하는 빛 조건에서 똑같은 빨간 넥타이라도 파란 셔츠 위에 맨다면 전혀 달라 보일 것이다. 파장들의 비가 달라질 것이기 때문이다.

따라서 설령 빨간 넥타이의 파장이 망막에 비치는 빛의 물리적 특성으로서 객관적으로 측정할 수 있는 것이라고 할지라도, 우리가 보는 빨간색은 뇌가 특정한 환경 조건 아래에서, 즉 특정한 맥락에서 만들어 낸 창작물이다. 이 현상을 색 대비color contrast라고 한다. 맥락은 뇌의 더 고등한 영역들에 상당히 영향을 받는다. 따라서 형태 지각과 매우 흡사하게, 색깔 지각도 뇌가 구축하는 것이다.

마찬가지로 망막에 투영되는 이미지의 크기, 모양, 밝기는 우리가 움직일 때마다 달라지지만, 대부분의 조건에서 우리는 그런 변화를 지각하지 않는다. 곰브리치는《이미지와 눈The Image and the Eye》에서 사례를 하나 제시한다. 어떤 사람이 길에서 우리 쪽으로 걸어올 때 우리 망막에 비치는 이미지는 2배로 커질 수 있지만, 우리는 그 사람이 점점 커지고 있는 것이 아니라 더 가까이 다가온다고 지각한다는 것이다. 16장에서 살펴보겠지만, 우리 뇌는 사람의 크기 항상성을 유지할 수 있다. 시각계가 삼차원 이미지를 망막 위에 이차원으로 변형할 때 이끌어 내는 거리에 관한 감각 단서들에 민감하기 때문이다. 또 뇌는 실제로 커지거나 줄어드는 것이 아니라 망막에 비치는 크기가 변하는 대상들을 접한 과거의 경험에도 의지한다.

크기, 모양, 밝기, 거리가 변하는데도 대상을 한결같다고 지각하는 능력은 뇌가 망막에 비치는 덧없는 이차원 빛 패턴을 일관적이고 안정된 삼차원 세계로 해석하는 놀라운 능력을 지니고 있음을 잘 보여 준다. 다음의 두 장에서는 우리가 마음의 눈으로 보는 시각 이미지를 뇌가 해체하고 재구성하는 과정을 뇌과학자들이 얼마나 밝혀냈는지 살펴보기로 하자.

15

시각 이미지의 해체: 형태 지각의 기본 구성단위

우리는 지극히 시각적인 동물이며, 대체로 시야 위주의 세계에 산다. 우리는 망막이 제공하는 정보를 이용하여 짝과 음식, 음료, 동료를 찾는다. 사실 뇌로 들어오는 감각 정보의 절반은 시각적인 것이다. 시각이 없다면 미술도 없을 것이고, 아마 의식도 훨씬 더 제한될 것이다. 따라서 화가, 미술사학자, 심리학자, 철학자, 선배 과학자들과 마찬가지로 생물학자들이 오래전부터 시각을 연구하는 데 관심을 기울여 왔다고 해도 놀랄 일은 아니다.

시지각의 생물학적 연구도 빈에 뿌리를 둔 뛰어난 인물로부터 시작되었다. 에른스트 크리스, 언스트 곰브리치와 같은 시대에 속한 스티븐 커플러Stephen Kuffler였다. 1950년대에 커플러가, 이어서 그의 젊은 동료들인 데이비드 허블David Hubel과 토르스텐 비셀Torsten Wiesel이 크리스와 곰브리치의 관심을 사로잡았던 질문을 탐구하기 시작했다. 뇌가 시각 사건을 처리할 때 이미지를 어떻게 해체하느냐는 질문이었다. 그들은 시각계의 신경세포가 특정한 자극에 반응하는 양상을 살펴보았고, 지각의 인지

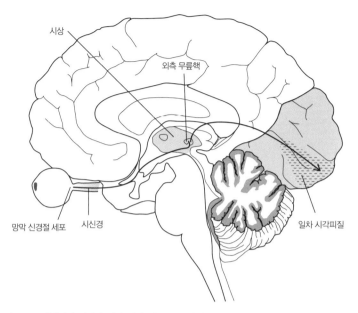

그림 15-1 망막에서 시상의 시각 영역(외측 무릎핵)까지, 외측 무릎핵에서 대뇌피질까지 시각 정보가 전달되는 그림.

심리학에서 지각의 생물학적 분석으로 나아갈 수 있도록 길을 닦았다.

그들의 연구를 통해 몇 가지 근본적인 의문의 답이 나오기 시작했다. 뇌의 특정한 세포들이 형태적 기초 요소, 즉 형태의 기본 구성단위를 형성할까? 이 세포들의 활성이 결합됨으로써 완전한 형태의 표상을 만드는 것일까? 망막의 이미지는 해체되는데, 재구성되는 곳은 뇌의 어디일까?

앞서 살펴보았듯이, 시각 정보의 처리는 망막에서 시작되어 시상의 외측 무릎핵을 거쳐 대뇌피질의 약 30군데 시각 영역으로 진행된다(그림 15-1).

커플러, 허블, 비셀은 일련의 선구적인 연구를 통해 뇌의 신경세포들이 보내는 신호가 궁극적으로 시각 이미지의 제각기 다른 측면들에 대한 의식적 자각이 될 것을 형성한다는 사실을 발견했다. 그들은 시각계의 초기 단계(망막과 외측 무릎핵)에 있는 신경세포들이 작은 점 형태의 빛에 가장 효과적으로 반응한다는 것을 밝혀냈다. 그다음 중계소인 일차 시각 피질(V1, 뇌에 있는 첫 중계소)의 신경세포들은 시각 정보를 선, 모서리, 모퉁이로 조합한다. 이 요소들이 결합하여 윤곽과 형태적 기초 요소를 만들어 낸다. 시각피질에 있는 그다음 중계소들, 즉 일차 시각피질로부터 정보를 받는 중계소들도 전담 기능을 수행한다. V2와 V3는 가상의 선과 경계에 반응하며, V4는 색깔에 반응하고, V5는 운동에 반응한다. 마지막으로 다른 신경과학자들은 시각 뇌의 가장 상위 영역인 하측두엽에 있는 신경세포들이 복잡한 형태, 시각 경관, 특정한 장소, 손, 몸, 특히 얼굴, 또 이런 형태들의 색깔, 위치, 운동에도 반응한다는 것을 보여 주었다.

시각은 빛을 필요로 한다. 우리 눈이 포착하는 빛은 전자기 복사선의 한 형태다. 이 복사선은 광자라는 입자가 만들어 내는 다양한 길이의 파장으로 이루어지며, 이 파장은 우리가 보는 대상에 부딪혀 반사된다. 인간의 시각은 짙은 보라색으로 지각하는 380나노미터에서 짙은 빨간색으로 지각하는 780나노미터에 이르는 좁은 영역에 속한 파장들을 포착한다. 가시광선 스펙트럼이라고 하는 이 영역은 전자기파 스펙트럼 전체 중 극히 일부에 지나지 않는다(컬러화보 그림 15-2, 15-3 참고).

이미지에서 나온 광자들이 눈의 수정체에 도달하면 수정체는 그것들을 모아서 망막으로 보내며, 망막에 있는 광수용체들이 그것들을 포착한다. 광수용체는 광원의 위치와 그 광원이 방출하는 빛의 세기 및 색깔에 반응하는 빛에 민감한 신경세포들이 질서 있게 배열된 것이다. 광수용체는 광자에 반응하며, 그 반응을 전기신호의 패턴—신경 부호—으로 전환하여 망막 신경절 세포retinal ganglion cell로 중계한다. 망막 신경절 세포는 망막에서 출력을 담당하는 신경세포다. 망막 신경절 세포의 축삭들은 모여서 시신경을 이루며, 시신경은 시각 정보를 일차 시각피질로 보낸다(그림 15-4). 이런 식으로 망막은 바깥 시각 세계에서 일어나는 모든 일

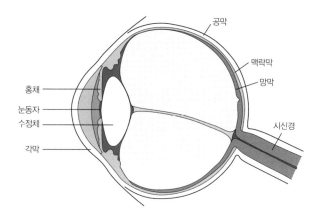

그림 15-4 눈의 바깥층—공막—은 눈의 모양을 유지하는 일을 한다. 공막의 앞쪽 투명한 부분은 각막이라고 한다. 빛은 각막을 통해 눈으로 들어와서 수정체를 통해 초점이 모인다. 홍채는 눈에서 색깔을 띤 부위다. 홍채 한가운데 눈동자, 즉 빛의 밝기에 따라 크기가 벌어졌다 줄어들었다 하는 원형의 열린 부위가 있다. 눈동자를 통해 들어온 빛은 수정체에 이르고, 수정체에서 굴절되어 눈 뒤쪽의 망막에 가 닿는다.

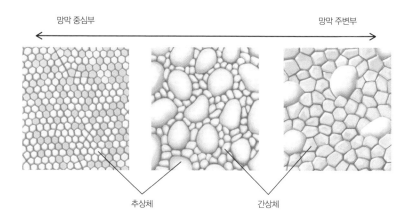

그림 15-5 망막의 중심에는 추상체들이 빽빽하게 들어찬 작은 영역이 있다. 망막의 주변부로 갈수록 추상체의 밀도가 낮아지고 간상체는 더 많아진다.

을 포착하고 처리하여 뇌의 시각계로 보낸다.

망막에는 네 종류의 광수용체가 들어 있다. 추상체 세 종류와 간상체 한 종류다. 추상체는 세세한 부분을 볼 수 있도록 해주며, 그에 따라 미술 지각도 가능해진다. 추상체는 낮 또는 환한 조명이 비치는 방에서 활동하며 대비, 색깔, 세세한 부분을 감지하는 일을 한다(그림 15-5). 추상체는 망막의 어디에나 있지만, 시각에 가장 민감한 부위인 망막의 중심 부위, 즉 망막 중심오목fovea에는 추상체만 모여 있다. 중심오목은 추상체가 가장 빽빽하게 들어차 있는 부위이기도 하다. 그 결과 얼굴, 손, 대상, 풍경, 색깔을 가장 날카롭게 식별하는 일은 중심오목에 있는 추상체들이 맡는다. 중심오목에서 망막의 주변부로 갈수록 추상체의 밀도는 점점 더 낮아진다. 그 결과 주변부의 해상도는 더 낮으며, 이 망막 영역에서 오는 시각 정보는 흐릿하다.

추상체 세 종류는 각기 다른 색소를 지니며, 각각은 색깔 스펙트럼 중 특정한 한 가지 색, 즉 짙은 보라색, 녹색, 짙은 빨간색에 가장 민감하다. 녹색 자동차는 와 닿는 가시광선 중에서 녹색에 해당하는 진동수의 빛을 제외하고 모든 진동수의 빛을 흡수한다. 녹색에 해당하는 진동수의 빛은 반사된다. 녹색에 민감한 추상체는 그 빛에 민감하게 반응하고, 뇌는 그 자동차를 녹색이라고 지각한다.

색각은 시각적 식별에 필수적이다. 우리는 색각이 없었다면 알아차리지 못했을 패턴을 색각을 통해 검출할 수 있고, 색각은 밝기의 미묘한 변이와 결합해 이미지 구성 요소들 사이의 대비를 매우 선명하게 한다. 하지만 밝기의 변이가 없이 색깔만 있을 때에는 공간적인 세세한 것들을 검출하는 능력이 놀라우리만치 떨어진다(컬러화보 그림 15-6 참고).

또 색깔은 우리의 정서적 삶을 풍요롭게 한다. 우리는 색깔이 저마다 독특한 정서적 특성을 지닌다고 지각하며, 그런 특성에 대한 반응은 우리의 기분에 따라 달라진다. 따라서 색깔이 의미하는 것은 사람마다 다를 수 있다. 화가, 특히 모더니즘 화가들은 과장된 색깔을 정서적 효과를 일으키는 수단으로 삼아 왔지만, 감정의 세기와 더 나아가 감정의 유형은 관람자와 맥락에 따라 달라진다. 색깔과 관련된 이 애매성이 바로 그림 한 점이 관람자마다, 심지어 한 관람자에게서 그때그때 다른 반응을 이끌어 낼 수 있는 이유일지도 모른다.

간상체는 추상체보다 약 700만 개에서 1억 개까지 수가 더 많으며, 한낮이나 정상적인 수준의 실내조명 아래에서는 무력하다. 그 정도로 센 빛에서는 포화 상태에 이르기 때문이다. 또 간상체는 색깔에 관한 정보를 지니지 않으므로, 정상적인 조건에서는 미술 지각에 기여하지 않는다. 하지만 간상체는 추상체보다 빛에 더 민감하며, 빛 신호를 추상체보다 훨씬 더 증폭한다.

야간 시각은 전적으로 간상체가 담당한다. 맑은 날 밤에 별, 특히 그다지 밝지 않은 별을 볼 때면 이 점을 알 수 있다. 별을 똑바로 쳐다보면 그 별이 잘 보이지 않을 수도 있다. 빛이 너무 약해서 중심오목에 있는 추상체들이 반응하지 않기 때문이다. 하지만 고개를 조금 돌려서 눈의 구석이 별을 향하도록 하면, 망막의 주변부에 있는 간상체들을 활용하게 되어 별을 또렷이 볼 수 있을 것이다.

중심오목에 빽빽하게 들어찬 추상체들은 이미지의 세부 사항은 포착하지만 더 거칠고 규모가 큰 구성 요소는 잘 지각하지 못한다. 반면 망막의 주변부에 성기게 퍼져 있는 추상체는 그 일을 할 수 있다. 따라서 뇌는 시각 정보를 두 가지 방식으로 처리한다. 부분들을 토대로 한 분석이 이루어지는 세밀한 수준과 전체론적 분석이 이루어지는 거친 수준이 그렇다. 우리가 특정한 얼굴을 식별하는 데 쓰는 시각 이미지의 부분들—예를 들어 코의 크기와 모양—은 중심오목의 추상체에서 처리되며, 이곳의 추상체들은 세밀한 수준과 높은 해상도에 민감하다. 한편 우리가 얼굴의 감

그림 15-7 레오나르도 다빈치, 〈모나리자〉(1503~06년경). 화판에 유채. 컬러화보 참고

정을 식별하는 데 쓰는 이미지 부분들은 주변부의 추상체에서 처리되며, 이 부위의 추상체들은 더 거칠고 더 전체적인(게슈탈트) 요소에 민감하다.

마거릿 리빙스턴Margaret Livingstone은 이 지각 양식을 이용하여 레오나르도 다빈치의 수수께끼 같은 작품인 〈모나리자Mona Lisa〉(그림 15-7)를 흥미롭게 분석했다. 미술사학자들과 정신분석가들 양쪽의 주목을 받아 왔다는 점에서 알 수 있듯이, 이 그림은 일반적으로 서양 미술의 걸작 중 하나이자 회화의 애매성을 가장 잘 드러낸 작품으로 평가받는다. 이 작품은 독일의 위대한 시인인 괴테가 "영원한 여성성"이라고 말한 것, 여성의 신비한 매력이라는 르네상스의 이상을 잘 구현했다. 이 놀라운 초상화가 지닌 영원한 매력이자 수수께끼 가운데 하나는 모델의 표정이다. 그녀는 어떤 감정을 드러내고 있는 것일까? 웃으면서 행복한 분위기를 발산하는 듯싶다가도, 어느 순간에는 동경하는 듯하고, 심지어 슬퍼 보이기까지도

한다. 이런 감정 어린 표정의 전환이 어떻게 이루어지는 것일까?

에른스트 크리스는 그녀의 얼굴 표정에 내재된 애매성이 우리 자신의 기분에 따라 표정을 해석할 수 있도록 하기 때문에 시시때때로 표정이 다르게 보인다고 주장했다. 전통적인 설명에 따르면, 레오나르도가 르네상스 초기에 개발된 스푸마토sfumato라는 특수한 바림질 화법을 사용해 이 작품의 특징인 입가의 미묘한 그늘을 만들어 냄으로써 애매성이 생겼다고 한다. 이 기법은 먼저 반투명한 검은 물감을 칠한 뒤, 그 위에 소량의 불투명한 흰색 물감을 붓보다는 손가락 끝을 써서 예리한 부위의 윤곽(여기서는 입가)을 흐릿하게 또는 부드럽게 덧칠하는 것이다.

리빙스턴은 그 초상화의 변화하는 표정을 다른 식으로 설명할 수 있다고 말한다. 레오나르도가 서로 갈등을 빚는 두 가지 유형의 정보를 전달하고 있기 때문에 나타나는 결과라는 것이다. 〈모나리자〉의 입에 시선을 향하면, 우리는 그녀의 유명한 수수께끼 같은 미소를 금방 알아차리지 못한다. 우리 중심오목의 시각은 세부 사항에 초점을 맞추지만, 비록 입꼬리가 수수께끼에 한몫을 하기는 해도 그 미소는 세부 사항에서 나오는 것이 아니다. 하지만 먼 별을 볼 때처럼, 그녀의 얼굴 옆쪽이나 눈으로 시선을 향하면 그 미소가 아주 선명하게 떠오른다. 세부 사항을 감지할 수 없는 망막 주변부에 있는 추상체의 시각이 전체론적인 분석을 함으로써 그녀의 입술과 입꼬리에 적용된 스푸마토 기법의 부드러운 효과를 볼 수 있기 때문에 나타나는 현상이다(그림 15-8).

리빙스턴은 이 발견을 토대로, 모나리자의 미소처럼 우리가 중심시에서 놓치는 것을 주변시로 지각할 수 있음을 보여 준다. 얼굴 표정이 피부 밑 깊숙이 있는 얼굴 근육에 따라 달라지며 피부밑지방이 근육 활동의 변화를 흐릿하게 만들 수 있으므로, 얼굴의 감정을 해석하는 데는 중심시보다 주변시가 더 나을 때가 있다. 그렇긴 해도, 우리는 중심시를 통해 부호화가 이루어진 모서리만으로도 얼굴이라는 것을 쉽게 알아볼 수 있다.

거친 구성 요소(주변시)　　　　중간 구성 요소(근주변시)　　　　세부 사항(중심시)

그림 15-8 주변시의 번짐 효과. 주변시보다 중심시로 볼 때 모나리자의 입꼬리가 위로 훨씬 덜 올라가는 듯하다.

포유동물 눈의 시지각을 최초로 연구한 사람은 스티븐 커플러다. 커플러(그림 15-9)는 1913년 당시 오스트리아-헝가리 제국에 속해 있던 헝가리에서 태어났다. 1923년 그는 빈에 있는 예수회의 기숙학교에 들어갔고, 1932년에 빈 의대에 입학했다. 의대에서 병리학을 전공했고, 1937년에 학위를 받았다. 1938년 히틀러가 빈을 침략하자 나치 반대 학생 정치 모임에 관여했고, 친할머니가 유대인이었던 커플러는 목숨이 위태로워졌다는 것을 깨달았다. 그는 먼저 헝가리로 피신했다가, 이어서 영국을 거쳐 오스트레일리아로 갔다. 그리고 1945년 미국으로 이주하여 존스홉킨스 대학교의 윌머 눈 연구소Wilmer Eye Institute에 자리를 잡았다. 1959년 하버드 의대로 자리를 옮긴 그는 1967년 그곳에 미국 최초로 신경생물학과를 창설했다. 생리학, 생화학, 해부학을 결합하여 뇌를 연구하는 학과였다.

　　존스홉킨스 대학교로 온 커플러는 가재 같은 단순한 무척추동물의 뇌에서 신경세포들이 어떻게 서로 의사소통을 하는지 연구했다. 과학자들은 지그문트 프로이트가 1884년에 무척추동물을 대상으로 한 연구를 통해 무척추동물의 뇌든 척추동물의 뇌든 간에 뇌에 있는 신경세포들이

그림 15-9 스티븐 커플러(1913~80). 빈 의대 출신인 그는 처음으로 포유동물의 망막에서 시각 자극이 어떻게 처리되는지를 연구한 과학자였다.

다 비슷하다는 것을 이미 알고 있었다.

신경세포는 대개 세포체 하나, 축삭 하나, 수많은 가지돌기의 세 부분으로 이루어진다(그림 15-10). 축삭은 세포체의 한쪽 끝에서 가늘고 길게 뻗어 나와 있으며, 표적 세포, 즉 수신하는 세포의 가지돌기와 만나는 지점까지 정보를 전달한다. 아주 먼 거리까지 정보를 전달할 때도 있다. 가지돌기는 대체로 세포체에서 축삭의 반대쪽에 달려 있고 빽빽하게 가지를 친 모양이며, 다른 신경세포가 보내는 정보를 수신한다. 커플러는 한 신경세포로부터 인접한 신경세포로 시냅스synapse를 통해 정보가 옮겨가는 과정을 일컫는 시냅스 전달synaptic communication 과정을 연구했다. 정보를 보내는 세포의 축삭과 표적 세포의 가지돌기가 만나는 지점을 시냅스라고 한다.

앞서 살펴보았듯이, 신경세포는 활동전위라는 켜짐과 꺼짐 방식으로만 작동하는 빠른 신호를 발생시킨다. 활동전위의 전기신호는 일단 출

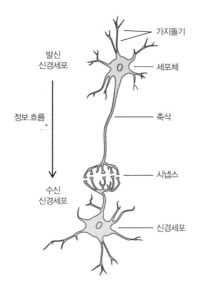

가지돌기

발신
신경세포

세포체

정보 흐름

축삭

시냅스

수신
신경세포

신경세포

그림 15-10

현하면 축삭을 따라 충실히 말단까지 전달된다. 축삭은 말단에서 표적 세
포와 하나 이상의 시냅스를 형성하고 있다. 활동전위는 축삭을 따라가면
서 끊임없이 재생되기 때문에 신호의 세기는 변하지 않는다. 표적 신경세
포는 다른 신경세포들로부터도 신호를 받는다. 신경세포는 활동전위의
수를 증가시켜서 표적 세포를 발화하는 흥분성일 수도 있고, 발화를 감소
시키는 억제성일 수도 있다. 흥분성 신경세포가 더 오래 활성을 띨수록,
표적 신경세포도 더 오래 활성을 띨 것이다.

　커플러는 흥분성 신경세포와 억제성 신경세포가 상호작용하여 한
표적 세포의 발화 패턴을 조절하는 방식이 뇌 조직 논리의 축소판이라는
것을 깨달았다. 즉 뇌의 신경세포들이 다양한 원천에서 받는 흥분성 정보
와 억제성 정보를 다 합산하고, 그 계산을 토대로 뇌의 더 고등한 영역에
있는 세포들로 정보를 중계할지 말지 여부를 판단하는 방식을 보여 준다
는 것이다. 척수의 신경세포들이 서로 어떻게 의사소통을 하는지를 다룬
선구적인 연구로 1932년 노벨 생리의학상을 받은 영국 생리학자 찰스 셰

그림 15-11 데이비드 허블(1926~)과 토르스텐 비셸(1924~). 비셸(오른쪽)과 허블은 망막에서 대뇌피질로 연구 초점을 옮겨 커플러의 시각 연구를 확장했다. 그들은 시각계의 정보처리 과정을 연구한 업적으로 1981년 노벨 생리의학상을 공동 수상했다.

링턴Charles Sherrington은 이것을 신경계의 통합 작용integrative action이라고 했다. 그는 들어오는 정보의 상대적인 가치를 평가하고, 그 평가를 토대로 활동할지 여부를 판단하는 것이 신경계의 핵심 업무라고 주장했다.

단순한 가재를 대상으로 시냅스의 흥분과 억제를 실험하면서 여러 가지 발견을 한 데 자극을 받은 커플러는 포유동물의 망막에 있는 신경세포들이 빛에 반응하여 보이는 더 복잡한 통합 작용을 연구하기 시작했다. 이제 그는 통합을 단순히 메커니즘으로서가 아니라 뇌의 감각계가 정보를 어떻게 처리하는가라는 관점에서 살펴보고 있었다. 즉 훗날 말했듯이, 그는 뇌가 어떻게 작동하는지를 이해하고자 했다.

로키탄스키의 전통에 충실했던 커플러와 그 뒤의 허블 및 비셸(그림 15-11)은 시지각을 탐구하기 위해 실험동물의 뇌를 깊숙이 파고들었다. 그들은 신경세포마다 아마도 목적, 작동 방식, 특성이 다르리라는 것을 초기에 알아차렸다. 따라서 뇌를 효율적으로 연구하려면, 한 번에 세포를 하나씩 살펴볼 필요가 있었다. 커플러와 그를 본받은 허블과 비셀은 눈의 망막에, 더 뒤에는 뇌에 미세한 전극을 삽입하여 신경세포의 전기 활동을 기록했다. 그들은 전극을 오실로스코프(전기 파형을 화면에 보여 주는 장치 – 옮긴이)와 소리 증폭기, 확성기에 연결했다. 그럼으로써 한 세포가 발화하는 활동전위를 오실로스코프로 보는 동시에, 불꽃이 튀기는 미세한 소리를 확성기를 통해 들을 수 있었다. 세포 하나를 조사하는 이 방법을 써서 커플러, 허블, 비셀은 시각계의 서로 다른 영역에 있는 세포들이 단순한 자극에 어떻게 반응하며, 망막에서부터 뇌의 고등한 시각 영역에 이르기까지 놓여 있는 다양한 중계소가 정보를 어떻게 전달하는지 연구했다.

커플러는 망막의 중심부와 주변부에 있는 신경절 세포 하나하나가 생성하는 활동전위를 기록하기 시작했다. 그는 이 특수한 신경세포가 추상체와 간상체 양쪽에서 오는 시각 이미지에 관한 정보를 수신하고, 그 정보를 활동전위 패턴으로 부호화한 뒤에 뇌로 전달한다는 것을 밝혀냈다. 그것을 기록하는 과정에서, 그는 첫 번째 놀라운 발견을 했다. 망막 신경절 세포가 결코 잠을 자지 않는다는 것이다. 이 세포는 빛이나 다른 자극이 없어도 자발적으로 활동전위를 일으킨다(그림 15-12). 자가 시동 장치처럼, 느리게 자발적으로 일어나는 이 발화는 환경을 탐색하여 신호를 찾으며, 후속 시각 자극이 작용할 수 있는 지속적인 기본 활동 패턴을 제공한다. 흥분성 자극은 이 발화를 증가시키고 억제성 자극은 발화를 감소시킨다.

커플러는 이어서 두 번째 발견을 했다. 그는 망막 신경절 세포의 자발적인 발화 패턴을 바꾸는 가장 효과적인 방법이 망막 전체에 분산된 강한 빛을 비추는 것이 아니라, 망막의 일부에만 작은 빛의 점을 비추는 것임을 알아차렸다. 그럼으로써 그는 이 망막 신경세포가 들어오는 정보를 수신하는 자체 영역, 즉 바깥 세계의 특정한 공간을 망막에 대응시키는 자체 수용 영역receptive field을 지닌다는 것을 발견했다. 각 신경세포는

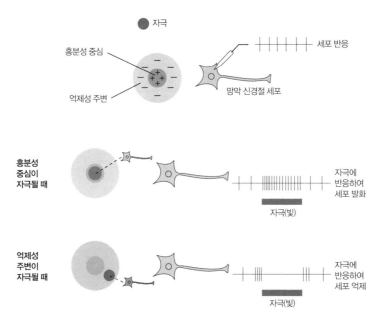

그림 15-12 중심형 세포의 수용 영역

자기 수용 영역 내에 들어오는 자극만을 읽고 반응하며, 자기 수용 영역
으로부터만 뇌로 정보를 보낸다. 이어서 커플러는 신경세포의 발화 빈도
가 수용 영역에 닿는 미세한 빛의 점의 세기에 따라 정해지며, 발화의 지
속 시간이 그 빛 자극의 지속 시간에 달려 있다는 것을 발견했다. 망막 전
체가 망막 신경세포들의 수용 영역으로 덮여 있으므로, 빛이 망막의 어디
에 비치든 간에, 일부 신경세포는 반응을 할 것이다. 이런 발견들은 시각
계가 환경의 세부 사항을 포착하도록 대단히 세심하게 분화되어 있음을
말해 주는 최초의 연구 성과였다.

수용 영역이 가장 작은 망막 신경절 세포들은 망막의 중심부에 있
다. 이들은 가장 빽빽하게 모인 추상체들, 가장 예리한 시각적 식별 — 예
를 들어 그림의 세부 사항을 보는 — 을 담당하면서 바깥 세계의 가장 작

은 조각을 읽는 세포들로부터 정보를 받는다. 망막의 중심부에서 조금 벗어난 곳에 있는 일부 신경절 세포는 여러 추상체로부터 오는 정보를 결합하는 좀 더 큰 수용 영역을 지닌다. 이 세포는 이미지의 해상도가 낮은 전체적인 구성 요소들을 분석하는 과정을 시작한다. 커플러는 망막 신경절 세포의 수용 영역이 망막의 중심부에서 멀어질수록 점점 더 커진다는 것을 알았다. 주변부의 세포가 세부 사항을 처리할 수 없고 흐릿한 이미지를 내놓는 이유를 이것으로 설명할 수 있다.

커플러는 다양한 망막 신경절 세포의 수용 영역에 미세한 빛을 비추면서 망막을 체계적으로 살펴보다가 세 번째 발견을 했다. 그는 망막 신경절 세포가 실제로 두 종류로 존재하며, 그 세포들이 망막 전체에 균일하게 분포해 있고, 중심부와 주변부의 특성이 다르다는 것을 알았다. 중심형on-center 신경세포는 작은 빛의 점이 수용 영역의 한가운데에 닿을 때 흥분하며, 빛이 주변 영역에 닿으면 억제된다. 중심 억제형Off-center 신경세포는 정반대로 반응한다. 작은 빛의 점이 수용 영역의 중심에 닿으면 억제되고, 주변 영역에 닿으면 흥분한다(그림 15-13).

망막 신경절 세포가 이렇게 중심부–주변부 체제center-surround organ-ization를 이루고 있다는 사실은 시각계가 이미지 중에서 빛의 세기가 변하는 부위에만 반응을 한다는 것을 의미했다. 사실 커플러의 연구는 대상의 겉모습이 광원의 세기가 아니라 대상과 배경의 대비에 주로 의존한다는 것을 보여 주었다.

이 발견을 토대로 커플러는 시각에 관한 또 다른 깨달음을 얻었다. 망막 신경절 세포는 빛의 절대적인 세기에 반응하는 것이 아니라 명암의 대비에 반응한다는 것이었다. 커다란 빛의 점, 즉 확산된 빛이 망막 신경절 세포를 자극하는 데 효과적이지 않은 이유는 확산된 빛이 각 신경세포 수용 영역의 흥분 영역과 억제 영역에 동시에 닿기 때문이다. 또 그의 발견은 뇌가 변하지 않는 패턴을 무시하고 대비를 이루는 패턴에 선택적

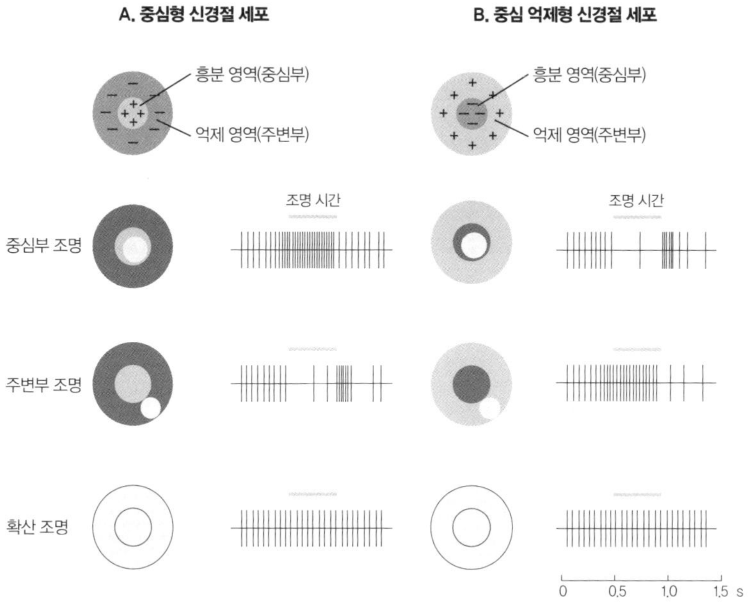

A. 중심형 신경절 세포

흥분 영역(중심부)
억제 영역(주변부)

B. 중심 억제형 신경절 세포

흥분 영역(중심부)
억제 영역(주변부)

조명 시간

조명 시간

중심부 조명

주변부 조명

확산 조명

0   0.5   1.0   1.5 s

그림 15-13 망막 신경절 세포는 수용 영역에 대비가 이루어질 때 최적으로 반응한다. 신경절 세포의 수용 영역은 원형이며, 중심부와 주변부로 나뉜다. 중심형 세포는 중심부가 빛에 자극을 받을 때 흥분하고 주변부가 빛에 자극을 받으면 억제된다. 중심 억제형 세포는 정반대로 반응한다. 그림은 세 가지의 빛 자극에 양쪽 유형의 세포가 반응하는 양상을 보여 준다(수용 영역에서 자극을 받는 부위는 밝은색으로 표시했다). 각 자극에 반응하여 세포가 일으키는 활동전위 패턴이 오른쪽에 기록되어 있다. 각 기록 위의 막대는 빛의 지속 시간을 나타낸다.

A. 중심형 세포는 수용 영역의 중심부 전체가 빛에 자극을 받을 때 가장 잘 반응한다. 빛이 중심부 영역 중 일부만 자극해도 반응을 하지만, 덜 활발하다. 반면에 주변부에 빛이 닿으면 발화가 줄어들거나 억제되며, 빛을 끄면 잠시 동안 더 격렬하게 활성이 재개된다. 수용 영역 전체에 확산 조명이 비치면, 중심부와 주변부가 상반된 효과를 발휘하므로 비교적 약한 반응이 일어난다.

B. 중심 억제형 세포는 수용 영역의 중심부가 조명을 받으면 자발적인 발화가 억제된다. 하지만 자극이 꺼진 뒤 잠시 동안은 발화가 증가한다. 이 세포는 수용 영역의 주변부에 빛이 닿으면 흥분한다.

이고 극적으로 반응한다는 관련 원리에 생물학적 근거를 제공했다. 이 내용은 그림 15-14에 설명되어 있다. 두 회색 고리는 색상이 똑같지만, 왼쪽의 것이 오른쪽 것보다 더 밝아 보인다. 배경이 서로 달라서 대비가 달라지기 때문이다. 마지막으로 망막 신경절 세포의 중심부–주변부 체제는 시각계가 망막에 닿는 빛의 불연속성에 왜 그토록 민감한지, 그리고 신경

그림 15-14 대상의 겉모습은 주로 대상과 배경의 대비에 의존한다. 위의 두 회색 고리는 밝기가 같지만, 배경에 따라 대비 효과가 달라진다. 왼쪽 고리가 더 밝게 보인다.

세포가 왜 이미지의 휘도, 즉 밝기가 서서히 변할 때보다 급격히 변할 때 더 강하게 반응하는지를 설명한다. 커플러는 곰브리치가 예측한 것과 거의 비슷하게, 매우 특정한 시각 자극만이 시각으로 나아가는 신경 출입구를 '연다'는 것을 발견했다.

우리 시각계는 자연계의 요구에 부응하여 진화한다. 사실 커플러가 연구한 시각계의 초기 단계들은 다윈주의 진화가 작용하고 있음을 보여 준다. 즉 사람의 눈 구조는 주변 환경에서 오는 정보의 처리를 최적화하도록 진화해 왔다. 더군다나 우리 시력의 한계, 즉 최대 해상도는 눈의 해상력과 중심오목에 있는 추상체들의 간격에 따라 결정된다. 이 추상체들은 정보를 망막 신경절 세포로 보내고, 신경절 세포의 수용 영역은 이미지에서 가장 중요한 정보를 추출하고 중복성을 최소화해 망막의 신호 전달 능력이 낭비되지 않게끔 되어 있다. 망막 신경절 세포의 수용 영역에서 주변부에 대한 중심부의 상대적인 크기도 이미지에서 유용한 정보를 지닌 요소를 식별하고 중복되는 요소를 무시하도록 완벽하게 다듬어져 있다.

　더 나아가 커플러의 연구는 망막이 이미지를 수동적으로 전달하지 않는다는 것을 보여 주었다. 망막은 엄청나게 많은 광수용체 신경세포와 다른 신경세포―이 수많은 세포는 병렬적으로 작동하여, 즉 병렬 처리를 통해 엄청난 연산 능력을 제공한다—를 이용해 시각 세계의 이미지를 능동적으로 변형시켜서 활동전위의 패턴으로 부호화한다. 이 활성 패턴은 시상의 외측 무릎핵으로 전달되며, 그곳에서 다시 대뇌피질로 향한다. 대뇌피질에서는 해체가 더 일어난 뒤 이미지의 내적 표상으로 재구성된다. 따라서 대비가 망막의 신호 전달에서 대단히 중요한 역할을 한다는 커플러의 발견은 시각피질 연구를 통해 시각에 관한 더욱 놀라운 깨달음들이 이어질 길을 닦았다. 다음 장에서 그 깨달음들을 살펴보기로 하자.

16

우리가 보는
세계의 재구성:
시각은
정보처리
과정이다

비록 망막이 극도로 정교하다고 해도, 망막은 대상·경관·얼굴의 항구적
이면서 본질적인 특징과 불필요한 세부 사항을 구분할 수가 없다. 시각
정보를 분류하는 작업—인지에 필요한 핵심 특징을 남기고 본질적이지
않은 세부 사항을 버리는 작업—은 대체로 시각을 전담하는 대뇌피질
영역에서 이루어진다. 데이비드 허블과 토르스텐 비셀은 20여 년 동안
공동 연구를 하면서, 시각계의 초기 단계들을 분석한 스티븐 커플러의 연
구를 뇌 영역으로까지 확장해 다양한 중계소가 시각 정보를 어떻게 처리
하는지에 관한 우리의 이해 수준을 대폭 높였다. 그들의 연구와 유니버시
티 칼리지 런던의 세미르 제키Semir Zeki의 연구는 뇌가 대상 인지에 필요
한 선과 윤곽을 어떻게 구성하는지를 이해하는 출발점 역할을 했다.

제키는 폴 세잔, 카지미르 말레비치, 입체파 화가들 같은 추상 미술
의 선구자들에게서 선이 주된 역할을 했음을 인식했다. 그 화가들은 관람
자의 뇌에서 선이 극적인 방식으로 정교하게 다듬어져서 가장자리라는
인상을 심어 준다는 것을 직관적으로 이해했다. 미술에서 윤곽선과 가장

그림 16-1 구스타프 클림트, 〈아델레 블로흐바우어 II〉(1912). 캔버스에 유채. 컬러화보 그림 8-26 참고

자리를 묘사할 때 선과 윤곽이 서로 다른 역할을 한다는 것은 구스타프 클림트와 오스카어 코코슈카의 두 유화와 클림트와 에곤 실레의 두 소묘를 비교하면 알 수 있다.

회화 작품에서 우리는 대상, 즉 이미지를 가장자리를 통해 쉽게 알아본다. 하지만 가장자리가 언제나 뚜렷하게 칠해지는 것은 아니다. 때로는 공통의 경계를 통해 가장자리가 형성되기도 한다. 클림트의 아델레 블로흐바우어 초상화를 코코슈카의 오귀스트 포렐 초상화와 비교해 보자 (그림 16-1, 16-2). 클림트는 아델레의 얼굴과 손을 색깔과 명암을 확연히 다르게 하고 비교적 산뜻하게 윤곽선을 그림으로써 배경과 구분한다. 우리는 그녀의 머리가 어디에서 끝나고 모자가 어디서부터 시작되는지를 알아볼 수 있다. 밝은 영역과 어두운 영역 사이에 채색 변화가 일어나기 때문이다. 이 그림은 단순한 윤곽선과 명암 대비를 결부해 이미지의 평면성을 두드러지게 하고 모델의 정적이고 영속적인 속성을 강조한다. 코코

그림 16-2 오스카어 코코슈카, 〈오귀스트 앙리 포렐의 초상화〉(1910). 캔버스에 유채. 컬러화보 그림 9-12 참고

슈카는 포렐의 초상화에서 정반대 방식을 쓴다. 그는 얼굴 내에서는 약간의 명암 차이만을 이용하지만 포렐의 머리 가장자리는 강렬한 윤곽선을 써서 빚어내고, 심지어 조각하는 듯하다. 그리하여 머리는 배경으로부터 툭 튀어나와 있는 듯이 보이는데, 이것은 모델의 무의식적인 몽상을 포착하려는 시도다. 포렐의 손을 묘사한 부분에서는 윤곽선이 더욱 극적인 양상을 띤다. 굵은 검은 선이 손을 에두르고 있다.

소묘에서 우리 시각계는 선과 윤곽을 미묘하게 달리 처리한 작품들로부터 서로 다른 정신적 표상을 만들어 낼 수 있다. 그림 16-3에서 클림트는 인물의 윤곽을 가볍게 그리고 장식을 그려 넣는다. 그림 16-4에서 실레는 인물을 더 단순히 묘사하는 한편으로, 모델에서 시선을 떼지 않고 그리는 오귀스트 로댕의 기법을 써서 윤곽을 더욱 강조한다. 실레의 더 대담한 윤곽선은 부피를 강조함으로써 이미지의 삼차원성을 강화한다. 게다가 이 윤곽선은 인물과 배경 사이에 우아하면서도 경제적인 물리

그림 16-3 구스타프 클림트, 〈누워 있는 나체 여성(Reclining Nude Female)〉(1912~13). 종이에 파란 연필. 컬러화보 참고

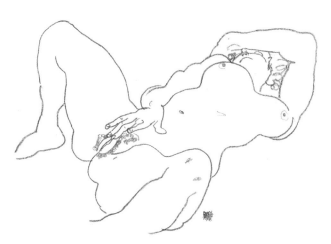

그림 16-4 에곤 실레, 〈누워 있는 나체〉(1918). 종이에 크레용. 컬러화보 그림 8-3 참고

적 경계를 만든다. 그 결과 두 화가가 우리 시각계에 전달하는 표상—나체 여성—이 비슷한데도 우리는 둘을 전혀 다르게 본다.

실레의 소묘에 쓰인 것과 같은 윤곽이 삼차원 형태를 매우 뚜렷하게 전달하긴 하지만, 그 윤곽은 자연에 있는 형태를 닮지 않았다. 세계에 있는 대상들은 클림트의 유화에 실린 인물처럼, 뚜렷한 윤곽선을 통해 배경과 구분되는 것이 아니다. 인위적인 윤곽선으로 만들어 낸 이미지가 대단히 설득력 있게 와 닿는다는 사실로부터, 우리는 우리 뇌가 시각적 대상들을 구별하기 위해 쓰는 도구들에 관한 흥미로운 깨달음을 하나 얻게 된다.

시신경은 100만 개가 넘는 축삭으로 이루어진 일종의 생물학적 케이블로서, 망막 신경절 세포에서 발화한 활동전위를 외측 무릎핵으로 전달한다. 외측 무릎핵은 시상의 일부로서, 감각 정보를 대뇌피질로 보내는 입구이자 분배점이다. 허블과 비셀은 실험동물의 시상을 연구하기 시작했고, 외측 무릎핵의 신경세포가 망막 신경절 세포와 매우 비슷한 특성을 지닌다는 것을 발견했다. 외측 무릎핵의 신경세포도 중심형 및 중심 억제형이라는 두 종류의 원형 수용 영역을 지니고 있다.

이어서 그들은 일차 시각피질의 신경세포를 조사했다. 이 신경세포는 외측 무릎핵에서 이미지에 관한 정보를 받아서, 대뇌피질의 다른 영역들로 중계한다. 망막과 외측 무릎핵의 신경세포들처럼, 일차 시각피질의 각 신경세포도 고도로 분화해 있고 망막의 특정 부위에서 오는 자극에만 반응한다. 즉 자체 수용 영역을 지니고 있다. 하지만 여기에서 허블과 비셀은 한 가지 놀라운 발견을 했다. 일차 시각피질의 신경세포가 외측 슬상핵에서 입력된 정보를 단순히 충실하게 재생산하는 것이 아니라는 사실이었다. 대신에 이 세포는 자극의 직선적인 측면을 추상화한다. 이 피질의 세포는 수용 영역이 원형이 아니라 막대 모양이기 때문에 윤곽, 즉

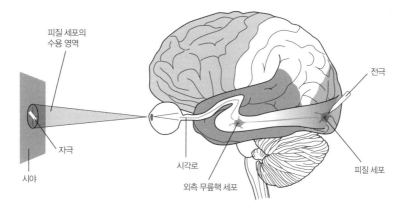

그림 16-5

선·정사각형·직사각형에 가장 잘 반응한다. 한 이미지의 가장자리를 규정하거나 밝은 영역과 어두운 영역의 경계를 표시하는 선에 반응한다.

허블과 비셀의 발견 중 가장 놀라운 것은 일차 시각피질의 신경세포가 단순히 선이 아니라 특정한 방향의 선—수직선, 수평선, 빗금—에 반응한다는 점이다. 따라서 검은 선이나 가장자리가 우리 눈앞에서 한 축을 중심으로 회전하면서 각 가장자리의 각도가 서서히 변한다면, 그 각도 변화에 따라 서로 다른 신경세포가 발화를 할 것이다. 어떤 뉴런은 가장자리가 수직일 때 반응할 것이고, 어떤 뉴런은 가장자리가 수평일 때 반응할 것이며, 또 어떤 뉴런은 가장자리가 비스듬할 때 반응할 것이다. 게다가 망막(그리고 외측 무릎핵)의 신경세포처럼, 일차 시각피질의 신경세포도 명암의 불연속성에 가장 잘 반응한다(그림 16-5, 16-6).

이 연구 결과들은 포유동물의 눈이 카메라가 아니라는 것을 인상적으로 보여 준다. 즉 눈은 풍경이나 사람의 이미지를 화소 단위로 기록하는 것도 아니고, 이미지의 색깔을 정확히 포착하는 것도 아니다. 게다가 시각계는 정보를 고르고 선택하고 버릴 수 있다. 카메라나 컴퓨터는 그렇게 할 수 없다.

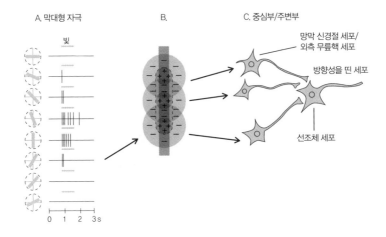

A. 막대형 자극   B.   C. 중심부/주변부

빛

망막 신경절 세포/
외측 무릎핵 세포

방향성을 띤 세포

선조체 세포

0 1 2 3s

그림 16-6

A: 일차 시각피질에 있는 세포의 수용 영역은 빛의 막대를 망막의 수용 영역에 투영하면서 그 세포가 어떻게 반응하는지를 기록하여 파악한다. 조명 시간은 각 활동전위 기록의 위쪽에 수평선으로 표시했다. 세포는 빛의 막대가 수용 영역의 중심부에 수직으로 놓일 때 가장 강하게 반응한다.

B: 일차 시각피질에 있는 단순한 세포들의 수용 영역은 흥분성(+) 또는 억제성(−) 영역으로 된 좁고 긴 띠 모양이다. 비록 반응하는 자극의 유형은 세포마다 다를지라도, 이 피질 세포들의 수용 영역은 세 가지 공통점을 지닌다. 1) 망막의 특정한 위치와의 연결, 2) 흥분 구역과 억제 구역의 구분, 3) 특정한 방향 축.

C: 단순한 피질 세포들의 수용 영역에서 입력들이 어떤 식으로 편제될지를 설명하는 모형은 허블과 비셀이 처음 제시했다. 이 모형에 따르면, 일차 시각피질의 신경세포는 망막에 직선으로 와 닿는 빛을 나타내는 셋 이상의 중심형 세포들로부터 흥분성 연결을 받는다. 그 결과 피질 세포의 수용 영역은 길쭉한 흥분성 영역을 지닌다. 그림에서 짙은 색으로 표시된 막대 부분이다. 억제성 주변부는 아마도 중심형 세포의 수용 영역과 인접한 수용 영역(그림에 표시되지 않았다)을 지닌 중심 억제형 세포들이 제공하는 듯하다.

제키는 허블과 비셀의 발견을 이렇게 설명한다.

세포가 특정한 방향의 선에만 선택적으로 반응한다는 …… 발견은 시각 뇌 연구의 초석이 되었다. 생리학자들은 방향 선택 세포가 뇌에서 정교한 형태를 구축하는 생리학적 기본 단위라고 본다. 비록 우리가 모든 형태의 기본 구성 요소라고 여기는 것에 반응하는 세포들로부터 복잡한 형태가 어떻게 신경학적으로 구성되는지를 아는 사람은 아무도 없지만 말이다. 어떤 의미에서 우리의 탐구와 결론은 몬드리안, 말레비치 같은 화가들의 것과 다르지 않다. 몬드리안은 더 복잡한 다른 모든 형태들의 구성 요소인 보편적인 형태가 직선이라고 생각했다. 생리학자들은 적어도 일부 화가들이 보편적인 형태라고 여기는 것에 특수하게 반응하는 세포들이 신경계가 더 복잡한 형태를 재현할 수 있도록 하는 기본 구성단위라고 본다. 나로서는 시각피질의 생리학과 화가의 창작물 사이의 이 관계가 전적으로 우연의 산물이라고 보기가 어렵다.[1]

사실 뇌과학은 선의 중요성과 암시 선의 힘을 비교적 최근에야 발견했지만, 화가들은 훨씬 전부터 그 점을 이해하고 있었다. 클림트는 다양한 기법을 썼지만, 그중에서도 주관적 윤곽의 원리들에 통달한 대가였다. 그 기법을 써서 그는 관람자가 이미지의 윤곽을 완성하도록 했다. 이점은 그의 황금기에 그려진 작품들에서 특히 뚜렷하다. 이 시기에 그는 으레 금박 장식을 써서 몸의 윤곽을 가리고서 관람자가 상상을 통해 그 윤곽을 구성하도록 했다. 더 나아가 그는 때로 윤곽의 가림occlusion에 이중의 의미를 부여하기도 했다. 〈유디트〉(그림 8-27)에서 우리는 그녀가 낀 황금 목걸이가 머리를 몸과 분리하고 있음을 본다. 하지만 이미지에는 없는데도 우리는 자연스럽게 그녀의 목 윤곽을 마음속에서 그린다. 우리 뇌가 카니자 삼각형에서 보았듯이 폐쇄성closure이라는 게슈탈트 원리를 이용하여 빠진 윤곽을 만들어 내기 때문이다.

또 허블과 비셀은 동물 연구를 통해 시각계가 계층구조를 이루고 있다는 것도 밝혀냈다. 이미지는 가공되지 않은 형태로 눈에 들어와 시각계의 더 고등한 영역에서 정교하게 다듬어져서 우리가 의식적으로 지각하는 가공된 이미지가 된다. 게다가 그들과 제키는 일차 시각피질과 특히 시각피질의 그다음 두 영역인 V2와 V3에 있는 신경세포들이 실제 선에 못지않게 가상의 선에도 효과적으로 반응한다는 것을 발견했다. 그럼으로써 이 신경세포들은 윤곽을 완성할 수 있으며, 그것은 게슈탈트심리학자들이 폐쇄성이라고 부르는 현상을 설명해 준다.

제키는 12장에서 다룬 카니자 삼각형(그림 12-5)이 폐쇄성의 사례라고 주장한다. 뇌가 불완전하거나 애매한 이미지를 완성하여 그것을 이해하고자 한다는 것이다. 그가 더 나중에 한 뇌영상 실험들은 사람이 암시 선을 볼 때 일차 시각피질과 V2 및 V3 영역의 신경세포들이 활성을 띠며, 대상 인지에 중요한 피질 영역의 신경세포도 마찬가지로 활성을 띤다는 것을 시사했다.

아마도 뇌는 모퉁이를 돌아 나오는 누군가나 덤불 뒤에서 걸어 나오는 사자를 볼 때처럼, 이미지를 제대로 지각하려면 가려진 윤곽을 완성해야 하는 상황을 자연에서 종종 접하기 때문에 선을 완성하는 것인지 모른다. 리처드 그레고리는 이렇게 상기시킨다. "우리 뇌는 거기에 '있어야 하는' 것을 덧붙임으로써 우리가 보는 것의 상당 부분을 창조한다. 우리는 뇌가 잘못된 추측을 하여 명백히 허구적인 것을 창조할 때에만 뇌가 추측을 하고 있음을 깨닫는다."[2]

앞서 살펴보았듯이 대상 인지의 본질적인 특징은 형상과 배경을 분리하는 것이다. 형상-배경 분리는 지속적이고 역동적인 과정이다. 한 맥락에서 형상의 일부로 쓰이는 요소가 다른 맥락에서는 배경의 일부를 이루고 있을 수 있기 때문이다. 시각피질의 V2 영역에서 루빈 꽃병에 있는 것과 같은 가상의 선에 반응하는 일부 세포들은 형상의 가장자리, 즉 경계에도 반응한다. 하지만 단순히 경계가 어디인지를 파악하는 것만으로는 형상을 배경과 구분하는 데 충분치 않다. 경계가 그곳에서 만나는 두 영역 중 어느 쪽에 속해 있는지를 이미지의 맥락을 통해 추론할 수도 있어야 한다. 경계 소유권 문제는 루빈 꽃병과 토끼-오리 형상에서처럼 형상-배경 전환이 일어나는 상황에서 특히 중요해진다.

제키 연구진은 그런 형상–배경 전환이 일어날 때 사람들의 뇌 속을 촬영했다. 그들의 실험은 루빈 꽃병을 볼 때 뇌 활성이 하측두엽의 얼굴 인식 영역에서 두정엽의 대상 인지를 담당하는 영역으로 옮겨 간다는 것을 보여 준다. 게다가 역전이 일어날 때마다 일차 시각피질의 활성이 일시적으로 잦아든다. 일차 시각피질의 활성은 꽃병 하나를 보든 얼굴 둘을 보든 간에 이미지의 지각에 반드시 필요하지만, 전환이 일어나려면 활성이 잠시 중단되어야 한다. 마지막으로 한 이미지에서 다른 이미지로 지각 표상이 바뀔 때, 정보가 더 폭넓게 전달됨으로써 전두엽과 두정엽도 활성을 띠게 된다. 제키 연구진은 이 활성이 하향식 처리 과정을 나타내며, 어느 지각 표상이 의식에 떠오를지를 결정한다고 주장한다. 따라서 관람자가 막 전환된 이미지를 의식적으로 자각하려면 전두엽과 두정엽이 동원되어야 한다. 이 문제는 29장에서 무의식적 처리 과정으로부터 의식적 처리 과정으로의 전환을 다룰 때 다시 살펴보기로 하자.

각 눈의 망막에 비친 이미지는 그림이나 필름에 담긴 이미지와 마찬가지로 이차원적이지만 우리는 삼차원 세계를 본다. 우리는 어떻게 이렇게 깊이를 지각할 수 있는 것일까? 뇌는 두 가지 유형의 주요 단서를 활용한다. 바로 단안 단서monocular cue와 양안 시차 단서binocular disparity cue다.

원근법을 포함한 깊이 지각의 상당 부분은 단안 단서로부터 얻을 수 있다. 사실 양쪽 눈의 망막에 비치는 이미지는 바로 코앞의 거리에서는 구별되지만, 6미터 이상의 거리에서는 본질적으로 같다. 따라서 멀리 있는 대상을 볼 때는 한쪽 눈으로 보는 것이나 다름없다. 그럼에도 우리는 멀리 있는 대상의 상대적인 위치를 별 어려움 없이 파악한다. 우리가 한쪽 눈만으로 깊이를 파악할 수 있는 이유는 뇌가 단안 깊이 단서monocular depth cue라는 많은 특징에 의지하기 때문이다(그림 16-7). 화가들은 수세기 전부터 이런 단서들을 알고 있었고, 16세기 전반기에 레오나

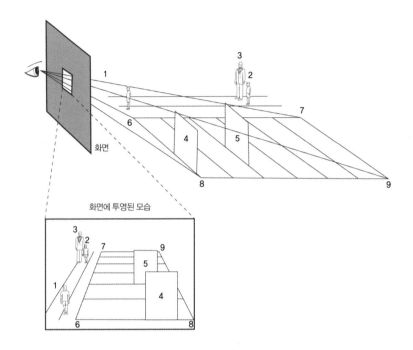

그림 16-7

가림: 직사각형 4가 직사각형 5의 윤곽을 차단한다는 사실은 직사각형 4가 앞쪽에 있음을 시사하지만, 둘 사이의 거리가 얼마나 되는지는 말해 주지 않는다.

선 원근법: 직선 6-7과 8-9는 평행하지만, 화면에서 보면 수렴하기 시작한다.

상대 크기: 우리는 두 소년의 크기가 같다고 가정하기 때문에, 화면에서 작은 소년(2)이 큰 소년(1)보다 더 멀리 있다고 가정한다. 거의 같은 방식을 써서, 우리는 직사각형 4가 5보다 얼마나 더 가까이 있는지를 안다.

친숙한 크기: 어른(3)과 맨 앞의 소년은 그림에서 거의 같은 크기로 그려져 있다. 어른이 소년보다 크다는 것을 안다면, 우리는 그림상의 크기를 토대로 어른이 소년보다 더 멀리 있다고 추론한다. 이 유형의 단서는 다른 단서들보다 약하다.

르도 다빈치는 그것을 상세히 기술했다.

　미술 작품 같은 정적인 이미지를 볼 때는 다섯 가지 주요 단안 단서가 적용된다. 이 단서는 화가에게 특히 중요하다. 화가가 대개 삼차원 장면을 이차원 표면에 묘사하는 일을 하기 때문이다. 첫 번째 단서는 친숙한 크기다. 예전에 만난 사람의 크기에 관한 지식이 그 사람이 얼마나 멀

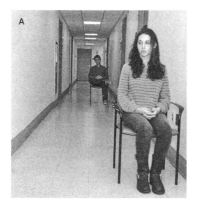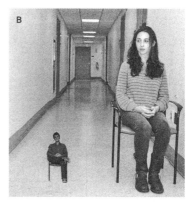

그림 16-8

A: 전경에 있는 사람은 카메라에 더 가깝고 배경에 있는 사람은 카메라에서 더 멀다.

B: 멀리 있는 사람의 이미지를 가까이 있는 사람 옆에 겹쳐 놓아서 두 사람이 카메라 가까이에 있는 듯 보이게 한다. 그러면 왼쪽의 인물은 A 사진과 크기가 같은데도 훨씬 더 작아 보인다.

리 있는지를 판단하는 데 도움을 준다는 것이다(그림 16-7). 지난번에 보았을 때보다 그 사람이 더 작아 보인다면, 그는 더 멀리 있을 가능성이 높다. 두 번째 단서는 상대 크기다. 두 사람 또는 비슷한 두 대상의 크기가 달라 보인다면, 우리는 작은 쪽이 더 멀리 있다고 가정한다. 게다가 우리는 한 대상의 크기를 주변의 대상들과 비교하여 판단한다(그림 16-8). 서로 다른 거리에 있는 두 사람을 볼 때, 우리는 두 사람을 비교하여 그들의 크기를 판단하는 것이 아니라, 그들의 바로 주변에 있는 대상들과 비교하여 판단한다. 이 비교를 할 때, 우리는 이미지에 있는 다른 대상들의 친숙함에도 의존한다.

세 번째 단안 단서는 가림occlusion이다. 사람이나 대상이 다른 사람이나 대상을 통해 일부 가려진다면, 보는 이는 앞쪽에 있는 사람이나 대상이 가려진 사람이나 대상보다 더 가까이 있다고 가정한다. 예를 들어 그림 16-9에서 우리는 평면에 놓인 세 기하학적 형태를 본다. 원, 직사각형, 삼각형이다. 원은 우리에게 가장 가까이 있는 듯하고, 직사각형이 가장 멀리 있는 듯하다. 삼각형이 직사각형을 일부 가리고, 원이 삼각형을

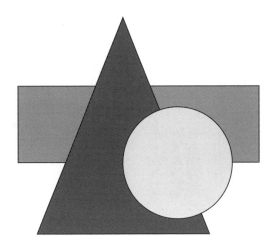

그림 16-9

일부 가리기 때문이다. 공간에서의 절대적인 위치를 가리킬 수 있는 다른 단안 깊이 단서들과는 달리, 가림은 상대적인 거리만을 판단할 수 있게 한다.

네 번째 단서는 선 원근법linear perspective이다. 철도 같은 평행선이 지평선의 한 점으로 수렴하는 듯 보이는 것이다. 수렴하는 선들의 길이가 더 길수록, 보는 이의 거리 감각도 더 강화된다(그림 16-7). 시각계는 수렴을 직관적으로 깊이로 해석한다. 평행선은 언제나 평행하다고 가정하기 때문이다. 다섯 번째 단안 단서는 대기 원근법aerial perspective이다. 따뜻한 색깔이 차가운 색깔보다 보는 이에게 더 가까워 보이며, 더 어두운 색상의 대상이 밝은 대상보다 더 가까워 보인다.

미국에서 최초로 망원경을 만든 천문학자이자 탁월한 지리 조사 및 지도 작성 능력으로도 유명했던 데이비드 리튼하우스David Rittenhouse는 1786년 음영법shading이 압도적인 삼차원 지각을 빚어낸다고 지적했다. 이 지각은 우리가 현재 뇌에 회로로 새겨져 있음을 알고 있는 두 가지 추론을 토대로 한다. 첫 번째는 전체 이미지를 비추는 광원이 단 하나라는 것이고, 두 번째는 이 광원이 머리 위에 있다는 것이다(그림 16-10). 우

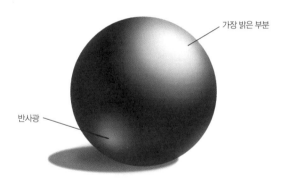

가장 밝은 부분

반사광

그림 16-10 빛과 그늘은 대상의 삼차원성을 보여 주는 신뢰할 수 있는 지표다. 다른 깊이 단서들이 없을 때에도 우리는 이 공이 삼차원 구라는 것을 알 수 있다.

리의 시각계가 그렇게 추론하는 이유는 우리 뇌가 머리 위에서 빛나는 태양이라는 단 하나의 광원이 있는 태양계에서 진화했기 때문이다. 이 추론들을 토대로, 위쪽에서 빛나는 둥근 형태는 볼록해 보이는 반면 아래쪽에서 빛나는 똑같이 둥근 형태는 오목해 보인다.

이 추론들은 그림 16-11의 '머핀 팬'을 볼 때에도 뚜렷이 드러난다. 이 그림에서 우리는 지면에서 튀어나온 세 줄의 볼록한 혹, 즉 머핀을 본다. 이렇게 보이는 것들은 위가 밝고 아래가 어두운 것들로서(그림 16-11A), 이 배치는 공의 그늘을 지각하는 것과 일치한다(그림 16-10). 모든 대상이 머리 위에 있는 하나의 광원에서 빛을 받는 듯하다. 하지만 그림을 뒤집으면 이미지는 역전된다. 이제 우리는 오목하게 파인 형태들을 본다. 이 역전은 우리 뇌가 여전히 광원이 위에 있다고 가정하기 때문에 일어난다. 우리는 종이를 회전시키지 않고서도 광원이 밑에 있다고 상상함으로써 원의 공간적인 방향을 역전시킬 수도 있다. 더 어렵긴 하지만 말이다. 이런 식으로는 이미지의 방향을 역전시키기가 더 어렵다는 사실은 광원이 머리 위에 있다고 가정하도록 우리 뇌에 회로가 새겨져 있다는 것을 말해 준다. 그림 16-11B는 또 다른 자동적인 추론을 보여주는 사례

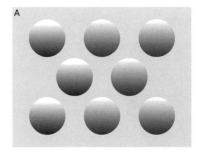

그림 16-11

A: 이 볼록한 대상들은 위에서 빛을 받는 듯하다. 광원이 아래쪽에서 위의 대상들을 비춘다고 상상하면, 깊이가 역전되어 오목하게 보인다.

B: 가운데 줄은 위아래의 줄과 방향이 정반대로 보인다. 깊이 지각이 뒤집힐 수는 있지만, 세 줄 모두를 동시에 볼록하거나 오목하게 보는 것은 불가능하다.

로서, 왼쪽의 그림과 마찬가지로 여기서도 세 줄의 혹이 보인다. 하지만 여기서는 빛이 옆에서 비추며, 가운데 줄의 두 원은 다른 줄의 원들과 정반대 방향을 보인다. 이 원들은 언뜻 볼 때는 오목한 듯하지만, 쉽게 뒤집힐 수 있다. 의도적으로 뒤집는다면, 인접한 줄에 있는 원들의 방향도 뒤집힌다는 점을 주목하자. 여기서도 뇌가 광원이 하나라고 한결같이 가정하고 있다는 점이 드러난다.

그림 16-11A는 광원이 머리 위에 있다고 가정하는 우리의 태도가 뇌에 새겨진 것임을 보여 준다. 흥미롭게도 이 가정은 지평선이나 환경과 관련 있는 것이 아니라 우리 자신의 머리와 관련이 있다. 우리는 태양이 머리 위에 붙어 있다고 가정하는 듯하다. 고개를 오른쪽으로 기울이면 그림 16-11B의 가운데 줄에 있는 원들은 예외 없이 오목하게 보이고, 그것을 역전시키기가 훨씬 더 어려워진다. 고개를 왼쪽으로 기울이면 정반대 효과가 나타날 것이다.

30미터 이내에 있는 대상을 볼 때는 단안 단서 외에 양안 시차 단서도 이용하여 깊이를 지각한다. 양안 시차는 양쪽 눈으로 대상을 볼 때 양쪽 눈이 서로 조금 다른 시점에서 대상을 보기 때문에 생긴다. 각각의 눈으로 조금씩 다른 시점에서 대상을 보기 때문에, 양쪽 망막에 비치는 이미지도 조금 다르다. 양쪽 눈을 번갈아 감으면서 대상을 보면 그렇다는 사실을 직접 시험해 볼 수 있다.

허블과 비셀은 각 눈의 망막에서 오는 신호가 일차 시각피질의 동일한 표적 세포에 수렴된다는 것을 밝혀냈다. 입체시—양안시를 통해 얻는 깊이 감각—에는 이 수렴이 필요하지만, 그것만으로는 충분하지 않다. 입체시를 얻으려면 일차 시각피질의 표적 세포가 양쪽 망막 이미지의 신호들에 있는 미미한 차이점들을 비교한 뒤 단일한 삼차원 이미지를 제시해야 한다. 양안시는 주로 가까운 거리에서 하는 일에 필요하다. 앞서 말했듯이 거리가 6미터를 넘어서면 한쪽 눈만으로도 충분하다. 실제로 야구 선수인 조던 언더우드Jordan Underwood는 직선 타구에 얼굴을 맞아서 한쪽 눈을 실명했는데도 최고의 투수가 되었다.

뇌가 형태를 어떻게 해체하는지를 연구한 커플러, 허블, 비셀의 발견에 자극받은 영국의 이론뇌과학자 데이비드 마David Marr는 시각을 연구하는 대담하고 새로운 접근법을 개발했다. 1982년에 출간한 걸작《시각Vision》에 자세히 기술했듯이, 마는 에른스트 크리스와 언스트 곰브리치가 개척한 시지각의 인지심리학과 커플러, 허블, 비셀이 시각계를 연구하여 얻은 생리학적 발견들, 정보처리 과정의 원리들을 결합했다. 그럼으로써 마는 시각의 생리학, 시각 정보의 처리 과정, 시지각의 인지심리학이 어떻게 연관되어 있는지를 설명하고자 했다.

마의 기본 개념은 시지각이 일련의 정보 처리 수준들, 즉 표상들을 통해 처리되며, 단계를 거칠 때마다 이전의 표상은 변형되고 더 풍성해진다는 것이었다. 마의 영향을 받아 현대 신경과학자들은 3단계 정보 처리 체계를 내놓았다. 첫째 단계는 망막에서 시작되는데, 커플러가 연구한 낮은 수준의 시각 처리 과정을 말한다. 이 단계에서는 대상의 공간적 위치를 파악하고 색깔을 식별함으로써 개별 시각 경관의 특징들을 확정한다.

둘째 단계는 일차 시각피질에서 시작되며, 허블과 비셀, 제키가 연구한 중간 수준의 시각 처리 과정이다. 각각 특정한 방향 축을 지닌 단순한 선분들을 조립하여 이미지의 경계를 정의하는 윤곽을 만들고, 그럼으로써 대상의 모양에 관한 통합된 지각을 구성하는 단계다. 이 과정을 윤곽 통합contour integration이라고 한다. 그런 한편으로 중간 수준의 시각은 표면 분할surface segmentation이라는 과정을 통해 대상을 배경과 분리한다. 이 낮은 수준과 중간 수준의 시각 처리 과정을 통해 이미지에서 대상과 관련이 있는 영역을 형상으로, 관련이 없는 영역을 배경으로 구분하게 된다(그림 16-12).

이 낮은 수준과 중간 수준의 시각 처리는 대체로 상향 처리 과정을 통해 함께 수행된다. 상향 처리 과정의 기본 원리 중 몇 가지는 게슈탈트 심리학자들이 연구했다. 그들은 어떤 묶음이 알아볼 수 있는 패턴을 형성할 가능성이 가장 높은지를 결정하는 규칙들을 개발했다. 묶음 규칙 중 하나는 대상의 윤곽을 형성하는 선분들의 근접성이다. 또 하나는 색깔, 크기, 방향의 유사성이다. 윤곽에 특히 중요한 것은 부드러운 연속good continuation의 원리(그림 16-13)다. 이것은 한 형상의 선분들이 대체로 윤곽이 매끄럽게 이어지는 쪽으로 배열되고 묶일 것이라는 개념이다.

이 두 단계 중에서 중간 수준의 시각 처리 과정이 특히 어렵다고 여겨진다. 수백 개, 심지어 수천 개의 선분들로 구성되는 복잡한 시각 경관 속에서 어느 선분들이 한 대상에 속하고 어느 선분들이 다른 대상의 구성 요소인지를 판단하라고 일차 시각피질에 요구하기 때문이다. 낮은 수준과 중간 수준의 시각 처리 과정은 이전 지각 경험의 기억도 고려해야 한다. 이 기억은 시각계의 더 고등한 영역에 저장되어 있다.

세 번째 단계인 높은 수준의 시각 처리는 일차 시각피질에서 하측 두엽으로 이어지는 경로를 따라 진행되는데, 범주와 의미를 확정하는 과

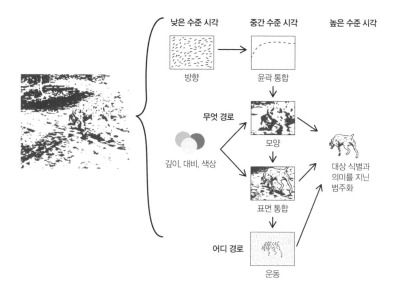

낮은 수준 시각　중간 수준 시각　높은 수준 시각

방향

윤곽 통합

무엇 경로

깊이, 대비, 색상

모양

표면 통합

대상 식별과
의미를 지닌
범주화

어디 경로

운동

그림 16-12 왼쪽의 개 이미지는 시각의 3단계 처리 과정과 두 가지 경로를 통해 해체되고 처리된다. 낮은 수준의 시각은 개의 공간적 위치와 색깔을 파악한다. 중간 수준의 시각은 개의 형태를 조립하고 그것을 배경과 구분하여 정의한다. 개라는 구체적인 대상과 그 개가 속한 환경의 인지는 높은 수준의 시각에서 이루어진다.
무엇 경로는 개 이미지의 모양과 색깔을 담당하고, 어디 경로는 개의 움직임을 담당한다. 무엇 경로는 3단계 처리를 통해 이미지를 해체하고 재구성한다.

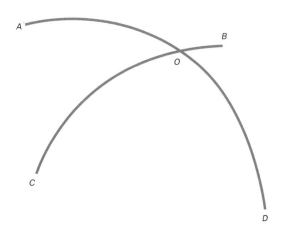

그림 16-13 게슈탈트의 부드러운 연속의 원리. 선분들은 윤곽이 매끄럽게 이어지도록 묶일 것이다. 선분 A-O는 O-D와, C-O는 O-B와 묶일 것이다.

정이다. 여기에서 뇌는 시각 정보를 다른 다양한 원천에서 나온 관련 정보와 통합하며, 그럼으로써 우리는 구체적인 대상, 얼굴, 장면을 인식할 수 있다. 이 하향 처리 과정은 추론을 하고 가설을 이전의 시각 경험에 비추어 검증함으로써 의식적인 시지각과 의미의 해석을 내놓는다(18장 참조). 하지만 의미 해석은 완벽하지 않으며, 오류로 이어질 수도 있다.

시각 처리 과정을 살펴보는 이 신경학적 연구들을 통해서 이차원 표면에 삼차원 대상과 인물을 떠올리게 하는 화가의 전략이 왜 그토록 성공을 거두어 왔는지 설명되기 시작한다. 한 표면을 다른 표면이나 배경과 분리하는 가장자리는 자연의 어디에나 있다. 화가들은 대상이 모양을 통해 정의되며, 모양은 가장자리로부터 유추된다는 것을 늘 알고 있었다. 화가는 한 영역에서 다음 영역으로 넘어갈 때 색깔이나 밝기를 바꾸거나 암시선을 써서 가장자리를 묘사할 수 있다. 한 대상의 가장자리는 일반적으로 통일된 색깔, 밝기, 질감을 통해 한 표면을 다른 표면과 구분한다. 윤곽은 그저 형태를 더 뚜렷하게 규정하기 때문에 그림에서 중요한 것이다.

　이와 달리 선화線畵는 단순한 선―폭보다 길이가 상당히 더 긴 일정한 색깔을 지닌 가느다란 표시―이든 윤곽선―대상의 경계를 설정하여 가장자리를 규정하는 선―이든 간에 오로지 선만 써서 그린 그림이다. 화가는 선화에서는 밝기의 변화를 묘사할 수 없으므로, 윤곽선을 써서 이차원 가장자리의 효과를 만들어 내야 한다. 화가는 윤곽선에 밝고 어두운 음영을 추가해 삼차원 효과를 일으키는 복잡한 윤곽선을 만들 수 있다. 마지막으로 화가는 표현 윤곽expressive contour―대개 균일하지 않은, 두껍거나 가늘고 휘어지거나 들쭉날쭉한 선―을 써서 감정을 더 강하게 표현할 수 있다.

　선화는 모든 문화의 모든 미술 형태에 널리 쓰인다. 신문의 만평에서부터 동굴 벽화에 이르기까지 모든 곳에서 선화가 쓰이는 이유는 그것이 마음에 직관적으로 와 닿기 때문인 듯하다. 웃는 얼굴의 윤곽선은 보는 순간 자동적으로 웃는 얼굴이라고 우리 마음에 기록된다. 하지만 어떻게 그럴 수 있을까? 현실 세계에 윤곽선 같은 것은 결코 없다. 경계를 구분 짓는 뚜렷한 선 따위는 전혀 없이, 대상이 끝나는 곳에서 배경이 시작될 뿐이다. 하지만 보는 사람은 전혀 어려움 없이 선화가 손, 사람, 집을 나타낸다고 지각한다. 이런 종류의 간결한 그림이 그토록 수월하게 작동한다는 사실로부터 우리는 우리의 시각 처리 체계가 어떻게 작동하는지 많은 것을 알아낼 수 있다.

선화가 그토록 놀라운 성공을 거두는 이유는 허블과 비셀이 발견한 것처럼, 우리 뇌세포가 선과 윤곽을 가장자리라고 읽는 능력이 매우 뛰어나기 때문이다. 뇌는 단순한 선들을 통합하여 형상과 배경을 구분하는 가장자리를 만든다. 우리가 눈을 뜨고 있는 매순간, 일차 시각피질의 방향 세포들은 눈앞에 놓인 풍경의 선화적 요소들을 구성하고 있다. 게다가 일차 시각피질은 신경세포의 수용 영역에 있는 억제 영역을 이용하여 이미지의 윤곽선을 선명하게 만든다.

허블과 비셀이 세포 수준에서 연구하기 이전에 오스트리아의 물리학자이자 철학자인 에른스트 마흐는 이미 이 현상을 탐구한 바 있다. 마흐는 오늘날 마흐의 띠Mach band라고 불리는 착시 현상을 발견했다. 더 밝아 보이는 영역을 더 어두워 보이는 영역 옆에 놓으면, 우리는 두 영역의 경계에서 대비가 더 강화된 선을 지각하게 된다(그림 16-14, 16-15, 16-16). 그래서 밝은 영역은 경계 근처에서 훨씬 더 밝아 보이고, 어두운 영역은 경계 근처에서 훨씬 더 어두워 보인다. 하지만 실제로 그런 선은 존재하지 않는다. 지금 우리는 그런 선이 수용 영역들의 배치 방식에서 비롯된 것임을 안다. 작은 원형이든(망막과 시상에서처럼) 막대 모양이든(피질에서처럼) 간에 수용 영역의 흥분성 중심부는 대비를 더 두드러지게 하고 경계의 어두운 표면과 밝은 표면을 강조하는 억제성 주변부에 둘러싸여 있

그림 16-14

그림 16-15

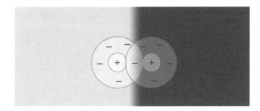

그림 16-16

마흐의 띠. 중간의 띠 부분 바로 오른쪽에 어두운 띠, 바로 왼쪽에 밝은 띠가 보인다. 그림 16-15는
이 효과를 인위적으로 강화한 것이다.

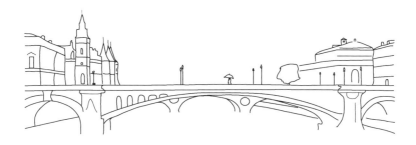

그림 16-17 대상 인지. 윤곽선 소묘에 그려진 대상을 명확히 알아볼 수 있는 이유는 가장자리가 시지각 체계에서 강력한 단서 역할을 하기 때문이다.

으며, 그 결과 뇌는 마흐의 띠라는 더 두드러진 경계를 지각하게 된다.

선화에서 가장자리를 윤곽으로 지각하는 능력은 이미지의 지각과 현실 세계의 지각이 여러 면에서 중요한 차이가 있음을 보여 주는 한 가지 사례일 뿐이다. 선화의 윤곽선은 현실 세계에 있는 가장자리가 제공하는 풍성함도, 더 나아가 정보도 지니고 있지 않을 때가 종종 있다. 하지만 그림 16-17에서 살펴볼 수 있듯이, 굳이 그런 것들을 제공할 필요가 없다. 선화의 윤곽선은 뇌가 모든 유형의 가장자리와 경계를 충분히 추론하고 표상할 수 있도록 해주기 때문이다. 윤곽선이 대상의 가장자리를 알려 주는 단서이므로, 우리는 음영도 색깔도 없는 가장 단순한 선화에서조차 대상을 식별하고 특정한 의미와 분위기를 지각할 수 있다(그림 16-17).

신경과학자 찰스 스티븐스Charles Stevens는 렘브란트의 1699년 자화상(그림 16-18)을 예로 들어서 이 점을 더욱 극적으로 설명한다. 스티븐스는 렘브란트의 자화상을 선화로 그린 것(그림 16-19)을 자화상과 비교하면서, 선화가 자화상과 전혀 딴판인데도 관람자는 선화에서 렘브란트의 유사한 삼차원 이미지를 쉽게 알아볼 수 있다는 것을 보여 준다. 스티븐스는 선화를 보고서 렘브란트를 즉시 수월하게 알아보는 능력이 이미지가 뇌에서 표상되는 방식의 근본적인 측면을 한 가지 드러낸다고 주장한다. 얼굴을 인식하는 것은 눈, 입, 코를 정의하는 단 몇 개의 특정한 윤곽

그림 16-18 하르먼스 판 레인 렘브란트, 〈63세 때의 자화상(Self-Portrait at the Age of 63)〉(1669). 캔버스에 유채. 컬러화보 참고

그림 16-19 렘브란트의 자화상을 옮긴 선화.

선으로 얼굴을 추상화하기만 하면 충분하다는 것이다. 그럼으로써 화가는 얼굴을 인식하는 우리 능력에 영향을 끼치지 않으면서, 얼굴을 극도로 왜곡할 여지를 갖게 된다. 크리스와 곰브리치가 강조했듯이, 바로 이것이 캐리커처 화가와 표현주의 화가가 우리에게 그토록 강한 감명을 줄 수 있는 이유다.

화가들이 선화에서 윤곽선을 써서 가장자리를 재현하는 데 큰 성공을 거두어 왔다는 사실로부터 우리의 미술 지각에 관한 심오한 의문이 하나 제기된다. 그 지각은 학습되는 것일까, 유전되는 것일까? 우리는 화가가 자연적으로 생기는 가장자리를 윤곽선으로 대체할 수 있다는 관습을 배우는 것일까? 아니면 우리 시각계에 얼굴이나 경관의 미술 묘사를 실제 얼굴이나 경관으로 지각하는 능력이 내재되어 있는 것일까?

마거릿 리빙스턴은 이런 식으로 화가가 시각계를 속일 수 있다는 사실이 알려져 있었고, 소묘가 출현할 때부터 그러한 기술이 널리 사용되어 왔다고 지적한다. 약 3만 년 전 구석기 시대가 끝날 무렵, 프랑스 남부(라스코 같은)와 스페인 북부(알타미라)의 동굴화가들은 뇌가 눈앞에 무엇이 보일지 가정을 한다는 점을 이미 직관적으로 알고 있었다. 그 화가들은 삼차원 이미지를 만들기 위해 단순히 윤곽선을 써서 경계를 설정한 다음, 그 부분이 두드러지도록 처리하여 윤곽을 만들어 냈다(그림 16-20). 그런 선화들은 삼차원이라는 착시를 일으킨다. 묘사한 대상이나 사람의 키, 폭, 형태를 보는 이의 뇌에 재현하기 때문이다.

더 큰 의미에서 볼 때, 우리 시각계가 선화의 가장자리를 윤곽으로 해석하는 능력은 이차원 배경에서 삼차원 형상을 보는 우리의 놀라운 능력을 보여 주는 한 가지 사례일 뿐이다. 망막에서 오는 정보의 처리를 토대로 하는 이 창의적인 재구성은 미술에서 특히 명백히 드러난다. 앞서 살펴보았듯이 망막은 바깥의 시각 세계로부터 한정된 정보만을 추출하므로, 뇌

그림 16-20 라스코 동굴 벽화에 그려진 황소와 말. 프랑스 도르도뉴의 페리고르. 컬러화보 참고

는 눈앞에 무엇이 보이는지에 관해 계속 창의적인 추측과 가정을 해야만 한다. 회화나 선화가 제아무리 사실적이라고 해도 그 그림은 언제나 이차원 표면 위에 존재하며, 그 위에서 정교하게 그려야만 한다.

지각 연구자인 패트릭 카바나Patrick Cavanagh는 화가들이 이런 착시를 일으키기 위해 사용한 기법들을 단순화한 물리학simplified physics이라고 말한다. 이 기법들 덕분에 뇌는 위에서 설명한 렘브란트의 선화에서처럼 미술의 이차원 이미지를 삼차원 이미지로 해석할 수 있다.

관람자는 종종 이 표준 물리학에 위배되는 사항들 — 불가능한 그림자, 색깔, 반사, 윤곽 — 을 알아차리지 못하고 넘어가며, 그것들은 관람자가 장면을 이해하는 일을 방해하지도 않는다. 바로 그 점 때문에 그것들은 신경과학적 발견이 된다. 우리가 그것들을 알아차리지 못하기 때문에, 그것들은 우리의 시각 뇌가 더 단순하고 환원된 물리학을 써서 세계를 이해한다는 것을 드러낸다. 화가는 진정한 물리학에서 이렇게 세부적으로 일탈을 해도 관람자에게 아무 문제가 없기 때문에 이 대안 물리학을 사용한다. 화가는 단서를 더 경제적으로 제시함으로써 손쉬운 방법을 취할 수 있고, 물질세계의 요구 조건들보다는 작품의 메시지에 맞춰서 표면과 빛을 배치할 수 있다.[3]

그는 우리 뇌가 물리학 법칙을 미술적 재현에 적용하지 않는다고 주장한다. 그럼으로써 그림은 현실의 가능성을 초월할 수 있다. 관람자는 모순되거나 불가능한 색깔, 조명, 그림자, 반사에 거의 관심을 두지 않는다. 입체파 그림에서 볼 수 있는 더 노골적인 원근법 왜곡이나 야수파와 인상파 그림의 대담하게 과장한 색채처럼 있을 법하지 않은 것들도 우리는 알아차리지 못한 채 넘어가며, 그것들은 우리의 이미지 이해를 방해하지도 않는다.

미술 작품에서의 착시, 즉 단순화한 물리학을 뇌가 용인할 수 있다는 사실은 뇌가 시각적으로 놀라운 유연성을 보인다는 점에서 잘 드러난다. 이 유연성 덕분에 시대를 막론하고 화가들은 이미지의 신뢰성을 희생하지 않고서도 시각 장면을 원하는 대로 표현할 엄청난 자유를 누릴 수 있었다. 빛과 그림자를 미묘하게 조작하고 변형한 르네상스 화가들에서부터 노골적이고 대담하게 공간과 색채를 왜곡한 오스트리아 표현주의 화가들에 이르기까지, 화가들은 이 자유를 만끽했다. 우리가 용인하는 경향이 있는 왜곡의 유형과 이 회화적 단서들에 담긴 물리학에 관한 가정들을 살펴봄으로써, 우리는 뇌가 이미지를 어떻게 이해하는지 크나큰 깨달음을 얻을 수 있다.

시지각 연구자인 도널드 호프먼은 우리가 단순화한 물리학을 사용하여 미술 작품에서 보는 것을 재창조하는 능력을 보여 주는 사례를 만

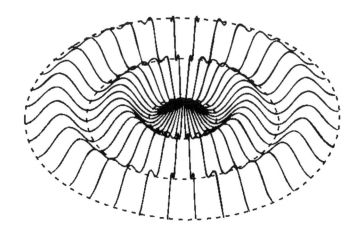

그림 16-21 파문.

들어 냈다. 그는 이 사례에 '파문ripple'이라는 이름을 붙였다(그림 16-21). 파문은 편평한 이차원 표면에 그린 선화이지만, 연못의 잔물결처럼 공간을 굽이치는 듯 보인다. 다른 설득력 있는 삼차원 선화들과 마찬가지로 이 파문도 편평하게 보려고 해도 그럴 수 없을 것이다.

파문은 세 부분으로 이루어져 있다. 중앙의 돌출부, 그 주위에서 원형으로 퍼지는 물결, 그 바깥에 다시 원형으로 퍼지는 물결이 그것이다. 이 그림을 논의하는 데 도움을 주고자, 호프먼은 각 부분의 경계를 따라 점선을 그려서 물결 사이의 골을 표시했다. 이제 그림을 뒤집거나 머리를 거꾸로 해서 보면, 뒤집힌 파문이 새로운 부분들로 이루어져 있음을 알게 될 것이다. 이제 점선은 물결의 골이 아니라 마루에 놓여 있다. 그림을 다시 원래대로 돌리면 원래의 부분들이 다시 나타난다. 그림을 천천히 회전시키면서 보면, 한쪽 부분들에서 다른 쪽 부분들로 뒤집히는 양상을 포착할 수 있다.

파문은 우리의 뇌가 구성을 한다는 것을 인상적으로 보여 준다. 지면에서 보는 곡면들과 잔물결이 이는 삼차원 표면은 전적으로 뇌가 구성하는 것이다. 호프먼은 이렇게 말한다. "당신은 파문을 물결처럼 보이는 동심원상의 세 부분으로 구성한다. 골에 그려진 점선 윤곽은 대체로 한 부분이 끝나고 다음 부분이 시작되는 지점을 표시한다. 당신은 그 부분들의 수동적인 감지자가 아니라 적극적인 창조자다."[4]

이제 우리는 무의식적 정신 과정이 미술의 지각에 얼마나 중요한지 이해하기 시작했다고 할 수 있다. 또 우리는 곰브리치의 형태적 기초 요소 개념을 회화의 진화라는 역사적 관점에서 보기 시작했다. 우리는 최초의 화가들, 즉 프랑스 남부와 스페인 북부의 동굴화가들도 곰브리치가 우리 무의식적 감각의 신경 자물쇠를 여는 마스터키라고 한 것을 이미 발견했다는 것을 안다. 커플러, 허블, 비셀의 낮은 수준과 중간 수준의 시각 처리 과정 연구와 다음 두 장에 걸쳐 살펴볼 높은 수준의 시각 처리 과정 연구 덕분에, 우리는 무의식적 뇌가 어떻게 우리가 의식적으로 보는 것을 창조하는지에 대해 가치 있는 깨달음을 얻을 수 있었다.

17

높은 수준의
시각과 뇌의
얼굴, 손, 몸 지각

낮은 수준과 중간 수준의 시각 처리 과정이 단순한 선분들을 이미지의 윤곽으로 조립하고, 경계의 소유권을 정하고, 형상을 배경과 구분하는 일을 한다는 것을 살펴보았다. 그렇긴 하지만 대상은 어떻게 지각하는 것일까? 우리는 얼굴, 손, 몸을 어떻게 지각하는 것일까? 관람자의 몫은 어떻게 획득하는 것일까?

　　데이비드 허블과 토르스텐 비셀의 뒤를 이은 연구는 이 과제들을 좇아서 높은 수준의 시각 처리 과정까지 나아갔다. 대상 식별과 관련된 수준이다. 세미르 제키와 데이비드 반 에센David Van Essen은 일차 시각피질 너머에서 약 30개의 중계소가 형태, 색깔, 운동, 깊이에 관한 정보를 분석하고 분리하는 과제를 계속한다는 것을 밝혀냈다. 이 모든 특수 영역들로부터 나온 정보는 따로따로 전두엽을 비롯한 뇌의 고등한 인지 영역들로 전달되며, 그곳에서 이윽고 하나의 식별 가능한 지각으로 종합된다.

정보의 분리는 일차 시각피질에서 시작된다. 앞서 살펴보았듯이, 일차 시

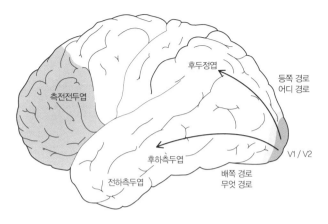

그림 17-1

각 피질의 정보는 무엇 경로와 어디 경로라는 두 병렬 경로 중 하나를 통해 중계된다(그림 17-1). 무엇 경로는 입력의 대부분을 망막 중심부에 있는 추상체로부터 받으며 사람, 대상, 풍경, 색깔의 식별과 지각에 관한 정보를 전달한다. 그것들이 무엇처럼 보이며, 무엇인가에 관한 정보다. 이 경로는 일차 시각피질에서 몇몇 중계소를 거쳐 하측두엽까지 뻗어 있으며, 하측두엽은 대상, 얼굴, 손의 모양과 정체에 관한 정보가 재현되는 높은 수준의 시각 처리가 일어나는 곳이다(그림 17-2). 무엇 경로는 색깔과 밝기를 이용하여 대상과 사람을 정의하는 고해상도의 형태계form system와 표면의 색깔을 정의하는 저해상도의 색깔계color system로 세분된다.

어디 경로는 일차 시각피질에서 후두정엽까지 뻗어 있다. 이 경로는 입력의 대부분을 망막 주변부의 간상체로부터 받으며, 운동과 공간 정보의 검출을 전담한다. 대상이나 사람이 삼차원 공간의 어디에 있으며 어떻게 움직이는지를 처리한다(그림 17-2). 어디 경로는 이미지나 장면을 훑는 데 필요한 눈 운동을 비롯해 운동을 인도하는 데 필요한 정보를 제공한다. 무엇 경로와는 달리 어디 경로는 색맹이다. 하지만 대비(밝기의 차이)에 더 빨리, 더 민감하게 반응하므로 움직임이나 희미한 대상을 빠르

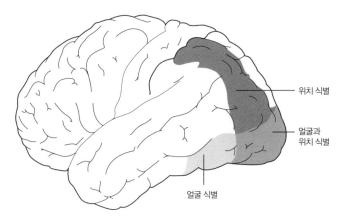

위치 식별

얼굴과
위치 식별

얼굴 식별

그림 17-2

게 검출하는 데 적합하다.

　두 경로의 활성은 어떻게 종합될까? 지각 표상의 모든 요소―모양
과 색깔, 위치―가 모이는 최종 표적 영역이 있을까? 프린스턴 대학교의
인지심리학자 앤 트레이스먼Anne Treisman 연구진은 무엇 경로와 어디 경
로에서 오는 정보의 연합―그녀는 이를 결합 문제binding problem라고 한
다―이 어느 한 지점에서 일어나는 것이 아니라는 것을 알아차렸다. 오
히려 그것은 이 두 경로에 있는 다양한 영역의 활동이 조화를 이룰 때 일
어난다. 그리고 이 조화는 주의를 통해 이루어진다.

　사실 미국 국립보건원의 로버트 우츠Robert Wurtz와 마이클 골드버
그Michael Goldberg는 주의가 시각 자극에 대한 신경세포의 반응을 정하는
강력한 조절기임을 발견했다. 원숭이가 어떤 자극에 주의를 기울일 때,
그 자극에 대한 신경세포의 반응은 원숭이의 시선이 다른 곳에 고정되어
있을 때보다 훨씬 더 크다.

　이 선택적 주의는 어떻게 이루어지는 것일까? 초상화의 얼굴을 효
과적으로 지각하고 그것에 효과적으로 반응하려면, 그 얼굴을 쳐다보고
거기에 주의를 기울여야 한다는 점은 분명하다. 하지만 우리는 망막의 중

앙인 중심오목에서만 이미지를 뚜렷이 보기 때문에, 얼굴 전체를 한꺼번에 볼 수는 없다. 너무 크기 때문이다. 우리는 한 번에 한 가지에만 주의를 기울일 수 있고, 그래서 먼저 눈, 그다음에는 입에 초점을 맞추는 식으로 얼굴을 빠르게 훑는다(눈은 감정의 중요한 기표이므로 자폐증이 있거나 편도체가 손상된 사람처럼 얼굴을 훑는 데 어려움이 있는 사람은 남의 감정 표현을 파악하기도 어렵다). 빠르게 훑는 눈의 움직임을 단속 운동saccade이라고 하는데, 단속 운동의 목적은 두 가지다. 중심오목이 시각 환경을 탐사할 수 있도록 하고, 시각 자체를 가능케 하는 것이다(눈이 상당 기간 한곳에 초점을 맞추고 있다면, 이미지는 흐려지기 시작할 것이다).

훑기가 너무나 빨리 일어나다 보니 우리가 전체 이미지를 한눈에 보는 듯하지만, 사실 우리는 단속 운동 사이사이의 주시기fixation period에만 우리가 보는 것을 의식적으로 받아들이는 것이다. 눈 운동을 관찰하는 장치는 우리가 주시기마다 조금씩 얼굴과 주변 세계의 인상을 획득한다는 것을 보여 준다. 따라서 이미지가 시야의 주변부에 나타날 때와 마찬가지로 반사적으로 움직이는 한편, 단속 운동은 정보를 추구한다.

하지만 눈이 어디로 움직일지를 결정하는 것은 뇌다. 그리고 뇌는 이미지의 특성에 관한 가설들을 검증함으로써 이 결정을 내린다. 얼굴에 초점을 맞출 때, 눈은 뇌로 메시지를 보내며, 그 메시지는 특정한 가설에 비추어 분석된다. 이것이 사람의 얼굴일까 아닐까? 사람이라면, 남자일까 여자일까? 몇 살쯤 되었을까? 우리 뇌가 세계에 관해 구축하는 모형은 매순간 우리의 시각적 주의에 활기를 불어넣는다. 따라서 우리는 동시에 두 세계에 살고 있는 것이며, 현재 진행되고 있는 시각 경험은 두 세계의 대화인 셈이다. 중심오목을 통해 들어와서 상향식으로 정교해지는 바깥 세계와 중심오목에서 오는 정보에 하향식으로 영향을 미치는 뇌의 지각, 인지, 감정 모형이라는 내면세계의 대화다.

우리 눈이 초상화나 실제 얼굴의 어느 한 특징에 초점을 맞추는 기간은 시각적 주의에 따라 달라진다. 주의는 의도, 관심, 기억을 통해 회상되는 과거의 지식, 무의식적 동기, 본능적 충동을 비롯한 다양한 인지적 요인에 좌우된다. 유달리 도발적이거나 흥미로운 특징을 검출할 때면, 우리는 그 특징이 망막의 중심에 와 닿도록 눈이나 머리를 움직임으로써 주의 자원을 전부 거기에 할당할 수도 있다. 이 세부 조사가 이루어질 수 있는 시간은 아주 짧다. 수백 밀리초(1000분의 1초-옮긴이)에 불과하다. 눈이 거침없이 주변 탐사를 계속하면서 다른 특징으로 옮겨 갈 것이기 때문이다. 하지만 다른 특징을 향했던 눈은 몇 밀리초 뒤에 다시 원래 특징으로 돌아온다. 우리 자신과 우리가 관심을 갖는 대상이 움직이지 않을 때에도, 우리 망막의 이미지는 계속 움직인다. 눈과 머리는 결코 완전히 고정되는 법이 없기 때문이다.

대상, 풍경, 얼굴의 표상은 하측두엽에서 형성된다. 지그문트 프로이트도 고차원적인 시지각이 대뇌피질의 고등한 영역에서 처리될 가능성이 높다는 점을 깨닫고 있었다. 그는 일부 환자들이 시각 세계의 개별 특징을 인식하지 못하는 것이 눈의 결함 때문이 아니라, 이 고등한 영역의 결함으로 시각의 측면들을 의미 있는 패턴에 결합하는 능력에 이상이 생겼기 때문이라고 주장했다. 그는 이런 결함을 실인증(앎의 결핍)이라고 했다.

실인증 환자들을 분석하고 특정한 정신 기능의 상실을 뇌의 특정 영역의 결함과 연관 지음으로써, 신경학자와 신경과학자는 무엇 경로와 어디 경로의 특정 영역이 손상되었을 때 나타나는 지각의 결함이 놀라우리만치 구체적이라는 것을 발견했다. 예를 들어, 어디 경로의 특정한 중계소에 손상을 입은 사람은 시각의 다른 측면들은 멀쩡하지만 깊이를 지각하지 못했다. 또 어디 경로의 다른 중계소에 결함이 생긴 사람은 다른 모든 지각 능력은 정상인데도 운동을 지각할 수 없었다. 하측두엽의 앞쪽 영역이 포함된 무엇 경로의 색깔 중추에 손상을 입은 사람은 색맹이

된다. 그 이웃 영역에 손상을 입은 사람은 색깔 지각의 다른 측면들은 온전히 남아 있는데, 색깔의 이름을 말할 수는 없다. 마지막으로 무엇 경로의 하측두엽에 손상을 입은 사람은 얼굴을 알아보지 못하는 안면실인증 prosopagnosia에 걸릴 수 있다. 이 결함이 있는 사람은 가까운 친구나 친척을 인식할 때, 목소리나 안경 등 다른 식별 특징에 의존해야 한다.

안면실인증은 독일 신경학자 요아힘 보다머Joachim Bodamer가 1947년에 발표한 논문에서 처음 언급되었다. 그는 그리스어의 얼굴prosop과 '앎의 결핍agnosia'이라는 단어를 결합하여 이 장애에 이름을 붙였다. 보다머는 뇌에 손상을 입어 안면실인증에 걸린 환자 세 명을 치료하고 있었다. 오늘날 우리는 안면실인증이 후천적인 형태와 선천적인 형태 두 종류로 나뉜다는 것을 안다. 선천적인 형태는 인구의 약 2퍼센트가 지니고 있다고 추정되며, 읽는 데 문제가 있는 난독증dyslexia 등의 다른 선천적 뇌 장애와는 다르다. 훈련을 해도 나아지지 않기 때문이다. 선천성 안면실인증인 사람은 아무리 애를 써도 얼굴을 알아보는 능력이 결코 나아지지 않는다. 이 장애는 피질의 얼굴 인식 영역에 손상이 일어나서 생기는 후천성 안면실인증과도 다르다. 선천성 안면실인증이 있는 사람은 이 피질 영역의 활동이 놀라우리만치 정상이다. 사실 마를린 베르만Marlene Behrmann 연구진은 텐서tensor 영상 기법이라는 특수한 기법을 써서, 선천성 안면실인증을 지닌 사람들에게서 얼굴 인식 영역이 정상적인 기능을 하지만 피질 오른쪽(얼굴 정보 처리에 중요한 쪽)의 여러 영역들 사이의 의사소통이 비정상적이라는 것을 발견했다.

하측두엽은 넓으며, 자체 처리 기능을 갖춘 두 영역으로 세분된다. 후하측두엽은 얼굴의 낮은 수준의 시각 처리를 담당한다. 이 영역이 손상되면 얼굴을 얼굴로 인식하지 못한다. 전하측두엽은 높은 수준의 시각 처리를 담당한다. 이 영역이 손상되면 얼굴의 지각 표상을 의미론적 지식과 연결하는 데 어려움을 겪는다. 이 결함이 있는 사람은 얼굴을 얼굴로 인식하고, 얼굴의 구성 부분도 알아보고, 얼굴에 표현된 특정한 감정까지 인식할 수 있지만, 그 얼굴이 누구의 얼굴인지 알 수 없다. 때로는 가까운 친척의 얼굴, 심지어 거울에 비친 자신의 얼굴조차 알아보지 못할 수도 있다. 얼굴과 신원을 연결하는 고리를 잃은 것이다.

하측두엽의 이 두 영역이 뇌의 다른 영역들로 보내는 정보는 시각 범주화, 시각 기억, 감정에 중요하다. 이 정보는 대부분 세 표적 영역으로 나란히 보내진다. 단기기억을 범주화하고 저장하는 측전전두엽, 장기기억을 저장하는 해마, 대상의 지각에 본능적인 반응을 일으키고 긍정적이거나 부정적인 감정적 가치를 할당하는 편도체가 그것이다.

얼굴은 대상 인지에 가장 중요한 범주다. 얼굴이 우리가 타인과 심지어 자신의 이미지를 인식하는 주된 수단이기 때문이다. 우리는 얼굴을 알아봄으로써 누군가가 친구인지 아니면 피해야 할 적인지를 파악하며, 얼굴 표정을 보고서 타인의 감정 상태를 추론한다. 따라서 수 세기에 걸쳐 사실주의 화가들은 모델의 모습을, 특히 얼굴의 미묘한 표정과 몸짓을 얼마나 비슷하게 재현했는지에 따라 평판이 정해져 왔다. 위대한 화가는 관람자가 표정이 담긴 개인의 얼굴에 대한 통일된 지각으로 쉽고도 즐겁게 재구성할 수 있도록, 숙달된 방식으로 얼굴의 복잡한 이미지를 붓질로 해체한다. 구스타프 클림트, 특히 그의 피후견인인 오스카어 코코슈카와 에곤 실레는 이 지각적 도전 과제를 훨씬 더 멀리까지 끌고 나가서 대상의 겉모습뿐 아니라 내면생활까지 묘사하려는 노력을 통해 감정을 새로운 수준으로 깊이 파헤쳤다.

어느 시대든 간에 화가들은 인간 얼굴의 특징을 이해하고 있었다. 게다가 에른스트 크리스와 언스트 곰브리치가 파악했듯이, 16세기 볼로냐의 화가들은 얼굴의 캐리커처—과장된 선화—가 때때로 진짜 얼굴보다 더 인식하기 쉬울 때가 있다는 사실을 알아차렸다. 마니에리슴 화가들은 이 깨달음을 그림에 활용했고, 더 뒤에 표현주의 미술은 그것을 재발견했다. 코코슈카와 실레는 시각계가 과장된 얼굴 표정에 민감하다는 점을 직관적으로 활용했을 뿐 아니라 손과 몸의 자세도 과장하여 그렸다. 표현주의 화가들은 모델의 신체 특징을 왜곡함으로써 무의식적 감정을 표현하고 환기하려 했다.

시각 이미지라는 차원에서 본다면, 얼굴 묘사를 할 때는 놀랍도록 흥미로운 문제들과 맞닥뜨리게 된다. 우선 모든 얼굴은 눈 두 개, 코 하나, 입 하나로 이루어져 있고 매우 비슷비슷하다. 우리는 얼굴을 원 안에 코를 상징하는 수직선 하나, 눈을 나타내는 점 둘, 아래쪽에 입을 상징하는 수평선 하나를 그린 최소한의 선화로 표현해도 얼굴이라고 인식할 수 있다. 그런 한편으로 얼굴 특징들의 이 보편적인 배치에는 거의 무한정 변이가 가해질 수 있다. 각각의 얼굴은 독특하다. 얼굴은 지문 못지않게 개인의 신원을 말해 주는 시각적 서명이다. 하지만 지문을 확대한 소용돌이 문양을 인식하거나 기억할 수 있는 사람은 거의 없는 반면, 우리 각자는 그다지 의식적인 노력을 기울이지 않고서도 수백 명, 아니 수천 명의 얼굴을 인식하고 기억할 수 있다. 이런 일이 어떻게 가능할까?

나중에 이 문제에 접근할 새로운 방법을 개발하기도 한 도리스 차오Doris Tsao와 마거릿 리빙스턴은 얼굴 지각이 시지각 전반을 규명하는 데 핵심이 된다고 보고 연구에 뛰어들었다. 얼굴 지각은 무엇 경로의 핵심을 이룬다. 그래서 차오와 리빙스턴은 얼굴 인식이 무엇 경로에서의 정보처리 과정을 이해하는 데 유용한 사례라고 보았다. 리빙스턴은 이렇게 썼다. "얼굴은 우리가 지각하는 것 중에서 가장 많은 정보를 지닌 자극에 속한다. 누군가의 얼굴을 한순간 언뜻 스치듯 보아도 우리는 그 사람의 신원, 성별, 기분, 나이, 인종, 주시 방향을 알 수 있다."[1]

현대의 인지심리학과 신경생물학은 인간의 얼굴, 손, 몸이 왜 그토록 특별한지를 규명해 왔다. 그것들이 구체적인 게슈탈트 지각 표상을 이루고 있기 때문이다. 우리는 그것들을 감각이 검출하자마자 통일된 전체로서 지각한다. 다른 시각 이미지들에 하듯이 선들의 패턴을 처리하여 얼굴을 인식하려고 시도하는 것이 아니라, 뇌는 형판 대응template-matching 접근법을 쓴다. 뇌는 더 추상적이고 고차원적인 형태적 기초 요소로부터 얼굴을 재구성한다. 두 점(눈)을 포함한 타원, 두 점 사이의 수직선(코), 그 아래의 수평선(입)이 바로 그 기초 요소다. 따라서 얼굴 지각에는 다른 대상들의 지각에 비해 이미지의 해체와 재구성이 덜 요구된다.

더군다나 뇌는 얼굴을 처리하도록 분화해 있다. 다른 복잡한 형태와 달리, 얼굴은 위아래가 똑바로 되어 있을 때에만 쉽게 알아볼 수 있다. 거꾸로 놓인 얼굴은 인식하기도, 서로 구별하기도 쉽지 않다. 빈 사람들이 좋아했던 16세기 밀라노의 화가 주세페 아르침볼도Giuseppe Arcimboldo는 과일과 채소로 얼굴을 만들어 낸 그림들을 통해 이 점을 극적으로 보여 준다(그림 17-3). 이 그림들은 똑바로 놓인 상태에서는 얼굴이 있음을 쉽게 알아볼 수 있지만, 뒤집어 놓으면 그저 과일과 채소가 담긴 바구니로밖에 보이지 않는다. 얼굴 표정은 뒤집힘에 특히 민감하다. 그림 17-4의 두 〈모나리자〉가 그것을 잘 보여 준다. 위쪽의 뒤집어 놓은 두 그림은 얼굴 표정이 비슷해 보이지만, 똑바로 놓고 보면 입꼬리가 크게 다르고 눈을 뜨고 감았다는 점이 뚜렷이 드러난다.[2] 이 그림들은 사람의 뇌가 똑바로 놓인 얼굴에 특별한 지위를 부여한다는 점을 명확히 보여 준다.

얼굴 인식의 토대가 되는 뇌 메커니즘은 유년기 초에 출현한다. 태어날 때부터 유아는 다른 대상들보다 얼굴을 쳐다보는 쪽을 훨씬 더 좋아한다.[3] 게다가 유아는 얼굴 표정을 흉내 내는 성향이 있다. 그것은 얼굴 지각이 사회적 상호작용에서 핵심적인 역할을 한다는 점과 부합된다. 생후 3개월 된 아기는 얼굴들의 차이를 알아보고 개별 얼굴을 구분하기 시작한다. 이 시점에서 유아는 보편적인 얼굴 인식자가 된다. 즉 그들은

그림 17-3 주세페 아르침볼도, 〈채소 기르는 사람(The Vegetable Gardener)〉(1590년경). 화판에 유채. 위쪽은 뒤집힌 그림. 컬러화보 참고

그림 17-4 레오나르도 다빈치, 〈모나리자〉(1503~06년경). 화판에 유채. 원본 및 뒤집고 수정한 그림들. 컬러화보 참고

각기 다른 사람들의 얼굴을 알아보는 것만큼 쉽게 서로 다른 원숭이의 얼굴도 알아볼 수 있다.[4,5] 그러다가 6개월쯤 되면 사람이 아닌 동물들의 얼굴을 구별하는 능력을 잃기 시작한다. 발달의 이 중요한 시기에 다른 동물들의 얼굴보다는 여러 사람의 얼굴에 주로 노출되기 때문이다. 이렇게 얼굴 식별 능력이 종 특이성을 띠는 쪽으로 지각이 세밀하게 조정되는 시기는 언어 인지 측면에서 세밀한 조정이 이루어지는 시기와 같다. 즉 생후 4~6개월 사이에 유아는 모어뿐 아니라 다른 언어들의 음성 차이도 식별할 수 있지만, 10~12개월 무렵에는 모어의 음성 차이만을 구별할 수 있게 된다.

1872년 찰스 다윈은 유아가 살아남아 인류 종을 지속시키려면 어른이 자신에게 반응하고 자신을 돌보도록 할 필요가 있다고 지적했다. 자연에서 동물이 어떤 행동을 하는지를 연구한 오스트리아의 선구적인 동물행동학자 콘라트 로렌츠Konrad Lorenz는, 다윈에게 영향을 받아서 유아의 얼굴에서 어떤 특징이 부모의 타고난 생물학적 양육 반응을 이끌어내는지 살펴보았다. 1971년 그는 아기의 상대적으로 큰 머리, 상대적으로 더 아래쪽에 놓인 커다란 눈, 통통한 볼이 바로 그런 특징일 가능성이 가장 높다고 주장했다. 그는 이 특징들이 '생득적 유발 기구innate releasing mechanism', 즉 부모에게서 보살핌, 애정, 양육이라는 타고난 성향을 촉발하는 신호라고 했다.

얼굴 표상이 세포 수준에서는 어떻게 나타날까? 뇌의 일부 세포가 얼굴의 기본 구성단위를 이루고, 그것들의 활동이 결합되어 얼굴의 표상을 이루는 것일까? 아니면 특정한 세포들에 특정한 얼굴의 이미지가 부호로 담기는 것일까? 허블과 비셀의 연구에 응답하여 1970년대에 이 질문의 답이 두 가지 제시되었다. 하나는 사람들—이를테면 자신의 할머니—의 이미지를 부호로 담고 있는 계층구조의 꼭대기에 있는 특정한 '교황pontifical' 세포가 있다는 계층구조적 또는 전체론적 관점이었다. 이 견해에 따르면, 교황 '할머니' 세포가 둘 이상 있을 수도 있고 이 세포들이 할머니의 각 측면들에 반응할 수도 있지만, 각 세포는 할머니 이미지의 의미 있는 표상을 지니고 있다는 것이다. 또 하나는 부분 기반, 즉 분산 표상distributed representation 관점으로, 할머니의 특정한 이미지를 지닌 할머니 세포 같은 것은 없다고 본다. 대신에 할머니의 표상은 많은 신경세포의 집합, 즉 신경세포들의 추기경회의의 부호화한 활동 패턴에 들어 있다는 것이다.

이 두 답의 차이를 알아내려는 시도를 처음 한 사람은 찰스 그로스Charles Gross였다. 그로스는 허블, 비셀, 보다머의 연구를 이어받아 1969년부터 원숭이의 하측두엽에 있는 세포 하나하나의 활동을 기록했다. 사람에게서는 손상을 입으면 안면실인증이 나타날 수 있는 영역이다. 놀랍게도 그로스는 하측두엽의 일부 세포들이 사람의 손에만 반응하고, 또 다른 세포들은 사람의 얼굴에만 반응한다는 것을 발견했다. 게다가 손에 반응하는 세포들은 손가락이 보일 때에만 반응했다. 손가락 사이가 붙어 있을 때에는 반응하지 않았다. 또 이 세포들은 손의 방향에 무관하게 반응했다. 예를 들면, 엄지를 비롯한 손가락들이 위를 향하든 아래를 향하든 반응했다. 얼굴에 반응하는 세포들은 특정한 얼굴에 선택적으로 반응하는 것이 아니라 얼굴이라는 일반 범주에 반응했다. 그로스는 이것이 특정한 얼굴, 이를테면 자기 할머니의 얼굴이 특수한 신경세포들의 소규모 집합, 즉 할머니 세포들 또는 할머니 원형 세포들의 집합을 통해 표상된다는 의미라고 보았다.

20세기 말에 양전자방출단층촬영법PET, positron-emission tomography과 뇌 기능 자기공명영상법fMRI, functional magnetic resonance imaging 같은 뇌영상 촬영 기법들이 등장하면서 뇌 연구에 혁명이 일어났다. 과학자들은 이 기법들을 써서 신경세포의 활동과 상관관계가 있다고 드러난 신경세포의 혈류량과 산소 소비량을 측정할 수 있었다. 이 기법들은 개별 세포의 활성을 보여 주는 것이 아니라 수천 개의 세포가 들어 있는 뇌 영역의 활성을 보여 주는 것이다. 그렇긴 해도 신경과학자들은 처음으로 정신 기능을 뇌의 다양한 영역과 연관 짓고, 살아 있고 행동하고 지각하는 사람의 뇌를 대상으로 그 기능을 연구할 수 있게 되었다.

뇌영상은 사람이 특정한 과제를 수행할 때 뇌의 어느 영역이 활성을 띠는지를 보여 준다. 특히 얼굴 인식 문제를 연구할 때 유용한 정보를 제공한다는 것이 드러났다. 1992년 몬트리올 신경학연구소의 저스틴 서전트Justine Sergent 연구진은 PET를 이용해 정상적인 실험 대상자가 얼굴을 볼 때 양쪽 반구에서 무엇 경로의 일부인 방추상회fusiform gyrus와 전측 두엽이 활성을 띤다는 것을 밝혀냈다. 또 예일 대학교의 에이너 퓨스Aina Puce와 그레고리 매카시Gregory McCarthy, 이어서 MIT의 낸시 캔위서Nancy Kanwisher는 fMRI를 써서 하측두엽에서 얼굴 인식을 전담하는 영역을 찾아냈다. 이 영역─방추형 얼굴 영역fusiform face area─은 일반적인 사람이 얼굴을 볼 때 활성을 띤다. 그 사람이 집을 볼 때, 이 영역은 반응하지 않는다. 비록 다른 영역이 반응을 하겠지만 말이다. 이 방추형 얼굴 영역은 사람이 단순히 얼굴을 상상할 때에도 활성을 띤다. 사실 캔위셔는 뇌의 어느 영역이 활성을 띠는지 관찰함으로써 당사자가 얼굴을 생각하는지, 집을 생각하는지를 맞출 수 있었다.

　　마거릿 리빙스턴은 얼굴 인식 문제를 더 깊이 탐구하기 위해 2006년 fMRI와 원숭이 뇌의 신경세포 하나하나의 전기 활동 기록 장치를 함께 사용함으로써 퓨스와 캔위셔, 그로스의 연구 방법을 결합했다. 허블의 학생이자 스티븐 커플러의 지적 손녀라 할 리빙스턴은 도리스 차오와 윈리치 프리왈드Winrich Freiwald를 가르치고 그들과 공동 연구를 했다. 이 셋은 방추형 얼굴 영역 내부와 그 너머에서 얼굴 지각이 어떻게 일어나는지를 이해하는 데 기여했다. 그들은 fMRI를 써서 원숭이가 얼굴을 볼 때 하측두엽의 어느 영역이 활성을 띠는지 파악했고, 전기 활동 기록 장치를 써서 그 영역의 신경세포가 얼굴에 어떻게 반응하는지를 알아냈다.

　　그들은 원숭이의 하측두엽에서 얼굴에만 반응하는 영역 여섯 곳을 찾아냈다. 그들은 이 영역들을 얼굴반face patch이라고 불렀다. 얼굴반은 지름이 약 3밀리미터로 작고, 하측두엽의 뒤쪽부터 앞쪽으로 축을 따라 배열되어 있다. 그것은 그들이 계층구조를 이루고 있을 수도 있다는 것을 시사한다. 얼굴반 하나는 뒤쪽(뒤쪽 얼굴반)에 있고, 두 개는 중앙에, 세 개는 하측두엽의 앞쪽(앞쪽 얼굴반)에 있다. 차오와 프리왈드는 이 여섯 영역 각각에 전극을 삽입하여 개별 신경세포의 신호를 기록했다. 그들은 얼굴반의 세포들이 얼굴을 처리하도록 특화해 있다는 것을 알아냈다. 게다가 중앙의 두 얼굴반에 있는 세포들은 무려 97퍼센트가 오직 얼굴에만 반응한다. 이런 결과는 인간 뇌의 방추형 얼굴 영역을 살펴본 캔위셔의 뇌영상 연구 결과가 옳다는 것을 뒷받침하며, 전반적으로 영장류의 뇌가 얼굴에 관한 정보를 처리하는 전담 영역을 두고 있다는 것을 시사한다.

차오와 프리왈드는 여기에서 그치지 않았다. 그들은 여섯 개 얼굴 반을 동시에 영상으로 촬영하면서 한 곳에만 전기 자극을 줌으로써 얼굴 반 사이의 연결 양상을 조사했다. 그들은 가운데 얼굴반 중 하나를 활성화하면 나머지 다섯 개 얼굴반의 세포들도 활성을 띤다는 것을 발견했다. 이것은 측두엽의 얼굴 인식 영역들이 모두 서로 연결되어 있다는 것을 의미한다. 즉 얼굴의 서로 다른 측면들에 관한 정보를 처리하는 통일된 연결망을 이루는 듯하다. 이 얼굴반들의 연결망 전체는 하나의 고차원 대상 범주인 얼굴을 처리하는 전담 체계처럼 보인다.

이어서 프리왈드와 차오의 머릿속에 이런 의문이 떠올랐다. 이 여섯 얼굴반은 각각 어떤 유형의 시각 정보를 처리하는 것일까? 이 질문의 답을 얻기 위해, 그들은 중앙의 두 얼굴반을 집중적으로 연구했다. 그들은 그곳의 신경세포들이 부분 기반 관점과 전체론적인 게슈탈트 원리를 결합한 전략을 써서 얼굴을 검출하고 식별한다는 것을 밝혀냈다. 그들은 원숭이에게 모양과 방향이 제각기 다른 얼굴의 소묘와 사진을 보여 주었고, 중앙 얼굴반이 얼굴의 기하학적 특징을 담당한다는 것을 알아냈다. 즉 중앙 얼굴반은 얼굴의 모양을 검출한다. 게다가 이 두 영역의 세포들은 머리와 얼굴의 방향에도 반응한다. 이 두 얼굴반은 똑바로 선 얼굴 전체를 담당한다.

중앙 얼굴반이 얼굴의 방향에 선택적으로 반응한다는 발견은 컴퓨터의 얼굴 인식 연구로부터 나온 두 가지 핵심 발견과 유사하다. 고전적인 심리학자들이 감각과 지각, 즉 감각 정보를 수집하는 활동과 감각 정보를 해석하기 위해 지식을 이용하는 활동을 구분한 것과 비슷하게, 컴퓨터 시각 프로그램은 처음에 얼굴을 얼굴로서 검출하는 활동과 그 얼굴을 특정한 개인의 것이라고 인지하는 과정을 분리한다. 따라서 컴퓨터 시각 프로그램에서처럼 얼굴반에서도 검출은 부적절한 대상을 제외함으로써 인지 과정이 더 효율적으로 진행될 수 있도록 하는 여과기 역할을 한다. 뇌가 똑바로 선 얼굴을 가장 쉽게 알아볼 수 있다는 행동학적 측면의 발견을 토대로, 과학자들은 측두엽 얼굴반의 세포들이 얼굴이 똑바로 제시될 때보다 거꾸로 보일 때 더 약하고 두루뭉술하게 반응한다는 것을 밝혀냈다.

이어서 프리왈드와 차오는 얼굴 표상이 이 얼굴반들에서 어떻게 도출되는지 알아보고자 했다. 특히 그들은 우리가 얼굴을 단순히 하나의 시점에서가 아니라 앞, 뒤, 왼쪽 옆면, 오른쪽 옆면, 위, 아래 등 여러 각도에서 인식할 수 있다는 점에 비추어서, 각 얼굴반이 얼굴의 정체성에 관한 정보를 어떻게 추출하는지 이해하고 싶었다. 이 의문의 답을 얻기 위해 그들은 원숭이에게 비교할 수 있도록 먼저 사람 얼굴 사진 200장을 보여 준 뒤 각 얼굴을 다양한 각도에서 찍은 사진을 보여 주었다. 그런 뒤에 fMRI와 얼굴반 개별 세포의 전기 활동 기록 장치를 결합하여 원숭이의 반응을 살펴보았다.

그들은 중앙의 두 개와 앞쪽의 두 개, 즉 네 개의 얼굴반을 집중적으로 조사했다. 그들은 중앙 얼굴반의 신경세포들이 각 얼굴에 다르게 반응하면서, 얼굴을 특정한 각도에서 볼 때에만 반응한다는 것을 알아냈다. 따라서 비록 신경세포가 얼굴을 정면으로 볼 때는 A보다 B의 얼굴에 더 반응할지도 모르지만, 옆면을 찍은 얼굴들을 볼 때는 B보다 A의 얼굴에 더 반응할 수도 있다. 더욱 흥미로운 점은 앞쪽 얼굴반 중 하나의 세포들이 시점에 따라 선택적으로 반응한다는 것이었다. 예를 들면, 어떤 세포들은 왼쪽이든 오른쪽이든 옆얼굴에만 반응하고 그 사이의 각도로 찍힌 얼굴에는 반응하지 않았다. 프리왈드와 차오는 그런 신경세포들을 갖춘 얼굴반이 있다는 사실이 거울 대칭적 시점이 대상 인식 전반에 중요할 수도 있다는 것을 시사한다고 말한다. 대조적으로 또 하나의 앞쪽 얼굴반에 있는 세포들은 보는 각도와 무관하게 사람의 정체성에 민감했다. 예를 들어, 앞얼굴이 보일 때 A보다 B를 선호하는 신경세포는 옆얼굴이 보일 때에도 A보다 B를 선호했다.

이런 발견들은 보는 각도와 얼굴의 정체성에 관한 시각 정보가 차례로 놓인 얼굴반들에서 순차적으로 처리됨으로써, 보는 각도가 달라져도 변하지 않은 정체성의 게슈탈트 지각 표상을 만들어 낸다는 것을 보여 준다. 우선 프리왈드와 차오가 살펴본 것보다 더 뒤쪽에 있는 얼굴반의 세포들은 다양한 각도에서 보이는 한 개인의 얼굴들을 서로 연관 지을 수 없는 반면, 더 앞쪽에 놓인 얼굴반들은 보는 각도와 무관하게 얼굴의 정체성에 따라 반응한다. 게다가 원숭이가 전에 본 적이 없는 사람들의 얼굴 이미지를 접했고 이미지들이 무작위적으로 제시되었다는 점을 생각할 때, 그 연구 결과는 보는 각도와 상관없이 가장 앞쪽의 얼굴반들에서 일어나는 고도로 정확한 개인 식별력이 학습에 의존하는 것이 아니라는 것을 강하게 시사한다. 비록 학습이 인식 능력을 더 강화할 수는 있겠지만 말이다. 그래서 프리왈드와 차오는 뇌가 학습을 할 필요 없이 어떤 각도에서든 얼굴을 얼굴이라고 인식하도록 구축된 얼굴 인식 체계를 지니고 있다는 결론을 내렸다.

사람은 일상생활에서 아주 많은 얼굴과 마주치니 이런 질문도 흥미로울 것이다. 인간의 뇌에 있는 어느 세포 하나가 실제로 특정한 개인의 얼굴에 반응하는 것일까? 과학자들은 장기기억 저장을 담당하는 뇌 영역인 내측두엽의 신경세포 활동을 기록하는 실험을 통해 이 질문의 답을 얻었다. 캘리포니아 공대의 크리스토프 코크Christof Koch 연구진은 수술을 받을 예정인 환자들을 대상으로 이 영역의 신경세포를 기록하여, 사람의 이미지에 반응하는 신경세포 집합을 찾아냈다. 주목할 점은 한 세포가 전 미국 대통령 빌 클린턴 같은 여러 유명 인사의 얼굴에 반응한다는 것이었다. 이 연구에 이어 로스앤젤레스에 있는 캘리포니아 대학교의 이츠하크 프리드Itzhak Fried 연구진은 내측두엽의 신경세포가 환자가 전혀 알지 못하는 사람의 이미지보다 개인적으로 의미 있는 얼굴의 이미지에 반응할 가능성이 훨씬 높다는 것을 발견했다. 프리드 연구진은 이것이 관련이 적은 얼굴보다 더 깊은 관련이 있고 더 의미 있는 얼굴이 내측두엽에서 더 많은 신경세포를 통해 부호화한다는 것을 시사한다고 보았다.

다른 대상들의 인식과는 별개로 얼굴 인식을 전담하는 체계가 있다는 개념은 퓨스와 캔위셔의 뇌영상 연구, 리빙스턴·차오·프리왈드·코크·프리드의 세포생리학 연구뿐 아니라 무엇 경로의 다양한 영역에 손상을 입은 환자들을 대상으로 한 임상 연구를 통해서도 뒷받침되고 있다. 그런 환자 중 하나인 C.K.는 대상 인식 능력에 심각한 장애가 일어났지만, 얼굴 인식 능력은 온전했다. 아르침볼도의 그림을 보여 주었을 때, C.K.는 얼굴은 인식했지만 과일과 채소는 인식하지 못했다(그림 17-3). 반대로 얼굴을 검출할 수는 있지만 인식하지는 못하는 안면실인증 환자는 아르침볼도의 그림에 실린 얼굴을 포함하여 뒤집힌 얼굴을 정상적인 사람보다 더 잘 인식한다.

게슈탈트심리학자들은 얼굴 전체에 영향을 받지 않고 얼굴의 개별 부위를 처리하기가 불가능하다고 여겼다. 프리왈드, 차오, 리빙스턴은 이 원리를 강하게 뒷받침하는 생물학적 토대를 발견했다. 그들은 중앙 얼굴반을 연구하면서, 원숭이에게 실제 원숭이 얼굴을 찍은 사진들을 보여 준 다음에 얼굴 윤곽선, 머리카락, 눈, 홍채, 눈썹, 입, 코라는 일곱 가지 기본 구성단위로 이루어진 원숭이 얼굴 만화를 보여 주었다. 만화 얼굴은 실제 얼굴의 특징 중 여러 가지―착색, 질감, 삼차원 구조―가 빠진 선화였는데도 실제 원숭이 얼굴을 찍은 사진 못지않게 중앙 얼굴반의 세포를 흥분시켰다.

프리왈드와 차오는 이 결과에 자극을 받아서 만화 얼굴의 특성을 더 깊이 연구했다. 그들은 만화 얼굴에서 일부 구성 부분을 뺌으로써 얼

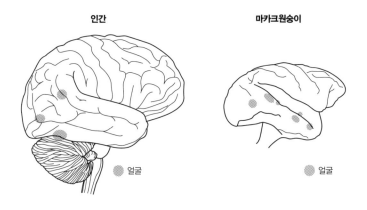

인간　　　　　　　　　　　　　**마카크원숭이**

● 얼굴　　　　　　　　　　　　　　● 얼굴

그림 17-5 인간과 인간 이외의 영장류에서 얼굴을 인식하는 뇌 영역인 '얼굴반.'

굴을 해체하고, 두 눈을 서로 멀리 떼어 놓거나 코를 입과 멀리 떼어 놓음으로써 얼굴을 왜곡했다. 그런 뒤에 원숭이의 반응을 분석했더니, 게슈탈트심리학이 예측한 것에 부합하는 결과가 나왔다. 즉 세포의 특징들이 타원형 안에 들어 있지 않다면, 많은 세포는 하나의 특징이나 특징들의 조합에 반응하지 않았다. 예를 들어, 눈썹이나 눈에 반응하는 원숭이 얼굴반의 세포들은 그 특징들이 얼굴을 나타내는 타원형 이미지의 바깥에 놓여 있다면 반응하지 않을 것이다(그림 17-5). 마찬가지로 이 얼굴 인식 세포들은 눈이나 코만 있을 때에는 반응하지 않고 다른 원숭이의 얼굴 전체에만 반응할 것이다(그림 17-6).

　그다음에 프리왈드와 차오는 두 눈 사이의 거리, 홍채의 크기, 코의 폭 같은 얼굴의 매개변수들을 조사했다. 그들은 중앙의 두 얼굴반에 있는 세포들이 캐리커처를 확연히 선호한다는 놀라운 발견을 했다. 그 세포들은 과장과 극단을 선호한다. 즉 두 눈 사이의 거리가 가장 넓거나 가장 좁은 그림, 홍채가 가장 크거나 가장 작은 그림을 선호한다. 특징들을 부자연스럽게 보일 만큼 극단적으로 과장했을 때에도 마찬가지다. 따라서 그 세포들은 눈을 접시만큼 크게 그리거나 얼굴의 가장자리에 놓이도록 멀

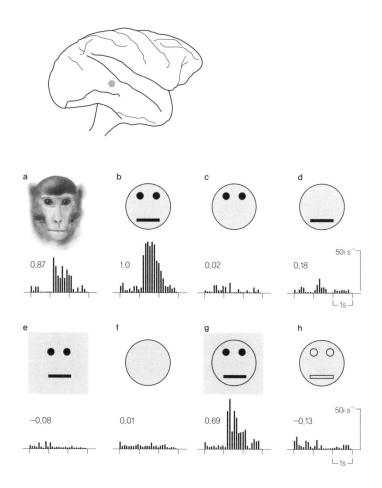

그림 17-6 전체론적 얼굴 검출. 위: 원숭이의 뇌에서 얼굴 세포의 위치. 아래(a-h): 제시된 얼굴 자극과 얼굴 세포의 반응. 막대의 높이는 해당 세포의 발화율이며, 따라서 각 자극에 대한 얼굴 인식의 세기를 나타낸다.

리 떼어 놓거나 두 눈을 합쳐서 외눈박이로 만들었을 때 극적으로 반응한다. 마지막으로, 예상한 대로 만화 얼굴을 뒤집어 놓으면 똑바로 놓았을 때보다 효과가 덜하다는 것이 드러났다. 중앙 얼굴반의 세포가 얼굴의 극단적인 특징, 특히 극단적으로 그린 눈에 더 강하게 반응한다는 발견은 얼굴 전체 안에서 개별 구성 부분을 과장하는 캐리커처와 표현주의 미술이 왜 그토록 인상적인지를 설명하는 데 도움을 줄지 모른다. 만화 얼굴이 뒤집혔을 때 이 세포들이 반응하지 않는다는 연구 결과는 얼굴이 뒤집힌 상태로 제시될 때 인식 능력이 떨어지는 이유를 설명해 줄 수도 있다.

◆ ◆ ◆

앞서 조건 형성 실험을 하는 행동학자들과 자연환경에서 동물의 행동을 살펴보는 동물행동학자들은 극단적인 자극이 유달리 효과가 있다는 것을 발견한 바 있었다. 1948년 영국의 동물행동학자 니콜라스 틴베르헌 Nikolaas Tinbergen은 동료 로렌츠와 마찬가지로 어미-자식의 상호작용을 연구하다가, 중요한 과장이 생물학적 관점에서 어떻게 이루어질 수 있는지를 발견했다. 틴베르헌은 갈매기 새끼가 먹이를 달라고 할 때면 어미의 노란 부리에 난 눈에 확 띄는 붉은 반점을 쪼아댄다는 것을 알아차렸다. 새끼의 쪼는 행위에 자극을 받은 어미는 뱃속에서 먹이를 게워 내어 새끼에게 먹인다. 틴베르헌은 이 붉은 반점을 신호 자극sign stimulus이라고 했다. 새끼에게서 완성된 형태의 통합적이고 본능적인 행동, 즉 먹이를 달라고 하는 행동을 촉발하는 신호 역할을 하기 때문이다. 더 나아가 틴베르헌은 새끼가 과장된 신호 자극에 어떻게 반응할지를 검사할 실험을 고안했다.

첫 단계로서 틴베르헌은 새끼에게 어미의 몸에서 떼어 낸 부리만을 보여 주었다. 새끼는 어미의 부리를 쪼아 댈 때처럼 마구 이 부리의 붉은 반점을 쪼아 댔다. 그것은 새끼의 뇌가 어미 갈매기의 몸 전체가 아니라 노란 물체에 찍힌 붉은 반점에 더 끌리도록 배선되어 있음을 시사했다. 빌라야누르 라마찬드란Vilayanur Ramachandran은 그것은 곧 진화가 단순한 과정을 선호할 수 있으며, 노란 막대에 찍힌 붉은 점을 인지하는 것이

다른 갈매기를 어미로 인식하는 것보다 필요한 계산이 덜 복잡하다는 것을 시사한다고 주장한다. 이 원리를 더 깊이 살펴보기 위해, 틴베르헌은 새끼에게 붉은 점이 찍힌 노란 막대를 보여 주었다. 부리와 비슷하지도 않은, 단순하게 추상화한 대상이었다. 그런데도 새끼는 그것을 마구 쪼아 댔다. 틴베르헌은 또 다른 질문을 떠올렸다. 이 추상화한 부리를 수정하면 새끼의 반응도 달라질까? 틴베르헌은 과장된 부리를 새끼에게 보여 주었다. 노란 막대에 붉은 띠를 세 개 그린 것이었다. 과장된 신호 자극exaggerated sign stimulus인 이 부리를 본 새끼는 붉은 반점이 하나인 막대를 보았을 때보다 더욱 흥분하여 쪼아 댔다. 사실 새끼는 어미의 부리보다도 이 부리를 더 선호했다. 캐리커처, 만화, 기타 과장한 사례들에서 가장 강한 반응은 자연적인 자극에서 상당히 벗어난 자극을 접할 때 일어났다. 틴베르헌은 이 현상을 신호 자극의 강화 효과enhancement effect라고 했다. 아마도 그런 자극은 대단히 과장되어 있기 때문에, 어미의 부리에 있는 붉은 반점보다 새끼의 시각 뇌에 있는 붉은 반점 검출 회로를 더욱 강하게 흥분시키는 듯하다.

2003년 리스 강연Reith lecture(영국 BBC에서 해마다 유명 인사를 선정하여 여는 강연회 ─ 옮긴이)에서 빌라야누르 라마찬드란은 이렇게 시각적 기초 요소를 과장하는 것이 우리의 미술관에 어떤 역할을 하는지에 대해 논의했다. 그는 갈매기처럼 인간도 특정한 시각 자극에 흥분 반응을 보이도록 편향되어 있을 가능성이 높아 보인다고 주장한다. 어쨌거나 우리는 인간의 얼굴에 반응하고 잎 사이에 숨은 오렌지색 과일과 붉은색 과일을 검출하도록 진화해 왔다. 관람자가 특정한 얼굴과 색깔 패턴에 강하게 반응한다는 것을 화가들이 직관적으로 알고 있기 때문에, 시각적 기초 요소는 미술에서 중요한 역할을 한다. 라마찬드란은 이렇게 주장한다. "갈매기에게 화랑이 있다면, 그들은 붉은 띠가 세 개 그려진 이 긴 막대를 벽에 걸고 보면서 경탄하고, 수백만 달러를 들여서 구입하고, 그것을 피카소의

작품이라고 부를 것이다."⁶

　　강화는 갈매기의 부리 같은 선천적인 자극뿐 아니라 학습된 자극에 대한 반응에도 영향을 미칠 수 있다. 실험자는 선택적 보상을 통해 쥐에게 직사각형과 정사각형을 구분하는 법을 가르칠 수 있다. 쥐에게 직사각형의 이미지를 보여 주면서 레버를 누르도록 한 뒤, 치즈 조각을 보상한다. 하지만 정사각형을 보여 줄 때에는 쥐가 레버를 눌러도 보상을 하지 않는다. 처음 얼마간 조건 형성 과정을 거치고 나면, 쥐는 정사각형보다 직사각형을 선호할 뿐 아니라 원래 훈련받은 것보다 더 과장된 직사각형, 즉 더 길쭉하고 가느다란 직사각형을 더 선호하게 된다. 즉 쥐는 직사각형이 더 과장된 것일수록 정사각형일 가능성이 더 낮다는 점을 학습한다. 갈매기가 노란 막대에 찍힌 붉은 띠에 민감한 식으로 쥐가 사변형의 종류에 천성적으로 민감할 가능성은 거의 없음에도, 쥐는 조건 형성을 거치면 과장된 이미지에 강하게 반응한다. 따라서 자극에 대한 과장된 반응은 타고날 뿐 아니라 학습될 수도 있다.

　　우리의 중앙 얼굴반에 있는 세포들이 과장된 얼굴 특징에 강한 감정 반응을 보이는 것은 그 세포들이 해부학적으로 편도체와 연결되어 있기 때문일 수도 있다. 편도체는 감정, 기분, 사회적 강화를 조율하는 데 핵심이 되는 뇌 구조다. 둘이 해부학적으로 연결되어 있다는 사실은 중앙 얼굴반이 크리스와 곰브리치가 펼친 주장의 신경학적 토대에 해당하지 않을까 하는 흥미로운 가능성을 제기한다. 그들은 마니에리슴 화가, 만화가, 더 뒤의 빈 표현주의 화가들이 사용한 얼굴 과장법이 성공을 거둔 이유가 뇌가 과장된 얼굴에 특히 더 반응을 하기 때문이라고 주장한 바 있었다. 또 중앙 얼굴반의 세포들은 대부분 커다란 홍채에 특히 더 반응하며, 그것은 얼굴의 재현에 눈이 왜 중요한지를 설명하는 데 도움을 줄 수도 있다. 따라서 코코슈카가 자신과 알마 말러를 그린 2인 초상화(그림 9-16)를 다시 본다면, 우리는 그것이 우리에게 왜 그토록 강렬한 인상을 주는지 생물학적으로 이해할 수 있다. 이 그림에서 가장 인상적인 부분 중 하나는 커다란 눈이다. 두 사람의 눈은 코코슈카와 말러의 표정을 거의 완벽하게 포착하고 있다.

강화 효과는 형태뿐 아니라 깊이와 색깔에도 적용된다. 우리는 분명 클림트의 평면화한 그림에서 깊이의 과장을, 코코슈카가 그린 얼굴과 실레가 그린 (자신의) 몸에서 과장된 색깔을 본다. 게다가 코코슈카와 실레는 얼굴의 질감 속성을 강조했다는 점에서 신호 자극의 강화 효과를 직관적으로 이해하고 있었음을 보여 준다. 9장에서 살펴보았듯이, 코코슈카는 무언가가 오귀스트 포렐의 얼굴 왼쪽을 거의 알아볼 수 없을 만큼 처지게 하고 왼손을 약간 아래로 떨구게 했음을 간파했고, 그 세부 사항을 초상화에 그려 넣었다. 그 초상화를 본 사람은 즉시 그 세부 사항이 뇌졸중의 징후임을 알아차렸다.

미술에 대한 우리의 미적 반응은 단지 과장을 검출하는 것 이상을 요구할 가능성이 높다. 틴베르헌의 갈매기 새끼와 라마찬드란의 생쥐는 과장에 강하게 반응하지만, 우리는 그 동물들이 미적 감각을 지닌다고 믿을 이유가 전혀 없다. 사람들에게서 감정 반응을 이끌어 내는 데 필요한 다른 과정들이 있을 가능성이 아주 높다.

얼굴 인식이 얼굴 전체와 얼굴의 과장된 특징 양쪽을 보는 데 달려 있다는 깨달음은 뇌가 평균에서 얼마나 벗어나느냐는 관점에서 얼굴에 반응한다는 개념을 낳았다. 질리언 로즈Gillian Rhodes와 린다 제프리Linda Jeffery는 우리가 얼굴을 인간 얼굴의 원형과 비교한 뒤 그 원형에서 얼마나 벗어나는지를 판단함으로써 얼굴을 구별한다는 흥미로운 개념을 제시했다. 이를테면, 저 눈썹은 대다수 사람들의 것에 비해 더 덥수룩하지 않을까? 한쪽 눈이 다른 쪽 눈보다 더 작은 것이 아닐까?

따라서 허블과 비셀이 일차 시각피질의 세포가 이미지를 선분과 윤곽으로 해체한다는 것을 발견했듯이, 프리왈드와 차오는 측두엽에 있는 여섯 개의 얼굴반 각각이 얼굴 인식이라는 특정한 과제를 전담한다는 것을 밝혀냈다. 앞얼굴을 인식하는 쪽으로 분화한 얼굴반도 있고, 옆얼굴 쪽으로 분화한 얼굴반도 있으며, 어떤 얼굴이 평균 얼굴과 얼마나 다른지를 찾아내는 쪽으로 분화한 얼굴반도 있다. 또 감정을 조율하는 데 중요한 뇌 영역들과 연결되어 있는 얼굴반도 있다. 프리왈드와 차오는 이 놀라운 발견들이 우리가 복잡한 형태를 지각하는 방식을 살펴본 게슈탈트 심리학자들이 발견한 내용과 관련이 있음을 즉시 알아차렸다.

・・・

우리는 다른 어떤 뇌 기능에서보다 더 얼굴 지각에서 뇌가 창작 기계라는 게슈탈트 원리가 작용한다는 것을 안다. 뇌는 자신의 생물학적 규칙에 따라서 현실을 재구성하며, 이 규칙은 상당 부분 시각계에 내재되어 있다. 우리가 미술 작품에 실린 얼굴에 형태적·감정적 반응을 보이는 한 가지 이유는 얼굴 지각이 사회적 상호작용, 감정, 기억에 중요한 역할을 하기 때문이다. 사실 얼굴 지각은 다른 어떤 형태적 표상보다 뇌에서 더 많은 공간을 차지하는 쪽으로 진화해 왔다.

사회적 의사 결정에 얼굴 인식이 중요하다는 점을 염두에 두고서, 프리왈드와 차오는 두 가지 의문을 떠올렸다. 얼굴반이 지각된 얼굴에서 감정에 관한 정보를 검출할까? 만일 그렇다면, 얼굴반은 그 정보를 의사 결정 및 감정을 담당하는 뇌의 (편도체뿐 아니라) 다른 영역으로 전달할까? 그들은 이 가능성을 염두에 두고 원숭이의 전전두엽을 촬영했다. 그들은 세 얼굴반이 얼굴의 감정 표현에 반응한다는 것을 발견했다.

그들은 또 한 얼굴반이 작업기억, 즉 얼굴의 이미지 같은 정보를 몇 초 정도 짧은 기간 마음속에 간직할 수 있게 해주는 일종의 단기기억에 관여한다는 것을 알아냈다. 이 얼굴반의 신경세포는 해마와 연결되어 있다. 해마는 측두엽 안쪽 깊숙이 들어 있는 영역으로, 작업기억을 장기기억으로 전환하는 일을 한다. 그래서 차오와 프리왈드는 이 얼굴반이 얼굴과 관련된 작업기억, 얼굴에 주의 기울이기, 얼굴 범주화, 얼굴에 관한 사회적 추론에 관여할 수 있다고 주장했다. 이 얼굴반은 초상화와 코코슈카가 시도했던 것처럼 얼굴의 표면 아래에 놓여 있는 것을 이해하려는 시도에 특히 중요할 것이다.

이런 연결 패턴으로부터 예상할 수 있듯이, 뇌 기능 영상 연구로 원숭이에게서 발견한 얼굴반들이 사람에게서도 활성을 띤다는 것이 확인되었다. 게다가 일부 얼굴반은 편도체와 연결되어 있고, 뒤에서 살펴보겠지만 의식적·무의식적 감정을 조율한다. 따라서 차오와 프리왈드의 연구는 얼굴 지각이 촉발하는 인간의 사회적 상호작용의 인지적 측면들을 얼굴 지각이 촉발하는 감정과 기분 상태의 무의식적·의식적 과정들과 연결하는 중요한 단계다. 안면실인증 연구와 그로스·퓨스·캔위셔·리빙스턴 학파의 연구를 결합하자, 시각계가 얼굴에 주의를 집중하는 일부 영역 및 얼굴에 감정적 의미를 부여하는 다른 영역과 어떻게 연결되는지 설명되기 시작했다.

손과 몸은 뇌의 서로 다른 영역에서 표상되고, 전달하는 정보도 서로 다르다. 얼굴이 감정 표현에 중요한 반면, 손과 몸은 사람이 감정에 어떻게 대처하는지를 알려 준다. 얼굴은 움직이지 않을 때에도 정보를 전달하는 반면, 몸은 주로 운동을 통해 정보를 전한다. 그래서 신경학자 베아트리커 더 헬더르Beatrice de Gelder는 이렇게 지적했다. "화난 얼굴은 주먹이 수반될 때 더 위협적이며, 겁먹은 얼굴은 그 사람이 비행기를 타고 있을 때 더 겁에 질린 듯이 보인다."[7] 캔위셔(2001)의 뇌영상 연구는 후두엽의 선조체 외측 신체 영역extrastriate body area의 신경세포가 인체의 이미지에 선택적으로 반응한다는 것을 처음으로 보여 주었다. 사실 몸이나 신체 부위의 이미지는 대단히 강력하며, 우리가 다른 과제에 주의를 집중하고 있을 때조차 우리의 주의를 포착한다. 이것이 바로 구상 미술이 역사적으로 우세했던 한 가지 중요한 요인일 수 있다.

선조체 외측 신체 영역이 타인의 존재에 선택적으로 반응하는 반면, 측두엽 바로 옆 영역—상측두구superior temporal sulcus—은 생물학적 운동, 즉 사람과 동물의 움직임을 분석하는 데 중요하다. 이 영역은 1998년 퓨스와 데이비드 페레트David Perrett가 발견했다. 그들은 신체 부위와 연관되지 않은 운동보다 눈과 입의 운동, 팔다리의 운동에 더 강하게 반응하는 세포들이 있다는 것을 발견했다. 예일 대학교의 인지심리학자 케빈 펠프리Kevin Pelphrey는 상측두구가 개인의 주의가 집중되는 지점, 또는 사회적 상호작용을 원하거나 회피하는 욕구를 알아냄으로써 개인의 주시 방향을 해석한다고 제안한다. 얼굴의 주시 방향과 얼굴의 감정 표현은 결합되어 관람자의 주의를 포착한다. 따라서 초상화는 얼굴과 표정만이 아니라 얼굴이 바라보는 곳에도 우리의 주의가 향하도록 한다.

운동은 극도로 많은 정보를 간직하고 있다. 다른 단서들이 없을 때, 무언가가 움직이는 방식은 움직이는 것이 사람인지 아닌지만이 아니라 움직이는 사람의 정신생활과 그 사람이 무엇을 느끼는지를 포함하여 훨씬 더 많은 것을 알려 줄 수 있다. 1973년 군나르 요한손Gunnar Johansson은 학생의 주요 관절에 작은 전구 14개를 부착한 뒤, 어둠 속에서 움직이라고 하고 촬영했다. 영상은 움직이는 빛점 하나로 시작하여, 14개가 모두 켜진 채 움직이지 않는 상태를 보여 준다. 움직이는 빛점 하나만 보일 때에는 그 운동이 어떤 특성을 지니는지 전혀 알 수 없다. 모든 빛점이 전혀 움직이지 않을 때, 우리는 정적인 물체라는 인상을 받는다. 하지만 모든 빛점들이 움직이기 시작하자마자, 하나의 형상이 출현한다. 게다가 우리는 그 형상이 남성인지 여성인지, 그리고 그 또는 그녀가 달리는지 걷는지 춤추는지를 구분할 수 있다. 많은 상황에서 우리는 그 사람이 행복한지 슬픈지도 알아차릴 수 있다. 사람들, 심지어 생후 넉 달밖에 지나지 않은 유아도 무작위로 움직이는 빛점들보다는 형상을 이루어 움직이는 빛점들을 더 쳐다볼 것이다. 즉 사람들은 비생물학적인 운동보다 생물학적 운동을 지켜보는 쪽을 선호한다. 우리 뇌는 세계에서 벌어지는 일을 알아내기 위해 모든 가용 단서를 활용하도록 진화해 왔다.

프로이트의 직관적 통찰과 크리스와 곰브리치의 체계적인 시도에 어느 정도 영향을 받은 신경과학자들은 인간의 감각계를 더 엄밀하게 세포 수준에서 분석하기 시작했다. 특히 리처드 그레고리와 데이비드 마는 인간의 지각을 상향식 게슈탈트심리학과 하향식 가설 검증과 정보처리 과정을 통해 분석하기 시작했다. 우리 감각계가 창의적이라는 것 — 얼굴, 얼굴 표정, 손 위치에 관한 가설을 만들어 내고, 신체 운동이 중요하며, 생물학적 운동과 비생물학적 운동을 구분한다는 것 — 을 세포 수준에서 입증함으로써, 이 신경과학자들은 우리를 마음이라는 사적인 극장의 무대 뒤로 데려갔다.

18

정보의
상향 처리:
기억을 이용한
의미 찾기

위대한 화가가 자신의 인생 경험을 토대로 이미지를 창작할 때, 그 이미
지는 본질적으로 애매하다. 그 결과 이미지의 의미는 각 관람자의 연상,
세계와 미술에 관한 지식, 그 지식을 회상하고 그것에 특정한 이미지를
연결하는 능력에 따라 달라진다. 이것이 바로 관람자의 몫, 즉 관람자가
미술 작품을 재창조하는 활동의 토대다. 기억에서 이끌어 낸 문화적 상징
도 미술의 생산과 관람에 마찬가지로 중요하다. 이것을 토대로 언스트 곰
브리치는 기억이 미술의 지각에 핵심적인 역할을 한다고 주장하기에 이
르렀다. 사실 곰브리치가 강조했듯이, 모든 그림은 내적 내용보다 다른
그림들에 더 많은 빚을 지고 있다.

예를 들어 구스타프 클림트가 그린 〈양귀비 밭A Field of Poppies〉(그림
18-1) 같은 풍경화를 본다면, 그 이미지의 의미가 내적 내용에서만 나온
다고 확인하기가 어렵다. 한눈에 명백히 와 닿는 것은 균질적으로 펼쳐진
녹색 사이사이에 빨간색, 파란색, 노란색, 하얀색의 반점이 찍혀 있고, 캔
버스 위쪽의 양쪽으로 나뉜 하얀 길이 그것을 안정화한다는 것이다. 하지

그림 18-1 구스타프 클림트, 〈양귀비 밭〉(1907). 캔버스에 유채. 컬러화보 참고

만 일단 이 이미지를 그림에 관해 우리가 아는 것과 비교하면, 그림의 내용은 완벽하게 명확해진다. 풍경화 전통에서, 특히 인상파와 후기인상파의 점묘법 화가들의 풍경화를 생각할 때, 녹색과 빨간색의 반점들로부터 출현하는 것은 꽃들로 뒤덮인 양귀비 밭의 아름답고 목가적인 풍경이다. 설령 전경의 나무 두 그루를 꽃밭과 구별하기가 어렵다고 할지라도, 관람자는 그것들을 찾는 법을 알기 때문에, 배경-전경 관계를 쉽게 구성할 수 있다.

클림트의 인물 초상화도 마찬가지다. 〈키스〉(그림 8-25)와 〈아델레 블로흐바우어 I〉(그림 1-1) 둘 다 인물의 몸은 거의 사라지면서 넓게 펼쳐진 금박 장식이 되지만, 우리는 인물화 지식과 신체 윤곽의 기대 덕분에 인물과 배경을 쉽게 구별할 수 있다.

앞서 살펴보았듯이, 시지각의 가장 놀라운 측면은 우리가 타인의 얼굴, 손, 몸에서 보는 것의 대대수가 우리 망막에 닿는 빛의 패턴과는 별개로 작동하는 과정들을 통해 결정된다는 것이다. 그것은 상향식으로 처리된(낮은 수준과 중간 수준의 시각) 뒤에 뇌의 고등한 인지 중추를 통해 하향식으로 처리되는 신호와 통합되는 정보에 의존한다. 이 두 원천의 시각 경험을 하나의 일관된 전체로 통합하는 것은 높은 수준의 시각 처리 과정이 하는 일이다. 하향 신호는 기억에 의존하며, 유입되는 시각 정보를 사전 경험과 비교한다. 시각 경험 속에서 의미를 찾는 능력은 전적으로 이 신호에 의존한다.

상향 처리된 정보는 시각계 초기 단계에 내재된 구조에 상당 부분 의존하며, 미술 작품의 관람자들은 대개 이 점에서 동일하다. 이와 달리 하향 처리 과정은 범주와 의미를 할당하는 메커니즘과 뇌의 다른 영역들에 기억으로 저장된 사전 지식에 의존한다. 그 결과 하향 처리 과정은 관람자마다 독특하다.

궁극적으로 뇌는 얼굴, 몸, 사실상 모든 대상들의 이미지를 일반화하고 분류해 이미지를 처리한다. 시각계는 사과든 집이든 얼굴이든 산이든 간에 개별 대상의 이미지가 어느 일반 범주에 속한 것인지를 쉽게 파악할 수 있다. 얼굴은 여러 모양이며 집도 마찬가지이지만, 우리는 각기 다른 수많은 상황에서도 그것을 얼굴 또는 집이라고 인식한다.

시각 자극이 측전전두엽에서 분류된다는 것을 발견한 얼 밀러Earl Miller는 범주화를 시각적으로 차이 나는 자극들에 인지적으로 비슷한 방식으로 반응하고 시각적으로 유사한 자극들에 다르게 반응하는 능력이라고 본다. 우리는 사과와 바나나가 비록 모양이 다르고 서로 닮지 않았다고 할지라도 같은 범주(과일)에 속한다는 것을 인식한다. 반면에 사과와 야구공이 모양이 비슷한데도 둘이 근본적으로 다르다고 생각한다. 범주화는 본질적인 것이다. 그것이 없다면, 가공되지 않은 지각은 무의미할 것이다.

우리는 부엌 조리대에 있는 붉은 구를 사과라고 부른다. 우리는 운동장에 있는 거의 똑같이 생긴 구를 공이라고 부른다. 신경세포는 어떻게, 그리고 어디에서 범주를 구분할까? 밀러는 고양이와 개 같은 서로 다른 두 범주의 동물들이 한쪽에서 다른 쪽으로 변형되는 디지털 이미지를, 따라서 40퍼센트인 고양이와 60퍼센트인 개를 만들어 낼 수 있는 이미지를 써서 이 질문을 살펴보았다. 그런 뒤 그는 원숭이 뇌의 측전전두엽에 있는 신경세포들에서 나오는 신호를 기록했다. 하측두엽에서 대상, 장소, 얼굴, 몸, 손에 관한 정보를 받는 영역이다. 밀러는 측전전두엽의 신경세포들이 범주 특이적 경계에 민감하다는 것을 알아차렸다. 즉 그 세포들은 한 범주에 속한 이미지에만 반응하고 다른 범주에 속한 이미지에는 반응하지 않는다. 따라서 개의 이미지에만 반응하고 고양이의 이미지에는 반응하지 않거나 정반대로 반응할 것이다.

이어서 밀러는 측전전두엽과 하측두엽에서 나오는 신호를 동시에 기록하면서, 그 실험을 반복했다. 그는 이 뇌 영역 각각이 범주 기반의 지각에서 특수한 역할을 한다는 것을 알았다. 하측두엽은 대상의 모양을 분석하는 반면, 전전두엽은 대상을 특정한 범주에 할당하고 개인이 해야 할 행동 반응을 부호화한다. 전전두엽에서 단지 모양만이 아니라 개라는 개념을 부호화하는 확고한 범주 특이적 신호를 발견한 것은 측전전두엽이 목표 지향적 행동을 이끈다는 개념과 들어맞는다. 밀러의 발견은 하측두엽의 신경세포가 적절히 가중치가 부여된 정보를, 집을 당신의 집으로 인식하는 것과 같은 행동 관련 정보를 부호화하는 전전두엽의 신경세포로 보낼 때 범주화가 더 진행된다는 것을 시사한다. 따라서 하측두엽은 이미지를 인식하고 그것을 더 일반적인 범주에 할당하는 일도 한다.

기억이 없다면 뇌는 범주를 설정할 수가 없다(다른 일도 마찬가지겠지만). 기억은 미술에 대한 반응이든 살면서 겪는 다른 사건에 대한 반응이든 간에, 우리의 정신생활을 결속하는 접착제다. 우리가 우리로 남아 있는 이유는 대체로 우리가 배우는 것과 기억하고 있는 것 때문이다. 기억은 미술에 대한 관람자의 지각적·정서적 반응에 중요하다. 그것은 시지각의 하향 처리 과정의 본질적인 측면이며, 앞서 살펴보았듯이 이미지에 대한 관람자의 반응에서 도상학의 역할을 설명한 파노프스키의 개념에서 핵심적인 역할을 한다. 인간의 기억 체계는 이전의 비슷한 이미지나 경험에 노출되어 생기는 추상적인 내적 표상을 형성한다.

뇌와 기억의 현대적인 연구는 기억의 인지심리학과 기억 저장의 생물학이 결합되면서 등장했다. 1957년 몬트리올 신경학연구소에서 일하던 영국 태생의 위대한 심리학자 브렌다 밀너Brenda Milner가 첫 시도를 했다. 밀너는 H.M.이라는 환자의 점점 심해지는 간질 발작을 멈추기 위해 양쪽 뇌 반구에서 내측두엽을 제거하는 수술을 했다. 내측두엽, 특히 그 안에 든 해마가 제거되자, H.M.은 지적 기능이나 지각 기능은 온전히 남아 있었지만 사람·장소·대상을 기억하는 능력에 심각한 결함이 나타났다.

밀너의 H.M. 연구를 통해서, 기억에서 해마가 하는 역할의 토대가 되는 세 가지 주요 원리가 드러났다. 첫째, H.M.의 다른 지적 기능들이 온전했기 때문에 그녀는 기억이 뇌의 특정 영역에 있는 별개의 정신 기능 집합임을 입증할 수 있었다. 게다가 H.M.이 전화번호 같은 정보를 몇 초에서 1~2분에 이르는 짧은 시간 동안 기억할 능력을 간직하고 있다는 것은 곧 해마와 내측두엽이 단기기억에 관여하는 것이 아니라 단기기억을 장기기억으로 전환하는 데 관여한다는 것을 시사했다. 마지막으로 H.M.이 수술을 받기 오래 전에 일어났던 일을 기억할 수 있었기 때문에, 밀너는 장기기억 자체가 대뇌피질에 저장되고, 그런 뒤에는 해마나 내측두엽을 더 이상 필요로 하지 않는다고 추론했다.

따라서 우리가 캔버스에서 새 이미지를 보고 그것을 다른 이미지와 연관 짓거나 다음 날 떠올릴 수 있는 것은 해마가 그 정보를 저장하기 위해 일하고 있었기 때문이다. 우리가 클림트의 〈양귀비 밭〉에서 나무들을 구별할 수 있는 이유는 해마가 앞서 보았던 다른 풍경화에 관한 정보를 저장했기 때문이다. 다음 몇 달에 걸쳐(놀랍도록 긴 기간이다) 그 저장된 정보는 서서히 대뇌피질의 시각계로 이전되어 영구 저장된다. 특정한 얼굴을 인식하는 데 핵심적인 얼굴반은 그 얼굴의 장기기억을 저장하는 데에서도 핵심적인 역할을 한다고 여겨진다. 인식했던 얼굴에 관한 인지적·감정적 정보를 무한정 간직하는 듯하다. 사실 최근의 연구들은 감정이 밴 시각 이미지가 장기기억에 부호화되며, 처음에 그 이미지의 정보를 처리했던 시각계의 바로 그 고등한 영역에 저장된다는 것을 시사한다.

밀너는 H.M.의 기억상실을 연구하다가 또 한 가지 놀라운 발견을 했다. 그녀는 그가 지식의 특정 영역에서 심각한 기억장애를 지니고 있음에도, 자신이 습득하고 있는 기술을 의식적으로 자각하지 못한 상태에서 반복 학습을 통해 새로운 운동 기술을 배울 수 있다는 것을 알았다. 샌디에이고에 있는 캘리포니아 대학교의 래리 스콰이어Larry Squire는 이 연구를 이어받아서 기억이 마음의 단일한 기능이 아니라는 것을 보여 주었다. 사실 장기기억 저장은 두 가지 주요 형태가 있다. H.M.이 잃어버린 기억은 외현기억explicit memory으로, 사람·장소·대상의 기억이다. 이 기억은 의식적 회상을 토대로 하며, 내측두엽과 해마를 필요로 한다. 암묵기억implicit memory은 H.M.이 간직하고 있는 기억으로, 운동 기술·지각 기술·감정적인 만남을 무의식적으로 회상하는 것이며, 편도체와 선조체, 그리고 가장 단순한 사례에서는 반사 경로를 필요로 한다.

하향 처리는 두 종류의 기억에 모두 의존한다. 암묵기억은 그림의 제재에 대한 관람자의 무의식적 감정 회상 및 감정이입에 중요하다. 외현

기억은 관람자가 그림의 제재와 형태를 의식적으로 회상하는 데 중요하다. 이 두 체계는 미술 작품에 문화적 기억뿐 아니라 개인적 기억도 결부한다. 클림트의 직사각형과 알 모양의 상징이든 에곤 실레의 뒤틀린 팔과 손이든 간에, 화가가 의미를 전달하기 위해 사용하는 도상에 대한 관람자의 반응도 기억에 의존한다. 도상이 문화적 의미를 떠올리게 하든 개인적 의미를 떠올리게 하든 간에, 관람자가 그 도상을 의식적·무의식적으로 인식할 때 뇌의 두 기억 체계 중 어느 하나 혹은 대개 양쪽이 다 동원된다.

1970년부터 신경과학자들은 기억 저장의 세포 및 분자 메커니즘을 분석하기 시작했다. 가장 놀라운 발견 중 하나는 장기기억이 신경세포에 해부학적 변화를 낳는다는 것이었다. 구체적으로 무언가를 학습하고 기억하는 과정은 그 정보를 전달하는 신경세포들 사이의 시냅스 수를 상당히 증가시킬 수 있다. 록펠러 대학교의 찰스 길버트Charles Gilbert는 일차 시각피질의 세포가 학습 과정에서 뚜렷한 해부학적 변화를 겪는다는 것을 발견했다. 현재 우리는 기대, 주의, 경험을 통해 얻은 이전의 이미지도 시냅스에 변화를 일으킴으로써 신경세포들의 특성에 영향을 미친다는 것을 안다.

기억에 저장된 정보는 애매성을 해소하는 데, 따라서 인물과 배경을 구분하는 데 핵심적인 역할을 한다. 우리는 루빈 꽃병(그림 12-3)에서 얼굴과 꽃병 사이의 단순한 인물-배경 전환을 하는 데 아무런 문제가 없다. 하지만 더 애매한 이미지에서는 인물과 배경을 구분하기가 매우 어려울 수도 있다. 그림 18-2의 달마시안 개 이미지가 한 예다. 언뜻 볼 때는 개를 알아보기가 쉽지 않다. 하지만 잠시 뒤에 우리는 다양한 조각과 윤곽을 하나의 일관된 형태로 묶고, 개의 머리와 왼쪽 앞발을 알아보기 시작한다. 이렇게 재구성을 하여 그 부위들이 보이면(그림 18-3), 나중에 앞서의 지각 경험(그림 18-2)의 암묵기억을 통해 배경으로부터 그 부위들을

그림 18-2

구분하기가 쉬워진다. 사실 달마시안 개를 너무나 능숙하게 빨리 찾아내게 되어 그 개를 보지 않는 것이 불가능해진다. 마찬가지로 하버드 심리학자 E. G. 보링Boring이 그린 소녀와 할머니의 애매한 이미지(그림 18-4)에서, 우리는 소녀를 쉽게 알아볼 수 있다. 하지만 소녀의 귀에 초점을 맞추면, 어느 순간 그것이 할머니의 눈이라는 것을 알아차릴 수 있고, 소녀의 턱이 할머니의 코라는 것을 알아볼 수 있다. 이 두 이미지는 일단 기억에 어떤 인물이 저장되면, 우리가 (기억에 의존하는) 하향 처리를 써서 마음대로 양쪽을 전환할 수 있음을 시사한다.

개와 소녀-할머니의 이미지에서 볼 수 있듯이, 하향 처리는 기억에 있는 이미지의 가설 검증을 통해 망막 이미지의 범주, 의미, 효용, 가치를 추론하는 듯하다. 하향 처리는 해당 순간에 바깥에 보이는 것이 무엇인가라는 가설로부터 출발한다. 대개 우리는 다른 감각 단서들과 과거 경험에서 얻은 기억을 통해 정해지는 바에 따라서, 특정한 대상을 찾고 그것에 주의를 기울인다. 따라서 시각 경로에 있는 신경세포들의 반응은 대상이

그림 18-3

그림 18-4

나 그것에 대한 우리 기억의 물리적 특징만이 아니라 우리의 인지 상태도 반영한다. 예를 들어 우리는 멍하니 몽상에 빠져 있을 때보다 주의를 기울일 때, 대상의 모양과 비례를 더 쉽게 분석하고 그것을 앞서 경험했던 대상과 연관 짓기가 더 쉽다.

우리는 새로운 시각 정보를 어떻게 습득하고 기억에 저장하는 것일까? 암묵기억을 저장하는 한 가지 통상적인 방식은 연상association을 통하는 것이다. 이는 러시아 생리학자 이반 파블로프가 처음 밝혀냈다. 파블로프는 개에게 침을 흘리게 만드는 먹이를 빛과 동시에 주는 실험을 되풀이했다. 그렇게 짝을 지어서 먹이를 여러 차례 주자, 개는 먹이를 주지 않은 채 조명을 켜기만 해도 침을 흘리기 시작했다. 고전적 조건 형성classical conditioning이라는 이 원리는 우리의 많은 인지 및 지각 과정의 토대를 이룬다. 이와 비슷하게 우리가 자주 함께 보는 대상들은 우리의 기억 속에서 연결된다. 따라서 한 대상이 보이면 다른 대상의 이미지도 쉽게 마음속에 떠오른다.

우리의 뇌가 연상되는 대상을 표상하는 뉴런들 사이의 연결을 확립하거나 강화할 때, 우리는 그런 연상 기억을 습득한다. 이 활동은 일단 두 대상—A와 B라고 하자—이 암묵기억에 연상되어 저장되고 나면, 뇌의 B군 신경세포들이 대상 B만이 아니라 A에도 반응하게 되는 실질적인 효과를 낳는다. 소크 연구소Salk Institute의 토머스 올브라이트Thomas Albright는 이렇게 질문했다. 이 연상이 해마에서만 일어나는 것일까, 아니면 시각계에서도 일어날 수 있는 것일까? 그는 원숭이 시각계의 여러 고등 영역들에 있는 신경세포들이 두 가지 일을 한다는 것을 발견했다. 시각 자극뿐 아니라 기억에서 이끌어 낸 자극에도 반응한다는 것이다. 이 기억 신경세포들은 뇌의 고등한 영역이 하위 영역에 영향을 미친다는 것을 보여 주며, 우리가 이미지에서 방금 본 새로운 것이 어떻게 이전에 보았던 무언가를 쉽게 떠올리게 할 수 있고, 낯선 그림이 익숙한 기억을 떠올리게 할 수 있는지를 설명해 줄지도 모른다.

높은 수준의 시각 처리 과정에서 나오는 가장 흥미로운 결과 중 하나는 우리가 어떤 대상을 처음 보았을 때와 기억에서 그 대상을 떠올릴 때 비슷한 반응이 일어난다는 것이다. 새로운 경험은 시각 정보의 상향 처리로부터 나오며, 우리는 전통적으로 '본다'라는 것을 그렇게 생각해 왔다. 그 이미지의 회상 또는 정교화와 심화는 하향 처리의 산물이며, 그림 기억과 시각 심상의 회상을 이룬다. 따라서 이미지를 보고 나중에 그 것을 떠올리고 상상하는 것은 궁극적으로 같은 신경 회로 중 일부를 이용하는 것이다.

시각 연상은 정상적인 기억의 본질적인 부분이며, 상향 및 하향 신호는 거의 예외 없이 협력하면서 시각 경험을 빚어낸다.

하향 처리의 중요성과 주의와 기억이 지각에 미치는 효과는 미술 작품을 볼 때 즉시 확연히 드러난다. 우선 파리 대학교의 파스칼 마마시앙Pascal Mamassian은 미술 작품을 볼 때의 주의가 이른바 '일상 지각everyday perception'과 중요한 측면에서 다르다고 말한다. 일상 지각에서는 과제가 정해져 있다. 길을 건너려 할 때, 당신은 교통 상황을 살펴보려고 잠시 멈춘다. 당신의 지각은 지나가는 차들의 속도와 크기에 고도로 집중되고, 특정한 차가 뷰익인지 메르세데스벤츠인지, 회색인지 파란색인지와 같은 무관한 정보는 무시한다. 반면에 시각 예술의 지각에서는 적절한 과제를 식별하기가 훨씬 더 어렵다. 사실 관람자는 미술 작품에 다른 식으로 접근하며, 그의 반응은 자신이 어디에 서 있느냐에 따라 달라질 수 있다. 그리고 화가는 관람자가 어디에 설지를 알지 못한다는 난제에 직면한다. 그리고 보는 각도는 관람자가 삼차원 풍경을 해석할 때 큰 영향을 미칠 수 있다. 마마시앙은 이 난제를 다음과 같이 설명한다.

설령 화가가 직선 원근법의 법칙에 통달했다고 할지라도 …… 한 관찰 시점을 제외한 모든 시점에서는 이론상 풍경이 기하학적으로 왜곡될 수밖에 없다. 그림이 풍경을 충실하게 보여 주는 유일한 시점은 투영의 중심점, 즉 화가가 투명한 캔버스에 풍경을 그린다고 할 때 서 있는 위치다. 따라서 묘사된 풍경의 기하학에는 관찰자가 서 있는 지점에 따라 달라지는 근본적인 애매성이 있다.[1]

관람자는 하향 처리 과정을 통해 자신이 서 있는 위치에 맞추어 보정해야 할 세부 사항들을 채운다. 16장에서 살펴보았듯이, 관람자는 캔버스가 편평하다는 것을 암묵적으로 자각하고 있다. 그림의 원근법이 결코 완벽하게 설득력이 있는 것이 아니기 때문이다. 그 결과 화가와 관람자 모두 암묵적으로 단순화한 물리학을 사용하며, 그럼으로써 그들은 미술의 이차원 이미지를 삼차원으로 해석할 수 있다.

관람자가 서 있는 위치와 관련된 이 하향식 현상의 특성을 이해하면 그림을 어떻게 지각하는지에 관해 꽤 많은 것을 알 수 있다. 가장 잘 알려진 사례는 초상화에 그려진 인물의 눈이 우리가 어디에 서 있든 간에 따라온다는 것이다. 구스타프 클림트의 아름다운 초상화(그림 18-5)에서 볼 수 있는 이 효과는 그림을 그릴 때 모델이 화가의 눈을 보고 있었는지 여부에 따라 달라진다. 화가를 보고 있었다면 모델의 눈동자는 우리 자신의 눈 한가운데에 비치게 될 것이다. 우리가 옆으로 이동하면 눈의 위치는 왜곡되지만, 우리의 하향 지각계가 이 왜곡을 보정한다. 그래서 그림에서 다른 부위들에는 왜곡이 일어나고 있다고 해도, 모델의 눈동자는 그다지 변화가 없다. 그 결과 우리가 움직일 때 모델의 눈이 따라온다는 착시가 일어난다. 조각에서처럼 그림에서도 원근법이 완벽하게 구현된다면, 초상화는 한 관찰 시점을 제외한 모든 시점에서 왜곡되어 보일 것이다. 흉상을 옆에서 보면, 눈동자가 비대칭적으로 보이고 우리를 바라

그림 18-5 구스타프 클림트, 〈여성의 머리(Head of a Woman)〉(1917). 종이에 펜, 잉크, 수채. 컬러
화보 참고

보지 않는 듯이 보인다.

에른스트 크리스가 지적했듯이, 중요한 미술 작품을 창작하는 데
성공하려면 화가는 처음부터 본질적으로 거짓인 그림을 그려야 한다. 화
가는 상상을 담은 작품만을 그려야 하며, 그 그림은 이어서 관람자의 상
상을 자극할 것이다.

클림트는 비잔틴 양식과 비슷한 평면적인 그림에서 원근법의 한계
와 뇌의 하향 처리 과정을 탐구한다. 우선 그는 평면성을 이용하여 즉시
성immediacy의 느낌을 전달한다. 얼굴과 인물을 묘사할 때 음영이 있는 윤
곽 대신에 단순한 선을 써서 얼굴과 인물이 앞으로 돌출되도록 함으로
써, 존재감을 일으켜서 우리를 놀라게 한다. 게다가 평면성은 관람자에게
더 많은 것을 요구한다. 캔버스의 이차원성과 그림의 더 추상적인 측면을
강조함으로써 하향 처리 반응을 증가시킨다.

더 넓은 의미에서 볼 때, 그림의 이차원성을 보정하는 우리의 능력은 우리의 미술 감상, 더 나아가 미술이 재현하는 것에 대한 우리의 이해가 우리가 특정한 관찰 시점에 있는지 여부와 무관한 이유를 설명해 준다. 패트릭 카바나의 설명을 들어 보자.

> 평면 그림이 너무나 흔하기 때문에 우리는 왜 평면 재현이 그토록 잘 먹히는가라는 질문을 거의 하지 않는다. 우리가 실제로 세계를 3D로 경험한다면, 평면 사진에서 보이는 이미지는 우리가 그 앞에서 움직일 때 심하게 일그러질 것이다. 하지만 그 사진이 평면인 한, 그런 일은 일어나지 않는다. 이와 달리 접힌 사진은 우리가 움직일 때 일그러진다. 3D보다 낮은 차원의 재현물을 해석하는 능력은 우리가 시각 세계를 진정으로 3D로 경험하는 것이 아니며, 그 덕분에 평면 사진(그리고 영화)이 3D 재현물의 경제적이고 편리한 대체물로서 시각 환경을 지배할 수 있음을 시사한다. 평면 재현물을 용인하는 이 능력은 모든 문화, 아기, 다른 종에서도 발견되며, 따라서 그것은 재현 관습을 학습한 결과일 리가 없다. 우리가 평면 재현물을 이해할 수 없다면, 우리 문화가 얼마나 다른 모습일지 상상해 보라.[2]

과학자이자 철학자인 마이클 폴라니Michael Polanyi는 우리가 재현 그림을 볼 때 경험하는 종류의 인지가 두 가지 구성 요소로 이루어진다고 설명한다. 묘사된 사람이나 풍경의 초점 인지focal awareness와 표면 특징, 선과 색깔, 캔버스의 이차원 표면 등에 관한 보조 인지subsidiary awareness가 그것이다. 비록 빈센트 반 고흐의 그림(그림 18-6)과 코코슈카의 놀라운 자화상(그림 9-15)에서는 이 구성 요소들을 뒤바꾸어 붓질과 긁어낸 자국에 초점을 맞추고 싶은 유혹을 느낄 수도 있지만 말이다. 지각심리학자 어빈 록Irvin Rock은 이 두 인지 상태가 우리가 왜 재현 그림을 현실의 유

그림 18-6 빈센트 반 고흐, 〈펠트 모자를 쓴 자화상(Self-Portrait with Felt Hat)〉(1887~88). 캔버스에 유채. 컬러화보 참고

사물이라고 보는지를 이해하는 데 중요하다고 말한다. 우리는 그림이 유사물일 뿐 진짜 현실이 아니라는 것을 제대로 인식하고 있기 때문에, 무의식적으로 그림을 지각할 때 하향 보정(전에 학습한 것을 토대로)과 직관적인 보정(학습하지 않은 것을 토대로)을 한다.

앞 장에서 살펴보았듯이, 우리는 미술 작품을 볼 때 끊임없이(그리고 무의식적으로) 눈을 움직인다. 그 결과 얼굴 전체에 관한 우리의 지각은 관심이 쏠리는 다양한 영역을 빠르게 반복하여 훑는 과정을 통해 구축된다. 비록 미술 작품의 미적 경험이 작품의 구성 부분들의 합보다 더 크다고 할지라도, 시각 경험은 그 모든 구성 부분들을 한 번에 하나씩 훑는 모자이크 방식에서 출발한다. 그림에서 핵심 요소를 포착하는 훑기 운동의 유형들이 중요한 이유는 18-7부터 18-12까지의 그림에서 잘 드러난다.

그림 18-7 구스타프 클림트, 〈아델레 블로흐바우어 II〉(1912). 캔버스에 유채. 컬러화보 그림 8-26 참고

그림 18-9 구스타프 클림트, 〈유디트〉(1901). 캔버스에 유채. 컬러화보 그림 8-27 참고

그림 18-8 구스타프 클림트, 〈아델레 블로흐바우어 I〉(1907). 캔버스에 유채, 은, 금. 컬러화보 그림 1-1 참고

그림 18-10 오스카어 코코슈카, 〈손을 입에 대고 있는 자화상〉(1918~19). 캔버스에 유채. 컬러화보 그림 9-15 참고

그림 18-11 오스카어 코코슈카, 〈루돌프 블륌너〉(1910). 캔버스에 유채. 컬러화보 그림 9-11 참고

그림 18-12 오스카어 코코슈카, 〈루트비히 리터 폰 야니코프스키〉(1909). 캔버스에 유채. 컬러화보 그림 9-13 참고

클림트의 세 여성 이미지—아델레 블로흐바우어의 초상화 두 점과 유디트의 초상화 한 점—는 주로 얼굴 표정에 차이가 있다. 그림 18-7에서 아델레는 무표정하며, 지루해 보이기까지 한다. 그림 18-8에서는 어느 정도 유혹적이다. 그림 18-9에서 성적 희열이 채 가시지 않은 모습의 유디트는 승리감에 도취되고 더 많은 성관계를 가질 준비가 된 듯하다. 하지만 아마도 마찬가지로 놀라운 점은 우리의 시각적 주의가 특히 〈아델레 블로흐바우어 I〉과 〈아델레 블로흐바우어 II〉에서 모델의 얼굴과 무관한 세부 사항들, 슬며시 배경과 융합되는 장식으로 가득한 겉옷 같은 것들에 상당히 분산된다는 것이다. 이와 달리 반 고흐와 코코슈카는 관람자들로 하여금 주로 얼굴 표정에 초점을 맞추도록 유도한다. 두 얼굴은 독특하면서 기억에 남을 만하다. 풍부한 질감의 배경은 얼굴 특징에서 도출되는 감정을 더 두드러지게 할 뿐이다. 따라서 클림트의 초상화를 볼 때, 우리 눈은 다중 작업을 한다. 화가가 전달하고자 하는 다양한 개념을 인식하기 위해 이미지 전체를 훑는다. 반면에 코코슈카의 초상화에서는 각 모델의 핵심적인 얼굴 표정과 그 표정의 의미에 엄밀히 초점이 맞춰진다.

연인과 함께 있는 모습을 그린 코코슈카와 실레의 2인 자화상(그림 18-13, 18-14)에서는 전혀 다른 유형의 대비가 나타난다. 코코슈카는 알마 말러와 함께 있는 자신의 모습을 그린 낭만적인 2인 초상화를 몇 점 그렸지만, 그 어느 작품도 성교를 묘사하고 있지는 않다. 이 모든 작품에서 코코슈카는 자신이 통제할 수 없는 힘들에 휘말린 수동적인 모습이다. 〈바람의 약혼녀〉에서 코코슈카가 통제할 수 없는, 두 연인을 둘러싼 격렬한 파도는 이 인상을 더 강화한다. 이와 달리 실레는 원초적인 성을 주로 그렸다. 성교가 드물지 않다. 하지만 그 성교에서는 불안이 정사의 희열과 성적 쾌락을 상쇄하거나 더 나아가 압도한다. 충돌하는 본능적 충동들이 뒤섞이면서 섹스의 쾌락 요소를 소멸시키기 때문에 모델의 눈에서 공허

그림 18-13 오스카어 코코슈카, 〈바람의 약혼녀〉(1914). 캔버스에 유채. 컬러화보 그림 9-17 참고

그림 18-14 에곤 실레, 〈성교〉(1915). 종이에 연필과 구아슈. 컬러화보 그림 10-13 참고

함—성교의 공허함—을 찾아볼 수 있다. 실레의 초상화에서는 섹스와 연결된 불안이 너무나 크고 그 감정이 진정으로 강력하기 때문에, 그에게는 굳이 그것을 극적으로 보여 줄 폭풍우도 배경 효과도 필요하지 않은 듯하다.

우리가 한눈에 알아보는 화가들의 화법 차이에 따라 전달하는 정서적 내용도 달라진다. 다음 장에서는 초상화가 전달하는 정서적 내용의 생물학적 토대를 살펴보기로 하자.

19

감정의 해체:
감정의
기초 요소 탐색

언스트 곰브리치는 서양 미술의 발달이, 비록 더러 우회하고 후퇴하긴 했지만 점점 더 솜씨 있게 현실이라는 착시를 일으킴으로써 자연을 더 성공적으로 모방하는 쪽으로 나아간 과정이라고 보았다. 하지만 이 흐름은 사진술과 만나면서 꺾이고 말았다. 시각 세계를 놀랍도록 재현하는 사진술이 등장한 시기는 자연을 사실적으로 묘사한 해부학 책과 식물학 도감이 등장한 시기와 일치한다.

사진술이 등장하자 현대 화가들은 세계를 사실적으로 묘사하는 차원을 넘어서는 방법을 실험해 보기 시작했다. 13장에서 살펴보았듯이 폴 세잔, 파블로 피카소, 피터르 몬드리안, 카지미르 말레비치, 바실리 칸딘스키를 비롯한 화가들은 형태를 해체하여 형태적 기초 요소를 찾기 시작했다. 그들은 우리가 경관, 대상, 사람에게서 보는 것의 기본 요소인 형태와 색깔을 살펴보는 새로운 언어를 모색했다. 거의 같은 시기에 빈센트 반 고흐, 폴 고갱, 에드바르 뭉크, 이어서 오스트리아 모더니즘 화가들인 구스타프 클림트, 오스카어 코코슈카, 에곤 실레, 독일 표현주의 화가들은 감정의 기초 요소를 찾기 위해 감정을 해체하기 시작했다. 그들은 풍경과 사람에, 특히 얼굴, 손, 몸에 강한 의식적·무의식적 감정 반응을 일으키는 요소들을 찾고자 했다.

감정적 기초 요소를 찾기 위해, 화가들은 겉모습 아래로 파고 들어가서 모델의 정서적 삶의 측면들을 탐구하고 드러내려 시도했다. 더 나아가 관람자의 감정과 모델에 대한 정서적 반응에 영향을 미치고자 했다. 관람자가 모델의 감정 상태에 반응할 수 있다는 개념은 모든 사람들이 경험하고 회상하고 남에게 전달할 수 있는 보편적인 감정이 있다는 개념을 토대로 한다. 이 현대 화가들은 모델의 감정 상태를 전달하기 위해 다양한 수단을 실험했다. 형태의 과장, 색깔의 왜곡, 새로운 유형의 도상학 등이었다. 또 그들은 비슷한 정서적 경험을 한 관람자의 기억과 널리 받아들여진 역사적 기준 틀을 인식하고 상징의 의미를 이해하는 능력에도 의지했다.

기억은 미술 작품에 대한 관람자의 감정 반응뿐 아니라 지각 반응에도 마찬가지로 대단히 중요하다. 얼굴의 지각이 어떤 새로운 얼굴에 이전의 얼굴 지각 경험을 연결하라고 요구하는 것과 마찬가지로, 남의 감정에 대한 반응도 다른 맥락에서 경험한 감정에 따라 결정된다. 목숨을 위협하는 신호에 대한 본능적인 감정 반응과 달리, 시지각을 처리할 때와 흡사하게 우리는 뇌가 감정 세계에 관해 이미 알고 있는 것과 학습된 것 양쪽을 토대로 학습된 감정을 재구성한다.

감정을 생물학적으로 이해하는 과정은 두 단계로 이루어진다. 첫째, 우리는 감정을 분석할 심리적 토대를 마련할 필요가 있으며, 그다음에 그 감정의 토대를 이루는 뇌 메커니즘을 연구할 필요가 있다. 지각의 의미 있는 신경과학이 출현하려면 지각의 인지심리학이라는 토대가 있어야 하는 것처럼, 감정과 감정이입의 토대가 되는 생물학적 메커니즘을 탐구하려면 감정과 감정이입의 인지심리학과 사회심리학이라는 토대가 있어야 한다. 사실 감정의 생물학은 뇌과학의 비교적 새로운 영역이다. 정서적 경험은 오랫동안 오로지 심리학적인 관점에서만 연구되어 왔기 때문이다.

에른스트 크리스와 언스트 곰브리치는 표현주의 미술의 감정 해체 방식이 더 이전의 세 미술 전통에서 유래했다고 보았다. 첫 번째는 16세기에 아고스티노 카라치가 도입한 캐리커처다. 과장의 기본 요소는 마티아스 그뤼네발트Matthias Grünewald와 피터르 브뤼헐Pieter Bruegel the Elder의 표현력이 풍부한 그림으로 이어졌고, 나중에 티치아노, 틴토레토, 베로네세의 마니에리슴 그림, 엘 그레코의 그림, 마지막으로 후기인상파 화가인 반 고흐와 뭉크의 작품을 통해 정교하게 다듬어졌다. 표현주의의 감정 해체를 낳은 두 번째 미술 전통은 고딕과 로마네스크 양식의 종교 조각이었고, 세 번째 전통은 오스트리아의 과장법 전통이었다. 세 번째 전통은 18세기 말 프란츠 사버 메서슈미트의 찡그린 캐릭터 두상에서 정점에 이르렀다.
　1906년 빈의 사진사 요제프 블하Josef Wlha는 리히텐슈타인 공작이 소유한 이 두상의 석고 모형을 찍은 사진 45점을 발표했다. 이 사진들은 예술계의 관심을 끌었다. 파블로 피카소도 이 사진 한 묶음을 구입했다. 한 세기가 넘게 무시당하고 경멸당하던 메서슈미트의 캐릭터 두상은 1908년에 드디어 하벨베데레 미술관에 전시되었다. 같은 미술관의 위쪽(상벨베데레)에서 나중에 클림트, 코코슈카, 실레의 작품이 전시되었다. 에밀 주커칸들과 베르타 주커칸들 부부는 1886년 메서슈미트의 두상을 두 점 구입했고, 루트비히 비트겐슈타인도 한 점을 소유하고 있었다. 그의 두상이 큰 관심을 끌었던 현상에 대해 안토니아 보스트룀Antonia Boström은 이렇게 적었다. "이것은 인간의 정신을 탐구하는 데 몰두하던 이들이 이 두상에 계속 관심을 가져 왔다는 점을 강조한다."[1]
　오스트리아 표현주의 화가들은 지그문트 프로이트와 아르투어 슈니츨러도 각자 독자적으로 탐구했던 네 가지 강력한 정서적 주제들을 현대 미술적 관점에서 강조했다. 성욕이 어디에나 있으며 유년기 초에 시작된다는 것, 남성과 마찬가지로 여성에게도 독자적인 성적 욕구와 성적인 삶이 있다는 것, 공격성이 만연해 있다는 것, 성욕과 공격성이라는 본능적인 힘들 사이에 지속적인 갈등이 벌어지고 그 결과 불안을 낳는다는 것이다.

이 네 주제를 다루면서 표현주의 화가들은 관람자로부터 두 부류의 폭넓고 상호 연관된 정서 반응을 이끌어 냈다. 감정 반응과 감정이입 반응이었다. 그림에 대한 감정 반응은 긍정적이든 부정적이든 무심하든 간에, 무의식적 감정 반응과 의식적인 느낌으로 이루어진다. 무의식적 감정과 의식적 느낌의 구분은 무의식적 검출(감각)과 의식적 인지(지각)의 구분에 상응하며, 우리가 경험하는 것의 상당 부분이 무의식적이라는 프로이트와 윌리엄 제임스의 개념에서 유래한 것이다. 우리의 감정이입 반응은 그림의 인물이 지닌 감정을 대리 경험하는 것이다. 모델의 정신 상태, 그리고 아마도 생각과 열망까지도 인식하는 것이다.

♦ ♦ ♦

우리는 종종 얼굴 표정과 자세를 이용하여 타인의 감정 상태를 헤아리는데, 이 단서들은 초상화 속 인물을 이해하는 데에도 쓰인다. 게다가 실제 사람에게서든 미술 작품에서든 우리는 타인의 미묘한 표정을 자세히 관찰하여 자기 자신의 표정에 관한 내면 청사진을 얻을 수 있고, 우리의 얼굴이 어느 순간에 자신의 감정에 관해 남에게 무엇을 말하고 있는지를 더 잘 알 수 있다.

감정이란 무엇일까? 감정은 우리에게 왜 필요할까? 감정은 우리의 삶을 다채롭게 하고 삶의 기본 과제들─쾌락을 추구하고 고통을 회피하는 것―을 다루는 데 도움을 주는 본능적인 생물학적 메커니즘이다. 감정은 우리에게 중요한 사람이나 사물에 반응하여 행동하는 성향을 말한다. 풍부하고 다양한 범위에 걸쳐 있는 인간의 감정은 달팽이나 파리 같은 단순한 생물의 기본적인 행동 성향에서 진화했을 가능성이 높은 듯하다. 그런 동물들의 행동은 상반되는 두 부류의 주요 동기 부여자에 좌우될 뿐이다. 바로 접근approach과 회피avoidance다. 한쪽은 먹이, 짝, 기타 쾌락을 주는 자극에 접근하도록 동기를 부여하고, 다른 한쪽은 포식자나 해로운 자극을 피하도록 동기를 부여한다. 이 두 상반된 부류의 반응은 진화를 통해 계속 유지되어 왔으며, 인간 행동을 조직하고 추진한다.

감정은 우리의 신체 및 정신 상태의 핵심에서 나오며, 비록 연관되어 있긴 하지만 서로 독립된 네 가지 목적을 지닌다. 감정은 우리의 정신생활을 풍성하게 하며, 인생의 동반자를 고르는 일을 비롯하여 사회적 의사소통을 촉진하며, 합리적인 행동을 할 능력에 영향을 미치며, 아마도 가장 중요한 것일 텐데, 잠재적인 위험을 피하고 유익하거나 쾌락을 주는 잠재적인 원천에 접근하도록 돕는다.

감정이 다중 목적을 지닌다는 개념은 시간이 흐르면서 발전해 왔다. 19세기 중반까지 감정은 우리의 정신생활을 풍성하게 하고 다채롭게 하는 것이 주된 기능이며 내밀하고 개인적인 것이라고 여겨졌다. 1872년 찰스 다윈은 감정이 우리의 생활을 다채롭게 하는 것 외에 중요한 진화적 역할을 하나 더 한다는 혁신적인 개념을 도입함으로써 이 일원론적 사고에서 벗어났다. 감정이 사회적 의사소통을 촉진한다는 것이었다. 《인간과 동물의 감정 표현》에서 다윈은 감정이 짝 선택에서 나름의 역할을 하는 것은 물론 사회적·적응적 기능을 수행한다고 주장했다. 종의 생존에 유익할 수 있는 활동을 말이다.

다윈의 저술을 연구하고 거기에 크게 영향을 받은 프로이트는 감정에 세 번째 역할이 있다고 주장했다. 감정이 합리적인 행동을 할 능력에 영향을 미친다는 것이었다. 그는 감정이 의식 및 의식적 판단에 중추적인 역할을 한다고 주장했다. 사실 프로이트는 생물이 자신의 감정을 '느낄' 수 있기 때문에 의식이 진화했다고 주장했다. 더 나아가 그는 감정을 의식적으로 느낌으로써 몸의 자율 반응에 주의가 집중된다고 주장했다. 그런 뒤 우리는 이 무의식적 반응에서 얻은 정보를 이용하여 복잡한 행동을 계획하고 결정을 내린다는 것이다. 이런 식으로 의식적 감정은 본능적인 감정 반응의 범위 너머로 확장된다.

프로이트의 개념은 전통적인 개념과 또 한 가지 측면에서 결별했다. 철학자들은 감정이 이성과 반대되는 위치에 서 있다고, 특히 합리적인 결정을 내리는 것과 반대된다고 생각해 왔다. 전통적으로 철학자들은 지적이고 사려 깊은 결정을 내리려면 이성이 주도할 수 있도록 감정을 억눌러야 한다고 주장해 왔다. 하지만 프로이트는 임상 경험을 통해 그렇지 않다는 확신을 얻었다. 그는 감정이 무의식적으로 우리의 많은 결정을 한쪽으로 치우지게 하며, 감정과 이성이 분리할 수 없이 얽혀 있다는 것을 알아차렸다. 현재 우리는 복잡한 새 과제를 배울지 혹은 전쟁에 참전할지 평화를 유지할지 여부와 같은 인지적으로 벅찬 결정에 직면했을 때, 이렇게 양쪽으로 자문한다는 것을 알아차린다. 실제로 우리가 하고자 하는 것을 이룰 수 있을까? 그리고 그 과제가 정서적 노력을 할 가치가 있을까? 그렇게 했을 때 보상이 있을까?

프로이트와 다윈은 인간의 행동이 접근과 회피라는 양극단 사이에 놓인 다양한 감정 반응을 일으킬 수 있음을 알아차렸다. 게다가 한쪽 극단에서 반대쪽 극단까지 펼쳐지는 이 감정 반응의 집합은 전부 아니면 전무라는 방식으로 일어나는 것이 아니다. 그것은 낮은 세기에서 높은 세기에 이르는, 즉 낮은 흥분 상태에서 높은 흥분 상태에 이르는 다른 연속체를 통해 조절된다.

다윈은 접근에서 회피에 이르는 연속체상에 여섯 가지 보편적인 구성 요소가 있다고 했다. 이 여섯 가지에는 두 가지 주요 감정적 기초 요소, 즉 접근을 부추기는 행복(환희에서 평온에 이르는 각성 상태)과 회피를 부추기는 두려움(공포에서 염려에 이르는)이 포함된다. 이 양극단 사이에 네 가지 하위 유형이 있다. 놀람(경악에서 주의 산만에 이르는), 혐오(극도의 염증에서 지루함에 이르는), 슬픔(비탄에서 시름에 이르는), 분노(격분에서 짜증에 이르는)가 그것이다. 다윈은 이 별개의 감정들이 뒤섞일 수 있다고 조심스럽게 언급했다. 이를테면 경외심은 두려움과 놀람의 혼합물이며, 두려움과 신뢰는 복종을 낳으며, 신뢰와 기쁨은 사랑을 낳는다.

사람들은 이 여섯 가지 감정을 어떻게 표현하며, 사회적 의사소통을 할 때 그것을 어떻게 전달할까? 다윈은 우리가 대체로 한정된 수의 얼굴 표정을 통해 감정을 전달한다고 주장했다. 그는 인간이 사회적 동물이기에 남에게 자신의 감정 상태를 전달할 필요가 있다는 깨달음과 얼굴 표정을 통해 전달을 한다는 발견을 토대로 이 결론에 이르렀다. 따라서 사람은 호기심이 담긴 웃음을 통해 남을 매혹할 수도 있고, 엄격하고 위협적인 표정으로 남을 멀리할 수도 있다.

다윈은 얼굴 표정이 인간 감정의 주된 사회적 신호 전달 체계이며, 따라서 얼굴 표정이 사회적 의사소통의 핵심이라고 주장했다. 게다가 모든 얼굴이 동일한 특징—눈 둘, 코 하나, 입 하나—을 지니므로, 감정 신호 전달의 감각 및 운동 측면들은 보편적이다. 즉 문화를 초월한다. 더 나아가 그는 얼굴 표정을 짓는 능력과 남의 얼굴 표정을 읽는 능력이 양쪽 다 타고난 것이라고 주장했다. 따라서 감정적·사회적 신호를 보내는 것도, 그 신호를 받는 것도 학습을 필요로 하지 않는다.

사실 얼굴 인식의 인지적 발달은 유아기에 시작된다. 앞서 살펴보았듯이, 생후 6개월 된 아기는 사람의 얼굴을 식별하는 능력이 발달하는 바로 그 시기에 다른 동물의 얼굴을 식별하는 능력을 잃는다. 언어 능력도 마찬가지다. 일본 아기는 태어난 직후에는 'l'과 'r'의 소리를 쉽게 구분할 수 있지만, 자라면서 그 능력을 잃는다. 자신의 모어가 그 소리들을 구분하라고 요구하지 않기 때문이다. 따라서 아기는 유아기 때 마주치지 않은 다른 인종의 사람들(이방인)을 구별하는 것보다 함께 사는 사람들(내집단)의 얼굴 특징과 피부색의 더 미묘한 차이를 식별하는 법을 배운다. 다윈은 얼굴 표정의 여섯 가지 유형을 구분하는 능력이 유전적으로 결정되며 전 세계의 모든 인류 집단에게서 진화적으로 보존되어 왔다고 주장했다. 선천적으로 눈과 귀가 먼 아이도 이 보편적인 얼굴 표정을 보여 준다.

한 세기 뒤에 미국 심리학자 폴 에크먼Paul Ekman은 얼굴이 감정을 전달하는 주된 수단이라는 다윈의 관찰을 확장했다. 1970년대 말, 에크먼은 일련의 꼼꼼한 연구를 통해 다양한 문화에 속한 사람들의 10만 가지가 넘는 얼굴 표정을 조사한 끝에 감정을 담은 주요 얼굴 표정이 다윈이 말한 여섯 가지임을 밝혀냈다. 지금은 이 공통된 표정 외에도 각 문화마다 이방인이 표현되는 감정을 제대로 이해하려면 알아보는 법을 배워야 하는 미묘한 표정들이 추가로 있다는 증거가 나와 있다.

얼굴은 역동적인 정보를 제공할 뿐 아니라 정적인 정보도 제공한다. 한순간의 역동적인 감정은 눈썹과 입술을 통한 빠른 얼굴 신호를 통해 매개되며, 태도·의도·가능성에 관한 정보를 제공한다. 얼굴의 정적인 신호는 다른 정보를 전달한다. 예를 들어 피부색은 개인이 어느 집단에 속할지, 더 나아가 어디에서 태어났을지에 관한 정보를 제공한다. 주름은 나이에 관한 정보를 제공한다. 눈, 코, 입의 모양은 성별 정보를 제공한다. 따라서 얼굴은 감정과 기분만이 아니라 능력, 매력, 나이, 성별, 인종 등에 관한 다양한 신호를 내보낸다.

감정 해체를 연구하는 진화생물학자들과 심리학자들은 신경과학자들이 이 분야에 뛰어들 토대를 마련했다. 이 신경과학자들은 이렇게 물었다. 여섯 가지 보편적인 감정이 기초적인 생물학적 체계를 나타내는 것일까? 기분의 기본 구성단위를 말하는 것일까? 각각의 감정이 뇌의 전담 체계에서 나오는 것일까? 아니면 모든 감정이 긍정적인 것에서부터 부정적인 것에 이르기까지 연속체를 형성하며 서로 겹치는 공통된 구성 요소들을 지니고 있을까? 여섯 가지 보편적인 감정이 이 연속체의 특정 지점들을 나타내는 것일까?

오늘날 대다수의 감정 연구자들은 여섯 가지 주요 감정이 연속체에서 특정 지점들을 나타내며, 고유의 신경 구성 요소와 공통의 요소를 함께 지닐 가능성이 높다고 생각한다. 게다가 현재 대다수의 과학자들은 감정과 그 얼굴 표정이 전적으로 타고난 것만은 아니며, 어느 정도는 앞서 경험한 감정과 특정한 감정을 특정한 맥락과 결부하는 성향을 통해서도 정해진다고 믿는다.

감정의 해체를 연구하는 신경과학자들이 관심을 가진 부분은 과연 마음이라는 내밀한 극장으로 들어가서 감정이 어떻게 형성되는지를 생물학적으로 탐구할 수 있을까 하는 것이었다. 또 그들은 다음과 같은 질문들을 다룰 입장에 서게 되었다. 특정한 미술이 우리를 그토록 강렬하게 감동시키는 이유가 무엇일까? 미술은 어떻게 감정 반응을 일으키는 것일까? 지각을 담당하는 뇌 체계와 감정을 담당하는 뇌 체계는 어떻게 상호작용을 하여 오스트리아 표현주의 미술에 묘사된 것과 같은 얼굴, 손, 몸의 과장된 묘사에 반응하는 것일까? 이 뇌 체계들은 "사람의 정신이 몸으로 자신을 표현하는 방식"[2]을 어떻게 보여 줄 수 있는 것일까?

현재 우리는 진행되는 상황과 사건의 무의식적이고 주관적인 평가로부터 감정이 생성된다는 것을 안다. 따라서 미술에 대한 의식적인 감정 반응은 일련의 인지적 평가 과정으로까지 거슬러 올라갈 수 있다.

20

화가는 어떻게
얼굴, 손, 몸, 색깔로
감정을 묘사하는가

찰스 다윈, 폴 에크먼, 그 뒤의 과학자들은 얼굴 표정과 마찬가지로 손의 움직임과 그 밖의 몸짓이 사회적 정보를 전달한다고 강조했다. 사실 얼굴, 몸, 손, 팔, 다리가 동일한 대칭성을 지니고 있기 때문에, 뇌의 지각계는 모든 얼굴뿐 아니라 모든 몸을 비슷한 방식으로 처리할 수 있다.[1]

그래서 구스타프 클림트, 오스카어 코코슈카, 에곤 실레는 인물의 감정 상태를 전달하는 새로운 방식을 모색할 때, 얼굴뿐 아니라 손과 몸에도 초점을 맞춰 신체적 특징을 과장하거나 왜곡했다. 그들은 몸을 이용하여 모델의 주의 및 감정 상태에 관한 추가 정보를 전달할 수 있었다. 오스카어 코코슈카와 에곤 실레의 두 자화상(그림 20-1, 20-2)을 단순히 비교하기만 해도, 얼굴이 전달하는 감정을 몸짓이 어떻게 강화하는지 즉시 드러난다. 손을 어색하게 입에 갖다 댄 코코슈카의 자화상은 그가 알마 말러와 사귀는 동안 불안을 느꼈다는 점을 강조하고 있다. 이와 달리 실레는 바닥에 무릎을 댄 나체 자화상에서 몹시 어색하긴 해도 당당하고 자신만만해 보인다.

그림 20-1 오스카어 코코슈카, 〈손을 입에 대고 있는 자화상〉(1918~19). 캔버스에 유채. 컬러화보 그림 9-15 참고

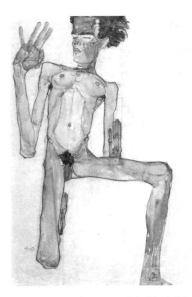

그림 20-2 에곤 실레, 〈무릎을 꿇은 자화상〉(1910). 종이에 검은 분필과 구아슈. 컬러화보 그림 10-6 참고

이 화가들은 얼굴, 손, 몸을 이용했을 뿐 아니라 자신들의 화법을 고스란히 노출해 관람자의 주의를 사로잡았다. 색깔을 써서 추가 감정 정보를 전달하고 상징을 써서 관람자의 기억을 환기했다. 이런 식으로 그들은 관람자가 모델에게 무의식적인 감정 반응을 일으키도록 했을 뿐 아니라, 그렇게 하기 위해 쓴 화법을 관람자가 의식적으로 자각하도록 했다.

◆ ◆ ◆

신경과학자들은 시지각 연구를 통해서, 다윈과 화가들이 얼굴에 관해 추측했던 것의 생물학적 토대를 밝혀내기 시작했다. 그들은 얼굴이 지각에서 그토록 중요한 한 가지 이유가 인간의 뇌가 다른 시각 대상의 인식보다 얼굴 인식에 더 넓은 영역을 할애하고 있기 때문이라는 것을 알아냈다. 앞서 살펴보았듯이, 뇌에는 얼굴 인식을 전담하는 여섯 개 영역이 있으며, 이 영역은 미의 평가, 도덕 판단, 의사 결정을 담당하는 전두엽, 감정을 조율하는 편도체와 직접 연결되어 있다. 뇌의 생물학이 밝혀낸 이 사항들 덕분에 우리는 오스트리아 표현주의 화가들의 작품을 더 명확히 살펴볼 수 있다. 예를 들어 우리가 얼굴의 응시 방향, 표정, 색깔의 미묘한 차이를 쉽게 구별할 수 있지만 경관의 미묘한 변화를 볼 때는 그렇지 못하다는 사실은 하측두엽에서 얼굴이 폭넓게 표상된다는 점에 크게 기대고 있는 듯하다. 또 그 발견들은 주의를 기울일 이미지를 선택할 때, 뇌가 얼굴에 우선순위를 부여한다는 개념을 강화한다. 얼굴이 인상적일 만큼 많은 정보를 전달한다는 것은 분명하다. 얼굴은 그 사람의 정체, 감정 상태와 기분을 알려주며, 몇몇 상황에서는 사고 과정까지도 전달한다. 또 뇌에는 개인의 응시 방향에 유달리 민감한 메커니즘도 있다. 이 메커니즘은 응시를 쉽게 처리하고, 타인의 응시 방향뿐 아니라 머리의 방향 같은 심리 상태에 관한 다른 단서들에 관람자가 주의를 빠르게 돌리도록 촉발할 수 있다.

예를 들어, 유니버시티 칼리지 런던의 유타 프리스Uta Frith 연구진은 우리가 낯선 얼굴의 눈을 직시할 때와 그 얼굴을 단순히 흘깃 쳐다볼 때, 뇌가 전혀 다른 방식으로 반응한다는 것을 발견했다. 우리는 눈을 맞출 때 더 강하게 반응한다. 서로 눈을 맞출 때에만 뇌의 도파민 체계가 효과적으로 활성을 띠기 때문이다. 이 체계는 보상의 기대, 따라서 접근과 관련이 있다. 코코슈카와 실레는 우리의 지각 뇌와 정서 뇌의 이 특징들을 은연중에 활용했다. 그들의 초상화는 가장 쉽게 왜곡할 수 있고 가장 많은 감정 정보를 드러내는 얼굴과 눈, 신체 부위에 초점을 맞추고 있다. 흔히 어떤 각도를 두고 얼굴을 그리곤 했던 그 이전 시대의 초상화가들과는 달리, 코코슈카와 실레는 대체로 모델을 정면에서 그렸다. 관람자가 얼굴을 직시하도록 만드는 기법이었다.

이 점은 히르슈 가족—아버지와 두 아들—을 그린 초상화 세 점 (그림 20-3, 20-4, 20-5)에서 뚜렷이 드러난다. 모두 1909년에 그린 것이다. 코코슈카는 아들 가운데 에른스트 라인홀트를 먼저 그렸는데(《몰입한 연주자, 에른스트 라인홀트의 초상화》), 모델이 관람자를 정면으로 바라보는 모습이다. 화가는 다채색 배경을 써서 에른스트를 전경으로, 즉 우리의 주의가 향하는 공간으로 돌출시킨다. 코코슈카는 에른스트의 형제인 펠릭스 알브레히트를 아래를 내려다보는 모습으로 그렸는데(《펠릭스 알브레히트 하르타의 초상화Portrait of Felix Albrecht Harta》), 거친 선으로 그려진 염소수염 때문에 그는 스물다섯 살인데도 훨씬 늙어 보인다. 펠릭스의 긴 손가락은 그림에서 돌출되어 보인다. 노란색으로 칠해져 있고, 청록색으로 윤곽선이 그려져 있으며, 반지를 낀 듯 관절이 불룩하다. 미술사학자 토비아스 나터는 코코슈카가 이렇게 경멸하는 듯이 그림으로써 자신이 미술적으로 펠릭스 알브레히트와 거리를 두고 있음을 표현했다고 말한다. 펠릭스는 코코슈카의 작품을 존중했지만 코코슈카보다 미술적 재능이 한

그림 20-3 오스카어 코코슈카, 〈몰입한 연주자, 에른스트 라인홀트의 초상화〉(1909). 캔버스에 유채. 컬러화보 그림 9-10 참고

그림 20-4 오스카어 코코슈카, 〈펠릭스 알브레히트 하르타의 초상화〉(1909). 캔버스에 유채. 컬러화보 참고

그림 20-5 오스카어 코코슈카, 〈아버지 히르슈〉(1909). 캔버스에 유채. 컬러화보 참고

참 떨어지는 매우 전통적인 화가였다.

아버지는 감정이입이 전혀 되지 않은 방식으로 묘사되어 있다(〈아버지 히르슈Father Hirsch〉). 그는 관람자를 직시하지 않고 왼쪽을 바라본다. 마치 한 대 치려는 양 이를 드러낸 채 악물고 있다. 코코슈카는 아버지의 형상을 배경과 분리하기 위해, 펠릭스의 손을 그릴 때처럼 노인의 오른쪽 어깨와 위팔을 따라 노란색으로—번개가 치는 듯이—붓질을 했다. 이 그림의 원래 제목은 〈야만적인 이기주의자A Brutal Egoist〉였다. 코코슈카는 회고록에 이렇게 썼다.

> 아버지와 아들[에른스트]의 관계가 좋지 않았고, 당연히 초상화는 그 관계를 개선하는 일과는 무관했다. 나는 아버지를 완고한 노인네라고 보았고, 그는 화를 아주 잘 냈는데 화를 낼 때면 커다란 의치가 고스란히 드러나곤 했다. 나는 그가 화내는 모습을 보고 싶어 했다. 아주 이상하게도 아버지인 히르슈는 나를 좋아했고, 내가 자신의 초상화를 그렸다는 점을 뿌듯해했다. 그는 집에 그 그림을 걸었고, 심지어 내게 그림값을 지불하기도 했다.[2]

셋 중에서 우리가 호감을 느낄 수 있는 사람은 에른스트뿐이다. 그렇긴 해도 세 그림은 모두 흥미롭다. 코코슈카가 그들의 마음에서 어떤 일이 벌어지는지를 우리에게 보여 주고 있기 때문이다. 펠릭스와 부친의 초상화는 색깔이 어둡고 머리 주위를 형광 같은 후광이 둘러싸고 있다. 두 눈은 한쪽이 다른 쪽보다 커서 비대칭이며, 모델들은 정면을 바라보지 않는다. 마치 내면의 자아에 몰두해 있고, 코코슈카와 눈을 마주치고 싶지 않은 듯하다. 에른스트만이 관람자를 똑바로 쳐다보며, 관람자의 생각과 감정을 공유하는 데 관심이 있어 보인다.

코코슈카는 이 깨달음들을 두 가지 방식으로 전달한다. 그는 "얼굴의 초상화가 아니라 성격의 초상화"[3]를 그리려 시도했다. 또 앞서 살펴보았듯이, 그는 얼굴 인식을 강화하곤 하는 자기 화법의 세세한 사항들—겹쳐 칠하는 강한 붓질과 마르지 않은 물감을 손가락이나 붓의 손잡이 끝으로 긁기—을 노출시킴으로써 초상화가 주는 감정적 충격을 더 강화했다. 게다가 코코슈카가 모델을 놓는 공간은 모호하게 그려져 있고, 때로 좀 불안정하고 비틀거리고 불안해 보인다.

얼굴 표정 연구자인 에크먼은 감정이 얼굴의 윗부분(이마, 눈썹, 눈꺼풀)과 아랫부분(턱과 입술)의 변화를 통해 나타난다고 지적한다. 그는 윗부분이 두려움과 슬픔을 표현하는 데 특히 중요한 반면, 아랫부분, 그중에서도 입은 행복, 분노, 혐오 같은 감정을 전달하는 데 중요하다고 말한다. 하지만 눈은 진정한 웃음과 꾸며낸 웃음을 구별하는 데 매우 중요하다. 앞서 살펴보았듯이, 망막의 중심오목이 너무 작아서 우리는 한 번에 얼굴의 한 부분에만 초점을 맞출 수 있지만, 우리 뇌는 단속 운동이라는 빠른 눈 운동을 통해 전체 그림을 완성한다. 그 결과 얼굴의 각 영역이 감정의 서로 다른 측면을 신호로 보낼지라도, 하나로 모인 신호들은 개별 신호들보다 더 강하게 감정을 환기한다. 이 신호 전달 능력의 차이는 〈아버지 히르슈〉(그림 20-5)에서 뚜렷이 나타난다. 얼굴의 아랫부분은 윗부분보다 분노를 더 강하게 전달하며, 윗부분은 더 소외되어 보인다. 둘이 결합되었을 때 얼굴의 윗부분과 아랫부분은 어느 한쪽이 하는 것보다 복잡하면서도 미묘한 감정에 관해 훨씬 더 많은 정보를 전달한다.

　　토론토 대학교의 조슈아 서스킨드Joshua Susskind 연구진과 더 최근의 이탈리아 토리노의 티치아나 사코Tiziana Sacco와 베네데토 사케티Benedetto Sacchetti의 연구는 두려움에 빠진 얼굴 표정—사실, 감정이 깃든 이미지 전체—이 관람자를 자극하며, 그럼으로써 감각 정보의 습득을 강화한다는 것을 시사한다. 코코슈카와 실레는 자신의 불안과 맞서 싸우고 있었기 때문에, 거기에 자극을 받아 모델이 지닌 불안을 묘사하는 데 더 관심을 쏟았다. 그리고 이렇게 불안을 묘사한 그림은 관람자에게서 두려움을 불러일으킨다. 두려움을 환기함으로써 그 화가들은 관람자의 주의를 사로잡으며, 그것이 없었다면 관람자가 외면했을 법한 초상화의 측면들에 관심을 갖도록 한다.

미술 작품은 어떻게 관람자의 주의를 사로잡는 것일까? 1960년대에 러시아의 정신물리학자 알프레드 야르부스Alfred Yarbus는 일련의 탁월한 실험을 통해, 미술 작품을 살펴볼 때 관람자의 눈이 어떻게 움직이는지 연구했다. 그는 눈 운동을 살펴보기 위해 치밀하게 끼워지는 콘택트렌즈를 개발하여 거기에 시각 추적 장치를 달았다. 그는 눈이 한 특징에 할당하는 시간이 그 특징이 지닌 정보에 비례한다는 것을 발견했다. 예상할 수 있겠지만, 얼굴의 이미지를 볼 때는 눈, 입, 코, 그리고 얼굴의 전체 모양을 바라보는 데 많은 시간이 할애되었다(그림 20-6, 20-7, 20-8). 야르부스는 한 실험에서 관람자에게 세 가지 사진을 살펴보라고 주문했다. 볼가 출신의 소녀, 어린아이, 고대 이집트 예술의 걸작 중 하나인 네페르티티 여왕의 멋진 채색 석회석 흉상을 찍은 사진이었다. 각 사진을 볼 때 관람자의 눈은 이미지의 눈과 입을 중심으로 움직이면서 그 특징들에 주로 머물렀고, 다른 특징들에는 시간을 훨씬 덜 할애했다.

야르부스의 연구를 이어받은 C. F. 노딘Nodine과 폴 로커Paul Locher는 시지각에 단계들이 있으며, 이 단계들이 미술 작품을 살펴볼 때의 훑는 눈 운동에서 뚜렷이 드러난다는 것을 발견했다. 첫 번째 단계는 지각적 훑기perceptual scanning로, 작품 전체를 훑는 것이다. 두 번째 단계인 반영과 상상reflection and imagination은 캔버스에 있는 사람, 장소, 대상의 정체를 파악하는 것이다. 이 단계에서 관람자는 작품의 표현적인 특성을 파악하고 이해하고 공감한다. 세 번째 단계인 미학aesthetics은 관람자의 느낌

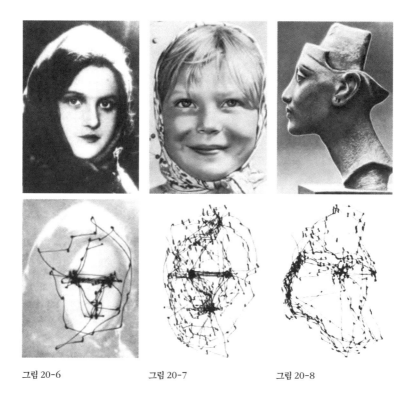

| 그림 20-6 | 그림 20-7 | 그림 20-8 |

과 작품에 대한 미적 반응의 깊이를 드러낸다.

어떤 미술 작품을 처음 볼 때, 사람의 눈은 매우 다양한 주시 시간 fixation time―즉 우리가 보는 것을 실제로 파악하는 데 걸리는 시간―을 보여 주며, 이 주시 시간 중에는 짧은 것이 많다. 작품에 점점 익숙해질수록, 긴 주시 시간의 수가 점점 늘어난다. 그것은 관람자가 처음에는 전체를 훑는 데 시간을 들이다가 가장 관심이 가는 부위에 더 구체적으로 초점을 맞추고, 이윽고 미적 반응을 일으키는 쪽으로 넘어가고 있음을 의미한다. 흥미롭게도 이런 훑기 연구들은 관람자가 해당 미술 작품의 시대를 잘 알 때는 지각적 탐색에서 느낌과 미적 반응 쪽으로 초점이 거의 즉시 이동한다는 것도 보여 준다.

시각심리학자 프랑수아 몰나르François Molnar는 역사적으로 미술 양식이 달라질 때마다 보는 양식도 달라진다는 흥미로운 관찰 결과를 내놓았다. 그는 전성기 르네상스의 고전 미술을 보는 방식과 그 뒤의 마니에리슴과 바로크 양식의 미술 작품을 관람하는 방식을 비교했다. 전문가들은 바로크 미술과 마니에리슴 미술 양식이 고전 미술보다 상당히 더 복잡하다고 생각한다. 고전 미술보다 세부적인 사항이 훨씬 더 많기 때문이다. 사실 몰나르는 고전 미술이 크고 느린 눈 운동을 일으키는 반면, 마니에리슴과 바로크 미술이 구체적인 영역에 더 초점을 맞추는 작고 빠른 눈 운동을 일으킨다는 것을 알아냈다.

이런 발견들은 더 복잡한 그림을 볼 때 덜 복잡한 그림을 볼 때보다 주시 시간이 더 짧다는 것을 시사한다. 네바다 대학교의 인지심리학자 로버트 솔소Robert Solso는 이렇게 말한다.

> 세세한 사항으로 빽빽하게 채워진 복잡한 미술은 아주 많은 시각 요소에 주의를 기울일 것을 요구할 것이다. 이 요구는 각 특징에 주의 시간을 더 짧게 할당함으로써 맞출 수 있다. 따라서 많은 현대 추상화가가 내놓은 작품들처럼 단순한 형상은 각 특징에 더 많은 시간을 할당한다. 또 추상화를 볼 때 관람자는 한정된 수의 특징들 각각에서 '더 깊은' 의미를 찾으려고 애쓰며, 따라서 각 특징에 더 많은 시간을 소비한다고 주장할 수 있다.[4]

코코슈카의 석판화(그림 20-9)는 야르부스가 발견한 것들 중 몇 가지를 떠올리게 한다. 이 이미지들은 마치 화가가 모델을 관찰하면서 자신의 눈 운동을 따라 그리고 있었던 것처럼 보인다. 여기서도 코코슈카는 마음의 무의식적 과정—이 사례에서는 눈이 물질 세계와 인간 세계, 특히 얼굴을 적극적으로 탐사하고 해석하는 메커니즘—을 자기 그림의 의

그림 20-9 오스카어 코코슈카, 〈여배우 헤르미네 쾨르너의 초상(Portrait of the Actress Hermine Körner)〉(1920). 채색 석판화. 컬러화보 참고

식적 표면으로 끌고 올라오는 듯하다.

뇌의 일부 영역이 얼굴에 선택적으로 반응하듯이 손과 몸, 특히 움직이는 몸에 반응하는 영역도 있다. 코코슈카의 모델들은 손을 꽉 움켜쥐거나 손가락을 부자연스럽게 구부리거나 손가락이 뒤틀린 상태로 그려져 있곤 하며, 여성들의 손가락은 길고 섬세하게 그려져 있다. 때로 그는 손에 윤곽선을 그리거나, 살의 색깔과 질감을 암시하려는 듯이 붉게 얼룩을 칠하거나 거칠게 겹쳐 색칠을 하기도 한다. 하지만 코코슈카의 가장 흥미로운 손 활용 방식은 사회적 의사소통에서 얼굴과 눈의 상징적인 대체물로 사용하는 것이다. 이 점은 〈한스 티체와 에리카 티체콘라트〉(그림 20-10),

그림 20-10 오스카어 코코슈카, 〈한스 티체와 에리카 티체콘라트〉(1909). 캔버스에 유채. 컬러화보 그림 9-21 참고

그림 20-11 오스카어 코코슈카, 〈부모의 손 안에 있는 아기〉(1909). 캔버스에 유채. 컬러화보 그림 9-20 참고

그림 20-12 오스카어 코코슈카, 〈노는 아이들〉(1909). 캔버스에 유채. 컬러화보 그림 9-22 참고

〈부모의 손 안에 있는 아기〉(그림 20-11), 〈노는 아이들〉(그림 20-12)에서 명백히 드러나는데, 모두 1909년에 그린 그림이다. 골드만 가족을 그린 그림에서 코코슈카는 부모의 얼굴을 아예 그리지 않고 대신에 오로지 손만으로 아기에 대한 부모의 사랑을 전달한다.

손과 몸을 약간 구부리는 방법을 써서 감정을 전달한 코코슈카와 달리, 실레는 그림에서 몸 전체를 과장하여 왜곡하는 방식을 썼다(10장 참조). 예를 들어 〈죽음과 처녀〉(그림 10-14)에서 발리와 관계를 끝내는 것에 관한 복잡한 양가감정을 묘사할 때, 그는 사랑과 죽음이라는 주제를 포착한다. 이 그림은 아마도 마지막이었을, 연애의 죽음을 상징하는 성관계를 맺은 뒤의 발리와 실레를 보여 준다. 발리의 팔은 실레의 겉옷에 부분적으로 가려져 있으며, 그 결과 가볍게 껴안고 있는 듯이 보인다. 그녀는 그에게 간신히 매달려 있을 뿐이다. 이 과장된 몸짓은 발리의 팔이 누락되어 있음에도 이루어진다.

뇌 기능 MRI는 뇌가 손보다는 몸 전체에 좀 더 민감하게 반응한다는 것을 보여 주었다. 몸 전체, 특히 나체를 사용한 실레가 손을 사용한 코코슈카보다 더 강한 감정을 일으키는 이유가 이것으로 설명될지도 모른다(그림 10-6). 때로 나체에 고통스러우리만치 뒤틀린 자세를 취한 실레의 자화상은 자기 몸의 이미지 속에서 정신 상태와 과장된 기분을 재창조하려는 시도를 나타낸다. 실레는 클림트나 코코슈카보다 한층 더 몸, 특히 머리, 팔, 손을 통해 감정을 유달리 과장하여 표현한다. 그리고 그는 그 두 화가들보다 더 자화상을 사랑과 죽음, 자아감이라는 본능적 충동들 사이의 긴장을 탐구하는 수단으로 삼았다.

이 자화상들은 강력한 이미지다. 사실 그토록 많은 이가 오스트리아 모더니즘 화가들의 작품을 불쾌하게 여겼던 이유는 그들의 작품이 관람자의 감정을 수동적으로 끌어들이는 것 이상의 일을 하기 때문이다. 우리는 단순히 타인의 감정 상태를 우리 자신의 감정 상태와 분리된 것으로서 지각하는 것이 아니다. 그것을 감정이입을 통해 우리 자신에게로 끌어들인다. 관람자가 실레의 자화상에 나온 뒤틀린 자세를 무의식적으로 흉내 낼 때, 그는 실레의 감정이라는 사적인 세계로 들어가기 시작한다. 관람자의 몸이 실레의 감정 묘사가 펼쳐지는 무대가 되기 때문이다. 자신의 감정을 표현하기 위해 뒤틀린 자세로 몸을 그림으로써, 실레는 관람자의 감정이입도 유도하는 것이다. 예민한 관람자로서는 실레나 코코슈카의 초상화를 보는 것이 지각 행위만이 아니라 강력한 정서적 경험이기도 하다.

우리는 클림트의 대학교 벽 그림 세 점에서, 코코슈카의 조각상 〈전사로서의 자화상〉에서, 덜 마른 물감에 엄지 지문을 찍고 물감을 긁어낸 코코슈카의 초상화에서 질병과 부정의의 추함을 예술적으로 중요하게 묘사하고자 의식적으로 시도한 사례를 보았다. 삶의 추함 속에서 아름다움을 찾으려는 시도는 실레의 자화상에서 정점에 이르렀다. 캐스린 심프슨은 이렇게 설명한다. "이런 신체 부위들은 예술에서 이상화해야 한다고 여겨져 온 것이었기에, 코코슈카와 실레가 한 방식은 시각적으로 크나큰 모욕을 가한 것으로 해석되었다."[5]

미술 관람자의 감정 반응에 기여하는 마지막 요소는 색깔이다. 얼굴과 손의 재현과 마찬가지로 색깔도 영장류의 뇌에 나름대로 중요하며, 그것이 바로 색깔 신호가 뇌에서 빛과 형태와 다르게 처리되는 이유다.

우리는 색깔이 독특한 감정적 특징을 지닌다고 지각하며, 그런 특징에 반응하는 양상은 우리의 기분에 따라 달라진다. 따라서 종종 맥락에 무관하게 감정적인 의미를 지니곤 하는 구어와 달리, 색깔은 사람에 따라 의미하는 바가 달라질 수 있다. 대체로 우리는 혼합된 탁색보다는 밝은 순색을 더 좋아한다. 화가, 특히 현대 모더니즘 화가들은 감정 효과를 일으키는 방식으로서 과장된 색깔을 썼지만, 그 감정의 가치는 관람자와 맥락에 의존한다. 색깔과 관련된 이 애매성은 한 그림이 관람자마다 혹은 한 관람자에게서도 때마다 그토록 다른 반응을 이끌어 낼 수 있는 또 하나의 이유일 수 있다. 또 색깔은 형상-배경 구분을 강화함으로써 대상과 패턴을 식별할 수 있게 해준다.

화가들이 색깔에 깊이 관심을 갖게 된 것은 르네상스 때였다. 레오나르도 다빈치는 원색이 아마도 세 가지—빨강, 노랑, 파랑—일 것이며 많아야 네 가지이고, 원색을 섞으면 모든 색을 만들어 낼 수 있다는 것을 알아차렸다. 이 시기의 화가들은 특정한 색을 서로 맞대면 새로운 색깔 감각이 일어난다는 것도 깨달았다.

1802년 토머스 영Thomas Young은 사람의 망막에 색깔을 감지하는 색소가 세 종류 있다고 주장했다. 1964년 존스홉킨스 대학교의 윌리엄 마크스William Marks, 윌리엄 도벨William Dobelle, 에드워드 맥니콜Edward MacNichol은 세 종류의 추상체가 색깔을 매개한다는 것을 보여 주었다. 비록 세 추상체의 상대적인 활성이 실험실이라는 잘 통제된 환경에서의 색깔 맞추기 실험에서 우리가 지각하는 색깔들을 설명할 수 있다고 해도 현실 세계에서의 색깔 지각은 훨씬 더 복잡하며 앞서 살펴보았듯이 대체로 맥락에 의존한다.

1820년대에 프랑스 의사 M. E. 슈브뢸Chevreul은 "색의 수학 규칙"[6]을 개발했다. 그것은 동시대비simultaneous contrast 법칙으로 이어졌다. 이 법칙은 특정한 색깔의 물감이 이웃의 색조에 따라 전혀 달리 보일 수 있다는 것이다. 외젠 들라크루아Eugène Delacroix는 19세기 중반 뤽상부르 궁전의 천장 벽화에 인간 군상을 묘사할 때 동시대비 법칙을 성공적으로 활용했다. 그는 색깔들이 서로 작용하도록 함으로써 인위적인 빛깔을 만들어 냈고, 이 기법이 어두운 곳에서도 작용한다는 것을 보여 주었다.[7]

다른 화가들도 스스로 실험을 해 그림에서 색깔 사용이 빛과 그늘을 미묘하게 처리하는 것에 불과하며, 다양한 색깔의 작은 점들을 써서 새로운 수준의 색깔을 얻을 수 있다는 것을 터득했다. 점묘법pointillism이라는 이 기법은 클로드 모네와 인상파 화가들이 완성하여 자연광을 재구성하는 데, 따라서 경관이나 바다 풍경의 분위기를 전달하는 데 탁월하게 사용했다. 점묘법은 후기인상파 화가인 조르주 쇠라의 작품에서 특히 두드러진다. 쇠라는 원색—빨강, 파랑, 초록—의 작은 점들을 써서 빛으로 가득한 다양한 이차색과 삼차색이라는 인상을 만들어 냈다. 게다가 강렬한 노랑과 초록의 혼합 같은 그의 몇몇 색깔 조합은 관람자가 그림에서 눈을 떼었을 때 자주색과 보라색의 잔상을 강하게 일으킨다. 그럼으로써 미술 작품의 미적 인상이 작품 자체를 넘어서 관람자의 경험 세계로 확장되었다.

대기 조건 변화의 효과를 실험한 마네와 색채를 실험한 쇠라에 이어서, 폴 시냐크Paul Signac, 앙리 마티스, 폴 고갱, 반 고흐는 모델이나 풍경 외에 그림의 다른 요소들도 감정을 구현하고 관람자의 감정 반응에 영향을 미치는 힘을 지니고 있음을 깨달았다. 그들은 "더욱 순수한 자연

그림 20-13 빈센트 반 고흐, 〈고흐의 방(The Bedroom)〉(1888). 캔버스에 유채. 컬러화보 참고

감각"을 찾아서 프랑스 남부를 여행했다. "그들의 목표는 자연에서 특별한 종류의 색채 에너지, 즉 온 정신에 말을 걸고 화폭에 축약시킬 수 있는 색깔을 찾아내는 것이었다."[8] 미술평론가 로버트 휴스Robert Hughes는 반 고흐가 강렬한 노란색에서 바로 그런 색깔을 찾아냈다고 썼다. 반 고흐는 1884년 동생에게 보낸 편지에 같은 맥락의 말을 했다.

나는 색깔의 법칙에 푹 빠져 있어. 젊었을 때 그 법칙을 알았다면 얼마나 좋았을까! …… 그 법칙은 들라크루아가 처음 정립하고 연관 짓고 완성하여 널리 쓰이게 만든 것이야. 뉴턴의 중력 법칙이나 스티븐슨의 증기기관과 마찬가지지. 색깔 법칙은 광선이야. 절대적으로 확실해.[9]

1888년 아를르의 자기 방을 그린 반 고흐의 작품(그림 20-13)은 그

가 보색을 의도적으로 짝지어 놀라운 효과를 빚어낸 첫 번째 사례다. 그
는 이 그림에 관해 이렇게 썼다. "색깔이 모든 일을 다해. …… 여기서는
대체로 휴식이나 잠을 의미하고 있어."[10]

그해에 그린 또 한 점의 작품 〈씨 뿌리는 사람The Sower〉에서도 지평
선에 있는 태양의 강렬한 노란색이 압도적인 인상을 심어 준다. 반 고흐
는 이렇게 썼다. "태양, 햇빛, 더 나은 단어가 없으니 연한 유황색, 연한 레
몬색, 금색이라고 해야겠어. 노란색이 정말로 아름답지 않니!"[11] 하지만
로버트 휴스가 평했듯이, 이 태양의 노란색은 아름다울 뿐 아니라, 홀로
씨를 뿌리는 사람에게 엄청난 힘을 미친다. 휴스는 이렇게 설명한다.

> 풍부하고 절묘할 정도로 서정미를 구현한 반 고흐의 색깔이 단순히 즐
> 거움을 표현한 것이라고 본다면 잘못 생각한 것이다. …… 모더니즘의
> 색채 해방, 순수한 광학적 수단을 통해서 감정에 영향을 미칠 수 있는
> 방식은 그의 유산 중 하나였다. …… 그는 즐거움뿐 아니라 …… 연민
> 과 공포를 인정하기 위해 더 폭넓은 모더니즘 색채 문법을 창시했다.
> …… 요컨대 반 고흐는 19세기 낭만주의가 마침내 20세기 표현주의로
> 넘어갈 수 있도록 한 연결점이었다.[12]

인상파와 후기인상파 화가들이 감동적인 색깔을 쓸 수 있었던 것은
19세기 중반에 두 가지 기술적 혁신이 일어난 덕분이었다. 하나는 일련
의 합성색소가 등장하면서 전에는 쓰지 못했던 강렬한 색을 다양하게 쓸
수 있게 되었다는 것이다. 또 미리 혼합하여 튜브에 넣은 유채 물감이 등
장했다. 그전까지 화가들은 마른 색소를 손으로 곱게 갈아서 꼼꼼히 섞고
기름을 넣어 이겨야 했다. 튜브에 넣은 물감이 등장하면서 화가들은 팔레
트에 더 많은 색을 쓸 수 있었고, 물감 튜브는 다시 봉할 수 있는 데다 들
고 다니기도 쉬웠기에 야외에서도 그림을 그릴 수 있었다. 모네 같은 인

상과 화가들은 그전까지 화실에서 도저히 그릴 수 없었을 매순간 변하는 빛, 색깔, 대기의 특징들을 플레네르plein air, 즉 야외에서 포착할 수 있었다. 그럼으로써 비전통적인 색을 새로운 표현 방식으로 이용할 수 있는 길이 열렸고, 그 점은 반 고흐와 더 뒤의 빈 표현주의 화가들에게서 뚜렷이 드러난다.

토르스텐 비셀, 데이비드 허블, 세미르 제키 같은 선구자들이 한 것과 같은 색깔 지각의 신경 토대 연구 결과는 반 고흐의 예술적 실험을 더욱 깊이 이해할 수 있도록 해준다. 이 연구들은 대체로 우리 뇌가 흑백 사진에서 보이는 것과 같은 휘도(밝기) 값을 통해 지각을 한다는 것을 보여준다. 따라서 색은 단순히 대상의 자연적인 표면을 묘사하는 수준을 넘어서 다양한 감정을 새롭고도 더 생생하게 표현하는 데 사용할 수 있으며, 사실 반 고흐나 후대 화가들은 그렇게 했다.

시각의 다른 측면들은 색이 우리의 감정에 영향을 미치는 능력을 강화한다. 특히 중요한 것은 우리가 대상의 형태나 운동보다 색깔을 100밀리초 더 일찍 지각한다는 사실이다. 이 시간 차는 우리가 얼굴의 신원을 지각하는 것보다 표정을 먼저 지각한다는 점과 비슷하다. 양쪽 사례에서 우리 뇌는 이미지의 형태와 관련된 측면들보다 감정 지각과 관련된 측면들을 더 빠르게 처리한다. 그래서 우리가 직면하는 형태—대상이나 얼굴—에 감정적인 색조를 입힌다.

제키는 우리의 색깔과 형태 지각에서 이 차이가 어떤 의미를 지니는지 더 깊이 탐구한다. 무언가를 지각한다고 말할 때, 우리는 그 말을 의식적으로 자각한다는 의미로 쓴다. 하지만 우리는 색깔을 뇌의 V4 영역에서 지각하며, 방추형 얼굴반에서 얼굴을 지각하는 것이나 V5 영역에서 운동을 지각하는 것보다 더 일찍 지각한다. 따라서 우리가 색깔과 얼굴을 의식할 때 시간적인 차이가 있으며, 양쪽은 처리하는 뇌 영역도 서로 다르다. 그래서 제키는 단일한 시각 의식 같은 것은 없다고 주장한다.

시각 의식은 분산 처리의 일종이라는 것이다. 제키는 의식의 이 개별 측면을 미시의식micro-consciousness이라고 부른다.

> 종합된 단일한 의식이 모든 지각의 원천으로서 내 자신의 것이므로, 미시의식이 아니라 후자만이 언어와 소통을 통해서 접근 가능하다는 결론이 나온다. 다시 말해 동물은 의식을 지니지만, 자신이 의식한다는 것을 의식하는 존재는 인간뿐이다.[13]

화가들은 오래전부터 직관적으로 색깔과 형태를 분리해 왔으며, 때로는 한쪽을 강조하기 위해 다른 쪽을 희생시켰다. 세심하게 부드러운 윤곽선과 모호한 윤곽을 만들어 내고, 빛과 어둠의 등급 범위를 최소화함으로써 인상파와 후기인상파 화가들은 관람자가 뇌의 한정된 주의 자원을 원색을 지각하는 쪽으로 더 집중할 수 있도록 했다. 이 그림들은 더 이전의 전통적인 그림들이 구현한 사진 같은 선명함이 없긴 해도, 그 폭발적으로 증가한 색깔들은 유례없는 정서적 충격을 가한다. 그 그림들을 통해 세기말의 관람자들은 빈 모더니즘 미술이라는 새로운 세대의 풍부한 미술 전통을 받아들일 준비를 했다.

21

무의식적 감정,
의식적 느낌,
그것들의
신체적 표현

우리는 구스타프 클림트, 오스카어 코코슈카, 에곤 실레 같은 화가들이 얼굴 표정, 응시, 손짓과 몸짓, 색깔이라는 수단을 통해 감정을 전달한다는 것을 살펴보았다. 그들의 접근법은 감정을 연구하는 현대 신경과학에 한 가지 의문을 제기한다. 오스트리아 표현주의 화가들만이 아니라 지그문트 프로이트도 몰두했던 의문이다. 감정의 의식적인 측면은 무엇이고, 무의식적인 측면은 무엇일까? 뇌를 직접 살펴볼 수 있는 뇌영상 기법을 비롯한 신기술들이 등장한 덕분에, 우리는 이제 이렇게 물을 수 있다. 의식적 감정과 무의식적 감정이 뇌에서 다른 식으로 표상될까? 목적이 서로 다르고 몸에서 표현되는 방식도 다를까?

거의 19세기 말까지도, 감정은 특정한 순서로 진행되는 사건들을 통해 생긴다고 여겨졌다. 우선 사람은 두려움을 일으키는 사건을 인식한다. 예를 들어, 건장해 보이는 남자가 화난 표정을 지은 채 손에 몽둥이를 들고 다가오는 모습을 인식한다. 이 인식은 대뇌피질에 의식적 경험 ─두려움─을 빚어내고, 이 경험은 몸의 자율신경계에 무의식적 변화를 유도한다. 그럼으로써 심장박동이 증가하고 혈관이 수축되고 혈압이 높아지고 손바닥에 땀이 밴다. 게다가 부신에서 호르몬이 분비된다.

1884년 윌리엄 제임스는 〈감정이란 무엇인가?What Is an Emotion?〉라는 논문에서 이 가정을 통째로 뒤엎었다. 그는 1890년에 그 내용을 포함하여《심리학 원리》라는 유명한 책을 출간했다. 이 책에서 그는 당시까지 나온 뇌, 마음, 몸, 행동에 관한 가장 중요한 개념들을 요약하고 논의했다. 그는 심리학에 많은 공헌을 했는데, 의식이 실체가 아니라 과정이라는 심오한 깨달음도 그중 하나였다.

우리 몸이 감정이 밴 대상이나 사건에 어떻게 반응하며, 우리 뇌가 몸의 반응을 어떻게 읽는지 — 제임스는 "단순히 파악된[지각된] 대상"이 어떻게 "감정적으로 느껴지는 대상"이 되는가라고 했다—를 살펴본 제임스의 19세기 심리학적 깨달음은 감정을 살펴보는 21세기 생물학의 핵심을 이룬다.[1] 안토니오 다마지오는 제임스만큼 인간의 정신을 간파한 사람이 "셰익스피어와 프로이트밖에 없다."고 평했다. "제임스는《심리학 원리》에서 감정과 느낌의 본질에 관해 진정으로 놀라운 가설을 내놓았다."[2]

제임스는 뇌가 몸과 의사소통을 할 뿐 아니라, 마찬가지로 몸도 뇌와 의사소통을 한다는 심오한 깨달음을 얻었다. 그는 감정의 의식적, 즉 인지적 경험이 몸의 생리적 반응보다 더 뒤에 일어난다고 주장했다. 따라서 길을 가다가 곰과 마주치는 것처럼 위험할 수 있는 상황에 처했을 때 우리는 의식적으로 곰의 포악함을 평가한 다음에 두려움을 느끼는 것이 아니다. 대신에 우리는 곰을 보는 순간 먼저 본능적이고 무의식적으로 반응한(곰에게서 달아난다) 다음에 나중에야 무섭다는 것을 의식한다. 다시 말해, 우리는 먼저 감정 자극을 상향식으로 처리한다. 그 과정의 어느 단계에서 심장박동과 호흡이 증가하고, 그것이 곰에게서 달아나게 만든다. 그런 뒤에 우리는 감정 자극을 하향식으로 처리한다. 그 과정의 어느 단계에서 우리는 인지력을 이용하여 피신과 관련된 생리적 변화를 설명하고자 한다.

제임스는 이렇게 썼다.

> 지각에 뒤따르는 신체 상태가 없다면, 지각은 감정의 열기가 없는 희미하고 특색 없는 순수한 인지 형식이 될 것이다. 그럴 때 우리는 곰을 보고서 달아나는 것이 최선이라는 판단을 내릴 수도 있지만 …… 실제로 두려움도 분노도 느끼지 못할 것이다. …… 심장박동이 빨라진다거나 숨이 가빠진다는 느낌도 없고, 입술이 떨리지도 팔다리가 후들거리지도 않고, 소름이 돋지도 몸이 저절로 떨리지도 않는다면, 어떤 종류의 두려움이라는 감정이 남게 될지 나로서는 도저히 생각조차 할 수 없다. …… 어떤 감정이든 마찬가지다. 육체와 분리된 순수한 인간 감정이란 존재하지 않는다.[3]

헤르만 폰 헬름홀츠가 지각을 다룰 때 말한 하향식 무의식적 추론을 감정에 적용한 것이라고 할 자신의 가설을 소개하면서 제임스는 다음과 같이 말했다. "우선 강한 신체적 반향을 일으킨다는 것을 누구나 아는, 더 거친 감정이라고 할 것들, 즉 슬픔, 두려움, 분노, 사랑에 논의를 한정할 것이다."[4] 하지만 그는 미술 창작, 작품에 대한 반응과 관련된 것들을 포함하여 "더 미묘한 감정들"이라고 한 것들에 관한 독특한 깨달음도 적었다. 제임스는 더 미묘한 감정들이 쾌락이라는 신체적 느낌과 연결되어 있다고 보았다. 그리고 동시대 사람들인 클림트, 코코슈카, 실레와 마찬가지로 제임스도 추함과 아름다움이 동전의 양면 같은 인간의 삶이라고 보았다.

1885년 덴마크 심리학자 카를 랑게Carl Lange도 독자적으로 비슷한 개념을 내놓았다. 무의식적 감정이 의식적 지각보다 앞선다는 것이다. 감정의 첫 단계는 강한 감정 자극에 몸과 행동으로 반응하는 것이다. 감정의 의식적 경험(오늘날 우리가 느낌이라고 하는 것)은 대뇌피질이 무의식적으로 일어나는 생리적 변화에 관한 신호를 받은 뒤에야만 일어난다.

곧 제임스-랑게 이론이라고 불리게 된 것에 따르면, 느낌은 몸이 대뇌피질로 보내는 특수한 정보의 직접적인 결과물이다. 모든 사례에서 몸이 보내는 정보는 감정이 밴 자극에 대한 우리 몸의 본능적인 반응을 통해 생기는 특정한 생리적 반응 패턴―땀, 떨림, 근육 긴장도 변화, 심장박동과 혈압 변화―에 따라 결정된다. 게다가 무의식적 지각이 일반적으로 그렇듯이, 감정 자극의 무의식적 지각은 생존에 극도로 중요한 역할을 한다. 환경 변화에 반응하여 몸에 생리적 변화를 일으키고, 따라서 우리의 행동에 영향을 미친다.

1927년 하버드 대학의 생리학자 월터 B. 캐넌Walter B. Cannon은 제임스-랑게 이론에 한 가지 약점이 있을 가능성을 밝혀냈다. 그는 사람과 동물이 감정이 밴 자극에 어떻게 반응하는지를 연구하다가, 지각된 위협이나 보상이 일으키는 강렬한 감정이 미분화한 각성―행동을 위해 몸을 기동시키는 원시적인 응급 반응―을 촉발한다는 것을 발견했다. 캐넌은 이 반응을 기술하기 위해 '싸움 또는 도피fight or flight'라는 표현을 만들어냈고, 그것이 우리 조상들이 위협이나 보상에 반응할 때 이용 가능했던 한정된 선지를 반영한다고 주장했다(그 반응이 고통과 쾌락으로 분화해 있지 않으므로, '접근-회피' 반응이라고 하는 것이 더 나을 수도 있겠다). 캐넌은 이 반응이 조절되는 것이 아니므로, 특정한 자극에만 한정되어 나타나는 느낌을 설명할 수가 없다고 주장했다. 게다가 그는 싸움 반응과 도피 반응이 둘 다 자율신경계의 교감신경계를 통해 일어난다고 파악했다. 교감신경계는 눈동자를 확장하고, 심장박동과 호흡률을 높이고, 혈관을 수축시켜서 혈압을 높인다.

캐넌과 그의 스승인 필립 바드Philip Bard는 고통스러운 자극에 반응하여 생기는 감정 반응이 뇌의 어디에서 표상되는지 찾아내기 위해 체계적인 연구를 수행했다. 이 연구를 통해 그들은 시상하부에 이르게 되었다. 캐넌과 바드가 동물의 시상하부를 망가뜨리자, 그 동물은 더 이상 온전히 통합된 감정 반응을 할 수가 없었다. 이런 의미에서 캐넌과 바드는 카를 폰 로키탄스키와 프로이트의 후계자라고 할 수 있다. 4장에서 살펴보았듯이, 로키탄스키는 시상하부를 무의식적 감정과 연관 지은 최초의 인물이었다. 그 뒤에 프로이트는 무의식적 감정을 본능과 연관 지었다. 바드와 캐넌은 자신들의 발견을 토대로 시상하부가 무의식적 감정 반응과 본능을 매개하는 핵심 구조라고 주장하고 나섰다. 더 나아가 그들은 감정의 의식적 지각, 즉 느낌은 대뇌피질에서 일어난다고 주장했다.

감정을 보는 현재의 관점은 인지심리학과 몸의 생리적 변화를 더 민감하게 측정하는 장치들의 개발에도 영향을 받아 왔다. 인지심리학은 뇌가 때로 혼란스럽게 뒤섞이는 환경과 몸의 신호들 속에서 일관된 패턴을 찾는 창작 기계임을 강조한다. 컬럼비아 대학교의 사회심리학자 스탠리 샤흐터Stanley Schachter는 뇌가 창작 기계라는 이 개념을 캐넌의 싸움-도피 반응에 적용하여, 1962년 인지 과정이 비특정적인 자율 신호를 특정한 감정 신호로 적극적이고 창의적으로 해석한다고 주장했다.

샤흐터는 몸의 생리적 반응이 같다고 할지라도, 사회적 맥락에 따라 지각된 감정이 달라질 것이라고 추정했다. 이 생각을 검증하기 위해 그는 창의적인 실험을 했다. 그는 자원한 젊은 독신 남성들을 연구실에 모은 뒤, 일부에게는 아름다운 여성이 들어올 것이라고 말했고, 나머지 사람들에게는 무서운 동물이 들어올 것이라고 했다. 그런 뒤 양쪽 집단에 에피네프린을 주사하고는 이 화학물질이 자율신경계의 교감신경계 활성을 증가시켜서 심장이 더 빨리 뛰고 손바닥에 땀이 나게 한다고 알려 주었다. 나중에 그들을 면담하자, 이 미분화한 자율적 각성(싸움-도피 반응)이 아름다운 여성이 들어올 것이라는 말을 들은 남성들에게서는 접근, 심지어 사랑의 느낌을 이끌어 낸 반면 무서운 동물이 들어올 것이라는 말을 들은 남성들에게서는 회피와 두려움이라는 느낌을 유도했다는 것이 드러났다.

따라서 샤흐터는 개인의 의식적 감정 반응이 생리적 신호 자체의 특성뿐 아니라 그 신호가 일어나는 맥락을 통해 결정된다는 것을 보여 줌으로써 캐넌의 개념을 입증했다. 시지각에서 우리는 뇌가 카메라가 아니라 호머 같은 이야기꾼이라는 것을 배웠는데, 감정에서도 마찬가지다. 뇌는 맥락에 의존하는 하향 추론을 써서 세계를 적극적으로 해석한다. 제임스가 지적했듯이, 느낌은 뇌가 몸의 생리적 신호의 원인을 해석하고 우리의 예상 및 당면한 맥락과 들어맞는 적절한 창의적 반응을 도출할 때까지는 존재하지 않는다.

제임스의 뒤를 이어 샤흐터는 감정을 일으키는 자극이 있을 때 사람이 경험하는 자동적인 피드백이 감정적으로 중요한 사건이 일어난다는 것을 알려 주는 좋은 지표 역할을 한다고 주장했다. 하지만 캐넌의 뒤를 이어서, 그는 이 신체적 피드백이 반드시 그 사건이 무엇인지 알려 줄 충분히 유용한 정보를 전달하는 것은 아니라고 주장했다. 따라서 샤흐터에 따르면, 자율 반응은 무언가 중요한 일이 일어나고 있다는 사실에 주의를 기울이도록 우리를 환기한다. 즉 상황을 의식적으로 살펴보고 자율 반응을 일으킨 원인이 무엇인지 추론하도록 동기부여를 한다는 것이다. 그 과정에서 우리는 그 반응에 수반되는 것에 의식적으로 느낌이라는 꼬리표를 붙인다.

1960년 마그다 아널드Magda Arnold는 샤흐터의 감정 개념을 한 단계 더 발전시켰다. 그녀는 감정 분석에 평가appraisal 개념을 도입했다. 평가는 우리가 감정이 밴 자극에 반응할 때 거치는 초기 단계 중 하나다. 그것은 진행되고 있는 사건과 상황을 주관적으로 헤아림으로써 의식적 느낌을 이끌어 낸다. 평가는 바람직한 자극과 사건에 접근하고 바람직하지 않은 것을 회피하는 비특이적 성향을 낳는다. 비록 평가 과정이 무의식적이긴 하지만, 우리는 사후에 그 결과를 의식적으로 자각한다.

심리학자 니코 프리다Nico Frijda는 샤흐터의 관점을 더욱 확장해서, 2005년에 감정의 의식적 경험―우리가 느끼는 것―이 어느 순간에 우리가 주의를 어디에 집중하느냐에 따라 달라진다는 연구 결과를 내놓았다. 주의는 각 악부―현악부, 관악부, 기악부―에 각기 다른 시점에 각기 다른 의식적 경험, 즉 각기 다른 음악적 효과를 내도록 요구하는 교향악단 지휘자와 같다.

하지만 비특이적 각성의 평가가 펼치는 역할뿐 아니라 제임스의 원래 개념도 새롭게 관심의 대상이 되어 왔다. 영국 서식스 대학교의 휴고 크리츨리Hugo Critchley 연구진은 각 감정마다 사실상 자율신경계에 서로 다른 반응을 촉발할 수 있고, 이 자율 반응이 몸에 특정한 생리적 반응을 일으킨다는 것을 밝혀냈다. 연구진은 혐오의 두 가지 형태를 구별하기 위해, 의식적인 감정 반응을 조율하는 뇌 영역을 영상으로 촬영한 뒤 그 영상을 위장과 심장의 생리 반응 기록과 결부했다. 비록 혐오가 특수한 감정이긴 하지만, 그럼에도 이 실험은 제임스-랑게의 감정 이론을 지지한다. 따라서 느낌은 감정이 밴 자극의 인지적 평가와 적어도 특정한 상황에서는 그 자극에 대한 특정한 신체 반응 양쪽을 통해 촉발되는 듯하다(그림 21-1).

제임스-랑게 이론의 현대적 관점(그림 21-1)은 과학자들이 감정을 보는 방식을 혁신했다. 감정이 뇌의 지각, 사고, 추론 체계로부터 어느 정도 독립된 신경계를 통해 매개되긴 해도, 현재 우리는 감정이 정보처리의 한 형태, 따라서 인지의 한 형태라는 것을 안다. 그러므로 현재 우리의 인

제임스의 피드백 이론

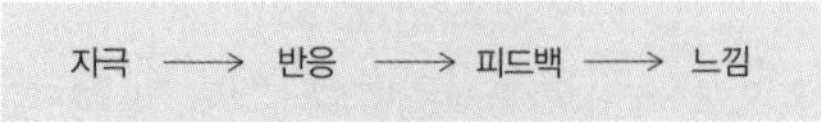

자극 ⟶ 반응 ⟶ 피드백 ⟶ 느낌

'자극이 어떤 단계를 거쳐 느낌을 낳는가?'라는 의문에 제임스는 신체 반응의 피드백이 느낌을 결정한다고 답했다. 감정마다 다른 반응을 일으키므로 뇌로 가는 피드백도 다를 것이고, 제임스는 그것이 그 상황에서 우리가 어떻게 느끼는지를 설명한다고 본다.

샤흐터-싱어 인지 각성 이론

자극 ⟶ 각성 ⟶ 인지 ⟶ 느낌

캐넌처럼 샤흐터와 싱어도 피드백이 중요하긴 하지만 그것만으로는 우리가 어느 감정을 경험할지 특정하는 데 미흡하다고 보았다. 신체적 각성은 우리에게 주변 상황을 살피도록 동기부여를 한다. 상황의 인지적 평가를 토대로, 우리는 그 각성에 꼬리표를 붙인다. 이 하향 처리 과정은 우리가 느끼는 감정을 결정하며, 따라서 신체적 피드백의 비특이성과 느낌의 특이성 사이의 빈틈을 채운다.

아널드의 평가 이론

자극 ⟶ 각성 ⟶ 평가 ⟶ 인지 ⟶ 느낌

아널드는 뇌가 감정 반응을 일으키기 전에 먼저 자극의 중요성을 평가한다고 주장했다. 평가는 인지와 행동으로 이어진다. 바람직한 대상과 상황을 향해 움직이고 바람직하지 않은 것에서 멀어지려는 '느낀(felt) 성향'이 의식적 느낌을 일으킨다. 비록 평가 과정이 의식적·무의식적으로 이루어질지라도, 우리는 사후에 평가 과정에 의식적으로 접근할 수 있다.

현대적 종합

현대적 종합은 느낌이 자극의 인지적 평가와 제임스가 원래 제시했던 것처럼 구별되는 신체 반응 양쪽을 통해 촉발된다고 주장한다.

그림 21-1

지 관점은 더 폭넓은 것이다. 유타와 크리스 프리스가 주장했듯이, 뇌의 정보처리의 모든 측면을 포괄한다. 지각, 사고, 추론뿐 아니라 감정과 사회적 인지도 포함한다.

우리의 감정 반응들은 어떻게 조화를 이룰까? 감정이 밴 자극에 촉

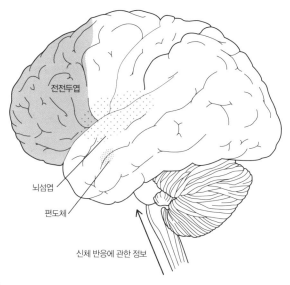

전전두엽

뇌섬엽

편도체

신체 반응에 관한 정보

그림 21-2

발되는 무의식적인 생리적 변화와 의식적 느낌은 어떤 관계에 있을까?

1990년대에 뇌 기능 영상 기술이 개발되면서 과학자들은 특정한 과제를 하는 사람의 뇌 활동을 살펴볼 수 있게 되었다. 연구 결과는 무의식적 감정과 의식적 느낌을 구분한 제임스의 견해와 그것을 정교하게 다듬은 샤흐터와 다마지오의 견해가 옳았다는 것을 입증했다. 유니버시티 칼리지 런던의 레이 돌런Ray Dolan, 현재 서던캘리포니아 대학교에 있는 다마지오, 피닉스 소재 배로 신경학연구소의 버드 크레이그Bud Craig 세 연구진은 각자 독자적으로 뇌영상을 이용하여 두정엽과 측두엽 사이에 작은 섬 모양의 피질이 있다는 것을 발견했다. 바로 뇌섬엽(insula 또는 anterior insular cortex)이었다.

뇌섬엽(그림 21-2)은 우리의 느낌이 표상되는 뇌 영역이다. 즉 부정적이든 긍정적이든, 단순하든 복잡하든 간에 감정이 밴 자극에 대한 우리 몸의 반응을 의식적으로 자각하는 일을 하는 곳이다. 뇌섬엽은 우리가 그런 자극을 의식적으로 평가할 때 그에 반응하여 활성을 띠며, 따라서 흡연 욕구에서부터 갈등과 허기에 이르기까지, 모성애에서부터 관능적인 접촉, 낭만적인 사랑, 성적 오르가슴에 이르기까지 온갖 수많은 본능적 충동과 자율 반응을 의식적으로 자각하는 일을 한다. 뇌섬엽은 이런 자극이 감정적 측면 또는 동기부여의 측면에서 얼마나 중요한지 평가하고 종합할 뿐 아니라, 외부 감각 정보와 내부 동기 상태 사이의 조정 중추 역할도 한다. 요컨대 크레이그가 썼듯이, 이 신체 상태의 의식은 우리가 자신을 정서적으로 자각했음을 말해 주는 척도다. 바로 '내가 있다'라는 느낌이다.

뇌섬엽이 의식적 자각을 담당한다는 발견은 감정을 이해하려는 연구가 내놓은 중요한 진전이었다. 신체 상태의 변화에 대한 첫 무의식적 자각을 촉발하는 뇌 구조를 찾아낸 더 이전의 독자적인 연구에 비견할 만한 발견이었다. 그 구조를 밝힐 첫 단서는 1939년 시카고 대학교의 하인리히 클뤼버Heinrich Klüver와 폴 부시Paul Bucy가 원숭이를 연구해 얻었다. 그들은 원숭이 뇌의 양쪽 반구에서 측두엽을 그 속에 깊이 들어 있는 편도체 및 해마와 함께 제거했다. 그러자 원숭이의 행동이 크게 달라졌다. 수술 전에는 거칠게 행동했던 원숭이들이 유순해졌다. 또 감정 변화가 없어지면서 두려움도 없어졌다. 후속 연구를 하던 로렌스 바이스크란츠Lawrence Weiskrantz는 1956년 편도체에 초점을 맞췄다.

바이스크란츠는 원숭이 뇌의 양쪽 반구에서 편도체를 제거하자 본능적인 두려움뿐 아니라 학습된 두려움도 없어진다는 사실을 발견했다. 편도체가 아예 없는 원숭이들은 고통스러운 충격을 피하는 법을 배우지 못했다. 긍정적이든 부정적이든 강화 자극을 인식할 수 없는 듯했다. 반대로 바이스크란츠가 정상적인 원숭이의 편도체에 전기 자극을 주었더니 두려워하고 불안해하는 모습을 보였다. 이 발견은 편도체가 감정에 핵심적인 역할을 한다는 첫 번째 단서를 제공했다.

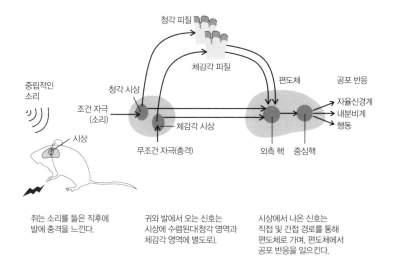

청각 피질

체감각 피질

중립적인 소리

청각 시상

편도체

공포 반응

조건 자극 (소리)

체감각 시상

자율신경계
내분비계
행동

시상

무조건 자극(충격)

외측 핵   중심핵

쥐는 소리를 들은 직후에 발에 충격을 느낀다.

귀와 발에서 오는 신호는 시상에 수렴된다(청각 영역과 체감각 영역에 별도로).

시상에서 나온 신호는 직접 및 간접 경로를 통해 편도체로 가며, 편도체에서 공포 반응을 일으킨다.

그림 21-3

실험동물을 대상으로 한 감정의 신경생물학 연구의 선구자인 조지프 르두Joseph Ledoux는 편도체가 뇌의 다른 영역들과 연결을 통해 감정을 조율한다는 것을 발견했다(그림 21-3). 르두는 고전적인 파블로프 조건 형성을 이용했다. 쥐에게서 학습된 두려움을 일으키기 위해, 그는 쥐의 발에 웅크리고 얼어붙게 만드는 충격을 가하기 직전에 한 음을 들려주었다. 소리와 짝지은 충격을 몇 차례 가하자, 쥐는 그 소리로 충격을 예측하는 법을 터득했다. 쥐는 소리가 들리자마자 얼어붙었다.

이어서 르두는 두려움을 담당하는 뇌 중추인 편도체로 그 소리가 전달되는 경로를 조사했다. 그는 청각 자극이 두 가지 경로로 편도체로 갈 수 있다는 것을 발견했다. 하나는 직접 경로로서, 시상에서 시작되어 편도체로 간다. 편도체에서 청각 정보는 마찬가지로 직접 경로를 통해 시상에서 편도체로 온 촉각 및 통각 정보와 통합된다. 직접 경로는 감각 자료를 무의식적으로 처리하고 한 사건의 감각적 측면들을 자동적으로 통합·연결하는 데 쓰인다. 빠르고 엉성하며 다소 경직된 경로로서, 추가 처리를 최소한으로 하면서 시상의 감각 정보를 편도체로 보낸다. 이어서 편도체는 그 정보를 시상하부로 보낸다. 시상하부는 감정 자극에 대한 생리적(신체적) 반응을 중개하며, 감정의 무의식적 측면들을 신경 활동으로 부호화한다고 여겨진다. 이어서 시상하부는 생리적 반응 정보를 피질로 전달한다.

편도체로 가는 두 번째 경로는 간접적이다. 직접 경로와 나란히 있지만, 더 느리고 융통성이 있다. 간접 경로는 사실 많은 경로의 집합이며, 시상의 정보를 몇몇 중계소를 거쳐서 대뇌피질로 보낸다. 신체 반응의 정보를 받는 피질 영역뿐 아니라 환경의 다른 측면들을 부호화하는 영역들도 이 정보를 받는다. 간접 경로를 통한 정보는 편도체에 더 느리게 도달하며, 소리가 꺼진 뒤 충격이 올 때까지 얼마간 돌아다닐 수도 있다. 원리상 이 경로는 정보의 의식적 처리에 기여할 수 있다. 르두는 직접 경로와 간접 경로가 제임스가 말한 감정적으로 느낀 대상의 두 구성 요소, 즉 즉각적인 무의식적 반응과 지연된 의식적 정교화를 중개한다고 주장했다.

편도체와 시상하부로 이어지는 직접 경로를 활성화함으로써, 충격을 예측한 전력이 있는 소리와 같은 조건 자극은 우리가 들은 것을 간접 경로를 통해 의식적으로 깨닫기 전에 심장을 두근거리게 하고 손바닥에 땀이 배도록 할 수 있다. 이런 식으로 편도체는 감정 상태의 자동적(또는 본능적) 구성 요소와 아마도 의식적(인지적) 구성 요소에도 관여한다.

직접 경로와 간접 경로의 활동은 전두엽이 관여하고 피질이 중개하는 의식적 느낌이 신체 반응 이전이 아니라 이후에 일어난다는 제임스-랑게 이론에 생리적 토대를 제공하는 것일 수도 있다. 편도체가 자극의 감정값을 빠르고 자동적이고 무의식적으로 평가하고 적절한 생리 반응을 일으키고 조율하는 것이 첫 단계일 것이다. 이어서 시상하부와 자율신경계가 상세한 명령을 몸으로 전달함으로써 반응을 수행한다. 반응은 뇌 안에서만 일어나는 것이 아니라 몸에서도 일어난다. 손바닥에 땀이 배고, 근육이 긴장하며, 심장이 두근거린다. 비록 곧바로 의식하지는 못할지라도, 우리는 매우 고통스러운 공포를 느낄 수도 있다.

뇌의 시각 및 다른 감각 영역들과 연결된 편도체는 생물학적으로 강렬한 시각 자극(위험해 보이는 동물)을 느낌, 즉 의식적인 감정 반응으로 전환하는 놀라운 능력을 담당한다고 여겨지는 곳이다. 사실 편도체의 활동과 (고통과 관능적인 접촉 같은 감각 정보를 담당하는 시상의 중앙부와 연결된) 뇌섬엽과의 상호 연결을 연구함으로써, 마침내 우리는 정신생활의 표면 아래로 들어가서 의식적·무의식적 경험이 어떻게 연결되는지 살펴보는 일을 시작할 수 있었다. 프로이트 정신분석 이론의 성배를 말이다.

이것이 코코슈카나 실레의 초상화에 어떻게 적용될까? 오스트리아 모더니즘 화가들의 그림에서 가장 두드러진 특징들을 볼 때 우리의 첫 반응은 위험한 동물과 맞닥뜨렸을 때와 마찬가지로 자동적이다. 몸이나 얼굴의 과장된 특징이나 충격적인 색깔이나 질감은 르두의 실험에서 충격이 취하는 경로와 별 다를 바 없이, 상대적으로 직접 경로를 통해 편도체를 활성화한다. 실제로 우리는 마치 가볍게 충격을 받은 듯이 보인다. 우리 반응의 나머지는 그림의 나머지 감각적 특징들(그리고 아마도 우리가 그림을 경험하는 맥락)을 처리하고 첫 반응과 통합하는 것이다. 이것은 주로 위에서 말한 간접 경로를 통해 이루어진다. 따라서 코코슈카나 실레의 초상화는 생생한 감정 경험이 된다.

따라서 단순히 지각된 대상이 어떻게 감정적으로 느낀 대상으로 전환되는가라는 제임스의 질문에 대한 답은 초상화가 결코 단순히 지각되는 대상이 아니라는 것이다. 초상화는 멀리 있는 위험한 동물과 더 비슷하다. 지각된 동시에 느껴진 대상이다.

따라서 뇌는 제임스의 단순히 지각된 대상을 의식적으로 느낀 감정으로 전환한다. 편도체는 감정의 지각과 조정을 맡은 신경계에서 핵심적인 역할을 한다. 특히 그것은 감정의 네 측면에서 신경계에 핵심적인 역할을 한다. 경험을 통해 자극의 감정적 의미를 학습하고, 그 자극이 다시 나타날 때 이 경험의 의미를 인식하고, 그 경험의 감정적 의미에 걸맞은 자율신경계와 내분비계와 기타 생리적인 반응을 조정하고, 프로이트가 처음 강조했듯이 인지의 다른 측면들, 즉 지각과 사고와 의사 결정에 감정이 미치는 영향을 보정하는 일을 한다.

편도체는 피질의 (시각, 후각, 촉각, 통각, 청각에 관여하는) 모든 주요 감각 영역과 연결되어 있을 뿐 아니라 시상하부 및 자율신경계와도 폭넓게 연결되어 있다. 또 신체 반응의 의식적 자각을 처리하는 뇌섬엽, 전전두엽 같은 인지 구조, 그리고 대상의 지각을 맡은 '무엇' 시각 경로와도 연결되어 있다. 요컨대 편도체는 감정에 동원되는 거의 모든 뇌 영역과 의사소통을 할 수 있다. 위스콘신 대학교의 폴 웨일런Paul Whalen, 뉴욕 대학교의 엘리자베스 펠프스Elizabeth Phelps, 돌런 연구진은 이 폭넓은 연결망을 고려하여, 편도체의 주된 활동이 각 감정에 알맞은 회로를 켜고 부적절한 회로를 끔으로써 감정 단서에 이 신경 회로들이 반응하는 양상을 조정하는 것이라고 주장했다.

이 견해에 따르면, 편도체는 우리로 하여금 감정적으로 중요한 자극에 초점을 맞추게 함으로써 부정적인 것뿐 아니라 긍정적인 것까지 모든 감정 경험을 조율한다. 더 나아가 컬럼비아 대학교의 대니얼 샐즈먼Daniel Salzman과 스테파노 푸시Stefano Fusi는 편도체가 (긍정적인 접근에서부터 부정적인 회피에 이르는) 감정값과 감정의 세기(각성의 정도) 양쪽을 부호화한다고 주장한다. 이 개념과 부합되게, 펠프스의 뇌영상 실험은 편도체가 다양한 얼굴 표정에 반응한다는 것을 시사한다. 좌뇌의 편도체가 특히 민감하다. 그 영역은 두려워하는 표정에는 활성이 증가하는 반응을 보이고, 행복한 표정에는 활성이 감소하는 반응을 보인다.

편도체가 퇴화하는 질병인 우르바흐비테병Urbach-Wiethe disease에 걸린 사람들을 연구한 이들은 인간의 감정에 편도체가 어떤 역할을 하는지 추가 정보를 제공해 왔다. 이 퇴화가 삶의 초기에 일어난다면, 사람들은 얼굴 표정에서 두려움을 식별하고 다른 종류의 얼굴 표정에서 미세한 차이를 검출할 수 있게 해줄 단서들을 학습하지 못한다. 그들은 남을 너무 쉽게 믿는 경향이 있다. 아마도 두려워하는 표정을 처리할 수 없고 남의 목표, 열망, 감정 상태를 이해하기가 어렵기 때문일 것이다. 하지만 우르바흐비테병 환자들은 시각 경로와 얼굴 지각 영역이 온전하며, 따라서 얼굴을 비롯한 복잡한 시각 자극에 적절히 반응할 수 있다. 실제로 그들은 사진을 보고 식구들의 얼굴을 알아볼 수 있다. 따라서 장애는 얼굴 인식 영역이 아니라 얼굴에서 오는 감정 정보를 처리하는 영역에만 있는 것이다.

왜 남의 감정을 검출하지 못하는지 근본적인 메커니즘을 이해하기 위해, 랠프 애덜프스Ralph Adolphs와 다마지오를 비롯한 연구자들은 우르바흐비테병 환자를 연구했다. 그들은 환자가 특정한 감정 표현을 인식하지 못하는 것이 감정을 경험하지 못해서가 아니라, 남의 눈에서 정보를 수집하지 못하기 때문에 나타난다는 것을 알아냈다. 두려워하는 표정은 눈에서 가장 확연히 드러난다. 우르바흐비테병 환자가 눈의 정보를 읽을 수 없는 이유는 단순히 남의 눈에 초점을 맞출 수 없었기 때문이다. 행복 같은 감정을 읽는 데에는 눈보다 입이 더 중요할 때가 많기 때문에, 우르바흐비테병 환자는 두려움에 비해 그런 감정을 검출하는 능력은 온전한 편이다.

펠프스와 애덤 앤더슨Adam Anderson은 편도체에 일어난 손상이 얼굴 표정을 평가하는 능력에 장애를 일으키긴 하지만, 감정을 경험하는 능력에는 피해를 주지 않는다는 것을 입증했다. 이 발견을 토대로 그들은 인간의 뇌에서 편도체가 감정 상태를 겪을 때 활성을 띠며 감정을 검출하는 데 중요하긴 해도, 그 상태를 만들어 내는 것은 아니라고 주장했다.

펠프스는 편도체가 감정 반응 중 대체로 지각 면에서 역할을 한다고 주장한다. 유입되는 감각 정보를 분석하고 범주로 분류한 뒤, 적절한 감정 반응을 담당하는 뇌의 다른 영역에 통보하는 역할을 한다는 것이다.

우르바흐비테병 환자들을 대상으로 한 후속 연구에서는 무엇 시각 경로가 편도체와 연결되어 있어서 우리가 얼굴과 신체 부위로부터 감정 신호를 보내는 단서들을 분석할 수 있다는 것이 밝혀졌다. 이 단서들은 감정이 밴 자극의 시각 처리를 촉진하며, 아마도 클림트, 코코슈카, 실레가 묘사한 감정이 밴 얼굴, 손, 몸이 왜 그토록 우리의 주의를 사로잡고, 감정이 덜 밴 더 중립적인 자극보다 지각과 기억 형성 양쪽 측면에서 더 우선권을 지니는지를 설명해 줄지 모른다.

편도체는 전전두엽의 얼굴반을 비롯한 많은 뇌 구조와 상호작용을 하므로 감정과 느낌을 조절하는 차원을 넘어서 사회 인지를 조율하는 기능을 한다. 사실 다윈이 《인간과 동물의 감정 표현》에서 주장한 것처럼, 우리 감정이라는 사적인 세계와 남들과의 상호작용이라는 공적인 세계 사이에는 긴밀한 생물학적 연결 고리가 있다.

우리의 사회적 상호작용 패턴은 유아기 때 형성되며, 아기와 엄마의 유대는 아기가 어른이 될 때까지 내내 사회적 행동에 영향을 미치는 중요한 역할을 한다. 애덜프스 연구진은 개인의 생존을 위한 사회적 환경에 대단히 중요한 것이 우리 뇌가 사회적 상황에 금방 순응하고 그 상황에서 배울 수 있는 능력이라고 주장했다. 앞서 살펴보았듯이, 편도체는 감정이 밴 자극을 평가할 능력이 있기 때문에 이 기능에 대단히 중요하다. 인간 이외의 영장류 및 쥐와 생쥐의 편도체가 손상되었을 때 나타나는 주된 사회적 결과는 위험한 뱀에서부터 위험한 사람에 이르기까지, 위협하거나 놀라게 하거나 예기치 않은 자극을 검출하는 능력이 없어지는 것이다. 하지만 사람이 편도체에 손상을 입었을 때 나타나는 주된 결과는 애매한 사회적 단서들에 부적절한 반응을 하고 특정 상황에 내재된 위협에 반응하지 못하는 것이다. 뇌의 다른 영역들과 연결망을 이룬 편도체 덕분에 우리는 사회적 단서들을 포착하고 이해함으로써 사회적 상호작용을 할 수 있다.

감정이 밴 얼굴의 무의식적인 지각은 어디에서 어떻게 처리될까? 의식적 감정과 무의식적 감정이 뇌에서 서로 다르게 표상될까? 컬럼비아 대학교의 애미트 에트킨Amit Etkin 연구진은 확연히 중립적인 표정이나 두려움이 가득한 표정을 찍은 사진에 의식적으로, 그리고 무의식적으로 어떻게 반응하는지 살펴봄으로써 이 질문에 접근했다. 사진은 폴 에크먼이 제공했다. 앞서 말했듯이, 에크먼은 10만 가지가 넘는 사람의 얼굴 표정을 모았고, 더 이전의 찰스 다윈과 마찬가지로 여섯 가지 얼굴 표정—행복, 두려움, 혐오, 분노, 놀람, 슬픔—의 의식적 지각이 성별이나 문화에 상관없이 모든 이에게 거의 동일한 의미로 와 닿는다는 것을 보여 준 바 있다.

에트킨은 두려워하는 얼굴이 그 자극을 의식적으로 지각하든 무의식적으로 지각하든 관계없이 실험에 자원한 모든 젊은 학생들로부터 비슷한 반응을 이끌어 내야 한다고 주장했다. 그는 두려움이 가득한 얼굴을 장시간 보여 주어 자원자들이 그것을 곰곰이 생각할 충분한 시간을 줌으로써 두려움의 의식적 지각을 일으켰다. 그리고 자원자들이 자신이 본 것이 어떤 얼굴인지 파악할 수 없을 만큼 같은 얼굴을 아주 짧은 시간 동안 보여 줌으로써 두려움의 무의식적 지각을 일으켰다. 사실 자원자들은 자신이 본 것이 얼굴인지조차 확신할 수 없었다!

놀라운 일도 아니겠지만, 자원자들에게 두려워하는 표정이 담긴 얼굴 사진을 보여 주자 편도체의 활성이 뚜렷이 증가했다. 놀라운 점은 의식적 지각과 무의식적 지각이 편도체의 서로 다른 영역에 영향을 미쳤다는 점이다. 게다가 일반 불안 검사에서 높은 점수를 받은 자원자들은 낮은 점수를 받은 이들보다 무의식적으로 지각된 얼굴에 더 강하게 반응했다. 두려워하는 얼굴의 무의식적 지각은 기저외측핵basolateral nucleus을 활성화한다. 유입되는 감각 정보의 대부분을 받고, 편도체가 피질과 의사소통을 하는 주된 수단으로 삼는 영역이다. 이와 달리 두려워하는 얼굴의 의식적 지각은 편도체의 등쪽 영역을 활성화한다. 중심핵을 포함한 영역이다. 중심핵은 정보를 각성과 방어 반응을 일으키는 자율신경계로 보낸다.

이 결과들은 흥미롭다. 지각의 세계에서와 마찬가지로 감정의 세계에서도 자극이 무의식적·의식적으로 지각될 수 있음을 보여 주기 때문이다. 게다가 이 연구들은 무의식적 감정이라는 정신분석적 개념이 생물학적으로 중요하다는 것을 입증한다. 이 연구들은 앞서 프로이트가 개괄한 것과 흡사하게, 자극이 의식적으로 지각될 때보다 상상 속에 남겨질 때 불안이 뇌에 더 극적인 효과를 미친다는 것을 시사한다. 겁에 질린 얼굴 사진을 의식적으로 대면하면, 불안해하는 사람조차 그것이 진정으로 위협을 끼치는지 여부를 정확히 평가할 수 있다.

생물학으로 본
예술 앞에서의
감정 반응

IV

22

인지적
감정 정보의
하향 통제

감정은 주관적 경험, 추가적인 사회적 의사소통 수단일 뿐 아니라, 지적인 단기·장기 계획을 수립하는 데 쓰이는 핵심 요소이기도 하다. 사실 일반적인 목표를 세우려면 감정적·비감정적 인지를 혼합할 필요가 있다. 특정한 사람을 인지하거나 사람들을 구분하는 것과 같은 단순한 인지적 지각 과정에도 감정과 느낌이 배어 있다.

과학철학자 퍼트리샤 처칠런드Patricia Churchland는 이것을 지각 및 인지-감정 조합perceptual and cognitive-emotional consortium, 즉 감정 과정과 지각 과정을 다 이용하는 통합된 인지 프로그램이라고 했다. 프로이트가 수긍했을 법한 개념이다. 이 조합은 여러 가치와 선택이 상호작용하는 복잡한 결정—특히 사회적·경제적·도덕적 결정—을 내릴 때 뚜렷이 드러난다. 비록 인지-지각 정보(형태, 색깔, 얼굴 인식)를 처리하는 방식에 비해 뇌가 도덕 추론에 필요한 인지-감정 정보를 처리하는 방식은 덜 밝혀져 있긴 하지만, 최근에 양쪽으로 몇 가지 발전이 이루어져 왔다.

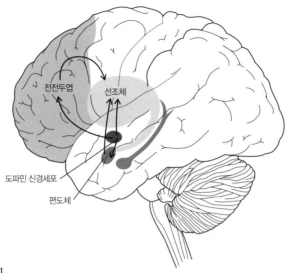

전전두엽　선조체

도파민 신경세포

편도체

그림 22-1

감정 자극은 긍정적이고 보상을 주는 것일 수도 있고 부정적이고 처벌을 가하는 것일 수도 있으며, 양쪽의 중간 어딘가에 놓일 수도 있다. 긍정적인 감정 자극은 행복과 즐거움이라는 느낌을 낳으며, 더 많은 자극을 받기 위해 그 자극에 접근하고 싶어 하게 만든다. 따라서 섹스, 음식, 아기, 담배나 술이나 코카인 같은 중독성 물질에 대한 반응은 긍정적인 인지-감정 조합을 불러낸다. 사랑하는 사람이나 동료가 화를 낼 때나 컴컴한 길에 혼자 있을 때 받는 부정적인 감정 자극은 상실감, 두려움, 잠재적이거나 실질적인 위해를 입을 가능성을 느끼게 만든다. 우리는 반사적으로 그런 상황을 피하거나 도망치려 한다. 이런 느낌들은 부정적인 인지-감정 조합을 활성화한다.

　비록 편도체가 자극의 감정 내용을 평가하는 데 핵심적인 역할을 하지만, 접근이든 회피든 간에 행동을 촉발하는 일을 하는 구조들 가운데 가장 중요한 것은 편도체 및 해마와 더불어 대뇌피질 아래 깊숙이 들어 있는 구조인 선조체다. 선조체는 전전두엽에서 받은 정보를 이용하여 그

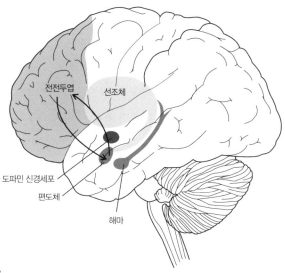

전전두엽　선조체

도파민 신경세포
편도체

해마

그림 22-2

일을 한다. 따라서 편도체와 선조체가 감정의 수준과 분위기를 설정하는 반면, 전전두엽은 보상과 처벌을 평가하고 감정이 일으키는 행동을 조직하는 뇌의 핵심 집행부다(그림 22-1, 22-2).

전전두엽은 사소한 것이든 원대한 것이든 간에 의도를 기억하고 의도를 좇아 행동하는 능력을 담당한다. 전전두엽을 광범위하게 연구한 호아킨 푸스터는 그 영역이 지각과 경험을 조직하고 감정과 행동을 통합하기 때문에 인류 진화의 선봉에 서 있다고 주장한다. 전전두엽의 역할 중 일부는 매순간의 지각을 과거 경험의 기억과 통합하는 일종의 단기기억인 작업기억을 통제함으로써 이루어진다. 작업기억은 감정을 통제하고 복잡한 행동을 예견하고 기획하고 수행할 수 있도록 하기 때문에, 합리적인 판단을 내리는 데 핵심적인 역할을 한다.

　　푸스터는 전전두엽을 뇌의 '최고 능력 부여자supreme enabler'라고 하면서, 그것이 대안들 중에서 선택을 하고 내면의 목표에 맞추어 생각과 행동을 조율하기 때문에 창의성에 핵심적인 역할을 한다고 주장한다. 그 결과 전전두엽은 복잡한 행동을 기획하고, 일관된 결정을 내리고, 적절한 사회적 행동을 표출하는 데에도 핵심적인 역할을 한다.

전전두엽이 손상된 사람은 대부분의 활동은 정상적으로 수행하지만, 충동적이고 비합리적인 결정을 내리며 목표 지향적 행동을 시작하는 데 어려움을 겪는다. 그들은 예기치 않은 큰 소음이나 눈부신 빛 같은 '놀람' 자극에 정상적인 반응을 보인다. 그것은 자율적인 반응이 손상되지 않았음을 시사한다. 하지만 그들은 그런 자극에 화를 내거나 불편해하지 않으며, 그것은 그들의 뇌가 그런 자극을 통합하지 않는다는 것을 시사한다. 그 결과 그들은 감정을 느끼지 않는다. 그들의 반응은 밋밋하고 무심하다는 점이 특징이다. 감정을 경험할 수 없다는 점은 사회적으로, 그리고 행동에서 심각한 결과를 낳는다.

전전두엽이 감정과 행동을 통합하는 역할을 한다는 것을 보여 준 최초의 임상 사례는 피니어스 게이지Phineas Gage라는 환자였다. 게이지는 1848년 버몬트 주 캐번디시 인근에 새로 철도를 놓기 위해 화약으로 바위를 폭파하여 길을 내는 일을 하는 십장이었다. 그는 화약을 충전하다가 실수로 폭발시키는 바람에 약 6킬로그램짜리 쇠못에 머리뼈를 관통당했고, 왼쪽 전전두엽의 대부분이 파괴되었다(그림 22-3). 동네 의사 존 마틴 할로John Martyn Harlow는 경험이 좀 부족하긴 했지만, 사고 현장에서 매우 뛰어나고도 사려 깊게 게이지를 치료했다. 그 결과 게이지는 끔찍한 사고를 겪고서도 놀랍도록 회복될 수 있었다. 그는 다치고 채 12주도 지나지 않아 걷고 말하고 다시 일할 수 있었다.

하지만 회복된 게이지는 성격뿐 아니라 사회적 행동을 통제하는 능력 면에서도 전혀 다른 사람이 되었다. 사고가 나기 전에는 신중하고 사려 깊은 사람이었던 그는 사고 뒤에는 전혀 신뢰할 수 없는 사람이 되

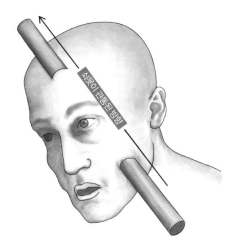

그림 22-3

었고, 앞으로의 일을 계획하지도 못했으며 혼자 알아서 적절히 무언가를 하지도 못했다. 그는 남을 전혀 고려하지 않았고, 일에도 무책임했다. 또 행동 중에서 선택을 하라고 하면, 어느 쪽이 가장 적절할지 결정을 할 수가 없었다.

할로는 그를 이렇게 묘사했다.

게이지는 4월에 쇠못을 들고서 꽤 건강하고 활기차게 캐번디시로 돌아왔고, 12년 뒤 세상을 떠날 때까지 쇠못을 늘 가지고 다녔다. 다치면서 지적 능력과 동물적 성향 사이의 균형이 깨진 듯했다. 이제 그는 변덕스럽고 제멋대로 굴고 불손하고 간섭하면 참지 못하고 우유부단하고 지적 능력과 표현력이 아이 같아졌다. 몸은 완전히 회복했지만, 예전의 명민하고 영리하고 활력 넘치고 끈기 있던 그를 알던 사람들은 그의 정신에 변화가 일어났다는 것을 인정했다. 마음의 균형이 사라졌다. 그는 조카들에게 자신이 구사일생으로 살아난 경위를 아무런 근거 없이 마구 지어내어 얘기하곤 했고, 애완동물을 대단히 좋아했다.[1]

그림 22-4 피니어스 게이지의 머리뼈와 쇠못.

게이지가 사망한 뒤 부검은 이루어지지 않았지만, 구멍이 난 그의 머리뼈는 박물관에 보관되었다(그림 22-4). 세월이 흐른 뒤, 해나 다마지오Hanna Damasio와 안토니오 다마지오Antonio Damasio는 법의학적 연구를 통해, 쇠못이 편도체를 억제하고 정서적·인지적·사회적 정보를 통합하는 데 중요한 전전두엽의 두 영역(배쪽 내측 영역과 일부 내측 영역)을 파괴했다고 주장했다.

다마지오 부부는 이 결론을 내릴 때 E.V.R.이라는 환자의 사례도 참고했다. E.V.R.은 지적이고 노련한 회계사였는데, 수술을 받고서 전전두엽의 배쪽 영역이 손상되었다. E.V.R.은 변함없이 지능지수가 높았지만 더 이상 예전처럼 유능하고 믿을 만한 인물이 아니었다. 그는 신뢰할 수 없는 사람이 되었고, 개인 생활도 엉망이 되었다. 게다가 놀랍도록 비정상적인 행동을 보이곤 했다. 피부에 전극을 부착하고 검사를 해보니, 무서운 사진이나 성적인 사진에 아무런 반응도 보이지 않았다.

다마지오 부부는 E.V.R.을 대상으로 한 경험 연구를 통해서 감정이 인지의 핵심 요소이며, 이성에 따라 행동하는 데에도 핵심적인 역할을 한다는 프로이트의 견해가 옳았음을 입증했다. E.V.R.은 아주 조리 있게 추론할 수 있었지만, 실제 의사 결정을 내리는 데에는 심각한 장애가 있었다. 그의 뇌가 인지적 추론과 감정 표현을 연관 지을 수 없었기 때문이다. 또 이 연구는 전전두엽이 편도체를 조절함으로써 인지의 하향 통제에 핵심적인 역할을 한다는 독자적인 경험 증거도 제공했다.

다마지오 부부가 조사한, 성년기에 전전두엽의 배쪽 내측 영역에 손상을 입은 환자 여섯 명도 감정과 인지가 상호 연관되어 있음을 더욱 분명히 확인시켜 주었다. 이 환자들은 인지 능력은 정상이었지만 사회적 행동에 심각한 장애가 일어났다. 그들은 더 이상 자신이 맡은 일을 해낼 수 없었고, 제시간에 일하러 나오지 않았고, 할당된 과제를 완수하지도 못했다. 게다가 그들은 가까운 미래의 일이든 먼 미래의 일이든 간에 계획을 세우지 못했다. 그들은 놀랍도록 감정이 없었다. 특히 부끄러움이나 연민 같은 사회적 감정이 결여되어 있었다.

이 연구 결과들에 힘입어 다마지오 부부는 어릴 때(출생 시부터 만 7세 사이) 배쪽 내측 영역에 손상을 입은 사람 13명을 조사했다. 그들은 이 아이들이 정상 지능이긴 해도 학교와 가정에서 사회적 상호작용을 잘 못한다는 것을 발견했다. 자신의 행동을 잘 통제하지 못했고, 친구를 사귀지 못했고, 처벌에 둔감했다. 특히 이들은 도덕 추론 능력을 상실했다.

편도체와 전전두엽이 연결되어 있다는 이런 연구들 덕분에, 사고와 감정이 정반대라는 전통적인 개념은 더 이상 설 자리가 없어졌다. 현재 우리는 안다. 감정과 인지가 협력한다는 것을 말이다. 그리스철학의 창시자 중 한 명인 기원전 400년의 데모크리토스Democritos부터 올바른 도덕 판단을 내리려면 이성에 의지하고 감정을 배제해야 한다는 견해를 피력한 18세기 독일 철학자 이마누엘 칸트에 이르기까지, 합리주의자들은 아마 이 결론에 놀라 자빠질 것이다. 하지만 감정이 도덕적 의사 결정의 핵심에 놓인다고 주장한 프로이트는 결코 놀라지 않을 것이다.

도덕적 의사 결정을 연구하는 조슈아 그린Joshua Greene은 도덕적 딜 레마가 우리의 감정이 참여하는 정도에 따라 달라지며, 감정의 참여 정도 가 우리의 도덕 판단에도 영향을 미친다는 것을 밝혀냈다. 그는 이 문제 를 연구할 때, 1978년 필리파 풋Phillippa Foot과 주디스 자비스 톰프슨Judith Jarvis Thompson이 내놓은 트롤리 문제Trolley Problem라는 흥미로운 수수께끼 에 초점을 맞췄다.

트롤리 문제는 폭주하는 전차를 그대로 놔두면 다섯 명이 치어서 죽지만, 전철기를 작동시키면 트롤리의 방향이 바뀌는 대신에 그쪽에 있 는 한 명이 치어서 죽는 상황에서 당신이라면 어떻게 하겠느냐는 것이 다. 사람들은 대부분 이 도덕적 딜레마에 직면하면 다섯 명을 구하는 것 이 한 명을 구하는 것보다 더 나으므로 전철기를 작동시키자고 결심할 것이다. 이 딜레마의 다른 판본에서는 폭주하는 전차가 다섯 명을 치려 할 때, 육교 위에서 누군가를 밀어서 전차가 지나가는 앞에 떨어뜨려 죽 임으로써 트롤리를 멈추는 것이 유일한 대안이라면 어떻게 하겠느냐고 묻는다. 양쪽에서 행동의 결과는 같지만, 집행 방식은 전혀 다르다. 사람 들은 대부분 다섯 명을 구하기 위해 트롤리의 방향을 트는 것은 도덕적 으로 용납할 수 있다고 보면서도, 다섯 명을 구하기 위해 다리 위에서 사 람을 밀어 떨어뜨리는 행동은 용납하지 못한다. 대다수 사람들에게는 사 람을 떠미는 것보다 전철기를 작동시키는 것이 감정을 덜 자극하기 때문 이다.

이 발견을 토대로 그린은 도덕적 의사 결정의 '이중 과정dual process' 이론을 제시했다. 개인의 권리보다 '더 큰 선'을 장려하기 위한 공리주의 적 도덕 판단은 진정한 도덕 추론에 상당히 많이 기대는 더 통제되고 비 감정적인 인지 과정을 통해 이루어진다. 반면에 개인의 권리와 의무(남을 육교 위에서 밀지 여부 같은)를 선호하는 직관적인 도덕 판단은 감정 반응을 통해 추진되며, 더 객관적인 도덕 추론보다는 자기중심적인 도덕적 합리화를 수반하는 경향이 있다. 각 도덕적 판단 유형은 서로 다른 신경계를 이용한다.

전전두엽은 도덕 추론에 핵심적인 집행자 역할을 하며, 우리 대뇌피질 전체의 약 3분의 1을 차지한다(그림 22-5, 22-6). 그리고 앞서 살펴보았듯이, 원활한 정신생활에 필수적이다. 1948년 존스홉킨스 대학교에서 함께 일하던 저지 로즈Jerzy Rose와 클린턴 울시Clinton Woolsey는 전전두엽의 다양한 영역이 시상의 특정한 신경세포 집단 및 모든 감각 회로—촉각, 후각, 미각, 시각, 청각—와 연결되어 있다는 것을 밝혀냈다. 그들은 전전두엽이 독특한 연결 양상을 토대로 크게 네 부분으로 나눌 수 있다는 것을 발견했다. 배쪽 외측(전두안와) 영역과 배쪽 내측 영역인 두 개의 배쪽 영역과 등쪽 외측 영역, 내측 영역이다. 각 영역은 시상의 서로 다른 영역에서 정보를 받고, 뇌의 표적 영역들과 연결되어 있다(그림 22-7). 전전두엽의 네 영역은 모두 편도체와 연결된다.

전전두엽의 네 영역은 독자적인 기능도 있고 겹치는 기능도 있다. 배쪽 외측, 즉 전두안와 영역orbital-frontal region은 편도체와 가장 튼튼하게 연결되어 있으며 미, 쾌락 등 자극의 긍정적인 가치를 평가하는 데 중요하다. 이 영역은 얼굴 표정을 지각하고 표정을 짓는 데 관여하는데, 어느 정도는 측두엽의 얼굴반에서 오는 정보를 처리함으로써 그렇게 한다. 뇌의 이 영역이 손상된 사람은 긍정적인 감정을 느낄 수 있지만, 그것을 웃음으로 표현할 수가 없다.

전전두엽의 배쪽 내측 영역은 목표 지향적 행동에 중요하다. 긍정적인 감정 경험을 사회적 행동 및 도덕 판단과 통합한다. 감정 자극에 반응해 인지를 방해할 수 있는 편도체를 억제함으로써 그렇게 한다. 배쪽 내측 영역이 손상된 사람은 인지 능력은 정상이지만 충동적인 의사 결정

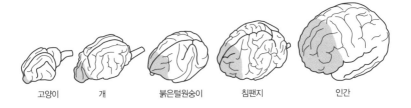

고양이   개   붉은털원숭이   침팬지   인간

그림 22-5

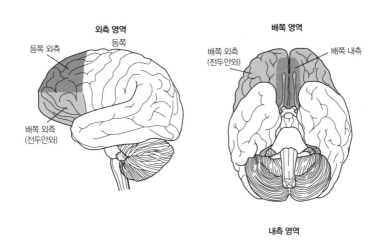

외측 영역

등쪽 외측   등쪽

배쪽 외측
(전두안와)

배쪽 영역

배쪽 외측
(전두안와)   배쪽 내측

내측 영역

전대상피질   후대상피질

배쪽 내측

그림 22-6 전전두엽.

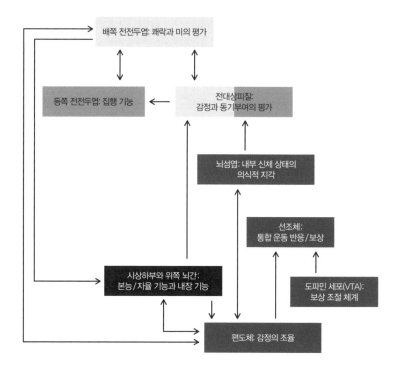

그림 22-7 감정에 관여하는 편도체와 다른 영역들, 즉 선조체, 대상피질, 전전두엽의 상호 연결.

을 내리는 성향을 보인다. 또 그들은 도덕적 추론을 제대로 하지 못하며, 사람을 육교 위에서 미는 행동을 별 거리낌 없이 할 것이다.

등쪽 외측 영역은 작업기억을 매개하며, 원하는 결과를 얻겠다는 목표를 갖고 행동을 계획하고 조직하는 등의 집행 기능과 인지 기능을 수행한다. 인지 기능을 수행하기 위해, 등쪽 외측 영역은 배쪽 외측 영역에서 오는 정보를 이용한다. 두 영역은 서로 협력해 우리의 욕구를 충족시키는 쪽으로 행동이 효율적으로 향하도록 한다. 등쪽 외측 영역은 감정 영역(트롤리 문제에서 사람을 미는 것)보다 인지 영역(전철기를 작동시키는 것) 쪽에 훨씬 더 치우친, 개인적이지 않은 도덕적 딜레마를 담당한다.

전전두엽의 네 번째 영역인 내측 영역medial region은 전대상피질anterior

cingulate cortex을 포함한다. 전대상피질은 두 영역, 즉 감정과 동기부여를 평가하고 혈압, 심장박동, 기타 자율 기능을 조절하는 데 중요한 배쪽 영역과 보상을 예측하고 결정을 내리고 감정이입을 하는 것과 같은 인지 기능의 하향 모니터링에 핵심적인 역할을 하는 등쪽 영역으로 세분된다. 전대상피질이 손상된 사람은 정서적으로 불안하며, 갈등을 해소하고 예측된 보상의 문제점을 검출하는 데 어려움을 겪으며, 따라서 환경 변화에 부적절한 반응을 보인다.

따라서 전대상피질의 배쪽 영역과 전전두엽의 배쪽 외측 영역 및 배쪽 내측 영역은 크리스 프리스가 파악한 사회 인지 체계의 일부가 된다. 이 영역들 중 어딘가 손상되면 정상적인 도덕 기능에 이상이 나타나고, 이 비정상적인 기능은 사회적 행동에 장애를 일으킨다.

프로이트가 끼친 영향을 염두에 두지 않고서는 무의식적 감정 과정과 의식적 느낌에 관한 현재의 견해들을 살펴보기가 쉽지 않다. 프로이트는 우리의 감정이 내면의 삶과 긴밀하게 얽혀 있고, 감정을 조절하는 능력이 우리가 엉망이 되지 않도록 막아 준다고 주장했다. 최상의 환경에서는 스트레스를 일으키는 감정을 조절하는 데 성공함으로써 스트레스를 조금 받았다는 느낌이 남는다. 최악의 환경에서는 스트레스 조절이 실패하면 엄청난 비용이 들고 수많은 정신 질환을 일으킬 수 있다.

프로이트의 마음관이 새로운 마음의 과학에 과연 얼마나 들어맞을까? 신경정신분석학자 마크 솜스Mark Solms는 이 질문을 탐구해 왔다. 그는 이 책의 주춧돌 중 하나인 주제를 강조한다. 즉 현대의 연구가 무의식적 정신 과정이라는 개념을 일관되게 지지한다는 것이다. 게다가 프로이트가 주장한 것과 비슷하게, 우리에게는 모든 무의식적 과정이 똑같지는 않다고 믿을 만한 이유가 있다. 일부 무의식적 과정(프로이트가 전의식적 무의식이라고 부른 것)은 그것에 주의를 집중함으로써 의식적으로 쉽게 검출할 수 있는 반면, 대개 의식적 자각의 바깥에 놓인 과정도 있다(절차적 무의식과 역동적―본능적―무의식).

프로이트는 역동적 무의식 같은 일부 무의식 과정들이 억압되어 있다고 했다. 솜스는 현재 특정한 형태의 억압이 있다는 증거가 나와 있다고 주장한다. 예를 들어, 오른쪽 두정엽이 손상된 사람은 오른팔이 마비되어 있음을 부정할 것이다. 그들은 그 팔을 무시할 것이고, 심지어 그것이 다른 사람의 것이라고 주장하면서 침대 밖으로 내던지려 할지도 모른다. 프로이트는 억압된 무의식적 마음의 언어가 쾌락원칙, 즉 쾌락을 추구하고 고통을 회피하려는 무의식적 충동의 지배를 받는다고 지적했다. 앞서 살펴보았듯이, 피니어스 게이지는 전전두엽에 손상을 입어서 쾌락원칙에 지배당했고, 그것의 표현을 간섭하는 사회적 행위 규칙들을 무시했다.

더 나아가 솜스는 프로이트가 자아, 이드, 초자아를 토대로 1933년에 내놓은 구조 모형을 현대 뇌과학의 관점에서 탐구한다(그림 22-8). 프로이트의 관점(그림 22-8A)은 이드의 본능적 충동을 초자아가 억압하고, 그럼으로써 그 충동이 합리적인 사고를 교란하는 것을 막는다고 본다. 합리적인(자아) 과정들도 대부분 자동적이고 무의식적이므로, 자아의 일부만이(그림에서 위쪽으로 불룩 튀어나온 부분) 의식적 경험을 담당한다. 이 의식적 경험은 지각과 긴밀하게 연결되어 있다. 초자아는 자아와 이드 사이에서 지속적으로 벌어지는 주도권 싸움을 중재한다.

솜스는 신경 지도 작성 연구(그림 22-8B)가 비록 매우 일반적인 방식에서이긴 하지만 프로이트의 개념과 상관관계가 있다고 주장한다. 다마지오가 연구한 전전두엽의 배쪽 내측 영역, 즉 편도체를 선택적으로 억제하는 영역에서 오는 입력은 대체로 초자아의 기능에 해당한다. 자의식적 사고를 통제하는 전전두엽의 등쪽 외측 영역과 바깥 세계를 표상하는 후면 감각 피질은 대강 자아에 해당한다. 따라서 솜스는 프로이트의 역동

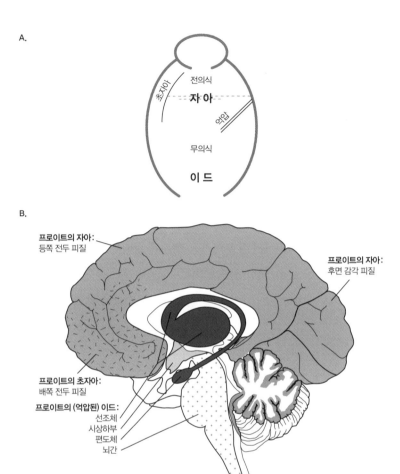

A.

초자아

전의식

자아

억압

무의식

이 드

B.

프로이트의 자아:
등쪽 전두 피질

프로이트의 자아:
후면 감각 피질

프로이트의 초자아:
배쪽 전두 피질

프로이트의 (억압된) 이드:
선조체
시상하부
편도체
뇌간

그림 22-8 프로이트의 세 부분으로 나뉜 심리 기구를 현대적 관점에서 해석한 것.

적 모형의 핵심이 꽤 이치에 맞는다고 본다. 원시적이고 본능적인 감정 체계가 전전두엽의 더 고등한 집행 체계를 통해 조절되고 억제된다는 것 말이다.

현대 마음의 생물학에서 중요한 것은 프로이트가 옳았느냐 여부가 아니라, 그가 심리학 자체에 가장 큰 기여를 한 부분이 인지 지각 과정과 감정 과정을 묘사하기 위해 꼼꼼한 관찰을 활용했다는 점이며, 그 덕분에 그 과정들이 훗날 뇌과학 발달의 토대 역할을 할 수 있었다는 것이다. 이런 면에서 프로이트의 연구는 새로운 마음의 과학으로 이어지는 경험 연구에 특히 유용하다.

23

아름다움과 추함에 대한 생물학적 반응

우리는 본능적인 감각적 쾌락뿐 아니라 더 고차원적인 심미적·사회적 쾌락도 경험한다. 미술적·음악적·이타주의적, 심지어 초월적인 쾌락까지도 말이다. 이런 고등한 쾌락은 아름다움과 추함을 평가할 때 그렇듯이 어느 정도는 타고나고, 우리가 시각예술과 음악에 반응할 때 그렇듯이 어느 정도는 획득된다.

아름다운 미술 작품을 볼 때 우리 뇌는 우리가 보는 다양한 모양, 색깔, 움직임에 크고 작은 의미를 할당한다. 이 의미 할당, 즉 시각적 미학은 미적 쾌락이 춥거나 더운 느낌, 쓴맛이나 단맛 같은 원초적인 감각이 아니라는 것을 말해 준다. 그것은 환경의 자극—여기서는 우리가 보는 미술 작품—으로부터 보상을 얻을 가능성을 추정하는 뇌의 특수한 경로를 따라 처리되는 감각 정보의 고등한 평가를 나타낸다.

인생에서도 그렇듯 미술에서도 사람의 아름다운 얼굴만큼 즐거움을 주는 시각적 대상은 거의 없다(그림 23-1). 매력적인 얼굴은 뇌의 보상 영역

그림 23-1 데니스 캔델(저자의 아내).

을 활성화하고 신뢰, 성적 매력, 성관계를 부추긴다. 현실 생활과 미술에
서의 매력을 연구하는 이들은 수많은 놀라운 깨달음을 얻어 왔다.

오랜 세월 과학자들은 남녀의 미의 기준이 임의적인 문화적 관습
에서 나온 것이라고 믿었다. 사실 아름다움은 개인적인 판단이라고, 즉
보는 이의 눈(마음)에 달려 있다고 여겨졌다. 하지만 몇몇 생물학적 연구
는 이 견해에 도전하는 결과를 내놓았다. 이 연구들은 장소, 연령, 계층,
인종에 관계없이 인류가 무엇이 매력적인가에 관해 무의식적인 공통의
기준을 지니고 있다는 것을 밝혀냈다. 사람들이 매력적이라고 여기는 특
징들은 단 하나의 예외도 없이 번식력, 건강, 질병 내성을 시사하는 것들
이다. 텍사스 대학교의 심리학자 주디스 랑글루아Judith Langlois는 전적으
로 순수한 관찰자―생후 3~6개월밖에 안 된 아기―도 이런 가치를 공
유한다는 것을 밝혀냈다.

얼굴을 매력적으로 만드는 것이 무엇일까? 한 가지 특징은 대칭성
이다. 사람은 비대칭보다 대칭을 더 선호한다. 스코틀랜드에 있는 세인트
앤드루스 대학교 지각연구소 소장 데이비드 페레트는 이것이 여성뿐 아

니라 남성의 얼굴에도 들어맞는다고 말한다. 어떤 문화에서든 간에 남녀 모두 대칭적인 얼굴을 더 선호한다는 실증적 연구 결과들이 나와 있다. 게다가 이 원리는 인간과 대형 유인원뿐 아니라 조류, 심지어 곤충에게서도 짝을 선택할 때 적용된다. 이 좌우대칭 편향이 왜 동물계 전체에서 보전되어 왔을까?

페레트는 좋은 대칭성이 좋은 유전자를 시사한다고 주장한다. 성장할 때, 건강에 영향을 미치는 환경의 스트레스 요인에 시달리면 얼굴에 비대칭적인 성장 패턴이 나타날 수 있다. 따라서 개인의 얼굴에서 대칭성의 정도는 당사자의 유전체가 얼마나 질병에 저항할 수 있고 도전에 맞서 정상적인 발달을 지속할 수 있는지를 시사할지도 모른다. 게다가 발달 안정성은 대체로 유전되는 것이다. 따라서 대칭성, 적어도 얼굴의 대칭성은 엄밀한 형식적인 이유에서만이 아니라 잠재적인 짝과 짝의 잠재적인 자식의 건강에 관해 무언가를 알려 주기 때문에 아름다운 것이다.

얼굴의 아름다움에 관한 이 기준이 빈 모더니즘 화가들의 초상화에 어느 정도까지 적용될까? 구스타프 클림트의 그림에 실린 아르누보 양식의 얼굴은 놀라운 대칭성을 보여 준다. 디지털 사진 편집 기술로 얼굴의 왼쪽을 뒤집어서 오른쪽에 붙이거나 그 반대로 해보면 그렇다는 것을 알 수 있다(그림 23-2). 그렇게 만든 두 얼굴은 거의 구분할 수 없을 만큼 똑같으며, 그나마 있는 차이는 균일하지 않은 조명 탓으로 돌릴 수 있다. 자연에서는 이 정도의 대칭성을 찾아보기가 대단히 어렵다. 그것은 건강과 유전적 자질의 신호를 암묵적으로 전달하는 이상화한 비율을 나타내며, 클림트가 그린 얼굴의 환상적인 아름다움에 기여하는 한 가지 요인임이 분명하다. 화가는 얼굴의 매력을 빚어내는 가장 강력한 특징 중 하나를 직관적으로 이해하고 그것을 자신의 작품에 탁월하게 적용한 것이 틀림없다.

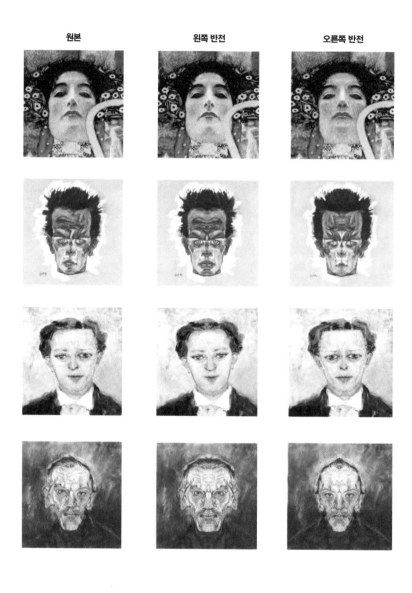

원본   왼쪽 반전   오른쪽 반전

그림 23-2 위쪽부터: 구스타프 클림트, 〈히기에이아〉(1900~07), 〈의학〉의 일부. 에곤 실레, 〈자화상, 머리〉(1910)(부분). 오스카어 코코슈카, 〈몰입한 연주자, 에른스트 라인홀트의 초상화〉(1909)(부분). 오스카어 코코슈카, 〈루트비히 리터 폰 야니코프스키〉(1909)(부분). 컬러화보 참고

얼굴 대칭성이 중요하다는 점은 오스카어 코코슈카와 에곤 실레의 작품에서도 뚜렷이 드러나지만, 클림트와 달리 이들은 얼굴과 감정을 과장했다(그림 23-2). 사실 그들이 표현주의 화가로서 두각을 나타낸 데에는 이 과장된 표현이 한몫을 했다. 클림트의 초상화가 모델이 심리적으로, 그리고 발달 면에서 자기 환경에서 평온했다는 것을 암묵적으로 말해 주는 기표를 제공한다면 코코슈카의 초상화는 정반대다. 에른스트 라인홀트의 초상화처럼 가장 온화하면서도 가장 덜 표현주의적인 초상화조차 비대칭성을 보여 준다(그림 23-2). 그의 초상화들은 좌우 불균형과 그 불균형이 전달하는 내면의 갈등 때문에 우리를 불편하게 한다. 이렇게 고통의 무의식적 기표를 활용함으로써 표현주의 화가들은 정교하고 미묘하고 지극히 현대적인 방식으로 이야기와 감정을 전달할 수 있었다.

대칭성 외에도 여성의 얼굴에서 보편적으로 매력적이라고 여겨지는 특징이 더 있다. 초승달 모양의 눈썹, 큰 눈, 작은 코, 도톰한 입술, 갸름한 얼굴, 작은 턱이 그렇다. 클림트의 작품에 이런 얼굴 특징들이 흔한 반면 코코슈카의 작품에서는 덜 흔하다고 해도 놀랄 일은 아니다. 코코슈카가 그린 여성들도 커다란 눈과 도톰한 입술 등 이런 특징 중 일부를 보이긴 하지만, 그는 펑퍼짐하고 비대칭적인 얼굴 안에 그 특징들을 배치하는 경향이 있다. 아마 코코슈카의 초상화가 그토록 불편한 흥미를 일으키는 것은 이 매력과 혐오감의 조합 때문일지 모른다. 그의 그림은 아름다움과 불안 사이를 오락가락하면서 거부할 수 없는 흥미를 자아낸다.

남성의 매력적인 특징은 적용되는 기준이 다르다. 1960년대에 제럴드 거스리Gerald Guthrie와 모턴 위너Morton Wiener는 (둥근 형태보다) 예리하게 각진 어깨, 팔꿈치, 무릎이 남성성 및 공격성과 연관이 있음을 발견했다. 튀어나온 턱, 턱선, 눈썹, 볼, 긴 하관—사춘기 때 테스토스테론 생산량이 늘어나 나타나는 특징들—도 남성을 매력적이게 만든다고 여겨진다. 이런 얼굴 특징들과 거기에 함축된 테스토스테론의 다량 분비는 성욕 과다뿐 아니라 비사회적인 행동, 공격성, 지배 성향의 가능성도 시사한다.

과장된 얼굴 특징을 선호하는 현상은 백인 남녀가 백인 여성의 이미지를 판단할 때뿐 아니라 일본인 남녀가 일본 여성의 이미지를 판단할 때에도 나타난다. 양쪽 문화에서 매력적이라고 판단되는 얼굴 특징들이 놀랍도록 비슷하다는 사실은 더 이전의 연구들이 보여 준 것처럼, 이 특징들을 과장해도 보편적으로 매력적이라고 여겨질 가능성이 높다는 것을 시사한다. 페레트 연구진은 이 특징들이 성적 성숙, 번식력, 감정 표현력의 생물학적 신호를 전달한다고 주장한다.

진화심리학자들은 보편적으로 선호되는 얼굴 특징이 남녀 모두 사춘기 때, 즉 성호르몬 농도가 증가하기 시작할 때 출현한다고 말한다. 남성이 선호하는 여성의 작은 턱은 사춘기에 에스트로겐이 작용한 결과다. 에스트로겐은 턱의 성장 속도를 늦춘다. 그와 비슷하게 앞서 살펴보았듯이, 여성이 선호하는 남성의 육중한 하관은 테스토스테론 대량 분비의 산물이다. 다윈이 처음에 내놓은 주장을 이어받아서, 현재 이 심리학자들은 성호르몬이 다량 분비되어 나타난 결과물인 이 형질들이 원시인—수렵채집인—에게 개인이 성관계를 맺을 준비가 되었음을 알려 주는 좋은 단서였을 것이라고 주장한다.

남성의 튀어나온 눈썹 융기부와 커다란 턱, 여성의 갸름한 하관과 튀어나온 광대뼈와 도톰한 입술처럼 남녀에 따라 다른 특징들도 얼굴의 매력에 기여한다. 이런 특징을 지닌 여성들의 성격을 판단해 보라고 하자, 남성들은 그 여성들이 이타적인 성향일 것이라고 보았고 연애 상대, 성적 행동, 육아 능력 면에서 더 호의적인 점수를 매겼다.

남성에게서 아름답다고 평가되는 특징은 가족을 부양할 자원을 획득하는 능력과 관련이 있고, 여성의 몸에서 아름답다고 평가되는 특징은 특히 아이를 낳는 능력과 관련이 있다. 평균적으로 남성은 국적이나 배경과 상관없이 번식력의 상징인 커다란 가슴과 엉덩이를 지닌 여성을 아름답다고 본다. 말할 필요도 없지만, 이런 전형적인 양상은 문화에 상관없이 일관성을 보이지만 지역적 가치에 따라 변형되며, 더 중요한 점은 개인의 지식 및 사회적 관습과 가치에 따라서도 어느 정도 달라진다는 것이다.

실레는 얼굴과 신체 특징의 왜곡이 주는 의미를 명확히 이해했다. 그가 자신의 몸을 그린 초상화에서는 예리하게 돌출되고 각진 모서리 등 해부학적으로 극히 왜곡된 모습이 보이는데, 그 특징들은 공격성을 상징한다(그림 10-7). 그가 그린 얼굴들도 공격성의 표지를 뚜렷이 보여 준다. 하지만 남녀의 특징이 반드시 상호 배타적인 것은 아니므로—예를 들어, 남성의 턱 윤곽에 여성의 턱을 끼워 맞출 수도 있다—실레는 여성의 얼굴 특징들도 강조할 수 있었다. 실레의 인물들에서 초승달 같은 눈썹, 커다란 눈, 작은 코, 도톰한 입술, 갸름한 얼굴은 관능적인 친밀함을 전달하는 반면, 두드러진 턱과 눈썹은 거친 공격성을 드러낸다(그림 10-6). 하나의 얼굴과 몸 안에 이 두 특징을 병치함으로써 실레는 에로스와 타나토스라는 프로이트의 두 가지 본능적 충동이 자신이 그린 이들 속에서 함께 작용하고 있음을 미묘하고도 효과적으로 드러낸다.

1977년 MIT의 발달심리학자 수전 케리Susan Carey와 리어 다이아몬드 Rhea Diamond는 얼굴 지각 연구에 구성 정보configurational information라는 게슈탈트 개념을 도입했다. 당시까지 뇌는 오직 부분을 토대로 한 정보를 써서 얼굴을 지각한다고 생각했다. 즉, 얼굴을 얼굴답게 만드는 공간적 요소들로부터 이끌어 낸 정보만을 이용한다고 보았다. 한가운데에 놓인 코와 그 위의 수평으로 놓인 눈 두 개, 아래쪽 가운데에 놓인 입 하나가 그렇다. 구성 정보는 더 미묘하며 특징들 사이의 거리, 특징들의 위치, 특징들의 모양을 가리킨다. 케리와 다이아몬드는 부분을 토대로 한 정보가 얼굴을 다른 대상과 구분하는 데에는 충분한 반면, 구성 정보는 이 얼굴과 저 얼굴을 구분하는 데 필요하다고 주장했다. 또 개별 얼굴의 아름다움을 평가하는 데 특히 중요한 듯하다.

얼굴의 매력을 평가할 때 부분에 토대를 둔 정보가 필요할까, 아니면 구성 정보가 필요할까? 이 의문을 탐구한 페레트는 구성 정보가 매력을 평가하는 데 활용된다는 증거를 처음으로 찾아냈다. 그는 합성한 얼굴을 이용하여 여성의 얼굴에 있는 어떤 특징이 자원자들에게 매력적으로 보이는지 파악했다. 그런 뒤 연구 결과를 토대로 평균적인 매력을 지닌 여성의 얼굴을 합성했다.

페레트가 광대뼈를 높이거나, 턱을 더 갸름하게 하거나, 눈을 더 크게 하거나, 입과 턱의 거리나 코와 입의 거리를 더 짧게 하는 등 평균적인 매력을 지닌 얼굴의 특징을 과장하자 자원자들은 그 얼굴이 더 매력적이라고 판단했다. 크리스-곰브리치-라마찬드란 가설이 예측한 것처럼 말이다. 앞서 살펴보았듯이 과장법은 만화가들과 표현주의 화가들이 사용한 장치이며, 그들은 본질적으로 개인의 얼굴에서 한 가지 특징을 취하여 거기에서 보편적인 특징을 추출한 다음 그 차이를 강화한다. 게다가 앞서 살펴보았듯이 도리스 차오와 윈리치 프리왈드는 얼굴 인식을 전담하는 뇌의 두 영역에 있는 신경세포들이 부분에 토대를 둔 정보와 전체론적 정보를 결합한 전략을 쓴다는 것을 밝혀냈다. 차오와 프리왈드는 동물들에게 만화로 그린 얼굴을 보여 준 결과, 세포들이 게슈탈트 규칙을 따른다는 것을 발견했다. 즉 하나의 특징이든 특징들의 조합이든 간에, 그것이 타원형 내에 들어가 있지 않으면 세포들은 반응하지 않는다. 게다가 얼굴의 특징이 표현주의 그림에서처럼 과장되어 있을 때 세포들은 유달리 강하게 반응한다.

이것은 사소한 문제가 아니다. 아름다움의 생물학에서 놀라운 점은 아름다움의 이상이 세기가 달라지든 문화가 달라지든 놀라우리만치 거의 변함이 없다는 것이다. 따라서 우리가 매력적이라고 암묵적으로 판단한 것의 몇 가지 측면은 진화를 통해 보전되어 왔을 가능성이 높다. 우리의 편향은 아름다움을 평가할 때 작동하는 것이 분명하며, 그렇지 않았다면 4만 년 넘게 가해진 선택압에서 살아남지 못했을 것이다. 세월의 흐름을 견뎌 내는 공통된 미의 기준이 존재한다는 것은 미술을 이해하는 데 중요하다. 그것은 티치아노의 나체화가 클림트의 나체화만큼 우리를 감동시킬 수 있지만, 그 방식이 다소 다른 이유를 설명해 준다.

얼굴 표정은 미의 평가에 어떻게 기여할까? 우리가 얼굴, 특히 눈에 끌리는 것은 선천적으로 정해지는 듯하다. 어른과 마찬가지로 유아도 사람 얼굴의 다른 특징들보다 눈을 더 바라보며, 아기와 어른 모두 응시에 예민하다. 사람의 응시 방향은 우리가 그 사람의 얼굴에 나타나는 감정을 처리할 때 대단히 중요한 역할을 한다. 뇌는 응시로부터 나온 정보를 얼굴 표정에서 얻은 정보와 결합하기 때문이다. 이 단서들의 통합이 접근과 회피라는 원초적인 감정 반응을 이끌어 내는 열쇠다. 이것들은 사회적 상호작용을 통제하는 주된 요소이며, 따라서 인류 진화에서 중요한 적응 기능을 할 가능성이 높다.

펜실베이니아 주립대학교의 레지널드 애덤스Reginald Adams와 다트머스 대학교의 로버트 클렉Robert Kleck은 직시와 행복한 감정을 담은 표정이 기쁨, 호의, 접근 지향적 감정의 전달과 처리를 촉진한다는 것을 밝혀냈다. 아마도 유타 프리스가 발견한 것처럼, 직시만이 도파민 보상 체계를 활성화하기 때문인 듯하다. 이와 대조적으로 눈길을 회피하거나 슬프거나 겁에 질린 응시는 두려움과 슬픔이라는 회피 지향적 감정을 전달한다. 비록 응시와 얼굴 표정은 함께 처리될지라도, 성과 나이 같은 아름다움의 다른 측면들은 별도로 처리된다.

존 오도허티John O'Doherty 연구진은 아름다움의 신경 상관물—우리의 미감을 담당하는 뇌 메커니즘—을 살펴보기 위해, 웃음의 역할을 탐구하는 생물학적 실험을 고안했다. 그들은 전전두엽의 배쪽 외측 영역, 즉 보상을 통해 활성화하고 뇌에서 쾌락의 표상을 만드는 정점에 있다고 여겨지는 영역도 매력적인 얼굴에 활성을 띤다는 것을 발견했다. 게다가 웃음이 보일 때 이 영역은 더욱 활성을 띤다.

유니버시티 칼리지 런던의 세미르 제키는 배쪽 외측 영역이 우리가 아름답다고 해석하는, 미묘하게 즐거움을 주는 다른 이미지들에도 활성을 띤다는 것을 발견했다. 제키는 실험 지원자들로 하여금 먼저 수많은 초상화, 풍경화, 정물화를 살펴보게 했다. 그런 뒤 자원자들에게 범주와 상관없이 그림들을 아름다움과 추함을 기준으로 분류하게 했다. 제키는 그림을 보는 지원자들의 뇌를 촬영했다. 그는 실험 지원자가 그림을 아름답다고 보든 추하다고 보든 상관없이 모든 초상화, 풍경화, 정물화가 피질의 배쪽 외측 영역, 전전두엽, 운동 영역을 활성화한다는 것을 알아차렸다. 그런데 흥미롭게도 가장 아름답다고 등급을 매긴 그림들이 배쪽 외측 영역을 가장 활성화하고 운동 영역을 가장 덜 활성화한 반면, 가장 추하다고 평가한 그림들은 배쪽 외측 영역을 가장 덜 활성화하고 운동 영역을 가장 활성화했다. 제키는 피질의 운동 영역이 활성을 띠는 것이 감정이 밴 자극이 추하거나 위협을 가하는 자극을 피하고 아름답거나 즐거움을 주는 자극에 접근하는 행동을 취할 준비를 하게끔 운동계를 기동시키는 것이라고 보았다. 실제로, 우리는 두려움이 가득한 얼굴도 피질의 운동 영역을 활성화한다는 것을 안다.

인지과학자 카밀로 셀라콘데Camilo Cela-Conde는 해상도가 매우 높은 뇌자기도검사magneto-encephalography라는 방법을 써서 제키의 연구 결과를 더 깊이 파고들었다. 그는 실험 참가자가 앞서 아름답다고 평가한 대상을 바라볼 때 뇌의 전기 활성을 영상으로 찍었다. 그러자 작업기억을 전담하는 영역인 전전두엽의 등쪽 외측 영역의 활성이 변한다는 것이 드러났다. 작업기억은 원하는 결과를 얻기 위해서 행동을 계획하는 데 필요한 단기기억을 가리킨다. 좌반구의 활성이 더 컸는데, 그것은 언어와 미적 감수성이 나란히 진화했을 가능성을 시사한다. 셸라콘데는 진화 과정에서 전전두엽에 변화가 일어남으로써 현생 인류가 미술을 창작하고 미술에 반응하는 능력을 획득했다고 주장한다. 이 주장은 뒤에서 창의성을 다룰 때 다시 살펴보기로 하자.

앞서 아름답다고 평가한 대상에 반응하여 일어나는 왼쪽 전전두엽의 활성은 통상적인 반응 시간이 130밀리초인 데 반해 비교적 늦게 일어났다(400~1000밀리초). 셸라콘데는 이 차이가 시각 처리 과정이 여러 단계를 거쳐 일어나며, 한 이미지의 속성들이 그 이미지를 처음 보았을 때와 나중에 다시 보았을 때 서로 다르게 처리된다는 제키의 개념에 들어맞는다고 생각한다.

그림의 아름다움을 감상하는 것과 초상화의 아름다움과 사랑에 빠지는 것은 다른 문제다. 아름다운 초상화와 사랑에 빠질 때 뇌의 어떤 과정들이 관여하는지는 클림트의 작품 중 가장 걸작에 속하는 〈아델레 블로흐바우어 I〉을 접했을 때 로널드 로더가 보인 반응을 통해 추론할 수도 있을 듯하다. 클림트가 그 그림을 완성하는 데는 무려 3년이 걸렸다. 로더가 그 그림을 처음 본 것은 열네 살 때였다. 보는 순간 그는 아름다운 보석 목걸이를 하고 관능적인 입술을 지닌, 눈을 반쯤 감고 있는 이 수수께끼 같은 아름다운 여성의 이미지와 사랑에 빠졌다(그림 1-1). 아델레의 그림은 그를 매혹했다. 그는 그녀의 감정, 성욕, 직시에 홀리고 말았다.

로더와 아델레 블로흐바우어 초상화의 사례는 한 이미지의 아름다움이 단순히 긍정적인 감정만이 아니라 사랑에 더 가까운 미적 중독을 일으킬 수도 있음을 보여 주는 듯하다. 로더는 그녀의 초상화를 갈망했다. 처음 그 초상화를 본 뒤로, 그는 거의 해마다 여름이면 아델레를 다시 보기 위해 빈을 방문하곤 했다. 그는 그 작품이 그 시대의 가장 중요한 초상화라고, 즉 '빈 1900'의 〈모나리자〉라고 보기 시작했다. 마침내 그는 그녀를 소유하는 데 성공했다.

현재 우리는 사랑하는 사람을 볼 때와 흡사하게, 사랑하는 이미지를 볼 때에도 아름다움에 반응하여 뇌의 배쪽 외측 영역뿐 아니라 보상을 기대할 때 반응하는 뇌의 도파민 신경세포들도 활성을 띤다는 것을 안다. 이 신경세포들은 코카인 사용자가 코카인을 볼 때와 거의 똑같이, 실제 사람이든 그림이든 간에 사랑하는 대상의 이미지를 볼 때 활성을 띤다. 로더가 사정상 47년 동안 아델레의 초상화를 자주 일상적으로 접할 수 없었다는 점은 그의 도파민 신경세포들의 활성을 더 강화하는 역할을 했을지 모르며, 기회가 생기자마자 대단히 비싼 값을 지불하고서라도 이 걸작을 구입하려는 열의를 불태우는 데 기여했을지 모른다.

사랑하는 이미지나 사람에 대한 반응과 중독성 약물에 대한 반응 사이에 유사점이 있다는 것을 처음으로 보여 준 것은 앨버트 아인슈타인 의대와 러트거스 대학교의 루시 브라운Lucy Brown과 헬렌 피셔Helen Fisher 연구진이었다. 그들은 그림을 볼 때의 일반적인 반응을 살펴본 제키의 연구를 확장하여, 애인의 이미지를 볼 때의 반응을 살펴보았다. 연구진은 열애 초기 단계에 있는 사람들과 연애를 하다가 상대방에게 차인 사람들을 조사했다. 양쪽 다 이미지에 대한 감정 반응은 특정한 생물학적 징후를 보여 주었다. 배쪽 외측 영역뿐 아니라 도파민 신경세포도 활성을 띤다는 것이었다(그림 23-3). 26장에서 더 상세히 논의하겠지만, 도파민 체계는 보상을 담당하는 뇌의 핵심 조절 체계다. 또 차이긴 했어도 여전히 상대방을 사랑하는 사람이 상대방의 이미지를 보았을 때, 도파민 보상 체계는 더욱 활성을 띠었다. 따라서 사랑은 보상 획득과 관련된 동기부여 체계가 관여하는 자연적인 중독인 듯하며, 감정보다는 충동 상태—허기, 갈증, 약물 갈망—에 더 가깝다. 그것은 로더가 아델레의 초상화를 자주 볼 수 없는 상황이 되었을 때처럼, 사랑하는 사람의 이미지를 보지 못하

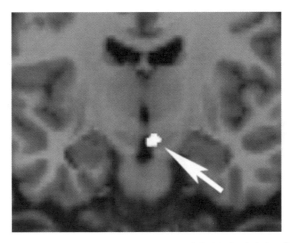

그림 23-3 애인의 이미지를 볼 때, 배쪽 뒤판 영역에 있는 도파민 신경세포가 활성을 띠었다.

게 되었을 때 감정이 더욱 강렬해지는 이유를 설명해 준다.

또 피셔 연구진은 매력, 정욕, 애착의 생물학적 체계들이 따로따로 진화했다는 것도 밝혀냈다. 매력은 개인이나 그 사람의 상징적 표상에 주의가 집중되는 것을 말하며, 매력에 홀리면 감정적으로 그 사람과의 결합을 갈망하고 마음이 싱숭생숭하고 그 사람이 계속 떠오르게 된다. 한편 정욕은 성적 만족에 대한 갈망이다. 애착은 또 다르다. 애착은 사회적으로 친밀하다는 감각이자, 차분하고 편안하고 감정적으로 결합되어 있다는 느낌이다. 매력이 짝 찾기의 징조이고 정욕이 성행위와 번식의 징조인 반면, 애착은 육아의 핵심을 이룬다. 매력에는 도파민 체계가 관여하는 반면, 뒤에서 살펴보겠지만 애착에는 펩타이드 호르몬인 옥시토신과 바소프레신을 분비하는 체계가 관여한다.

우리는 미술에 영감을 받고 매료될 뿐 아니라 미혹되고 놀라고 겁먹고 심지어 반감을 갖기도 한다. 1900년까지 미술에서 아름다움은 진리와 동일시되었다. 이 기준은 고전 미술에서 단순함과 아름다움에 높은 가치를 부여했던 데에서 비롯되었다. 앞서 살펴보았듯이, '빈 1900'에서 구스타프 클림트는 빈 대학교에 걸린 세 점의 벽 그림을 통해 이 관점에 도전했다(8장). 이 벽 그림들이 너무 급진적이고 음란하고 추하다고 거부당했을 때, 알로이스 리글과 프란츠 비크호프를 비롯한 빈 미술사학파의 교수들은 진리가 복잡한 것이며 아름답지 않을 때도 있다고 주장하고 나섰다. 클림트가 의학부를 위해 그린 그림에 묘사된 질병과 죽음은 전통적인 의미에서 볼 때는 아름답지 않을 수도 있지만, 인체의 질병에 관한 진리는 때로 추하고 받아들이는 것이 고통스러울 수 있다.

비크호프는 빈 철학협회에서 한 강연에서, 역사의 한 시기에는 추하다고 여긴 것이 다른 시기에는 아름답다고 여겨지기도 한다고 주장했다. 추함도 아름다움에 못지않게 진리를 담고 있다. 역사적으로 볼 때, 양쪽 모두 생물학적 진리를 대변한다. 자신의 생존과 번식 잠재력을 강화하는 것에 접근하고 그렇지 않은 것을 피하려는 본능적인 욕구가 그렇다. 이 역사적 견해에 따르면, 추함은 삶과 죽음의 문제다. 비크호프는 이 생물학적 구분이 르네상스 때, 즉 고전 미술가들이 성적 선호를 토대로 아름다운 이미지를 그리기 시작했을 때 사라졌다고 했다. 그 뒤의 미술사에서는 이 협소한 관점을 벗어나는 것은 무엇이든 간에 아름답지도 않고 진리도 아니라고 여겼다.

클림트가 벽 그림을 그리기 이전부터, 이미 리글과 비크호프는 미술이 고정된 것이 아니라고 주장했다. 실레는 이렇게 말했다. "미술에서는 부도덕성이라는 것이 존재할 수 없다. 미술은 언제나 신성한 것이며, 욕망이 최악으로 치달은 대상을 그릴 때에도 그렇다. 미술은 오로지 관찰의 성실성을 염두에 두므로 타락할 수가 없다."[1] 사회가 진화하듯이 미술도 진화한다. 따라서 현대 미술이 고대의 기준을 고수해야 한다는 관념은 관람자에게 새롭거나 난해한 것은 모조리 추하므로 거부하라고 부추긴다. 캐스린 심프슨은 〈추함과 빈 미술사학파Ugliness and the Vienna School of

Art History〉라는 탁월한 논문에서, 비크호프의 강연이 있은 지 3년 뒤 리글이 이 논리를 새로운 방향으로 확장했다고 지적한다. 리글은 특정한 맥락에서는 '새로운' 것과 '전체적인' 것만이 아름답다고 여겨지는 반면, 오래되고 조각나고 빛바랜 것은 추하다고 여겨진다고 썼다.

클림트가 기존 취향에 이런저런 식으로 도전했다고 나름대로 생각한 바에 영감을 얻어서, 코코슈카와 실레는 인생의 추함을 포함하여 진리를 묘사하는 대담하고도 개인주의적인 표현주의 화풍을 발전시켰다. 실레에게 그것은 자신을 병들고 기형이 되고 광기 어린 모습으로, 심지어 성행위를 하는 동안에도 그런 모습으로 묘사하는 것을 의미했고(그림 10-3, 10-8), 코코슈카에게 그것은 자신을 격노한 전사나 거부당하고 무력한 연인으로 묘사하는 것을 뜻했다(그림 9-8, 9-15).

여기에서 한 가지 명백한 의문이 제기된다. 삶에서 우리는 생물학적으로 정해지고 수렴되는 아름다움의 이상적인 기준에 전통적인 방식으로 이끌린다. 그런데 미술에는 왜 그토록 다른 식으로 반응하는 것일까? 왜 우리는 목을 베는 여성으로 재현한 클림트의 유디트나 자신을 불안하고 혼란스러운 신경쇠약자로 그린 실레의 그림에 그토록 진정으로 매료되는 것일까?

이 질문은 분명히 예술—단순히 초상화가 아니라 모든 형태의 예술—의 더 큰 기능을 가리키고 있다. 예술은 우리가 결코 경험하지 못할 수도 있거나 아예 경험하고 싶지도 않을 생각, 감정, 상황에 우리를 노출함으로써 우리의 삶을 풍요롭게 한다. 예술은 우리에게 상상 속에서 온갖 다양한 경험과 감정을 탐구하고 시도할 기회를 준다.

초상화로 그려진 얼굴에서 아름다움과 추함 사이의 관계는 쾌락과 고통 사이의 관계에 대응한다. 아름다움이 뇌에서 추함과는 다른 별도의 영역을 차지하는 것은 아니다. 뇌가 아름다움과 추함에 부여하는 가치들은 하나의 연속체를 이루고 있으며, 둘 다 뇌의 같은 영역에서 일어나는 활성의 상대적인 변화를 통해 부호화한다. 이것은 긍정적 감정과 부정적 감정이 하나의 연속체상에 놓여 있으며 같은 신경 회로가 담당한다는 개념과 들어맞는다. 따라서 일반적으로 두려움과 연관 짓는 편도체는 행복의 조절기이기도 하다.

미술에서 진리의 단일한 기준 따위는 없다고 주장한 빈 미술사학파의 창시자들은 아마도 예측했겠지만, 미적 판단은 대체로 감정 자극을 평가할 때와 동일한 기본 법칙을 따르는 듯하다. 행복에서부터 비참함에 이르기까지 모든 감정을 평가할 때 우리는 동일한 기본 신경 회로를 사용한다. 미술에서 우리는 남의 심리 상태를 엿볼 새로운 깨달음을 제공할 잠재력을 지니는가 여부로 초상화를 평가한다. 유니버시티 칼리지 런던의 레이 돌런 연구진이 해낸 이 발견은 지원자들에게 슬픔, 두려움, 혐오, 행복의 표정이 약한 수준에서부터 강한 수준으로 서서히 변하는 얼굴들을 보여 주는 일련의 실험을 토대로 했다(그림 23-4).

돌런 연구진은 감정의 편성자인 편도체가 행복한 얼굴이나 슬픈 얼굴에 어떻게 반응하는지 살펴보기 시작했다. 특히 그들은 감정이 밴 얼굴에 짧게 노출되었을 때, 따라서 무의식적으로만 지각될 수 있을 때 편도체가 어떻게 반응하며, 같은 얼굴이 더 긴 시간 노출되어 의식적으로 지각될 때에는 편도체가 어떻게 반응하는지를 조사했다. 돌런은 편도체와 측두엽의 방추형 얼굴 영역이 표현되는 감정과 무관하게, 또 의식적으로 지각되는지 무의식적으로 지각되는지와 무관하게 얼굴의 이미지에 반응한다는 것을 밝혀냈다. 또 체감각 피질과 편도체와 직접 튼튼하게 연결되어 있는 전전두엽의 영역들 같은 뇌의 다른 영역은 얼굴의 의식적 지각에만 반응하지만, 드러난 감정에 무관하게 반응하므로 이 영역들은 29장에서 살펴볼 의식적 느낌의 중개에 필요한 정보의 순방향 전송 체계의 일부인 듯하다. 또 이 발견들은 편도체가 얼굴의 의식적 지각과 무의

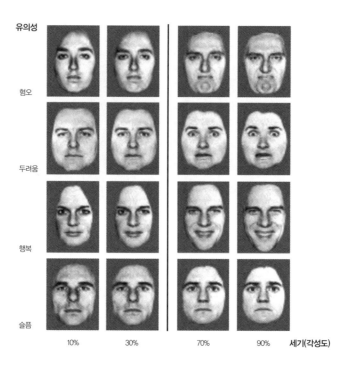

유의성

혐오

두려움

행복

슬픔

10%   30%   70%   90% 세기(각성도)

그림 23-4 네 가지 보편적인 얼굴 표정을 나타내는 에크먼의 얼굴을 세기의 함수로서 살펴본 레이 돌런의 연구.

식적 지각 양쪽에 관여하고 긍정적인 자극과 부정적인 자극 양쪽에 반응하는 반면, 전전두엽은 의식적 지각에만 반응한다는 개념을 뒷받침한다.

비슷한 맥락에서 돌런은 PET를 써서, 사람들이 점점 더 두려움이 짙어 가는 얼굴을 볼 때는 편도체의 활성이 증가한 반면 점점 더 행복해하는 얼굴을 볼 때는 활성이 감소한다는 것을 밝혀냈다.

편도체가 서로 다른 감정을 담은 얼굴 표정을 비롯해 다양한 감정에 어떻게 관여할 수 있는 것일까? 편도체내에서 동일한 세포들이 상반된 방식으로 반응하는 것일까, 아니면 각 감정을 전담하는 신경세포 집단이 별도로 있는 것일까? 현대 생물학에서 이루어진 발전은 우리가 더 단순한 동물을 연구함으로써 인간 정신생활의 토대를 밝혀낼 수 있다는 다윈의 깨달음이 옳았다는 것을 확인해 준다. 진화 과정에서 유전자만이 아니라 체형, 뇌 구조, 행동도 보전되어 왔다. 따라서 우리는 다른 동물들과 두려움 및 쾌락의 기본 신경 메커니즘 중 일부를 공유하고 있을 가능성이 높다.

이것은 사실이라는 것이 입증되어 왔다. 원숭이를 연구하는 컬럼비아 대학교의 대니얼 샐즈먼은 편도체의 세포 하나하나를 조사한 끝에, 시각 자극을 처벌과 결합했을 때보다 시각 자극을 보상과 결합했을 때 더 강하게 반응하는 특정한 신경세포 집단을 발견했다. 그것은 이미지의 긍정적인 가치 및 부정적인 가치의 변화가 편도체의 활성에 영향을 미치고, 서로 다른 신경세포 집단이 관여함으로써 그 영향이 나타난다는 것을 시사한다.

관람자는 미술에 반응하여 감정과 경험을 처리하는 차원을 넘어서, 실제로 남이 무엇을 생각하고 있는지를 추론하려 시도할 수도 있다. 이 기술은 마음의 이론을 만들어 내는 뇌의 능력에서 나온다. 즉 남이 내 자신과 별개로 나름의 생각, 의도, 계획, 열망을 지닌다는 개념을 형성하는 뇌의 능력에서 유래한다. 소설은 남의 의도를 제대로 읽지 못한다는 것을 핵심 내용으로 삼는데, 이 분야의 선구자는 제인 오스틴이었다. 오스틴의 소설에는 연애 의도를 잘못 파악하는 내용이 종종 들어 있다. 아르투어 슈니츨러는 내적 독백을 사용함으로써 독자가 둘 이상의 정신세계에 동시에 존재할 수 있게 했다.

에른스트 크리스와 언스트 곰브리치가 지적했다시피, 회화의 관람자는 화가가 모델의 열망과 목표에 관해 무엇을 전달하려 시도하는지 이해할 필요가 있을지도 모른다. 초상화가 제공하는 이 마음 읽기 훈련은 어쩌면 즐거움을 줄 뿐 아니라 유용할 수도 있다. 남들이 무엇을 생각하고 느끼는지 추론하는 우리의 능력을 갈고닦을 수 있기 때문이다.

데니스 더턴Dennis Dutton은 《예술 본능The Art Instinct》에서 예술에

대한 우리의 타고난 반응을 "색깔의 진정한 매력 …… 극단적인 기술적 난해함, 성적인 관심"[2]이 이끌어 낸 충동들의 복잡한 총체라고 말한다. 더 나아가 그는 예술이 "인간이 접할 수 있는 가장 심오하면서도 감동적인 경험 중 일부"[3]를 제공하기 때문에 우리가 예술에 관심을 갖는 것이라고 말한다. 또 예술은 우리가 감정, 감정이입, 마음의 이론을 훈련할 수 있게 해준다. 원칙적으로 그 훈련은 신체 훈련이 신체 능력과 인지 능력에 도움을 주는 것과 마찬가지로 우리의 사회적 능력에 도움을 줄 수 있다.

거기서 그치지 않고 더턴은 예술이 진화의 부산물이 아니라고 주장한다. 오히려 우리가 생존하도록 돕는 적응 형질—본능적 형질—이라고 말한다. 우리는 타고난 이야기꾼으로서 진화했으며, 흘러넘치는 우리의 상상력이 지닌 생존 가치는 엄청나다. 그는 이야기하기storytelling가 세계와 세계 속의 문제들을 가상으로 생각할 기회를 줌으로써 우리의 경험을 확장하기 때문에 즐거움을 준다고 설명한다. 시각예술 작품과 마찬가지로 이야기도 서로 다른 사회적·환경적 맥락에서 활동하는 인물들 사이의 관계를 살펴봄으로써 화자와 청자가 같이 반복하고, 자신의 마음속에서 되새길 수 있는 고도로 짜임새 있는 현실 모형이다. 이야기하기는 상상 속에서 생존 문제를 푸는, 위험이 적은 방식이다. 또 그것은 정보의 원천이기도 하다. 상대적으로 큰 뇌와 더불어, 언어와 이야기하기 덕분에 우리는 자신의 세계를 독특하게 모형화할 수 있고, 그 모형을 남들에게 전달할 수 있다. 마찬가지로 엑스선처럼 꿰뚫는 시선을 지닌 코코슈카는 모델의 마음 상태를 추론하고 감정의 강도를 높이기 위해 적절히 과장한 특징과 색깔을 이용하여 얼굴, 손, 몸을 통해 그 상태를 전달하려고 시도했다.

미술에 대한 우리의 반응은 화가가 작품을 만들어 내는 (인지적·감정적·감정이입적) 창작 과정을 우리 자신의 뇌 속에서 재창조하려는 거역할 수 없는 충동에서 비롯한다. 곰브리치, 크리스, 게슈탈트심리학자들,

인지심리학자인 빌라야누르 라마찬드란, 미술평론가 로버트 휴스는 모두 이 점에 동의한다. 본질적으로 어떤 시대에서든, 세계의 어느 곳에서든 간에 모든 인류 집단이 미술이 생존에 물질적으로 필요한 것이 아니었는데도 이미지를 창작해 온 이유를 아마도 화가와 관람자의 이 창작 충동이 설명해 줄지 모른다. 미술은 화가와 관람자가 모든 인간의 뇌를 특징짓는 창작 과정을 서로 전달하고 공유하려는 본질적으로 즐겁고 유익한 시도다. 아하! 하는 순간, 즉 우리가 남의 마음을 들여다보았음을 문득 깨닫게 되는 순간으로 이어지며, 화가가 묘사한 아름다움과 추함의 바탕에 깔린 진리를 들여다볼 수 있게 해주는 바로 그 과정을 말이다.

24

관람자의 몫:
타인의
마음이라는
내밀한 극장에
들어가다

미학의 생물학에서 핵심 개념 중 하나는 관람자의 뇌와 거의 동일한 방식으로 화가가 세계의 가상현실을 창작한다는 것이다. 에른스트 크리스와 언스트 곰브리치가 지적했다시피, 그렇게 하기 위해 화가는 뇌의 타고난 능력을 조작하여 지각적·감정적 현실의 모형을 구축하고, 그럼으로써 바깥 세계를 재창조한다. 우리 뇌가 주변의 물질세계와 인간세계를 창작하여 묘사하는 데 어떤 단서를 이용하는지 이해하기 위해 화가는 지각, 색채, 감정의 인지심리학을 직관적으로 통달해야 한다.

화가들이 새로운 유형의 회화적 재현을 추구하기 시작한 것은 1850년대 이후로 수십 년이 흐르고 사진술이 등장한 뒤부터였다. 훨씬 뒤에 앙리 마티스는 이렇게 썼다. "사진술이 발명되면서 그림은 자연을 베끼려는 욕구에서 해방되었고, 화가는 '가능한 한 직접적으로, 그리고 가장 단순한 수단을 통해 감정을 표현할' 수 있게 되었다."[1] 새로운 화가들은 바깥 세계를 묘사하는 것을 목표로 삼기보다는 감정을 묘사하려고, 모델의 마음이라는 내밀한 극장으로 들어가려고 애썼다.

구스타프 클림트, 오스카어 코코슈카, 에곤 실레는 모델의 마음이라는 내밀한 극장으로 들어갔을 뿐 아니라 모델에 대한 자신의 감정 반응에 관해서도 아주 많은 것을 드러냈고, 관람자도 마찬가지로 감정적으로 반응하도록 부추겼다. 지각과 감정을 이렇게 내면으로 돌리기 위해 코코슈카와 실레는 자신이 쓴 미술 기법과 그 기법이 모델의 본능적인 삶을 드러내기 위해 어떤 식으로 사용되었는지를 관람자가 알아차리도록 했다. 그들은 관람자의 호기심을 자극하고 미술적 재현 행위 자체가 중요하다는 것을 인식시켰다. 이것이 바로 오스트리아 모더니즘이 그토록 새롭고 흥분을 자아낸 이유 중 하나이기도 하다.

사실 표현주의 미술, 아니 모든 위대한 미술의 힘은 대체로 관람자의 감정이입을 이끌어 내는 능력에서 나온다. 그것은 우리가 남의 감정을 지각함으로써 우리의 몸에 심장박동과 호흡률 상승 같은 그에 상응하는 신체 반응을 일으킬 수 있기 때문에 가능하다. 이 감정이입 능력 덕분에, 우리는 행복한 얼굴을 보면 자신의 행복감도 증가시킬 수 있는 반면, 불안해하는 얼굴을 보면 자신의 불안도 커질 수 있다. 비록 이 개별적인 효과들이 미미할지라도, 그것은 전체적인 조성이라는 맥락 속에서 강화될 수 있다. 즉 얼굴, 손, 몸, 그림의 색채, 이미지가 마음에 떠올리는 기억이 이루는 맥락 속에서 강화될 수 있다. 뉴욕 대학교의 사회심리학자 타냐 차트랜드Tanya Chartrand와 존 바흐John Bargh의 연구 덕분에 현재 우리는 누군가의 감정 표현이나 발 두드리기, 얼굴 문지르기 같은 행동을 모방할 때 그 사람에게 더 호감, 즉 동질감을 느끼고 그와 상호작용하려는 욕구가 더 강해지는 경향이 나타난다는 것을 안다. 마찬가지로 분노, 슬픔 같은 감정을 드러내는 표정을 지어 볼 때, 우리는 그 감정을 약하게 경험하게 된다. 그것은 어느 정도는 감정이입이 그런 경험을 낳기 때문이다.

우리는 새로운 인지심리학 및 생물학 연구 덕분에 오스트리아 모더니즘 화가들이 우리가 남의 정신 상태에 공감하고 그것을 모형화하는 데 쓰는 바로 그 무의식적 과정을 어떤 식으로 밝혀내고 드러낼 수 있었는지 알게 되었다. 자화상이 대표적인 사례다. 화가는 대개 거울에 비친 자신의 얼굴을 보면서 자화상을 그린다. 메서슈미트는 캐릭터 두상을 조각할 때 거울을 썼고, 코코슈카와 실레도 마찬가지로 거울을 써서 자화상을 그렸다. 현재 우리는 거울 뉴런mirror neuron이라는 운동피질에 속한 특수한 부류의 신경세포들이 자화상에 관여하는 뇌 경로들의 한 가지 중요한 구성 요소라는 것을 안다. 이 신경세포들은 우리 앞에 있는 사람의 행동과 감정을 반영한다고 여겨진다. 화가는 자화상을 그릴 때뿐만 아니라 자신과 남의 행동과 감정을 투사할 때에도 거울 뉴런을 사용한다. 이 흥미로운 신경세포는 다음 장에서 살펴볼 것이다.

몇몇 화가는 거울을 놀랍도록 다른 방식으로 사용했다. 그들은 관람자가 모델의 마음과 화가의 마음 양쪽의 내밀한 극장에 있도록 그림의 한가운데에 거울을 놓았다. 이런 식으로 거울을 사용한 최초의 화가는 17세기의 얀 페르메이르Jan Vermeer와 디에고 벨라스케스였다.

페르메이르는 1662년 작 〈음악 수업: 신사 옆에서 버지널을 치는 숙녀The Music Lesson: A Lady at the Virginals with a Gentleman〉(그림 24-1)에서 오른쪽에 서서 듣고 있는 젊은 남성과 버지널(단순한 형태의 하프시코드)을 연주하고 있는 젊은 여성의 등을 묘사한다. 여성의 머리 각도로 판단하건대, 그녀의 눈은 건반 위를 움직이는 손에 초점이 맞춰져 있는 듯이 보인다. 하지만 페르메이르는 버지널 위에 거울을 놓음으로써 관람자가 전혀 다른 현실을 볼 수 있도록 한다. 거울에 비친 여성의 머리는 아래쪽이 아니라 오른쪽을 향해 있다. 시선이 남성을 향하도록 말이다. 앞서 살펴보았듯이, 사람의 뇌는 눈을 관심과 감정 상태를 추론하는 수단으로 삼기 때문에 응시 방향에 대단히 민감하다. 거울 속 여성의 시선 각도는 그녀가 진정으로 관심을 갖는 대상, 아마도 본능적인 욕망의 대상이 몇 발짝

그림 24-1 얀 페르메이르, 〈음악 수업: 신사 옆에서 버지널을 치는 숙녀〉(1662~65년경). 캔버스에 유채. 컬러화보 참고

떨어져 서서 그녀를 바라보고 있는 남성이라는 것을 알려 준다. 페르메이르의 그림 속 거울은 지각된 현실과 여성의 마음속에서 펼쳐지는 진정한 사건 사이의 긴장을 강조한다.

화가들은 관람자가 모델의 마음을 들여다볼 수 있게 했을 뿐 아니라, 이따금 화가 자신의 마음을 들여다볼 수도 있게 했다. 벨라스케스는 1656년에 그린 〈시녀들〉(그림 24-2)에서 그림의 중심인물로서 처음으로 자신을 드러낸다. 즉 자화상의 모델로서가 아니라 자신이 그리고 있는 단체 초상화의 중심점으로서 등장한다. 벨라스케스는 그림을 가능하게 한 사람이 자신이라고 선언하면서, 그림 속에서 주역이 된다. 또 그는 거울을 사용한다. 이 그림에서 거울은 본래 관람자에게 보이지 않았을 사람들을 드러내고, 관람자가 회화적 재현에 쓰인 기법을 의식하게끔 한다.

〈시녀들〉에는 에스파냐 국왕 필리프 4세의 궁전에 있는 방이 묘사되어 있다. 이곳에서 벨라스케스는 왕실 가족을 위해 대형 초상화를 그리

그림 24-2 디에고 로드리게스 데 실바 이 벨라스케스, 〈시녀들〉(1656년경). 캔버스에 유채. 컬러화보 참고

고 있다. 그림의 앞쪽 한가운데에는 다섯 살인 마르가리타 공주가 있다. 공주 곁에는 시녀 두 명, 샤프롱(보호자인 나이 많은 부인-옮긴이) 한 명, 호위병 한 명, 난쟁이 두 명, 개 한 마리가 있으며, 부모는 모델을 서기 위해 대기하고 있다. 공주 뒤쪽으로 왕비의 시종이 문에 서 있다. 마치 방에서 떠나기 전에 국왕 부부에게 경의를 표하려는 양 몸을 돌리고 있다. 벨라스케스는 왼쪽에 공주보다 조금 뒤쪽에서 대형 캔버스를 놓고 그림을 그리는 중이다. 그는 화가에게는 홀笏과 보주寶珠인 붓과 팔레트를 자랑스럽게 들고 있다. 그는 캔버스가 아니라 모델인 필리프 왕과 마리아나 왕비를 보고 있다. 화가 뒤쪽에 걸린 거울에 비친 모습이 없다면, 우리는 국왕 부부가 있는지 모를 것이다. 국왕 부부가 서 있으리라고 여겨지는 곳에 우리가 서 있으므로, 벨라스케스도 우리를 직시하고 있는 셈이다. 이 놀라운 그림은 알로이스 리글이 단체 초상화를 다룰 때 그토록 감탄한 기법을 보여 주는 탁월한 사례다. 바로 관람자를 작품에 통합하는 기법 말이다.

벨라스케스는 작품에 애매성을 도입하기 위해 거울을 이용한다. 혹시 우리는 화가가 그리고 있는 캔버스의 거울상을 보고 있는 것이 아닐까? 아니면 그림 바깥에 서 있는 국왕 부부의 거울상을 보고 있는 것일까? 그럼으로써 벨라스케스는 처음으로 관람자가 미술적 의문과 철학적 의문 양쪽을 대면하도록 한다. 관람자의 역할을 무엇인가? 이 그림 앞에 설 때 관람자는 국왕 부부의 역할은 맡는가? 무엇이 현실이고 무엇이 착각일까? 실제로 비추는 것이 무엇이든 간에, 거울은 거울에 비친 상을 묘사하므로 현실로부터 한 단계 떨어져 있다. 그것은 이미지의 이미지의 이미지다.

우리는 벨라스케스의 그림에서 훗날 현대 사상의 중심이 될, 그리고 물리적 현실과 정신적 현실을 전달하는 데 몰두한 오스트리아 표현주의 화가들에게 특히 중요했던 질문들이 출현하는 것을 본다. 벨라스케스는 거울을 통해 애매성을 도입하고 그림 속에 자신을 주된 인물로 등장시킴으로써 관람자의 마음속에서 재현이라는 행위를 전면으로 부각한다. 그는 미술이 현실이라는 착각을 일으키는, 즉 그림이 현실의 미술적 재현이 아니라 현실 세계라는 착각을 일으키는 과정을 관람자가 의식하도록 만든다.

더 나아가 벨라스케스는 우리가 깨어 있는 매순간 우리를 둘러싸고 있는 물리적 현실과 감정적 현실을 마음이 표상하는 무의식적 과정을 자각하도록 한다. 다층적인 애매성과 탁월한 묘사가 특징인 이 비범한 그림은 서양 미술사에서 가장 중요한 그림 중 하나로 여겨진다. 이 작품은 현대 철학 사상의 상징인 자의식의 출발점이자 고전 미술과 현대 미술의 전환점을 가리킨다.

빈센트 반 고흐, 코코슈카, 실레는 페르메이르와 벨라스케스의 작품에서 비롯한 두 가지 새로운 미술적 접근법을 받아들였다. 페르메이르의 작품에서 나타난 첫 번째 접근법은 화가가 모델의 외형적인 측면들뿐 아니라 정서 생활의 측면들까지도 드러내려고 의식적으로 시도하는 것이다. 두 번째 접근법은 벨라스케스의 작품에서 출현했고 반 고흐의 작품에서 더욱 극적으로 재등장한 것으로, 화가가 자신의 기법을 상세하게 폭로하는 것이다. 벨라스케스가 스스로를 묘사한 것처럼 화가가 단지 후원자의 하인이 아니라 자기 미술의 중심인물임이 확실하다면, 화가가 사용하는 기법은 대단히 중요해진다. 그 기법은 현실이라는 착각을 만들어 낼 뿐 아니라 화가가 그 착각을 일으키기 위해 썼던 수단을 해체하는 매개체이기도 하기 때문이다.

반 고흐의 말기 그림들, 즉 하나하나 세심하게 분리해 짧고 뚜렷하고 표현력을 담아 한 붓질과 밝고 대비되는 임의의 색깔이 종합되어 얼굴이나 이미지가 만들어지도록 한 그림에서 출발하여, 현대 화가들은 관람자가 창작 과정 자체에 주의를 기울이도록 하는 데까지 나아갔다. 이런 식으로 화가들은 모든 미술이 착각이며, 그 착각이 현실의 미술적 재처리 과정이라는 것을 강조했다. 연필로 그린 선, 캔버스의 유채 물감을 긁어낸 자국, 원근법의 과감한 배제나 왜곡은 모두 화가가 항구적으로 기여하고 있음을 관람자에게 전달하려는 시도다.

이 주제는 오스트리아 표현주의 화가들에게서 강력한 형태로 다시 나타났으며, 실레의 1910년 작 〈거울 앞의 나체Nude in Front of the Mirror〉(그림 24-3)에서 가장 두드러진다. 옷을 제대로 입은 실레는 자기 앞에 서 있는 나체 모델을 묘사하고 있다. 하지만 모델은 그를 바라보는 것이 아니라 거울을 바라보고 있으며, 거울은 그림에 나타나 있지 않다. 실레와 모델 둘 다 거울에 비치므로, 관람자는 모델의 뒷모습을 보는 동시에 거울에 비친 두 인물의 앞모습을 본다. 벨라스케스처럼 실레도 화가로서의 자신을 그림 속에 등장시키지만, 벨라스케스처럼 특권과 권력을 묘사하는 것이 아니라 에로티시즘과 정욕을 묘사하고 있다.

그림 24-3 에곤 실레, 〈거울 앞의 나체〉(1910). 종이에 연필. 컬러화보 참고

모델은 스타킹, 장화, 모자, 얼굴 화장을 빼면 나체다. 이것들은 그
녀가 옷을 입지 않았음을 강조하며, 그녀의 성적 매력을 강화한다. 실레
는 흔히 몸을 가리는 데 필요하다고 여겨지는 것들로 신체 부위를 가림
으로써 나머지 부위가 가려지지 않았음을 강조한다. 또 모델의 자세는 완
벽한 캐리커처다. 즉 여성의 몸에서 본래 성적인 측면, 즉 엉덩이를 과장
하고 있다. 빌라야누르 라마찬드란이 지적했다시피, 성애 미술은 여성을
가장 확연히 남성과 구분하는 특징들, 즉 유방과 엉덩이 같은 특징을 강
조한다. 실레의 모델은 엉덩이가 탁월하게 그려져 있다. 가느다란 허리

아래로 도톰한 엉덩이가 한쪽으로 기울어진 모습으로 아름답게 그려져 있으며, 몸의 곡선과 길이도 마찬가지다. 양쪽 허벅지는 마치 초대하는 듯이 벌어져 있고, 그 사이에서 관람자의 시선을 거부할 수 없이 끌어당기는 음모도 충분히 같은 내용을 암시하고 있다. 실레는 모델의 얼굴에서 음부에 이르는 강한 수직선을 그림으로써 이 암시를 강화한다.

실레는 뒤쪽에서 모델을 그리고 있는 듯하다. 뒷모습은 순수하고 그다지 유혹적이지 않아 보인다. 하지만 그는 모델을 거울 앞에 세움으로써, 간접적으로 앞에서 본 그녀의 나신도 그리고 그녀를 스케치하는 자신의 모습도 묘사하고 있다. 거울에 비친 모습이기에, 모델이 자의식 없이 화가를 위해 자세를 취한 것인지, 아니면 화가를 유혹하고 있는 것인지 불분명하다. 그녀는 멋진 모자를 쓴 채로 외설적인 자세를 취하고 있고, 그녀의 뒤에서 사생첩을 들고 앉아 있는 실레는 그녀가 있는 쪽을 뚫어지게 쳐다본다. 실레의 시선은 관음증적이지만, 모델은 그 강렬한 시선을 알아차리지 못한 채 거울을 보면서 흥겹게 자세를 취하고 있는 듯하다. 하지만 화가와 모델 둘 다 성애적인 분위기에 달아오른 듯이 보이며, 실레의 강렬한 응시와 거울에 비친 모델의 유혹적인 시선 사이의 상호작용은 우리가 욕정에 빠진 두 사람을 지켜보고 있다는 느낌을 강화한다. 게다가 모델의 유혹적인 자세와 거울에 비친 모습은 화가뿐 아니라 관람자에게까지 욕정을 불러일으킨다. 모델을 향한 이 동일한 반응은 실레와 관람자 사이에 친밀함을 불러일으킨다.

페르메이르처럼 실레도 거울을 써서 자신이 직접적인 이미지와 간접적인 이미지, 겉모습과 마음이라는 내밀한 극장, 얌전한 모습과 관능적인 모습에 관심을 갖고 있음을 드러낸다. 하지만 실레는 모델의 이중 묘사를 통해 말 그대로 그녀를 벌거벗긴다. 거울 속에서 그녀는 성적인 대상인 동시에 나름의 풍부한 내면생활을 지닌 매혹적인 여성이다. 화가를 향한 그녀의 태도는 아르투어 슈니츨러가 엘제 양을 바라보는 태도와 다르다. 나체 모델이 옷을 입은 화가를 매료하듯이, 모델도 화가에게 매료되어 있기 때문이다. 따라서 실레는 프로이트가 모든 사람에게 존재하긴 하지만 표면 아래에 놓여 있다고 주장한 무의식적 욕망을 노골적으로 드러낸다. 실레와 모델 둘 다 시선을 서로에게 혹은 관람자에게 향하지 않고 자기 자신에게 고정시키고 있다는 점, 따라서 내면의 성욕을 시사하고 있다는 점은 흥미롭다.

실레와 코코슈카의 다른 작품에서도 그렇지만, 〈거울 앞의 나체〉에서는 화가의 존재를 강하게 느끼게 된다. 그가 자신을 그림에 물리적으로 등장시킬 뿐 아니라, 직접적이고 때로는 매우 혼란스러운 방식으로 자신의 감정을 전달하기 때문이다. 오스트리아 표현주의에서는 화가와 모델의 물리적 특성이 더 이상 화가가 현실이라는 착각을 일으키려는 시도의 산물이 아니다. 그 특성은 모델의 심리를 꿰뚫는 통찰력과 이미지를 창작하는 데 쓴 기법을 통해 자신의 내면 느낌을 전달하려는 그의 시도에서 나오는 것이다.

벨라스케스의 방식과 맥락을 같이하면서도 전혀 다른 방식으로, 오스트리아 표현주의 화가인 코코슈카와 실레는 모델의 감정을 두드러지게 하고 그것을 그림의 중심에 갖다 놓는다. 그럼으로써 그 감정이 우리의 주의를 사로잡도록 한다. 그 감정이 우리의 주의를 끌어당길 수 있는 것은 우리가 앞서 살펴본—그리고 뒤에서 살펴볼, 우리 자신의 감정과 우리 주변 사람들의 감정에 맞추어 더욱 세밀하게 조율되어 있는—뇌 경로들의 절묘한 상호작용 덕분이다.

25

관람자 몫의
생물학:
타인의 마음을
모형화하기

알로이스 리글과 언스트 곰브리치는 관람자의 몫이라는 개념을 정립할 때, 관람자의 상호작용이 없다면 그림이 완성되지 않는다는 생각을 품고 있었다. 관람자는 초상화를 유심히 살펴보고, 인물의 얼굴과 손과 몸에 초점을 맞추고, 인물에 감정적으로 반응하고, 화가가 인물의 겉모습과 내면생활에 관해 무엇을 전하려고 하는지 이해하려고 시도한다. 생물학적 관점에서, 인물의 그림을 볼 때 관람자가 일으키는 반응에는 관람자의 지각 능력과 감정 능력뿐 아니라 감정이입 능력, 즉 남의 마음의 제반 측면을 읽는 능력도 관여한다.

따라서 생물학적으로 볼 때 관람자의 몫은 궁극적으로 우리의 사회적 뇌, 즉 지각계·감정계·감정이입계를 포함하는 뇌 영역에서 유래한다. 우리가 초상화에 그토록 쉽게 반응하는 이유는 우리가 대단히 사회적이고 감정이입적인 동물이며, 우리 뇌가 감정을 경험하고 표현하도록 생물학적으로 프로그래밍 되어 있기 때문이다. 당신과 내가 대화를 할 때 나는 당신의 생각이 어디로 향하고 있는지 나름의 생각을 갖고 있으며,

그것은 당신도 마찬가지다. 그와 비슷하게, 초상화를 볼 때 우리는 얼마간 모델의 정서적 삶을 경험한다. 화가가 그 정서적 삶을 우리에게 전달하는 한 말이다. 우리는 그 감정을 인식하고, 그것에 반응할 수 있다. 우리가 미술 작품에 반응하고 그 반응을 남에게 전달할 수 있을 뿐 아니라 더 넓은 의미에서 볼 때 남의 정신 상태를 엿볼 능력까지 지닐 수 있는 것은 이 사회적 능력 덕분이다.

유니버시티 칼리지 런던의 인지심리학자 유타 프리스와 크리스 프리스에 따르면, 우리는 남이 무엇을 할지 예측하고 무언가를 하려는 우리자신의 동기를 정당화하기 위해 마음 모형을 구축한다고 한다. 그들은 인간의 사회 인지가 이 특수한 성질을 지니는 이유일 가능성이 높은 것이 두 가지 있다고 주장한다. 첫째는 우리가 자신이 현재 지닌 지식과 남들의 지식 사이에 차이가 날 때 그것을 갱신하려는 본능적인 무의식적 충동을 지닌다는 것이다. 이 성향의 부추김을 받아서 우리는 정보를 공유한다. 사실 유용한 의사소통을 하려면, 남이 무엇을 모르고 있는지 알 필요가 있다. 둘째는 공유하려면 그 지식이 의식적인 것이 되어야 하며, 우리지식의 대부분은 뇌에서 의식적 자각에 활용될 수 있는 특수한 형태로 표상되어 있다는 것이다. 삶에서든 미술에서든 남의 감정 상태를 관찰할 때, 우리 뇌에서는 자동적으로—무의식적으로—그 감정 상태의 표상이 활성화한다. 그 감정의 무의식적 신체 반응도 포함하여 말이다.

남의 감정 상태를 읽고 거기에 반응하는 이 능력의 생물학적 토대는 무엇일까? 구분되면서도 서로 겹치는 구성 요소가 두 가지 있다. 타인의 감정 상태를 지각하고 그것에 반응하는 것, 그리고 자신의 생각과 욕망을 포함하여 그 사람의 인지 상태를 지각하고 그것에 반응하는 것이다.

모더니즘 화가들은 모델의 감정 상태를 관람자에게 전달하기 위해, 먼저 그 감정 상태를 이해한 뒤 그것에 대한 자신의 감정적·감정이입적·인지적 반응을 이해하려고 애썼다. 언젠가 곰브리치와 토론을 하다가 오스카어 코코슈카는 자신이 그리는 초상화 속 인물에 자신이 어떤 감정 반응을 보였는지 설명했다. 그는 "모델의 얼굴이 너무나 딱딱하여 풀어낼 수 없다는 것을 알아차리자 자동적으로 그에 상응하는, 뚫고 들어갈 수 없는 엄격함을 지닌 찌푸린 표정이 나타났다."[1]고 했다. 곰브리치는 코코슈카가 "남의 관상을 이해한 것이 자신의 근육 경험으로 이어졌다."[2]고 했다.

마찬가지로 9장에서 살펴본 에른스트 라인홀트와 루돌프 블륌너의 초상화에서 코코슈카는 감정이입을 통해 지각한 기본 마음 상태를 묘사하기 위해 얼굴 표면을 왜곡하고 손을 세부적으로 과장한다. 이 강렬한 초상화들을 볼 때, 우리는 자동적으로 그들의 얼굴에 나타나는 미묘한 움직임을 흉내 낸다. 스웨덴 웁살라 대학교의 심리학자 울프 딤베르그Ulf Dimberg의 '무의식적 모방unconscious mimicry' 실험은 그 점을 잘 보여 준다. 딤베르그가 실험 참가자에게 감정이 담긴 얼굴 표정을 짧게라도 보여 주었더니 참가자의 얼굴 근육이 약간 수축하면서 자신이 방금 본 표정을 흉내 냈다. 게다가 사회심리학적 연구들은 무의식적 모방이 일종의 친밀감을 불러일으키고 더 나아가 모방 대상자에게 호의적인 감정까지 불러일으키는 경향이 있음을 밝혀냈다.

모방의 이 측면은 미술 작품을 볼 때도 작동할지 모르며, 다음과 같은 질문이 제기된다. 그것은 어떻게 작동할까? 우리가 남의 표정이나 초상화의 표정을 해석하고, 그다음에 그 표정이 우리 자신의 얼굴 표정을 유도하는 것일까? 아니면 이해의 수단으로서 남의 표정을 자동적으로 흉내 내는 것일까?

크리스 프리스는 이 모방 과정의 매우 단순한 사례를 제시한다.

당신이 웃는 얼굴을 보고 있지 않다고 해도 쉽게 행복한 느낌을 얻는 방법이 있다. 윗니와 아랫니로 연필을 물면 된다(입술을 움츠리면서). 그러면 저절로 웃는 얼굴이 되며 기분이 더 좋아진다. 반면에 비참한 기분을 느끼고 싶다면, 입술 사이에 연필을 끼우면 된다.[3]

사회심리학적 연구들은 우리가 남의 얼굴 표정을 파악하고 흉내 낼 뿐 아니라 남의 신체 자세, 몸짓, 손짓까지도 모방한다는 것을 시사한다. 게다가 한 사회집단에서 사람들은 모든 사람을 동등하게 모방하는 것이 아니라 집단의 중심이 되는 가장 중요한 인물을 모방하는 경향이 있다. 이 무의식적 과정은 놀라우리만치 규칙성을 띠며, 사회적 상호작용을 조정하고 지원하는 역할을 한다. 리글이 지적했듯이, 네덜란드 화가들은 이 메커니즘을 대단히 솜씨 있게 활용함으로써 관람자를 그림 속으로 끌어들이기 시작했다.

사람의 얼굴 표정과 몸 움직임은 그가 감정에 어떻게 대처하고 있는지를 보여 주는 것 이상의 일을 한다. 남을 향한 그의 태도도 알려줄 수 있다. 감정의 외부 징후들 중 상당수는 우리가 상호작용하고 있는 사람들이 해독하도록 되어 있는 방식으로 우리의 내면 감정 상태를 드러낸다. 우리는 목표를 성취한 동료나 식구의 기쁨을 함께한다는 것을 알리기 위해 웃음을 사용한다. 또 우리는 지인이 누군가가 자신에게 이상한 행동을 했다고 이야기할 때 지인과 마찬가지로 깜짝 놀랐음을 알리기 위해 눈썹을 추켜올린다.

더 나아가 프리스는 우리가 남의 얼굴에서 행복이나 두려움이 담긴 표정을 볼 때 활성을 띠는 뇌의 연결망이 우리 자신이 행복이나 두려움을 경험할 때 활성을 띠는 연결망과 동일하다는 놀라운 발견을 했다. 이 발견은 남의 얼굴 표정이나 자세에 우리가 감정이입 반응을 보인다는 찰스 다윈과 폴 에크먼의 발견을 뒷받침하는 신경 상관물—뇌의 잠재적인 메커니즘—을 제공한다. 하지만 우리의 감정이입 반응은 개인적이고 편집된, 더 약한 반응이다. 그것은 우리가 보고 있는 사람이 경험하는 감정의 완전한 거울상이 아니다. 고통의 감정이입 반응은 특히 더 약하다.

우리는 지극히 사회적인 동물이기 때문에, 남의 마음의 모형을 구축함으로써 남의 행동을 읽을 뿐 아니라 예측할 수도 있어야 한다. 이 모형을 만들려면 마음의 이론을 활용할 필요가 있다. 즉 남이 무엇을 생각하고 느끼는지 상상할 수 있고 남에게 감정이입을 할 수 있으려면 인간의 마음을 이해해야 한다. 이 내면 시뮬레이션을 완성하려면, 우리 뇌는 자신의 모형도 필요하다. 자신의 안정적인 속성, 성격 형질, 능력의 한계, 할 수 있는 일과 할 수 없는 일에 관한 모형 말이다. 이 두 모형 구축 능력 중 하나가 먼저 진화하여 다음 능력이 출현할 무대를 마련했을 가능성도 있다. 아니면 종종 그렇듯이 둘이 함께 진화하면서 서로를 풍요롭게 함으로써, 이윽고 우리 호모사피엔스의 특징인 성찰하는 자의식을 낳았을 수도 있다.

관찰자의 뇌와 화가의 뇌 둘 다 남의 마음의 감정이입 모형을 구축한다. 24장에서 살펴보았듯이 얀 페르메이르, 디에고 벨라스케스, 에곤 실레는 그림에 거울을 써서 자신과 모델의 마음 상태를 드러냈다. 그런데 뇌는 어떻게 우리가 남의 마음을 읽을 수 있도록 할까?

우리의 시각 뇌가 형태적 기초 요소로부터 현실의 모형을 구축하듯이, 우리의 사회적 뇌는 선천적으로 남의 동기, 욕망, 생각의 모형을 구축하는 심리학자로서 기능하도록 되어 있다. 남의 마음에 들어가는 능력에는 흉내와 감정이입을 포함하여 많은 추가 능력이 필요하며, 그 능력은 가정이든 친구 집단이든 학교든 직장이든 간에 집단 내에서 제 기능을 하는 데 필요하다.

미술 감상은 마음 이론을 개발하는 우리 능력에 깊이 의존한다. 이 분야의 선구자인 유타 프리스는 고전이 된 책《자폐증Autism》의 표지 그

그림 25-1 조르주 드 라투르, 〈사기꾼〉(1635~40년경). 캔버스에 유채. 컬러화보 참고

림을 통해 이 능력의 필요성을 탁월하게 보여 주었다. 이 그림은 17세기 화가 조르주 드 라투르Georges de la Tour가 그린 〈사기꾼The Cheat with the Ace of Diamonds〉(그림 25-1)이다. 프리스는 이렇게 설명한다.

우리는 멋지게 차려입은 네 사람을 본다. 여자 한 명과 남자 두 명은 탁자 앞에 앉아 카드놀이를 하고 있다. 그 뒤쪽에 하녀가 포도주 잔을 들고 서 있다. 이 사실 자체는 그곳에서, 즉 우리 눈앞에서 은연중에 펼쳐지고 있는 드라마를 전달하고 있지 않다. 이 내면의 드라마는 사람들과 그들의 행동이 눈에 보이는 것과는 다른 방식으로 눈에 드러난다.

우리는 드라마가 펼쳐지고 있음을 안다. 인물들이 눈과 손으로 유창하게 말을 하고 있기 때문이다. 중앙의 귀부인은 기묘하게 곁눈질을 하고 있으며, 그 옆의 하녀도 마찬가지다. 둘 다 왼쪽에 있는 남자를 바라보고 있고, 그 남자는 우리를 쳐다본다. 또 귀부인은 오른손의 검지로 그를 가리키고 있다. 남자는 시선과 몸짓을 통해 등 뒤의 왼손에 에이스 두 장을 쥐고 있음을 가리키고 있다. 탁자 위에 팔꿈치로 괸 오른손은 나머지 카드를 쥐고 있다. 오른쪽에 앉은 남자는 오로지 자신의 카드만을 내려다보고 있다.

이렇게 좀 더 자세히 묘사해도 이 장면에서 벌어지고 있는 일을 포착하지는 못한다. …… 비록 우리는 마음의 상태를 눈으로 볼 수는 없지만, 마음 상태를 추정할 수가 있다. 빈약하고도 모호한 추측을 통해서가 아니라 화가의 의도와 논리와 정밀함을 토대로 말이다. 그럼으로써 우리는 화가가 카드판에서 사기가 벌어지는 장면을 묘사했음을 알아차린다. 우리는 이 사실을 어떻게 그렇게 명확히 알아차리는 것일까? 우리는 정상적인 성인이라면 정도의 차이가 있긴 하지만 모두 지니고 활용하는 강력한 마음 도구들을 토대로 그것을 이해한다. 이 도구란 마음의 이론을 말한다. 마음의 이론은 과학 이론과 같은 것이 아니라 훨씬 더 실용적이다. 우리는 그 이론 덕분에 상황이라는 외부 상태와 마음이라는 내면 상태 사이의 관계를 예측하는 능력을 얻는다. 나는 이 능력을 '정신화mentalizing'라고 하련다.

이 낯선 조어를 이해하려면 그림으로 돌아가야 한다. 내면 드라마가 펼쳐지고 있음을 말해 주는 한 가지 단서는 뒤로 감춘 에이스다. 우리의 마음 이론에 따르면, 우리는 남들이 못 보는 것, 남들이 알지 못하는 것을 자동적으로 추론한다. 그와 동시에 우리는 카드를 치는 다른 사람들은 그 에이스가 테이블 위에 쌓여 있는 카드 안에 들어 있다고 믿는다고 추론한다. 그것이 카드 게임의 규칙이라는 것을 알기 때문이다. 두 번째 단서는 응시하는 하녀다. 우리는 하녀가 서 있는 자세에서 남자가 등 뒤에 숨기고 있는 에이스를 보았을 것이고, 따라서 사기를 치고 있다는 점을 알아차렸을 것이라고 추론한다. 세 번째 단서는 손가락으로 사기꾼을 가리키고 있는 중앙에 있는 귀부인의 기묘한 모습이다. 따라서 귀부인은 남자가 사기를 치고 있다는 것을 알고 있다. 아마 사기꾼 자신은 그녀가 알고 있다는 점을 모를 것이다. 그는 얼굴을 돌리고 있고 태평해 보인다. 마지막이자 가장 중요한 단서는 오른쪽의 남자가 자신의 카드만 바라보고 있다는 것이다. 따라서 화가는 오른쪽 남자가 무슨 일이 벌어지고 있는지 모르고 있다고 우리가 생각하게 만든다. 우리는 그가 사기의 대상일 것이고, 지금 그의 앞에 쌓인 동전을 잃을 것이라고 결론짓는다.

이 그림의 드라마를 이해하는 과정에서 우리는 일종의 무의식적 마음 읽기에 빠져든다. 우리는 묘사된 인물들이 무엇을 생각하고, 무엇을 알고, 무엇을 모르는지를 우리가 알아낼 수 있다고 제멋대로 가정한다. 예를 들어, 우리는 남자가 어떤 사기를 칠지 귀부인이 알고 있다고 은연중에 추론한다. 또 우리는 젊은 남자가 어떤 불행한 사건이 펼쳐지고 있는지 모르고 있다고 추론한다. 더 나아가 우리는 인물들이 어떤 감정 상태에 있는지(놀람, 분노)도 자동적으로 추론하지만, 다음에 어떤 일이 일어날지는 궁금해할 뿐이다. 귀부인이 사기를 친다고 항의할까? 그와 공모하여 젊은 남자를 속일까? 젊은 남자가 늦기 전에 알아차릴까? 화가는 마음 상태를 어느 정도 추론하도록 할 뿐, 결과는 열린 상태로 놔둔다.[4]

마음의 이론이라는 개념은 지그문트 프로이트가 현대 과학 담론에 도입한 것이다. 그는 그것이 정신분석 상황psychoanalytic situation이라는 개념에 함축된 것이라고 보았다. 이는 분석가가 환자의 갈등과 열망을 이해하기 위해 감정이입을 해야 하는 상황을 가리킨다.

프리스 연구진은 자폐아에게는 마음의 이론을 형성하는 능력이 결핍되어 있다고 주장했다. 그것이 바로 자폐아가 남의 마음 상태나 느낌을 추정할 수 없고 남의 행동을 예측할 수 없는 이유라는 것이다. 안면실인증 (얼굴을 알아보지 못하는 것)을 통해 뇌의 얼굴 표상의 국소화와 특성에 관해 많은 것을 알아냈듯이, 자폐증을 통해 우리는 사회적 뇌와 사회적 상호작용과 감정이입의 생물학에 관해 많은 것을 밝혀냈다. 많은 자폐아는 그저 남이 나름의 생각, 감정, 관점을 지닌다는 점을 이해하지 못하기 때문에 남과 어떻게 사회적 상호작용을 해야 하는지를 이해하지 못한다. 따라서 그들은 남에게 공감할 수도, 남의 행동을 예측할 수도 없다.

자폐증은 오스트리아 출신의 두 소아과 의사가 각자 독자적으로 발견했다. 빈 의대 소아과의 한스 아스페르거Hans Asperger와 1924년 유럽을 떠나 미국으로 간 레오 캐너Leo Kanner다. 캐너는 1943년 존스홉킨스 의대에서 〈정서적 접촉의 자폐 장애Autistic Disturbances of Affective Contact〉라는 고전이 된 논문을 썼다. 그는 이 논문에서 조기 유아 자폐증 환자 11명에 대해 기술했다. 1년 뒤 아스페르거도 자폐증을 보이는 아동 네 명을 다룬 〈유년기의 자폐 정신병리학Autistic Psychopathology of Childhood〉이라는 고전이 된 논문을 냈다.

캐너와 아스페르거는 자신들이 연구하는 것이 선천적인 생물학적 장애라고 생각했고, 놀랍게도 둘 다 그 장애에 자폐증이라는 이름을 붙였다. 그 용어는 오이겐 블로일러Eugen Bleuler가 정신분열증의 여러 측면을 파악하기 위해 의학 문헌에 처음 도입한 것이었다. 블로일러는 코코슈카의 선견지명이 담긴 유명한 초상화 속 인물인 오귀스트 포렐의 뒤를 이어서 취리히 정신의학연구소인 부르괼츨리Burghöltzli의 소장이 되었다. 그는 자폐라는 용어를 오늘날 우리가 정신분열증의 부정적인 증상들이라고 말하는 것, 즉 사회적 어색함과 무심함, 본질적으로 자기 자신에게로 한정된 사회생활을 가리키는 데 썼다. 캐너는 논문의 첫머리를 이렇게 시작했다.

1938년 이래로, 지금까지 보고된 증상들과 너무나 현저하고도 독특하게 다른 증상을 지닌 많은 아이가 우리의 관심을 사로잡아 왔다. 각 사례가 지닌 흥미로운 특성은 자세히 살펴볼 가치가 있으며, 결국에는 자세히 연구될 것이라고 본다.[5]

이어서 그는 이 증상을 보인다고 여긴 남자아이 아홉 명과 여자아이 두 명의 생생한 사례를 제시한다. 캐너의 관찰은 예리하며, 고전적인 자폐증의 가장 중요한 특징들을 판단하는 기준점 역할을 한다. 이 특징들—자폐적 고립, 동일한 상태를 유지하려는 욕구, 능력의 파편화—은 세부적으로 편차가 있고 추가 증상들이 있긴 해도, 지금도 모든 자폐아에게서 나타난다고 본다. 캐너는 자폐적 고립autistic aloneness을 이렇게 설명한다.

이 뚜렷하고 '질병 특유적'이고 근본적인 장애는 아이가 태어날 때부터 통상적인 방식으로 사람이나 상황과 관련을 맺지 못하는 것이다. 외부에서 아이에게 다가오는 모든 것을 언제나 외면하고, 무시하고, 차단하는 극도의 자폐적 고립이 태어날 때부터 나타난다. 아이는 사물들과는 좋은 관계를 맺는다. 아이는 사물들에 관심을 보이고, 몇 시간이고 신나게 사물들을 갖고 놀 수 있다. …… 하지만 사람들과 맺는 관계는 전혀 다르다. …… 모든 행동에서 심한 고립 양상을 보인다.[6]

마음의 이론이 남의 행동을 예측할 수 있도록 남의 마음 상태를 추정할 수 있게 해준다는 말이 어떤 의미일까? 프리스 연구진은 마음의 이론이 정상적인 정신생활의 일부인, 사람과 사건을 선천적으로 예상하는 것이라고 주장했다. 프리스는 이렇게 말했다. "당시[1983년]에 이 개념은 유아의 마음이 세계의 중요한 특징들에 관한 지식을 축적하는 메커니즘

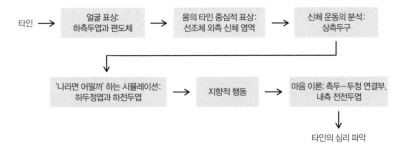

그림 25-2 관람자의 몸과 사회적 뇌에 관여하는 신경 회로들의 흐름.

을 갖추고 태어난다는 급진적인 가정을 토대로 구축한 것이었다."[7]

　건강한 뇌가 사회적 상호작용과 마음의 이론에 필요한 메커니즘을 타고난다면, 그것은 어디에 있는 것일까? 뇌에 사회적 인지와 마음의 이론을 전담하는 구조망이 있다는 개념은 1990년 레슬리 브라더스Leslie Brothers가 처음 내놓았다. 그녀의 중요한 연구 이래로 이루어진 연구 결과들을 토대로, 현재 우리는 사회적 뇌가 사회적 정보를 처리하고 마음의 이론을 만들 수 있는 약 다섯 개의 체계가 계층 구조를 이룬 망이라고 본다(그림 25-2).

　첫 번째 체계는 얼굴 인식 체계다. 이 체계의 핵심 구성 요소 중 하나는 편도체인데, 얼굴 표정을 분석해 남의 감정 상태, 특히 두려워하는 상태를 해석하고 평가한다. 두 번째 체계는 남이 물리적으로 존재하는지와 그가 어떤 행동을 할지를 인식한다. 세 번째 체계는 생물학적 움직임을 분석하여 남의 행동과 사회적 의도를 해석한다. 네 번째 체계는 거울 뉴런을 통해 남의 행동을 모방한다. 거울 뉴런은 사람이 행동을 하거나 남의 행동을 관찰할 때 활성을 띤다. 이 연결망의 맨 꼭대기에 있는 다섯 번째 체계야말로 마음의 이론과 구체적인 관계를 맺고 있다. 이 체계는 남의 마음 상태를 추정하고 그것을 분석한다.

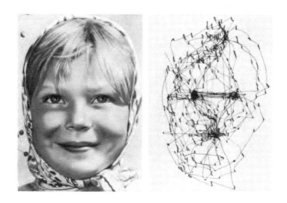

그림 25-3

우리는 어떻게 얼굴을 인식하는 것일까? 17장에서 살펴보았듯이, 뇌의 하측두엽에는 우리가 보는 얼굴의 서로 다른 측면들에 관한 정보를 처리하는 몇 개의 얼굴 인식 영역이 있다(그림 17-5). 이 얼굴반들은 서로 연결되어 있고, 높은 수준의 대상 범주, 즉 얼굴을 처리하는 전담 체계를 이루고 있는 듯하다.

자폐증이 있는 사람들이 사회적 상호작용에 어려움을 겪는 이유일 가능성이 높은 것 하나는 그들이 얼굴을 비정상적인 방식으로 처리한다는 점이다. 알프레드 야르부스가 눈 추적 실험을 통해 발견했다시피(그림 25-3), 남을 볼 때 우리는 거의 예외 없이 눈을 쳐다본다(20장 참고). 예일 아동학 센터의 케빈 펠프리는 자폐아들을 대상으로 비슷한 실험을 수행하여, 그 아이들이 눈이 아니라 입을 주시한다는 것을 발견했다(그림 25-4). 또 연구진은 모든 신생아가 눈에 주의를 집중하지만, 자폐증 아기는 생후 6~12개월의 어느 시점에 눈에서 입으로 주의 초점을 옮긴다는 것도 밝혀냈다.

얼굴을 인식하기 이전에, 남의 행동을 추론하는 첫 단계가 남의 물리적 존재 자체를 알아차리는 것일 때가 종종 있다. 이 자각은 후두엽의 선조체 외측 신체 영역에서 이루어진다. 낸시 캔위셔는 뇌영상 연구를 통

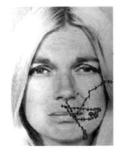

그림 25-4 자폐증 환자와 정상인의 눈 운동 양상.

해서 이 뇌 영역이 인체의 이미지에 선택적으로 반응한다는 것을 밝혀냈다. 이 신체 또는 신체 부위들의 이미지는 대단히 강력하며, 우리가 다른 과제에 집중하고 있을 때에도 우리의 주의를 사로잡는다.

신체 부위 인식은 두 범주, 즉 자신의 손이나 발을 보는 자기 중심적 관점과 남의 손과 발을 보는 타인 중심적 관점으로 나뉜다. 선조체 외측 신체 영역은 남의 몸을 볼 때 더 활발하게 반응하는 반면, 체감각 피질의 일부 영역은 자신의 몸을 볼 때 더 활성을 띤다. 따라서 뇌는 남에 관한 시각 및 촉각 정보를 자신에 관한 정보와 구분한다. 뇌의 이 영역들, 특히 남에 관한 정보를 담당하는 선조체 외측 신체 영역은 고등한 사회적 인지의 관문 역할을 한다고 여겨진다.

뇌의 또 한 영역은 사람이나 동물의 움직임 같은 생물학적 운동을 분석하는 데 중요한 역할을 한다. 이 영역(상측두구)은 선조체 외측 신체 영역 근처, 오른쪽 측두엽의 표면에 있다. 사회적 존재인 우리는 남의 움직임을 인식하는 능력이 잘 발달해 있다. 사람의 주요 관절에 위치등을 단 뒤에 어둠 속에서 움직이도록 하면서 촬영한 엉성한 이미지만 보고서도 우리는 그 사람이 몸을 뻗는지, 걷는지, 달리는지, 춤추는지를 쉽게 알아본다. 태어난 지 며칠 되지 않은 아기도 그처럼 움직이는 점으로 표현되는 영상에 주의를 기울인다. 생물학적 움직임에 주의를 기울이는 태도는 아기가 처음에 엄마와 유대를 맺는 능력, 이어서 감정을 지각하는 능력, 더 나아가 궁극적으로 마음의 이론을 만드는 능력에 대단히 중요하다고 여겨진다.

생물학적 운동을 부호화하는 상측두구는 1998년 에이너 퓨스 연구진이 처음 발견했다. 연구진은 이 영역이 비신체적 운동보다 사람의 입과 눈 운동에 더 강하게 반응한다는 것을 관찰했다. 2002년에 펠프리는 이 영역이 눈과 손과 팔의 움직임, 걷기와 춤추기에 강하게 반응하지만, 기계의 움직임처럼 마찬가지로 복잡하지만 비생물학적인 운동에는 반응하지 않는다는 것을 보여 주었다.

사람과 신체 부위의 운동을 전담하는 영역이 있다는 발견으로부터 뇌의 사회 정보망에서 이 영역이 지각된 행동을 표상하는 역할을 한다는 개념이 도출되었다. 원숭이의 경우, 이 뇌 영역의 신경세포는 머리 방향과 응시 방향 같은 사회적으로 관련된 단서에 반응한다. 또 앤드루 콜더 Andrew Calder는 얼굴반들이 얼굴의 서로 다른 측면들에 반응하는 것처럼, 상측두구에 운동의 서로 다른 구성 요소에 반응하는 반들이 있다는 것을 발견했다. 콜더의 발견으로부터 상측두구가 생물학적 운동, 특히 응시로부터 이끌어 낸 단서를 분석한 것을 토대로 남의 행동과 사회적 의도를 해석한다는 개념이 도출되었다. 앞서 살펴보았듯이, 응시는 강력한 사회적 단서다. 상호 응시는 때로 접근이나 위협의 신호가 되는 반면, 응시 회피는 복종이나 회피의 신호가 된다. 따라서 상호 응시는 응시 회피보다 상측두구에 더 큰 활성을 일으킨다.

펠프리는 상측두구가 응시 방향을 이용하여 주의의 초점을 맞추거나, 사회적 상호작용에 참여하거나 그것을 회피하려는 욕구를 결정한다고 주장했다. 사실 앞서 살펴보았듯이, 자폐증이 있는 사람은 정상적으로 발달한 사람들이 일반적으로 보는 것과는 다른 방식으로 얼굴을 본다. 게

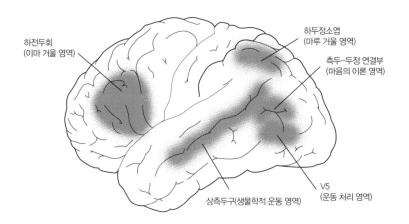

하전두회
(이마 거울 영역)

하두정소엽
(마루 거울 영역)

측두-두정 연결부
(마음의 이론 영역)

V5
(운동 처리 영역)

상측두구(생물학적 운동 영역)

그림 25-5 사회적 지각에 관여하는 영역들의 위치.

다가 펠프리는 자폐증이 있는 사람의 경우 상측두구가 효과적으로 활성을 띠지 않는다는 것을 밝혀냈다.

　뇌영상 실험을 통해서 상측두구 근처의 한 영역이 생물학적 운동이 아니라 일반적인 운동을 처리한다는 것이 드러났다. 신경과학자들이 V5라고 이름 붙인 이 영역은 그림 25-5에서 오른쪽에 표시되어 있다. 공이 튀는 동영상과 사람이 걷는 동영상에 뇌 영역들이 각기 어떻게 반응하는지를 기록한다면, 반응이 어떻게 다른지 알 수 있을 것이다. 튀는 공과 걷는 사람 둘 다 V5 영역에 강한 활성을 일으키겠지만, 상측두구는 사람이 걷는 동영상에만 활성을 띨 것이다. 신경과학자들은 시각 처리계에서 생물학적 운동을 운동의 특수한 유형이라고 구분하는 곳이 여기라고 본다.

　신체 운동은 얼굴 표정보다 특정한 감정과 덜 구체적으로 연관되어 있다. 예를 들어, 언제나 분노만을 전달하는 신체 자세 같은 것도 없으며, 언제나 두려움만을 전달하는 신체 자세 같은 것도 없다. 누군가가 화를 낼 때 그의 몸은 팔, 다리, 자세를 통해 근육이 긴장했음을 드러낼 것이다. 신체 공격을 가할 준비가 된 듯이 보일 수도 있으며, 그 점은 자세, 방향, 손의 움직임을 통해 뚜렷이 드러난다. 하지만 이런 움직임들은 어느 것이건 간에, 개인이 겁에 질릴 때에도 나타날 수 있다.

유타 프리스가 처음에 주장했듯이, 생물학적·비생물학적 형상과 행동을 식별하는 능력은 진화적·발생학적으로 마음의 이론의 전구체일 가능성이 아주 높다. 우리의 생물학적 운동 검출자인 상측두구가 마음의 이론을 담당하는 뇌 영역에 인접해 있다는 사실은 둘이 어떤 공통의 목적을 위해 협력한다는 것을 의미하는 듯하다. 사람의 행동으로부터 목표와 감정 상태를 추론하는 능력을 지향성 탐지기intentionality detector라고 하는데, 뇌가 남의 마음 상태를 읽는 능력의 구성 요소로 여겨진다.

앞서 살펴보았듯이, 유아는 태어난 지 며칠 지나지 않아서 생물학적 운동에 반응하며, 그 반응은 엄마에게 애착을 갖는 데 핵심적인 역할을 한다고 여겨진다. 상측두구가 얼굴 검출, 신체 부위 검출, 모방, 마음 이론에 관여하는 영역들과 함께 발달하므로, 클린Klin 연구진(2009)은 자폐아가 생물학적 운동에 어떻게 반응하는지 살펴보기로 했다. 연구진은 생후 두 살 된 자폐아가 생물학적 운동에 반응하지 않는 반면, 보통 아이들은 무시하는 비생물학적 운동에는 반응할 수도 있다는 사실을 알아차렸다.

사회적 상호작용도 모방을 필요로 하며, 그 일은 사회적 뇌를 구성하는 연결망의 네 번째 체계가 담당한다. 모방은 남의 행동을, 심지어 그 행동의 동기가 애매할 때에도 인식하고, 뇌에서 표상하고, 모사하는 능력이다. 또 모방은 감정이입으로도 이어질 수 있고, 우리가 애매한 사회적 상황에 대처할 수 있도록 해준다. 따라서 모방은 사회적 기술과 마음 이론의 주된 전구체다. 사실 우리 뇌는 남의 자발적인 행동과 의도적인 행동을 다 내면적으로 모사할 수 있게 해주는 거울 뉴런을 지닌다.

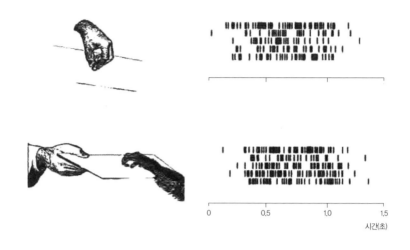

그림 25-6 원숭이가 물건에 손을 뻗을 때 발화하는 거울 뉴런이 다른 원숭이가 물건에 손을 뻗는 모습을 그저 지켜볼 때에도 마찬가지로 발화한다는 것을 보여 주는 그림.

이 모방의 신경 토대는 1996년 파르마 대학교의 자코모 리촐라티 Giacomo Rizzolatti 연구진이 발견했다. 원숭이를 연구하던 그들은 운동 통제에 관여하는 뇌 부위인 전운동premotor피질의 두 영역에 있는 신경세포들이 원숭이가 어떤 유형의 움켜쥐고 붙드는 행동을 하는가에 따라 선택적으로 활성을 띤다는 것을 발견했다. 원숭이가 엄지와 다른 손가락으로 땅콩 같은 작은 것을 집을 때처럼 세밀한 움직임을 보일 때 더 활성을 띠는 신경세포가 있는 반면, 손 전체로 물컵을 집는 식으로 더 강하게 움켜쥘 때 더 활성을 띠는 신경세포도 있다. 사실 전운동피질은 전혀 새로운 유형의 움켜쥐기 운동을 표상하는 신경세포들을 지니고 있다.

놀랍게도 리촐라티 연구진은 원숭이가 땅콩을 집을 때 활성을 띠는 신경세포의 약 20퍼센트가 다른 원숭이나 과학자가 땅콩을 집는 모습을 볼 때도 반응한다는 것을 발견했다. 리촐라티는 이 신경세포들을 거울 뉴런라고 이름 붙였다(그림 25-6). 거울 뉴런이 발견되기 전까지, 대부분의 신경과학자는 지각과 행동을 담당하는 뇌 체계가 서로 다르다고 믿고 있었다.

전운동피질의 거울 뉴런은 생물학적 운동에 반응하는 영역인 상측두구에서 정보를 받는다. 심지어 일부 거울 뉴런은 원숭이가 가림막 뒤에 음식이 있다는 것을 아는 상태에서 과학자의 손이 가림막 뒤로 사라질 때처럼, 어떤 행동을 암시할 뿐인 감각 자극에도 반응하여 활성을 띤다. 이것은 운동계의 일부 고등한 신경세포들이 인지 능력을 지니고 있다는 것을 뜻했다. 이 세포들은 감각 입력에 반응할 뿐 아니라 관찰된 사건의 감각적 의미도 이해한다. 리촐라티와 더 최근에 MIT의 레베카 색스 Rebecca Saxe와 낸시 캔위셔 연구진은 뇌 기능 MRI를 써서, 우리가 움직일 때뿐 아니라 단순히 누군가가 움직이는 것을 볼 때에도 전운동피질의 일부 영역이 발화한다는 것을 발견했다. 이것은 거울 뉴런이 원숭이뿐 아니라 사람에게도 존재한다는 것을 시사한다.

남의 행동의 표상 형성과 그 행동을 하는 의도를 분석하는 일을 하는 세 뇌 영역이 그림 25-5에 나와 있다. 상측두구는 생물학적 운동의 시각 표상을 거울 뉴런 체계를 이룬다고 여겨지고 남의 행동을 표상하고 모방하는 데 관여하는 대뇌피질의 두 영역으로 보낸다. 이 두 영역은 피질의 두정엽과 전두엽에 있다. 이 영역들은 우리가 움직이든 같은 운동을 하는 다른 사람을 보든 간에 똑같이 반응한다. 그것은 이 영역들이 남의 행동을 표상하기 위해 일종의 시뮬레이션을 한다는 것을 시사한다. 다시 말해, 발화함으로써 우리의 말초신경과 근육을 움직이는 바로 그 신경세포들은 남의 행동에 관한 시각 정보를 받을 때에도 발화한다.

흥미로운 점은 이 세 영역의 신경세포들이 남의 행동이 내는 소리에도 반응한다는 것이다. 따라서 이 영역들의 기본적인 사회적 기능은 적어도 시각계와 청각계라는 두 감각계를 포함한다는 것이 명백해지고 있다.

비록 신경과학 연구가 사회적 뇌에서 각 체계가 맡는 역할을 파악하는 데 초점을 맞추어 이루어진 것이긴 하지만, 이 다양한 하위 체계들은 서로 신호를 주고받으면서 점점 더 정교한 사회적 인지를 구축하는 상호 연결된 망의 일부라고 보아야 한다. 예를 들어, 상측두구와 거울 뉴런은 협력하여 응시와 신체 운동 같은 단서들을 포함하는 생물학적 운동으로부터 더 복잡하고 고차원적인 의미를 이끌어 내고, 그 정보를 이용하여 행동을 해석하고 남이 무슨 생각을 하는지 추론할지 모른다.

당신이 탁자 위에 놓인 물컵에 손을 뻗는 여성을 본다고 하자. 상측두구의 활성 덕분에 당신은 그녀의 움직임과 시선 방향(여기서는 물컵을 향한)의 시각적 표상을 지닐 수 있다. 이 시각적 표상은 거울 뉴런이 있는 영역으로 전달되며, 거울 뉴런은 일종의 시뮬레이션을 가동하여 당신이 그 행동을 손을 뻗는 것으로 표상할 수 있게 해준다. 이어서 이 표상은 상측두구로 다시 보내지고, 그곳에서 컵을 향한 그녀의 시선과 앞서 그녀가 목이 마르다고 한 말 등 손을 뻗은 맥락에 관한 추가 정보가 그 시뮬레이션 결과에 통합된다. 그 결과 당신은 그녀가 옆에 앉은 신사에게 컵을 건네려는 것이 아니라 컵을 집어서 물을 마시려는 의도를 갖고 있다고 예측할 수 있다. 사회적 뇌의 이 하위 체계들 사이의 효율적인 의사소통 덕분에, 이 모든 과정들은 다소 무의식적이고 빠르고 자동적으로 진행된다.

거울 뉴런이 직접 마음의 이론에 기여할 가능성은 낮다. 대신에 거울 뉴런은 두려움에 대한 몸의 무의식적 감정 반응 같은 중요한 전구체 구성 요소일 가능성이 높다. 첫째, 원숭이(거울 뉴런에 관한 자료가 가장 많은 동물)가 마음의 이론을 지니는지조차 알려져 있지 않다. 일부 인지 연구자들은 마음의 이론이 인간만의 능력이라고 주장한다. 둘째, 거울 뉴런은 마음의 이론을 살펴보는 실험에 참여한 사람들의 뇌에서 활성을 띠지 않는 영역에 있다. 마지막으로, 마음의 이론에 기여할지 모를 경험들이 모두 모방될 수 있는 것은 아니다.

1995년 크리스 프리스 연구진은 PET를 이용해 마음의 이론을 연구했다. 연구진은 지원자들을 두 집단으로 나눠서 뇌 활성을 비교했다. 한 집단에게는 마음의 이론을 요구하는(남의 입장에 서도록 하는) 이야기를 들려주었고, 다른 집단에게는 그것을 요구하지 않는 이야기를 들려주었다. 그러자 독특한 활성 양상이 나타났다. 마음의 이론을 요구하는 이야기는 세 영역을 활성화했다. 전전두엽의 안쪽에 있는 영역, 측두엽의 앞쪽에 있는 영역, 측두엽과 두정엽의 연결부에 있는 상측두구 영역이었다. 이 세 영역을 합쳐서 마음 이론망theory-of-mind network이라고 한다. 그 뒤에 프리스 연구진은 색스와 캔위셔처럼 뇌 기능 MRI 연구를 통해서 이 세 영역이 마음의 이론을 담당한다는 것을 확인했다.

마음 이론망은 남의 마음을 인식하거나 추론하는 데 쓰인다. 이 세 영역 중 어느 하나가 손상되면 마음의 이론을 형성하는 데 문제가 생긴다. 색스와 캔위셔는 마음의 이론에 관여하는 뇌 영역의 수를 더 줄이고자 노력한 끝에, 측두-두정 연결부 한 곳으로 범위를 좁혔다(그림 25-7). 이 영역은 마음의 이론 검사에서 아주 강하고 한결같이 활성을 띤다. 하지만 최근의 연구 결과들은 마음의 이론에 필요한 영역이 적어도 하나 더 있는데, 내측 전전두엽이 바로 그것임을 시사한다.

이런 발견들은 거울 뉴런이 모방을 통해 학습을 촉진하고, 그럼으로써 마음의 이론에 필요한 단계 중 하나를 제공한다는 것을 시사한다. 거울 뉴런은 그 정보를 뇌의 마음의 이론 영역으로 보내고, 그 영역이 활성을 띠어 우리는 어떤 감정을 겪고 있는 누군가에게 감정이입을 할 수 있다. 따라서 거울 뉴런은 시지각과 감정의 무의식적인 상향식 처리 과정과 비슷할 수 있으며, 한편 감정이입적인 마음 이론은 예전에 감정이입을 한 경험을 토대로 하는 의식적인 상향식 처리 과정과 비슷할 수 있다.

감정이입을 연구하는 컬럼비아 대학교의 심리학자 케빈 옥스너Kevin Ochsner는 실험 지원자들에게 다른 사람을 찍은 동영상을 보여 준 뒤, 그

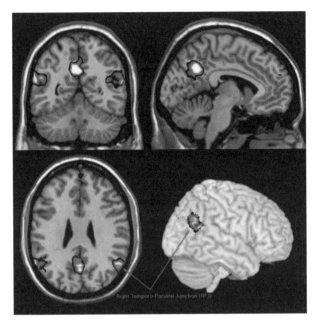

그림 25-7 마음의 이론. 이 신경 메커니즘은 남의 생각, 신념, 욕망이 어떠한지 생각할 때 활성을 띤다.

사람이 느끼는 것을 모방해 보라고 했다. 그는 이 상태를 '적극적 감정이 입active empathy'이라고 했다. 지원자가 남의 행동과 열망에 인지적으로 반응할 수 있을 뿐 아니라 그것을 모방할 수 있기 때문이다. 그는 동영상에 나타난 감정 상태를 정확히 해석하려면 거울 뉴런과 측두-두정 연결부 양쪽이 활성을 띠어야 한다는 것을 알아차렸다.

아마 화가가 묘사한 감정을 관람자가 재연하고 재생할 수 있는 것도 이 뇌의 생물학적 운동 영역, 거울 뉴런, 마음의 이론 영역의 협력 덕분일 것이다(그림 25-5). 화가는 이 뇌 영역들이 일상생활에서 남의 감정과 마음을 읽는 데 쓰는 얼굴과 몸의 단서를 교묘하게 선택하고 때로 과장함으로써, 우리가 타고난 남의 마음을 모형화하는 능력을 활성화한다.

마음의 이론을 가능하게 하는 뇌 체계들의 계층구조는 편도체 및 전전두엽의 영역들과 연결되어 있고 역동적으로 상호작용을 한다. 앞서 살펴보았듯이 편도체는 감정 면에서 여러 기능을 하며, 긍정적·부정적인 두 감정 체계를 조율한다. 전전두엽은 편도체가 촉발한 신체 반응을 통합하고 사회적 인지에 중요한 역할을 한다. 예를 들어, 감정이입은 전전두엽의 한 영역이 매개하는데, 공통의 목표를 위해 협력해야 하는 3원적 주의triadic attention(두 사람이 서로, 그리고 공통의 과제에 주의를 기울이는 것)에서 그렇다. 감정이입과 3원적 주의는 사회 인지와 협동의 핵심 구성 요소다.

마지막으로 관람자의 몫은 특정한 초상화에 대한 우리의 반응을 다른 비슷한 경험들과 비교함으로써 하향식으로 조절된다. 하지만 남의 행동을 이해하는 능력—사실 관람자의 몫에는 사회적 행동의 다른 많은 측면이 관여한다—은 유대를 비롯한 사회적 상호작용에 관여하는 뇌의 두 화학적 전달물질인 바소프레신과 옥시토신을 통해 상향식으로도 조절된다. 이 점은 다음 장에서 다룰 것이다.

이런 발견들을 토대로, 우리는 자폐증을 지닌 사람들이 관람자의 몫을 전개하는 데 어려움을 겪을 것이라고 예측할 수 있다. 그들은 모델의 마음 상태를 전달하려는 화가의 의도를 추론하기가 쉽지 않기 때문이다. 유타 프리스가 라투르의 〈사기꾼〉(그림 25-1)에서 도출되는 사회적 상호작용을 논의할 때 지적한 점이 바로 그것이다. 그 그림의 드라마를 이해하고자 할 때, 우리는 무의식적인 마음 읽기를 하고 있다. 자폐증을 지닌 사람은 그 능력이 없다.

26

뇌는 감정과
감정이입을
어떻게
조절하는가

앞 장들에서는 감정과 감정이입을 검출하고 일으키고 그에 따라 행동하는 일을 하는 뇌 체계를 살펴보았다. 이 기본 신경 회로들을 매개계mediating system라고 한다(그림 26-1). 하지만 사람으로서 제 기능을 하려면, 우리는 감정과 감정이입의 생성을 예측하고 조절할 수도 있어야 한다. 이 능력은 뇌의 조절계modulating system에 있다. 조절계는 매개계의 활동을 조절한다. 그 활동을 켜거나 끄는 것은 아니다. 조절계는 켜거나 끄는 스위치라기보다는 라디오의 소리 조절 다이얼처럼 작동한다.

감정의 기초적인 지각 및 경험과 마찬가지로 감정과 감정이입의 조절에서도, 뇌는 대체로 유전적으로 정해지는 상향 처리 과정과 추론 및 기억에 저장된 이전 경험과의 비교에 의존하는 하향 처리 과정을 수행한다. 하향 처리와 상향 처리 둘 다 우리가 사회적·감정이입적으로 서로 어떻게 관계를 맺는지에 영향을 미치며, 둘 다 관람자의 몫이라는 형태로 미술 작품과 관련을 맺는다(그림 26-2). 조절 뉴런은 정신분열증과 우울증 같은 여러 질병에 관여하고, 흔히 쓰이는 많은 약물의 표적이므로 의

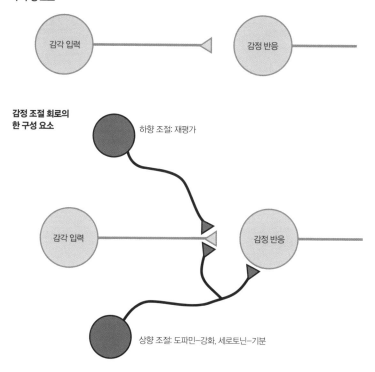

**감정 매개 회로의
두 구성 요소**

감각 입력

감정 반응

**감정 조절 회로의
한 구성 요소**

하향 조절: 재평가

감각 입력

감정 반응

상향 조절: 도파민–강화, 세로토닌–기분

그림 26-1

학적으로, 그리고 약학적으로 대단히 중요하다.

우리는 하향 조절을 이제 겨우 이해하기 시작한 상태이지만, 뇌의
상향 조절계는 꽤 많은 연구가 이루어져 있다.

과학자들이 지금까지 뇌에서 찾아낸 상향 조절계는 여섯 가지다. 대부분
상대적으로 적은 수의 신경세포로 이뤄져 있다. 대체로 신경세포 수가 수
백 개에 불과하다. 하지만 이 신경세포들은 각성, 기분, 학습, 자율신경계
의 조절을 맡은 체계들을 포함하여 피질의 많은 영역과 연결되어 있다.

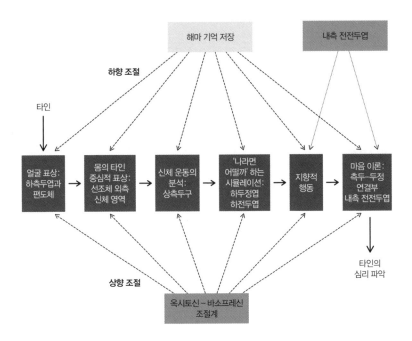

그림 26-2 관람자의 몸과 사회적 뇌에 관여하는 신경 회로의 상향 및 하향 조절.

각 조절계는 정서 생활의 각기 다른 측면을 담당하며, 흔히 다른 조절계들과 협력하여 더 복잡한 감정 상태를 빚어낸다. 게다가 이 신경세포가 분비하는 화학물질은 분비가 이루어지는 곳인 시냅스의 수용체를 잠시 활성화하는 전통적인 신경전달물질로 작용할 뿐 아니라, 분비되는 지점에서 멀리 떨어져 있는 뇌 영역의 수용체를 활성화하는 신경호르몬으로도 작용한다.

하향 조절을 담당하는 신경세포는 전뇌, 특히 전전두엽에 있는 반면 상향 조절을 담당하는 신경세포는 대개 중뇌나 후뇌에 모여 있다(그림 26-3). 상향 조절계는 축삭을 통해 감정, 동기, 주의, 기억을 조절하는 데 중요한 역할을 하는 편도체, 선조체, 해마, 전전두엽 등 뇌의 여러 영역으로 정보를 보낸다. 그 뒤에 이 구조들은 상향 조절계로 정보를 되돌려 보

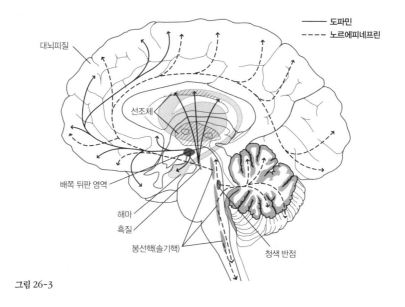

그림 26-3

넘으로써 하향식으로 조절을 한다. 조절계들은 다양한 신경전달물질을 분비하며, 각 신경전달물질은 생리 및 행동 측면에서 서로 다른 효과를 낸다.

주요 하향 조절계는 다음과 같다. 학습 관련 보상을 예상하거나 예측하고, 놀라움을 일으키는 두드러진 사건을 기록하는 데 관여하는 친숙한 도파민 체계, 쾌락을 일으키고 고통을 차단하는 엔도르핀 체계, 유대·사회적 상호작용·신뢰감에 관여하는 옥시토신-바소프레신 체계, 주의를 기울이게 하고 새로운 것을 추구하게 하며 특정한 유형의 두려움에도 관여하는 노르아드레날린 체계, 안전·행복·슬픔 등 다양한 감정 상태에 관여하는 세로토닌 체계, 주의와 기억 저장에 관여하는 콜린 체계가 그것이다.

주의, 기억, 연민, 감정처럼 우리가 사회적 기능에 중요하다고 여기는 행동은 대부분 뇌 체계의 상향 조절에 크게 의존한다. 조절계 중 어느 하나가 교란되면 심각한 정신 기능 이상이 일어날 수 있다. 예를 들어 정신분열증의 한 가지 특징은 도파민 체계의 활성이 강해지는 것이며, 세로토닌 체계와 노르아드레날린 체계의 활성이 약해지면 우울증이 생길 수 있다. 또한 노르아드레날린 체계의 활성이 증가하면 외상후 스트레스 장애가 생길 수 있고, 특정한 형태의 알츠하이머병에서는 콜린 체계의 활성 저하가 인지 기능 이상과 관련이 있다. 적절히 작동할 때, 이 조절계들은 우리의 지각과 반응을 우리가 정상적이라고 여기는 범위 내에서 유지한다.

맨 처음으로 상세히 연구된 상향 조절계는 도파민 체계다. 이 체계의 신경세포는 신경전달물질인 도파민을 분비하며, 보상을 중개하는 일을 한다. 사람의 뇌에는 다른 종류의 조절 신경세포보다 도파민 신경세포가 더 많다. 약 45만 개에 이르며, 뇌의 양쪽 반구에 균등하게 분포한다. 이 신경세포의 세포체는 중뇌의 두 영역에 있다. 흑질과 배쪽 뒤판 영역이다. 흑질에는 도파민 세포가 가장 많이 들어 있다. 이 세포는 기저핵으로 축삭을 뻗고 있으며, 환경의 자극에 반응하여 운동을 촉발하도록 자극한다. 배쪽 뒤판 영역은 신경세포가 더 적으며, 보상에 관여한다. 이 신경세포는 해마, 편도체, 전전두엽으로 축삭을 뻗고 있다. 따라서 도파민 신경세포의 축삭은 폭넓게 뻗으면서 뇌의 몇몇 체계를 조절한다.

도파민 체계가 보상에 관여한다는 사실은 1954년 제임스 올즈James Olds와 피터 밀너Peter Milner가 우연히 발견했다. 그들은 뇌 깊숙이 있는 여러 영역에 전기 자극을 주면 보상을 주는 행동을 강화할 수 있다는 놀라운 발견을 했다. 놀랍게도 이 깊은 뇌 전기 자극은 사람뿐 아니라 다양한 동물에게도 통상적인 보상만큼 효과가 있다. 하지만 한 가지 중요한 차이점이 있다. 통상적인 보상은 동물이 특정한 욕구 상태에 있을 때에만 효과가 있는—이를테면 음식은 동물이 배가 고플 때에만 보상 역할을 할 것이다—반면, 깊은 뇌 자극은 동물의 욕구 상태와 무관하게 작동한다. 막대를 누름으로써 스스로에게 자극을 주는 법을 배운 쥐는 먹이와 섹스보다는 자기 자극을 택할 것이다. 올즈는 1955년 〈사이언스Science〉에 실린 논문에서, 그 쥐들이 대체로 몇 주 동안 계속 자기 자극에 몰두하다가 결국 굶어 죽곤 했다고 썼다. 이 관찰을 토대로 그와 밀너는 깊은 뇌 전기 자극이 통상적으로 보상을 통해 활성화하는 신경계를 자극한다는 개념을 내놓았다.

보상이란 무엇일까? 보상은 사람이나 동물에게 긍정적인 가치를 지닌 대상, 자극, 활동, 내부 신체 상태를 말한다. 보상은 주관적인 쾌감을 주며 긍정적인 감정을 일으킨다. 또 행동의 빈도나 강도를 증가시킴으로써 목표를 실현하는 긍정적인 강화 인자로서 작용한다.

개인과 환경 사이의 상호작용은 복잡하기 때문에, 보상과 회피 자극을 검출하는 것만이 아니라 과거의 경험을 토대로 앞으로 그것이 출현할지를 예측할 수 있는 특수한 메커니즘이 있어야 한다. 우리는 이반 파블로프가 20세기 초에 수행한 탁월한 고전적 조건 형성—연상을 통한 학습—실험으로부터 보상과 보상의 예측에 관해 많은 것을 배웠다(18장 참고).

도파민 체계는 보상에 반응할 뿐 아니라 보상을 예측하는 자극에는 더욱더 반응한다는 것이 드러났다. 오랜 세월 심리학자들은 고전적 조건 형성이 조건(중립적, 감각) 자극과 무조건(보상) 자극을 긴밀하게 결합해 제시하여 둘이 연결되어 있다고 경험하도록 하는 데 달려 있다고 생각했다. 이 견해에 따르면, 두 자극을 짝지어서 줄 때마다 양쪽 사이의 신경 연결이 튼튼해지고, 이윽고 행동에 변화를 일으킬 만큼 강하게 결합된다는 것이다. 조건 형성의 강도는 오로지 짝지은 자극을 주는 횟수에 달려 있다고 보았다.

그러다가 1969년 캐나다 심리학자 리언 카민Leon Kamin이 파블로프의 첫 발견 이후로 현재 일반적으로 조건 형성에 관한 경험적 발견 가운데 가장 중요하다고 여겨지는 것을 밝혀냈다. 카민은 동물이 중립적인 자극이 보상보다 앞서 나와서 배우는 것이 아니라, 중립적인 자극이 보상을 예측하기 때문에 배우는 것임을 알아차렸다. 따라서 연상 학습은 짝지은 자극의 임계 횟수에 의존하는 것이 아니다. 그것은 생물학적으로 의미 있는 보상을 예측하는 중립적 자극의 힘에 달려 있다.

이런 발견들은 동물과 사람이 고전적 조건 형성을 왜 그렇게 쉽게 습득하는지를 시사한다. 모든 형태의 연상 학습은 아마도 무작위적으로만 연관된, 으레 함께 나타나는 사건을 구별할 수 있도록 진화했을 것이다. 그럼으로써 결과의 출현을 예측할 수 있도록 말이다. 예를 들어, 우리는 좋은 포도주의 향기를 맡았을 때 맛있는 포도주를 맛볼 것이라고 예상하도록 배울 수 있다.

학습은 실제 결과와 예측한 결과가 다를 때 일어난다. 많은 행동 유형은 보상에 영향을 받으며, 따라서 실제 보상이 예측한 보상과 다를 때 장기적인 변화를 겪는다. 실제 보상이 예측한 그대로일 때, 행동은 변하지 않는다.

도파민 신경세포가 다양한 형태의 보상 기반 학습에 관여한다는 사실은 여러 생리학 연구를 통해 드러났다. 이 세포는 예측한 보상을 받을 때뿐 아니라 예기치 않은 보상을 받을 때, 그리고 보상 예측이 어긋났을 때에도 활성을 띤다. 보상 예측이 어긋나면 도파민 분비량이 변동한다. 이런 발견들을 통해 도파민이 '가르치는 신호teaching signal' 역할을 한다는 개념이 도출되었다. 도파민 신경세포는 편도체와 연결되어 있기 때문에, 아마도 학습 실험에 쓰인 것과 같은 예상한 긍정적 강화 자극에 대한 편도체의 반응을 조절할 것이다.

현재 영국 케임브리지 대학교에 있는 울프램 슐츠Wolfram Schultz는 도파민 신경세포가 학습할 때 어떻게 활동하는지를 보여 주었다. 그는 배쪽 뒤판 영역과 흑질의 세포들을 기록한 끝에, 이 세포들이 예기치 않은 보상, 보상의 예측, 보상 예측의 오류 때 활성을 띤다는 것을 밝혀냈다.

예측 오류 사례에서, 세포는 보상이 예측한 것보다 더 나을 때에는 활성을 띠고, 예상보다 보상이 더 나쁠 때에는 억제된다. 또 이 세포는 보상이 예기치 않은 시점에 이루어질 때 활성을 띠고, 보상이 예측한 시점에 실현되지 않을 때 억제된다. 이 세포는 예측한 대로 이루어지는 보상에는 반응하지 않는다.

슐츠의 발견은 다윈의 이원적인 감정 조절 관점, 즉 접근과 회피(싸움 혹은 도피)라는 관점에 부합된다. 그의 발견은 도파민 신경세포가 음식, 섹스, 마약 같은 실제 보상을 경험할 때 활성을 띨 뿐 아니라 그 보상을 예고하는 자극에도 활성을 띤다는 것을 시사한다. 따라서 도파민의 분비는 설령 쾌락이 실현되지 않는다 할지라도 가장 단순하게 쾌락을 기대하는 것만으로도 일어날 수 있다.

예측한 쾌락에 대한 도파민 신경세포의 반응은 미술 작품을 볼 때 경험하는 쾌락의 생리적 토대일 수도 있다. 미술은 감상하고 대리 경험하는 쾌락을 넘어서는 차원의 보상은 결코 실현되지 않는다고 할지라도 생물학적 보상을 예고하기 때문에 행복한 느낌을 불러일으킬 수 있다(그림 26-4).

예상할 수 있겠지만, 도파민의 자연적인 활동을 강화하거나 확장하는 약물은 강렬한 쾌감을 일으킨다. 사실 코카인과 암페타민 같은 여러 습관성 약물은 도파민 체계를 장악해 뇌가 보상을 받고 있다고 착각하게 함으로써 중독을 일으킨다.

뇌의 쾌락 회로는 미술 작품을 감상할 때, 아름다운 일몰을 바라볼 때, 맛있는 음식을 먹을 때, 흡족한 성행위를 할 때도 활성을 띤다. 이 각각의 경험은 도파민의 상향식 분비를 넘어서 또 다른 차원을 지닌다. 또 뒤에서 살펴보겠지만, 이 특정한 경험을 우리가 앞서 겪은 다른 경험 및 쾌락과 연관 짓는 하향식 영향도 있다. 따라서 쾌락의 감정에서와 마찬가지로 미술과 아름다움의 지각에서도, 경험이라는 직접적인 물리적 자극

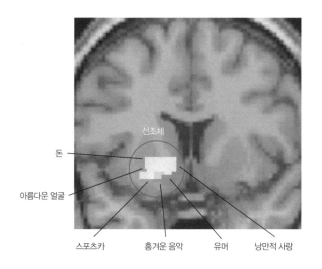

돈
아름다운 얼굴
선조체
스포츠카   흥겨운 음악   유머   낭만적 사랑

그림 26-4 선조체의 도파민 신경세포는 모든 유형의 쾌락에 반응한다.

은 경험에 더 폭넓은 맥락을 제공하는 무의식적 추론을 촉발한다.

두 번째 상향 조절계는 엔도르핀이라는 신경전달물질을 분비해 미술에
서 얻는 즐거움을 비롯한 쾌락을 늘리고 고통을 줄인다. 엔도르핀은 펩타
이드, 즉 예닐곱 개의 아미노산이 죽 이어진 복잡한 분자이며, 몸의 천연
진통제다. 엔도르핀은 시상하부에서 분비되며, 뇌하수체를 조절한다. 고
통스러운 자극을 차단하고 행복감을 빚어낼 수 있다는 점에서 모르핀과
비슷하다. 격렬한 운동은 엔도르핀 분비를 자극하며, 운동선수들이 엔도
르핀 하이endorphin high라고 부르는 희열감을 일으킨다. 사실 운동선수는
운동을 하지 않을 때에는 나른하고 침울한 느낌을 받는다는 말을 하곤
한다. 그것은 엔도르핀 금단 증상을 겪기 때문에 나타나는 것이다. 흥분,
고통, 자극적인 음식, 오르가슴도 엔도르핀을 분비시킨다.

엔도르핀은 1975년 스코틀랜드의 존 휴스John Hughes와 한스 코스
터리츠Hans Kosterlitz가 발견했다. 엔도르핀은 존스홉킨스 대학교의 솔로

몬 스나이더Solomon Snyder가 발견한 뇌의 아편유사제 수용체opioid receptor
에 작용한다. 엔도르핀은 도파민 분비를 일으키는 자극과 똑같은 자극에
반응하여 분비되고, 도파민이 일으키는 쾌감에 기여하는 듯하다.

세 번째 조절계는 짝짓기와 육아 행동, 더 일반적으로는 사회적 행동, 사
회 인지, 남의 마음과 의도를 읽는 능력에 중요한 신경전달물질인 옥시토
신과 바소프레신을 분비한다. 옥시토신과 바소프레신은 펩타이드이며,
시상하부에서 만들어진다(펩타이드 신경전달물질은 대부분 그렇다). 둘 다
뇌하수체의 후엽으로 운반되어 그곳에서 분비되며, 뇌 전체에서 수용체
를 활성화한다.

　옥시토신과 바소프레신은 지렁이부터 파리, 포유동물에 이르기까
지 다양한 동물에 있으며, 모든 동물에서 유전자가 놀랍도록 비슷하다.
우리가 바소프레신과 옥시토신의 효과에 관해 아는 지식의 상당수는 톰
인셀Tom Insel과 래리 영Larry Young 연구진의 선구적인 실험에서 나온 것
이다. 그들은 쥐처럼 생긴, 서로 유연관계가 아주 가까운 설치류이면서
짝짓기 행동이 전혀 다른 두 종인 초원들쥐와 산악들쥐를 연구했다.

　초원들쥐는 일부일처제를 채택하고 부부가 새끼를 기르는 반면, 산
악들쥐는 성적으로 문란하며 홀로 굴을 파고 살아간다. 이 차이는 태어난
지 며칠 지나지 않았을 때부터 뚜렷해진다. 초원들쥐 암수는 교미를 한
직후부터, 서로를 계속 선호하고 서로에게 애착을 갖는다. 초원들쥐 수컷
은 암컷을 도와 새끼를 기르며, 다른 수컷이 나타나면 공격적인 행동을
보인다. 이와 달리 산악들쥐 수컷은 문란하게 짝짓기를 하며, 부성애 행
동을 보이지 않는다. 양쪽 수컷이 보이는 이 서로 판이한 행동은 뇌에서
분비되는 바소프레신의 양에 상당한 차이가 있다는 점과 상관관계가 있
다. 유대 관계를 맺는 초원들쥐는 짝짓기를 할 때 다량의 바소프레신을
분비하는 반면, 문란한 산악들쥐는 바소프레신 분비 농도가 더 낮다. 초

원들쥐 암컷도 옥시토신 때문에 수컷 동반자와 유대 관계를 맺는다. 바소프레신은 인간, 설치류, 토끼 등 다양한 종에서 발기 및 사정에 관여하며, 짝 유대와 텃세에서부터 공격성에 이르기까지 수컷의 전형적인 사회적 행동과도 관련이 있다.

모든 동물에서 옥시토신은 암컷의 사회성적sociosexual 행동—암수 유대, 교미, 출산, 모성애, 수유—에 영향을 미친다. 옥시토신은 성적 자극을 받을 때 분비되며, 출산 과정에도 분비되어 산통을 줄이고 분만을 용이하게 한다. 더 나중에는 젖을 분비하거나 먹일 때, 아이를 돌볼 때에도 분비된다. 설치류에게 옥시토신을 주사하면 남의 새끼에게 모성애를 느끼게 될 것이다. 암수 유대와 성적 행동에 기여한다는 점에 걸맞게, 옥시토신은 도파민 보상 체계와도 상호작용을 한다. 몇몇 상황에서는 스트레스에 반응하여 분비되기도 한다. 그럼으로써 스트레스 인자에 대한 반응을 약화시킨다. 바소프레신은 성적 자극, 자궁 확장, 스트레스, 탈수 때 분비되며 사회적 행동에 적극적인 역할을 한다.

옥시토신과 바소프레신은 인간의 사회적 행동과 사회 인지에 중요하다. 옥시토신은 긴장 완화, 신뢰, 감정이입, 이타주의를 부추김으로써 긍정적인 사회적 상호작용을 강화한다. 이 신경호르몬들의 수용체들에서 나타나는 유전적 변이는 뇌 기능을 변화시켜서 사회적 행동의 차이에 기여한다고 여겨진다. 버클리에 있는 캘리포니아 대학교의 사리나 로드리게스Sarina Rodrigues 연구진은 이 유전적 변이가 얼굴을 읽고 남의 고통에 괴로움을 느끼는 능력을 손상해 사람들의 감정이입 행동에 영향을 미친다는 것을 발견했다.

실제로, 독일 기센 대학교 인지신경과학단의 페터 키르슈Peter Kirsch 연구진은 옥시토신이 사회 인지의 신경 회로를 조절한다는 것을 밝혀냈다. 옥시토신을 사람들에게 투여하면 편도체의 활성과 두려움의 자율적·행동적 표현이 크게 줄어든다. 또 옥시토신은 적어도 스트레스 호르몬인 코르티솔의 생산을 줄이고, 따라서 긴장 완화를 유도해 긍정적인 의사소통을 강화하는 듯하다.

취리히의 심리학자 미카엘 코스펠트Michael Kosfeld 연구진은 옥시토신이 신뢰감을 높여 위험을 부담할 의향을 부추긴다는 것을 밝혀냈다. 신뢰는 우정, 사랑, 가정 ― 경제적 교환은 말할 것도 없이 ― 의 핵심을 이루므로, 옥시토신의 이러한 작용은 인간 행동에 심오한 결과를 미칠 수도 있다. 특히 옥시토신은 사회적 위험을 받아들이고 남들과 사심 없이 이타적인 상호작용을 할 의향을 부추긴다.

마지막으로, 우리가 신뢰하면서 관계를 맺어 온 사람의 얼굴을 단지 보기만 해도 시상하부가 활성을 띠고 옥시토신이 분비되며, 분비된 옥시토신은 엔도르핀의 분비를 자극한다. 그것은 신뢰하는 사람과의 상호작용이 그 자체로 보상과 즐거움을 준다는 것을 시사한다. 우리는 옥시토신이 몇몇 미술 작품에 반응하여 감정이입과 사회적 유대를 강화할 것이라고 가정할 수도 있다.

네 번째 상향 조절계는 각성도를 높이는 신경전달물질인 노르에피네프린을 분비한다. 스트레스에 반응하여 분비되는 고농도의 노르에피네프린은 두려움을 유도한다. 일부 노르아드레날린(노르에피네프린) 신경세포는 새로운 과제를 학습할 때 활성을 띤다. 게다가 도파민 신경세포와 노르아드레날린 신경세포는 학습을 할 때 특정한 시냅스에 장기적인 변화를 일으킨다.

뇌에는 노르아드레날린 신경세포의 수가 놀랍도록 적으며(약 10만 개), 중뇌 양쪽에 있는 청색 반점locus ceruleus이라는 핵에 모여 있다. 이 뉴런은 수가 적은데도 외상후 스트레스 장애 같은 불안 장애 때 스트레스에 대한 반응을 비롯해 감정을 조절하는 데 중요한 역할을 한다. 이 뉴런은 중추신경계 전역으로 축삭을 뻗고 있다. 척수, 시상하부, 해마, 편도체,

피질, 특히 전전두엽과 연결되어 있다. 노르에피네프린 덕분에 우리는 예기치 않은 환경 자극, 그중에서도 고통을 주는 자극에 곧바로 반응하도록 경계 상태를 유지할 수 있다. 노르에피네프린은 심장박동 수와 혈압을 높이고, 싸움 혹은 도피 반응에서 중요한 역할을 한다.

노르아드레날린 신경세포는 주의에 중요한 역할을 한다. 동물의 노르에피네프린 전달을 차단하면 특정한 인지 사건을 기억하는 데는 지장이 없지만, 그 사건의 감정 내용을 기억하는 데 어려움을 겪는다. 따라서 고전적 조건 형성을 통해 두려움을 갖게 된 동물에게서 노르에피네프린을 차단하면 고통스러운 자극의 기억이 방해를 받는 반면, 노르에피네프린의 활동을 증가시키는 약물을 투여하면 고통스러운 자극의 기억이 강화되어 두려움이 더 커진다.

마찬가지로 지원자들에게 속임약을 먹인 뒤에 감정을 자극하는 이야기를 들려주면서 사진을 함께 보여 주면, 이야기의 가장 감동적인 부분을 들려줄 때 본 사진을 가장 생생하게 기억했다. 반면에 노르에피네프린의 활동을 차단하는 약물을 투여받은 지원자들에게서는 이 기억 강화가 일어나지 않았다.

아마 가장 오래된 것은 다섯 번째 상향 조절계인 세로토닌 체계일 것이다. 파리와 달팽이 같은 무척추동물은 노르에피네프린을 만들지 않으며, 세로토닌을 이용하여 행동을 조절한다. 인간의 뇌에서 세로토닌 신경세포들은 뇌간의 중앙선을 따라 아홉 쌍을 이룬 채 모여 있다. 이 세포들은 편도체, 선조체, 시상하부, 신피질 등 뇌의 몇몇 영역으로 축삭을 뻗고 있다. 이 뉴런들은 각성, 경계, 기분에 중요한 역할을 한다. 낮은 세로토닌 농도는 우울증, 공격성, 성욕과 관련이 있으며, 극도로 낮은 농도는 자살 시도와 상관관계가 있다. 사실 우울증에 가장 효과가 있는 약물 치료는 뇌의 세로토닌 농도를 높이는 약물을 처방하는 것이다. 높은 세로토닌 농도는 평온, 명상, 자기 초월, 종교적·영적 경험과 상관관계가 있다. 특정한 세로토닌 수용체 집단을 조절하는 LSD 같은 약물은 도취와 환각을 일으키며, 거기에 때로 영적인 요소가 섞이기도 한다.

여섯 번째 조절계는 콜린 체계로, 아세틸콜린을 분비하고 수면-각성 주기를 조절하는 한편 인지 수행, 학습, 주의, 기억의 여러 측면도 조절한다. 콜린 신경세포는 뇌의 몇몇 영역에 들어 있고 해마, 편도체, 시상, 전전두엽, 대뇌피질로 축삭을 뻗고 있다. 콜린 신경세포는 도파민 분비를 조절하며, 따라서 보상 및 보상 예측 오류에 관여한다. 콜린 신경세포 집단 중특히 중요한 것은 전뇌 기저부basal forebrain에 있으며, 기억 저장에 관여한다. 이 신경세포들은 편도체, 해마, 전전두엽으로 축삭을 뻗고 있다.

여섯 번째 조절계도 꽤 오래된 것으로, 긍정적·부정적 감정을 통제하는 수단으로서 진화 내내 보전되어 왔다. 이 조절계는 척추동물뿐 아니라 지렁이, 초파리, 고둥 같은 무척추동물에도 들어 있다. 겹치는 기능도 있지만, 각 체계는 자기만의 기능도 지닌다. 이 체계들은 우리의 건강, 뇌의통합 기능, 환경에 적절히 반응하고 예측하는 능력에 반드시 필요하다.

또 우리는 긍정적이거나 부정적인 지각 및 감정에 인지적 통제를 가하는하향 조절계도 지니고 있다. 하향 통제는 대뇌피질의 고등한 영역에서 맡고 있다. 감정을 통제하고, 평가하며, 필요할 때 재평가하는 능력은 우리가 효과적으로 제 기능을 하는 데 매우 중요하다.
　　갈등, 실패, 상실은 때로 우리를 파멸시키기 위해 공모를 하는 듯하지만, 우리는 그런 위협이 일으키는 감정을 조절하는 능력이 매우 뛰어나다. 이런 조절 작용에 따라 그런 문제들이 우리의 정신적·육체적 건강에얼마나 충격을 미칠지가 정해진다. 상향 조절계 연구를 주도하고 있는 케빈 오스너는 셰익스피어가 인간의 마음과 그 인지 조절 능력을 꿰뚫어본 심오한 통찰력을 지니고 있었음을 상기시킨다. 그 점은 햄릿의 대사에서 잘 드러난다. "세상에는 좋은 것도 나쁜 것도 없다. 그저 우리가 그렇다고 생각할 뿐이다."[1]

감정의 하향 통제 중에서 특히 잘 연구된 것은 재평가reappraisal, 즉 느낌을 재고하는 것이다. 매우 불쾌한 사건이나 그림이 주는 정서적 충격도 감정을 배제한 관점에서 그 경험을 평가하고 재평가함으로써 줄이고 중화할 수 있다. 재평가는 사실 인지 행동 치료의 토대다. 이 치료법은 펜실베이니아 대학교의 정신분석학자 애런 벡Aaron Beck이 개발한 것으로, 우울증에 걸린 사람이 정보의 인지 처리 과정을 더 현실적이고 중립적인 관점에서 재평가할 수 있도록 고안된 것이다.

재평가는 어떻게 이루어지는 것일까? 오스너 연구진은 뇌 기능 MRI를 이용해 사람들이 매우 부정적인 장면을 감정을 배제한 관점에서 재평가할 때 어떤 뇌 체계가 관여하는지 조사했다. 그들은 재평가가 전전두엽의 등쪽 외측 영역과 배쪽 외측(전두안와) 영역의 활성 증가와 관련 있다는 것을 알아냈다. 두 영역은 편도체 및 시상하부와 직접 연결되어 있다. 게다가 이 영역들의 활성 증가는 편도체의 활성 감소와 관련이 있다. 이 연구 결과는 우리가 앞서 살펴보았던 내용, 즉 뇌의 고등한 영역이 시상하부와의 직접 연결을 통해서뿐 아니라 적어도 어느 정도는 편도체를 조절함으로써 감정을 조절하고 평가한다는 내용과 들어맞는다. 게다가 고등한 영역들은 자극의 현저성을 평가하는 전전두엽의 능력을 통해서도 하향식으로 영향을 미친다.

전전두엽의 등쪽 외측 영역도 작업기억과 반응 선택에 인지적 통제를 가한다. 따라서 재평가는 애초에 무엇이 그 감정을 일으켰는지 인식하고 있을 것을 요구하는 과제를 하면서 감정을 통제하는 수단이다. 재평가가 이루어진다는 것은 비슷한 인지 통제 전략들이 다양한 맥락에서 감정을 조절하는 데 쓰인다는 것을 시사한다. 오스너는 이런 발견들을 토대로 전전두엽의 고등한 영역이 감정뿐 아니라 생각에도 하향 인지 통제를 가할 수 있다고 결론짓는다.

조절과 조절계 연구 덕분에 우리는 감정과 감정의 신경미학을 생물학적으로 이해하는 일을 시작할 수 있게 되었다. 즉 미술 작품에 묘사된 감정 상태를 관람자의 뇌가 어떻게 재창조하는지, 그리고 감정·모방·감정이입이 뇌에서 어떻게 표상되는지를 말이다. 이런 깨달음으로부터 나온 지각, 감정, 감정이입의 생물학과 인지심리학은 미술이 왜 그토록 강력하게 우리를 감동시키는지를 이해하는 데 도움을 줄 수 있다.

감정의 서로 다른 범주를 담당하는 각 조절계는 동일한 표적(이를테면 전전두엽이나 편도체)에 서로 다른 방식으로 작용할 수 있다. 따라서 특정한 미술 작품을 볼 때 당신의 감정이 정확히 연속체상의 어디에 있는지는 어느 정도는 편도체, 선조체, 전전두엽을 통해, 또 어느 정도는 다양한 조절계를 통해 결정된다. 사실 우리가 한 감정 상태에서 다른 감정 상태로 수월하게 넘어갈 수 있는 것은 이 서로 별개이면서 겹치는 기능을 지닌 조절계들 덕분이다.

구스타프 클림트의 〈유디트〉는 우리가 그림에 반응하여 경험할 수 있는 감정의 복잡성을 말해 주는 좋은 사례다. 앞서 살펴보았듯이, 유대인들은 유디트를 홀로페르네스로부터 주민들을 구한 용감하고 자기희생적인 영웅이라고 생각했다. 카라바조의 그림이 말해 주듯이, 르네상스 시대 내내 유디트는 강인한 젊은 여성으로 이상화해 묘사되었다. 하지만 클림트는 그녀를 관능적인 여성으로 변모시켰다. 그는 홀로페르네스를 살해하는 가학적인 만족과 성적 충동을 결합한, 성적으로 흥분한 팜파탈로 유디트를 묘사한다(그림 8-27). 궁극적인 거세로서, 그녀는 그의 목을 잘라서 드러난 자신의 젖가슴 위로 그의 머리를 치켜들고 있다.

클림트의 그림이 관람자의 조절계에 어떤 반응을 일으킬지 추측해 보자. 기초적인 수준에서 그림의 빛나는 금박 표면, 부드럽게 묘사한 몸, 전체적으로 조화를 이룬 색채의 조합이라는 미학은 쾌락 회로를 활성화하여 도파민 분비를 일으킬 수 있다. 유디트의 매끄러운 피부와 드러난 젖가슴이 엔도르핀, 옥시토신, 바소프레신의 분비를 촉발한다면 성적 흥분을 느낄 수도 있다. 홀로페르네스의 잘린 머리에 함축된 폭력, 유디트 자신의 가학적인 시선과 위로 올라간 입술은 노르에피네프린의 분비를 일으켜 심장박동과 혈압을 높이고 싸움 혹은 도피 반응을 촉발할 수도 있다. 이와 대조적으로 부드러운 붓질과 거의 명상에 잠겨 그린 듯한 반복적인 무늬는 세로토닌 분비를 자극할 수도 있다. 관람자가 이미지와 그것의 다면적인 감정 내용을 받아들일 때, 해마에서 분비되는 아세틸콜린은 관람자의 기억에 그 이미지가 저장되도록 돕는다. 궁극적으로 클림트의 〈유디트〉 같은 이미지를 그토록 매혹적이고 역동적으로 만드는 것은 이미지의 복잡성, 즉 이미지가 뇌에서 각기 다르면서 때로 충돌하는 수많은 감정 신호를 활성화하고 그것들을 결합하여 엄청나게 복잡하면서도 흥미로운 감정의 소용돌이를 일으키는 방식이다.

감정과 감정이입의 생물학적 조절계 연구는 이제 막 시작된 상태이지만, 그것은 앞으로 미술이 그토록 강력한 영향을 미치는 이유를 알려줄 깨달음을 제공할 것이다. 빈 모더니즘 화가들의 작품은 얼굴, 손, 몸의 인지에 관여하는 체계들이 감정, 모방, 감정이입, 마음의 이론에 관여하는 뇌 영역들을 조절한다는 것을 보여 준다. 이런 식으로 우리는 풍부한 감정적 의미를 지닌 작품을 통해 화가가 전달하는 감정을 지각하고 식별하고 느낄 수 있다.

시각 예술과
과학의
진화하는 대화

V

27

예술의 보편성과
오스트리아
표현주의 화가들

2008년 고고학자 니콜라스 코나드Nicholas Conard는 독일 남부에서 지금까지 알려진 것 중 연대가 가장 오래된 인물상을 발굴했다. 바로 홀레펠스의 비너스Venus of Hohle Fels(그림 27-1)로, 약 3만 5000년 전 매머드 상아에 조각한 이상화한 여성 인물상이다. 고고학자 폴 멜러스Paul Mellars는 이 놀라운 발견을 논평한 글에서, 인물의 "여성 형태의 성적인 특징에 초점을 맞춘 노골적이면서 거의 공격적이라고까지 할 성적인 특성"[1]에 주목하라고 했다. 이 인물상을 조각한 이는 몸에서 머리, 팔, 다리를 최소화한 반면, "튀어나온 거대한 젖가슴, 크게 확대하여 노골적으로 드러낸 음부, 불룩한 배와 허벅지"[2]를 크게 과장했다.

사실 여성의 성적 특징을 과장했다는 점에서 이 새로 발견된 조각상은 유럽의 몇몇 지역에서 발굴된, 그보다 약 5000~1만 년 뒤의 유물들인 이른바 비너스 상들과 비슷하다. 비록 고고학자들은 비너스 상들이 다산성에 관한 원시적인 믿음을 반영한다고 추정하고 있긴 하지만, 비너스 상들의 문화적 기원은 여전히 모호하다. 멜러스는 이 상들을 어떤 식으로

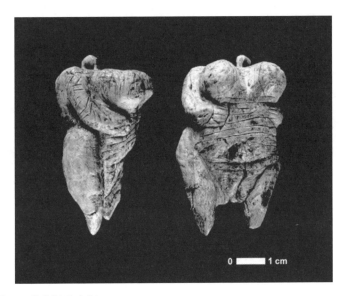

그림 27-1 홀레펠스의 비너스.

보든 간에, "유럽(그리고 사실상 전 세계) 미술에서의 성적인 상징이 우리
종의 진화에 기원을 두고 있다는 점은 명백하다."[3]고 결론짓는다. 앞서
살펴보았듯이, 오스트리아 표현주의 화가들은 본질적으로 모델의 감정·
성욕·공격성·불안을 강조하는 새로운 방식의 재현을 시도하는 과정에
서 인간의 얼굴과 몸을 과장함으로써 3만 5000년 전 이 상아 조각상의
현대판을 만들어 냈다. 인체를 묘사한 가장 오래된 유물과 오스트리아 표
현주의 화가들의 작품 사이에 보이는 이 연속성은 일련의 더 큰 의문들
을 제기한다.

　　예술은 보편적인 기능과 특징을 지닐까? 어느 정도는 과학과 기술
의 발전에 힘입고 또 어느 정도는 화가의 통찰·지식·욕구·기대가 추진
력이 되어, 세대마다 새로운 표현 양식이 만들어진다. 하지만 이런 변화
를 초월하여 존속하는 어떤 예술적 보편성이 과연 있을까? 있다면, 그 보
편적인 특성은 어떻게 뇌의 전담 경로들을 통해 지각되고, 왜 그토록 강

력하게 감동을 불러일으키는 것일까? 그 특성이 '빈 1900' 같은 특정한 문화적 환경에서 나타난 예술적 혁신을 이해하는 데 필요한 과학적 기본 틀을 제공하는 데 도움을 줄 수 있을까?

비록 이와 같은 예술의 본질과 인간 뇌에 관한 심오한 질문들의 답을 찾는 일은 이제 겨우 시작되었을 뿐이지만, 아직까지는 순조롭게 진행되고 있다. 20세기의 마지막 20년 동안 인지심리학과 뇌과학이 수렴되면서 새로운 마음의 과학이 출현했기 때문이다.

그렇게 출현한 마음의 생물학이 중요한 이유는 그것이 기여하는 부분이 과학 지식만은 아니라는 것이다. 우리가 지닌 지각, 감정, 감정이입, 학습, 기억 같은 복잡한 정신 과정들을 연구할 능력은 과학과 예술 사이에 다리를 놓는 데에도 도움을 줄 수 있다. 화가의 창작과 작품을 보는 관람자의 반응은 뇌 기능의 산물이므로, 새로운 마음의 과학이 도전할 가장 흥미로운 과제 중 하나는 예술의 본질 속에 들어 있다. 지각·감정·감정이입·창의성의 생물학을 더 깊이 이해할수록, 우리는 예술 경험이 왜 우리에게 감동을 주고 예술이 왜 거의 모든 인간 문화의 일부가 되어 있는지를 더 잘 이해하게 될 가능성이 매우 높다.

신경미학의 선구자인 세미르 제키는 뇌의 주된 기능이 세계의 새로운 지식을 습득하는 것이며, 시각 예술이 그 기능의 확장이라고 우리에게 상기시킨다. 우리는 여러 원천에서 지식을 습득한다. 책을 통해, 인터넷을 통해, 또 우리의 주변 환경을 돌아다니면서 지식을 얻는다. 하지만 제키는 미술의 목적을 다르게 본다. 예술이 다른 지식 획득 과정보다 더 직접적으로 뇌의 기능을 확장한다는 것이다. 모든 감각은 세계의 지식을 습득한다는 비슷한 기능을 하지만, 시각은 사람·장소·사물에 관한 새로운 정보를 훨씬 더 효율적인 방식으로 습득한다. 게다가 얼굴 표정이나 사회집단의 상호작용처럼 시각을 통해서만 습득할 수 있는 유형의 정보도 있다. 무엇보다도 시각이 적극적인 과정이므로, 미술도 적극적이고 창의적인 세계 탐사를 자극한다.

오스트리아 표현주의 화가들을 살펴보다가 우리는 감정신경미학emotional neuroaesthetics과 연관된 추가 질문들을 하기에 이르렀다. 감정신경미학이란 미학을 지각, 감정, 감정이입의 인지심리학 및 생물학과 결합하려는 시도를 가리킨다. 감정신경미학에서 탐구할 의문 중에는 곧바로 떠오르는 것도 있다. 미학의 생물학적 특성은 무엇일까? 미술 작품에 대한 우리의 반응이 일반적인 생물학 원리에 따르는 것일까, 아니면 우리의 반응은 언제나 개인적이고 개별적인 것일까?

예술철학자 데니스 더턴은 미술에 대한 반응을 보는 견해가 두 가지라고 말한다. 첫 번째는 20세기 후반기에 인문학 연구의 상당 부분을 주도했던 관점에서 유래한 것이다. 창의성과 미술에 대한 반응을 비롯한 인간의 속성 대부분이 경험과 학습을 통해 새겨지는 빈 석판이 바로 마음이라는 개념이다. 두 번째이자 더 설득력 있는 견해는 예술이 단순히 진화의 부산물이 아니라, 오히려 우리의 복지에 중요하기 때문에 우리가 생존하는 데 도움을 주는 진화적 적응 형질—본능적 형질—이라는 것이다.

더턴은 우리의 흘러넘치는 상상력이 엄청난 생존 가치를 지니기 때문에 우리가 타고난 이야기꾼으로 진화했다고 주장한다. 그는 이야기하기가 세계와 그 문제들을 가상으로 생각할 기회를 주어 우리의 경험을 확장하기 때문에 우리에게 쾌락을 준다고 설명한다. 재현적인 시각 예술은 예술가와 관람자 모두 각자의 마음속에서 다양한 사회적 상황과 환경에서 활동하는 인물들 사이의 관계를 시각화하고 이리저리 살펴보는 이야기하기의 한 형태다. 이야기하기와 재현적인 시각 예술은 위험 부담이 적은 가상의 문제 해결 방식이다. 언어, 이야기하기, 몇몇 유형의 예술 활동을 통해 예술가는 우리 세계를 독특하게 모형화하고 그 모형을 남에게 전할 수 있다.

우리는 미술을 통해서 소설과 비슷한 방식으로 이야기하기에 참여할 수 있다. 소설과 미술에서 청자와 관람자는 개인적이고 내면적인 관점에서 줄거리가 펼쳐지는 것을 경험하며, 그럼으로써 남의 마음과 눈을 통해 관계와 사건을 분석할 수 있다. 이 경험은 아르투어 슈니츨러의 모더니즘 작품에서 더 현저해졌다. 그는 등장인물의 내적 독백을 통해서 독자가 남의 마음에 들어갈 수 있도록 했다. 우리는 소설과 미술을 감상할 때, 자신의 마음의 이론을 이용한다. 그 이론 덕분에 우리는 세계를 새로운 관점에서 경험할 수 있고, 안전하게 문제와 대면하고 그것을 해결할 수 있다. 이것이 진화적으로 적응성을 띠는 이유는 나중에 마주칠지도 모를 위험한 상황을 시연하고 그것에 대비할 수 있게 해주기 때문이다.

후기 르네상스 유화에서 이루어진 가장 중요한 돌파구 중 하나는 알로이스 리글이 '외적 일관성'이라고 이름 붙인 것이었다. 외적 일관성은 관람자가 이야기의 완성에 적극적으로 참여하는 것을 말한다. 소설에서처럼, 이 유화들의 관람자도 이야기 전개에 적극적으로 참여한다. 즉 작품은 관람자의 참여가 없다면 미완성이다. 미술에서 이야기, 즉 타인이 자기라는 상상이 지닌 또 다른 차원은 관람자의 감정 중추와 조절계를 참여시키는 능력이다. 앞서 살펴보았듯이, 클림트의 〈유디트〉 같은 그림은 뇌의 다양한 영역에 있는 여러 감정 체계들을 조작하고 결합함으로써, 관람자를 대단히 미묘하면서도 고도로 특수한 감정 상태로 이끈다.

이야기나 미술 작품이 전하는 정보가 꼭 단순할 필요는 없다. 복잡하면서 다차원적인 것이 될 수도 있다. 목소리의 변화 하나하나, 얼굴 근육의 미세한 수축 하나하나가 모두 중요하다. 이 단서들은 인물이 어떤 감정을 겪고 있는지를 이해하고, 따라서 인물이 다음에 무엇을 할지를 예측하는 데 도움을 준다. 사회에서 생존하려면 그런 단서를 읽는 법을 배워야 하며, 그것이 바로 우리에게서 그 단서를 표상하고, 그것에 반응하고, 그것을 이해하려는 욕망을 불러일으키는—가장 중요하다—신경 기구가 진화한 이유다. 그리고 바로 그것이 우리가 예술을 창작하고 감상하고 원하는 이유이기도 하다. 예술은 생존에 중요한 사회적·감정적 단서들을 이해하는 능력을 향상시킨다. 인간의 뇌가 지닌 언어 능력과 이야기하기 능력 덕분에, 우리는 세계를 모형화하고 그 모형을 남에게 전할 수 있다.

예술이 세월의 흐름을 견디면서 살아남은 이유는 무엇일까? 예술이 지닌 보편적인 호소력의 토대는 무엇일까? 사회심리학자 엘런 디사나야크Ellen Dissanayake와 예술이론가 낸시 에이킨Nancy Aiken은 각자 독자적으로 진화생물학 관점에서 이 의문들을 연구해 왔다. 그들은 예술이 어디에나 있다는 관찰로부터 출발한다. 즉 3만 5000년 전 석기시대부터 현재에 이르기까지 모든 인류 사회는 예술 작품을 창작하고 예술에 반응해 왔다. 따라서 예술은 겉보기에는 음식과 물처럼 기본적인 수준의 생존에 필수적인 것은 아닐지라도, 그것을 인간의 존속에 대단히 중요하게 만드는 어떤 목적에 봉사하는 것이 틀림없다. 우리는 언어, 상징화, 도구 제작, 문화 형성 같은 인간만이 지닌 속성의 단순한 형태를 다른 동물들에게서도 찾아볼 수 있다. 하지만 예술을 창작하는 것은 인류뿐이다.

흥미롭게도 정신적·육체적으로 우리와 비슷했던 크로마뇽인은 3만 2000년 전 프랑스 남부의 쇼베 동굴에 벽화를 그린 반면, 같은 시기에 유럽에 살았던 네안데르탈인은 우리가 아는 한 재현 미술품을 전혀 창작하지 않았다. 에이킨은 이렇게 추정한다.

네안데르탈인이 멸종한 이유나 오늘날 호모속 가운데 한 종만이 살아 있는 이유를 밝혀 줄 증거는 전혀 없지만, 그것은 어쩌면 우리의 크로마뇽인 조상들이 자기 집단을 생존 기계로 공고히 하기 위해 예술을 사용한 반면 이 크나큰 이점이 없었던 다른 종들은 환경 변화를 한 발 앞서 갈 수 없었거나 같은 자원을 놓고 크로마뇽인과 경쟁할 수 없었기 때문일지도 모른다.[4]

디사나야크는 사람들이 창작하고 느끼는 것인 예술이 구석기시대에 중요한 사회 통합 수단이었기 때문에 진화하고 존속했다고 믿는다. 예술은 사람들을 공동체로 결속해 집단 내 개인들의 생존을 강화했다. 예술이 사람들을 통합할 수 있는 한 가지 방식은 사회적으로 중요한 대상, 활동, 사건을 기억에 남고 쾌락을 줄 수 있도록 만드는 것이었다. 사람들이 모든 물건을 단지 목적을 충족하는 데 필요한 수준을 넘어서 더 예술적으로 만들었기 때문에, 디사나야크(1988)는 이렇게 썼다. "원시사회에서 예술의 가장 두드러진 특징은 아무래도 의식 행사에서 현저하게 드러나는 한편으로, 일상생활과 분리할 수 없다는 점일 것이다."[5]

예술이 감정을 불러일으키고, 감정이 관찰자에게 인지적·생리적 반응을 일으키므로 예술은 전신 반응을 일으킬 수 있다. 진화심리학의 시조 중 두 명인 존 투비John Tooby와 레다 코스미데스Leda Cosmides는 에른스트 크리스, 언스트 곰브리치와 같은 맥락의 주장을 펼친다.

우리는 모든 사람이 진화한 미적 원리에 따라 정신 발달이 이루어지는 예술가가 되도록 진화적으로 형성되었기 때문에 예술이 보편적이라고 생각한다. 아기 때부터 자기 조율적 경험은 독창적인 예술 매체가 되고, 자아는 독창적이고 주된 관객이 된다. 비록 남들은 달리거나 점프에서부터 상상한 시나리오에 이르기까지, 우리의 자기 생성적인 미적 경험의 대다수를 경험할 수 없을지라도, 창작자와 남들이 경험할 수 있는 어떤 표현 방안들이 있다. …… 추가 기록 매체들(그림, 점토, 필름 등)이 발명되면서 인류 역사에서 관객이 접근할 수 있는 예술 형태는 꾸준히 늘어날 수 있었다. 하지만 우리는 사회적으로 인정된 예술이 인류의 미학 세계 전체에서 극히 일부에 불과하다고 주장하련다. 설령 예술 활동을 영구히 기록하는 능력이 출현하면서 그런 관객 지향적인 시도가 대중화되고, 그 활동을 가장 잘하는 사람이 압도적인 힘을 지니게 되었을지라도 말이다.[6]

예술가는 감정적 기초 요소를 자극하여 관람자에게서 바라던 반응을 불러일으킨다. 인지심리학자 빌라야누르 라마찬드란은 예술가가 어떻게 그렇게 할 수 있는지를 알아내고자, "인간 예술 경험의 모든 다양한 표현 형태의 토대를 이루는 원리"[7]를 찾아 나섰다. 즉 시지각의 기본적인 게슈탈트 원리로부터 도출되는 법칙을 찾아 나섰다. 크리스와 곰브리치가 캐리커처를 논의할 때 펼친 논리를 이어받아서, 라마찬드란은 많은 예술 형태가 우리의 호기심을 자극하고 우리 뇌에 흡족한 감정 반응을 일으키도록 고안된 의도적인 허풍, 과장, 왜곡을 수반하기 때문에 성공을 거둔다고 주장한다.

하지만 효과가 있으려면, 예술의 사실적인 묘사로부터의 일탈이 임의적인 것이 되어서는 안 된다. 에이킨이 주장했듯이, 그 일탈은 감정 방출의 선천적인 뇌 메커니즘을 포착하는 데 성공해야 하며, 그것은 과장이 중요하다는 행동심리학자들과 동물행동학자들의 발견을 다시금 상기시킨다. 그 발견을 토대로 연구자들은 성숙한 행동을 빚어낼 수 있는 단순한 신호 자극을 찾아 나서게 되었고, 그 자극을 과장하면 더욱 강한 행동이 나온다.

라마찬드란은 이 과장된 신호 자극을 정점 이동 원리the peak shift principle라고 했다.[8] 이 개념에 따르면 화가는 개인의 본질을 포착하려고 애쓰는 한편으로, 적절한 과장을 통해 그 본질을 증폭시키고, 따라서 실생활에서 그 사람이 촉발했을 바로 그 신경 메커니즘을 더 강하게 활성화하려고 노력한다는 것이다. 라마찬드란은 한 이미지의 본질적인 특징을 추출하고 중복되거나 사소한 정보는 버리는 화가의 능력이 시각계가 하도록 진화한 것과 비슷하다고 강조한다. 따라서 화가는 모든 얼굴의 평균값을 취하고, 모델의 얼굴에서 이 평균값을 뺀 뒤 그 차이를 증폭함으로써 과장된 신호 자극을 무의식적으로 제공한다.

정점 이동 원리는 형태뿐 아니라 깊이와 색깔에도 적용된다. 분명히 우리는 원근법이 없는 클림트의 그림에서 깊이의 과장을 보고, 오스카어 코코슈카와 에곤 실레가 그린 얼굴에서 증폭된 색깔을 본다. 게다가 빈센트 반 고흐의 뒤를 이은 코코슈카와 실레는 얼굴의 질감 속성을 과장함으로써 정점 이동 원리를 알고 있었다는 것을 보여 준다. 라마찬드란은 어느 정도는 게슈탈트심리학자들의 깨달음에서 이끌어 낸, 자신이 보편적이라고 여기는 미술의 추가 원리 10가지를 제시한다. 무리 짓기, 대조, 격리, 지각 문제 해결, 대칭, 우연의 일치 혐오, 리듬 반복, 질서, 균형, 비유가 그것이다.

역사와 양식, 지역적인 선호, 각 화가의 독창성이 미치는 영향을 배제하지 않는 보편적인 미학 법칙이 있을 수 있다는 개념은 리글이 강하게 역설한 것이기도 하다. 사실 앞서 살펴보았듯이, '빈 1900'의 모더니즘 예술 같은 특정한 예술 학파의 출현은 특정한 시기와 장소의 지적·문화적 사건에 깊이 뿌리박고 있을지 모른다. 라마찬드란은 그저 화가가 의식적 또는 무의식적으로 이용할 것 같은 일반 법칙을 개괄한 것이다. 어느 화가가 어떤 특정한 법칙을 강조하는지, 그리고 그것을 얼마나 효과적으로 활용하는지는 화가에게 영향을 미치는 당대의 양식과 역사적 양식, 화가가 속한 지적·예술적 시대정신, 화가 자신의 기술과 관심과 독창성에 달려 있다. 예를 들어, 프랑스 인상파 화가들이 자연광 속에서 그림을 그림으로써 색채 공간에 새로운 변이를 도입한 대가들이었다면, 오스트리아 표현주의 화가들은 사람들의 감정과 본능적 삶을 들여다보는 새로운 통찰력을 갖고 얼굴과 몸을 그림으로써 감정 공간에 변이를 도입했다고 주장할 수 있을 것이다. 이 화가들 각자는 새로운 통찰력을 갖고 사람의 시각계와 감정계 작동의 토대인 보편적 원리들을 간파했다.

그리고 화가들은 또 하나의 보편적인 생물학 원리를 암묵적으로 이해하고 있다. 즉 사람들의 주의 자원이 한정되어 있다는 것이다. 어느 시점에 의식의 무대 중심을 차지할 수 있는 것은 하나의 안정한 신경 표상뿐이다. 라마찬드란이 지적하고 있듯이, 얼굴이나 몸에서 결정적인 정보는 윤곽선이므로 피부 색조, 털의 모양 등 다른 모든 정보는 의미가 덜하다. 사실 그런 세부 사항은 필요한 곳에 집중되어야 할 주의 자원을 흐트러뜨릴 수도 있다.

이것이 바로 클림트의 아르누보 양식의 검은 윤곽선, 나중에 코코슈카와 실레가 모난 이미지로 변형시킨 그 윤곽선이 그토록 강력하게 와 닿는 이유다. 그 윤곽선은 얼굴, 손, 몸의 경계를 정하고 그것에 주의가 향하도록 하며, 우리 감정 반응의 신경 메커니즘을 매우 효과적으로 활성화한다. 화가는 자신이 원하는 곳에 관람자가 이용할 수 있는 모든 주의가 할당될 수 있도록, 이미지에 이런 정점 이동을 도입하고 다른 모든 것들을 내버려야 한다. 때로 관람자에게는 색채의 영향조차도 필요 없다. 실레는 초상화에 색깔을 빈약하게 사용했지만—때로는 아예 쓰지 않았다—그럼에도 그 초상화들은 대단히 강력하게 와 닿는다.

미술에 반응하여 지각과 감정이 어떻게 상호작용하는지 밝혀낼 통찰력을 처음 제공한 쪽은 리글을 시작으로 크리스, 곰브리치, 라마찬드란으로 이어지는 인지심리학계였다. 그들의 연구를 통해 우리는 화가가 창작한 이미지가 우리 뇌에서 재창작되며, 지각적·감정적 현실의 모형을 만드는 능력을 우리 뇌가 타고난다는 것(게슈탈트심리학자들이 처음 밝혀냈다)을 알았다. 요점은 화가가 사람과 환경의 이미지를 창작할 때, 우리 뇌가 일상생활에서 현실의 모형을 구축하는 데 쓰는 바로 그 뇌의 신경 회로들을 표적으로 삼아 조작한다는 것이다. 더 나아가 크리스는 물질적·심리적 현실의 창의적인 모형 작성자인 화가의 뇌가 화가를 통해 묘사된 물질적·심리적 현실의 창의적인 모형 재작성자인 관람자의 뇌와 대등하다고 주장했다.

표현주의 미술은 고도로 일관적인 방식으로 뇌의 감정계와 지각계를 끌어들임으로써 성공한다. 앞서 살펴보았듯이 캐리커처의 감정 환기 능력을 20세기의 소묘, 채색화, 색채 이용 기법과 결합함으로써 그렇게 한다.

일상적인 인간관계에서 얼굴, 손, 성적 부위가 중요하므로 전통적으로 화가들이 그 부위에 초점을 맞추어 온 반면 클림트, 코코슈카, 실레는 관람자의 지각적 주의를 단순히 그 신체 부위들에 향하도록 하는 데에서 그치지 않았다. 그것들을 과장함으로써, 그리고 어떤 방법을 써서 과장했는지를 관람자에게 보여 줌으로써 그들은 감정적 기초 요소를 자극하고 새로운 도상 집합을 제시한다. 이런 식으로 오스트리아 표현주의 화가들은 우리의 본능적인 감정계의 무의식적 표지들을 드러내고 의식적으로 자각하게 만든다.

미술에서 감정의 지각은 생물학적 운동, 거울 뉴런, 마음의 이론을 담당하는 뇌 체계들을 끌어들이는, 어느 정도는 모방적이고 감정이입적인 것이다. 우리는 생각할 필요도 없이 그 체계들을 자동적으로 끌어들인다. 제임스-랑게의 감정 이론이 예측했을 법하고 현재 감정 뇌의 연구를 통해 확인되어 왔듯이, 위대한 미술 작품은 무의식적이지만 의식적 느낌을 촉발할 수 있는 깊은 쾌락을 경험할 수 있게 해준다. 따라서 클림트의 일부 작품에 편한 자세로 묘사된 품격 있는 인물들과 상호작용을 할 때, 우리는 자신을 더 편안하고 품격 있는 존재로 느낀다. 반면에 실레의 그림에 묘사된 불안한 사람들을 볼 때면, 우리의 불안 수준은 높아진다.

다윈의 얼굴 표정 연구가 시사하듯이, 약 여섯 가지의 전형적인 감정은 쾌락에서 고통에 이르기까지 연속체를 이루고 있다. 한 감정이 이 연속체의 어디에 놓이느냐는 편도체, 선조체, 전전두엽, 뇌의 다양한 조절계를 통해 결정된다. 그림 하나가 어떻게 다양한 감정을 전달하고 오스트리아 표현주의 화가들이 전혀 다른 감정들을 어떻게 그렇게 탁월하게 융합할 수 있었는지, 예컨대 에로티시즘의 쾌락을 불안 공포와, 죽음의 두려움을 탄생의 희망과 융합할 수 있었는지를 이 연속체를 통해 설명할 수 있을지도 모른다.

클림트, 코코슈카, 실레는 감정들의 조합을 모델의 무의식적 충동을 전달하는 수단으로 삼는 한편으로, 보편적인 예술적 진리라는 테두리 안에서 창작을 했다. 그들은 역사의 한 시대에서 나름의 독특한 방식으로 미술의 두 가지 주된 용도를 보여 주었다. 첫째, 그들은 개인이 자신을 보여 주는 태도 속에 숨겨진 느낌과 본능적인 충동을 강조함으로써 관람자가 감정을 읽을 수 있도록 했다. 그런 감정을 읽고 그 복잡성을 이해함으로써 우리는 모델에게 감정이입을 할 수 있고, 모델의 감정을 느낄 수 있다. 둘째, 그들은 캐리커처를 써서 본질적인 감정 요소들에 우리의 주의를 집중시켰다. 오스트리아 표현주의 화가들은 얼굴, 손, 몸의 윤곽을 단순화해 모델이 어떤 인물인지 빨리 파악할 수 있도록 했고, 단순한 윤곽이 불러일으키는 감정에 더 오래 몰입할 수 있도록 했다.

　　예술적 보편성과 정점 이동에 관한 라마찬드란의 주장은 여성의 성애적이고 파괴적인 힘을 과장한 클림트의 방식, 얼굴 감정을 과장한 코코슈카의 방식, 생명력과 죽음을 동경하는 마음을 동시에 지니고 고군분투하는 현대인을 묘사한 실레의 불안 가득한 과장된 신체 자세와 직접적인 관련이 있다. 우리는 현대의 위대한 초상화가인 루시안 프로이트의 작품에서도 보편성과 정점 이동의 증거를 본다. 나체 모델을 그린 초상화에서 프로이트는 기존의 척도와 원근법을 왜곡해 우리의 내면세계와 바깥 세계 사이에 일어나는 교환이 현실이라는 견해를 드러낸다.

28

창의적인
뇌

예술가와 비예술가의 차이는 느끼는 능력이 더 뛰어난지 여부에 있지 않다. 비밀은 우리 모두가 지닌 감정을 예술가가 객관화할 수 있다는 데, 눈에 보이게 할 수 있다는 데 있다.

—마사 그레이엄Martha Graham [1]

이것이 바로 화가, 시인, 사변적인 철학자, 자연과학자가 각자 나름의 방식으로 하는 것이다. 〔세계의〕 이 〔단순하고 명료한〕 이미지와 그것의 생성 속에 그는 자기 정서 생활의 중력 중심을 놓는다. 소용돌이치는 개인적 경험이라는 협소한 영역 내에서는 찾을 수 없는 평화와 평온을 이루기 위해서다.

—알베르트 아인슈타인Albert Einstein [2]

예술가와 과학자는 똑같이 환원론자이지만, 세계를 알고 이해하는 방식은 서로 다르다. 과학자는 검증과 재정립이 가능한 세계의 근본적인 특징들을 모형화한다. 이 검증은 관찰자의 주관적 편향을 제거하고 객관적인 측정이나 평가에 의존한다. 예술가도 세계의 모형을 만들지만, 그것은 경험적인 근사 모형이라기보다는 일상생활에서 마주치는 애매한 현실의 주관적인 인상이다.

세계의 모형을 만드는 것은 인간의 뇌에 있는 지각적·감정적·사회적 체계들의 핵심 기능이기도 하다. 화가가 미술 작품을 창작하고 관람자가 그것을 재창작할 수 있는 것은 둘 다 이 모형화 능력 덕분이다. 둘 다 뇌의 본질적인 창의적 활동에서 나온다. 게다가 화가와 관람자 모두 아하! 하는 순간, 즉 갑작스럽게 깨달음을 얻는 순간이 있는데, 거기에는 뇌의 비슷한 회로가 관여한다고 여겨진다.

현재 심리학자들과 미술사학자들은 인지심리학 관점에서 화가와 관람자에게서 창의성이 어떤 역할을 하는지를 활발하게 탐구하고 있으며, 뇌과학자들도 좀 더 예비 조사 수준이긴 하지만 생물학적 관점에서 그것을 살펴보고 있다. 생물학자들은 창의성 연구가 의식 연구와 같은 수준의 미지의 영역에 있다고 본다.

인지심리학의 관점에서 볼 때, 화가는 감정적·지각적 현실의 모형을 만드는 뇌의 능력을 표적으로 삼고 조작함으로써 세계와 그 안의 사람들을 묘사한다. 그러기 위해 화가는 뇌의 지각, 색깔, 감정, 감정이입 규칙들을 직관적으로 이해해야 한다. 그리고 모방하고 감정이입을 하는 뇌의 능력 덕분에 화가와 관람자는 남의 내밀한 정신세계에 접근할 수 있다.

미국의 미술사학자 버나드 베런슨Bernard Berenson은 관람자가 그림 속 인물에게 근육 반응을 보인다고 말한 최초의 인물일 것이다. 즉 관람자는 초상화 모델을 흉내 내기 위해 자신의 얼굴 표정과 자세를 무의식적으로 조정한다는 것이다. 베런슨은 이 반응이 감정이입적이며, 모델의 감정 상태에 대응한다고 가정했다. 오늘날 우리는 관람자의 이 반응이 뇌의 거울 뉴런과 마음의 이론 체계에서 나온다고 본다. 모델의 표정과 자

그림 28-1 오스카어 코코슈카, 〈토마시 가리구에 마사리크의 초상(Portrait of Tomáš Garrigue Masaryk)〉(1935~36). 캔버스에 유채. 컬러화보 참고

세를 흉내 냄으로써 관람자는 초상화 속 인물을 간파할 통찰력을 얻을 뿐 아니라 자신의 느낌을 그 사람에게 투사할 수 있다.

　언스트 곰브리치는 화가가 자신의 느낌을 자신이 그리고 있는 사람에게 투사할 때, 모델을 자신을 닮도록 만들 수도 있다고 주장한다. 그는 오스카어 코코슈카가 그린 토마시 마사리크Tomáš Garrigue Masaryk의 초상화(그림 28-1)를 극단적인 사례로 삼는다. 마사리크는 독립한 체코공화국의 초대 대통령으로, 그의 초상화는 화가 자신의 모습과 아주 흡사해 보인다. 더 나아가 곰브리치는 감정이입과 투사를 하는 코코슈카의 힘이 관람자에게 모델에 관한 특수한 통찰력을 제공한다고 말한다. 모델의 심리 상태와 감정 상태에 덜 관여하는 화가들의 작품과 달리 말이다. 감정이입을 하고 모델을 감정이입적으로 묘사하는 능력을 통해, 코코슈카는 관람자가 모델의 마음과 화가의 마음 둘 다에 접근할 수 있도록 한다.

회화는 어느 정도는 애매성을 창조함으로써 우리를 끌어들인다. 그 결과 미술 작품은 관람자마다 다른 반응을, 심지어 한 관람자에게서도 시기마다 다른 반응을 일으킬 것이다. 사실 한 미술 작품을 두 관람자가 지각적으로 재구성한 표상은 같은 풍경을 놓고 두 화가가 그린 풍경화만큼이나 서로 다를 수 있다.

우리가 한 그림과 맺는 관계는 눈으로 작품을 훑으면서 어떻게 처리할지 단서를 찾고 자신의 반응이 맞는지 틀린지 확인하기 위해 자신의 느낌을 무의식적으로 끊임없이 조정하는 과정을 수반한다.[3] 각 관람자의 선택적 주의는 자기 나름의 독특한 개인적·역사적 연상의 집합을 통해 정해진다. 곰브리치는 우리 눈앞에서 변하는 살아 있는 존재처럼 보이게 모나리자를 묘사한 레오나르도의 초상화를 사례로 든다. 그는 이런 말로 끝을 맺는다. "이 모든 이야기는 좀 수수께끼처럼 들리며, 실제로 그렇다. 위대한 미술 작품도 종종 그런 효과를 가져온다."[4]

화가와 관람자 둘 다 미술 작품에 창의성을 불어넣는다. 과학적이든 예술적이든, 혹은 단지 지각의 생물학적 과정이든 간에, 모든 유형의 창의성이 지닌 공통점은 독창적이고 발명적이고 상상력이 풍부한 무언가의 출현이다. 이 사실은 더 폭넓은 의문을 불러일으킨다. 창의성의 본질은 무엇일까? 인지심리학적 과정은 창의성에 무슨 기여를 할까?

우선 우리는 이런 어려운 문제들의 답이 우리의 이해 수준을 벗어난 것인지 여부를 물을 필요가 있다. 노벨상 수상자 피터 메더워Peter Medawar는 "'창의성이 분석을 초월한다'는 개념이 현재 우리가 극복해야 하는 낭만적인 환상이다."[5]라고 했는데, 나는 그 말이 옳다고 본다. 더 나아가 그는 인간의 창의성을 분석하려면 다양한 관점에서 병행 연구를 해야 한다고 주장한다. 사실 현재 우리는 창의성이 매우 복잡하며 다양한 형태를 취한다는 것을 깨닫기 시작하고 있다. 그나마도 이제 이해하기 시작하고 있을 뿐이다.

창의성은 인간 뇌만의 특징일까, 아니면 복잡성이 어느 수준에 이른 모든 정보처리 장치가 지닌 특성일까? 인공지능 분야의 일부 과학자들은 컴퓨터의 성능이 충분히 향상되면 으레 인간만이 지닌다고 말하는 창의적인 지능을 드러낼 것이며, 그에 따라 얼굴 인식과 새로운 착상 같은 능력을 갖추게 될 것이라고 주장한다. 이것은 발명가이자 미래학자인 레이 커즈와일Ray Kurzweil이 《특이점이 온다The Singularity Is Near》에서 주장한 견해이기도 하다. 커즈와일은 이 지적 컴퓨터의 프로그램을 설계하는 과학자들이 인간보다 더 영리한 기계를 만드는 시대가 올 것이라고 믿는다. 그렇게 출현한 기계는 자신보다 더욱 영리한 컴퓨터를 설계할 수 있을 것이다. 커즈와일은 수십 년 이내에 정보 기반 기술이 인류 지식의 상당 부분을 떠맡을 수 있다고 믿는다. 이 급격한 발전은 기계 기반의 초지능을 낳을 것이며, 인간 지능의 본질 자체를 바꿀 것이다.

2011년 인공지능 분야의 이 야심 찬 계획에서 한 단계 진전이 이루어졌다. 왓슨이라는 이름의 방 하나만 한 IBM 컴퓨터가 인간의 말을 이해하는 동시에 다양한 분야의 질문에 답할 수 있었던 것이다. 왓슨은 참가자에게 인류의 모든 관심 분야에 관한 백과사전적 지식뿐 아니라 애매한 질문과 문장을 해독할 능력까지 요구하는 텔레비전 퀴즈 프로그램인 〈제퍼디!Jeopardy!〉에 출연하여 다른 참가자들과 경쟁했다. 왓슨은 복잡한 수사 어구로 포장한 질문들을 해독하고 답하는 데 필요한 연관 정보들을 찾아서, 역대 우승자 두 명과 경쟁하여 그들보다 더 빨리 답할 수 있었다. 왓슨은 모호하고 애매한 말로 포장한 질문을 기억에 저장된 특정한 자료와 연결 지어야 할 때에만 어려움을 겪었다. 애매성을 다룰 수 있으려면 미묘한 차이를 정교하게 이해해야 하며, 그 점에서는 아직 인간의 뇌를 따라가지 못한다.

그렇긴 해도 왓슨과 딥블루는 복잡한 컴퓨터가 정말로 인간의 뇌처럼 심리적으로 구축된 방식으로 '생각'을 하는지, 아니면 단지 고도로 복잡한 방식으로 자료를 계산하는 것인지 흥미로운 의문을 불러일으킨다. 우리는 '생각하다'라는 단어를 기계에 갖다 붙일 수 있을까, 아니면 이것이 그저 심리적 주체를 그것의 컴퓨터 시뮬레이션과 혼동한 사례일까?

이 질문에 명확한 답은 없다. 버클리에 있는 캘리포니아 대학교의 마음 철학자 존 설John Searle은 컴퓨터 프로그램이 제아무리 '지적'이고 정교하다고 해도, 인간의 마음에 필적할 수는 없다고 믿는다. 그는 딥블루나 왓슨 같은 컴퓨터의 생각과 인간 뇌의 생각 사이의 차이점을 드러내는 흥미로운 방법을 제시했다.

설은 방—중국어 방—에 누군가가 갇혀 있다고 상상하자고 말한다. 그 사람은 기호 집합을 또 다른 기호 집합으로 체계적으로 전환하는 규칙 목록을 갖고 있다. 사실 이 기호 집합은 중국어 문장이다. 설은 방에 있는 사람이 중국어를 모른다고 가정하자고 말한다. 따라서 한 한자 집합을 다른 한자 집합으로 전환하는 일은 의미가 아니라 오로지 기호의 모양만을 토대로 이루어진다는 의미에서, 전적으로 형식적이다. 중국어 지식은 전혀 필요하지 않다. 방 안에 있는 사람은 규칙 목록에 따라 중국어 문장을 조작하는 데 점점 능숙해진다. 방 안으로 한자가 죽 적힌 쪽지가 들어올 때마다, 그는 즉시 작업을 시작하여 다른 한자들로 이루어진 적절한 문장을 곧바로 내보낸다. 방 바깥에 있는 중국어 화자가 볼 때, 입력되는 문장은 질문이고 출력되는 문장은 그 질문의 답이다. 따라서 그 입력-출력 관계는 실제 중국어 화자가 방 안에 있다고 할 때 예상할 수 있는 그것이다. 하지만 방 안에 있는 사람은 중국어를 한마디도 이해하지 못한다. 사실 그 방 안 어디에서도 중국어를 이해하는 과정은 전혀 일어나지 않고 있다. 방 안에서는 그저 모양, 즉 구문을 토대로 기호를 조작하는 일이 진행되고 있을 뿐이다. 진정한 이해는 의미론을, 즉 기호가 무엇을 나타내고 있는지를 알아야 가능하다.

이제 중국어 방에 있는 사람을 프로그램을 통해 똑같은 규칙들을 적용하는 컴퓨터로 대체한다고 하자. 컴퓨터와 사람 모두 구문에 따라서 기호 열을 조작한다. 중국어 방에서든 컴퓨터 안에서든 중국어의 이해는 전혀 이루어지지 않는다. 사실 왓슨 같은 컴퓨터 프로그램이 하는 일이라고 말할 수 있는 것은 바로 이 과정이다. 비록 왓슨은 정치와 시에서부터 과학과 스포츠, 카르보나라 스파게티의 완벽한 요리법에 이르기까지 온갖 질문에 대답할 수 있었지만, 방 안에 있던 사람이 중국어를 이해한다고 말할 수 없는 것과 마찬가지로 자신이 내놓은 답을 이해한다고 할 수 없다. 왓슨은 〈제퍼디!〉에서 다른 참가자들과 같은 유형의 입력-반응 행동을 보였을 뿐 아니라 매우 빠르고 탁월하게 해냈지만, 실제로 질문의 답을 이해한 것은 인간 참가자들뿐이었다.

인공지능을 연구하는 많은 학자와 마음의 계산 이론computational theory of mind 쪽으로 기울어진 일부 인지심리학자는 사고와 자료 계산을 명확히 구별하기란 불가능하다고 주장해 왔다. 그들은 마음의 계산 이론을 반박하는 설의 논증이 증거에 토대를 둔 것이 아니라, 그저 우리가 문장을 이해할 때 기호를 조작하는 것 이상의 일을 한다는 느낌에 토대를 둔 것이라고 본다. 설이 마음의 계산 이론을 부정할 확고한 실험 증거를 지니고 있지 않기 때문에 직관에 호소하고 있다는 것이다. 그리고 직관은 종종 결함을 보이며, 틀릴 수도 있는 과정이다.

직관의 약점을 제쳐 둔다고 해도, 마음과 기계의 계산 방법에는 컴퓨터가 인간과 유사한 지능을 습득하는 데 장애가 되는 놀라운 차이점들이 여전히 남아 있다.

스물한 살에 게리 카스파로프와 막상막하의 경기를 펼친 노르웨이의 체스 천재 망누스 칼센Magnus Carlsen도 독자적으로 비슷한 결론을 내렸다. 칼센은 체스를 둘 때 컴퓨터는 결코 직관적이라고 할 만한 수를 두지 않는다고 주장한다. 컴퓨터는 대단히 빠르며 저장된 엄청난 양의 기억을 빠르게 훑을 수 있기 때문에 영리하거나 명석하지 않아도 체스에서 충분히 상대방인 인간을 이길 수 있다. 컴퓨터는 각각의 수를 둘 때 그다음에 가능한 시나리오마다 15단계의 수를 계산할 수 있으므로 굳이 책략을 쓸 필요가 전혀 없다. 칼센 같은 고도로 창의적인 체스 선수들은 판이 어떻게 진행될 것인지 더 직관적인 판단에 의존하며, 판세를 더 직관적으로 느낀다. 따라서 그들은 컴퓨터가 두는 식으로 체스를 둘 가능성이 적다. 그 결과 칼센 같은 이들은 소프트웨어와 데이터베이스에 의존하여 훈련을 하고 전략을 짠 체스 명인들에게 어렵고도 예측할 수 없는 상대가 된다.

컴퓨터가 잘하지 못하는 것이 또 하나 있는데, 바로 얼굴 인식 규칙을 학습하는 일이다. 파완 신하Pawan Sinha 연구진은 이렇게 썼다.

> 얼굴 인식 계산 알고리듬 연구에 엄청난 노력을 쏟아부었는데도, 자연스럽게 얼굴을 인식할 수 있는 시스템은 아직 나오지 않고 있다. ……
> 이 도전 과제를 잘해 내는 듯한 시스템은 오직 인간의 시각계뿐이다.[6]

여기서 인간의 얼굴 인식이 하나의 정교한 알고리듬이 아니라 엉성한 과정들의 연결망을 통해 이루어진다는 점을 지적할 필요가 있다. 이 전략은 진화적으로 유리하다. 포괄적인 한 가지 과정보다는 단순한 병행 과정들을 여러 개 진화시키기가 더 쉽다. 어느 과정이 가장 좋은 결과를 낳을지를 무의식적으로 선택함으로써, 우리는 매우 다양한 환경에서 얼굴을 인식할 수 있다. 사실 우리는 하나의 정교한 알고리듬을 통해서 가능한 것보다 훨씬 더 효과적으로 그렇게 할 수 있다. 앞서 많은 단안 및 양안 깊이 단서를 통해 살펴보았듯이, 이것은 시각 처리 과정의 보편적인 특징이며, 다른 과정들에도 마찬가지로 적용되는 듯하다. 빌라야누르 라마찬드란은 이 접근법을 탁월하게 요약한다. "그것은 마치 같은 목적지를 향해 걷고 있는 두 주정뱅이와 비슷하다. 둘 다 혼자서는 거기까지 갈 수 없지만, 서로에게 기댄다면 비틀거리면서 나아갈 수 있다."[7]

과학 저술가이자 컴퓨터 지능 연구자인 브라이언 크리스티안Brian Christian은 인간의 지능과 기계의 지능이 지닌 차이점을 더 깊이 파고든다. 그에 따르면 인간의 지능은 언어 이해, 단편적인 정보로부터의 의미 파악, 공간적 지향, 적응적인 목표 설정을 할 수 있다. 더 중요한 점은 인간의 뇌가 의사 결정과 예측을 할 때 감정과 의식적 주의를 동원하여 지원할 수 있는 반면, 컴퓨터는 그럴 수 없다는 것이다. 윌리엄 제임스는 의식적 주의 덕분에 우리가 뇌의 상태를 자각할 수 있고, 그럼으로써 그것과 감정을 이용하여 지식을 습득할 수 있다고 말한다.

더 나아가 크리스티안은 컴퓨터 성능이 계속 나아지고 있을 때, 인간이 가만히 멈추어 있는 것은 아니라고 강조한다. 1997년 딥블루에게 졌을 때(그전에는 이겼다), 카스파로프는 1998년에 다시 맞붙어 보자고 제안했다. IBM은 거절했다. IBM은 카스파로프가 딥블루의 전략을 간파하여 이길까 걱정한 나머지 딥블루를 해체했다. 그리하여 딥블루는 두 번 다시 체스를 두지 못했다.

현재의 컴퓨터가 사람이라면 당연히 지니고 있다고 여기는 감정과 풍부한 자의식을 갖추지 못했다고 해도, 또는 컴퓨터의 계산법이 우리의 방법과 공통분모가 없이 다르다고 할지라도, 우리가 으레 떠올리곤 하는 창의성을 드러내는 것이 그래도 가능할까? 컴퓨터가 새로운 착상을 형성하도록 프로그램을 짤 수는 있다. 예를 들어, 컴퓨터는 알고리듬을 토대로 즉흥적으로 선율을 짜서 새로운 재즈 음악을 작곡할 수 있다. 더 범위를 넓혀서 컴퓨터는 기존 개념들을 무작위적으로 결합하여 새로운 개념을 만들어 내고, 그것이 기존 모형들에 들어맞는지 검증할 수 있다. 컴퓨터가 창의적인 사고를 한다는 식으로 말하려 할 때 우리가 직관적으로 곤란함을 느끼는 이유는 인간 뇌가 지닌 창의성의 핵심 특징 가운데 몇 가지를 염두에 두고 있기 때문이다. 이 특징들을 살펴본다면, 창의성이 정확히 무엇을 의미하는지 이해하는 데 도움이 될 수 있다.

에른스트 크리스와 정신의학자 낸시 앤드리슨Nancy Andreasen은 창의성의
본질적인 선결 조건이 열심히 일하려는 의지와 기술적인 능력이라고 말
한다. 그들은 편의상 창의적인 과정의 나머지 측면들을 네 부분으로 나눈
다. 첫째, 유달리 창의적일 가능성이 높은 성격 유형, 둘째, 의식적·무의
식적으로 문제를 연구할 때의 준비와 부화 기간, 셋째, 창의성 자체의 첫
발현 순간, 넷째, 창의적 착상의 펼치기working through다.

　　어떤 유형의 사람들이 창의적일 가능성이 가장 높을까? 역사적으
로 창의적인 이들은 신의 영감을 받는다고 여겨지곤 했다. 20세기 초에
심리학이 학문 분야로 등장하면서, 지능을 측정하는 데 쓰이는 지능지수
IQ처럼 창의성을 측정하려는 시도들이 나타났다. 그러면서 창의성이 지
능을 토대로 하며, 창의적인 사람이 어느 지식 영역에서 드러내고 그 영
역에 적용할 수 있는 하나의 형질이라는 결론이 도출되었다. 따라서 어느
한 가지에 창의적인 사람은 모든 것에 창의적이라는 의미였다.

　　최근에야 대다수의 사회과학자들은 하워드 가드너Howard Gardner의
다중 지능 연구에 영향을 받아서, 창의성이 여러 형태라고 보게 되었다.
하버드 대학교의 인지심리학자 하워드 가드너는 창의성에 대해 이렇게
말한다.

　　우리는 상대적으로 독립된 다양한 창의적 행동을 알아본다. 창의적인
　　사람은 지금까지 골치를 썩였던 문제(DNA의 구조 같은)를 풀거나, 새로
　　운 난제나 이론을 정립하거나(물리학의 끈이론 같은), 한 장르의 작품을
　　내놓거나, 진짜 또는 가상의 전투를 온라인에서 벌일 수 있다. …… 또
　　우리는 꽃의 새로운 배치 같은 사소한 창의성에서부터 상대성이론을
　　다루는 중요한 창의성에 이르기까지, 창의적인 성취가 다양한 범위에

걸쳐 있음을 안다. 그리고 가장 중요한 점은 우리가 한 영역에서 창의
적인 사람을······ 다른 영역에서 창의적인 사람과 맞바꿀 수 있다고 보
지 않는다는 것이다.[8]

앤드리슨의 연구도 비슷한 결과를 내놓았다. 그녀는 심리학자 루이
스 터먼Lewis Terman의 체계적인 연구도 인용한다. 1910년 캘리포니아에
서 태어난, IQ가 135~200인 아동 757명을 종단 연구한 터먼은 높은 IQ
와 창의성 사이에는 아무런 관계가 없다는 것을 밝혀냈다.

가드너는 창의성의 사회적 측면도 논의한다. 이 측면이 중요하다
는 점을 처음으로 간파한 사람은 심리학자 미하이 칙센트미하이Mihaly
Csikszentmihalyi였다. 칙센트미하이는 창의성이 동떨어진 어느 한 개인이
나 소집단이 이룬 단독 성취가 아니라고 말한다. 오히려 창의성은 세 구
성 요소의 상호작용에서 나온다. "어떤 분야나 활동 영역에서 숙달된 개
인 ······ 개인이 활동하는 문화 영역 ······ 사회 분야, 즉 수행할 기회뿐 아
니라 적절한 교육 경험을 제공하는 사람들과 기관"[9]이 바로 그것이다. 창
의적인 것이라고 받아들여지려면, 남들이 그 행동을 인정해야 한다. 즉
사회적 맥락이 필요하다. 더 큰 의미에서 볼 때 창의성, 특히 과학에서의
창의성은 과학자들이 일하는 사회적·지적 환경을 통해 출현하곤 한다.
우리는 선구자의 연구로부터 후대 과학자의 중요한 발견에 이르는 과학
적 사유의 계보를 뚜렷이 알아볼 수 있다. 유전자가 염색체에 있음을 발
견한 토머스 헌트 모건Thomas Hunt Morgan, DNA의 이중나선 구조를 발견
한 프랜시스 크릭과 제임스 왓슨James Watson의 사례가 그렇다.

가드너와 앤드리슨의 연구를 토대로, 우리는 현재 크리스가 찾고
있던 성격 유형들, 즉 창의적인 사고방식을 낳는 성격들이 많이 있으며
그것들이 전적으로 지능 위주로 형성되는 것은 아님을 깨닫고 있다. 고도
로 창의적인 사람 중에는 글을 잘 못 읽거나 수학을 잘 못하는 이들도 있

다. 게다가 창의적인 사고방식은 대체로 일반적인 것이 아니라 영역 특이적이다. 그것은 호기심, 독립성, 비순응성, 융통성, 그리고 뒤에서 다룰 긴장 완화 능력을 포함하여 극도로 중요한 다양한 특징에서 유래한다. 31장에서 살펴볼, 자폐증이 있으면서 특별한 소묘 재능을 지닌 사람들은 이 사고방식이 특이성을 띤다는 것을 명백히 보여 준다.

창의적이 되는 방법(글을 쓰거나, 춤을 추거나, 이론을 세우거나, 그림을 그리거나 함으로써)이 많다는 것은 분명하지만, 이 모든 활동의 토대를 이루는 공통의 마음 기술 집합이 있을 수 있을까? 창의성의 다양한 유형은 모두 비유 구성, 자료 재해석, 무관한 개념들의 연결, 모순 해소, 임의성 제거 같은 능력에 의존한다. 물론 창의적 계획의 특성에 따라 이 능력들이 어떻게 펼쳐지고 정의될지가 결정되겠지만(임의성은 양자물리학자와 인상파 화가에게서 전혀 다른 것을 의미할 수도 있다), 방법론상으로 겹쳐지는 매우 폭넓은 소수의 영역이 있을 수도 있다. 이것은 프로이트와 코코슈카를 맞바꿀 수 있다는 의미가 아니다(그들의 기술과 접근법은 서로 전혀 다르다). 하지만 그들은 의식과 심리의 여러 측면을 이해하는 공통의 능력을 포함하여, 비슷한 총괄적 전략들을 공유하고 있을지도 모른다.

그렇다면 준비와 부화의 기간이란 무엇일까? 준비는 어떤 문제를 의식적으로 연구하는 기간이고, 부화는 의식적 사고를 멈추고 무의식이 작동하도록 허용하는 기간이다. 창의성의 발현을 자극하려면 긴장을 풀고 마음이 제멋대로 방황하도록 놔둘 필요가 있다. 샌타바버라에 있는 캘리포니아 대학교의 심리학자 조너선 스쿨러Jonathan Schooler는 "마음을 방황하도록 놔둔" 역사를 검토한 끝에 원대한 착상, 창의적인 깨달음의 순간이 사람들이 어떤 문제에 깊이 몰두하고 있을 때가 아니라 곁길로 빠져 있을 때 나타나는 듯하다고 결론지었다. 산책을 하거나 샤워를 하거나 다른 무언가를 생각하고 있을 때, 문득 이전에 서로 별개였던 생각들이 하나로 엮이면서 이전에는 알아차리지 못했던 연관성을 볼 수 있게 된다.

스쿨러는 창의적인 깨달음—아하! 하는 순간—의 한 유형 혹은 한 구성요소의 본질과 그것이 나타나는 조건을 이렇게 정의했다. 첫째, 아하! 하는 순간은 평균적인 사람의 능력 범위 안에 들어간다. 둘째, 창의적 통찰을 요구하는 문제는 막다른 골목—즉 다음에 어떤 단계를 취할지 모르는 상태—으로 이어질 가능성이 아주 높다. 셋째, 그런 문제는 그 막다른 골목을 벗어나게 하고 해결책을 명확히 드러내는 갑작스러운 깨달음이라는 보상을 안겨 줄 끈기 있는 노력을 낳을 가능성이 아주 높다. 이 상황은 문제 해결자가 근거 없는 가정들의 속박에서 풀려나고 기존 개념이나 기능들을 과제와 연관 지어서 새롭게 연결할 때 나타나는 듯하다.

아하! 하는 순간은 유레카Eureka 경험의 일종이다. 유레카는 고대 그리스 수학자 아르키메데스가 목욕을 하다가 한 물체의 무게를 그것이 대체하는 물의 양과 비교함으로써 밀도를 알아낼 수 있다는 것을 발견했을 때 "유레카!"('알았다!'라는 뜻의 그리스어)라고 외친 데에서 유래했다(구체적으로, 아르키메데스는 순금으로 만들어졌다고 하는 왕관이 정말로 순금인지 아니면 밀도가 더 작은 은을 섞은 것인지 알아내고자 했다).

앤드리슨은 음악 신동 볼프강 아마데우스 모차르트Wolfgang Amadeus Mozart에서부터 시작하여 여러 천재들의 일화 속에서 아하! 하는 순간을 찾아낸다. 모차르트는 이렇게 말했다.

이를테면 주변에 아무도 없이 나 혼자 생각에 잠길 때, 그리고 기분이 아주 좋을 때, 예컨대 마차를 타고 여행 중일 때나 맛좋은 식사를 한 뒤에 산책을 할 때나 잠이 오지 않는 밤이 그렇다. 내 착상은 바로 그럴 때 가장 풍성해지고 가장 잘 떠오른다. 그런 착상이 언제 어떻게 떠오를지는 알지 못한다. 게다가 억지로 떠올릴 수도 없다. 그 착상은 내 영혼을 타오르게 하며, 마음을 어지럽히는 것이 없다면 내 주제는 저절로 확대되고, 체계를 갖추고 명확해진다. …… 이 모든 창작, 이 생산은 즐겁고 생생한 꿈속에서 이루어진다.[10]

화가와 마찬가지로, 관람자도 아하! 하는 순간을 경험한다. 우리는 그런 순간에 만족을 느낀다. 빌라야누르 라마찬드란은 그 이유를 이렇게 설명한다. "당신의 시각 중추가 감정 중추와 이어져 있기에 해답을 탐색하는 행위 자체가 기쁨을 줄 수 있다."[11]

긴장 완화는 무의식적 정신 과정에 쉽게 접근할 수 있다는 점이 특징이다. 그런 의미에서 꿈꾸기와 다소 비슷하다. 우리의 인지적·정서적 삶의 많은 부분이 그렇듯이, 우리의 의사 결정도 어느 정도는 무의식적으로 이루어진다는 최근의 발견은 무의식적 정신 과정이 창의적인 사고에도 마찬가지로 필요하다는 것을 시사한다. 프로이트가 처음에 심리 결정론을 발견하고 그 뒤에 게슈탈트심리학자들과 윌리엄 제임스를 통해 지각과 감정의 무의식적 상향 처리가 중요하다는 것이 드러났다는 점을 생각할 때, 그런 연관성이 있다고 해도 그리 놀랄 일은 아닐 것이다.

다음 두 장에서는 창의적인 깨달음 이전의 준비 단계와 창의적인 착상의 펼치기를 살펴볼 것이다. 둘 다 의식적으로 주의를 집중할 것을 요구한다. 더 나아가 우리는 창의적 연구와 결정의 몇 가지 유형이 무의식적으로 진행될 때 가장 잘 이루어진다는 것을 살펴볼 것이다. 뇌영상 실험들 덕분에, 우리는 이제 무의식적 깨달음의 순간과 그 뒤에 이어지는 깨달음의 펼치기를 담당하는 뇌 영역들 중 일부를 파악하기 시작했다. 마음 기능을 담당하는 모든 영역들이 그렇듯이, 우리는 자연의 실험으로부터 꽤 많은 것을 배워 왔다. 즉 기능 강화, 그리고 일부 사례에서는 창조성 강화와 연관된 다양한 뇌 기능 장애로부터 많은 것을 배워 왔다.

29

인지적 무의식과
창의적인 뇌

지그문트 프로이트는 우리 정신생활의 상당 부분이 무의식적이며, 그것이 의식이라는 제한된 시점을 통해서만 우리에게 드러난다는 것을 지적한 최초의 인물이었다. 무의식적 기능에 몇 가지 유형이 있다고 보는 최근의 연구 흐름은 사실상 프로이트를 초월한 것이지만, 때로는 그 자신이 예견한 방식으로 이루어지기도 한다.

의사 결정에 무의식적 정신 과정이 그 나름의 역할을 한다는 새로운 깨달음을 안겨 준 것은 1970년대에 샌프란시스코에 있는 캘리포니아 대학교의 벤저민 리벳Benjamin Libet이 처음 수행한, 지금은 고전이 된 실험이었다. 영국의 과학철학자 수전 블랙모어Susan Blackmore는 이 실험이 의식에 관해 지금까지 이루어진 실험 가운데 가장 유명한 것이라고 했다. 리벳은 독일의 신경과학자 한스 코른후버Hans Kornhuber가 1964년에 한 발견을 출발점으로 삼았다. 코른후버는 실험 지원자들에게 오른손 검지를 움직여 보라고 했다. 그런 뒤 가해진 힘을 계산하는 감지기로 이 수의 운동을 측정하는 동시에, 머리 피부에 붙인 전극을 통해 각자의 뇌 전기 활성을 기록했다. 이 실험을 수백 번 한 끝에, 코른후버는 매번 의식적 운동이 일어나기에 앞서 뇌의 전기 활동이 약간 증가하는 현상이 예외 없이 나타난다는 것을 발견했다. 그것은 자유의지의 전기 불꽃이었다! 그는 뇌의 이 전기 불꽃을 준비전위readiness potential라고 했고, 그것이 수의 운동이 일어나기 전 1초 이내에 일어난다는 것을 알아냈다.

리벳은 코른후버의 연구를 토대로 삼아서, 지원자들에게 손가락을 들고 싶은 충동을 느낄 때마다 그렇게 하라고 요청했다. 그는 지원자의 머리에 전극을 붙이고 실험을 하여, 자원자가 손가락을 들어올리기 전 1초(1000밀리초) 이내에 준비전위가 발화한다는 것을 확인했다. 이어서 리벳은 자원자가 운동의 의지를 일으킨 시점과 준비전위가 출현한 시점 사이의 경과 시간을 비교했다. 놀랍게도 준비전위는 지원자가 손가락을 움직이려는 충동을 느낀 뒤가 아니라 그보다 300밀리초 더 앞서 나타났다! 그리하여 리벳은 단지 뇌의 전기 활성을 관찰하는 것만으로 누군가가 무언가를 할 결심을 했음을 실제로 자각하기 이전에 그 사람이 무엇을 할지 예측할 수 있었다.

로스앤젤레스에 있는 캘리포니아 대학교 신경외과의 이츠하크 프리드 연구진은 2011년에 이 연구를 더 심화했다. 그들은 간질로 수술을 받는 환자들의 뇌를 연구했다. 연구진은 뇌에서 약 250개의 신경세포로 이루어진 비교적 작은 집합의 발화 여부를 보고서 움직이려는 의지를 예측할 수 있다는 것을 발견했다. 이는 우리가 의지를 느낄 때 그것이 사실은 수의 행동을 통제하는 뇌 영역의 활성을 그저 읽는 것에 불과할 수도 있다는 개념에 들어맞는다.

어떤 행동이 의식적인 선택이 이루어기 전에 이미 뇌에서 결정된다면, 우리의 '자유'의지는 어디에 있는 것일까? 가장 최근의 연구 결과는 움직이려는 의지를 우리가 느낄 때 그것이 착각에 불과하다는 것을, 즉 감정과 느낌의 관계와 흡사하게 무의식적 과정의 사후 합리화에 불과하다는 것을 시사한다. 의식적으로 하고 있지는 않다고 할지라도, 우리가 자유롭게 선택을 한다고 할 수 있을까? 의식적 결정이 선택 행위 자체와 어떤 인과관계를 이룰까?

리벳은 수의 행동을 시작하는 과정이 뇌의 무의식 쪽에서 빠르게 진행되지만, 더 느리게 참여하는 의식이 행동이 시작되기 직전에 하향식으로 그 행동을 승인하거나 거부한다고 주장한다. 따라서 손가락을 들어올리기 150밀리초 전에, 의식은 손가락을 움직일지 여부를 결정한다. 마찬가지로 블랙모어도 의식 경험이 행동을 개시하기 수백 밀리초 전에 서서히 구축된다고 주장했다.

하버드 대학교의 사회심리학자 대니얼 웨그너Daniel Wegner는 의사 결정에 무의식적 차원이 있다는 리벳의 발견을 더 확장했다. 웨그너는 의식적 의지가 발동된다는 느낌이 우리의 마음과 몸이 하는 일의 창작권이 우리에게 있음을 인식하고 기억하는 데 도움을 준다는 것을 알아냈다. 따라서 의식적 의지는 마음의 척도다. 그것은 생각과 행동 사이의 관계를 조사하고 둘이 적절히 대응할 때 '나는 이 일을 할 거야'라고 반응하는 경로 감지 메커니즘이다.

이 개념들과 리벳의 발견을 토대로 웨그너는 우리가 창작권이라는 감각을 지각할 때에만, 즉 우리의 의식적 사고가 지각된 행동을 일으킨 원인임을 지각할 때에만 의식적 의지를 경험한다고 주장했다. 무의식적 사고가 행동을 일으킨다면, 다시 말해 우리가 그 행동을 지각하고 있지 않다면, 우리는 의지라는 감각을 경험하지 못한다. 자유의지를 이런 식으로 보는 견해는 몇 가지 면에서 감정과 느낌, 사회적 상호작용에서 시각 정보의 상향 처리와 하향 처리라는 2단계 처리 체계와 들어맞는다. 그렇다면 감정처럼 창의성도 우리가 그것을 자각하기 전에, 무의식적으로 시작되는 것은 아닐까? 무의식적 정신 과정들을 밝혀낸 최근의 이 연구 성과들 덕분에 의식뿐 아니라 창의성에서도 의식적 과정과 무의식적 과정의 상대적인 역할을 새로운 방향에서 살펴볼 수 있게 되었다.

그런데 의식은 정확히 무엇을 가리키고, 뇌의 어디에 있는 것일까? 그 단어 자체는 흔히 쓰이지만, 다양한 기능을 포함하는 말이기에 철학자도 심리학자도 신경과학자도 아직 그 단어의 정확한 정의를 내리지 못하고 있다. 이따금 의식이라는 말은 '그녀는 의식적으로 듣고 있었다'처럼 주의 자각을 가리키는 데 쓰인다. 또 때로는 '그는 수술 뒤에 의식을 회복했다'처럼 단순히 각성 상태를 뜻하기도 한다. 신경과학자들을 가장 성가시게 하는 것은 모든 의식 이론이 궁극적으로는 내성 경험introspective experience, 즉 자기감과 느낌의 감각을 가리켜야 하는데, 그 현상을 과학적·객관적으로 탐구하기가 쉽지 않다는 점이다.

현재 컬럼비아 대학교에 있는 마이클 새들런Michael Shadlen은 의식의 더 일관적이고 포괄적인 특징을 파악하는 데 몰두해 왔다. 그는 의식의 다양한 속성을 두 가지 구성 요소로 환원할 수 있다고 역설한다. 하나는 경험적인 심리학-신경학적 관점에서 나온 것이고, 다른 하나는 철학적 관점에서 유래한 것이다. 심리학-신경학적 관점은 각성 및 환경과의 상호작용을 비롯한 각성의 다양한 상태와 연관된 의식의 측면들에 초점을 맞춘다. 이 맥락에서는 의식이 없다는 것이 수면, 최소 의식 상태, 혼수상태처럼 그런 상호작용을 할 수 없는 상태를 가리킨다. 반면에 철학적 관점은 자기의 의식적 자각 같은 주관적이고 개인적인 특징을 공유하는 정신 과정들을 강조한다. 의식의 이 측면은 우리의 내성 능력, 이야기를 하는 능력, 자유의지 감각을 낳는다.

안토니오 다마지오는 의식의 이 주관적 측면을 '자기과정self process'이라고 했다. 그는 우리가 신체 상태에 반응하여 의식적 감정을 경험하는 것과 흡사하게, 이 자기과정에서 신체 상태에 반응하여 주관적인 심적 이미지를 구축한다고 주장한다. 우리의 의식적 마음이 자기 자신과 주변 세계의 역사를 경험할 수 있는 것은 이 '자기과정' 덕분이다. 다마지오는 경험이 경험자에게 주관성을 제공할 것을 요구한다고 주장한다. 그렇지 않으면, 우리의 사고는 우리에게 속하지 않을 것이다.

먼저 철학적·주관적 관점에서 유래한 의식의 측면들은 신경과학자들을 여전히 매우 성가시게 하고 있다. 과학적 관찰이 쉽지 않은 주관적이고 개인적인 관점인 내성 경험을 가리키기 때문이다. 하지만 최근 들어서 의식의 심리학-신경학적 관점에서 나온 대다수의 이론에 공통의 핵심 개념들이 있다는 데 놀라운 수준까지 의견 일치가 이루어져 왔다.

이 수렴된 견해는 지각 경험을 통보하는 우리의 의식 능력이 자극이 주어진 지 얼마 뒤에 출현하고, 이어서 전전두엽과 두정엽의 주요 영역들로 전체적으로 방송되는 대뇌피질의 동조 활동에서 나온다는 발견을 토대로 한다. 우리가 지각의 의식적 상태로서 경험하는 것은 바로 이 방송이다. 이런 식의 개념은 윌리엄 제임스의 교과서인《심리학 원리》에서 처음 제시되었다. 제임스는 의식을 감독 체계, 즉 너무 복잡해서 스스로를 조종할 수 없는 신경계를 조종하도록 고안된 별도의 기관이라고 했다. 이 견해는 나중에 다듬어져서, 정보가 이 감독 주의 체계에 표상되고 대뇌피질 전역으로 폭넓게 전파될 때에만 의식적이 된다는 개념이 되었다. 더 최근에 프랜시스 크릭과 크리스토프 코크는 의식이 뇌 전체에서 신경세포들 간에 안정적인 제휴가 이루어지는 과정을 수반하며, 전전두엽이 이 제휴의 중추적인 역할을 한다고 주장했다.

1988년 인지심리학자 버나드 바스Bernard Baars는 이 중 몇 가지 개념을 통합하여 '전역 작업 공간 이론Global Workspace Theory'이라는 의식 이론을 제시했다. 그 뒤로 의식의 생물학을 연구하는 여러 과학자들이 이 이론을 받아들여 확장해 왔다. 이 이론은 의식이 일시적으로 활성을 띤 작업기억의 주관적인 경험에 해당한다고 본다. 바스는 의식이 어느 한 지점에서 시작되는 것이 아니라고 주장한다. 수많은 지점에서 전의식적으로 시작될 수 있다는 것이다. 의식이 시작될 수 있는 이 지점들은 바스가 전역 작업 공간이라고 부른 넓은 연결망을 형성한다. 그 정보가 의식에 이용될 수 있으려면, 이 지점들에서 나온 전의식 정보가 뇌 전체로 방송되어야 한다. 이 견해에 따르면, 의식은 전의식 정보의 광역 전파, 즉 방송이다.

전역 작업 공간 이론은 세 부분으로 구성되며, 바스는 그것들을 극장에 비유하여 설명한다. 첫째, 현재 펼쳐지는 연기에 주의의 초점을 맞춘 집중 조명, 둘째, 현재 연기를 하고 있지 않아서 보이지 않는 배우와 단원, 셋째, 관객이다. 이 비유는 마음—의식적 기능과 무의식적 기능 둘 다—을 나타낸다. 마음은 단순히 배우나 단원, 관객이 아니라 그 셋 사이의 상호작용 망이다.

바스의 극장에서 의식적 접근은 무대의 주역에 초점을 맞춘 집중 조명—주의의 집중 조명—에 해당한다. 의식이 한 번에 다룰 수 있는 정보의 양이 한정되어 있기 때문에 집중 조명은 어느 시점에 무대의 극히 일부와 수많은 배우와 단원 가운데 소수만을 비춘다. 조명을 받고 있는 무대 연기—의식 내용—는 어느 한 사건의 작업기억에 해당한다. 즉 16~30초 동안만 지속되는 기억이다.

그 뒤에 의식 내용은 다른 처리자들에게로 방송되어 퍼진다. 주의의 집중 조명이 이루어지고 있는 소량의 의식적 정보에 기여하는 무의식적이고 자율적이고 분화한 방대한 뇌 연결망인, 모든 관객과 무대 뒤편에 있는 배우와 단원 중 상당수에게로 말이다.

바스의 전역 작업 공간 이론은 현재 우리가 의식의 뉴런 구성 체계에 관해 알고 있는 내용과 대단히 잘 들어맞는다. 파리의 콜레주 드 프랑스에 있는 인지신경과학자 스타니슬라스 데하네Stanislas Dehaene와 장피에르 샹죄Jean-Pierre Changeux는 바스 이론의 뉴런 모형을 구축해 왔다. 그들의 모형에 따르면, 우리가 의식적 접근이라고 경험하는 것은 대뇌피질의 여러 영역으로 전달되는 한 정보의 선택, 증폭, 방송을 가리킨다. 이 모형의 신경망은 대뇌피질의 전전두엽 등에 있는 특정한 피라미드 신경세포들로 이루어진다.

데하네는 무의식적 지각에서 의식적 지각으로의 전이에 초점을 맞춰 이 방송의 특성을 탐구했다. 앞서 살펴보았다시피, 망막에 와 닿는 이미지는 의식적으로 지각될 수 있기 전에 중요한 변형을 거쳐야 한다. 의식에 도달하는 감각 정보는 모두 이 처리 지연을 겪으며, 아마 우리의 기억, 감정, 감각, 의지 작용에서도 마찬가지일 것이다. 감각 정보는 먼저 예비 처리 과정을 거쳐야 하므로, 우리의 의식에 출현하는 모든 사건들은 먼저 무의식에서 시작되는 것이 틀림없다. 리벳이 우리의 움직이려는 의지가 무의식에서 시작된다는 것을 발견했듯이, 시각을 비롯한 우리의 모든 감각 처리도 마찬가지다. 이것은 한 가지 흥미로운 질문을 제기하는데, 데하네가 해명하려고 애쓴 것이 바로 그 질문이다. 자극의 처리 과정 중 어느 지점에서 우리의 의식이 발화하는 것일까? 무의식적으로 지각된 정보가 의식적으로 지각된 정보로 전환되는 지점이 어디일까?

데하네는 뇌 기능 자기공명영상을 이용하여, 이미지의 의식적 자각이 시각 처리 과정에서 상대적으로 늦게 출현한다는 것을 발견했다. 시각 처리가 시작된 지 3분의 1초에서 2분의 1초가 흐른 뒤에 나타난다. 초기의 무의식적 활동은 일차 시각피질의 국소 영역(V1과 V2)만을 활성화하는 경향이 있다. 시각 처리 과정의 첫 200밀리초 동안, 관람자는 자극을 보았다는 사실 자체를 부정할 것이다. 하지만 시각이 의식의 문턱을 넘어서면, 뉴런 활성의 동시 방송이 터져 나오면서 뇌의 다양한 영역으로 신호가 퍼진다(그림 29-1). 따라서 프로이트가 예측한 것처럼, 미술 작품의 지각·창작·감상을 비롯한 우리 의식 생활의 거의 모든 측면이 무의식적 처리 과정을 토대로 하고 있을 가능성이 높아 보인다.

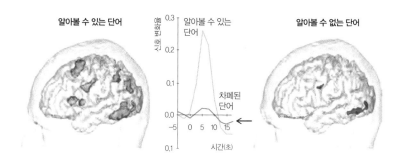

왼쪽 시각적 단어 형태 영역

알아볼 수 있는 단어   알아볼 수 있는 단어   알아볼 수 없는 단어

차폐된 단어

시간(초)

그림 29-1 왼쪽의 뇌는 적힌 단어를 의식적으로 지각할 때의 반응인 광범위한 뉴런 활성을 나타낸 것이다. 오른쪽의 뇌는 적힌 단어를 무의식적으로 지각할 때의 반응인 국소적인 뉴런 활성을 묘사한 것이다. 무의식적 지각 실험에서는 무의식적 시각 검출을 보존하면서 단어를 읽지 못하도록 하기 위해, 단어를 제시하면서 차폐 자극(masking stimulus)— 단어를 제시하기 직전과 직후에 무관한 자극을 제시하는 것—을 함께 준다. 그러면 왼쪽 일차 시각피질과 측두엽의 특정한 영역에 있는 신경세포들이 활성을 띤다. 반면에 의식적으로 지각된 단어는 무의식적 지각에 관여하는 피질 영역뿐 아니라 하두정엽, 전전두엽, 대상피질에 분포한 피라미드 세포도 활성화한다.

감각 자극에 반응하여 의식적 자각이 이루어질 때 어떤 일이 벌어지는지 파악하기 위해, 데하네는 뇌영상을 찍는 동시에 뇌의 전기 활성도를 기록했다. 그는 정보가 널리 방송되고 의식적으로 지각될 때, 독특한 전기 활성 리듬이 동시에 발생한다는 것을 알았다. 이 리듬이 뇌의 두정엽과 전두엽에서 하향 증폭을 일으키는 피라미드 신경세포들의 망을 활성화함으로써 의식을 촉발하는 듯하다. 청각과 촉각을 수반하는 실험에서도 비슷한 결과가 나타났다.

바스의 극장 비유에서 주의의 집중 조명은 무대 위의 사건을 만들어 내는 보이지 않는 배우와 단원, 그리고 관객의 활성을 촉발한다. 생물학적으로 보자면, 의식적 주의는 피라미드 세포가 뇌 전체의 수많은 영역, 특히 작업기억 및 집행 의사 결정과 관련된 전전두엽 영역들의 활성을 촉발할 때 일어난다. 따라서 피라미드 세포는 광범위하게 퍼져 있던,

본래 자율적이었던 관객들에게 주의의 집중 조명을 받는 활동에 관한 신호를 퍼뜨린다.

우리는 복잡한 인지 작업에서 무의식이 정확히 어떤 역할을 하는지 알지 못한다. 하지만 무의식적 정신 과정이 몇 가지 항목을 체계적이고 일관적인 방식으로 동시에 처리할 수 있는 반면 의식적 주의는 한정된 양의 정보에만 초점을 맞출 수 있다는 개념을 토대로 네덜란드 사회심리학자 압 다익스터하우스Ap Dijksterhuis는 흥미로운 개념을 제시한다. 우리의 의사 결정에서 무의식적 사고와 의식적 사고가 하는 역할에 중요한 차이가 있다는 것이다.

다익스터하우스는 의식적 사고가 뇌의 처리 능력 전체 중 극히 일부만을 나타낸다고 본다는 점에서 프로이트와 생각이 같다. 게다가 고속도로에서 어느 길로 가야 하는지를 파악하거나 산수 문제를 푸는 것과 같은 몇 되지 않는 대안을 놓고 단순한 정량적 결정을 내릴 때에는 의식적 사고가 더 나을지도 모르지만, 어떤 자동차를 살지 고를 때, 직업을 바꿔야 할지 결정할 때, 그림을 미적으로 평가할 때처럼 가능한 대안이 많은 복잡한 질적 결정 앞에 서면 의식적 사고는 금방 지리멸렬해진다. 이것은 의식이 주의를 동원하기 때문이다. 주의는 소수의 가능성만을 살펴볼 수 있으며, 때로는 한 번에 한 가지에만 집중할 수 있다.

이와 달리 무의식적 사고는 많은 과정을 별도로 다룰 수 있는, 뇌 전역에 퍼져 있는 자율적이고 분화한 연결망으로 구성된 복잡한 그물이다. 다익스터하우스는 아주 많은 기억—즉 지각, 운동, 인지 기능을 간직한 절차기억—이 무의식적이기 때문에, 많은 대안을 동시에 비교할 것을 요구하는 결정을 내릴 때에는 무의식적 사고가 더 낫다고 주장한다.

다익스터하우스는 전형적인 의사 결정 실험에서, 참가자들에게 네 아파트에 관한 복잡하고도 상세한 정보를 주었다. 정보에는 한 아파트는 안 좋게 묘사되어 있었고, 두 아파트는 중립적으로 기술되어 있었으며, 나머지 한 아파트는 좋게 묘사되어 있었다. 다익스터하우스는 참가자들 모두에게 동일한 정보를 준 뒤에 자기가 쓸 아파트를 하나 골라야 한다고 말했다. 그런 뒤 참가자들을 세 집단으로 나누었다. 한 집단에는 정보를 읽자마자 평가를 내리도록 했다. 이 집단은 첫인상에 깊이 의존했다. 두 번째 집단에는 정보를 읽고 3분 동안 생각할 시간을 가진 뒤에 선택하도록 했다. 이들은 의식적 사고에 의존했다. 세 번째 집단에는 철자 맞추기처럼 의식적 사고를 방해하는 과제를 3분 동안 하도록 해 정신을 흐트러뜨린 뒤, 따라서 무의식적 사고가 이루어질 시간을 갖도록 한 뒤에 선택을 하도록 했다. 신기하게도 정신을 산만하게 했던 세 번째 집단이 좋은 아파트를 고를 가능성이 훨씬 더 높았다. 다른 두 집단은 그렇게 많은 변수를 다루는 과제가 너무 어려웠기 때문에 제대로 선택을 하지 못했다.

이 결과는 직관에 반하는 듯하다. 여러분은 많은 변수를 수반하는 복잡한 결정이 상세한 의식적 분석을 요구할 것이라고 생각할지도 모르겠다. 다익스터하우스는 정반대로 무의식적 처리 과정이라는 분산된 자원들이 여러 변수가 수반되는 생각에 더 적합하다고 주장한다. 시지각과 감정을 다루면서 살펴보았듯이, 뇌는 하향 처리와 상향 처리를 둘 다 한다. 의식적 사고는 하향 처리 방식이며, 기대와 내면 모형을 안내자로 삼는다. 의식적 사고는 계층적이다. 다익스터하우스는 무의식적 사고가 상향적으로, 즉 비계층적으로 이루어지며, 따라서 개념들의 새로운 조합과 순열을 찾아내는 데 훨씬 더 융통성을 발휘할 수 있을 것이라고 주장했다. 의식적 사고 처리 과정이 정보를 빠르게 통합하다 보니 때로 상충하는 결과를 내놓는 반면, 무의식적 사고 처리 과정은 정보를 더 천천히 통합함으로써 더 명쾌한, 아마도 갈등이 더 적을 느낌을 생성한다.

이렇게 무의식적 사고 과정을 강조하는 견해가 새로운 것은 아니다. 19세기의 위대한 독일 철학자로서 프로이트에게 큰 영향을 미친 아르투어 쇼펜하우어는 창의적인 문제 해결에서 무의식적 정신 과정이 어떤 역할을 하는지에 대해 썼다.

> 우리 사고의 절반이 무의식적으로 이루어진다고는 거의 믿기지 않는다. …… 내가 이론적이거나 현실적인 어떤 문제의 사실관계 자료에 몰두해 왔다고 하자. 그 문제를 다시 생각하지 않아도, 때로 며칠 뒤에 답이 지극히 저절로 내 머릿속에 떠오르곤 한다. 하지만 그 답을 내놓은 머릿속의 작동 과정은 계산기의 작동 과정과 마찬가지로 내게는 수수께끼로 남아 있다. 다시금 무의식적 사고 과정이 진행된 것이다.[1]

의식적 의사 결정이 무의식적 의사 결정보다 더 나은 상황에 초점을 맞춘 실험도 많이 이루어져 왔다. 많은 결정은 확률과 가치가 서로 다른 것들을 놓고 고르는 과정이다. 그런 상황에서 최상의 결정은 선택의 기대 효용을 최대화하는 것이며, 그것은 의식적 주의를 요할 수 있다. 하지만 흥미로운 점은 우리가 무의식적 정신 과정을 사용하여 중요한 결정을 내릴 수 있고, 그 무의식적 과정들이 창의성에 기여할 수 있다는 것이다.

무의식적 정신 과정이 창의성에 기여할 수 있다는 개념은 에른스트 크리스가 처음 내놓았다. 그는 창의적인 사람에게는 통제된 방식으로 무의식적 자아와 의식적 자아 사이의 비교적 자유로운 의사소통을 경험하는 순간들이 있다고 주장했다. 그리고 뇌의 하향식 추론 과정이 매개하는 무의식적 사고에 대한 통제된 접근을 '자아를 위한 퇴행regression in the service of the ego'이라고 했다. 그와 언스트 곰브리치는 창의성이 발휘되는 순간에, 화가가 자신의 창작 과정에 혜택을 주는 방식으로 자발적으로 퇴행한다고 주장한다. 반면에 정신병 발현에서 나타나는 더 어릴 때의 더 원시적인 심리 기능으로의 퇴행은 비자발적이다. 그것은 개인의 통제 아래 일어나는 것이 아니며, 대개 개인에게 혜택을 주지도 않는다. 통제된 방식으로 퇴행을 함으로써, 화가는 무의식적 충동과 욕구의 힘을 이미지의 전면으로 끌어올 수 있다. 아마 오스트리아 모더니즘 화가들이 성욕과 공격성이라는 주제를 그토록 진정성 있게 묘사하고 시각계의 감정적 토대를 성공적으로 활성화하는 유형의 과장과 왜곡을 그토록 정확히 직관적으로 이해할 수 있었던 것은 그런 퇴행을 잘 조율했기 때문일 것이다.

프로이트를 본받아서 크리스는 무의식적 정신 과정과 의식적 정신 과정이 쓰는 논리와 언어가 서로 다르다고 했다. 무의식적 정신 과정은 일차 과정 사고가 특징이다. 이 사고는 유추적이며, 자유연상적이며, 구체적 이미지(추상 개념과 반대되는)가 특징이며, 쾌락원칙에 이끌린다. 이와 달리 의식적 정신 과정은 이차 과정 사고가 지배한다. 이차 과정 사고는 추상적이고 논리적이며, 현실 지향적 관심사에 좌우된다. 일차 과정 사고는 더 자유롭고 많은 연상이 이루어지므로, 생각들의 새로운 조합과 순열―아하! 하는 순간에 해당하는―을 촉진하는 창의성이 발휘되는 순간을 자극한다고 여겨진다. 한편 창의적인 깨달음의 펼치기, 즉 정교화에는 이차 과정 사고가 철저히 집중될 필요가 있다.

다익스터하우스와 튄 뫼르스Teun Meurs는 무의식적 사고―주의 없는 사고―가 창의성으로 이어지는 이유를 살펴보기 위해 일련의 실험을 고안했다. 그들은 이 실험을 통해서 무의식이 부화 기간에, 즉 의식적 사고를 그만둘 때 가장 효과적으로 작동한다는 널리 퍼진 개념을 살펴보았다. 이 개념은 종종 그렇듯이 어떤 문제를 잘못된 방향에서 접근할 때 더 이상 생각을 계속할 수 없는 막다른 골목에 다다르게 된다는 것이다. 하지만 그 문제를 생각하는 것을 그만두고 다른 일에 정신을 팔다 보면, 마음 자세 변환set shifting이 일어날 수 있다. 마음 자세 변환은 경직되고 수렴적인 관점에서 연상적이고 발산적인 관점으로 옮겨 가는 것이다. 이 변환은 잘못된 접근법을 마음에 덜 와 닿게 하고, 때로는 아예 잊어버리게끔 한다.

마음 자세 변환 개념을 검증하기 위해, 다익스터하우스와 뫼르스는 실험 참가자들을 세 집단으로 나누어서 'A로 시작하는 장소들의 목록' 또는 '벽돌로 할 수 있는 일' 같은 특정한 지시에 반응하여 어떤 항목을 적는지 비교했다. 집단별로 요청하자마자 목록을 작성하거나, 몇 분 동안 의식적으로 생각한 뒤에 적거나, 몇 분 동안 정신을 흩트리는 다른 활동을 한 뒤에 적도록 했다. 비록 각 집단이 작성한 항목의 개수에는 전혀 차이가 없었지만, 무의식적 사고를 한 사람들이 작성한 목록은 예외 없이 더 다양하고 독특하고 창의적이었다. 게다가 앞서 아파트를 고르는 실험에서 살펴보았듯이, 부화 집단의 사람들은 다른 두 집단의 사람들보다 나중에 스스로 살펴보았을 때 더 흡족할 만한 목록을 내놓았다. 따라서 마음이 방황하도록 허용하는 이 주의 분산은 무의식적(상향) 사고를 촉진할 뿐 아니라, 새로운 해결책의 도출에서 드러나듯이 저장된 기억으로부터 새로운 하향 처리 과정을 이끌어 낸다.

언뜻 볼 때 리벳, 다익스터하우스, 웨그너의 연구 결과는 우리가 삶의 중요한 결정을 모두 의식적으로 내린다는 상식과 들어맞지 않는 듯하다. 하지만 블랙모어가 지적했듯이, 무의식적 처리 과정이 한 가지 유형이 아니라는 점을 일단 이해하고 나면 문제는 사라진다. 어떤 무의식적 과정들은 일관성 있는 종합을 할 수 있다. 한편, 프로이트가 이드의 속성이라고 본 무의식적 과정들은 억제되지 않은 본능적인 충동들의 보고다. 그러니 우리는 무의식적 정신 기능이 무엇을 뜻하는지 재고할 필요가 있다.

우리는 무의식적 정보처리 과정의 한 가지 구성 요소가 인지를 수반하며 의식에 접근할 준비가 되어 있다는 점을 이미 살펴보았다. 그것이 바로 인지적 무의식cognitive unconscious, 즉 자아의 인지적 부분이다. 인지적 무의식의 과정들은 자아가 본능적 충동으로부터 상대적으로 자유로운 자율적 영역을 지니며, 그것이 의사 결정에 이용될 수 있다고 보는 현대 정신분석 개념에 들어맞는다. 인지적 무의식 개념은 1987년 버클리에 있는 캘리포니아 대학교의 인지심리학자 J. F. 킬스트롬Kihlstrom이 처음 도입했고, 시모어 엡스타인Seymour Epstein과 그 후의 많은 인지심리학자가 정교하게 다듬었다.

인지적 무의식은 프로이트가 개괄한 자아의 두 가지 무의식적 구성 요소와 같은 특징을 지닌다. 이 두 구성 요소는 운동 기능과 지각 기능의 무의식적 기억을 맡고 있는 절차적(암묵적) 무의식과 조직화 및 기획을 담당하는 전의식적 무의식을 말한다. 프로이트의 두 무의식적 과정처럼, 킬스트롬이 개괄한 인지적 무의식도 경험을 통해 계속 갱신된다. 여기서는 평생에 걸쳐 이루어지는 다양한 의식적 숙고를 통해서다. 사실 다익스터하우스는 의식적·하향식 처리 과정이 없다면 우리가 의사 결정과 창의적 활동에 요구되는 인지 기능을 갱신하고 갈고닦을 수 없을 것이라고 주장한다. 게다가 몇몇 상황에서는 의식적·하향식 인지 과정들이 결정하거나 창조하는 행위 자체에서 인지적 무의식이 검토된다.

인지적 무의식이 창의성에 기여할 것이라고 생각하는 이유는 두 가지다. 첫째, 인지적 무의식은 동시에 일어나는 의식적 과정보다 훨씬 더 많은 작업을 처리할 수 있다. 둘째, 크리스가 주장했듯이 인지적 무의식은 프로이트가 역동적 무의식이라고 한 것—우리의 갈등, 성적 충동, 억압된 사고와 행동—에 유달리 쉽게 접근할 수 있으며, 따라서 그 과정들을 창의적으로 활용할 수 있다.

이 장에서 기술한 수의 행동, 의사 결정, 창의성 연구는 한 세기 전 프로이트가 상상할 수 있었던 것보다 무의식 활동이 더욱 풍성하고 다양하다는 견해로 이어졌다. 게다가 의식적 과정과 무의식적 과정의 생물학을 더 깊이 이해하면서 우리는 가까운 미래에 예술과 뇌과학 사이의 대화에 더욱 중요한 진전이 이루어지는 것을 볼 가능성이 높다. 앞서 살펴보았듯이, 그 대화는 '빈 1900'에서 정신분석과 뇌과학 사이에 이루어진 대화로부터 시작된 것이다.

30

창의성의
뇌 회로

창의적인 깨달음, 아하! 하는 순간을 낳는 데 기여하는 신경 회로를 콕 찍을 수 있을까?

많은 연구를 통해 나온 예비 증거들을 보면 비록 대뇌피질의 모든 영역이 창의성에 기여하지만, 창의성의 특정한 측면들은 피질의 연합 영역에서 생성될 가능성이 더 높은 것으로 보인다. 비록 결코 압도적인 증거라고는 할 수 없지만, 대뇌피질의 우반구, 특히 오른쪽 전상측두회anterior superior temporal gyrus와 오른쪽 두정엽이 창의성에 관여한다는 흥미로운 연구 결과가 나와 있다. 지원자들에게 창의적 통찰을 요하는 언어 문제를 풀게 하면, 오른쪽 측두엽에 있는 이 영역의 활성이 증가한다. 게다가 깨달음을 얻기 0.3초 전에 그 영역에서 갑자기 고주파 활성이 나타난다. 오른쪽 측두엽의 이 독특한 활성 패턴은 이 뇌 영역이 무의식적으로 정보를 통합해야, 그럼으로써 문제를 새로운 관점에서, 즉 평소에 의식적으로는 생각하지 못할 방식으로 볼 수 있어야 창의적인 해결책이 나온다는 것을 시사한다. 또 존 지크John Geake는 수학 영재들을 연구하여 오른쪽 두정엽과 양쪽 전두엽이 수학 문제 풀이에서 창의적인 사고에 쓰인다는 것을 보여 주었다.

이런 발견들은 언어를 제외하고 '좌뇌와 우뇌'에 차이가 있다는 많은 주장이 오랫동안 사이비 과학으로 여겨져 왔기 때문에 특히 더 관심을 끈다. 예를 들어, 좌반구가 더 분석적이고 논리적인 반면 우반구는 더 전체론적이고 직관적이라는 주장이 처음 나온 것은 1980년대였다. 하지만 연구가 많이 이루어졌지만 그 포괄적인 주장을 뒷받침하는 증거를 찾아내지는 못했다. 연구 결과들은 본질적으로 음악, 수학, 논리 추론 같은 인지 활동에 양쪽 반구가 다 관여한다는 것을 시사했다. 하지만 최근에 로버트 온스타인Robert Ornstein이 많은 연구 자료를 체계적으로 검토한 결과는 적어도 특정한 유형의 깨달음에는 우반구가 더 선택적으로 관여한다는 것을 시사한다.

이 최근의 발견들은 온전한 뇌를 연구하여 나온 것이지만, 우리는 19세기의 위대한 신경학자인 피에르폴 브로카와 카를 베르니케의 연구로부터 특정한 형태의 뇌 손상이 일으키는 행동 변화를 살펴봄으로써 복잡한 인지 과정의 생물학을 많이 밝혀낼 수 있다는 것도 안다. 그런 연구들 덕분에 우리는 19세기 중반 이래로 좌반구와 우반구가 대칭적으로 보이고 지각·사고·행동 측면에서 함께 일을 한다고 할지라도, 기능이 비대칭적이라는 점을 알게 되었다. 우선 각 대뇌반구는 주로 몸 반대편의 감각과 운동을 담당한다. 그 결과에 따르면, 우리 대다수가 오른손잡이인 것은 왼쪽의 운동피질 때문이다. 게다가 거의 모든 오른손잡이는 구어와 수화의 이해와 표현을 주로 좌반구가 매개한다. 우반구는 언어의 음악성, 억양과 더 관련이 있다. 시각-공간 정보 처리, 추상 도안의 기억, 베끼기, 그리기, 얼굴 인식 등 언어를 필요로 하지 않는 다양한 지각 기능 면에서 우반구는 좌반구보다 낫다.

이런 관찰들을 토대로 영국 신경학의 창시자인 존 휼링스 잭슨은 기능의 차이가 인지적 분화에서 비롯한 것이라고 했다. 그는 베르니케와 브로카의 발견을 토대로 1871년에 좌반구가 분석적 조직화, 따라서 언어 구조를 맡도록 분화한 반면, 우반구가 자극과 반응을 연관 짓는 일, 따라서 개념들을 새롭게 조합하여 서로 연합을 이루도록 하는 일을 맡도록 분화해 있다고 주장했다.

휼링스 잭슨은 뇌가 기능하는 방식을 설명하는 자신의 더 포괄적인 이론이라는 맥락 속에서 이 견해를 정교하게 다듬었다. 그는 뇌가 진화하면서 점점 더 복잡한 수준을 갖추어 왔다고 생각했다. 각각의 더 높은 상위 수준은 하위 수준들에 적용되는 것과 비슷한 통합 활동 규칙들에 따르며, 모든 수준들은 스티븐 커플러가 망막에서 발견했고 데이비드 허블과 토르스텐 비셀이 대뇌피질에서 발견한 것과 흡사한 억제 활동과 흥분 활동 사이의 균형에 좌우된다. 휼링스 잭슨은 평소에는 양쪽 반구의 흥분시키는 힘과 억제하는 힘 사이에 균형이 이루어져 있고, 그 결과 뇌의 잠재적인 능력 중 일부만이 표현된다고 주장했다. 우반구의 창의적인 활동 능력을 포함한 다른 능력들은 적극적으로 억제된다. 하지만 한쪽 반구에 손상이 일어나면 다른 쪽 반구를 억제하지 못한다. 그 결과 손상되지 않은 반구에서 전에 숨겨져 있던 창의력을 비롯한 정신 능력이 더 이상 억제되지 못한다.

휼링스 잭슨은 좌반구와 관련된 언어장애인 언어상실증에 걸린 아이들의 음악 능력을 연구하면서 이 개념을 정립했다. 그는 좌반구의 언어 영역에 손상이 일어나도 아이의 음악 능력은 줄어들지 않았다고 했다. 음악 능력은 우반구의 통제를 받는다. 오히려 그 손상으로 음악 능력은 사실상 더 향상되었다. 휼링스 잭슨은 이것이 좌뇌가 손상됨으로써 평소에는 억제되었던 우뇌의 기능(음악성)이 해방된 사례라고 보았다.

비록 뇌를 직접 조사하는 데 쓴 그의 도구가 본질적으로 간접적인 것이었고 반사 망치, 안전핀, 솜뭉치, 탁월한 임상 관찰 솜씨에 국한된 것이었긴 해도, 우반구가 새로운 연상을 형성할 능력―창의성의 구성 요소―을 지니고 좌반구가 그 창의적인 잠재력을 억제할 능력을 지닌다는 휼링스 잭슨의 깨달음에는 선견지명이 담겨 있었다. 비록 과장이 섞여 있긴 했지만 말이다. 우선 그의 발견은 뇌 손상이 긍정적인 방식으로든 부정적인 방식으로든 간에 창의성에 기여하는 뇌 영역이 어디인지 밝혀낼 수 있다는 것을 보여 주었다. 게다가 그의 뇌 손상 연구는 좌반구가 세부적인 사항에 초점을 맞추고 사실·규칙·언어를 담당하면서 논리를 자신의 언어로 삼는 경향이 있는 반면, 우반구는 전체적인 그림을 보는 데 초점을 맞추고 기호·이미지·위험 감수·충동성에 관여하며 환상과 상상을 이용하는 경향이 있다는 것을 시사했다.

휼링스 잭슨이 현대 신경학의 토대를 마련한 지 한 세기 뒤에 뇌의 인지 기능을 연구하는 엘크호논 골드버그Elkhonon Goldberg는 좌반구가 일상적이거나 친숙한 정보를 처리하는 쪽으로 분화한 반면, 우반구는 새로운 정보를 처리하는 쪽으로 분화해 있다는 개념을 부활시켰다. 미국 국립보건원의 앨릭스 마틴Alex Martin 연구진은 골드버그의 개념을 지지한다. 연구진은 PET로 찍은 뇌영상을 토대로 사물이나 단어 같은 자극을 반복하여 주면 좌반구가 계속 활성을 띤 상태로 있다는 것을 발견했다. 반면에 우반구는 새로운 자극이나 과제가 주어질 때에만 활성을 띤다. 우반구의 활성은 자극이나 과제가 연습을 통해 틀에 박힌 것이 되면서 줄어드는 반면, 좌반구는 그 자극을 처리하기 위해 계속 활성을 띤다.

골드버그가 더 앞서 한 연구는 우반구가 깨달음을 요구하는 문제를 해결하는 데 특수한 역할을 한다는 것을 시사했다. 그것은 아마도 우반구가 한 문제의 느슨하거나 서로 관계가 적은 요소들 사이의 결합을 계속 처리하기 때문일 것이다. 사실 창의적 통찰을 써서 문제를 해결하도록 했을 때, 지원자들의 우반구 중 일부는 휴식 시간에도 계속 활성을 띠고 있었다.

MIT의 얼 밀러와 프린스턴 대학교의 조너선 코언Jonathan Cohen은 추상적 추론과 감정의 상향 조절에 관여한다고 여겨지곤 하는 전전두엽이 이차 과정적인 논리적 사고를 써서 창의적 통찰의 펼치기도 담당한다고 주장했다. 일단 사람이 창의적인 해결책에 이르면, 전전두엽은 활성을 띠면서 당면한 과제에 초점을 맞추는 한편으로 문제를 해결하는 데 뇌의 다른 어떤 영역이 관여할 필요가 있는지도 파악한다. 그래서 과학 저술가 조나 레러Jonah Lehrer는 우리가 단어 퍼즐을 풀려고 애쓸 때, 전전두엽이 언어 처리에 관여하는 특정한 뇌 영역을 (하향 처리 과정을 써서) 선택적으로 활성화할 것이라고 주장한다. 전전두엽이 우반구의 일부 영역을 활성화하기로 결정한다면, 우리는 깨달음을 얻게 될 수도 있다. 전전두엽이 퍼즐 풀이를 좌반구에게만 맡기기로 결정한다면, 우리는 아마도 서서히 해답에 이르게 될 것이다. 해답을 찾아낸다고 한다면 말이다.

전전두엽은 우리가 무엇을 하려고 하는지를 의식적으로 자각하지 않은 채 이 모든 계획을 세우며, 그것은 인지적 무의식 과정들이 중요하다는 것을 시사한다. 이 발견은 창의적이든 체계적이든 간에 문제 풀이가 무에서, 즉 개인이 문제를 풀기 시작할 때 시작되는 것이 아니라는 개념으로 이어졌다. 종종 그렇겠지만, 그 사람은 전에도 그 문제의 여러 측면들을 푼 적이 있었을 것이다. 따라서 의사 결정에서처럼 문제 풀이에서도 개인이 창의적인 전략이나 체계적인 전략 중에서 선택할 수 있도록 하는 기존의 무의식적 뇌 상태가 있다.

◆ ◆ ◆

이제 우리는 휼링스 잭슨이 원래 제기했던 질문으로 돌아갈 수 있다. '정상적인' 뇌 기능에 결함이나 변형이 생긴 결과로 재능을 얻은 사람들을 연구함으로써, 의사 결정 및 그와 관련된 창의성의 측면들에 관해 무언가를 알아낼 수 있을까? 뇌영상 연구들은 전전두엽이 시지각과 심상이 형성될 때 활성을 띠며, 창의성이 좌우 양쪽 전두엽의 활성을 수반하는 경향이 있다는 것을 보여 준다. 하지만 시각예술 기능이 발달함에 따라, 우반구와 좌반구 사이의 연결이 재배열되면서 오른쪽 전전두엽의 활성이 왼쪽 전전두엽의 억제력을 능가하게 되는 듯하다. 따라서 좌우 전전두엽의 상호작용은 독창성과 창의성을 낳거나 억제하는 데 기여할 수 있다.

전두측두엽 치매frontotemporal dementia에 걸린 사람들에게서 갑자기 미술적 재능이 출현하는 현상을 이런 발견들을 통해 설명할 수 있을지도 모른다. 샌프란시스코에 있는 캘리포니아 대학교의 신경학자 브루스 밀러Bruce Miller는 이 치매 환자들을 연구했다. 이 환자들은 대체로 손상이 왼쪽 전두엽과 측두엽에 국한되어 있었다. 이 손상으로 아마도 좌반구가 오른쪽 전두엽과 측두엽의 활성을 억제하는 능력이 줄어드는 듯하다.

이 환자들은 뇌의 왼쪽보다 오른쪽이 더 손상되어 있기 때문에, 대다수의 자폐적 석학autistic savant, 난독증 환자와 마찬가지로 그들의 재능도 대개 언어적인 것이 아니라 시각적인 것이다. 하지만 해방 현상—좌반구의 손상으로 풀려난 창의성의 분출—은 보편적인 것이 아닌 듯하다. 오히려 그것은 이미 창의성의 잠재력을 지니고 있는 사람들에게서 나타나는 것일 수도 있다.

일부 환자들은 질병이 진행되고 있는데도 그림을 그리고 사진을 찍는 일을 계속했다. 어릴 때부터 계속 그림을 그렸던 고등학교 미술 교사인 잰시 챙도 그중 한 명이었다. 그녀는 전두측두엽 치매가 심해져서 결국 교직을 떠나야 했다. 밀러는 챙이 사회적 능력과 언어 능력을 더 상실할수록—그것은 왼쪽 전두엽과 측두엽의 손상이 더 진행되고 있음을 시사한다—그녀의 미술이 더 자유로워지고 대담해진다는 것을 알아차렸다. 그녀는 평생 사실주의 작품을 그려 왔지만, 이제는 억제가 점점 풀리면서 인위적인 색채, 극단적인 해부학적 왜곡, 과장된 얼굴 표정과 신체 자세를 차츰 더 쓰게 되었다.

하지만 쳉과 달리, 전두측두엽 치매에 걸려서 미술적 재능을 드러내는 환자들은 대부분 추상적이거나 상징적인 요소가 결핍된 사실주의적 재현물인 그림, 사진, 조각 작품을 만든다. 그림을 그리는 치매 환자들은 자신이 예전에 보았던, 때로는 어릴 때 보았던 이미지를 회상한 뒤에 언어라는 매개체 없이 그 장면을 마음속에서 재구축하는 듯하다. 게다가 그들은 얼굴, 대상, 모양의 세부 사항에 서서히 더 관심을 보인다. 마지막으로 그들은 자신의 미술에 몹시, 거의 강박적일 만큼 몰두하며, 완벽하다고 여길 때까지 반복하여 그리고 또 그릴 것이다. 쉰한 살인 어느 가정주부는 유년 시절의 기억 속 강과 시골 풍경을 반복하여 그리기 시작했다. 미술에 전혀 관심이 없었던 쉰세 살 남성은 어릴 때 보았던 교회를 계속 그렸다. 쉰여섯 살인 사업가는 그림에 열정을 품게 되었고, 몇 차례 상도 받았다. 그들에게서는 시각적 요소들이 이제 더 이상 좌반구의 억제를 받지 않는 오른쪽 전두엽의 신경 처리 과정을 통해 일관적이고 의미 있는 경관으로 짜이는 듯하다.

연구자들은 뇌의 왼쪽에 뇌졸중이 찾아와서 언어 사용 능력이 손상되고 우반구가 억제에서 풀려난 듯이 보이는 화가들을 연구해 또 다른 깨달음을 얻어 왔다. 이 화가들은 언어를 상실했어도 미술 솜씨는 그대로 남아 있거나, 몇몇 사례에서는 사실상 더 나아졌다. 이 논문을 검토한 인지심리학자 하워드 가드너는 뇌졸중을 일으킨 뒤 언어상실증에 걸린 화가의 말을 인용한다. "내 안에는 두 사람이 있다. …… 한 명은 그리려는 현실에 사로잡혀 있고, 다른 한 명은 더 이상 말조차 하지 못하는 바보다."[1]

심리학자 내린더 캐퍼Narinder Kapur는 뇌 손상을 입은 뒤 이렇게 뜻밖의 행동 개선이 이루어지는 것을 '역설적 기능 촉진paradoxical functional facilitation'이라고 이름 붙였다. 그는 예전의 휼링스 잭슨과 더 최근의 올리버 색스가 주장했듯이, 건강한 뇌에서는 억제와 흥분 메커니즘이 복잡한 조화를 이루면서 상호작용을 한다고 주장한다. 손상이 일어나서 뇌 한쪽에서 가하는 억제 작용 중 일부가 제거되면, 다른 쪽 뇌의 특정한 기능이 강화되는 결과가 나올 수 있다.

일반적으로 미술 재능의 발현이 새로움의 추구Novelty seeking를 억제하는 힘이 줄어드는 데에서 비롯된다는 연구 결과들은 창의성이 억제의 제거를 수반한다는 개념과 들어맞는다. 새로움 추구는 인습에 얽매이지 않은 채 생각을 하고, 열린 상황에서 확산적 사고를 활용하고, 새로운 경험에 개방적인 태도를 취하는 능력 등을 포괄하는 것이다. 전두엽은 창의성의 토대를 이루는 과정인 새로움을 추구하고 검출하는 일을 하는 연결망의 일부다.

우반구가 손상되지 않은 사람들의 뇌에서는 창의성이 어떻게 발현될까? 위대한 화가, 작가, 과학자처럼 창의성이 돋보이는 사람들을 대상으로 체계적인 뇌영상 연구가 이루어진 적은 아직 없다. 하지만 노스웨스턴 대학교의 마크 정비먼Mark Jung-Beeman과 드렉설 대학교의 존 코니오스John Kounios는 생산적인 협력을 통해 정상적인 사람들에게서 창의성의 한 가지 구성 요소, 즉 아하! 하는 순간을 연구하는 데 큰 진전을 이루었다. 정비먼과 코니오스는 공동으로 통찰 문제 해결insight problem solving ─ 한 문제의 새로운 해결책이 갑자기 떠오르는 것 ─ 의 신경해부학적·기능적 연구를 하기 이전에, 각자 독자적으로 창의적 통찰을 인지심리학적으로 살펴보고 있었다.

행동 학습상의 점진적인 또는 급격한 향상을 연구하는 분야는 역사가 깊다. 1949년, 캐나다의 위대한 심리학자 도널드 헵Donald O. Hebb은 통찰을 얻으려면 적당한 수준의 난이도를 지닌 과제가 필요하다고 지적했다. 당장 풀 수 있을 만큼 쉬운 과제나, 시도를 반복하여 외워서 푸는 것 외에는 풀 수 없을 정도로 어려운 과제는 안 된다. 그런 과제 중 특히 흥미로운 사례는 1997년 하버드 대학교와 뉴욕 대학교의 나바 루빈Nava Rubin, 켄 나카야마Ken Nakayama, 로버트 섀플리Robert Shapley가 18장에서 살펴본 달마시안 개를 토대로 제시한 것이다.

앞서 살펴보았듯이, 이 착시 그림을 보는 사람은 갑작스럽게 개의 윤곽을 지각하며, 그것은 통찰의 아하! 현상과 비슷한 경험이다. 관찰자는 학습의 중간 단계가 없이 '모름' 상태에서 '앎' 상태로 넘어간다. 이 실험을 토대로 루빈 연구진은 자극의 특정한 시각적 특징(즉 개) 외에, 시각적 윤곽의 갑작스러운 학습을 일으키는 더 높은 수준의 일반적인 지각적 통찰 집합이 있는 것이 틀림없다고 주장했다.

코니오스와 정비먼이 연구한 것이 바로 이 아하! 지각의 고차원적 구성 요소다. 정비먼은 휼링스 잭슨을 뇌의 우반구로 이끌었던 것과 비슷한 과학적 궤적을 우연히 따라가다가 창의적 통찰에 처음으로 관심을 갖게 되었다. 그는 뇌졸중이나 수술로 뇌의 어느 한쪽 반구가 손상된 사람들을 대상으로 우반구의 특성을 연구하고 있었다. 그는 우반구에 수술을 받은 이들이 언어를 말하거나 이해하는 능력을 잃지 않았지만, 인지적으로 심각한 문제를 안고 있다는 데, 특히 언어의 미묘한 의미 이해에 어려움을 겪는다는 데 주목했다. 이 점을 토대로 그는 좌반구가 단어의 일차 의미인 외연denotation을 담당하고, 우반구는 단어의 비유적이고 추론적인 관계인 내포connotation를 다룬다고 결론지었다. 휼링스 잭슨과 골드버그에서 시작된 사고의 흐름을 따라서, 정비먼은 내포 기능이 우반구의 더 폭넓은 연상을 처리하는 능력에 달려 있다고 했다. 이 발견에 자극을 받아서 그는 퍼즐을 푸는 두 가지 방법에 관심을 갖게 되었다. 바로 창의적 통찰의 순간과 해답 후보들을 체계적으로 검사하는 방법이다.

한편 코니오스도 인지심리학적으로 창의적 통찰을 연구하기 시작했다. 게슈탈트심리학자들도 통찰에 흥미를 느꼈다. 사실 앞서 살펴보았 듯이, 그들의 전경-배경 문제 중 일부는 통찰을 발휘해야 풀 수 있다. 뇌 가 두 이미지를 검출한 뒤에야 우리의 주의는 한 이미지에서 다른 이미 지로 전부 아니면 전무—아하!—방식으로 전환된다(그림 12-2와 12-3).

코니오스는 정보가 둘 중 한 가지 방식으로 처리될 수 있다는 이론 을 살펴보는 것으로 통찰을 연구하기 시작했다. 연속적으로 혹은 어느 한 순간에 처리될 수 있다는 것이다. 한 문제의 최종 정답이 순간적으로 떠 오르는지 혹은 서서히 떠오르는지를 판단하기 위해, 코니오스와 동료 로 더릭 스미스Roderick Smith는 사람들이 정보를 동화하는 속도를 측정했다. 그들은 정보가 실제로 두 가지 방식으로, 즉 갑작스럽게 혹은 연속적으로 처리된다는 것을 발견했다. 게다가 이산離散 처리 과정의 특징인 갑작스 러운 해답은 통찰을 체계적인 문제 해결과 구분한다. 그래서 해답이 출현 하는 갑작스러움에 초점을 맞춤으로써, 코니오스와 스미스는 창의성의 잠재적 구성 요소인 아하! 현상을 연구할 새로운 실험 패러다임을 개발 했다.

각자 하던 심리학 연구를 통해 만난 코니오스와 정비먼은 공동으 로 일련의 실험을 했다. 정비먼은 뇌 기능 MRI를 이용해 아하! 하는 순 간을 연구했고, 코니오스는 뇌파검사를 이용해 그 순간을 조사했다. 뇌 활성을 측정하는 두 기술은 서로 완벽한 보완관계에 있다. 뇌파도EEG는 사건이 언제 일어나는지를 짚어 내는 데에는 뛰어나지만 그것이 어디에 서 일어나는지를 파악하는 능력은 떨어지므로 시간 해상도는 높은 반면 공간 해상도는 낮다. 반면에 뇌 기능 MRI는 강점과 약점이 그와 정반 대다.

정비먼과 코니오스는 실험 참가자들에게 단순한 문제를 많이 냈다. 모두 통찰이나 체계적인 노력 가운데 어느 쪽을 통해서도 풀 수 있는 문 제였다. 예를 들면, 참가자들에게 게crab, 소나무pine, 소스sauce라는 세 명

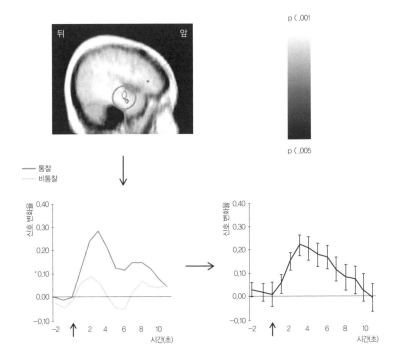

그림 30-1 뇌 기능 MRI에 검출된 통찰. 통찰의 순간에 뇌의 오른쪽 전상측두회가 더 강하게 활성을 띤다.

사를 제시하고서, 각 명사와 결합해 친숙한 복합명사를 만들 수 있는 단어를 떠올려 보라고 했다. 답은 사과apple였다. 꽃사과crabapple, 파인애플 pineapple, 사과소스applesauce다. 참가자의 약 절반은 다양한 조합을 체계적으로 시도해 답을 얻었고, 나머지 절반은 한순간의 통찰을 통해 답에 도달했다.

뇌영상은 참가자들이 아하! 하는 순간을 경험할 때 오른쪽 측두엽의 한 영역(전상측두회)이 특히 활성을 띤다는 것을 보여 주었다(그림 30-1). 그 영역은 처음에 문제를 풀려고 시도할 때에도 활성을 띠었다. 그것은 그 반응이 '감정적인 아하!' 순간에만 한정된 것이 아니라는 것을 시사한다. 마지막으로 오른쪽 측두엽의 그 영역은 애매한 이야기의 주제를

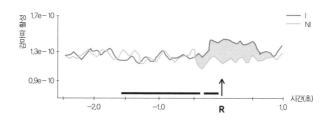

그림 30-2 결정을 내리기 직전에 그림 30-1에 실린 바로 그 오른쪽 전상측두회에 고주파(감마파) 활성이 나타난다.

추론해야 할 때처럼, 관련이 적은 의미론적 활동을 통합할 것을 요구하는 과제에도 활성을 띠었다.

　시간 해상도를 높이고 어떤 종류의 뇌 신호가 이 해답과 연관 있는 지를 파악하기 위해, 정비먼과 코니오스는 뇌파도를 사용했다. 그들은 참 가자가 확고한 결정을 내리기 직전에 뇌영상을 통해 파악한 오른쪽 측두 엽의 바로 그 영역에서 고주파(감마파) 활성이 나타난다는 것을 알아냈다 (그림 30-2).

　따라서 한 세기 전에 휼링스 잭슨이 주장했던 것과 흡사하게, 우반 구는 서로 다른 정보 유형들 사이를 연결 지을 수 있는 듯하다. 비록 문제 해결이 일반적으로 공통의 피질 연결망에 의존할지라도, 별개의 신경세 포가 관여하는 다른 인지 과정을 수행할 때 문득 떠오르는 통찰 덕분에 우리는 여태껏 알아차리지 못했던 연결을 볼 수 있게 되는 듯하다.

　정비먼과 코니오스는 공동 연구를 계속하면서 창의적 통찰이 사실상 서 로 다른 장소에서 서로 다른 시간 동안 작동하는 일시적인 일련의 뇌 상 태들의 누적임을 발견했다. 통찰이 갑작스럽게 일어나고 그에 앞서 이루 어졌던 사고 과정과 단절되어 있는 듯이 보인다는 것도 사실이다.

　연구 참가자들이 창의적 통찰을 이용해 문제를 풀 때 가장 먼저 활성을 띠는 영역들은 양쪽 반구 전전두엽의 전대상피질과 측두엽이다. 문제를 분석적으로 풀 때, 시각피질이 활성을 띤다. 이것은 참가자들이 문제가 제시되는 화면에 주의를 향하고 있음을 시사한다. 정비먼과 코니오스는 이를 준비 단계preparatory phase라고 정의했는데, 문제의 제시가 이루어지기 직전의 시간 간격을 가리킨다. 골드버그가 파악한 기존 뇌 상태와 비슷하다. 정비먼은 이 단계에서 뇌가 문제에 초점을 맞추고 다른 모든 것은 차단하려 시도한다고 본다. 그다음에 참가자가 실제 해답을 도출할 때, 동시에 뇌파도에 매우 높은 고주파 전기 활성이 솟구치는 것이 기록된다. 뇌 기능 MRI는 이 감마파가 분출할 때, 동시에 오른쪽 측두엽, 특히 위에서 논의한 전상측두회가 활성을 띤다는 것을 보여 준다(그림 30-2).

　　낸시 앤드리슨이 창의적인 작가들을 연구하여 이끌어 낸 결론에 부합되게, 정비먼은 긴장 완화 단계가 아하! 현상에 대단히 중요하다고 믿는다. 그는 창의적 통찰이 뇌가 많은 주의를 아낌없이 쏟아붓는 섬세한 정신적 균형 활동이라고 주장한다. 일단 주의가 집중되면, 해답으로 향하는 다른 잠정적인 경로들, 우반구 처리 과정의 결과로서 출현할 가능성이 더 높은 경로들을 찾기 위해 긴장을 풀 필요가 있다. 아마도 그토록 많은 창의적 통찰이 따뜻한 물로 샤워를 할 때 일어난다고 여겨진다는 점이 바로 이 긴장 완화의 중요성을 역설하는 듯하다. 창의적 통찰이 이루어지기 좋은 또 하나의 이상적인 순간은 이른 아침, 깨어난 직후라고 여겨진다. 졸음이 채 가시지 않은 뇌는 느슨하고 무질서하며, 인습에 얽매이지 않은 온갖 착상들에 열려 있다.

　　더 나아가 정비먼은 창의적 통찰을 통해 문제를 적극적으로 풀려고 시도할 때, 집중하는 동시에 막다른 골목에 도달했을 때든 부화 기간에든 간에 그 과정의 어떤 시점에 마음이 방황하도록—퇴행하도록—할 필요가 있다고 주장한다. 이 논리는 미술 감상에도 적용된다. 미술 작품을 진지하게 감상하는 일은 다른 모든 것을 배제한 채 작품에만 초점을 맞출 것을 요구한다. 하지만 초점에는 정도가 있다. 한 초상화의 전체적인 모습보다 세부 사항에 초점을 맞춘다면, 전체 이미지를 간파하는 통찰은 상당히 교란될 수 있다. 따라서 알프레드 야르부스의 눈 운동 연구가 보여 주듯이, 눈을 장면 전체에 걸쳐 움직이면서 세부 사항과 큰 그림 양쪽을 다 보는 것이 중요하다.

창의적 사고가 비창의적·분석적 사고와 근본적으로 다를까? 그렇다면 아마도 무의식적 사고와 쉽게 접촉할 수 있을 듯한, 창의적으로 사고하는 사람은 더 체계적이고 짜임새 있게 생각하는 사람과 근본적으로 다를까?

이 문제를 더 깊이 탐구하기 위해, 코니오스와 정비먼은 실험 참가자를 두 집단으로 나누었다. 주로 문득 떠오르는 통찰을 통해 문제를 푼다고 말한 집단과 더 체계적인 방법으로 문제를 푼다고 말한 집단이었다. 연구진은 모든 참가자에게 뇌파검사를 통해 뇌 활성을 측정할 테니 긴장을 풀고 가만히 있어 달라고 요청했다. 그런 뒤 뒤섞어 놓은 글자들을 주고서 재배열하여 단어를 만들어 보라고 했다. 글자들을 이렇게 저렇게 조합하며 신중히 생각하면서 체계적으로 풀 수도 있고, 문득 떠오르는 통찰을 통해 풀 수도 있는 과제였다. 두 집단은 문제를 푸는 동안만이 아니라 실험을 시작하기 전 휴식 시간에도, 즉 어떤 과제가 주어질지 모르는 상황에서도 놀라우리만치 뇌 활성 패턴이 서로 달랐다. 양쪽 시기에 다 창의적인 문제 해결자들은 우반구의 몇몇 영역이 강하게 활성을 띠었다.

마찬가지로 빌라야누르 라마찬드란은 《뇌가 나의 마음을 만든다The Emerging Mind》에서 뇌 회로의 오른쪽 두정엽이 예술적인 비례 감각을 담당한다는 것을 확인했다. 어른은 이 영역에 병터가 생기면 예술 감각을 잃는다.

따라서 현재 우리에게는 뇌의 양쪽 반구 사이에 각자 상대적인 강점을 활용하는 방향으로 업무 분화가 일어나 있다는 개념을 받아들일 만한 몇 가지 이유가 있다. 비록 양쪽 반구가 같은 과정들—지각, 사고, 행동—을 수행하며, 그것도 동시에 협력하면서 그런 일들을 하고 있다고 할지라도, 양쪽은 서로 다른 방식으로 창의성에 기여하는 듯하다. 즉 우반구가 창의성에 훨씬 더 중요한 기여를 하는 듯하다. 하지만 지금까지 우리는 무의식적 과정이 아하! 하는 순간을 낳는다는 것 등 창의성의 몇몇 구성 요소를 조금 알아낸 수준에 불과하다.

31

재능,
창의성,
뇌발달

카를 폰 로키탄스키는 질병이 자연의 실험이며 질병을 꼼꼼히 연구한다면 그 질병이 교란하는 생물학적 기본 활동을 많이 알아낼 수 있을 것이라는 개념을 확립하는 데 기여했다. 질병 상태—자연의 실험—로부터 정상적인 생물학적 기능에 관해 많은 것을 배울 수 있다는 이 원리는 나중에 폴 브로카와 카를 베르니케가 뇌의 병터로 언어장애가 생긴 환자들을 연구할 때 적용되었다. 그 뒤로 연구자들은 뇌 장애가 어떻게 정신 과정을 교란하는지 살펴봄으로써 정신 과정을 알아내는 연구를 계속해 왔다. 사실 우리는 뇌에 선천적 또는 후천적 장애가 있는데도 놀라운 재능을 보이는 이들을 연구함으로써 창의성의 본질에 관해 몇 가지 놀라운 깨달음을 얻었다. 특정한 뇌 장애가 어떻게 창의적인 잠재력을 해방시키는 듯한지를 보여 주는 이 연구들은 뇌 장애가 없는 사람들의 창의성을 조사하는 연구를 보완하는 역할을 한다.

난독증이나 자폐증 같은 특정한 발달 장애를 지닌 이들은 언어 면에서 뚜렷이 장애를 보이면서도 예술적 능력을 발휘할 수 있다. 이것은 시각예술과 언어가 둘 다 상징적 의사소통 방식을 대변하긴 해도 본질적으로는 서로 연관되어 있지 않을 수도 있다는 흥미로운 가능성을 시사한다. 아마도 인류가 진화할 때 예술—그림 언어—로 자신을 표현하는 능력이 언어로 자신을 표현하는 능력보다 앞서 나타난 듯하다. 그 결과 아마 예술에 중요한 뇌의 과정들은 한때 보편적으로 존재했다가 보편적인 언어 능력이 진화하면서 대체되었을 것이다. 그 결과 예술 능력은 언어 기능이 완전히 발달하지 않은 사람들을 비롯하여 창의적인 사람들의 한 부분집합만이 지닌 특성이 되었을 것이다.

아이들은 b와 d, 6과 9 같은 '거울' 문자를 구별하는 법과 s 같은 문자를 거꾸로 쓰지 않는 법을 배워야 한다. 처음에는 모든 아이가 이러한 구별을 하는 데 어려움을 느끼며, 난독증이 있는 아이들은 특히 더 그렇다. 사실 시각심리학자 찰스 그로스와 마크 본스타인Marc Bornstein은 발달성 난독증(아이가 특정한 나이가 되어도 글을 읽는 정상적인 지능이 발달하지 않는 것)이 단순히 뇌 좌반구의 결함만이 아니라 비언어 반구인 우반구가 우월적 지위에 있음을 반영하는 것일 수 있다고 주장한다. 양쪽이 결합되어 읽기 능력의 습득이 지체된다는 것이다. 읽기는 좌반구 기능이고 b와 d가 본질적으로 거울 대칭인 같은 문자라는 것을 알아보는 기능은 우반구에 속하기 때문이다. 난독증이 있는 아이들이 왜 문자를 뒤집어 쓰는지를 이것으로 설명할 수 있다.

또 난독증이 있는 사람들은 읽기에 필요한 기능인, 적힌 문자를 보고서 그 문자가 나타내는 소리로 옮기는 일과 쓰기에 필요한 기능인, 소리를 글자로 옮기는 일을 잘하지 못한다. 이런 문제 때문에 그들은 읽는 속도가 더디며, 대개 그것이 난독증이 있음을 알려 주는 첫 번째 증상이다. 읽는 속도가 더딘 것을 흔히 지능이 낮음을 반영하는 것이라고 여기곤 하지만, 난독증 환자에게서는 이 상관관계가 들어맞지 않는다. 그들 중 상당수는 지능이 대단히 뛰어나고 창의적이기 때문이다.

현재 난독증 환자가 좀 더 예술적인 성향을 띠며 다른 사람들보다 소묘 능력이 더 뛰어나다는 것을 시사하는 연구 논문이 몇 편 나와 있다. 이 성향은 난독증이 드러나기 전인 유년기 초부터 뚜렷이 나타난다. 볼프Wolff와 룬드베리Lundberg는 명문 학교인 스웨덴 대학교의 미대 학생들과 다른 단과대 학생들을 비교했는데, 미대에서 난독증 환자의 비율이 훨씬 더 높았다.

뛰어난 현대 화가 척 클로스Chuck Close는 창의성이 난독증 같은 발달 장애와 연관이 있음을 잘 보여 준다. 클로스는 난독증 환자이며, 일부 난독증 환자들과 마찬가지로 자신의 창의성이 난독증에서 나온다고 확신한다. 어릴 때 그는 읽는 데 몹시 어려움을 겪었다. 그는 도미노 패가 없이는 4 더하기 5도 계산할 수 없었다. 하지만 만 네 살 때부터 그림 그리는 것을 무척 좋아했다. 비록 집안 형편이 넉넉하지는 않았지만, 부모는 그가 그림을 배울 수 있도록 해주었다. 그는 만 열네 살 때 잭슨 폴록의 전시회에 갔다가 영감을 받아 그림을 평생의 직업으로 삼게 되었다.

클로스는 미술과 삶 양쪽에서 삼차원 형태를 다루는 데 어려움을 겪고 있다. 그는 얼굴을 보고서 그 복잡성을 처리할 수가 없다. 난독증 외에도 사람의 얼굴을 알아보지 못하는 안면실인증도 지니고 있기 때문이다. 그러다가 그는 마음의 눈으로 얼굴의 삼차원 이미지를 이차원으로 평면화하면 얼굴을 알아볼 수 있다는 것을 알아냈다. 클로스는 안면실인증에 대처하는 이 독창적인 방법을 써서, 화가 생활 내내 얼굴만을 그려 왔다. 사실 그의 미술 활동 자체가 남들이 보는 방식으로 시각 세계를 보지 못하는 데 반응하여 출현한 것이다.

클로스의 안면실인증은 얼굴을 그리는 그의 능력을 강화했을지도 모른다. 초상화 화가가 맞닥뜨리는 가장 어려운 도전 과제 중 하나는 삼차원 얼굴을 이차원 화폭에 묘사하는 것이지만, 클로스에게는 이 평면화 과정이 자신이 일상생활에서 사람들을 알아보는 데 쓰는 과정과 전혀 다르지 않다. 초상화를 그릴 때, 클로스는 먼저 모델을 사진으로 찍은 뒤, 그 사진을 확대한 종이 위에 촘촘한 사각형 격자를 놓는다. 그런 뒤 각 사각형에 작은, 때로는 장식적인 이미지를 채워 넣은 뒤 그것을 하나씩 캔버스로 옮겨 그린다. 장애와 무능력을 재능으로 바꾼 클로스의 놀라운 성취야말로 그가 이룬 많은 미술적 성취 중에서도 가장 인상적인 것이라 할 수 있다.

클로스의 작품과 발달 장애에 관해 알고 나면, 존 휼링스 잭슨과 마찬가지로 그 지식이 과연 창의성에 관해 무엇을 알려줄 수 있을지 궁금증이 들 수도 있다. 앞서 살펴보았듯이, 예술 기능이 발달함에 따라 우반구와 좌반구의 연결 상태는 재구성된다고 여겨진다. 특히 오른쪽 전전두엽의 활성은 그것을 억제하는 왼쪽 전전두엽의 능력이 약화되면서 더 커지는 듯하다.

예일 아동연구센터의 샐리Sally와 베넷 셰이위츠Bennett Shaywitz 부부는 난독증 학생들의 뇌영상을 찍어서 그 학생들의 베르니케 영역, 즉 단어 이해를 담당하는 좌반구 영역에 결함이 있다는 것을 밝혀냈다. 이 학생들이 읽기 능력을 향상시키기 위해 애쓸 때, 시각-공간 사고와 연관되어 있다고 여겨지는 우뇌의 한 영역이 좌뇌의 단어 형성 영역을 대신한다. 따라서 난독증은 클로스의 문어 이해 능력을 방해했을지 모르지만, 그의 탁월한 그림 솜씨와 창의성을 담당하는 우뇌 영역들의 발달을 강화했을 수 있다.

난독증이 있는 화가가 결코 클로스만은 아니다. 사진작가 앤설 애덤스Ansel Adams, 조각가 맬컴 알렉산더Malcolm Alexander, 화가이자 조각가인 로버트 라우션버그Robert Rauschenberg, 심지어 레오나르도 다빈치도 난독증 환자였다. 헨리 포드Henry Ford, 월트 디즈니Walt Disney, 존 레넌John Lennon, 윈스턴 처칠Winston Churchill, 넬슨 록펠러Nelson Rockefeller, 애거서

크리스티Agatha Christie, 마크 트웨인Mark Twain, 윌리엄 버틀러 예이츠
William Butler Yeats 같은 창의적인 인물들도 난독증 환자였다. 아마 우리는
그들의 성공을 의아해하지 말아야 할 것이다. 위대한 저술과 시는 기계적
인 글쓰기 솜씨가 아니라 단어가 우리에게 어떻게 영향을 미치는지를 예
술가가 이해하는 데 달려 있기 때문이다.

자폐적 석학을 연구한 결과들도 발달 장애와 재능의 관계를 알려 주는
흥미로우면서도 상세한 통찰을 제공해 왔다. 자폐적 석학은 한 분야에서
놀라운 재능을 보이지만 다른 대다수의 분야에서는 대체로 능력이 떨어
지는 사람을 말한다. 자폐증을 지닌 사람 가운데 10~30퍼센트가 자폐적
석학에 속하는데, 이들은 몇 가지 공통점을 지닌다. 우선 그들은 현재 하
고 있는 과제에 주의를 집중하는 능력이 대단히 뛰어나다. 이 능력은 자
폐적 석학들이 공통적으로 지닌 세 가지 강점에서 유래한다. 강화된 감각
기능, 비범한 기억력, 탁월한 실행력이다. 강화된 감각 기능에 힘입어 그
들은 환경의 특정한 패턴과 특징에 주의를 집중할 수 있고, 그럼으로써
보통 사람보다 세부적인 것들을 훨씬 더 세밀하게 식별해 낸다. 이 세 가
지 형질은 자폐증이 없는 뛰어난 인재들에게서도 나타나지만, 뛰어난 인
재들의 정신 기능이 여러 영역으로 뻗어 나갈 수 있는 반면 자폐적 석학
의 정신 기능은 대개 네 가지 영역에 국한되어 있다. 음악(대개 완벽한 음
조로 피아노를 연주하는 형태이며, 작곡 쪽은 거의 없다), 미술(소묘·조각·색채
화의 기교 면에서), 수학과 계산(빠른 계산 속도와 소수를 계산하는 능력을 포함
하여), 기계적 또는 공간적 능력이 그렇다.
　　매우 드물긴 해도 어떤 집단에 놓아도 눈에 띌 능력을 지닌 자폐적
석학도 있다. 심리학자 대럴드 트레퍼트Darold Treffert는 이 능력들이 뇌
좌반구의 기능 이상으로 역설적으로 우반구의 활성이 촉진된다는 것을
말해 주는 것일 수 있다고 주장한다. 로나 셀프Lorna Selfe, 유타 프리스, 올

나디아, 만 다섯살　　　　　레오나르도 다빈치　　　　정상적인 만 여덟 살 아동

그림 31-1

리버 색스는 그런 재능을 지닌 자폐증 환자의 흥미로운 사례를 몇 가지 제시한다. 그중 한 명은 나디아인데, 그녀는 만 다섯 살 무렵 제 또래의 뛰어난 아이들이 으레 막대 같은 몸통에 동그란 얼굴을 그리는 것과 달리 말을 그렸다. 그것도 단순한 말이 아니라 전문가들의 감탄을 자아내는 구체적이고 개성적인 말을 그렸다(그림 31-1).

　　나디아는 1967년 영국 노팅엄에서 태어났다. 심리학자 로나 셀프는 1977년에 쓴《나디아: 자폐아의 비범한 소묘 능력Nadia: Case of Extraordinary Drawing Ability in an Autistic Child》이라는 책에서 그녀의 사례를 다뤘다. 나디아는 생후 2년 6개월이 되었을 때, 갑자기 그림을 그리기 시작했다. 처음에는 말을, 이어서 다양한 대상을 그렸다. 그것도 심리학자들이 도저히 불가능하다고 여기는 방식으로 말이다. 나디아의 그림은 다른 아이들의 그림과 질적으로 달랐다. 가장 처음에 그린 그림들은 재능 있는 아이들에게서 대개 십 대가 되어서야 발달하는 공간 묘사, 형태와 음영 묘사 능력, 원근감을 나디아가 통달했음을 보여 주었다. 원근법의 대가였던 나디아는 그림에서 각도와 시점을 바꾸면서 끊임없이 실험을 했다.

　　만 세 살 때 나디아는 주로 기억을 토대로 기괴하리만치 사진 같은 정확성과 생생한 묘사력을 갖춘 동물과 사람의 선화를 그리기 시작했다. 정상적인 아동은 아무렇게나 죽죽 그은 낙서에서 개괄적이고 기하학적인 형태로 나아가는 일련의 발달 단계를 거친다. 나디아는 만 다섯 살 때에도 아직 말을 못하고 사회적으로 서툴고 반응이 느렸지만, 그 단계들을 그냥 건너뛰어 한눈에 알아볼 수 있는 세밀화로 진입한 듯했다. 아이가 그린 말 그림은 종이 바깥으로 막 뛰어나올 듯했다. 나디아의 탁월한 재능이 잘 드러나도록, 빌라야누르 라마찬드란은 그녀의 놀라운 말 그림과 대다수의 정상적인 만 8~9세 아이들이 그린 활기 없는 이차원의 올챙이 같은 스케치, 그리고 레오나르도 다빈치가 전성기에 그린 뛰어난 말 그림을 대비시켰다. 라마찬드란은 이렇게 주장한다.

> 나디아는 자폐증 때문에 뇌 모듈들의 상당수 혹은 대부분이 손상되었
> 겠지만, 오른쪽 두정엽에 고립된 섬처럼 손상되지 않은 피질 조직이 하
> 나 남아 있다. 따라서 그녀의 뇌는 저절로 모든 주의 자원을 아직 제 기
> 능을 하는 오른쪽 두정엽에 있는 모듈 하나에 할당한다.[1]

음악에서는 신동이 드물지 않다. 그중에서 가장 잘 알려진 인물은 모차르트일 것이다. 사실 위대한 작곡가들은 대부분 신동이었으며, 어릴 때부터 작곡을 시작했다. 하지만 피카소가 지적했다시피, "미술에는 신동이 없다."[2] 피카소 자신도 만 열 살 때 놀라운 그림 솜씨를 보였지만, 만 세 살 때 말을 그리지는 못했고, 만 일곱 살 때 대성당을 그리지도 못했다. 하지만 나디아는 세 살 때 그 둘을 다 그리는 놀라운 일을 했다.

나디아의 조숙함은 초기 인류에 관한 현대의 관점에 흥미로운 영향을 미쳐 왔다. 나디아의 뛰어난 말 그림은 3만 년 전 유럽의 동굴벽화에 그려진 말 그림과 비슷하며, 따라서 비교되어 왔다(그림 31-2, 31-3). 사실 나디아의 말을 비롯한 그림에 자극을 받아서 심리학자 니컬러스 험프리Nicholas Humphrey는 동굴 벽화를 그린 인간 마음의 본성을 추정하는 기존 관점에 도전하기에 이르렀다.

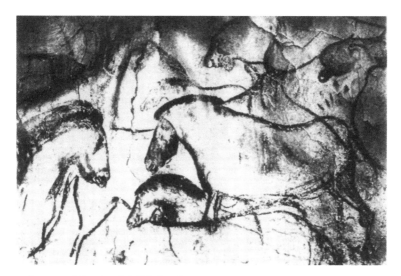

그림 31-2 쇼베 동굴에 그려진 채색 말 그림.

그림 31-3 나디아의 말 그림.

언스트 곰브리치를 비롯한 미술사학자들은 유럽에서 동굴미술이 출현한 것이 3만 년 전에 인간의 마음이 온전히 형성되었음을 보여 주는 증거라고 주장했다. 곰브리치는 이 초기 유럽인들에게 이미 기호를 써서 의사소통을 할 수 있는 복잡한 언어능력이 발달했을 것이라고 보았다. 당시 프랑스 남부의 코스케와 쇼베의 동굴에서 새로 발견된 벽화를 평하면서 곰브리치는 "인간은 위대한 기적이다Magnum miraculum est homo"[3]라는 라틴어 표현을 인용했다. 그는 이 동굴벽화들이 새로운 유형의 마음이 작동하고 있었음을 의미한다고 했다. 오늘날 우리가 알고 있는 바로 그 현대적이고 성숙하고 인지적으로 다듬어진 마음 말이다.

　　하지만 험프리는 그렇지 않을 수도 있다고 주장한다. 그는 나디아의 그림과 동굴 벽화 사이에 놀라운 유사성이 있다고 지적한다. 둘 다 동물 한 마리 한 마리에 뚜렷이 초점을 맞춘 놀라운 자연주의 작품이라는 공통점이 있다. 게다가 나디아는 사람보다 동물을 더 많이 그렸고, 쇼베 동굴 벽화에는 인간을 그린 그림이 아예 없다. 인간의 모습이 처음으로 등장한 것은 약 1만 3000년 뒤 라스코 동굴벽화에 엉성하게 기호로 그려지면서였다. 하지만 나디아의 미술은 언어 상징화나 언어 의사소통이라는 복잡한 능력을 전혀 갖추지 못한 만 세 살이 그린 것이었다. 사실 나디아는 의사소통을 거의 하지 못했고, 언어능력은 거의 전무했다. 나디아의 마음과 동굴 화가들의 마음 사이에 있을 법한 차이점을 생각하다가 험프리는 동굴 화가들의 언어능력에 관한 기존의 가정에 의문을 품게 되었다.

　　험프리는 3만 년 전에도 인류의 마음은 여전히 진화하고 있었다고 추정한다. 이 초기의 마음 발달 수준은 언어 의사소통과 감정이입 능력이 제한된, 자폐증이 있는 사람의 마음과 비슷했을지 모른다. 나디아 연구를 토대로 험프리는 동굴벽화의 화가들이 분명히 전근대적인 마음을 지니고 있었다고 주장한다. 즉 상징적인 사고를 했을 가능성이 거의 없었다는 것이다. 동굴미술은 새로운 차원의 정신세계를 보여 주는 징후이기는커녕, 그저 기존 정신의 종말을 알리는 백조의 노래였을지 모른다. 더 나아가 험프리는 나디아가 인간 마음의 본성에 관해 말해 주는 것이 더 있다고 본다. 그림을 그리는 데에는 굳이 진화한 현대적 마음이 필요하지 않을 수도 있다는 것이다. 사실 그렇게 잘 그리려면, 화가는 전형적인 현대적 마음을 아예 지니지 말아야 할 것이다.

험프리는 논의를 더 확장해서, 우리가 언어라고 말하는 것이 3만 년 전 유럽에 살던 인류의 특징이 아니었을 수도 있다고 주장한다. 오히려 언어는 그 뒤에 진화했을지 모르며, 나디아와 동굴 화가들이 드러낸 환상적인 미술적 능력을 희생시키면서 등장했을 수도 있다. 언어가 출현한 뒤, 미술은 더 판에 박힌 계통을 따라 진화했을지도 모른다. 험프리는 이렇게 썼다. "결국 자연주의 그림의 상실은 시의 도래를 위해 치러야 했던 대가였다. 인류는 쇼베 동굴 벽화 또는 《길가메시 서사시The Epic of Gilgamesh》를 지닐 수 있었지만, 둘을 다 지닐 수는 없었다."[4]

이런 논증들이 미술과 언어의 잠재적인 독립성에 관한 어떤 진리를 규명하고 있긴 하지만, 참일 것 같지는 않다. 사실 험프리를 비롯한 연구자들은 나디아의 그림과 동굴벽화 사이의 유사성이 전적으로 우연의 일치일 가능성도 있다고 추측한다. 험프리 본인도 말한 바 있다. "유사성이 동일성을 의미하는 것은 아니다."[5] 대신에 그 유사성은 동굴 화가의 정신 능력에 관해 이렇다고 추정할 수 없다고 우리에게 말해 준다.

나디아의 조숙한 재능은 나타났던 것만큼 빨리 사라졌다. 그 능력은 나디아가 언어 같은 다른 발달 영역에서 진척을 보이기 시작할 때 사라졌다. 유타 프리스가 연구한 재능 있는 어린 화가인 클로디아처럼 자폐적 재능을 보인 이들 중에는 그 재능이 보존된 사례도 있다. 클로디아는 언어를 습득한 뒤로도 그림을 계속 그렸고, 지금은 인정받는 화가가 되어 있다. 그녀는 15분 만에 프리스의 초상화를 그리기도 했다(그림 31-4).

그림 31-4 클로디아가 그린 유타 프리스.

아마 가장 유명한 자폐적 석학 화가일 스티븐 월트셔Stephen Wiltshire
역시 언어를 습득한 뒤에도 재능을 간직했다. 그의 그림은 영국 왕립미술
원 원장인 휴 카슨Hugh Casson 경의 관심을 끌었다. 카슨 경은 그를 "아마
영국 최고의 아동 화가일 것"[6]이라고 평했다. 스티븐은 건물을 몇 분 동
안 바라본 뒤 자신 있게 빠르고 정확히 그릴 수 있었다. 그가 필기 따위도
전혀 하지 않고 오로지 기억에 의지하여 그림을 그리면서도 세부 사항을
빠뜨리거나 덧붙이는 일이 거의 없다는 점을 생각할 때, 그의 정확성은
기괴할 정도다. 사실 스티븐의 지각 능력이 너무나 비범했기에, 카슨은
스티븐의《소묘집Drawings》서문에 이렇게 썼다. "간접적으로 본 기호나
이미지보다는 직접 관찰을 통해 그림을 그리는 경향이 있는 대부분의 아
이들과 달리, 스티븐 월트셔는 자신이 본 것을 놀라우리만치 정확히—더
도 말고 덜도 말고—회상하여 그림을 그린다."[7]

색스는 스티븐이 정서적·지적으로 심한 장애가 있는데도 미술적

재능이 대단히 탁월할 수 있다는 점에 흥미를 느꼈다. 색스는 이런 질문을 하기에 이르렀다. "미술이 본질적으로 개인, 즉 자아의 시각적 표현이 아니었단 말인가? 화가가 '자아'가 없는 존재일 수 있을까?"[8] 색스는 다년간 스티븐을 연구했다. 연구를 하면 할수록, 스티븐이 비범한 지각 능력을 지니고 있지만 감정이입 능력은 결코 발달하지 않았다는 점이 점점 뚜렷이 드러났다. 마치 지각과 감정이입이라는 미술의 두 구성 요소가 그의 뇌에서는 분리되어 있는 듯했다. 이 두 특성이 분리되어 있다는 주장을 뒷받침하기 위해, 색스는 모네의 말을 인용한다.

> 그림을 그리러 밖으로 나갈 때마다, 자신의 눈앞에 어떤 대상이 있는지를 잊으려고 애쓰라. 나무든 집이든 들판이든 간에 말이다. …… 단지 여기에 파란색이 짓눌린 자그마한 자국이 있고, 여기에는 직사각형 모양의 분홍색이 있고, 여기에는 죽 그어진 노란색이 있다고 생각하면서 자신에게 보이는 그대로, 정확한 색깔과 모양대로 칠하라. 그 풍경의 소박한 인상이 그대로 눈앞에 드러날 때까지.[9]

아마 스티븐을 비롯한 자폐 화가들은 색스가 지적했다시피 애초에 구성 자체를 할 수가 없기 때문에 그런 해체를 할 필요가 없을 것이다. 이런 점들은 서로 다른 유형의 지능들이 미술 창작으로 이어질 수 있다는 하버드 심리학자 하워드 가드너의 견해를 뒷받침한다. 비록 이 지능들이 모두 창의성, 즉 세계를 전혀 새로운 시각으로 보는 능력에 기여하는 것은 아닐지라도 말이다.

> 자폐적 석학 …… 사례에서 …… 우리는 다른 영역들에서는 수행 능력이 평범하거나 심하게 지체된 반면 한 가지 특정한 능력만이 유달리 두드러진 것을 본다. …… 이런 집단이 존재하기에 우리는 인간의 지능이

상대적으로 — 심지어 눈부시게 — 고립되어 있음을 간파할 수 있다.[10]

가드너는 각각 규칙성과 구조, 자체 규칙을 이해하는 능력을 지니고 뇌에 나름의 근거지를 갖춘 자율적이고 독립적인 개별 지능 — 시각적·음악적·언어적 — 이 있다고 추정한다.

색스는 자폐적 석학이 서로 독립적일 가능성이 높은 다양한 형태의 지능이 있을 수 있다는 강력한 증거를 제공한다고 더 포괄적인 주장을 펼친다. "자폐적 석학의 수행 능력은 통상적인 범위를 벗어나 있을 뿐 아니라, 정상적인 발달 패턴에서 근본적으로 벗어나 있는 듯하다."[11]

더욱 흥미로운 점은 자폐적 석학의 능력이 드러나기 시작하자마자 정점에 이른다는 것이다. 자폐적 석학의 재능은 발달을 거치지 않는 듯하다. 즉 처음부터 완전히 발달한 형태로 나타난다. 스티븐의 미술 능력은 만 일곱 살 때 비범하다는 점이 뚜렷이 드러났다. 열아홉 살 때 그는 사회적·인격적으로는 조금 더 발달했을지 모르지만, 그의 미술 재능은 그다지 더 발달하지 않았다. 사실 자폐적 석학이 대단한 재능을 지니고 있긴 해도 창의적이지는 않다고 주장할 수도 있을 것이다. 그들은 새로운 미술 양식을 창안하지도 않으며, 자신의 미술에서 새로운 세계관을 전개하지도 않는다. 그들은 다중 지능과 다중 재능이 있다는 가드너의 주장을 온전한 형태로 드러낸다.

◆ ◆ ◆

이 자폐적 석학 능력을 설명할 수 있는 사람은 아직 없다. 호주 연구자 테드 네틀벡Ted Nettelbeck은 뇌의 특정한 영역에서 새로운 인지 모듈이 발달한 뒤 그것이 독립적으로 작동하는 기본 정보처리 능력인 장기기억 및 지식과 직통으로 연결될 때 자폐적 석학 능력이 출현한다고 주장한다. 유타 프리스는 재능의 해방이 자폐 과정 자체의 결과라고 본다. 호주 시드니 대학교의 마음 센터 소장인 앨런 스나이더Allan Snyder는 자폐증 환자에게서 우반구의 창의적인 잠재력을 통제하는 좌반구의 힘이 약해진다는 개념을 지지한다. 그리고 앞서 살펴보았듯이, 미술적 성취에는 우반구 억제 약화가 수반된다고 여겨지곤 한다.

스나이더는 자폐적 석학이 미술, 음악, 달력 계산, 수학 등에서 보이는 비범한 능력을 설명할 이론을 연구해 왔다. 그는 자폐적 석학이 정상적으로는 의식적 자각을 통해 접근할 수 없는 낮은 수준의 덜 처리된 정보에 특권적인 접근을 할 수 있다고 주장한다. 스나이더는 이 특권적인 접근이 자폐적 석학의 부분에서 전체로 나아가는 독특한 인지 양식을 촉진한다고 주장한다. 이런 능력은 때로 정상인에게서 왼쪽의 전측두엽을 억제하는, 그럼으로써 오른쪽 전측두엽을 해방시키는 특정한 실험 기법을 써서 인위적으로 유도할 수 있다.

우리는 이 점을 어떻게 생각해야 할까? 자폐적 석학과 난독증 화가의 사례에서처럼, 바깥 세계를 다루는 측면에 나타난 특정한 결함을 뇌가 극복하는 능력이 사회적 또는 경제적 곤경의 생물학적 판본에 해당하는 것일 수도 있다. 야심 찬 사람에게는 그런 곤경이 오히려 극복할 동기를 부여할 수 있다. 하지만 난독증 환자는 감정이입이나 마음의 이론을 전개하는 데 아무 문제가 없다는 점에서, 난독증과 자폐증은 다르다. 난독증 환자는 깊이 느낄 수 있다. 그들은 재능을 지닐 뿐 아니라 대단히 창의적이 될 수 있으며, 얼굴을 인식하지 못하는 위대한 화가 척 클로스처럼 기교와 감정적 통찰을 결합하여 최고 수준의 미술적 성취를 이룰 수 있다.

우리는 특정한 형태의 감각 박탈이 일어난 이들이 다른 영역에서는 감각 강화를 보인다는 것을 안다. 맹인의 촉감이 한 예다. 맹인은 점자를 배우는 능력이 눈이 보이는 사람보다 훨씬 뛰어나다. 이 강화된 민감도는 단순히 자극이 더 강해진 결과가 아니다. 그것은 뇌에서 촉감의 표상이 더 늘어난 결과이기도 하다. 인간의 뇌에 있는 촉각의 정상적인 회로가 맹인의 뇌에서는 확장되어 더 넓은 활동 영역을 이룬다.

뇌 장애자에게 나타나는 창의성의 마지막 사례는 임상심리학자 케이 레드필드 재미슨Kay Redfield Jamison이 제시했다. 재미슨은 조울증과 창의성 사이에 흥미로운 관계가 있다고 강조한다. 이 점은 1921년 독일 정신과 의사 에밀 크레펠린Emil Kraepelin이 처음 언급한 바 있다. 조울증과 (나중에 정신분열병이라고 불리게 되는) 조발성 치매를 구분한 최초의 임상 정신과 의사인 크레펠린은 조울증이 사고 과정에 변화를 일으킴으로써 "그렇지 않았다면 온갖 종류의 억제를 통해 구속되어 있을 힘들을 해방시킨다."고 생각했다. "미술 활동은 …… 어떤 촉진을 겪을 수도 …… 있다."[12]

재미슨은 《불과 접촉하다Touched with Fire》에서 예술적 기질과 조울증적 기질이 서로 겹친다고 말한다. 그녀는 작가와 화가가 일반 집단보다 조울증(양극성 장애)과 우울증(단극성 장애)의 비율이 훨씬 더 높다는 것을 시사하는 연구 결과를 검토한다. 흥미롭게도 표현주의의 두 창시자인 빈센트 반 고흐와 에드바르 뭉크는 둘 다 조울증에 시달렸다.

재미슨은 낸시 앤드리슨의 연구도 인용한다. 앤드리슨은 살아 있는 작가들을 대상으로 창의성을 조사했는데, 그들이 창의적이지 않은 사람들보다 조울증에 걸릴 확률이 4배, 우울증에 걸릴 확률이 3배 더 높았다. 마찬가지로 유명한 상을 받은 유럽의 작가, 화가, 조각가 20명을 면담한 정신과 의사 하곱 아키스칼Hagop Akiskal은 그들 가운데 거의 3분의 2가 조울증 성향을 지니며 절반 이상이 주요 우울증 증상을 겪은 적이 있다는 것을 알아냈다.

재미슨은 조울증을 지닌 이들에게서 대부분의 시간에는 증상이 발현되지 않으며, 우울증에서 조증으로 옮겨 갈 때 그들이 기운이 샘솟고 착상이 마구 솟구쳐서 예술적 창작력이 분출하는 듯한 기분을 느낀다는 것을 발견했다. 재미슨은 바뀌는 기분 상태 사이의 긴장과 전이의 상호작용뿐 아니라 조울증 환자가 건강한 시기에 이끌어 내는 끈기와 절제가 대단히 중요하다고 주장한다. 궁극적으로 화가에게 창작력을 부여하는 것은 바로 이 긴장과 전이다.

재미슨은 《고양: 삶의 열정Exuberance: The Passion for Life》에서 이렇게 썼다.

> 창의적인 사고와 조증이 발현될 때의 사고는 착상이 물 흐르듯이 잇달아 솟구치면서 새롭고 독창적인 방식으로 결합된다는 점에서 독특하다. 둘 다 본래 발산적이고, 그다지 목표 지향적이 아니며, 온갖 방향으로 도약하거나 방황할 가능성이 더 높다. 생각의 확산, 발산, 도약이 조증 사고의 한 가지 특징이라는 사실이 처음 기록된 것은 수천 년 전이었다.[13]

또 그녀는 스위스 정신과 의사 오이겐 블로일러의 말도 인용한다.

> 조증의 사고는 변덕스럽다. 한 주제에서 다른 주제로, 계속 옆길로 새면서 뛰어넘는다. …… 이런저런 생각으로 아주 쉽사리 넘어간다. …… 생각들이 더 빠르게 흐르고 특히 억제가 풀린 상태이기에, 예술 활동이 촉진되어 설령 증상이 아주 약하게 나타날 때에도 환자가 그쪽으로 재능이 있다면 뛰어난 작품이 나온다.[14]

그녀는 조증의 특징인 사고의 팽창성이 인지적 대안의 범위를 더욱 넓히고 관찰의 범위를 확대할 수 있다고 말한다. 또 조증은 떠오르는 착상의 수를 늘려서 좋은 착상이 출현할 가능성을 높임으로써 창의성을 강화하는 듯하다.

하버드 대학교의 루스 리처즈Ruth Richards는 이 분석을 더 확장하여 유전적으로 조울증에 취약한 사람이 창의성을 발휘하는 성향도 타고날 수 있다는 개념을 조사했다. 그녀는 조울증 환자들의 부모 자식이나 형제자매 중 조울증에 걸리지 않은 이들을 조사하여, 조울증과 창의성 사이에 정말로 상관관계가 있다는 것을 발견했다. 그녀는 조울증 발병 위험을 높이는 유전자가 창의성도 더 높일 가능성이 있다고 주장한다. 이것은 조울증이 창의성 성향을 낳는다는 의미가 아니라, 조울증을 지닌 이들이 창의성을 통해 표현되는 극도의 고양—열광과 활기—같은 능력도 지닌다는 의미다. 리처즈는 그런 상보적인 이점이 낫형적혈구빈혈의 유전자를 지니지만 빈혈 증상을 보이지 않는 보인자保因者들이 말라리아에 내성을 지니는 것과 비슷하다고 추정한다.

하지만 재미슨은 일반 집단의 대다수 사람들과 마찬가지로, 대다수의 작가와 화가도 주요 기분 장애에 시달리고 있지 않다는 점을 강조한다. 게다가 조울증에 걸린 화가를 비롯하여 조울증 환자 중 많은 이는 대개 심하게 앓을 때에는 창작 활동을 하지 않는다.

이런 흥미로운 연구들이 시사하듯이, 창의성과 예술 능력을 신경과학적 관점에서 살펴보는 연구는 이제 겨우 첫걸음을 내디딘 상태이지만, 새로운 탐구의 길들이 열리고 있다. 어떤 의미에서, 현재 우리가 창의성의 신경 토대를 이해하고 있는 수준은 1950년대에 스티븐 커플러 연구진의 연구가 이루어지기 이전 시지각의 신경 토대 이해 수준이나 2000년의 감정 이해 수준에 상응한다. 하지만 내가 아직 활동하고 있는 이 시대에 이 분야에서 일하는 뇌과학자들이 성과를 내놓고 있으며, 내가 일찍이 기억의 신경 토대를 연구하겠다고 나섰을 때 일부 과학자들이 너무 시기상조이고 성공할 가능성이 거의 없다고 여겼다는 점을 염두에 두면서 나는 창의성을 이해하고자 하는 이 새로운 접근법을 낙관적으로 바라본다.

우리는 뇌가 창의성 기계라는 것을 살펴보았다. 뇌는 혼돈과 애매성 속에서 패턴을 찾으며, 우리 주변의 복잡한 현실을 담은 모형을 만든다. 이 질서와 패턴 추구는 예술 활동과 과학 활동의 핵심을 이룬다. 위대한 화가 피터르 몬드리안은 1937년에 이 개념을 탁월하게 표현했다.

> '만들어진' 법칙이 있는 한편으로 '발견된' 법칙도 있다. 그것 역시 법칙이다. 즉 언제나 참이라는 의미다. 그런 법칙은 우리 주변의 현실 속에 어느 정도 숨겨져 있으며, 변하지 않는다. 과학뿐 아니라 예술도 우리에게 그 현실, 즉 처음에는 이해할 수 없어 보이는 현실이 만물에 내재된 상호 관계를 통해 서서히 스스로를 드러낸다는 것을 보여 준다.[15]

뇌 좌반구의 전두측두엽 치매에 걸린 사람들에게서 출현하는 예술적 재능, 자폐적 석학의 존재 자체, 난독증에 걸린 화가의 창의성은 뇌 과정들 중 일부가 예술적 재능과 창의성에 이용될 수 있다는 단서를 제공한다. 이 흥미로우면서도 유용한 사례들은 창의성으로 이어지는 많은 경로 중 극소수를 대변할 가능성이 매우 높다. 우리는 마음의 생물학이 앞으로 50년 동안 이런 문제들을 해명함으로써 우리에게 지적 만족을 줄 수 있기를 기대한다.

32

예술과 과학의
새로운 대화:
우리 자신을
알기 위하여

델포이의 아폴론 신전 입구 위쪽에는 "너 자신을 알라"라는 격언이 새겨져 있었다. 소크라테스와 플라톤이 인간 마음의 본성을 추정한 이래로, 진지한 사상가들은 자아와 인간 행동을 이해하고자 애써 왔다. 지난 세대에 이르기까지, 그 탐구는 철학과 심리학이라는 지적이면서 때로는 비경험적인 틀에 한정되어 있었다. 그러나 오늘날 뇌과학자들은 마음에 관한 추상적인 철학적·심리학적 의문들을 인지심리학과 뇌생물학의 경험적인 언어로 번역하려고 시도하고 있다.

이 과학자들의 인도 원리는 바깥 세계의 지각을 구축하고 주의를 고정시키고 행동을 통제하는 경이로우리만치 복잡한 계산 장치인 뇌가 수행하는 작업들의 집합이 바로 마음이라는 것이다. 이 새로운 과학은 자신의 탐구 활동에서 얻는 깨달음을 통해 마음의 생물학을 다른 인문학 지식 영역들—우리가 예술 작품에 어떻게 반응하며 더 나아가 어떻게 창작하는지를 더 깊이 이해하는 것을 포함한—과 연관 지음으로써 우리 자신을 더 제대로 이해할 수 있기를 열망한다.

하지만 과학과 예술 사이의 대화를 이끌어 내기란 쉽지 않으며, 특수한 환경이 조성되어야 한다. 1900년의 빈은 그 대화를 시작하는 데 성공했다. 그것은 그 도시가 비교적 작았고, 과학자와 예술가가 생각을 쉽게 교환할 수 있도록 한 사회적 맥락—대학교, 커피집, 살롱—이 갖춰진 덕분이었다. 게다가 그 인물들이 공통적으로 무의식적 정신 과정에 초점을 맞추고 있었다는 점도 이 초창기의 대화를 부추기는 데 한몫을 했다. 앞서 살펴보았듯이 과학적 의학, 심리학과 정신분석, 예술사 모두 그 정신 과정에 초점을 맞췄다. 빈에서 예술과 과학 사이의 대화는 1930년대까지 계속 이어졌다. 1930년대는 시지각의 인지심리학과 게슈탈트심리학이 이 대화의 발전에 기여하던 시기였다. 당시 이루어진 이 대담하면서도 성공적인 연구 업적은 21세기가 시작될 무렵에 다시금 대화에 추진력을 제공했다. 그 인지심리학적 통찰을 지각, 감정, 감정이입, 창의성을 생물학적으로 연구하여 얻은 깨달음에 적용함으로써 새롭게 대화가 재개된 것이다.

현재 우리는 표현주의 미술이 우리에게 그토록 강력한 호소력을 발휘하는 이유가 우리가 놀랍도록 커다란 사회적 뇌를 지니고 있기 때문이라는 것을 안다. 우리 뇌는 얼굴, 손, 몸, 신체 운동의 확장된 표상을 지니고 있으며, 그 결과 본래 우리는 신체 부위와 운동을 과장하여 묘사한 그림에 의식적으로뿐 아니라 무의식적으로도 반응하도록 되어 있다. 더군다나 뇌의 거울 뉴런 체계, 마음의 이론 체계, 감정과 감정이입의 생물학적 조절기 덕분에 우리는 남의 마음과 감정을 이해할 수 있는 놀라운 능력을 지닌다.

오스카어 코코슈카와 에곤 실레의 표현주의가 이룬 창의적인 성취의 핵심은 초상화를 통해 무의식적 정신 과정을 끌어들였다는 것이다. 그들은 감정을 전달하고 감정이입을 유도하는 얼굴, 손, 몸의 능력을 직관적으로 이해하고 세심하게 연구해 새로운 유형의 극적이고도 현대적인 심리적 초상화를 그릴 수 있었다. 또 오스트리아 모더니즘 화가들은 우리의 눈과 뇌가 주변 세계를 구축하는 데 쓰는 지각 원리들에 유달리 정통해 있었다. 구스타프 클림트는 암시선, 윤곽, 하향 처리 과정의 힘을 직관적으로 이해함으로써 현대 미술사에서 가장 미묘하면서도 관능적인 작품들을 그릴 수 있었다. 뇌의 무의식적 감정이입, 감정, 지각 기구를 간파하는 이 새로운 통찰력을 갖춘 오스트리아 모더니즘 화가들은 사실상 인지심리학자들이었다. 지그문트 프로이트와 마찬가지로, 그들도 남의 마음이라는 내밀한 극장에 들어가고, 남의 본성·기분·감정을 이해하고, 그 이해한 내용을 관람자에게 전달하는 방법을 알았다.

마음을 들여다볼 수 있는 중요한 깨달음을 얻은 이들이 철학자, 심리학자, 과학자, 화가만은 아니었다. 소설가와 시인도 마찬가지였다. 이들 각자는 창의적인 노력으로 우리가 마음 개념을 제대로 이해하는 데 기여해 왔으며, 지금도 마찬가지다. 그리고 어느 한쪽을 선호하고 다른 쪽을 무시한다면, 우리의 마음 개념은 불완전해질 가능성이 높다. 아무튼 무의식적 과정이 무엇인지 설명하는 것은 프로이트 같은 심리학자의 몫이었지만, 그보다 앞선 인물인 셰익스피어와 베토벤, 그와 동시대의 클림트, 코코슈카, 실레 같은 예술가들의 통찰이 없었다면 우리는 이 무의식적 과정들 중 일부가 어떤 느낌을 주는지 알지 못했을 것이다.

과학적 분석은 만물의 실제 특성을 더 상세히 기술하고, 더욱 객관성을 확보하는 활동을 대변한다. 시각예술의 사례에서 과학적 분석은 대상이 감각에 일으키는 주관적인 인상을 통해서가 아니라 대상이 뇌에 일으키는 구체적인 반응을 토대로 대상을 보는 관람자의 관점을 기술함으로써 이루어진다. 미술은 순수 경험의 증류물로 이해하는 것이 가장 좋다. 따라서 예술은 마음의 과학을 보완하거나 풍성하게 하는 탁월하고 바람직한 접근법을 제공한다. '빈 1900'이 보여 주었듯이, 인간 경험의 역동성을 온전히 이해하기 위해서는 어느 한쪽의 접근법만으로는 미흡하다. 우리에게 필요한 것은 제3의 길, 즉 예술과 과학 사이에 다리를 놓아 이해의 장을 여는 것이다.

연결 다리가 필요하다니, 한 가지 의문이 생긴다. 애초에 예술과 과학의 분열은 어떻게 생겨난 것일까? 그 자신이 과학과 인문학의 분리를 지지했던 20세기 영국의 지성사학자 이사야 벌린Isaiah Berlin은 그 분리의 현대적 기원을 18세기 초에 나폴리에 살면서 활동한 이탈리아 역사학자이자 정치철학자인 조반니 바티스타 비코Giovanni Battista Vico에게서 찾는다. 비코는 과학이라는 사실적인 진리를 연구하는 분야와 인간적인 관심사를 연구하는 분야 사이에는 겹치는 점이 거의 없다고 주장했다. 비코는 수학과 자연과학이 '외적 자연external nature'을 연구하고 분석하는 데 강한 특수한 논리를 쓰는 반면, 인간 행동의 연구에는 전혀 다른 유형의 지식, 내부로부터의 지식이 필요하다고 믿었으며, 그것을 우리 내면의 '제2의 본성second nature'이라고 했다.

'빈 1900'과 1930년대에 예술과 과학 사이에 성공적인 연결이 이루어졌음에도, 이 분리주의 논리는 20세기의 마지막 20년을 지배했다. 물리학자였다가 소설가가 된 C. P. 스노Snow는 1959년 '두 문화The Two Cultures'라는 제목의 리드 강연Rede Lecture(16세기의 판사 로버트 리드 경의 이름을 딴 케임브리지 대학교의 연례 공개 강연 – 옮긴이)을 통해 그 문제를 전면으로 부각했다. 스노는 우주의 본질에 관심을 갖는 과학자들과 인간 경험의 본질에 관심을 갖는 인문학자 사이에 상호 몰이해와 적대감이라는 심연이 놓여 있다고 했다.

스노의 강연이 있은 뒤로 수십 년이 흐르면서 두 문화를 나누는 심연은 좁아지기 시작했다. 그 변화에 기여한 요인들이 몇 가지 있다. 첫 번째는 스노가 1963년 펴낸《두 문화: 재고찰The Two Cultures: A Second Look》

의 재판에 실린 결론이었다. 거기에서 그는 자신의 강연이 일으킨 반응을 폭넓게 논의하면서 과학자와 인문학자의 대화를 중개할 수 있는 제3의 문화가 가능할 수 있다고 언급했다.

> 하지만 다행히도 우리는 예술과 과학의 상상의 경험에 무지하지 않고, 응용 과학의 능력에도, 동료 인간 대다수의 치료 가능한 고통에도, 한때 자신들이 간파했던 부정할 수 없는 책임에도 무지하지 않도록 더 많은 대중이 더 나은 마음을 갖게끔 교육시킬 수 있다.[1]

30년 뒤 존 브록만John Brockman은 〈제3의 문화: 과학혁명을 넘어서 The Third Culture: Beyond the Scientific Revolution〉라는 글에서 스노의 개념을 더 발전시켰다. 브록만은 양쪽을 연결하는 가장 효과적인 방법이 과학자들을 격려하여 교양 있는 독자가 쉽게 이해할 수 있는 언어로 일반 대중을 위한 글을 쓰도록 하는 것이라고 주장했다. 이 노력은 현재 인쇄물, 라디오와 텔레비전, 인터넷, 기타 매체를 통해 이루어지고 있다. 좋은 과학은 그것을 창조한 과학자 자신들의 힘으로 일반 대중에게 성공적으로 전달되고 있다.

양쪽을 연결하고자 하는 또 다른 야심 찬 접근법은 하버드 대학교의 역사학자 제럴드 홀턴Gerald Holton이 이오니아의 마법Ionian Enchantment이라고 한 자연의 통일성에 대한 믿음을 토대로 한다. 이 믿음은 기원전 585년경에 활동했고 흔히 그리스철학 전통에 속한 최초의 철학자라고 여겨지는 밀레투스의 탈레스가 처음 제시했다. 탈레스와 그 추종자들은 이오니아의 푸른 바다를 바라보면서 자연계의 기본 원리를 탐구하다가 세계가 한 가지 물질, 즉 물의 무수한 상태들로 이루어져 있다는 개념에 도달했다. 이 대담한 사고를 인간 행동에까지 확장하기에는 한계가 있다는 점이 뚜렷이 드러난다. 벌린은 탈레스의 단일화 접근법을 이오니아의

오류Ionian Fallacy라고 했다.[2]

그렇다면 '빈 1900'에 이루어진 형태의 의미 있는 대화와 공통의 개념을 추구하려는 노력을 어떻게 하면 한쪽에 있는 C. P. 스노 및 브록만의 접근법과 다른 한쪽에 있는 홀턴의 접근법 사이에 다리를 놓는 쪽으로 확장할 수 있을까? 한 가지 방법은 더 이전에 분야들 사이에 다리를 잇는 데 성공한 시도들을 살펴보고 그것이 어떻게 이루어졌는지 알아보는 것이다. 그런 시도가 성공하는 데 얼마나 오래 걸렸을까? 얼마나 완벽하게 이루어졌을까?

사실 과학의 역사는 그 자체가 지식을 통합하려는 시도의 역사라고 주장할 수도 있다. 이처럼 더 이전의 시도들을 살펴봄으로써, 우리는 이 대화에 참여시키려는 노력을 최대화할 수 있을 만한 요소들이 무엇인지 알아내고 의미 있는 종합이 어떤 식으로 이루어질지를 예측할 수 있다.

아마도 가장 크게 성공을 거둬 온 사례는 자연의 거대한 힘들을 통합하려는 시도일 것이다. 물리학에서 진행된 중력, 전기력, 자기력, 더 최근의 핵력까지 통합하려는 시도가 바로 그것이다. 이 놀라우면서도 고도로 성공적인 통합 노력은 무려 3세기 동안 진행되고 있으며, 아직도 끝나지 않았다.

중력을 관장하는 법칙은 1687년 아이작 뉴턴이 《자연철학의 수학적 원리Philosophiae Naturalis Principia Mathematica》에서 처음 제시했다. 뉴턴은 중력이 사과를 떨어뜨리고, 달이 지구 궤도를 돌도록 하고, 지구가 태양 궤도를 돌도록 만드는 인력이라고 설명했다. 1820년 덴마크 물리학자 한스 크리스티안 외르스테드Hans Christian Oersted는 전류가 주변에 자기장을 생성한다는 것을 발견했다. 그로부터 한 세기 남짓 흐른 뒤, 영국 물리학자 마이클 패러데이Michael Faraday와 스코틀랜드 물리학자 제임스 클러크 맥스웰James Clerk Maxwell은 외르스테드의 발견을 확장하여, 전기와 자기가 공통된 힘, 즉 전자기라는 상호작용의 한 측면임을 밝혀냈다.

1967년 스티븐 와인버그Steven Weinberg, 셸던 글래쇼Sheldon Glashow, 압두스 살람Abdus Salam은 각자 독자적으로 전자기와 원자핵의 약력이 전약력electroweak force의 두 측면을 나타낸다는 것을 밝혀냈다. 그로부터 채 10년도 지나지 않아 하워드 조지Howard Georgi와 글래쇼는 강력이 전약력과 결합될 수 있음을 보여 줌으로써 대통일Grand Unification이라는 것을 이루었다. 그 통일이 장엄하긴 해도, 물리학에서 힘들의 통일은 결코 완결된 것이 아니다. 와인버그가 이 대담한 목표에 이름 붙인 최종 이론의 꿈을 실현하려면 먼저 중력과 다른 두 힘을 통일할 필요가 있다.

20세기가 시작된 이래로, 물리학자들은 서로 화합되지 않는 두 가지 언어로 말을 해왔다. 1905년부터 그들은 우주를 별과 은하의 거대한 힘들 및 시간과 공간의 통일이라는 관점에서 설명하려고 시도하는 용어, 즉 아인슈타인의 상대성 언어를 쓰기 시작했다. 동시에 물리학자들은 닐스 보어Niels Bohr, 베르너 하이젠베르크Werner Heisenberg, 막스 플랑크Max Planck, 에르빈 슈뢰딩거Erwin Schrödinger의 언어, 즉 양자역학의 언어로 말하고 있었다. 이 언어는 우주를 원자 구조와 아원자 입자라는 아주 작은 것들로 설명하려고 한다. 이 두 언어를 어떻게 통합할 것인가는 21세기 물리학의 중대한 질문으로 계속 남아 있다. 물리학자 브라이언 그린Brian Greene은 "현재 정립된 이론으로는 일반상대성이론과 양자역학은 둘 다 옳을 수가 없다."[3]고 지적한다.

그렇긴 해도 우리는 일반상대성이론과 양자역학의 법칙이 본질적으로 연결되어 있다는 것을 안다. 행성 규모에서 일어나는 사건들은 필연적으로 양자 규모에서 일어나는 사건들을 통해 결정된다. 모든 양자 효과들의 총합이 우리가 보는 전체 효과를 일으킨다는 것은 분명하다. 우리의 지각, 감정, 사고가 우리 뇌의 활동을 통해 결정되는 것과 마찬가지다. 양쪽 사례에서 우리는 상향 인과관계가 필요하다는 것을 이해하지만, 그 관계의 본질은 아직 모호한 채로 남아 있다.

물리학에서 최종 이론은—만일 우리가 그것에 도달한다고 한다면—우주의 형성에 관한 크고 작은 세부 사항을 포함하여 우주의 본질을 꿰뚫을 심오한 통찰을 제공하는 방식으로 이 딜레마를 해결할 것이다. 최종 이론의 가능성 자체로부터 다른 과학들 및 과학과 인문학의 연결에 관한 거창한 질문들이 도출된다. 과연 물리학은 화학과 통합될 수 있을까? 생물학과는? 새로운 마음의 과학이 인문학과의 대화를 위한, 물리학에 상응하는 초점 역할을 할 수 있을까?

물리학과 화학의 상호작용, 또 그 두 분야와 생물학의 상호작용은 한 분야의 통일이 다른 분야들에 어떻게 긍정적인 영향을 미칠 수 있는지를 보여 주는 사례다. 1930년대에 라이너스 폴링Linus Pauling은 화학결합의 구조를 설명하기 위해 양자역학을 이용하여 물리학을 화학과 통합하는 일을 시작했다. 그는 원자들이 화학반응을 할 때 어떻게 행동하는지를 양자역학의 물리적 원리로 설명할 수 있다는 것을 보여 주었다. 폴링에게 어느 정도 자극을 받아서, 화학과 생물학도 1953년 제임스 왓슨과 프랜시스 크릭이 DNA의 분자구조를 발견한 것을 계기로 수렴하기 시작했다. 이 구조를 손에 넣은 뒤 분자생물학은 생화학, 유전학, 면역학, 발생학, 세포학, 암생물학과 더 최근의 분자신경생물학에 이르기까지, 이전에는 서로 분리되었던 분야들을 탁월한 방식으로 통합했다. 이 통합은 다른 분야들에 선례가 되었다. 그것은 시간이 흐르면 대규모 이론들이 마음의 과학에 통합될 것이라는 희망을 갖게 한다.

더 최근에 진화생물학자 E. O. 윌슨Wilson은 스노와 브록만이 주창했던 것을 폭넓게, 그리고 현실적으로 확장하여 생물학과 인문학 사이에 지식의 통일을 도모하는 접근법을 제시했다. 그는 분야들 사이의 대화의 집합인 통섭consilience을 토대로 그런 통일이 가능하다고 본다.

월슨은 갈등과 해소라는 과정을 통해 새로운 지식이 획득되고 과학이 발전한다고 주장한다. 행동을 연구하는 심리학 같은 모든 부모 분야 parent discipline마다, 그 분야의 방법과 주장의 정확성에 도전하는 더 근본적인 분야인 반분야antidiscipline ─여기서는 뇌과학─가 있다. 하지만 대개 반분야는 너무 협소하기 때문에 심리학이든 윤리학이든 법학이든 간에 부모 분야의 역할을 빼앗는 데 필요한 더 일관적인 기본 틀이나 더 풍부한 패러다임을 제공하지 못한다. 부모 분야는 범위가 더 넓고 내용이 더 깊으므로, 비록 반분야를 통합하고 반분야로부터 혜택을 받고 있긴 해도 반분야로 완전히 환원할 수는 없다. 마음의 과학인 인지심리학과 뇌의 과학인 신경과학이 융합되어 새로운 마음의 과학을 탄생시키는 과정에서도 바로 이 현상이 나타나고 있다.

예술과 뇌과학의 사례에서 볼 수 있듯이, 이 관계들은 진화하는 중이다. 예술과 예술사는 부모 분야이고, 심리학과 뇌과학은 그들의 반분야다. 우리는 예술의 지각과 감상이 전적으로 뇌의 활동을 통해 매개된다는 것을 살펴보았고, 뇌과학이라는 반분야에서 나온 깨달음이 우리의 예술 논의를 어떤 식으로 풍성하게 만드는지 살펴보기 시작했다. 또 우리는 관람자의 몫을 설명하기 위해 애쓰면서 뇌과학이 얼마나 많은 것을 제공할 수 있는지도 살펴보았다.

하지만 홀턴과 월슨의 원대한 전망은 역사적 현실의 확고한 이해와 균형을 이루어야 한다. 우리는 인문학과 과학의 핵심 개념들을 연결하는 유용한 개념 집합과 통일된 언어를 진보의 불가피한 결과라고 보기보다는, 이 통섭이라는 매혹적인 개념을 한정된 지식 영역들 사이의 대화를 열고자 하는 시도로서 다루어야 한다. 예술의 사례에서는 베르타 주커칸들 살롱의 현대판에 해당하는 대화의 장이 필요할지도 모른다. 대학교의 새로운 학제간 연구 중심지라는 맥락에서 예술가, 예술사학자, 심리학자, 뇌과학자가 서로 대화를 나누는 공간 말이다. 현대의 마음의 과학이 인지

심리학자와 뇌과학자 사이의 토론을 통해 출현한 것처럼, 현대의 마음의 과학 연구자는 예술가 및 예술사학자와 대화를 나눌 수 있다.

생물학자 스티븐 제이 굴드Stephen Jay Gould는 과학과 인문학 사이의 거리를 논의하면서 이렇게 썼다.

> 나는 과학과 인문학이 가장 가까운 친구가 되고, 인간의 예의와 성취를 추구하는 데 필수적인 연관성과 깊은 친족 관계를 인식하기를 바라지만, 공동의 과제에 힘쓰고 서로에게 배울 때에도 불가피하게 서로 다를 수밖에 없는 목표와 논리를 각자 간직하고 있기를 원한다. 그들이 두 절친한 친구가 되도록 — 둘은 하나를 위하고, 하나는 둘을 위하도록 — 하자. 하지만 하나의 장엄한 통섭 단위의 등급 단계들이 되도록 하지는 말자.[4]

이 책이 보여 주려 시도했듯이, 대화는 마음의 생물학과 미술의 지각 연구처럼 연구 분야들이 자연적으로 결합될 때, 그리고 대화의 목표가 한정되어 있고 대화에 참여하는 모든 분야들에 다 혜택을 줄 때 성공할 가능성이 가장 높다는 것을 명심해야 한다. 마음의 생물학과 미학적 생물학의 완전한 통일이 우리가 내다볼 수 있는 가까운 미래에 일어날 가능성은 극히 낮지만, 미술의 측면들과 지각과 감정을 연구하는 과학의 여러 측면들 사이에서 새로운 상호작용이 계속 발견되면서 양쪽 분야들을 계몽하고, 시간이 흐르면서 이 상호작용들이 누적 효과를 일으킬 가능성이 매우 높다.

빈의 모더니즘이 지닌 핵심 특징 중 하나는 지식을 통합하고 통일하려고 의식적으로 시도했다는 점이다. '빈 1900'에서 의학, 심리학, 예술적 탐구는 서로 수렴하여 숨겨진 의미를 찾고자 몸과 마음의 표면 밑으로 들어

감으로써, 우리가 자신을 지각하는 방식을 영구히 바꾼 과학적·예술적 깨달음을 얻었다. 그것은 우리의 본능적 충동—우리의 무의식적인 성적 충동과 공격적 충동, 우리의 감정—을 드러내고 보이지 않게 숨어 있던 방어 구조를 폭로했다. 우리는 철학자들의 빈 학파에서, 정신분석의 기원에서, 프로이트가 나뉘어 있던 정신분석과 예술을 잇기 위해 창시한 학술지 〈이마고〉에서 지식의 통합이라는 꿈을 볼 수 있다.

더 최근에 우리는 현대 심리학을 미술에 처음으로 적용한 에른스트 크리스와 언스트 곰브리치의 연구를 잇는 분야인 신경미학이 출현하는 것을 보고 있다. 신경미학은 시각의 생물학과 심리학을 결합하며, 그것을 예술 연구에 적용한다. 감정신경미학 분야는 더 나아가 인지심리학과 지각, 감정, 감정이입의 생물학을 예술 연구와 결합하려 시도한다.

시각이 창의적인 과정이라는 지식은 관람자의 몫을 이해하는 데 도움을 주며, 뇌과학과 미술 사이에 생산적인 대화가 이루어지는 출발점이 된다. 발전이 이루어질 가능성을 보면서 우리는 이렇게 묻고 싶어진다. 이 대화는 어떤 혜택을 제공할 것인가? 누가 혜택을 볼 것인가?

새로운 마음의 과학에서 무엇을 얻을 수 있을지는 명백하다. 이 새 과학의 궁극적 목표 중 하나는 뇌가 미술 작품에 어떻게 반응하며, 우리, 즉 관람자가 무의식적·의식적 지각, 감정, 감정이입을 어떻게 처리하는지를 이해하는 것이다. 그런데 이 대화가 예술가에게는 어떤 도움을 줄 수 있을까? 15세기와 16세기에 현대 실험과학이 시작된 이래로, 필리포 브루넬레스키Filippo Brunelleschi와 마사초Masaccio에서 알브레히트 뒤러 Albrecht Dürer와 피터르 브뤼헐을 거쳐 현대의 리처드 세라Richard Serra와 데이미언 허스트Damien Hirst에 이르기까지 예술가들은 과학에 관심을 가져 왔다. 레오나르도 다빈치가 새로 얻은 인간 해부 구조 지식을 이용하여 인체 형태를 더 설득력 있고 정확하게 묘사한 것처럼, 뇌 과정을 연구하여 얻은 많은 깨달음도 감정 반응의 중요한 특징들을 드러내어 현대

화가들에게 혜택을 줄 가능성이 높다.

　　과거에 그랬듯이 미래에도 지각과 감정, 감정이입 반응의 생물학을 연구하여 얻은 새로운 깨달음은 예술가들에게 영향을 미쳐서 새로운 재현 양식을 낳을 가능성이 높다. 사실 르네 마그리트René Magritte처럼 마음의 비합리적인 활동에 흥미를 느낀 몇몇 화가들은 이미 그런 시도를 해 왔다. 마그리트를 비롯한 초현실주의 화가들은 내성에 의지하여 자신의 마음속에서 어떤 일이 벌어지는지 추론했다. 내성은 유용하며 필요하지만, 뇌와 그 활동을 객관적이고 전반적으로 상세히 이해하는 데에는 도움이 되지 않을 때가 많다. 물론 이제는 인간 마음의 각 측면이 어떻게 작동하는지 알아내어 전통적인 내성을 강화할 수 있을지도 모른다. 따라서 시지각과 감정 반응의 신경생물학을 연구하여 얻는 깨달음은 마음의 생물학에게는 중요한 목표일 뿐 아니라 새로운 예술 형식과 창의성의 새로운 표현 역시 자극할 것이다.

곰브리치가 옹호하고 내가 이 책에서 개괄한 형태의 환원론적 접근법은 과학의 핵심이지만, 많은 이가 인간의 사유를 환원론적으로 접근하다가는 우리가 마음의 활동에 흥미를 잃게 되거나 하찮게 여기게 될 것이라고 우려한다. 하지만 실제로는 정반대일 가능성이 매우 높다. 심장이 몸 전체로 피를 내보내는 근육 펌프임을 알아차렸다고 해서, 그 대단한 기능을 탄복하는 심정이 한순간이라도 변한 적은 없었다. 하지만 1628년 윌리엄 하비는 심장과 순환계를 실험한 결과를 처음 발표하려 할 때 세상의 여론이 이 낭만적이지 못한 환원론적 견해에 너무나 적대적이었기에, 자기 자신과 자신의 발견이 어떤 처지에 놓일지 무척 걱정했다. 그는 이렇게 썼다.

　　하지만 이제 통과하는 혈액의 양과 원천에 관해 말해야 할 텐데, 그 내용이 너무나 새롭고 전혀 들어 보지 못한 것이기에 몇몇 인사들의 질시를 받아 내 마음에 상처를 받을까 두렵기도 하고, 습성과 관습이 제2의 천성이 되어 있기 때문인지라 인류 전체가 내 적이 되지나 않을까 하는 생각에 떨리기도 한다. 교조적인 견해는 일단 뿌려지면 깊이 뿌리를 내리며, 전통을 존중하는 마음은 모든 사람에게 영향을 미치게 마련이다. 그래도 주사위는 던져졌으니, 나는 교양 있는 이들이 공정하고 진리를 사랑할 것이라고 굳게 믿는다.[5]

마찬가지로 뇌의 생물학을 이해한다고 해서 사고의 풍성함과 복잡성을 부정하는 일은 결코 일어나지 않는다. 오히려 환원론적 접근법은 한 번에 한 가지씩 정신 과정의 구성 요소에 초점을 맞춤으로써, 생물학적 현상과 심리적 현상 사이에서 전에는 예측하지 못한 관계를 지각할 수 있게 하여 우리의 시야를 확장할 수 있다.

이런 유형의 환원론은 생물학자들만 쓰는 것이 아니다. 그것은 암묵적으로 그리고 때로는 노골적으로 예술을 비롯한 인문학에도 쓰인다. 예를 들어 바실리 칸딘스키, 피터르 몬드리안, 카지미르 말레비치 같은 추상화가들은 급진적인 환원론자였으며, 말기의 J. M. W. 터너Turner도 그러했다. 과학에서와 마찬가지로 예술에서도 환원론은 우리의 지각—색채, 빛, 원근법—을 밋밋하게 만드는 것이 아니라, 이 각각의 구성 요소를 새로운 방식으로 볼 수 있게 해준다. 사실 일부 화가들, 특히 마크 로스코Mark Rothko와 애드 라인하르트Ad Reinhardt 같은 현대 화가들은 자기 미술의 가장 본질적이고 심지어 영적인 개념을 전달하고자 표현의 범위와 어휘를 의도적으로 제한하곤 한다.

21세기인 지금 우리는 아마도 최초로 클림트, 코코슈카, 실레를 크리스, 곰브리치와 연관 지어서 신경과학자들이 화가들의 실험에서 무엇을 배울 수 있으며 화가와 관람자가 예술적 창의성, 애매성, 미술 관람자의 지각 반응과 감정 반응에 관해 신경과학자들에게 무엇을 배울 수 있는지를 직접 살펴볼 위치에 서 있다고 할 수 있을 것이다. 이 책에서 나는 '빈 1900'의 표현주의 예술과 현재 출현하고 있는 지각, 감정, 감정이입, 미학, 창의성의 생물학을 이용하여 구체적인 사례를 들어서 예술과 과학이 어떻게 서로를 풍성하게 할 수 있는지 보여 주고자 했다. 나는 새로운 마음의 생물학이 지성의 힘으로서, 자연과학과 인문학 및 사회과학 사이의 새로운 대화를 촉진할 가능성이 높은 새로운 지식의 원천으로서 잠재적으로 중요하다는 점을 설파했다. 이 대화는 예술에서든 과학에서든 인문학에서든 간에 창의성을 가능하게 하는 뇌의 메커니즘을 더 깊이 이해하도록 도울 것이며, 지성사의 새로운 시대를 열 것이다.

감사의 말

이 책의 역사도 거의 '빈 1900'으로까지 거슬러 올라간다. 나는 제1차 세계대전에서 패배한 합스부르크 제국이 해체되고서 11년 뒤인 1929년 11월 7일 빈에서 태어났다. 비록 당시 오스트리아는 영토뿐 아니라 정치적 영향력도 대폭 줄어든 상태였지만, 그곳의 수도인 내 어린 시절의 빈은 여전히 세계의 문화 중심지로 남아 있었다.

우리 가족은 제9구역의 제베링가세 8번지에 살았다. 집 근처에는 박물관이 세 군데 있었다. 비록 어릴 때 한 번도 가보지는 않았지만, 훗날 나는 그 박물관들에 관심을 갖게 되었고 그것이 이 책의 탄생에 중요한 역할을 했다. 첫 번째 박물관은 우리 집에서 가장 가까운 곳에 있던 빈 의학 박물관인 요제피눔Josephinum이었다. 그곳에서 나는 로키탄스키에 관해 꽤 많은 것을 배웠다. 두 번째 박물관은 베르가세에 있는 프로이트의 자택으로, 현재 프로이트 박물관이 되어 있다. 좀 더 멀리, 제4구역에는 상벨베데레 미술관이 있었다. 오스트리아 모더니즘 화가들인 구스타프 클림트, 오스카어 코코슈카, 에곤 실레의 작품을 가장 많이 소장한 곳이다.

1964년 봄, 파리에서 1년간의 연구 활동―빈을 방문할 기회도 있었다―을 마치고 돌아온 나는 보스턴의 뉴버리 가에 있는 머스키 화랑에 들러서, 사춘기 소녀 트루데를 묘사한 코코슈카의 1922년 작 석판화를 구입했다. 그 작품이 내 상상을 사로잡았기 때문이다. 지금도 마찬가지이지만 당시 나는 코코슈카의 초기 초상화에 특히 흥미를 느꼈다. 한편으로는 그의 작품을 통해 내가 떠난 빈의 모습을 가시적으로 떠올릴 수 있었기 때문이기도 했고, 코코슈카가 초상화에 놀라운 재능을 발휘했다는 내 인상을 위대한 예술사가인 언스트 곰브리치가 확인해 주었기 때문이기도 했다. 1951년 여름 곰브리치는 초빙교수로 하버드에 와 있었는데, 당시 짧게 만났을 때 그는 자신이 보기에는 코코슈카가 우리 시대의 가장 위대한 초상화가라고 내게 말했다.

코코슈카의 트루데 초상화를 산 뒤로 아내 데니스와 나는 여러 해에 걸쳐 빈과 독일의 표현주의 화가들의 작품을 한 점 두 점 모으면서 큰 기쁨을 만끽했다. 여기서 지그문트 프로이트가 헝가리의 정신분석가 동료인 산도르 페렌치Sandor Ferenczi에게 보낸 편지에 쓴 내용이 떠오른다. 프로이트는 자신의 골동품 수집이 "전혀 다른 종류의 삶을 향한 …… 기이하면서도 은밀한 열망"을 반영한다고 썼다. "결코 충족된 적이 없고 현실에 길들여지지 않은 유년기 말부터 지녔던 소망"을 말이다(Gay, p. 172).

20년 뒤인 1984년 6월에 나는 기억의 분자생물학 연구에 기여한 공로로 빈 대학교 의대에서 명예박사 학위를 받았다. 의대 학장인 헬무트 그루버Helmut Gruber에게서 그날 학위 수여자들을 대표하여 답사를 해달라는 요청을 받았을 때, 나는 예전에 빈 의대에 관심이 있었으며, 특히 빈 의대가 현대적이고 과학적인 정신분석 의학에 선구적인 기여를 했다는 점에 관심을 가졌다는 내용을 말하기로 결심했다.

2001년 내가 소속된 뉴욕의 소규모 의대 교수 모임인 프랙티셔너스 협회Practitioners Society에서 강연을 할 차례가 되었을 때, 나는 내 취미 활동을 이야기하기로 마음먹었다. 빈의 모더니즘 화가인 클림트, 코코슈카, 실레에 관해서였다. 강연을 준비하다가 나는 빈 의대, 정신분석, 오스트리아 모더니즘 미술 사이에 연관이 있음을 처음으로 깨달았다. 그 일로 우리의 정신생활에서 그 어떤 것도 우연히 나타나는 법이 없다는 프로이트의 개념인 심적 결정론을 더욱 굳게 믿게 되었다. 친구들에게 무의식이 인도하는 대로 따라가라고 충고할 때, 나는 으레 이렇게 말한다. "무의식은 결코 거짓말을 하지 않아." 이 책은 그 강연에서 유래했으며, '빈 1900'에서 기원한 고도로 지적이고 예술적인 성과들에 계속 관심을 갖고 있었던 나의 흥미를 반영한다.

이 책을 쓸 수 있도록 연구비를 지원한 클링겐스타인 재단과 슬론 재단, 집필 계획을 체계화하는 데 도움을 준 저작권 대리인 카팅카와 존 브록만에게 감사한다. 랜덤하우스의 내 담당자 케이트 메디나에게도 빚을 졌다. 열정과 활력이 넘치는 메디나, 그리고 그녀의 동료인 벤저민 스타인버그, 안나 피토니악, 샐리앤 매카틴은 이 책에 많은 도움을 주었다. 새로운 형태의 학제 간 학문을 정립하려는 노력의 일환으로 기획한 첫 출판물 중 하나로 이 책을 선정하여 지원한 컬럼비아 대학교의 '마음, 뇌, 행동 사업단'에도 고맙다는 말을 전한다. 또 내 과학 연구를 흔쾌히 지원한 하워드 휴스 의학연구소에도 감사한다.

이 기나긴 여행길의 많은 지점에서, 나는 이런저런 전공 분야에서 나보다 더 지식이 풍부한 동료들과 친구들의 관대하면서도 중요한 도움을 받는 큰 행운을 누렸다. 빈 의대를 논의한 부분에서는 요제피눔 관장인 소냐 호른, 컬럼비아 대학교 버나드 대학의 데버러 코언을 비롯한 세 명의 빈 의학사 전공자가 이 책의 첫 다섯 장을 읽고서 사려 깊고도 중요한 평을 해주었다. 또 한 명은 소냐의 동료로 영국 케임브리지 대학교의 과학사 및 과학철학과에 있다가 지금은 뉴질랜드의 오클랜드 대학교 산하 리긴스 연구소로 옮긴 타치아나 부클리야스다. 또 타치아나는 클림트가 베르타 주커칸들의 살롱을 통해 생물학을 배웠다는 사실을 내게 알려 주었고, 빈 의대에 관한 자신의 미발표 논문도 마음껏 활용할 수 있도록 허락했다.

베르타와 에밀 주커칸들의 손자로 스탠퍼드 대학교 생물학과에 재직 중인 저명한 생물학자 에밀 주커칸들은 조부모에 관한 장을 읽고 평을 해주었을 뿐 아니라, 친절하게도 팰로앨토에 있는 자택으로 나를 초대했다. 그곳에서 나는 오귀스트 로댕이 만든 구스타프 말러의 경이로운 흉상을 비롯하여 베르타 주커칸들의 살롱에서 나온 기념물을 살펴볼 수 있었다.

마크 솜스, 안나 크리스 울프, 크리스 토겔은 프로이트와 정신분석을 다룬 4, 5, 6장을 비평해 주었다. 또 슈니츨러 연구자인 릴라 파인버그의 사려 깊은 제안 덕분에 7장의 내용을 많이 개선할 수 있었다.

빈 모더니즘 화가들을 논의한 8, 9, 10장에서는 이 분야의 뛰어난 미술사학자 다섯 명에게 친절한 도움을 받았다. 에밀리 브라운, 제인 컬리어, 클로드 세누시, 알레산드라 코미니, 앤 템킨은 관대하게도 자신들이 얻은 중요한 깨달음을 내게 전수했다. 게다가 에밀리 브라운은 베르타 주커칸들의 살롱을 다룬 《장식과 진화: 구스타프 클림트와 베르타 주커칸들Ornament and Evolution: Gustav Klimt and Berta Zuckerkandl》(2007)에서 나를 위해 클림트가 생물학에 보인 관심에 관해 부클리야스가 처음 제기한 문제들 중 몇 가지를 상세히 다루어 주었다. 클림트의 성욕 관점이 '빈 1900'의 기준으로 보면 억압을 벗어던진 것이라고 할 수 있어도 여성의 성생활을 유달리 남성적인 관점에서 본 것이라고 할 수 있다는 깨달음은 제인 컬리어의 《에곤 실레: 전집Egon Schiele: The Complete Works》(1998)에서 빌려 온 것이다. 클로드 세누시의 《코코슈카 재평가Re/Casting Kokoschka:

Ethics and Aesthetics, Epistemology and Politics in Fin-de-Siècle Vienna》에 담긴 코코슈카에 관한 심오한 통찰은 내게 큰 도움이 되었으며, 그와 알레산드라 코미니는 뒤러가 16세기 초에 이미 펜과 붓으로 나체 자화상을 그렸다는 점을 내게 알려 주었다. 알레산드라도 《에곤 실레의 초상화Egon Schiele's Portraits》(1974)와 《구스타프 클림트Gustav Klimt》(1975)를 통해서 내게 실레의 초기 작품을 새로운 관점에서 보게 해주었다. 앤 템킨은 이 세 화가를 20세기 유럽 미술이라는 맥락에서 볼 수 있도록 도와주었다.

에른스트 크리스와 언스트 곰브리치의 협력을 다룬 부분에서는 루 로즈와 나눈 대화, 그리고 그의 탁월하고 상세한 책(Rose 2011) 덕분에 내 이해의 폭을 크게 넓힐 수 있었다. 그는 관대하게도 출간되기 전에 내가 그 책을 볼 수 있게 해주었다. 또 나는 시지각에 관한 장들을 몇 차례 꼼꼼히 읽고서 이런저런 개선할 점을 제안해 준 토니 무브션에게 특히 큰 빚을 졌다. 시지각을 다룬 장에서는 토머스 올브라이트, 미첼 애시, 찰스 길버트, 마거릿 리빙스턴, 대니얼 샐즈먼, 도리스 차오에게도 도움을 받았다.

대니얼 샐즈먼, 케빈 오스너, 엘리자베스 펠프스, 조지프 르두는 감정을 다룬 장의 초고와 교정지를 읽고 도움을 주었다. 유타와 크리스 프리스, 레이 돌런은 감정이입을 다룬 장들을, 올리버 색스, 존 코니오스, 마크 정비먼, 낸시 앤드리슨은 창의성을 다룬 장들을 읽고 평해 주었다. 미술에서의 추함을 다룬 내용은 캐스린 심프슨의 도움을 많이 받았다.

그 외에도 많은 분이 이 책의 곳곳에 도움을 주었다. 클로드 게즈, 데이비드 앤더슨, 조엘 브래슬로, 조너선 코언, 아니루다 다스, 호아킨 푸스터, 하워드 가드너, 마이클 골드버그, 재클린 고틀리브, 니나와 게리 홀턴, 마크 정비먼, 로라 칸, 존 크라카우어, 존 코니오스, 피터 랭, 실비아 리스크, 조지 마카리, 파스칼 마마시앙, 로베르토 미초토, 월터 미셸, 벳시 머리, 데이비드 올즈, 케빈 펠프리, 스티븐 레이퍼트, 레베카 색스, 울프램 슐츠, 래리 스완슨, 조너선 윌리스에게 감사한다.

창의성과 미술 연구의 선구자인 안토니오 다마지오, 세미르 제키, 빌라야누르 라마찬드란은 최종 원고를 읽고 많은 제안을 해주었다. 우리가 스티븐 커플러, 데이비드 허블, 토르스텐 비셀, 세미르 제키, 마거릿 리빙스턴과 그 제자들의 연구를 통해 접했던 생물학과 예술을 이으려는 시도들은 장피에르 샹죄, 제키, 라마찬드란, 더 최근의 리빙스턴이 개척한 분야인 신경미학이라는 새로운 학문의 토대를 마련해 왔다. 이 과학자들은 시각 신경과학의 방대한 지식을 활용하여 인간의 뇌가 다양한 종류의 예술을 시각적으로 어떻게 표상하는지를 탐구해 왔다. 특히 리빙스턴은 화가가 뇌에 있는 형태와 색채의 지각 경로를 어떻게 조작하는지에 초점을 맞춰 왔다.

마지막으로, 내 동료이자 친구인 톰 제셀은 초고부터 최종 교정지까지 읽으면서 내용을 개선하는 데 중대한 기여를 했다.

이번에도 나는 편집자이자 친구인 블레어 번스 포터에게 아주 큰 빚을 졌다. 그녀의 창의적이고 사려 깊은 편집을 통해 이 책은 몇 개의 판본을 거친 셈이다. 전작인 《기억을 찾아서In Search of Memory》에서 블레어의 능력 덕을 톡톡히 보았고, 그 책을 편집하던 그녀의 섬세한 솜씨를 능가하는 책은 나오지 않을 것이라고 생각했다. 하지만 이 책은 범위와 전망이 더 넓으며, 그래서 블레어는 우리의 협업에 새로운 차원을 더할 수 있었다.

또 일반 대중이 쉽게 읽을 수 있도록 문장과 과학적 내용을 구성하는 데 도움을 준 DANA 재단의 편집장인 내 동료 제인 네빈스, 교정지를 읽고 도움을 준 제프리 몽고메리, 여러 교정지를 짜임새 있게 구성하여 최종 본문을 완성한 마리아 파릴레오에게도 고맙다는 말을 전한다. 또 나는 이 책이 나오기까지 재능 있는 연구 조수 소냐 엡스테인에게 여러 단계에서 도움을 받는 특권을 누렸다. 소냐는 전반적으로 이 책의 시각적 부분을 맡았고, 인용문과 참고문헌이 정확한지 검토했고, 미술과 인용문의 게재 허가를 받아냈고, 본문 편집에도 참여했다. 이 책의 후반부를 편집할 때는 재능 있는 젊은 화가 크리스 윌콕스가 참여했다. 그는 표지를 디자인하는 데 한몫을 했고 미술 프로그램, 편집, 삽화, 그림과 인용문 허가를 받아 내는 데도 도움을 주었다.

통찰을 다룬
통찰력 있는 책

번역을 하다 보면 저자의 이미지가 절로 떠오를 때가 있다. 유머와 재치로 가득한 사람이 떠오르기도 하고, 너그럽고 점잖은 신사가 눈앞에 어른거리기도 한다. 다의적인 의미를 지닌 골치 아픈 단어들을 골라 쓰는 괴팍한 저자도, 독자를 위해 머리에 쏙쏙 들어오는 비유를 쓰면서 쉽게 설명하려 애쓰는 성실한 저자도 만나 보았다. 그렇게 성격이 뚜렷한 책을 우리말로 옮길 때면 저절로 저자에게 동화된다. 나도 모르게 저자의 재치 있고 흥겨운 어투를 따라 하거나, 차분하고 진지한 표현을 골라 쓰게 된다. 좀 과장해서 표현하자면, 내 안에서 또 다른 인격이 생성되는 듯도 하다. 안타깝게도 번역을 끝내는 순간 사라지는 일시적인 인격이긴 하다.

그런데 이 책을 우리말로 옮기는 동안 줄곧 떠오른 것은 누군가의 모습이 아니라, 석학碩學이라는 하나의 단어였다. 어떤 책이든 간에 번역자를 주눅 들게 하고 초라하게 만드는 측면이 있긴 하다. 더할 나위 없이 잘 짜인 책의 체제가 그런 느낌을 심어주기도 하고, 설득력 있는 유려한 문체가 그럴 때도 있다. 또 해당 분야의 역사와 최신 흐름에 이르기까지 꿰뚫는 깊이 있는 지식, 미처 생각도 못한 점을 일깨워주는 혜안, 여러 분야를 넘나드는 해박함을 접하면서 탄복하는 마음에 절로 고개를 숙일 때도 있다. 그런데 이 책은 그 모든 것을 갖추고 있다.

이 책의 저자는 예술과 인문학과 과학이라는 세 분야를 자유자재로 넘나든다. 그는 묘한 관능미를 보여주는 클림트의 그림과 불편하거나 불안하거나 불쾌한 느낌을 주는 코코슈카와 실레의 그림에 담긴 의미와 역사적 배경, 이제는 한물간 사람으로 치부되곤 하는 프로이트의 정신 분석 이론이 지닌 성격, 뇌의 구조와 기능을 밝히고자 노력하는 최근 과학자들의 연구 성과를 솜씨 좋게 하나의 실로 엮는다.

저자는 이 세 분야에 공통점이 있다고 말한다. 겉으로 드러나지 않은 인간의 진정한 모습을 탐구하고자 애쓴다는 것이다. 그러면서 그 탐구가 실질적으로 시작된 시점이 '빈 1900'이라고 말한다. 자유롭고 풍족한 당시의 문화 속에서 예술, 인문학, 과학이 서로 교류하면서 알게 모르게 공통의 과제를 추구하기 시작했다는 것이다. 그 결과 예술에서는 표현주의가, 심리학에서는 정신분석이 출현했고, 과학과 의학에서는 실험과 관찰을 토대로 한 접근법이 자리를 잡았다.

서로 교류하면서 활짝 꽃을 피웠던 당시의 문화에 매료된 저자는 최근 들어 다시 그 교류가 재개되고 있음을 간파한다. 바로 뇌과학의 발전을 통해서다. 관람자가 미술 작품을 볼 때, 그의 마음에서는 어떤 일이 일어나고, 뇌에서는 어떤 과정이 진행될까? 저자는 최근에 이루어지고 있는 뇌과학의 급속한 발전 덕분에, 마침내 이 의문을 해명할 가능성이 열리고 있다고 본다. 그는 이 의문을 화두로 삼아 미술 작품에서 화가와 관람자가 맡은 역할부터 심리학을 거쳐 뇌과학에 이르기까지, 서로 동떨어져 있는 듯이 보이는 주제들을 하나하나 살펴본다.

이 책은 더 나아가 새롭게 시작되고 있는 예술과 과학의 대화를 토대로, 우리의 창의성이 어디에서 비롯되는가라는 의문까지 살펴본다. 화가의 창의성은 어디에서 나오며, 그림을 보면서 저마다 다른 해석을 내리는 관람자의 창의성은 어디에서 유래할까? 이 질문을 통해 저자는 과학의 세력 확대를 우려하는 이들에게 과학과 인문학과 예술의 대화가 우리 삶을 오히려 더욱더 풍요롭게 할 것이라고 설득한다.

연륜과 깊이가 느껴지는 글을 찬찬히 읽어가다 보면, 책 제목에 붙은 통찰이라는 단어를 오히려 저자 자신에게 붙여야 더 맞지 않을까 하는 생각이 문득문득 떠오른다. 방대한 지식 자체가 아니라, 그 지식들을 꿰뚫는 저자의 통찰력이 곳곳에 배어 있는 책이다.

2014년 9월

이한음

주석

서문

1. Bertha Zuckerkandl, *My Life and History*, trans. John Summerfield (New York: Alfred A. Knopf, 1939), pp. 180~81.

01 내면으로 돌아서다: 빈 1900

로널드 로더는 아델레 블로흐바우어와의 첫 만남을 이렇게 회고했다.

> 〈아델레 블로흐바우어 I〉이 걸려 있는 방으로 걸어 들어갔을 때, 나는 발을 뗄 수가 없었다. 그녀는 세기 전환기의 빈을 요약한 듯했다. 그 풍성함, 관능성, 혁신 능력을 말이다. 나는 이 여성, 그리고 그녀를 화폭에 그토록 아름답게 포착한 화가와 사적으로 강하게 이어져 있음을 느꼈다(Lillie and Gaugusch, p. 13).

1556년 카를 5세는 합스부르크 왕가의 군주 자리에서 물러나면서, 자신의 에스파냐 제국은 아들인 필리프 2세에게, 게르만 합스부르크 영지의 군주 자리는 동생인 합스부르크의 페르디난트에게 물려주었다.

역설적으로 모더니즘의 출현을 자극한 한 가지 요인은 1873년 빈 주식시장 폭락이었다. 3월 8~9일에 230개 기업이 파산했다. 이 '대폭락'은 곧 유럽 전역으로 퍼졌고 장기 불황이 이어지면서 자유시장경제와 새로 만개한 자유주의를 약화시켰다. 불황과 그에 따른 실직 사태는 빈 하층계급이 분노의 방향을 중간계급으로 돌리도록 자극했다. 중간계급에는 유대인의 비율이 유달리 높았다. 가정과 가부장의 권위를 신성하게 여기는 오스트리아의 로마 가톨릭 교회도 1868년의 자유주의 법률과 그것이 옹호하는 자유시장 개인주의를 가정의 가치를 파괴하는 위험 요인이라고 보았다.

그 결과 자유주의는 추진력을 일부 잃었다. 1890년 무렵에는 반유대주의가 공공연히 표출되면서 노동계급이 자유시장에 드러내던 적대적인 반감과 결합되었다. 노동계급은 자유시장이 시장 붕괴와 실직을 낳았다고 생각했다. 자유시장의 옹호자 가운데 상당수가 유대인이었고, 유대인 집단이 의학과 법률 같은 전문 직종에 진출하고 금융 쪽에서도 성공을 거둔 것이 반감을 촉발했다. 이 추세는 1897년 뻔뻔스러운 선동가이자 반유대주의자인 카를 루에거가 빈의 시장으로 선출되면서 정점에 이르렀다. 루에거는 반유대주의를 사회적으로 용인했다. 그것은 헤르만 브로흐가 "가톨릭의 기치 아래 …… 히틀러 이전 방식의 선동"(Cernuschi, p. 15)이라고 적절히 묘사한 정치 전략이었다.

1 Sophie Lillie and Georg Gaugusch, *Portrait of Adele Bloch-Bauer* (New York: Neue Galerie, 1984), p. 13.
2 Peter Gay, *The Freud Reader* (New York: W. W. Norton, 1989), p. 76.
3 Ernst H. Gombrich, *Reflections on the History of Art*, ed. Robert Woodfield (Berkeley: University of California Press, 1987), p. 211.
4 Paul Robinson, *Freud and His Critics* (Berkeley: University of California Press, 1993), p. 271.

02 겉모습에 감춰진 진리의 탐구: 과학적 의학의 기원

이 장과 로키탄스키의 영향을 다룬 뒤의 장에서 다룬 내용을 한 사람이 미친 개인적인 영향이라고 받아들여서는 안 된다. 그것은 로키탄스키가 가장 눈에 띄는 대변자였고, 1878년 그가 죽은 뒤에도 수십 년 동안 빈의 의학계와 문화계에 계속 영향을 끼친 시대정신이라는 전체적인 관점에서 보아야 한다. 에르나 레스키는 이렇게 썼다. "로키탄스키는 독일 의학을 자연철학적 꿈에서 깨어나게 하고 확고하고 변하지 않는 물질적 사실들이라는 토대 위에 올려놓는 일을 시작했다."(p. 107)

다른 학자들이 지적했듯이, 레스키도 로키탄스키를 다룬 탁월한 책에서 로키탄스키가 놀라운 선견지명을 보였고 의학이 증거에 토대를 두어야 한다고 역설했지만, 이따금 심각한 오류도 저질렀다고 지적한다. 특히 어떤 오류는 환자의 죽음을 설명하는 데 매우 중요하다고 여긴 전반적인 병리학적 변화를 이따금 부검 때 전혀 찾아내지 못했다는 사실에서 비롯했다고 할 수 있다. 원인을 찾아내지 못하자 그는 특정한 기관에서 찾아내는 데 성공한 질병 외에, 특정한 기관에 국소화할 수 없는 일련의 '역동적 질병'이 있는 것이 틀림없다고 주장했다. 로키탄스키는 물질의 변화가 없이는 어떤 질병 과정도 작동할 수 없다고 굳게 믿었기에, 그런 질병의 원인일 만한 것이 몸의 어디에나 있는 물질—혈액—밖에 없다고 생각했다. 그래서 그는 역동적 질병이 혈액에 들어 있으며, 혈액 혼합물—혈장과 그 안에 든 단백질들—의 불균형으로 생긴다고 주장했다. 그는 그 불균형을 혈액 '기질(crasis)'이라고 했다. 늘 화학에 관심을 갖고 있던 로키탄스키는 이런 유형의 장애에 화학 분석을 적용할 시기가 왔다고 생각했다. 혈액 기반의 이 새로운 병리학은 빈에서 유행했고, 로키탄스키 집단을 통해 널리 전파되었다. 로키탄스키는《병리해부학 편람(Handbook of Pathologic Anatomy)》에서 이 이론을 소개했다.

루돌프 피르호(1821~1902)는 그《편람》에 매우 호의적인 서평을 쓰긴 했지만, 로키탄스키의 견해에 도전하면서 역동적 질병 이론을 화학을 통해 해부학을 설명하려고 시도한 터무니없는 시대착오라고 비판했다. 로키탄스키는 이 비판이 정당하다는 것을 깨달았고,《편람》다음 판에서는 그 이론을 철회했다.

1 Sherwin B. Nuland, *The Doctors' Plague: Germs, Childbed Fever, and the Strange Story of Ignac Semmelweis* (New York: W. W. Norton, 2003), pp. 64~65.

2 Erwin H. Ackerknecht, *Medicine at the Paris Hospital 1794–1848* (Baltimore: Johns Hopkins University Press, 1963), p. 123.

3 O. Rokitansky, "Carl Freiherr von Rokitansky zum 200 Geburtstag: Eine Jubiläumgedenkschrift," *Wiener Klinische Wochenschrift* 116, no. 23 (2004): pp. 772~78.

4 Nuland, *The Doctors' Plague*, p. 64.

5 Erna Lesky, *The Vienna Medical School of the 19th Century* (Baltimore: Johns Hopkins University Press, 1976), p. 120.

6 Ibid., p. 360.

03 주커칸들의 살롱에서 만나는 빈의 화가, 저술가, 과학자

1 Käthe Springer, "Philosophy and Science," in *Vienna 1900: Art, Life and Culture,* ed. Christian Brandstätter (New York: Vendome Press, 2005), p. 364.

2 Berta Zuckerkandl, quoted in Emily D. Bilski and Emily Braun, *Jewish Women and Their Salons: The Power of Conversation* (New Haven: The Jewish Museum and Yale University Press, 2005), p. 96.

3 Johann Strauss the Younger, quoted in ibid., p. 87.

4 Jane Kallir, *Who Paid the Piper: The Art of Patronage in Fin-de-Siècle Vienna* (New York: Galerie St. Etienne, 2007).

5 Berta Zuckerkandl, quoted in Emily Braun, *Gustav Klimt: The Ronald S. Lauder and Serge Sabarsky Collections,* ed. Renée Price (New York: Prestel Publishing, 2007), p. 162.

6 Berta Zuckerkandl, quoted in ibid., p. 155.

7 Emily Braun, *Gustav Klimt: The Ronald S. Lauder and Serge Sabarsky Collections*, p. 153.

8 Ibid., p. 163.

9 Tatjana Buklijas, "The Politics of Fin-de-Siècle Anatomy," in *The Nationalization of Scientific Knowledge in Nineteenth-Century Central Europe,* ed. M. G. Ash and J. Surman (Basingstoke, U.K.: Palgrave MacMillan, in preparation), p. 23.

04 머리뼈 아래의 뇌 탐구: 과학적 정신의학의 기원

1   Lesky, *The Vienna Medical School*, p. 5.

2   Ibid., p. 335.

3   Peter Gay, *Schnitzler's Century: The Making of Middle-Class Culture 1815~1914* (New York: W. W. Norton, 2002), p. 67.

4   A. Wettley and W. Leibbrand, *Von der Psychopathia Sexualis zur Sexualwissenschaft* (Stuttgart: Ferdinand Enke Verlag, 1959).

5   Sigmund Freud (1924), *An Autobiographical Study,* The Standard Edition, trans. James Strachey (New York: W. W. Norton, 1952), pp. 14~15.

6   Fritz Wittels, "Freud's Scientific Cradle," *American Journal of Psychiatry* 100 (1944): pp. 521~22.

7   Emil du Bois Reymond, quoted in Frank J. Sulloway, *Freud, Biologist of the Mind: Beyond the Psychoanalytic Legend* (New York: Basic Books, 1979), p. 14.

8   Sigmund Freud, *The Question of Lay Analysis: Conversations with an Impartial Person,* The Standard Edition, trans. James Strachey (New York: W. W. Norton, 1950), p. 90.

9   Freud, *An Autobiographical Study*, p. 18.

10 Ernest Jones, *The Life and Work of Sigmund Freud 1919~1939: The Last Phase* (New York: Basic Books, 1981), p. 223.

05 마음, 뇌를 만나다: 뇌 기반 심리학의 발달

프로이트가 뇌와 행동 사이의 인과관계와 국소화 주장을 얼마간 포기했음에도, 그의 환원론적인 마음 개념은 선견지명이 담긴 세 가지 놀라운 특징을 지니고 있었다. 첫째, 앞서 칠성장어와 가재의 해부학 연구에서도 그러했듯이 신경세포, 즉 뉴런이 지각·기억·의식이라는 세 뇌 체계에서 정보처리의 기본 단위라는 것을 강조했다.

둘째, 기억 저장을 설명했다. 프로이트는 신경세포 사이의 의사소통 지점—시냅스, 그는 접촉 장벽이라고 했다—이 고정된 것이 아니라 학습을 통해 변형될 수 있으며(우리가 오늘날 시냅스 가소성이라고 말하는 특성이다), 기억 저장이 기억 체계의 뉴런들 사이에 있는 접촉 장벽의 투과성 증가를 수반한다고 주장했다. 기억의 신경생물학에 관한 이 현대적인 개념은 본질적으로 라몬이카할이 1894년에 세운 가설과 같다.

셋째, 더욱 독창적인 주장인데, 프로이트는 행동 형성에 관여하는 뇌 회로들을 두 가지 일반 범주로 나눴다. 매개회로와 조절회로였다. 프로이트는 매개회로가 행동을 통제하는 뇌 기구를 구성한다고 주장했다. 매개회로는 자극을 분석하고, 행동을 일으킬지를 판단하고, 활동 패턴을 생성한다. 하지만 이 활동의 세기는 조절회로를 통해 조절—강화 또는 억제—될 수 있다. 현재 우리는 조절회로—도파민 체계, 세로토닌 체계, 콜린 체계—의 뉴런들이 매개회로에 있는 뉴런들 사이의 연결을 강화하거나 약화함으로써 이 조절 기능을 수행한다는 것을 안다.

1   Sigmund Freud, *The Origins of Psycho-Analysis: Letters to Wilhelm Fliess,* ed. Marie Bonaparte, Anna Freud, and Ernst Kris, intro. Ernst Kris (New York: Basic Books), p.

137.

2   Freud, *An Autobiographical Study*, p. 19.

3   Sigmund Freud, quoted in Gay, *The Freud Reader*, pp. 11~12.

4   Sigmund Freud (1893), *The Standard Edition of the Complete Psychological Works of Sigmund Freud 1893~99*, Vol. 3 (Early Psycho-analytic Publications), pp. 18~19.

5   Freud, *An Autobiographical Study*, p. 30.

6   Ibid., p. 14.

7   Ibid., p. 41.

8   Sigmund Freud, "Heredity and the Aetiology of the Neuroses," *Revue Neurologique* 4 (1896): p. 148.

9   Sigmund Freud and Joseph Breuer, "Studies on Hysteria," *The Standard Edition of the Complete Psychological Works of Sigmund Freud*, Vol. 2 (1893–95), trans. James Strachey (London: Hogarth Press, 1955), p. 54.

10   Sigmund Freud (1891), *On Aphasia: A Critical Study*, trans. E. Stengel (London: Imago, 1953), p. 55.

11   Sigmund Freud, quoted in Gay, *The Freud Reader*, p. 21.

12   Charles Brenner, *An Elementary Textbook of Psychoanalysis* (New York: International Universities Press, 1973), p. 11.

13   Sigmund Freud, *The Origins of Psychoanalysis: Letters to Wilhelm Fliess*, ed. Mari Bonaparte, Anna Freud, and Ernst Kris, intro. Ernst Kris (New York: Basic Books, 1954), p. 134.

14   Sigmund Freud (1914), *On Narcissism*, in *The Standard Edition of the Complete Psychological Works of Sigmund Freud*, Vol. 14 (1914~16), trans. James Strachey (London: Hogarth Press, 1957), p. 78.

15   Sigmund Freud (1920), *Beyond the Pleasure Principle*, quoted in Eric Kandel, *Psychiatry, Psychoanalysis, and the New Biology of Mind* (Arlington, VA: American Psychiatric Publishing, 2005), p. 63.

16   Ulric Neisser, *Cognitive Psychology* (New York: Appleton-Century-Crofts, 1967), p. 4.

17   Ernst H. Gombrich and Didier Eribon, *Looking for Answers: Conversations on Art and Science* (New York: Harry N. Abrams, 1993), p. 133.

06 뇌와 별개로 마음을 탐구하다: 역동적 심리학의 기원

1   Sigmund Freud (1900), *The Interpretation of Dreams*, in *The Standard Edition of the Complete Psychological Works of Sigmund Freud*, Vols. 4 and 5 (London: Hogarth Press, 1953), p. xxvi.

2   Freud, *The Origins of Psychoanalysis*, p. 351.

3   Ibid., p. 213.

4   Freud, *The Interpretation of Dreams*, p. 6.

5   Ibid.

6   Emma Eckstein, quoted in Gay, *The Freud Reader*, p. 131.

7   Sigmund Freud, quoted in ibid., p. 139.

8   Brenner, *Elementary Textbook of Psychoanalysis*, p. 163.

9   Freud, *The Complete Psychological Works of Sigmund Freud*, Vol. 4, p. 121.

10 Freud, *The Origins of Psychoanalysis*, p. 323.

11 Freud, *The Interpretation of Dreams*, p. 2.

12 Brenner, *Elementary Textbook of Psychoanalysis*, p. 2.

13 Anton O. Kris, *Free Association: Method and Process* (New Haven: Yale University Press, 1982).

14 Freud and Breuer, "Studies on Hysteria," pp. 160~61.

15 Sigmund Freud, quoted in Gay, *The Freud Reader*, p. 287.

16 Sigmund Freud, *An Outline of Psycho-Analysis* (New York: W. W. Norton, 1949), p. 70.

17 Roy Schafer, "Problems in Freud's Psychology of Women," *Journal of the American Psychoanalytic Association* 22 (1974): pp. 483~84.

07 문학에서의 내면의 의미 탐구

1   Arthur Schnitzler, *Lieutenant Gustl*, in *Bachelors: Novellas and Stories*, trans. Margret Schaefer (Chicago: Ivan Dee, 2006), p. 134.

2   Sigmund Freud, "Civilized Sexual Morality and Modern Nervous Illness," 1908, *Papers in the Sigmund Freud Collection*, Library of Congress Manuscript Division.

3   Sigmund Freud, quoted in Carl E. Schorske, *Fin-de-Siècle Vienna: Politics and Culture* (New York: Alfred A. Knopf, 1980), p. 11.

4   Sigmund Freud, quoted in Ernest Jones, *The Life and Work of Sigmund Freud, Volume 3: The Last Phase 1919 ~ 1939* (New York: Basic Books, 1957), Appendix A, pp. 443~44.

5   Emily Barney, *Egon Schiele's Adolescent Nudes within the Context of Fin-de-Siècle Vienna* (2008), p. 8, http://www.emilybarney.com/essays.html (accessed September 19, 2011).

6   Sigmund Freud, *Fragment of an Analysis of a Case of Hysteria*, in *Collected Papers*, Vol. 3, ed. Ernest Jones (London: Hogarth Press, 1905).

7   Arthur Schnitzler, *Desire and Delusion: Three Novellas*, trans., ed., intro. Margret Schaefer (Chicago: Ivan Dee, 2004), p. 224.

8   Ibid., 225.

9   Klara Blum, quoted in W. E. Yates, *Schnitzler, Hofmannsthal, and the Austrian Theater* (New Haven: Yale University Press, 1992), pp. 125~26.

10 Peter Gay, *Freud: A Life for Our Time* (New York: W. W. Norton, 1998), p. 249.

11 Ibid., p. 250.

08 미술에 묘사된 현대 여성의 성욕

1   Oskar Kokoschka, *My Life*, trans. David Britt (New York: Macmillan, 1971), p. 66.

2   Albert Elsen, "Drawing and a New Sexual Intimacy: Rodin and Schiele," in *Egon Schiele: Art, Sexuality, and Viennese Modernism,* ed. Patrick Werkner (Palo Alto, CA: The Society for the Promotion of Science and Scholarship, 1994), p. 14.

3   Ruth Westheimer, *The Art of Arousal* (New York: Artabras, 1993), p. 147.

4   Tobias G. Natter, "Gustav Klimt and the Dialogues of the Hetaerae: Erotic Boundaries in Vienna around 1900," in *Gustav Klimt: The Ronald S. Lauder and Serge Sabarsky Collection,* ed. Renée Price (New York: Neue Galerie, Prestel Publishing, 2007), p. 135.

5   Emily Braun, "Carnal Knowledge," in *Modigliani and His Models* (London: Royal Academy of Arts, 2006), p. 45.

6   Franz Wickhoff (1900), "On Ugliness," quoted in Schorske, *Fin-de-Siècle Vienna*, p. 236.

7   Kathryn Simpson, "Viennese Art, Ugliness, and the Vienna School of Art History: The Vicissitudes of Theory and Practice," *Journal of Art Historiography* 3 (2010): p. 1.

8   Auguste Rodin, *Art,* trans. P. Gsell and R. Fedden (Boston: Small, Maynard, 1912), p. 46.

9   Otto Wagner, quoted in Schorske, *Fin-de-Siècle Vienna*, p. 215.

10   Ludwig Hevesi, quoted in ibid., p. 84.

11   Ernst H. Gombrich, *Kokoschka in His Time* (London: Tate Gallery Press, 1986), p. 14.

12   Clement Greenberg, *Modernist Painting* (Washington, D.C.: Forum Lectures, 1960), pp. 1~2.

13   Alessandra Comini, *Gustav Klimt* (New York: George Braziller, 1975), p. 25.

14   Lillie and Gaugusch, *Portrait of Adele Bloch-Bauer*, p. 59.

15   Gustav Klimt, quoted in Frank Whitford, *Gustav Klimt (World of Art)* (London: Thames and Hudson, 1990), p. 18.

09 미술에 묘사된 심리

1   Claude Cernuschi, *Re/Casting Kokoschka: Ethics and Aesthetics, Epistemology and Politics in Fin- de- Siècle Vienna* (Plainsboro, NJ: Associated University Press, 2002), p. 101.

2   Kokoschka, *My Life,* p. 33.

3   Ibid., p. 66.

4   Oskar Kokoschka, quoted in Donald D. Hoffman, *Visual Intelligence: How We Create What We See* (New York: W. W. Norton, 1998), p. 25.

5   Oskar Kokoschka, quoted in Cernuschi, *Re/Casting Kokoschka,* pp. 37~38.

6   Karin Michaelis, quoted in ibid., p. 102.

7   Cernuschi, *Re/Casting Kokoschka*, p. 38.

8   Oskar Kokoschka (1908), "The Dreaming Youths," trans. Schorske, *Fin-de-Siècle Vienna*, pp. 332~33.

9   Gustav Klimt, quoted by Berta Zuckerkandl, *Neues Wiener Journal,* April 10, 1927.

10   John Shearman, *Mannerism (Style and Civilization)* (New York: Penguin Books, 1991), p. 81.

11 Kokoschka, *My Life*, pp. 75~76.

12 Ibid., p. 76.

13 Vincent van Gogh, *The Letters of Vincent van Gogh,* ed. Mark Roskill (London: Atheneum, 1963), pp. 277~78.

14 Ernst H. Gombrich, *The Story of Art* (London: Phaidon Press, 1995), pp. 429~30.

15 Hilton Kramer, "Viennese Kokoschka: Painter of the Soul, One-Man Movement," *The New York Observer,* April 7, 2002.

16 Ibid.

17 Kokoschka, quoted in *Re/Casting Kokoschka*, p. 34.

18 Kokoschka, *My Life*, pp. 33~34.

19 Ibid., p. 31.

20 Ibid., p. 60.

21 Ibid., p. 37.

22 Kramer, "Viennese Kokoschka: Painter of the Soul."

23 Rosa Berland, "The Early Portraits of Oskar Kokoschka: A Narrative of Inner Life," *Image [&] Narrative* (e-journal) 18: (2007), http://www.imageandnarrative.be/inarchive/thinking_pictures/berland.htm (accessed September 19, 2011).

24 Gombrich, *The Story of Art*, p. 431.

25 *Lucian Freud: L'Atelier* (Paris: Éditions Centre Pompidou, 2010).

10 미술에서의 에로티시즘, 공격성, 불안의 융합

1 Jane Kallir, *Egon Schiele: The Complete Works* (New York: Harry N. Abrams, 1998), p. 44.

2 Alessandra Comini, *Egon Schiele's Portraits* (Berkeley: University of California Press, 1974), p. 32.

3 Arthur C. Danto, "Live Flesh," *The Nation,* January 23, 2006.

4 Kallir, *Egon Schiele*, pp. 65~68.

5 Comini, *Egon Schiele's Portraits*, pp. 50~51.

11 관람자의 몫을 발견하다

이 장에서 다룬 게슈탈트심리학은 애시(1995), 록(1984), 캔델, 슈워츠, 제셀(2000)을 토대로 했다. 포퍼, 헬름홀츠, 귀납 추론에 대한 나의 논의에서, 토머스 올브라이트도 레오나르도 다 빈치가 관람자의 몫을 이미 인식하고 있었다는 것을 지적했다. 레오나르도는 《회화론(A Treatise on Painting)》에 이렇게 썼다. "화가는 관람자의 눈을 사로잡고 매료시킬 수 있는 이 풍부한 창의성을 통해 구성을 대단히 다양하게 하고, 반복을 피함으로써 관람자를 즐겁게 해야 한다." 리글은 이 개념을 훨씬 더 상세하고 체계적으로 전개했고, 관람자가 그림을 완성한다고 생각함으로써 '관람자의 몫'에 새로운 의미를 부여했다.

1 Schorske, *Fin-de-Siècle Vienna*, pp. 234~35.

2   Meyer Schapiro, quoted in Cindy Persinger, "Reconsidering Meyer Schapiro in the New Vienna School," *The Journal of Art Historiography* 3 (2010): p. 1.

3   Rudolf Arnheim, "Art History and the Partial God," *Art Bulletin* 44 (1962): p. 75.

4   William Empson, *Seven Types of Ambiguity* (New York: Harcourt, Brace, 1930), p. x.

5   Donald Kuspit, "A Little Madness Goes a Long Creative Way," *Artnet,* October 7, 2010, http://www.artnet.com/magazineus/features/kuspit/franz-xaver-messerschmidt10-7-10.asp (accessed September 16, 2011).

6   Ernst H. Gombrich, *The Image and the Eye: Further Studies in the Psychology of Pictorial Representation* (London: Phaidon Press, 1982), p. 11.

7   Ernst H. Gombrich, *Art and Illusion: A Study in the Psychology of Pictorial Representation* (London: Phaidon Press, 1982). p. ix.

8   Ernst Kris and Ernst Gombrich, "Caricature" (unpublished manuscript), property of the Archive of E. H. Gombrich Estate at the Warburg Institute, London. ©Literary Estate of E. H. Gombrich. Quoted in Louis Rose, "Psychology, Art, and Antifascism: Ernst Kris, E. H. Gombrich, and the Politics of Caricature" (unpublished manuscript), 2011.

9   Max Wertheimer, quoted in D. Brett King and Michael Wertheimer, *Max Wertheimer and Gestalt Theory* (New Brunswick and London: Transaction Publishers, 2004), 378.

10   Hoffman, *Visual Intelligence*, p. 15.

11   Mary Henle, *1879 and All That: Essays in the Theory and History of Psychology* (New York: Columbia University Press, 1986), p. 24.

12   Chris Frith, *Making Up the Mind: How the Brain Creates Our Mental World* (Oxford: Blackwell, 2007), p. 40.

12 관찰은 발명이다: 창작 기계로서의 뇌

1   Gombrich, *Art and Illusion*, p. 5.

2   Ibid., p. 24.

13 20세기 회화의 출현

1   Gombrich, *Kokoschka in His Time.*

2   Fritz Novotny (1938), "Cézanne and the End of Scientific Perspective," in *The Vienna School Reader: Politics and Art Historical Method in the 1930s,* ed. Christopher S. Wood (New York: Zone Books, 2000), p. 424.

14 뇌의 시각 이미지 처리 과정

1   Richard Gregory, *Seeing Through Illusions* (New York: Oxford University Press, 2009), p. 6.

2   Francis Crick, *The Astonishing Hypothesis: The Scientific Search for the Soul* (New York: Charles Scribner's Sons, 1994), p. 32.

3   Frith, *Making Up the Mind*, p. 132 and 111.

15   시각 이미지의 해체: 형태 지각의 기본 구성단위

커플러 학파와 허블과 비셀의 연구 내용은 허블과 비셀의 공저(2005)에 잘 실려 있다. 커플러의 생애는 영국 왕립협회에서 발간하는 〈전기적 회고록(Biographical Memoirs)〉(1982)에 카츠(Katz)가 잘 기술해 놓았다. 또 맥머핸(1990)이 모은 여러 친구들과 제자들의 글을 통해서도 알 수 있다. 선화 내용과 형태적 기초 요소에 관한 커플러의 연구 및 허블과 비셀의 연구 사이에 있는 관계를 다룬 내용은 샹죄(1994), 리빙스턴(2002), 스티븐스(2001), 제키(1999)의 연구를 토대로 했다.

16   우리가 보는 세계의 재구성: 시각은 정보처리 과정이다

1   Semir Zeki, *Inner Vision: An Exploration of Art and the Brain* (Oxford: Oxford University Press, 2001), p. 113.
2   Gregory, *Seeing Through Illusions*, p. 212.
3   Patrick Cavanagh, "The Artist as Neuroscientist," *Nature* 434 (2005): p. 301.
4   Hoffman, *Visual Intelligence*, pp. 2~3.

17   높은 수준의 시각과 뇌의 얼굴, 손, 몸 지각

1   Doris Tsao and Margaret Livingstone, "Mechanisms of Face Perception," *Annual Review of Neuroscience* 31 (2008): p. 411.
2   Exploratorium, "Mona: Exploratorium Exhibit," http://www.exploratorium.edu/exhibits/mona/mona.html (accessed September 14, 2011).
3   Mark H. Morton and John Johnson, *Biology and Cognitive Development: The Case of Face Recognition* (Oxford: Blackwell, 1991).
4   Andrew N. Meltzoff and M. Keith Moore, "Imitation of Facial and Manual Gestures by Human Neonates," *Science* 198, no. 4312 (October 7, 1977): pp. 75~78.
5   Olivier Pascalis, Michelle de Haan, and Charles A. Nelson, "Is Face Processing Species-Specific During the First Year of Life?" *Science* 296, no. 5571 (2002): pp. 1321~23.
6   Vilayanur Ramachandran, The Reith Lectures, Lecture 3: "The Artful Brain," in *The Emerging Mind* (London: BBC in association with Profile Books, 2003).
7   Beatrice de Gelder, "Towards the Neurobiology of Emotional Body Language," *Nature Reviews Neuroscience* 7, no. 3 (2006): p. 242.

18   정보의 상향 처리: 기억을 이용한 의미 찾기

1   Pascal Mamassian, "Ambiguities and Conventions in the Perception of Visual Art," *Vision*

Research 48 (2008): p. 2149.

2   Cavanagh, "The Artist as Neuroscientist," p. 304.

19 감정의 해체: 감정의 기초 요소 탐색

지그문트 프로이트는 '감정(emotion)'이라는 용어를 의식적 감정만을 가리키는 의미로 썼고, 무의식적 구성 요소를 가리킬 때는 '본능적 충동(instinctual striving)'이라는 용어를 썼다. 감정과 그것이 의식의 중심이라는 프로이트의 견해는 안토니오 다마지오의 《무언가 일어나고 있다는 느낌(The Feeling of What Happens)》과 솜스와 네서시언(Nercessian)의 《프로이트의 정서론(Freud's Theory of Affect)》에 논의되어 있다.

1   Antonia Bostrom, Guilhem Scherf, Marie-Claude Lambotte, and Marie Potzl-Malikova, *Franz Xaver Messerschmidt 1736 ~ 1783: From Neoclassicism to Expressionism* (Italy: Officina Libraria, 2010), p. 521.

2   Ernst Kris, *Psychoanalytic Explorations in Art* (New York: International Universities Press, 1995), p. 190.

20 화가는 어떻게 얼굴, 손, 몸, 색깔로 감정을 묘사하는가

1   Virginia Slaughter and Michelle Heron, "Origins and Early Development of Human Body Knowledge," *Monographs of the Society for Research in Child Development* 69, no. 2 (2004): pp. 103~13.

2   Oskar Kokoschka, quoted in Natter, *Gustav Klimt*, p. 100.

3   Ibid., p. 95.

4   Robert L. Solso, *Cognition and the Visual Arts* (Cambridge, MA: MIT Press, 1994), p. 155.

5   Simpson, *Journal of Art Historiography*, p. 7.

6   M. E. Chevreul, quoted in John Gage, *Color in Art* (London: Thames and Hudson, 2006), p. 50.

7   John Gage, ibid., p. 53.

8   Robert Hughes, *The Shock of the New: Art and the Century of Change,* 2nd ed. (London: Thames and Hudson, 1991), p. 127.

9   Vincent van Gogh, quoted in Gage, *Color in Art*, p. 50.

10 Ibid., p. 51.

11 Vincent van Gogh, quoted in Hughes, *The Shock of the New*, p. 273.

12 Hughes, ibid., p. 276.

13 Semir Zeki, *Splendors and Miseries of the Brain* (Oxford: Wiley-Blackwell, 2009), p. 39.

21 무의식적 감정, 의식적 느낌, 그것들의 신체적 표현

프로이트와 동시대 인물인 이반 파블로프는 러시아 생리학자로서, 개의 소화 과정 연구로 1904년에 노벨 생리의학상을 받았다. 이 연구를 하던 중에 그는 개가 먹이를 실제로 주기 전부터 침을 흘리는 경향이 있음을 알아차리고서 그 현상을 심리학적으로 살펴보기 시작했다. 파블로프는 개에게 먹이를 줄 때 매번 종을 울리면, 개가 이윽고 종소리와 먹이를 연관 짓고서 먹이가 나오지 않으면서 종소리만 들릴 때에도 침을 흘린다는 것을 발견했다. 이런 형태의 학습에는 중립(조건) 자극 — 여기서는 종소리 — 을 타고난 효과(무조건) 자극 — 여기서는 먹이 — 과 반복하여 짝지어야 한다. 조건 반응(욕구를 일으키는 자극이든 고통을 주는 자극이든 간에)의 토대를 이루는 핵심 원리들을 발견함으로써, 파블로프는 제임스가 말한 단순히 지각된 대상과 감정적으로 느껴진 대상을 연결하는 사슬에서 인지적이면서도 무의식적인 핵심 고리를 하나 찾아냈다.

1   William James (1890), *Principles of Psychology*, Vol. 2 (Mineola, NY: Dover Publications, 1950), p. 474.

2   Antonio Damasio, *Descartes' Error: Emotion, Reason and the Human Brain* (New York: G. P. Putnam Sons, 1994), p. 129.

3   James, *Principles of Psychology*, Vol. 2, pp. 1066~67.

4   Ibid., p. 449.

22 인지적 감정 정보의 하향 통제

1   John Martyn Harlow, quoted in Malcolm MacMillan, *An Odd Kind of Fame: Stories of Phineas Gage* (Cambridge, MA: MIT Press, 2000), p. 114.

23 아름다움과 추함에 대한 생물학적 반응

1   Egon Schiele, quoted in Elsen, *Egon Schiele*, p. 27.

2   Dennis D. Dutton, *The Art Instinct: Beauty, Pleasure, and Human Evolution* (New York: Bloomsbury Press, 2009), p. 6.

3   Ibid.

24 관람자의 몫: 타인의 마음이라는 내밀한 극장에 들어가다

1   Henri Matisse, quoted in Hilary Spurling, *Matisse the Master: A Life of Henri Matisse: The Conquest of Colour 1909~1954* (New York: Alfred A. Knopf, 2007), p. 26.

25 관람자의 몫의 생물학: 타인의 마음을 모형화하기

1   Oskar Kokoschka, quoted in Ernst H. Gombrich, Julian Hochberg, and Max Black, *Art, Perception, and Reality* (Baltimore: Johns Hopkins University Press, 1972), p. 41.

2 Gombrich, ibid.

3 Frith, *Making Up the Mind*, p. 149.

4 Uta Frith, *Autism: Explaining the Enigma* (Oxford: Blackwell, 1989), pp. 77~78.

5 Leo Kanner, "Autistic Disturbances of Affective Contact," *Nervous Child* 2 (1943): p. 217.

6 Ibid., p. 242.

7 Frith, *Autism: Explaining the Enigma*, p. 80.

26 뇌는 감정과 감정이입을 어떻게 조절하는가

1 William Shakespeare (1599~1601?), *Hamlet*, 2.2.251, quoted in Kevin N. Ochsner, Silvia A. Bunge, James J. Gross, and John D. E. Gabrieli, "Rethinking Feelings: An fMRI Study of the Cognitive Regulation of Emotion," *Journal of Cognitive Neuroscience* 14, no. 8 (2002): p. 1215.

27 예술의 보편성과 오스트리아 표현주의 화가들

생물학과 예술 사이에 다리를 놓으려는 시도는 1870년까지 거슬러 올라갈 수 있다. 당시 정신물리학자 구스타프 테오도어 페히너(Gustav Theodore Fechner)는 다음과 같은 질문을 던져 감각에 경험적으로 접근하는 방법을 개발했다. 자극은 어떤 생리적 사건들을 거쳐서 주관적인 감각으로 이어지는가? 페히너는 설령 감각—시각·청각·후각·미각·촉각—이 수용 방식 면에서 서로 다를지라도, 세 가지 공통 단계를 지닌다는 것을 알았다. 물리적 자극, 그 자극을 뇌의 신경 임펄스—활동전위—라는 언어로 변환시키는 사건들의 집합, 지각이나 감각의 의식 경험이라는 형태로 이루어지는 신경 임펄스에 대한 반응이 바로 그것이다. 페히너는 1876년에 쓴 《미학 입문(Introduction to Aesthetics)》에서 심리측정학적 방법을 써서 미술 작품의 지각에 대한 행동 반응을 측정했다.

페히너의 정신물리학적 접근법은 뒤에 나온 헬름홀츠의 무의식적 추론 개념과 결부되어서, 시간이 흐르면서 원숭이의 뇌에 있는 세포 하나의 활성을 기록하고 원숭이와 인간의 뇌영상을 촬영하는 연구로 이어졌다.

1 Paul Mellars, "Archaeology: Origins of the Female Image," *Nature* 459 (2009): p. 176.

2 Ibid.

3 Ibid., p. 177.

4 Nancy E. Aiken, *The Biological Origins of Art* (Westport, CT: Praeger, 1998), p. 169.

5 Ellen Dissanayake, *What Is Art For?* (Seattle: University of Washington Press, 1988), p. 44.

6 John Tooby and Leda Cosmides, "Does Beauty Build Adapted Minds? Toward an Evolutionary Theory of Aesthetics, Fiction, and the Arts," *SubStance* 94/95, no. 30 (2001): p. 25.

7 Vilayanur Ramachandran, "The Science of Art: A Neurological Theory of Aesthetic

Experience," *Journal of Consciousness Study* 6 (1999): p. 49.

8   Ibid., p. 15.

28 창의적인 뇌

1   Martha Graham, quoted in Howard Gardner, *Creating Minds: An Anatomy of Creativity as Seen Through the Lives of Freud, Einstein, Picasso, Stravinsky, Eliot, Graham, and Gandhi* (New York: Basic Books, 1993), p. 298.

2   Albert Einstein, quoted in Gerald Holton, *The Scientific Imagination: Case Studies* (London: Cambridge University Press), pp. 231~32.

3   Michael Podro, *Depiction* (New Haven: Yale University Press, 1998), p. vi.

4   Gombrich, *The Story of Art*, p. 300.

5   Peter Medawar, quoted in Howard Gardner, *Creating Minds: An Anatomy of Creativity as Seen Through the Lives of Freud, Einstein, Picasso, Stravinsky, Eliot, Graham, and Gandhi* (New York: Basic Books, 1993), p. 36.

6   Pawan Sinha, B. Balas, Y. Ostrovsky, and R. Russell, "Face Recognition by Humans: Nineteen Results All Computer Vision Researchers Should Know About," *Proceedings of the IEEE* 94, no. 11 (2006): p. 1948.

7   Vilayanur Ramachandran and colleague, undated correspondence.

8   Howard Gardner, *Five Minds for the Future* (Boston: Harvard Business School Press, 2006), p. 80.

9   Ibid., pp. 80~81.

10   Nancy C. Andreasen, *The Creating Brain: The Neuroscience of Genius* (New York: Dana Press, 2005), p. 40.

11   Vilayanur Ramachandran, *A Brief Tour of Human Consciousness: From Impostor Poodles to Purple Numbers* (New York: Pearson Education, 2004), p. 51.

29 인지적 무의식과 창의적인 뇌

1   Arthur Schopenhauer (1851), *Essays and Aphorisms,* trans. R. J. Hollingdale (London: Penguin Books, 1970), pp. 123~24.

30 창의성의 뇌 회로

1   Howard Gardner, *Art, Mind, and Brain: A Cognitive Approach to Creativity* (New York: Basic Books, 1982), p. 321.

31 재능, 창의성, 뇌발달

1 Ramachandran, *The Emerging Mind*.

2 Pablo Picasso, quoted in Oliver Sacks, *An Anthropologist on Mars: Seven Paradoxical Tales* (New York: Alfred A. Knopf, 1995), p. 195.

3 Ernst H. Gombrich, "The Miracle at Chauvet," *The New York Review of Books* 43, no. 18, November 14, 1996, http://www.nybooks.com/articles/archives/1996/nov/14/the-miracle-at-chauvet/ (accessed September 16, 2011).

4 Nicholas Humphrey, "Cave Art, Autism and the Evolution of the Human Mind," *Cambridge Archeological Journal* 8 (1998): p. 176.

5 Ibid., p. 171.

6 Sir Hugh Casson, quoted in Sacks, *An Anthropologist on Mars*, p. 203.

7 Ibid., p. 206.

8 Oliver Sacks, ibid., p. 203.

9 Claude Monet, quoted in ibid., p. 206.

10 Howard Gardner, *Frames of Mind: The Theory of Multiple Intelligences* (New York: Basic Books, 1993), p. 63.

11 Sacks, *An Anthropologist on Mars*, p. 229.

12 Emil Kraepelin, quoted in Kay Redfield Jamison, *Touched with Fire: Manic-Depressive Illness and the Artistic Temperament* (New York: Free Press, 1993), p. 55.

13 Kay Redfield Jamison, *Exuberance: The Passion for Life* (New York: Alfred A. Knopf, 2004), p. 126.

14 Eugen Bleuler, quoted in ibid., p. 127.

15 Piet Mondrian, quoted in Arthur I. Miller, *Insights of Genius: Imagery and Creativity in Science and Art* (New York: Copernicus, 1996), p. 379.

32 예술과 과학의 새로운 대화: 우리 자신을 알기 위하여

1 C. P. Snow, *The Two Cultures: A Second Look* (New York: Cambridge University Press, 1963), p. 100.

2 Sir Isaiah Berlin, *Concepts and Categories: Philosophical Essays* (London: Hogarth Press, 1978), p. 159.

3 Brian Greene, *The Elegant Universe: Superstrings, Hidden Dimensions, and the Quest for the Ultimate Theory* (New York: Vintage Books, 1999), p. 3.

4 Stephen J. Gould, *The Hedgehog, the Fox, and the Magister's Pox* (New York: Harmony Books, 2003), p. 195.

5 William Harvey, quoted in George Johnson, *The Ten Most Beautiful Experiments* (New York: Vintage Books, 2009), p. 17.

참고문헌

서문

Gombrich E, Eribon D. 1993. *Looking for Answers: Conversations on Art and Science*. Harry N. Abrams. New York.

Kandel ER. 2006. *In Search of Memory: The Emergence of a New Science of Mind*. W. W. Norton. New York.

Schorske CE. 1961. *Fin-de-Siècle Vienna: Politics and Culture*. Reprint 1981. Vintage Books. New York.

Zuckerkandl B. 1939. *My Life and History*. J Summerfield, translator. Alfred A. Knopf. New York.

01 내면으로 돌아서다: 빈 1900

활짝 꽃을 피운 '빈 1900'의 지적 문화에 관한 현재의 논의는 모두 서로 다른 관점에서 이 시대를 살펴본 존스턴(1972), 재닉과 툴민(1973), 쇼스케(1981)의 탁월한 저서들에 크게 의존하고 있다.

다른 자료는 다음 문헌들을 참고하라.

Alexander F. 1940. Sigmund Freud: 1856~1939. *Psychosomatic Medicine* 2(1):68~73.

Ash M. 2010. The Emergence of a Modern Scientific Infrastructure in the Late Habsburg Era. Unpublished lecture. Center for Austrian Studies. University of Minnesota.

Belter S, editor. 2001. *Rethinking Vienna 1900*. Berghan Books. New York.

Bilski EP, Braun E. 2007. Ornament and Evolution: Gustav Klimt and Zuckerkandl. In: *Gustav Klimt*. Neue Galerie. New York.

Braun E. 2005. The Salons of Modernism. In: *Jewish Women and Their Salons: The Power of Conversation*. EP Bilski, E Braun, editors. The Jewish Museum. Yale University Press. New Haven.

Broch H. 1984. *Hugo von Hofmannsthal and His Time: The European Imagination 1860 ~ 1920*, p. 71. MP Steinberg, editor and translator. University of Chicago Press.

Cernuschi C. 2002. *Re/Casting Kokoschka: Ethics and Aesthetics, Epistemology and Politics in Fin-de-Siècle Vienna*. Associated University Press. Plainsboro, NJ.

Coen DR. 2007. *Vienna in the Age of Uncertainty: Science, Liberalism, and Private Life*. University of Chicago Press.

Comini A. 1975. *Gustav Klimt*. George Braziller. New York.

Darwin C. 1859. *On the Origin of Species by Means of Natural Selection*. Appleton-Century-Crofts. New York.

Dolnick E. 2011. *The Clockwork Universe: Isaac Newton, the Royal Society, and the Birth of the Modern World*. HarperCollins. New York.

Freud S. 1905. *Jokes and Their Relation to the Unconscious:* The Standard Edition. Introduction by Peter Gay. W. W. Norton. New York.

Gay P. 1989. *The Freud Reader*. W. W. Norton. New York.

Gay P. 2002. *Schnitzler's Century: The Making of Middle-Class Culture 1815 ~ 1914*. W. W. Norton. New York.

Gombrich E. 1987. *Reflections on the History of Art*. R Woodfield, editor. University of California Press. Berkeley.

Helmholtz H von. 1910. *Treatise on Physiological Optics*. JPC Southall, editor and translator. 1925. Dover. New York.

Janik A, Toulmin S. 1973. *Wittgenstein's Vienna*. Simon and Schuster. New York.

Johnston WA. 1972. *The Austrian Mind: An Intellectual and Social History 1848 ~ 1938*. University of California Press. Berkeley.

Kallir J. 2007. *Who Paid the Piper: The Art of Patronage in Fin-de-Siècle Vienna*. Galerie St. Etienne. New York.

Lauder R. 2007. Discovering Klimt. In: *Gustav Klimt*. Neue Galerie. New York, p. 13.

Leiter B. 2011. Just cause: Was Friedrich Nietzsche "the First Psychologist"? *Times Literary Supplement*. March 4, 2011, pp. 14~15.

Lillie S, Gaugusch G. 1984. *Portrait of Adele Bloch-Bauer*. Neue Galerie. New York.

Mach E. 1896. *Populär-wissenschaftliche Vorlesungen*. Johann Ambrosius Barth. Leipzig.

Main VR. 2008. The naked truth. *The Guardian*. October 3, 2008.

McCagg WO. Jr. 1992. *A History of Habsburg Jews 1670 ~ 1918*. Indiana University Press. Bloomington, IN.

Musil R. 1951. *The Man Without Qualities. Vol. I: A Sort of Introduction and Pseudoreality Prevails*. Sophie Wilkins, translator. Alfred A. Knopf. 1995. New York.

Nietzsche F. 1886. *Beyond Good and Evil*. H Zimmern, translator. 1989. Prometheus Books. New York.

Rentetzi M. 2004. The city as a context for scientific activity: Creating the Mediziner Viertel in fin-de-siècle Vienna. *Endeavor* 28:39~44.

Robinson P. 1993. *Freud and His Critics*. University of California Press. Berkeley.

Schopenhauer A. 1891. *Studies in Pessimism: A Series of Essays*. TB Saunders, translator. Swan Sonnenschein. London.

Schorske CE. 1981. *Fin de Siècle Vienna: Politics and Culture*. Vintage Books. New York.

Springer K. 2005. Philosophy and Science. In: *Vienna 1900: Art, Life and Culture*. Christian Brandstätter, editor. Vendome Press. New York.

Taylor AJP. 1948. *The Habsburg Monarchy 1809 ~ 1918: A History of the Austrian Empire and Austria-Hungary*. Hamish Hamilton. London.

Toegel C. 1994. *Und Gedenke die Wissenschafft—auszubeulen—igmund Freud's Weg zur Psychoanalyse (Tübingen)*, pp. 102~03, for discussion of Rokitansky's presence on the occasion of Freud's presenting to the Austrian Academy of Science.

Witcombe C. 1997. The Roots of Modernism. What Is Art? What Is an Artist? http://www.arthistory.sbc.edu/artartists/artartists.html (accessed September 23, 2011).

Wittels F. 1944. Freud's scientific cradle. *American Journal of Psychiatry* 100:521~28.

Zuckerkandl B. 1939. *Ich erlebte 50 Jahre Weltgeschichte*. Bermann-Fischer Verlag. Stockholm. Translated as Szeps B. 1939. *My Life and History*. J Sommerfield, translator. Alfred A. Knopf. New York.

Zweig S. 1943. *The World of Yesterday: An Autobiography*. University of Nebraska Press. Lincoln, NE.

02 겉모습에 감춰진 진리의 탐구: 과학적 의학의 기원

18세기 유럽 의학을 다룬 내용은 주로 눌런드(2003)와 아리카(2007)를 토대로 삼았다. 에르나 레스키의 책은 지금도 당시의 빈 의대를 다룬 권위 있는 저서로 남아 있다. 다른 자료는 다음 문헌들을 참고하라.

Ackerknecht EH. 1963. *Medicine at the Paris Hospital 1794−1848*. Johns Hopkins University Press. Baltimore.

Arika N. 2007. *Passions and Tempers: A History of the Humours*. Ecco/HarperCollins. New York.

Bonner TN. 1963. *American Doctors and German Universities. A Chapter in International Intellectual Relations 1870 ~ 1914*. University of Nebraska Press. Lincoln, NE.

Bonner TN. 1995. *Becoming a Physician: Medical Education in Britain, France, Germany, and the United States, 1750 ~ 1945*. Oxford University Press. New York.

Brandstätter C., editor. 2006. *Vienna 1900: Art, Life and Culture*. Vendome Press. New York.

Buklijas T. 2008. Dissection, Discipline and the Urban Transformation: Anatomy at the

University of Vienna, 1845~1914. Ph.D. dissertation. University of Cambridge.

Hollingsworth JR, Müller KM, Hollingsworth EJ. 2008. China: The end of the science superpowers. *Nature* 454:412~13.

Janik A, Toulmin S. 1973. *Wittgenstein's Vienna.* Simon and Schuster. New York.

Kandel ER. 1984. The Contribution of the Vienna School of Medicine to the Emergence of Modern Academic Medicine. Unpublished lecture.

Kink R. 1966. Geschichte der Universität zu Wien. In: Puschmann T. *History of Medical Education.* EH Hare, translator. H. K. Lewis. London.

Lachmund J. 1999. Making sense of sound: Auscultation and lung sound codification in nineteenth-century French and German medicine. *Science, Technology, and Human Values* 24(4):419~50.

Lesky E. 1976. *The Vienna Medical School of the 19th Century.* Johns Hopkins University Press. Baltimore.

Miciotto RJ. 1979. Carl Rokitansky. Nineteenth-Century Pathology and Leader of the New Vienna School. Johns Hopkins University. Ph.D. dissertation. University of Michigan microfilm.

Morse JT. 1896. *Life and Letters of Oliver Wendell Holmes.* Two volumes. Riverside Press. London.

Nuland SB. 2003. *The Doctors' Plague: Germs, Childbed Fever, and the Strange Story of Ignac Semmelweis.* W. W. Norton. New York.

Nuland SB. 2007. Bad medicine. *New York Times Book Review.* July 8, 2007, p 12.

Rokitansky CV. 1846. *Handbuch der pathologischen Anatomie.* Braumüller & Seidel. Germany.

Rokitansky AM. 2004. Ein Leben an der Schwelle. Lecture presented at the University of Vienna.

Rokitansky O. 2004. Carl Freiherr von Rokitansky zum 200 Geburtstag: Eine Jubiläumgedenkschrift. *Wiener Klinische Wochenschrift* 116(23):772~78.

Seebacher F. 2000. *Primum humanitas, alterum scientia:* Die Wiener Medizinische Schule im Spannungsfeld von Wissenschaft und Politik. Dissertation, Universität Klagenfurt.

Vogl A. 1967. Six Hundred Years of Medicine in Vienna. A History of the Vienna School of Medicine. *Bulletin of the New York Academy of Medicine* 43(4):282~99.

Wagner-Jauregg J. 1950. *Lebens errinnerungen Wien.* Springer-Verlag.

Warner JH. 1998. *Against the Spirit of System: The French Impulse in Nineteenth-Century American Medicine.* Princeton University Press. Princeton.

Weiner DB, Sauter MJ. 2003. The City of Paris and the rise of clinical medicine. Osiris 2nd Series 18:23~42.

Wunderlich CA. 1841. *Wien und Paris: Ein Beitrag zur Geschichte und Beurtheilung der gegenwärtigen Heilkunde.* Verlag von Ebner & Seubert. Stuttgart.

03 주커칸들의 살롱에서 만나는 빈의 화가, 저술가, 과학자

Braun E. 2005. The Salons of Modernism. In: *Jewish Women and Their Salons: The Power of Conversation*. ED Bilski, E Braun, editors. The Jewish Museum. Yale University Press. New Haven.

Braun E. 2007. Ornament and Evolution: Gustav Klimt and Berta Zuckerkandl. In: *Gustav Klimt: The Ronald S. Lauder and Serge Sabarsky Collections*. R Price, editor. Prestel Publishing. New York.

Buklijas T. 2011. The Politics of Fin-de-Siècle Anatomy. In: *The Nationalization of Scientific Knowledge in Nineteenth-Century Central Europe*. MG Ash, J Surman, editors. Palgrave Macmillan. Basingstoke, UK. In preparation.

Janik A, Toulmin S. 1973. *Wittgenstein's Vienna*. Simon and Schuster. New York.

Kallir J. 2007. *Who Paid the Piper: The Art of Patronage in Fin-de-Siècle Vienna*. Galerie St. Etienne. New York.

Meysels LO. 1985. *In meinem Salon ist Österreich: Berta Zuckerkandl und ihre Zeit*. A. Herold. Vienna.

Schorske CE. 1981. *Fin de Siècle Vienna: Politics and Culture*. Vintage Books. New York.

Seebacher F. 2006. *Freiheit der Naturforschung! Carl Freiherr von Rokitansky und die Wiener medizinische Schule: Wissenschaft und Politik im Konflikt*. Verlag der OAW. Vienna.

Springer K. 2005. Philosophy and Science. In: *Vienna 1900: Art, Life and Culture*. Christian Brandstätter, editor. Vendome Press. New York.

Zuckerkandl B. 1939. *Ich erlebte 50 Jahre Weltgeschichte*. Bermann-Fischer Verlag. Stockholm. Translated as *My Life and History*. J Sommerfield, translator. Alfred A. Knopf. New York.

Zweig S. 1943. *The World of Yesterday*. University of Nebraska Press. Lincoln, NE.

04 머리뼈 아래의 뇌 탐구: 과학적 정신의학의 기원

어니스트 존스의 세 권으로 된 학술서는 프로이트 전기의 완결판이라 할 수 있으며, 브로이어, 크라프트에빙, 마이네르트, 브뤼케도 기술하고 있다. 게이의 프로이트 전기(1988)도 프로이트의 삶과 연구를 살펴보기에 좋은 책이며, 그의 《프로이트 독자(Freud Reader)》(1989)는 프로이트의 저술을 접하기에 좋은 입문서다.

다른 자료는 다음 문헌을 참고하라.

Auden WH. 1940. In Memory of Sigmund Freud. In: *Another Time*. Random House. New York.

Breuer J. 1868. *Die Selbststeuerung der Athmung durch den Nervus vagus. Sitzungsberichte der kaiserlichen Akademie der Wissenschaften. Mathematisch−naturwissenschaftliche Classe*. Vol. II, pp. 909~37. Abtheilung. Vienna.

Freud S. 1878. Letter from Sigmund Freud to Eduard Silberstein, August 14, 1878. *The Letters of Sigmund Freud to Eduard Silberstein, 1871~1881*, pp. 168~70. W Boehlich, editor, AJ Pomerans, translator. Belknap Press. Cambridge, MA.

Freud S. 1884. The Structure of the Elements of the Nervous System (lecture). *Annals of Psychiatry* 5(3):221.

Freud S. 1891. *On Aphasia: A Critical Study*. E Stengel, translator. 1953. Imago Publishing. Great Britain.

Freud S. 1895. *Studies on Hysteria*. J Strachey, translator. 1957. Basic Books. New York.

Freud S. 1905. *Jokes and Their Relation to the Unconscious*. The Standard Edition. Introduction by Peter Gay. W. W. Norton. New York.

Freud S. 1909. *Five Lectures on Psycho-Analysis*. The Standard Edition. J Strachey, translator. W. W. Norton. New York.

Freud S. 1924. *An Autobiographical Study*. The Standard Edition. J Strachey, translator. 1952. W. W. Norton. New York.

Freud S. 1950. *The Question of Lay Analysis: Conversations with an Impartial Person*. The Standard Edition. J Strachey, translator. W. W. Norton. New York.

Gay P. 1988. *Freud: A Life for Our Time*. W. W. Norton. New York.

Gay P. 1989. *The Freud Reader*. W. W. Norton. New York.

Gay P. 2002. *Schnitzler's Century: The Making of Middle-Class Culture 1815 ~ 1914*. W. W. Norton. New York.

Geschwind N. 1974. *Selected Papers on Language and the Brain*. D. Reidel Publishing. Holland.

Jones E. 1981. *The Life and Work of Sigmund Freud. Vol. III, The Last Phase: 1919 ~ 1939*. Basic Books. New York.

Kandel ER. 1961. The Current Status of Meynert's Amentia. Unpublished paper delivered to the Residents Reading Circle of the Massachusetts Mental Health Center.

Krafft-Ebing R. 1886. *Psychopathia Sexualis, with Special Reference to Contrary Sexual Feelings*. Ferdinand Enke Verlag. Stuttgart.

Lesky E. 1976. *The Vienna Medical School of the 19th Century*. Johns Hopkins University Press. Baltimore.

Makari G. 2007. *Revolution in Mind: The Creation of Psychoanalysis*. HarperCollins. New York.

Meynert T. 1877. *Psychiatry: A Clinical Treatise in Diseases of the Forebrain Based upon a Study of Its Structure and Function*. Hafner Publishing. 1968. New York.

Meynert T. 1889. *Lectures on Clinical Psychiatry (Klinische Vorlesungen über Psychiatrie)*. Wilhelm Braumueller. Vienna.

Rokitansky C. 1846. *Handbuch der pathologischen Anatomie*. Braumüller & Seidel. Germany.

Sacks O. 1998. The Other Road: Freud as Neurologist. In: *Freud: conflict and Culture,* pp. 221~34. MS Roth, editor. Alfred A. Knopf. New York.

Sulloway FJ. 1979. *Freud, Biologist of the Mind: Beyond the Psychoanalytic Legend*. Basic Books. New York.

Wettley A, Leibbrand W. 1959. *Von der Psychopathia Sexualis zur Sexualwissenschaft*. Ferdinand Enke Verlag. Stuttgart.

Wittels F. 1944. Freud's Scientific Cradle. *American Journal of Psychiatry* 100:521~28.

05 마음, 뇌를 만나다: 뇌 기반 심리학의 발달

엘런버거의 책(1970)은 무의식의 발견 역사를 살펴보기에 좋은 입문서이며, 쇼펜하우어와 니체를 프로이트의 연구에 중요한 영향을 미친 핵심 인물이라고 본다.
다른 자료는 다음 문헌을 참고하라.

Alexander F. 1940. Sigmund Freud 1856 to 1939. *Psychosomatic Medicine* II:68~73.

Ansermet F, Magistretti P. 2007. *Biology of Freedom: Neural Plasticity, Experience and the Unconscious.* Karnac Books. London.

Brenner C. 1973. *An Elementary Textbook of Psychoanalysis.* International Universities Press. New York.

Burke J. 2006. *The Sphinx on the Table: Sigmund Freud's Art Collection and the Development of Psychoanalysis.* Walker and Co. New York.

Darwin C. 1872. *The Expression of the Emotions in Man and Animals.* Appleton-Century-Crofts. New York.

Ellenberger HE. 1970. *The Discovery of the Unconscious: The History and Evolution of Dynamic Psychiatry.* Basic Books. New York.

Exner S. 1884. *Untersuchungen über die Localisation der Functionen in der Grosshirnrinde des Menschen.* W. Braumüller. Vienna.

Exner S. 1894. *Entwurf zu einer physiologischen Erklärung der psychischen Erscheinung.* Leipzig und Wien. Vienna.

Finger S. 1994. *Origins of Neuroscience.* Oxford University Press. New York.

Freud S. 1891. *On Aphasia: A Critical Study*. E. Stengel, translator. 1953. Imago Publishing. Great Britain.

Freud S. 1893. Charcot. In: *The Standard Edition of the Complete Psychological Works of Sigmund Freud. 1893~99.* Vol. III, pp. 7~23. Early Psycho-Analytic Publications.

Freud S. 1896. Heredity and the aetiology of the neuroses. *Revue Neurologique* 4:161~69.

Freud S. 1900. The Interpretation of Dreams. In: *The Standard Edition of the Complete Psychological Works of Sigmund Freud.* 1953. Vols. IV and V. Hogarth Press. London.

Freud S. 1905. Three Essays on the Theory of Sexuality. In: *The Standard Edition of the Complete Psychological Works of Sigmund Freud.* 1953. Vol. VII, pp. 125~243. Hogarth Press. London.

Freud S. 1914. On Narcissism. In: *The Standard Edition of the Complete Psychological Works of Sigmund Freud.* 1957. Vol. XIV (1914~16), pp. 67~102. J Strachey, translator. Hogarth Press. London.

Freud S. 1915. *The Unconscious.* Penguin Books. London.

Freud S. 1920. Beyond the Pleasure Principle. In: Gay, *The Freud Reader.* W. W. Norton. New York.

Freud S. 1924. *An Autobiographical Study.* J Strachey, translator. 1952. W. W. Norton. New York.

Freud S. 1933. New Introductory Lectures in Psycho-analysis. In: *The Standard Edition of the Complete Psychological Works of Sigmund Freud.* Vol. XXII, pp. 3~182. W. W. Norton. New York.

Freud S. 1938. Some Elementary Lessons in Psychoanalysis. In: *The Standard Edition of the Complete Psychological Works of Sigmund Freud.* Vol. XXIII, pp. 279~86. Hogarth Press. London.

Freud S. 1954. *The Origins of Psychoanalysis: Letters to Wilhelm Fliess.* M Bonaparte, A Freud, E Kris, editors. Introduction by E Kris. Basic Books. New York.

Freud S, Breuer J. 1955. Studies on Hysteria. In: *The Standard Edition of the Complete Psychological Works of Sigmund Freud.* Vol. II (1893~95). J Strachey, translator. Hogarth Press. London.

Gay P. 1988. *Freud: A Life for Our Time.* W. W. Norton. New York.

Gay P. 1989. *The Freud Reader.* W. W. Norton. New York.

Gombrich E, Eribon D. 1993. *Looking for Answers: Conversations on Art and Science.* Harry N. Abrams. New York.

James W. 1890. *The Principles of Psychology.* Harvard University Press. Cambridge, MA, and London.

Jones E. 1955. *Sigmund Freud Life and Work, Volume II: Years of Maturity 1901~1919.* Hogarth Press. London.

Kandel E. 2005. *Psychiatry, Psychoanalysis, and the New Biology of Mind.* American Psychiatric Publishing. Virginia.

Masson JM, editor. 1985. *Complete Letters of Freud to Fliess (1887~1904).* Harvard University Press. Cambridge, MA.

Meulders M. 2010. *Helmholtz: From Enlightenment to Neuroscience.* L Garey, translator and editor. MIT Press. Cambridge, MA.

Neisser U. 1967. *Cognitive Psychology.* Appleton-Century-Crofts. New York.

O'Donoghue D. 2004. Negotiations of surface: Archaeology within the early strata of psychoanalysis. *Journal of the American Psychoanalytic Association* 52:653~71.

O'Donoghue D. 2007. Mapping the unconscious: Freud's topographic constructions. *Visual Resources* 33:105~117.

Pribram KH, Gill MM. 1976. *Freud's "Project" Re-Assessed.* Basic Books. New York.

Ramón y Cajal S. 1894. La fine structure des centres nerveux. *Proceedings of the Royal Society of London* 55:444~68.

Rokitansky C. 1846. *Handbuch der pathologischen Anatomie.* Braumüller & Seidel. Germany.

Schliemann H. 1880. *Ilios: The City and Country of the Trojans.* Murray. London.

Skinner BF. 1938. *The Behavior of Organisms: An Experimental Analysis.* D. Appleton-Century. New York.

Solms M. 2007. Freud Returns. In: *Best of the Brain from* Scientific American. FE Bloom, editor. Dana Press. New York/Washington, DC.

Toegl C. Über den psychischen Mechanismus hysterischer Phanomene. Vorläufige Mitteilung. *Neurol Zbl.* Bd. 12 (1893), S. 4~10, 43~47.

Toegl C. *Aus den Anfängen der Psychoanalyse, Briefe an Wilhelm Fließ, Abhandlungen und Notizen aus den Jahren 1887~1902,* hsrg. von Marie Bonaparte, Anna Freud und Ernst Kris, London 1950; mit einer Einleitung von Ernst Kris.

Zaretsky E. 2004. *Secrets of the Soul: A Social and Cultural History of Psychoanalysis.* Alfred A. Knopf. New York.

06 뇌와 별개로 마음을 탐구하다: 역동적 심리학의 기원

Brenner C. 1973. *An Elementary Textbook of Psychoanalysis.* International Universities Press. New York.

Darwin C. 1859. *On the Origin of Species by Means of Natural Selection.* Appleton-Century-Crofts. New York.

Darwin C. 1871. *The Descent of Man and Selection in Relation to Sex.* Appleton-Century-Crofts. New York.

Darwin C. 1872. *The Expression of the Emotions in Man and Animals.* Appleton-Century-Crofts. New York.

Finger S. 1994. *Origins of Neuroscience.* Oxford University Press. New York.

Freud S. 1893. Charcot. In: *The Standard Edition of the Complete Psychological Works of Sigmund Freud.* 1893~99. Vol. III, pp. 7~23. Early Psycho-Analytic Publications.

Freud S. 1895. *Studies on Hysteria.* J Strachey, translator. 1957. Basic Books. New York.

Freud S. 1900. The Interpretation of Dreams. In: *The Standard Edition of the Complete Psychological Works of Sigmund Freud.* 1953. Vols. IV and V. Hogarth Press. London.

Freud S. 1924. *An Autobiographical Study.* W. W. Norton. New York.

Freud S. 1938. Some Elementary Lessons in Psycho-analysis. In: *The Standard Edition of the Complete Psychological Works of Sigmund Freud.* Vol. XXIII, pp. 279~86. W. W. Norton. New York.

Freud S. 1949. *An Outline of Psycho-Analysis.* W. W. Norton. New York.

Freud S. 1954. *The Origins of Psychoanalysis: Letters to Wilhelm Fliess.* M Bonaparte, A Freud, E Kris, editors. Introduction by E Kris. Basic Books. New York.

Freud S. 1962. *Three Essays on the Theory of Sexuality.* J Strachey, translator. Basic Books. New York.

Gay P. 1989. *The Freud Reader.* W. W. Norton. New York.

Kris AO. 1982. *Free Association: Method and Process.* Yale University Press. New Haven.

Pankejeff S. 1972. My Recollections of Sigmund Freud. In: *The Wolf Man and Sigmund Freud.* Muriel Gardiner, editor. Hogarth Press and the Institute of Psychoanalysis. London.

Schafer R. 1974. Problems in Freud's psychology of women. *Journal of the American Psychoanalytic Association* 22:459~85.

Schliemann H. 1880. *Ilios: The City and Country of the Trojans.* Murray. London.

Wolf Man T. 1958. How I came into analysis with Freud. *Journal of the American Psychoanalytic Association* 6:348~52.

07 문학에서의 내면의 의미 탐구

Barney E. 2008. *Egon Schiele's Adolescent Nudes within the Context of Fin-de-Siècle Vienna.* http://www.emilybarney.com/essays.html (accessed September 19, 2011).

Bettauer H. 1922. *The City without Jews: A Novel about the Day after Tomorrow.* S Brainin, translator. 1926. Bloch Publishing. New York.

Dukes A. 1917. Introduction. In: *Anatol, Living Hours and The Green Cockatoo.* Modern Library. New York.

Freud S. 1856~1939. *Papers in the Sigmund Freud Collection.* Library of Congress Manuscript Division. Washington, DC.

Freud S. 1905. Fragment of an Analysis of a Case of Hysteria. In: *Collected Papers,* Vol. III. E Jones, editor. Hogarth Press. London.

Gay P. 1989. *The Freud Reader.* W. W. Norton. New York.

Gay P. 1998. *Freud: A Life for Our Time.* W. W. Norton. New York.

Gay P. 2002. *Schnitzler's Century: The Making of Middle-Class Culture 1815~1914.* W. W. Norton. New York.

Gay P. 2008. *Modernism: The Lure of Heresy,* pp. 192~93. W. W. Norton. New York.

Jones E. 1957. *The Life and Work of Sigmund Freud. Vol. III, The Last Phase: 1919~1939.* Basic Books. New York.

Luprecht M. 1991. What People Call Pessimism. In: *Sigmund Freud, Arthur Schnitzler, and Nineteenth-Century Controversy at the University of Vienna Medical School.* Ariadne Press. Riverside, CA.

Schafer R. 1974. Problems in Freud's psychology of women. *Journal of American Psychoanalytic Association* 22:459~85.

Schnitzler A. 1896. *Anatol. A Sequence of Dialogues.* Paraphrased for the English stage by Granville Barker. 1921. Little, Brown. Boston.

Schnitzler A. 1900. *Lieutenant Gustl.* In: *Bachelors: Novellas and Stories.* M Schaefer, translator and editor. 2006. Ivan Dee. Chicago.

Schnitzler A. 1925. *Traumnouvelle (Dreamstory).* OP Schinnerer, translator. 2003. Green Integer.

Schnitzler A. 1925. *Fraulein Else.* In: *Desire and Delusion: Three Novellas.* M Schaefer, translator and editor. 2003. Ivan Dee. Chicago.

Schnitzler A. 2003. *Desire and Delusion: Three Novellas.* M Schaefer, translator and editor. 2003. Ivan Dee. Chicago.

Schorske CE. 1980. *Fin-de-siècle Vienna: Politics and Culture.* Alfred A. Knopf. New York.

Yates WE. 1992. *Schnitzler, Hofmannsthal, and the Austrian Theater.* Yale University Press. New Haven.

08 미술에 묘사된 현대 여성의 성욕

Bayer A, editor. 2009. *Art and Love in Renaissance Italy*. Metropolitan Museum of Art. Yale University Press. New Haven.

Bisanz-Prakken M. 2007. Gustav Klimt: The Late Work. New Light on the Virgin and the Bride in Gustav Klimt. In: *Gustav Klimt: The Ronald S. Lauder and Serge Sabarsky Collection*. R Price, editor. Neue Galerie. Prestel Publishing. New York.

Bogner P. 2005. *Gustav Klimt's Geometric Compositions in Vienna 1900*. Édition de la Réunion des Musées Nationaux. Paris.

Brandstätter C, editor. 2006. *Vienna 1900: Art, Life and Culture*. Vendome Press. New York.

Braun E. 2006. Carnal Knowledge. In: *Modigliani and His Models,* pp. 45~63. Royal Academy of Arts. London.

Braun E. 2007. Ornament and Evolution: Gustav Klimt and Berta Zuckerkandl. In: *Gustav Klimt: The Ronald S. Lauder and Serge Sabarsky Collection*. R Price, editor. Neue Galerie. Prestel Publishing. New York. In her chapter, Braun refers to Christian Nebehey, Gustav Klimt Dokumentation, Vienna. Galerie Christian M. Nebehey 1969, p. 53, under Klimt's Bibliothek, *Illustrierte Naturgeschichte der Thiere*. 4 vols. Philip Leopold Martin, general editor. Leipzig Brockhaus 1882~84.

Cavanagh P. 2005. The Artist as Neuroscientist. *Nature* 434:301~07.

Clark DL. 2005. The masturbating Venuses of Raphael, Giorgione, Titian, Ovid, Martial, and Poliziano. Aurora: *Journal of the History of Art* 6:1~14.

Clark K. 1992. *What Is a Masterpiece?* Thames and Hudson. New York.

Comini A. 1975. *Gustav Klimt*. George Braziller. New York.

Cormack R, Vassilaki M, editors. 2008. *Byzantium*. Royal Academy of Arts. London.

Dijkstra B. 1986. *Idols of Perversity: Fantasies of Feminine Evil in Fin-de-Siècle Culture*. Oxford University Press. New York.

Elsen A. 1994. Drawing and a New Sexual Intimacy: Rodin and Schiele. In: *Egon Schiele: Art, Sexuality, and Viennese Modernism*. P Werkner, editor. Society for the Promotion of Science and Scholarship. Palo Alto, CA.

Feyerabend P. 1984. Science as art: A discussion of Riegl's theory of art and an attempt to apply it to the sciences. *Art & Text* 12/13. Summer 1983~Autumn 1984:16~46.

Freedberg D. 1989. *The Power of Images. Studies in the History and Theory of Response*. University of Chicago Press. Chicago.

Freud S. 1900. The Interpretation of Dreams. In: *The Standard Edition of the Complete Psychological Works of Sigmund Freud*. 1953. Vols. IV and V. Hogarth Press. London.

Freud S. 1923. The Infantile Genital Organization (An Interpolation into the Theory of Sexuality). In: *The Standard Edition of the Complete Psychological Works of Sigmund Freud*. Vol. XIX (1923~25), *The Ego and the Id and Other Works,* pp. 139~46. Hogarth Press. London.

Freud S. 1924. The Dissolution of the Oedipus Complex. In: *The Standard Edition of the Complete Psychological Works of Sigmund Freud*. Vol. XIX (1923~25), *The Ego and the Id and Other Works*, pp. 171~80. Hogarth Press. London.

Goffen R. 1997. *Titian's Women*. Yale University Press. New Haven and London.

Gombrich EH. 1986. Kokoschka in His Time. Lecture given at the Tate Gallery on July 2, 1986. Tate Gallery Press. London.

Greenberg C. 1960. Modernist Painting. Forum Lectures. Washington, DC.

Gubser M. 2005. Time and history in Alois Riegl's Theory of Perception. *Journal of the History of Ideas* 66: 451~474.

Kemp W. 1999. Introduction to Alois Riegl's *The Group Portraiture of Holland*. Getty Publications. New York.

Kokoschka O. 1971. *My Life*. D Britt, translator. Macmillan. New York.

Lillie S, Gaugusch G. 1984. *Portrait of Adele Bloch-Bauer*. Neue Galerie. New York.

Natter TG. 2007. Gustav Klimt and the Dialogues of the Hetaerae: Erotic Boundaries in Vienna around 1900. In: *Gustav Klimt: The Ronald S. Lauder and Serge Sabarsky Collection*, pp. 130~43. R Price, editor. Neue Galerie. Prestel Publishing. New York.

Natter TG, Hollein M. 2005. *The Naked Truth: Klimt, Schiele, Kokoschka and Other Scandals*. Prestel Publishing. New York.

Price R, editor. 2007. *Gustav Klimt: The Ronald S. Lauder and Serge Sabarsky Collections*. Neue Galerie. Prestel Publishing. New York.

Ratliff F. 1985. The influence of contour on contrast: From cave painting to Cambridge psychology. *Transactions of the American Philosophical Society* 75(6):1~19.

Rice TD. 1985. *Art of the Byzantine Era*. Thames and Hudson. London.

Riegl A. 1902. *The Group Portraiture of Holland*. E. Kain, D. Britt, translators. 1999. Introduction by W Kemp. Getty Research Institute for the History of Art and the Humanities. Los Angeles.

Rodin A. 1912. *Art*. P Gsell, R Fedden, translators. Small, Maynard. Boston.

Schorske CE. 1981. *Fin-de-Siecle Vienna: Politics and Culture*. Vintage Books. New York.

Simpson K. 2010. Viennese art, ugliness, and the Vienna School of Art History: the vicissitudes of theory and practice. *Journal of Art Historiography* 3:1~14.

Utamaru K. 1803. *Picture Book: The Laughing Drinker*. Two volumes. 1972. Published for the Trustees of the British Museum by British Museum Publications.

Waissenberger R, editor. 1984. *Vienna 1890 ~ 1920*. Tabard Press. New York.

Westheimer R. 1993. *The Art of Arousal*. Artabras. New York.

Whalen RB. 2007. *Sacred Spring: God and the Birth of Modernism in Fin de Siècle Vienna*. Wm B. Eerdmans. Cambridge.

Whitford F. 1990. *Gustav Klimt (World of Art)*. Thames and Hudson. London.

09 미술에 묘사된 심리

Berland R. 2007. The early portraits of Oskar Kokoschka: A narrative of inner life. *Image [&] Narrative* [e-journal], September 18, 2007. http://www.imageandnarrative.be/inarchive/

thinking_pictures/berlandhtm (accessed September 19, 2011).

Calvocoressi R, Calvocoressi KS. 1986. *Oskar Kokoschka, 1886~1980.* Solomon R. Guggenheim Foundation. New York.

Cernuschi C. 2002. Anatomical Dissection and Religious Identification: A Wittgensteinian Response to Kokoschka's Alternative Paradigms for Truth in His Self-Portraits Prior to World War I. In: *Oskar Kokoschka: Early Portraits from Vienna and Berlin, 1909~1914.* TG Natter, editor. Hamburg Kunstalle.

Cernuschi C. 2002. *Re/Casting Kokoschka: Ethics and Aesthetics, Epistemology and Politics in Fin-de-Siècle Vienna.* Associated University Press. Plainsboro, NJ.

Comenius JA. 1658. *Orbis Sensualium Pictus.* C Hoole, translator. 1777. Printed for S. Leacroft at the Globe. Charing-Cross, London.

Comini A. 2002. Toys in Freud's Attic: Torment and Taboo in the Child and Adolescent. Themes of Vienna's Image Makers in Picturing Children. In: *Construction of Childhood between Rousseau and Freud.* MR Brown, editor. Ashgate Publishing. Aldershot, UK.

Cotter H. 2009. Passion of the moment: A triptych of masters. *New York Times Art Review.* March 12, 2009.

Dvorak M. Oskar Kokoschka: Das Konzert. Variationen über ein Thema. Reinhold Graf Bethusy Saltzburg, Wien, Galerie Weltz 1988~92.

Freud L. April 2010. Exhibition, L'Atelier, Centre Pompidou, Paris.

Freud S. 1905. Three Essays on the Theory of Sexuality. In: *The Standard Edition of the Complete Psychological Works of Sigmund Freud.* Vol. VII, pp. 125~243. 1953. Hogarth Press. London.

Gay P. 1998. *Freud: A Life for Our Time.* W. W. Norton. New York.

Gombrich EH. 1980. Gedenkworte für Oskar Kokoschka. *Orden pour le mérite für Wissenschaften und Künste, Reden und Gedenkworte* 16:59~63.

Gombrich EH. 1986. *Kokoschka in His Time.* Tate Gallery. London.

Gombrich EH. 1995. *The Story of Art.* Phaidon Press. London.

Hoffman DD. 1998. *Visual Intelligence: How We Create What We See.* W. W. Norton. New York.

Kallir J. 2007. *Who Paid the Piper: The Art of Patronage in Fin-de-Siècle Vienna.* Galerie St. Etienne. New York.

Kokoschka O. 1971. *My Life.* David Britt, translator. Macmillan. New York.

Kramer H. 2002. Viennese Kokoschka: Painter of the soul, one-man movement. *New York Observer.* April 7, 2002.

Levine MA, Marrs RE, Henderson JR, Knapp DA, Schneider MB. 1988. The electron beam ion trap: A new instrument for atomic physics measurements. *Physica Scripta* T22:157~63.

Natter TG, editor. 2002. *Oskar Kokoschka: Early Portraits from Vienna and Berlin, 1909~1914.* Dumont Buchverlag. Koln, Germany.

Natter TG, Hollein M. 2005. *The Naked Truth: Klimt, Schiele, Kokoschka and Other Scandals.* Prestel Publishing. New York.

Röntgen WC. 1895. Ueber eine neue Art von Strahlen (Vorläufige Mitteilung). Sber. Physik.-med. Ges. *Würzburg* 9:132~41.

Schorske CE. 1980. *Fin-de-Siècle Vienna: Politics and Culture.* Alfred A. Knopf. New York.

Shearman J. 1991. *Mannerism (Style and Civilization).* Penguin Books. New York.

Simpson K. 2010. Viennese art, ugliness, and the Vienna School of Art History: The vicissitudes of theory and practice. *Journal of Art Historiography* 3:1~17.

Strobl A, Weidinger A. 1995. *Oskar Kokoschka, Works on Paper: The Early Years, 1897~1917.* Harry N. Abrams. New York.

Trummer T. 2002. A Sea Ringed About with Vision: On Cryptocothology and Philosophy of Life in Kokoschka's Early Portraits. In: *Oskar Kokoschka: Early Portraits from Vienna and Berlin, 1909~1914.* TG Natter, editor. Dumont Buchverlag. Köln, Germany.

Van Gogh V. 1963. *The Letters of Vincent van Gogh.* M Roskill, editor. Atheneum, London.

Werner P. 2002. Gestures in Kokoschka's Early Portraits. In: *Oskar Kokoschka: Early Portraits from Vienna and Berlin, 1909~1914.* TG Natter, editor. Dumont Buchverlag. Koln, Germany.

Zuckerkandl B. 1927. *Neues Wiener Journal.* April 10.

10 미술에서의 에로티시즘, 공격성, 불안의 융합

Barney E. 2008. *Egon Schiele's Adolescent Nudes within the Context of Fin-de-Siècle Vienna.* www.emilybarney.com.

Blackshaw G. 2007. The pathological body: Modernist strategising in Egon Schiele's self-portraiture. *Oxford Art Journal* 30(3):377~401.

Brandow-Faller M. 2008. Man, woman, artist? Rethinking the Muse in Vienna 1900. *Austrian History Yearbook* 39:92~120.

Cernuschi C. 2002. *Re/Casting Kokoschka: Ethics and Aesthetics, Epistemology and Politics in Fin-de-Siècle Vienna.* Associated University Press. Plainsboro, NJ.

Comini A. 1974. *Egon Schiele's Portraits.* University of California Press. Berkeley.

Cumming L. 2009. *A Face to the World: On Self-Portraits.* Harper Press. London.

Danto A. 2006. Live flesh. *The Nation.* January 23, 2006.

Davis M. 2004. *The Language of Sex: Egon Schiele's Painterly Dialogue.* http://www.michellemckdavis.com/.

Elsen A. 1994. Drawing and a New Sexual Intimacy: Rodin and Schiele. In: *Egon Schiele: Art, Sexuality, and Viennese Modernism.* P Werner, editor. Society for the Promotion of Science and Scholarship. Palo Alto, CA.

Kallir J. 1990, 1998. *Egon Schiele: The Complete Works.* Harry N. Abrams. New York.

Knafo D. 1993. *Egon Schiele: A Self in Creation.* Associated University Press. Plainsboro, NJ.

Simpson K. 2010. Viennese art, ugliness, and the Vienna School of Art History: The vicissitudes of theory and practice. *Journal of Art Historiography* 3:1~14.

Westheimer R. 1993. *The Art of Arousal.* Artabras. New York.

Whitford F. 1981. *Egon Schiele*. Thames and Hudson. London.

11 관람자의 몫을 발견하다

미술에 관한 프로이트의 글을 논의하면서 인용한 편지는 프로이트가 1914년 11월에 헤르만 슈트룩에게 보낸 것이다. 원래 안나 프로이트가 편찬한《프로이트 전집》에 실렸으며,《곰브리치 선집(The Essential Gombrich)》에도 인용되어 있다.

에드윈 보링의《실험심리학 역사(A History of Experimental Psychology)》는 헤르만 헬름홀츠가 무의식에 관해 추론한 내용을 탁월하게 설명하고 있다.

다른 자료는 다음 문헌들을 참고하라.

Arnheim R. 1962. Art history and the partial god. *Art Bulletin* 44:75~79.

Arnheim R. 1974. *Art and Visual Perception: A Psychology of the Creative Eye*. The New Version. University of California Press. Berkeley and Los Angeles.

Ash MG. 1998. *Gestalt Psychology in German Culture 1890~1967: Holism and the Quest for Objectivity*. Cambridge University Press. New York.

Boring EG. 1950. *A History of Experimental Psychology*. Appleton-Century-Crofts. New York.

Bostrom A, Scherf G, Lambotte MC, Potzl-Malikova M. 2010. *Franz Xavier Messerschmidt, 1736~1783: From Neoclassicism to Expressionism*. Neue Galerie catalog accompanying exhibition of work by Messerschmidt, September 2010 to January 2011. Officina Libraria. Italy.

Burke J. 2006. *The Sphinx on the Table: Sigmund Freud's Art Collection and the Development of Psychoanalysis*. Walker and Co. New York.

Da Vinci L. 1897. *A Treatise on Painting*. JF Rigaud, translator. George Bell & Sons. London.

Empson W. 1930. *Seven Types of Ambiguity*. Harcourt, Brace. New York.

Freud S. 1910. Leonardo da Vinci and a Memory of His Childhood. In: *The Standard Edition of the Complete Psychological Works of Sigmund Freud*. Vol. XII:57~138.

Freud S. 1914. The Moses of Michelangelo. Originally published anonymously in *Imago* 3:15~36. Republished with acknowledged authorship in 1924. In: *The Standard Edition of the Complete Psychological Works of Sigmund Freud*. Vol. XII:209~38.

Frith C. 2007. *Making Up the Mind: How the Brain Creates Our Mental World*. Blackwell Publishing. Oxford.

Gombrich EH. 1960. *Art and Illusion. A Study in the Psychology of Pictorial Representation*. Princeton University Press. Princeton and Oxford.

Gombrich EH. 1982. *The Image and the Eye: Further Studies in the Psychology of Pictorial Representation*. Phaidon Press. London.

Gombrich EH. 1984. Reminiscences of Collaboration with Ernst Kris (1900~57). In: *Tributes: Interpreters of Our Cultural Tradition*. Cornell University Press. Ithaca, NY.

Gombrich EH. 1996. *The Essential Gombrich: Selected Writings on Art and Culture*. R Woodfield, editor. Phaidon Press. London.

Gombrich EH, Kris E. 1938. The principles of caricature. *British Journal of Medical Psychology* 17:319~42. In: *Psychoanalytic Explorations in Art.*

Gombrich EH, Kris E. 1940. *Caricature.* King Penguin Books. London.

Gregory RL, Gombrich EH, editors. 1980. *Illusion in Nature and Art.* Scribner. New York.

Helmholtz von H. 1910. *Treatise on Physiological Optics.* JPC Southall, editor and translator. 1925. Dover. New York.

Henle M. 1986. *1879 and All That: Essays in the Theory and History of Psychology.* Columbia University Press. New York.

Hoffman DD. 1998. *Visual Intelligence: How We Create What We See.* W. W. Norton. New York.

Kemp W. 1999. Introduction. In Riegl: *The Group Portraiture of Holland,* p. 1. Getty Research Institute Publications and Exhibition Program. Los Angeles.

King DB, Wertheimer M. 2004. *Max Wertheimer and Gestalt Theory.* Transaction Publishers. New Brunswick, NJ, and London.

Kopecky V. 2010. Letters to and from Ernst Gombrich regarding *Art and Illusion,* including some comments on his notion of "schema and correction." *Journal of Art Historiography* 3.

Kris E. 1932. Die Charakterköpfe des Franz Xaver Messerschmidt: Versuch einer historischen und psychologischen Deutung. Jahrbuch der Kunst-historischen Sammlungen. *Wien* 4:169~228.

Kris E. 1933. Ein geisteskranker Bildhauer (Die Charakterköpfe des Franz Xaver Messerschmidt). *Imago* 19:381~411.

Kris E. 1936. The psychology of caricature. *International Journal of Psycho-Analysis* 17:285~303.

Kris E. 1952. Aesthetic Ambiguity. In: *Psychoanalytic Explorations in Art.* International Universities Press. New York.

Kris E. 1952. A Psychotic Sculptor of the Eighteenth Century. In: *Psychoanalytic Explorations in Art.* International Universities Press. New York.

Kris E. 1952. *Psychoanalytic Explorations in Art.* International Universities Press. New York.

Kuspit D. 2010. A little madness goes a long creative way. *Artnet Magazine Online.* October 7, 2010. http://www.artnet.com/magazineus/features/kuspit/franzxaver-messerschmidt10-7-10.asp (accessed September 16, 2011).

Mamassian P. 2008. Ambiguities and conventions in the perception of visual art. *Vision Research* 48:2143~53.

Meulders M. 2010. *Helmholtz: From Enlightenment to Neuroscience.* L Garey, translator. MIT Press. Cambridge, MA.

Mitrović B. 2010. A defense of light: Ernst Gombrich, the Innocent Eye and seeing in perspective. *Journal of Art Historiography* 3:1~30.

Neisser U. 1967. *Cognitive Psychology.* Appleton-Century-Crofts. New York.

Persinger C. 2010. Reconsidering Meyer Schapiro in the New Vienna School. *Journal of Art Historiography* 3:1~17.

Popper K. 1992. *The Logic of Scientific Discovery.* Routledge. London and New York.

Riegl A. 1902. *The Group Portraiture of Holland*. EM Kain, D Britt, translators. 2000. Getty Research Institute. Los Angeles.

Rock I. 1984. *Perception*. Scientific American Library. W. H. Freeman. San Francisco.

Roeske T. 2001. Traces of psychology: The art historical writings of Ernst Kris. *American Imago* 58:463~74.

Rose L. 2007. Daumier in Vienna: Ernst Kris, E. H. Gombrich, and the politics of caricature. *Visual Resources* 23(1~2):39~64.

Rose L. 2011. *Psychology, Art, and Antifascism: Ernst Kris, E. H. Gombrich, and the Caricature Project*. Fordham University Press. In press.

Sauerländer W. 2010. It's all in the head: Franz Xaver Messerschmidt, 1736~1783: From Neoclassicism to Expressionism. D Dollenmayer, translator. *New York Review of Books* 57(16).

Schapiro M. 1936. The New Viennese School. In: *The Vienna School Reader*. 2000. C Wood, editor. Zone Books. New York.

Schapiro M. 1998. *Theory and Philosophy of Art: Style, Artist, and Society*. George Braziller. New York.

Schorske CE. 1961. *Fin-de-Siècle Vienna: Politics and Culture*. Reprint 1981. Vintage Books. New York.

Simpson K. 2010. Viennese art, ugliness, and the Vienna School of Art History: The vicissitudes of theory and practice. *Journal of Art Historiography* 3:1~14.

Wickhoff F. 1900. *Roman Art: Some of Its Principles and Their Application to Early Christian Painting*. A Strong, translator and editor. Macmillan. New York.

Worringer W. 1908. *Abstraction and Empathy: A Contribution to the Psychology of Style*. M Bullock, translator. International University Press. New York.

Wurtz RH, Kandel ER. 2000. Construction of the Visual Image. In: *Principles of Neural Science,* Chap. 25, pp. 492~506. 4th ed. Kandel ER, Schwartz JH, Jessell T, editors. McGraw-Hill. New York.

12 관찰은 발명이다: 창작 기계로서의 뇌

Ferretti S. 1989. *Cassirer, Panofsky, and Warburg: Symbols, Art, and History*. R Pierce, translator. Yale University Press. New Haven.

Friedlander MJ. 1942. *On Art and Connoisseurship* (*Von Kunst und Kennerschaft*). T Borenius, translator. Bruno Cassirer Ltd. Berlin.

Gombrich EH. 1960. *Art and Illusion. A Study in the Psychology of Pictorial Representation*. Princeton University Press. Princeton and Oxford.

Handler-Spitz E. 1985. Psychoanalysis and the aesthetic experience. In: *Art and the Psyche*. Yale University Press. New Haven. For a discussion of Freud's essay on Leonardo, see pp. 55~65.

Holly MA. 1984. *Panofsky and the Foundations of Art History*. Cornell University Press. Ithaca,

NY.

Necker LA. 1832. Observations on some remarkable optical phenomena seen in Switzerland, and on an optical phenomenon which occurs on viewing a figure of a crystal or geometrical solid. *London and Edinburgh Philosophical Magazine and Journal of Science* 1(5):329~37.

Panofsky E. 1939. *Studies in Iconology: Humanistic Themes in the Art of the Renaissance.* Westview Press. Boulder, CO.

Rock I. 1984. *Perception.* Scientific American Books. New York.

Rose L. 2010. Psychology, Art and Antifascism: Ernst Kris, E. H. Gombrich, and the Caricature Project. Manuscript.

Searle J. 1986. *Minds, Brains, and Science (1984 Reith Lectures).* Harvard University Press. Cambridge, MA.

Wittgenstein W. 1967. *Philosophical Investigations.* GEM Anscombe, translator. Macmillan. New York.

13 20세기 회화의 출현

Gauss CE. 1949. *The Aesthetic Theories of French Artists: 1855 to the Present.* Johns Hopkins University Press. Baltimore.

Gombrich EH. 1950. *The Story of Art.* Phaidon Press. London.

Gombrich EH. 1986. *Kokoschka in His Time.* Lecture given at the Tate Gallery on July 2, 1986. Tate Gallery Press. London.

Hughes R. 1991. *The Shock of the New: The Hundred-Year History of Modern Art—Its Rise, Its Dazzling Achievement, Its Fall.* 2nd ed. Thames and Hudson. London.

Novotny F. 1938. Cézanne and the End of Scientific Perspective. Excerpts in: *The Vienna School Reader: Politics and Art Historical Method in the 1930s,* pp. 379~438. CS Wood, editor. 2000. Zone Books. New York.

14 뇌의 시각 이미지 처리 과정

Crick F. 1994. *The Astonishing Hypothesis: The Scientific Search for the Soul.* Charles Scribner's Sons. New York.

Daw N. 2012. *How Vision Works.* Oxford University Press. New York.

Frith C. 2007. *Making Up the Mind. How the Brain Creates Our Mental World.* Blackwell Publishing. Malden, MA.

Gombrich EH. 1982. *The Image and the Eye: Further Studies in the Psychology of Pictorial Representation.* Phaidon Press. London.

Gregory RL. 2009. *Seeing Through Illusions,* p. 6. Oxford University Press. New York.

Hoffman DD. 1998. *Visual Intelligence: How We Create What We See.* W. W. Norton. New York.

Kemp M. 1992. *The Science of Art: Optical Themes in Western Art from Brunelleschi to Seurat.*

Yale University Press. New Haven and London.

Miller E, Cohen JP. 2001. An integrative theory of prefrontal cortex function. *Annual Review of Neuroscience* 24:167~202.

Movshon A, Wandell B. 2004. Introduction to Sensory Systems. In: *The Cognitive Neurosciences* III, pp. 185~87. MS Gazzaniga, editor. Bradford Books. MIT Press. Boston.

Olson CR, Colby CL. 2012. The Organization of Cognition. In: *Principles of Neural Science.* 5th ed. Kandel ER, Jessell TM, Schwartz JH, editors. McGraw-Hill. New York.

Wurtz RH, Kandel ER. 2000. Constructing the Visual Image. In: *Principles of Neural Science* (Chap. 25). 4th ed. Kandel ER, Schwartz J, Jessell T, editors. McGraw-Hill. New York.

15 시각 이미지의 해체: 형태 지각의 기본 구성단위

Ball P. 2010. Behind the Mona Lisa's smile: X-ray scans reveal Leonardo's remarkable control of glaze thickness. *Nature* 466:694.

Changeux JP. 1994. Art and neuroscience. *Leonardo* 27(3):189~201.

Gilbert C. 2012. The Constructive Nature of Visual Processing. In: *Principles of Neural Science* (Chap. 25). 5th ed. Kandel ER, Schwartz JH, Jessell T, Siegelbaum S, Hudspeth JH, editors. McGraw-Hill. New York.

Hubel DH. 1995. *Eye, Brain, and Vision.* Scientific American Library. W. H. Freeman. New York.

Hubel DH, Wiesel TN. 2005. *Brain and Visual Perception: The Story of a 25-Year Collaboration.* Oxford University Press. New York.

Katz, B. 1982. Stephen William Kuffler. *Biographical Memoirs of Fellows of the Royal Society* 28:225~59. Published by the Royal Society. London.

Lennie P. 2000. Color Vision. In: *Principles of Neural Science* (Chap. 27), pp. 523~47. 4th ed. Kandel ER, Schwartz JH, Jessell T, editors. McGraw-Hill. New York.

Livingstone M. 2002. *Vision and Art: The Biology of Seeing.* Abrams. New York.

Mamassian P. 2008. Ambiguities and conventions in the perception of visual art. *Vision Research* 48:2143~53.

McMahan UJ, editor. 1990. *Steve: Remembrances of Stephen W. Kuffler.* Sinauer Associates. Sunderland, MA.

Meister M, Tessier-Lavigne M. 2012. The Retina and Low Level Vision. In: *Principles of Neural Science* (Chap. 26). 5th ed. Kandel ER, Schwartz JH, Jessell T, Siegelbaum S, Hudspeth JH, editors. McGraw-Hill. New York.

Purves D, Lotto RB. 2003. *Why We See What We Do: An Empirical Theory of Vision.* Sinauer Associates. Sunderland, MA.

Sherrington CS. 1906. *The Integrative Action of the Nervous System.* University Press. Cambridge, MA.

Stevens CF. 2001. Line versus Color: The Brain and the Language of Visual Arts. In: *The Origins of Creativity,* pp. 177~89. KH Pfenninger, VR Shubick, editors. Oxford University

Press. Oxford and New York.

Tessier-Lavigne M, Gouras P. 1995. Color. In: *Essentials of Neural Science and Behavior*, pp. 453~68. Kandel ER, Schwartz JH, Jessell TM, editors. Appleton and Lange. Stamford, CT.

Trevor-Roper P. 1998. *The World through Blunted Sight*. Updated edition. Souvenir Press. Boutler and Tanner. Frome, UK.

Whitfield TWA, Wiltshire TJ. 1990. Colour psychology: A critical review. *Genetic, Social and General Psychology Monographs* 116:387~413.

Wurtz RH, Kandel ER. 2000. Construction of the Visual Image. In: *Principles of Neural Science* (Chap. 25), pp. 492~506. 4th ed. Kandel ER, Schwartz JH, Jessell T, editors. McGraw-Hill. New York.

Zeki S. 1999. *Inner Vision: An Exploration of Art and the Brain*. Oxford University Press. New York.

16 우리가 보는 세계의 재구성: 시각은 정보처리 과정이다

Albright T. 2012. High-Level Vision and Cognitive influences. In: *Principles of Neural Science* (Chap. 28). 5th ed. Kandel ER, Schwartz JH, Jessell T, Siegelbaum S, Hudspeth JH, editors. McGraw-Hill. New York.

Cavanagh P. 2005. The artist as neuroscientist. *Nature* 434:301~07.

Daw N. 2012. *How Vision Works*. Oxford University Press. New York.

Elsen A. 1994. Drawing and a New Sexual Intimacy: Rodin and Schiele. In: *Egon Schiele: Art, Sexuality, and Viennese Modernism*. P Werkner, editor. Society for the Promotion of Science and Scholarship. Palo Alto, CA.

Frith C. 2007. *Making Up the Mind. How the Brain Creates Our Mental World*. Blackwell Publishing. Malden, MA.

Gombrich EH. 1982. *The Image and the Eye: Further Studies in the Psychology of Pictorial Representation*. Phaidon Press. London.

Gregory RL. 2009. *Seeing Through Illusions*. Oxford University Press. New York.

Hoffman DD. 1998. *Visual Intelligence: How We Create What We See*. W. W. Norton. New York.

Hubel DH, Wiesel TN. 1979. Brain Mechanisms of Vision. In: *The Mind's Eye: Readings from Scientific American*. 1986. Introduced by JM Wolfe. W. H. Freeman. New York.

Hubel DH, Wiesel TN. 2005. *Brain and Visual Perception: The Story of a 25-Year Collaboration*. Oxford University Press. New York.

Kemp M. 1992. *The Science of Art: Optical Themes in Western Art from Brunelleschi to Seurat*. Yale University Press. New Haven and London.

Kleinschmidt A, Büchel C, Zeki S, Frackowiak RSJ. 1998. Human brain activity during spontaneously reversing perception of ambiguous figures. *Proceedings of the Royal Society* 265:2427~33. London.

Livingstone M. 2002. *Vision and Art: The Biology of Seeing*. Abrams. New York.

Marr D. 1982. *Vision: A Computational Investigation into the Human Representation and Processing of Visual Information*. W. H. Freeman. New York.

Movshon A, Wandell B. 2004. Introduction to Sensory Systems. In: *The Cognitive Neurosciences III*, pp. 185~87. MS Gazzaniga, editor. Bradford Books. MIT Press. Cambridge, MA.

Ramachandran VS. 1988. Perceiving shape from shading. *Scientific American* 259:76~83.

Ratliff F. 1985. The influence of contour on contrast: From cave painting to Cambridge psychology. *Transactions of the American Philosophical Society* 75(6):1~19.

Rittenhouse D. 1786. Explanation of an optical deception. *Transactions of the American Philosophical Society* 2:37~42.

Schwartz A. 2011. Learning to see the strike zone with one eye. http://www.nytimes.com/2011/03/20/sports/baseball/20pitcher.html (accessed September 21, 2011).

Solso RL. 1994. *Cognition and the Visual Arts*. Bradford Books. MIT Press. Cambridge, MA.

Stevens CF. 2001. Line versus Color: The Brain and the Language of Visual Arts. In: *The Origins of Creativity*, pp. 177~89. KH Pfenninger, VR Shubick, editors. Oxford University Press. Oxford and New York.

Von der Heydt R, Qiu FT, He JZ. 2003. Neural mechanisms in border ownership assignment: Motion parallax and Gestalt cues. (Abstract). *Journal of Vision* 3:666a.

Wurtz RH, Kandel ER. 2000. Perception of Motion, Depth, and Form. In: *Principles of Neural Science* (Chap. 28), pp. 492~506. 4th ed. Kandel ER, Schwartz JH, Jessell T, editors. McGraw-Hill. New York.

Zeki S. 1999. *Inner Vision: An Exploration of Art and the Brain*. Oxford University Press. New York.

Zeki S. 2001. Artistic creativity and the brain. *Science* 293(5527):51~52.

Zeki S. 2008. *Splendors and Miseries of the Brain: Love, Creativity, and the Quest for Human Happiness*. John Wiley and Sons. Oxford.

17 높은 수준의 시각과 뇌의 얼굴, 손, 몸 지각

Baker C. 2008. Face to face with cortex. *Nature Neuroscience* (11):862~64.

Bodamer J. 1947. Die Prosop-Agnosie. *Archiv für Psychiatrie und Nervenkrankheiten* 179:6~53.

Code C, Wallesch CW, Joanette Y, Lecours AR, editors. 1996. *Classic Cases in Neuropsychology*. Pyschology Press. Erlbaum (UK). Taylor & Francis Ltd. UK.

Connor CE. 2010. A new viewpoint on faces. *Science* 330:764~65.

Craft E, Schütze H, Niebur E, von der Heydt R. 2007. A neuronal model of figureground organization. *Journal of Neurophysiology* 97:4310~26.

Darwin C. 1872. *The Expression of the Emotions in Man and Animals*. Appleton-Century-Crofts. New York.

Daw N. 2012. *How Vision Works*. Oxford University Press. New York.

de Gelder B. 2006. Towards the neurobiology of emotional body language. *Nature Reviews Neuroscience* 7(3):242~49.

Exploratorium: Mona: Exploratorium Exhibit. [Internet]. 2010. San Francisco: Exploratorium [last updated October 12, 2010; cited 2011 January 10, 2011]. Available from: http://www.exploratorium.edu/exhibits/mona/mona.html (accessed September 14, 2011).

Felleman DJ, Van Essen DC. 1991. Distributed hierarchical processing in primate cerebral cortex. *Cerebral Cortex* 1:1~47.

Freiwald WA, Tsao DY, Livingstone MS. 2009. A face feature space in the macaque temporal lobe. *Nature Neuroscience* 12(9):1187~96.

Freiwald WA, Tsao DY. 2010. Functional compartmentalization and viewpoint generalization within the macaque face processing system. *Science* 330:845~51.

Gombrich EH. 1960. *Art and Illusion. A Study in the Psychology of Pictorial Representation.* Princeton University Press. Princeton and Oxford.

Gross C. 2009. *A Hole in the Head: More Tales in the History of Neuroscience.* Chap. 3, pp. 179~82. MIT Press. Cambridge, MA.

Haxby J, Hoffman E, Gobbini M. 2002. Human neural systems for face recognition and social communication. *Biological Psychiatry* 51:59~67.

Hubel DH, Wiesel TN. 1979. Brain Mechanisms of Vision. In: *The Mind's Eye. Readings from Scientific American*, p. 40. 1986. Introduced by JM Wolfe. W. H. Freeman. New York.

Hubel DH, Wiesel TN. 2004. *Brain and Visual Perception: The Story of a 25-Year Collaboration.* Oxford University Press. New York.

James W. 1890. *The Principles of Psychology.* Vols. 1 and 2. Henry Holt. New York.

Johansson G. 1973. Visual perception of biological motion and a model for its analysis. *Perception and Psychophysics* 14:201~11.

Kanwisher N, McDermott J, Chun MM. 1997. The fusiform face area: A module in human extrastriate cortex specialized for face perception. *Journal of Neuroscience* 17:4302~11.

Lorenz K. 1971. *Studies in Animal and Human Behavior.* Harvard University Press. Cambridge, MA.

Marr D. 1982. *Vision: A Computational Investigation into the Human Representation and Processing of Visual Information.* W. H. Freeman. New York.

Meltzoff AN, Moore MK. Imitation of facial and manual gestures by human neonates. *Science* 198(4312):75~78.

Miller E, Cohen JP. 2001. An integrative theory of prefrontal cortex function. *Annual Review of Neuroscience* 24:167~202.

Moeller S, Freiwald WA, Tsao DY. 2008. Patches with links: A unified system for processing faces in the macaque temporal lobe. *Science* 320(5881):1355~59.

Morton J, Johnson MH. 1991. *Biology and Cognitive Development: The Case of Face Recognition.* Blackwell Publishing. Oxford.

Pascalis O, de Haan M, Nelson CA. 2002. Is face processing species-specific during the first year of life? *Science* 296(5571):1321~23.

Puce A, Allison T, Asgari M, Gore JC, McCarthy G. 1996. Differential sensitivity of human visual cortex to faces, letter strings, and textures: A functional magnetic resonance imaging study. *Journal of Neuroscience* 16(16):5205~15.

Puce A, Allison T, Bentin S, Gore JC, McCarthy G. 1998. Temporal cortex activation in humans viewing eye and mouth movements. *Journal of Neuroscience* 18:2188~99.

Quian Quiroga R, Reddy L, Kreiman G, Koch C, Fried I. 2005. Invariant visual representation by single neurons in the human brain. *Nature* 435:1102~07.

Ramachandran VS. 2003. *The Emerging Mind*. The Reith Lectures. BBC in association with Profile Books. London.

Ramachandran VS. 2004. *A Brief Tour of Human Consciousness: From Imposter Poodles to Purple Numbers*. Pi Press. New York.

Sargent J, Ohta S, MacDonald B. 1992. Functional neuroanatomy of face and object processing. *Brain* 115:15~36.

Soussloff CM. 2006. *The Subject in Art: Portraiture and the Birth of the Modern*. Duke University Press. Durham, NC.

Thompson P. 1980. Margaret Thatcher: A new illusion. *Perception* 9:483~84.

Tinbergen N, Perdeck AC. 1950. On the stimulus situation releasing the begging response in the newly hatched herring gull chick. Behaviour 3(1):1~39.

Treisman A. 1986. Features and objects in visual processing. *Scientific American* 255(5):114~25.

Tsao DY. 2006. A dedicated system for processing faces. *Science* 314:72~73.

Tsao DY, Freiwald WA. 2006. What's so special about the average face? *Trends in Cognitive Sciences* 10(9):391~93.

Tsao DY, Livingstone MS. 2008. Mechanisms of face perception. *Annual Review of Neuroscience* 31:411~37.

Tsao DY, Schweers N, Moeller S, Freiwald WA. 2008. Patches of face-selective cortex in the macaque frontal lobe. *Nature Neuroscience* 11:877~79.

Viskontas IV, Quiroga RQ, Fried I. 2009. Human medial temporal lobe neurons respond preferentially to personally relevant images. *Proceedings of the National Academy of Sciences* 106(50):21329~34.

Wurtz RH, Goldberg ME, Robinson DL. 1982. Brain mechanisms of visual attention. *Scientific American* 246(6):124~35.

Zeki S, Shipp S. 2006. Modular connections between areas V2 and V4 of macaque monkey visual cortex. *European Journal of Neuroscience* 1(5):494~506.

Zeki S. 2009. *Splendors and Miseries of the Brain: Love, Creativity, and the Quest for Human Happiness*. John Wiley & Sons. Oxford.

18 정보의 상향 처리: 기억을 이용한 의미 찾기

Albright T. 2011. High-Level Vision and Cognitive influences. In: *Principles of Neural Science*

(Chap. 28). 5th ed. Kandel ER, Schwartz JH, Jessell T, Siegelbaum S, Hudspeth JH, editors. McGraw-Hill. New York.

Arnheim R. 1954. *Art and Visual Perception: A Psychology of the Creative Eye.* The New Version. 1974. University of California Press. Berkeley and Los Angeles.

Cavanagh P. 2005. The Artist as Neuroscientist. *Nature* 434:301~07.

Ferretti S. 1989. *Cassirer, Panofsky, and Warburg: Symbols, Art, and History.* R Pierce, translator. Yale University Press. New Haven.

Gilbert C. 2011. The Constructive Nature of Visual Processing. In: *Principles of Neural Science* (Chap. 25). 5th ed. Kandel ER, Schwartz JH, Jessell T, Siegelbaum S, Hudspeth JH, editors. McGraw-Hill. New York.

Gilbert C. 2011. Visual Primitives and Intermediate Level Vision. In: *Principles of Neural Science* (Chap. 27). 5th ed. Kandel ER, Schwartz JH, Jessell T, Siegelbaum S, Hudspeth JH, editors. McGraw-Hill. New York.

Gombrich EH. 1987. In: *Reflections on the History of Art,* R Woodfield, editor, p. 211. Originally published as a review of Morse Peckham, *Man's Rage for Chaos: Biology, Behavior, and the Arts. New York Review of Books.* June 23, 1966.

Kris E. 1952. *Psychoanalytic Explorations in Art.* International Universities Press. New York.

Mamassian P. 2008. Ambiguities and conventions in the perception of visual art. *Vision Research* 48:2143~53.

Miller E, Cohen JP. 2001. An integrative theory of prefrontal cortex function. *Annual Review of Neuroscience* 24:67~202.

Milner B. 2005. The medial temporal lobe amnesiac syndrome. *Psychiatric Clinics of North America* 28(3):599~611.

Pavlov IP. 1927. *Conditioned Reflexes: An Investigation of the Physiological Activity of the Cerebral Cortex.* GV Anrep, translator. Oxford University Press. London.

Polanyi M, Prosch H. 1975. *Meaning.* University of Chicago Press. Chicago.

Riegl A. 1902. *The Group Portraiture of Holland.* EM Kain, D Britt, translators. 1999. Getty Research Institute. Los Angeles.

Rock I. 1984. *Perception.* Scientific American Library. W. H. Freeman. San Francisco.

Tomita H, Ohbayashi M, Nakahara K, Hasegawa I, Miyashita Y. 1999. Top-down signal from prefrontal cortex in executive control of memory retrieval. *Nature* 401:699~703.

19 감정의 해체: 감정의 기초 요소 탐색

Bostrom A, Scherf G, Lambotte MC, Potzl-Malikova M. 2010. *Franz Xaver Messerschmidt, 1736~1783: From Neoclassicism to Expressionism.* Neue Galerie catalog accompanying exhibition of work by Messerschmidt, September 2010 to January 2011. Officina Libraria. Italy.

Bradley MM, Sabatinelli D. 2003. Startle reflex modulation: Perception, attention, and emotion. In: *Experimental Methods in Neuropsychology,* p. 78. K Hugdahl, editor. Kluwer

Academic Publishers. Norwell, MA.

Changeux JP. 1994. Art and neuroscience. *Leonardo* 27(3):189~201.

Chartrand TL, Bargh JA. 1999. The chameleon effect: The perception-behavior link and social interaction. *Journal of Personality and Social Psychology* 76(6):893~910.

Damasio AR. 1999. *The Feeling of What Happens: Body and Emotion In the Making of Consciousness.* Mariner Books. Boston.

Darwin C. 1859. *On the Origin of Species by Means of Natural Selection.* Appleton-Century-Crofts. New York.

Darwin C. 1871. *The Descent of Man and Selection in Relation to Sex.* Appleton-Century-Crofts. New York.

Darwin C. 1872. *The Expression of the Emotions in Man and Animals.* Appleton-Century-Crofts. New York.

Descartes R. 1694. *Treatise on the Passions of the Soul.* In: *The Philosophical Works of Descartes.* ES Halman, GRT Ross, translators. 1967. Cambridge University Press.

de Sousa R. 2010. Emotion. In: *The Stanford Encyclopedia of Philosophy.* Fall 2010 ed. EN Zalta, editor. Metaphysics Research Lab. Stanford, CA.

Dijkstra B. 1986. *Idols of Perversity: Fantasies of Feminine Evil in Fin-de-Siècle Culture.* Oxford University Press. New York and Oxford.

Ekman P. 1989. The argument and evidence about universals in facial expressions of emotion. In *Handbook of Psychophysiology: Emotion and Social Behavior,* pp. 143~64. H Wagner, A Manstead, editors. John Wiley & Sons. London.

Freud S. 1938. An Outline of Psycho-Analysis. In: *The Standard Edition of the Complete Psychological Works of Sigmund Freud (1937~1939).* Vol. XXIII, pp. 139~208. Hogarth Press 1964. London.

Freud S. 1950. *Collected Papers.* Vol 4. J Riviere, translator. Hogarth Press and Institute of Psychoanalysis. London.

Gay P. 1989. *The Freud Reader.* W. W. Norton. New York.

Gombrich EH. 1955. *The Story of Art.* Phaidon Press. London.

Helmholtz H von. 1910. *Treatise on Physiological Optics.* JPC Southall, editor and translator. 1925. Dover. New York.

Iverson S, Kupfermann I, Kandel ER. 2000. Emotional States and Feelings. In: *Principles of Neural Science* (Chap. 50), pp. 982~97. 4th ed. Kandel ER, Schwartz JH, Jessell T, editors. McGraw-Hill. New York.

James W. 1890. *The Principles of Psychology.* Harvard University Press. Cambridge, MA, and London.

Kant I. 1785. *Groundwork for the Metaphysics of Morals.* 1998. Cambridge University Press. New York.

Kemball R. 2009. Art in Darwin's terms. *Times Literary Supplement.* March 20, 2009.

Kris E. 1952. *Psychoanalytic Explorations in Art.* International Universities Press. New York.

Lang PJ. 1995. The emotion probe: Studies of motivation and attention. American

Psychologist 50(5):272~85.

Panofsky E. 1939. *Studies in Iconology: Humanistic Themes in the Art of the Renaissance.* Westview Press. Boulder, CO.

Pascalis O, de Haan M, Nelson CA. 2002. Is face processing species-specific during the first year of life? *Science Magazine* 296(5571):1321~23.

Rolls ET. 2005. *Emotion Explained.* Oxford University Press. New York.

Silva PJ. 2005. Emotional response to art: From collation and arousal to cognition and emotion. *Review of General Psychology* 90:342~357.

Slaughter V, Heron M. 2004. Origins and early development of human body knowledge. *Monographs of the Society for Research in Child Development* 69(2):103~13.

Solms M, Nersessian E. 1999. Freud's theory of affect: Questions for neuroscience. *Neuropsychoanalysis* 1:5~14.

Strack F, Martin LL, Stepper S. 1988. Inhibiting and facilitating conditions of the human smile: A nonobtrusive test of the facial feedback hypothesis. *Journal of Personality and Social Psychology* 54(5):768~77.

20 미술에서 얼굴, 손, 몸, 색깔을 통한 감정 묘사

Aiken NE. 1984. Physiognomy and art: Approaches from above, below, and sideways. *Visual Art Research* 10:52~65.

Barnett JR, Miller S, Pearce E. 2006. Colour and art: A brief history of pigments. *Optics and Laser Technology* 38:445~53.

Chartrand TL, Bargh JA. 1999. The chameleon effect: The perception-behavior link and social interaction. *Journal of Personality and Social Psychology* 76(6):893~910.

Damasio A. 1994. *Descartes' Error: Emotion, Reason, and the Human Brain.* G. P. Putnam's Sons. New York.

Darwin C. 1872. *The Expression of the Emotions in Man and Animals.* Appleton-Century-Crofts. New York.

Downing PE, Jiang Y, Shuman M, Kanwisher N. 2001. A cortical area selective for visual processing of the human body. *Science* 293(5539):2470~73.

Ekman P. 2003. *Emotions Revealed: Recognizing Faces and Feelings to Improve Communication and Emotional Life.* Owl Books. New York.

Frith U. 1989. *Autism: Explaining the Enigma.* Blackwell Publishing. Oxford.

Gage J. 2006. *Color in Art.* Thames and Hudson. London.

Hughes R. 1991. *The Shock of the New: Art and the Century of Change.* 2nd ed. Thames and Hudson. London.

Javal E. 1906. *Physiologie de la Lecture et de l'Écriture (Physiology of Reading and Writing).* Felix Alcan. Paris.

Langton SRH, Watt RJ, Bruce V. 2000. Do the eyes have it? Cues to the direction of social attention. *Trends in Cognitive Science* 4:50~59.

Livingstone M. 2002. *Vision and Art: The Biology of Seeing*. Harry N. Abrams. New York.

Livingstone M, Hubel D. 1988. Segregation of form, color, movement, and depth: Anatomy, physiology, and perception. *Science* 240:740~49.

Lotto RB, Purves D. 2004. Perceiving color. *Review of Progress in Coloration* 34:12~25.

Marks WB, Dobelle WH, MacNichol EF. 1964. Visual pigments of single primate cones. *Science* 13:1181~82.

Molnar F. 1981. About the role of visual exploration in aesthetics. In: *Advances In Intrinsic Motivation and Aesthetics*. H Day, editor. Plenum. New York.

Natter T. 2002. *Oskar Kokoschka: Early Portraits from Vienna and Berlin, 1909 ~ 1914*. Dumont Buchverlag. Koln, Germany.

Nodine CF, Locher PJ, Krupinski EA. 1993. The role of formal art training on perception and aesthetic judgment of art compositions. *Leonardo* 26(3):219~27.

Pelphrey KA, Morris JP, McCarthy G. 2004. Grasping the intentions of others: The perceived intentionality of an action influences activity in the superior temporal sulcus during social perception. *Journal of Cognitive Neuroscience* 16(10):1706~16.

Pirenne MH. 1944. Rods and cones and Thomas Young's theory of color vision. *Nature* 154:741~42.

Puce A, Allison T, Bentin S, Gore JC, McCarthy G. 1998. Temporal cortex activation in humans viewing eye and mouth movements. *Journal of Neuroscience* 18:2188~99.

Sacco T, Sacchetti B. 2010. Role of secondary sensory cortices in emotional memory storage and retrieval in rats. *Science* 329:649~56.

Simpson K. 2010. Viennese art, ugliness, and the Vienna School of Art History: The vicissitudes of theory and practice. *Journal of Art Historiography* 3:1~14.

Slaughter V, Heron M. 2004. Origins and early development of human body knowledge. *Monographs of the Society for Research in Child Development* 69(2):103~13.

Solso RL. 1994. *Cognition and the Visual Arts*. Bradford Books. MIT Press. Cambridge, MA.

Zeki S. 2008. *Splendors and Miseries of the Brain*. Wiley-Blackwell. Oxford.

21 무의식적 감정, 의식적 느낌, 그것들의 신체적 표현

Adolphs R, Tranel D, Damasio AR. 1994. Impaired recognition of emotion in facial expression following bilateral damage to the human amygdala. *Nature* 372:669~72.

Adolphs R, Gosselin F, Buchanan TW, Tranel D, Schyns P, Damasio A. 2005. A mechanism for impaired fear recognition after amygdala damage. *Nature* 433:68~72.

Anderson AK, Phelps EA. 2000. Expression without recognition: Contributions of the human amygdala to emotional communication. *Psychological Science* 11(2):106~11.

Arnold MB. 1960. *Emotion and Personality*. Columbia University Press. New York.

Barzun J. 2002. *A Stroll with James*. University of Chicago Press. Chicago.

Boring EG. 1950. *A History of Experimental Psychology*. Appleton-Century-Crofts. New York.

Bradley MM, Greenwald MK, Petry MC, Lang PJ. 1992. Remembering pictures: Pleasure and arousal in memory. *Journal of Experimental Psychology: Learning, Memory, and Cognition* 18:379~90.

Cannon WB. 1915. *Bodily Changes in Pain, Hunger, Fear, and Rage: An Account of Recent Researches into the Function of Emotional Excitement.* D. Appleton & Co. New York.

Cardinal RN, Parkinson JA, Hall J, Everitt BJ. 2002. Emotion and motivation: The role of the amygdala, ventral striatum, and prefrontal cortex. *Neuroscience and Biobehavioral Reviews* 26:321~52.

Craig AD. 2009. How do you feel—now? The anterior insula and human awareness. *National Review of Neuroscience* 10(1):59~70.

Critchley HD, Wiens S, Rotshtein P, Öhman A, Dolan RJ. 2004. Neural systems supporting interoceptive awareness. *Nature Neuroscience* 7:189~95.

Damasio A. 1994. *Descartes' Error: Emotion, Reason, and the Human Brain.* G. P. Putnam's Sons. New York.

Damasio A. 1996. The somatic marker hypothesis and the possible functions of the prefrontal cortex. *Proceedings of the Royal Society of London* B 351:1413~20.

Damasio A. 1999. *The Feeling of What Happens: Body and Emotion in the Making of Consciousness.* Harcourt Brace. New York.

Darwin C. 1872. *The Expression of the Emotions in Man and Animals.* John Murray. London.

Etkin A, Klemenhagen KC, Dudman JT, Rogan MT, Hen R, Kandel E, Hirsch J. 2004. Individual differences in trait anxiety predict the response of the basolateral amygdala to unconsciously processed fearful faces. *Neuron* 44:1043~55.

Freud S. 1915. *The Unconscious.* Penguin Books. London.

Frijda NH. 2005. Emotion experience. *Cognition and Attention* 19:473~98.

Frith C. 2007. *Making Up the Mind: How the Brain Creates Our Mental World.* Blackwell Publishing. Malden, MA.

Harrison NA, Gray MA, Gienoros PS, Critchley HD. 2010. The embodiment of emotional feeling in the brain. *Journal of Neuroscience* 30(38):12878~84.

Iverson S, Kupfermann I, Kandel ER. 2000. Emotional States and Feelings. In: *Principles of Neural Science* (Chap. 50), pp. 982~997. 4th ed. Kandel ER, Schwartz JH, Jessell T, editors. McGraw-Hill. New York.

James W. 1884. What is an emotion? *Mind* 9:188~205.

James W. 1890. *Principles of Psychology.* Vols. 1 and 2. Dover Publications. Mineola, NY.

Kandel E. 2006. *In Search of Memory. The Emergence of a New Science of Mind.* W. W. Norton. New York.

Klüver H, Bucy PC. 1939. Preliminary analysis of functions of the temporal lobes in monkeys. *Archives of Neurology and Psychiatry* 42(6):979~1000.

Knutson B, Delgado M, Phillips P. 2008. Representation of Subjective Value in the Striatum. In: *Neuroeconomics: Decision Making and the Brain* (Chap. 25). P Glimcher, C Camerer, E Fehr, R Poldrack, editors. Academic Press. London.

Lang PJ. 1994. The varieties of emotional experience: A meditation on James-Lange theory.

Psychological Review 101:211~21.

LeDoux J. 1996. *The Emotional Brain: The Mysterious Underpinning of Emotional Life.* Simon and Schuster. New York.

Miller EK, Cohen JD. 2001. An integrative theory of prefrontal cortex function. *Annual Review of Neuroscience* 24:167~202.

Oatley K. 2004. *Emotions: A Brief History.* Blackwell Publishing. Oxford.

Phelps EA. 2006. Emotion and cognition: Insights from studies of the human amygdala. *Annual Review of Psychology* 57:27~53.

Rokitansky C. 1846. *Handbuch der pathologischen Anatomie.* Braumüller & Seidel. Germany.

Rolls ET. 2005. *Emotion Explained.* Oxford University Press. New York.

Salzman CD, Fusi S. 2010. Emotion, cognition, and mental state representation in amygdala and prefrontal cortex. *Annual Review of Neuroscience* 33. June 16, 2010 (ePub ahead of print).

Schachter S, Singer JE. 1962. Cognitive, social, and physiological determinants of emotional states. *Psychological Review* 69:379~99.

Vuilleumier P, Richardson MP, Armory JL, Driver J, Dolan RJ. 2004. Distant influences of amygdala lesion on visual cortical activation during emotional face processing. *Nature Neuroscience* 7:1271~78.

Weiskrantz L. 1956. Behavioral changes associated with ablation of the amygdaloid complex in monkeys. *Journal of Comparative Physiological Psychology* 49:381~91.

Whalen PJ, Kagan J, Cook RG, Davis C, Kim H, Polis S, McLaren DG, Somerville LH, McLean AA, Maxwell JS, Johnston T. 2004. Human amygdala responsivity to masked fearful eye whites. *Science* 306:2061.

Whitehead AN. 1925. *Science and the Modern World.* Macmillan. New York.

Wurtz RH, Kandel ER. 2000. Construction of the Visual Image. In: *Principles of Neural Science* (Chap. 25), pp. 492~506. 4th ed. Kandel ER, Schwartz JH, Jessell T, editors. McGraw-Hill. New York.

22 인지적 감정 정보의 하향 통제

Amodio DM, Frith CD. 2006. Meeting of minds: The medial frontal cortex and social cognition. *National Review of Neuroscience* 7(4):268~77.

Anderson AK, Phelps EA. 2002. Is the human amygdala critical for the subjective experience of emotion? Evidence of dispositional affect in patients with amygdala lesions. *Journal of Cognitive Neuroscience* 14:709~20.

Anderson SW, Bechara A, Damascott TD, Damasio AR. 1999. Impairment of social and moral behavior related to early damage in the human prefrontal cortex. *Nature Neuroscience* 2:1032~37.

Berridge KC, Kringelbach ML. 2008. Effective neuroscience of pleasure: Rewards in humans and animals. *Psychopharmacology* 199:457~80.

Breiter HC, Aharon I, Kahneman D. 2001. Functional imaging of neural responses to expectancy and experience of monetary gains and losses. *Neuron* 30:619~39.

Breiter HC, Gollub RL, Weisskoff RM. 1997. Acute effects of cocaine on human brain activity and emotion. *Neuron* 19:591~611.

Cardinal R, Parkinson J, Hall J, Everitt B. 2002. Emotion and motivation: The role of the amygdala, ventral striatum, and prefrontal cortex. *Neuroscience and Biobehavioral Reviews* 26:321~52.

Churchland PS. 2002. *Brain-Wise: Studies in Neurophysiology*. MIT Press. Cambridge, MA.

Colby C, Olson C. 2012. The Organization of Cognition. In: *Principles of Neural Science* (Chap. 18). 5th ed. Kandel ER, Schwartz JH, Jessell TM, Hudspeth AJ, Siegelbaum S, editors. McGraw-Hill. New York.

Damasio A. 1996. The somatic marker hypothesis and the possible functions of the prefrontal cortex. *Proceedings of the Royal Society of London* B 351:1413~20.

Damasio H, Grabowski T, Frank R, Galaburda AM, Damasio AR. 1994. The return of Phineas Gage: Clues about the brain from the skull of a famous patient. *Science* 254(5162):1102~05.

Darwin C. 1872. *The Expression of the Emotions in Man and Animals*. Appleton-Century-Crofts. New York.

Delgado M. 2007. Reward-related responses in the human striatum. *Annals of New York Academy of Science* 1104:70~88.

Foot P. 1967. The problem of abortion and the doctrine of double effect. *Oxford Review* 5:5~15.

Freud S. 1915. *The Unconscious*. Penguin Books. London.

Frijda NH. 2005. Emotion experience. *Cognition and Attention* 19:473~98.

Fuster JM. 2008. *The Prefrontal Cortex*. 4th ed. Academic Press. London.

Greene JD. 2007. Why are VMPFC patients more utilitarian? A dual-process theory of moral judgment explains. *Trends in Cognitive Sciences* 11(8):322~23.

Greene JD. 2009. Dual-process morality and the personal/impersonal distinction: A reply to McGuire, Langdon, Coltheart, and Mackenzie. *Journal of Experimental Social Psychology* 45(3):581~584.

Greene JD, Nystrom LE, Engell AD, Darley JM, Cohen JD. 2004. The neural bases of cognitive conflict and control in moral judgment. *Neuron* 44:389~400.

Greene JD, Paxton JM. 2009. Patterns of neural activity associated with honest and dishonest moral decisions. *Proceedings of the National Academy of Sciences USA* 106(30):12506~11.

James W. 1890. *The Principles of Psychology*. Vols. 1 and 2. Harvard University Press. Cambridge, MA, and London.

Knutson B, Delgado M, Phillips P. 2008. Representation of Subjective Value in the Striatum. In: *Neuroeconomics: Decision Making and the Brain* (Chap. 25). P Glimcher, C Camerer, E Fehr, R Poldrack, editors. Academic Press. London.

Lang PJ. 1994. The varieties of emotional experience: A meditation on James-Lange theory.

Psychological Review 101:211~21.

LeDoux J. 1996. *The Emotional Brain: The Mysterious Underpinnings of Emotional Life*. Simon and Schuster. New York.

MacMillan M. 2000. *An Odd Kind of Fame. Stories of Phineas Gage*. Bradford Books. MIT Press. Cambridge, MA.

Mayberg HS, Brannan SK, Mahurin R, Jerabek P, Brickman J, Tekell JL, Silva JA, McGinnis S. 1997. Cingulate function in depression: A potential predictor of treatment response. *NeuroReport* 8:1057~61.

Miller EK, Cohen JD. 2001. An integrative theory of prefrontal cortex function. *Annual Review of Neuroscience* 24:167~202.

Oatley K. 2004. *Emotions: A Brief History*. Blackwell Publishing. Malden, MA.

Olsson A, Ochsner KN. 2008. The role of social cognition in emotion. *Trends in Cognitive Sciences* 12(2):65~71.

Phelps EA. 2006. Emotion and cognition: Insights from studies of the human amygdala. *Annual Review of Psychology* 57:27~53.

Rolls ET. 2005. *Emotion Explained*. Oxford University Press. New York.

Rose JE, Woolsey CN. 1948. The orbitofrontal cortex and its connections with the mediodorsal nucleus in rabbit, sheep and cat. *Research Publications of the Association for Research in Nervous and Mental Diseases* 27:210~32.

Salzman CD, Fusi S. 2010. Emotion, cognition, and mental state representation in amygdala and prefrontal cortex. *Annual Review of Neuroscience* 33. June 16, 2010 (ePub ahead of print).

Solms M. 2006. Freud Returns. In: *Best of the Brain from* Scientific American. F Bloom, editor. Dana Press. New York and Washington, DC.

Solms M, Nersessian E. 1999. Freud's theory of affect: Questions for neuroscience. *Neuro-psychoanalysis* 1(1):5~12.

Thompson JJ. 1976. Killing, letting die, and the trolley problem. *Monist* 59:204~17.

Thompson JJ. 1985. The trolley problem. *Yale Law Journal* 94:1395~1415.

23 아름다움과 추함에 대한 생물학적 반응

Adams RB, Kleck RE. 2003. Perceived gaze direction and the processing of facial displays of emotion. *Psychiatric Science* 14:644~47.

Aron A, Fisher H, Mashek DJ, Strong G, Li H, Brown LL. 2005. Reward, motivation, and emotion systems associated with early stage intense romantic love. *Journal of Neurophysiology* 94:327~37.

Bar M, Neta M. 2006. Humans prefer curved visual objects. *Psychological Science* 17: 645~48.

Barrett LF, Wagner TD. 2006. The structure of emotion: Evidence from neuroimaging studies. *Current Directions in Psychological Science* 15(2):79~85.

Bartels A, Zeki S. 2004. The neural correlates of maternal and romantic love. *Neuro-Image*

21:1155~66.

Berridge KC, Kringelbach ML. 2008. Affective neuroscience of pleasure: Reward in humans and animals. *Psychopharmacology* 199:457~80.

Brunetti M, Babiloni C, Ferretti A, del Gratta C, Merla A, Belardinelli MO, Romani GL. 2008. Hypothalamus, sexual arousal and psychosexual identity in human males: A functional magnetic resonance imaging study. *European Journal of Neuroscience* 27(11):2922~27.

Calder AJ, Burton AM, Miller P, Young AW, Akamatsu S. 2001. A principal component analysis of facial expressions. *Vision Research* 41:1179~1208.

Carey S, Diamond R. 1977. From piecemeal to configurational representation of faces. *Science* 195:312~14.

Cela-Conde CJ, Marty G, Maestu F, Ortiz T, Munar E, Fernandez A, Roca M, Rossello J, Quesney F. 2004. Activation of the prefrontal cortex in the human visual aesthetic perception. *Proceedings of the National Academy of Sciences* 101:6321~25.

Cowley G. 1996. The biology of beauty. *Newsweek.* June 3, 1996, pp. 60~67.

Cunningham MR. 1986. Measuring the physical in physical attractiveness: Quasiexperiments on the sociobiology of female facial beauty. *Journal of Personality and Social Psychology* 50:925~35.

Damasio A. 1999. *The Feeling of What Happens: Body and Emotion in the Making of Consciousness.* Harcourt Brace. New York.

Darwin C. 1871. *The Descent of Man and Selection in Relation to Sex.* Appleton-Century-Crofts. New York.

Downing PE, Bray D, Rogers J, Childs C. 2004. Bodies capture attention when nothing is expected. *Cognition* B28~B38.

Dutton DD. 2009. *The Art Instinct: Beauty, Pleasure, and Human Evolution.* Bloomsbury Press. New York.

Elsen A. 1994. Drawing and a New Sexual Intimacy: Rodin and Schiele. In: *Egon Schiele: Art, Sexuality, and Viennese Modernism.* P Werner, editor. Society for the Promotion of Science and Scholarship. Palo Alto, CA.

Fink B, Penton-Voak IP. 2002. Evolutionary psychology of facial attractiveness. *Current Directions in Psychological Science* 11:154~58.

Fisher H. 2000. Lust, attraction, attachment: Biology and evolution of the three primary emotion systems for mating, reproduction, and parenting. *Journal of Sex Education and Therapy* 25(1):96~104.

Fisher H, Aron A, Brown LL. 2005. Romantic love: An fMRI study of a neural mechanism for mate choice. *Journal of Comparative Neurology* 493: 58~62.

Fisher HE, Brown LL, Aron A, Strong G, Mashek D. 2010. Reward, addiction, and emotion regulation systems associated with rejection in love. *Journal of Neurophysiology* 104: 51~60.

Gilbert D. 2006. *Stumbling on Happiness.* Alfred A. Knopf. New York.

Gombrich EH. 1987. In: *Reflections on the History of Art,* p. 211. R Woodfield, editor.

Originally published as a review of Morse Peckham, *Man's Rage for Chaos: Biology, Behavior, and the Arts.* New York Review of Books. June 23, 1966.

Guthrie G, Wiener M. 1966. Subliminal perception or perception of partial cues with pictorial stimuli. *Journal of Personality and Social Psychology* 3:619~28.

Grammer K, Fink B, Møller AP, Thornhill R. 2003. Darwinian aesthetics: Sexual selection and the biology of beauty. *Biological Reviews* 78(3):385~407.

Hughes R. 1991. *The Shock of the New: Art and the Century of Change.* 2nd ed. Thames and Hudson. London.

Kawabata H, Zeki S. 2004. Neural correlates of beauty. *Journal of Neurophysiology* 91:1699~1705.

Kirsch P, Esslinger C, Chen Q, Mier D, Lis S, Siddhanti S, Gruppe H, Mattay VS, Gallhofer B, Meyer-Lindenberg A. 2005. Oxytocin modulates neural circuitry for social cognition and fear in humans. *Journal of Neuroscience* 25(49):11489~93.

Lang P. 1979. A bio-informational theory of emotional imagery. *Psychophysiology* 1:495~512.

O'Doherty J, Winston J, Critchley H, Perrett D, Burt DM, Dolan RJ. 2003. Beauty in a smile: The role of medial orbitofrontal cortex in facial attractiveness. *Neuropsychology* 41:147~55.

Marino MJ, Wittmann M, Bradley SR, Hubert GW, Smith Y, Conn PJ. 2001. Activation of Group 1 metabotropic glutamate receptors produces a direct excitation and disinhibition of GABAergic projection neurons in the substantia nigra pars reticulata. *Journal of Neuroscience* 21(18):7001~12.

Paton JJ, Belova MA, Morrison SE, Salzman CD. 2006. The primate amygdala represents the positive and negative value of visual stimuli during learning. *Nature* 439:865~70.

Perrett DI, Burt DM, Penton-Voak IS, Lee KJ, Rowland DA, Edwards R. 1999. Symmetry and human facial attractiveness. *Evolution and Human Behavior* 20:295~307.

Perrett DI, May KA, Yoshikawa S. 1994. Facial shape and judgments of female attractiveness. *Nature* 368:239~42.

Ramachandran VS, Hirstein W. 1999. The science of art: A neurological theory of aesthetic experience. *Journal of Consciousness Studies* 6(6~7):15~51.

Ramachandran VS. 2003. *The Emerging Mind.* The Reith Lectures. BBC in association with Profile Books. London.

Ramsey JL, Langlois JH, Hoss RA, Rubenstein AJ, Griffin A. 2004. Origins of a stereotype: Categorization of facial attractiveness by 6-month-old infants. *Developmental Science* 7:201~11.

Riegl A. 1902. *The Group Portraiture of Holland.* E Kain, D Britt, translators. 1999. Introduction by W Kemp. Getty Research Institute for the History of Art and the Humanities. Los Angeles.

Rose C. 2006. An hour with Ronald Lauder at the Neue Galerie. September 4, 2006.

Salzman CD, Paton JJ, Belova MA, Morrison SE. 2007. Flexible neural representations of value in the primate brain. *Annals of the New York Academy of Science* 1121:336~54.

Saxton TK, Debruine LM, Jones BC, Little AC, Roberts SC. 2009. Face and voice attractiveness judgments change during adolescence. *Evolution and Human Behavior* 30:398~408.

Schorske CE. *Fin-de-siècle Vienna: Politics and Culture*. 1981. Random House. New York.

Simpson K. 2010. Viennese art, ugliness, and the Vienna School of Art History: The vicissitudes of theory and practice. *Journal of Art Historiography* 3:1~14.

Singer T, Seymour B, O'Doherty J, Kaube H, Dolan RJ, Frith C. 2004. Empathy for pain involves the affective but not sensory components of pain. *Science* 303:1157~62.

Tamietto M, Geminiani G, Genero R, de Gelder B. 2007. Seeing fearful body language overcomes attentional deficits in patients with neglect. *Journal of Cognitive Neuroscience* 19:445~54.

Tooby J, Cosmides L. 2001. Does beauty build adapted minds? Toward an evolutionary theory of aesthetics, fiction and the arts. *Substance* 30(1):6~27.

Tsao DY, Freiwald WA. 2006. What's so special about the average face? *Trends in Cognitive Sciences* 10(9):391~93.

Winston JS, O'Doherty J, Dolan RJ. 2003. Common and distinct neural responses during direct and incidental processing of multiple facial emotions. *Neurological Image* 30:84~97.

Zeki S. 1999. *Inner Vision: An Exploration of Art and the Brain*. Oxford University Press. New York.

Zeki S. 2001. Artistic creativity and the brain. *Science* 293(5527):51~52.

24 관람자의 몫: 타인의 마음이라는 내밀한 극장에 들어가다

Allison T, Puce A, McCarthy G. 2000. Social perception from visual cues: Role of the STS region. *Trends in Cognitive Sciences* 4:267~78.

Clark K. 1962. *Looking at Pictures*. Readers Union. UK.

Dijksterhuis A. 2004. Think different: The merits of unconscious thought in preference development and decision making. *Journal of Personality and Social Psychology* 87(5):494.

Dimberg U, Thunberg M, Elmehed K. 2000. Unconscious facial reactions to emotional facial expressions. *Psychological Science* 11(1):86~89.

Fechner GT. 1876. *Vorschule der Aesthetik (Experimental Aesthetics)*. Breitkopf and Hartel. Leipzig.

Gombrich EH. 1960. *Art and Illusion: A Study in the Psychology of Pictorial Representation*. Princeton University Press. Princeton and Oxford.

Gombrich EH. 1982. *The Image and the Eye*. Phaidon Press. New York.

Harrison C, Wood P. 2003. *Art in Theory, 1900 ~2000: An Anthology of Changing Ideas*. Blackwell Publishing. Malden, MA.

Ochsner KN, Beer JS, Robertson ER, Cooper JC, Kihlstrom JF, D'Esposito M, Gabrieli JED. 2005. The neural correlates of direct and Reflected self-knowledge. *NeuroImage* 28:797~814.

Onians J. 2007. *Neuroarthistory*. Yale University Press. New Haven.

Perner J. 1991. *Understanding the Representational Mind*. Bradford Books. MIT Press. Cambridge, MA.

Ramachandran VS. 1999. The science of art: A neurological theory of aesthetic experience. *Journal of Consciousness Study* 6:15~51.

Riegl A. 1902. *The Group Portraiture of Holland*. E Kain, D Britt, translators. 1999. Introduction by W Kemp. Getty Research Institute for the History of Art and the Humanities. Los Angeles.

Saxe R, Jamal N, Powell L. 2005. My body or yours? The effect of visual perspective on cortical body representations. *Cerebral Cortex* 16(2):178~82.

Spurling H. 2007. *Matisse the Master: A Life of Henri Matisse: The Conquest of Colour, 1909~1954*. Alfred A. Knopf. New York.

25 관람자 몫의 생물학: 타인의 마음을 모형화하기

이 장의 앞부분에 실은 곰브리치의 인용문들은 곰브리치, 호크버그, 블랙(1972)이 공동으로 쓴 〈마스크와 얼굴(The Mask and the Face)〉이라는 논문에 실려 있다.

Asperger H. 1944. Die "Autistichen Psychopathen" in Kendesalter.

Blakemore SJ, Decety J. 2001. From the perception of action to the understanding of intention. *Nature Reviews Neuroscience* 2(8):561~67.

Bleuler EP. 1911. *Dementia Praecox or The Group of Schizophrenias*. J Zinkin, translator. 1950. International University Press. New York.

Bleuler EP. 1930. The physiogenic and psychogenic in schizophrenia. *American Journal of Psychiatry* 10:204~11.

Bodamer J. 1947. Die Prosop-Agnosie. *Archiv für Psychiatrie und Nervenkrankheiten* 179:6~53.

Brothers L. 2002. The Social Brain: A Project for Integrating Primate Behavior and Neurophysiology in a New Domain. In: *Foundations in Social Neuroscience*. 2002. JT Cacioppo et al., editors. MIT Press. Cambridge, MA.

Brown E, Scholz J, Triantafyllou C, Whitfield-Gabrieli S, Saxe R. 2009. Distinct regions of right temporo-parietal junction are selective for theory of mind and exogenous attention. *PLoS Biology* 4(3):1~7.

Calder AJ, Burton AM, Miller P, Young AW, Akamatsu S. 2001. A principle component analysis of facial expressions. *Vision Research* 41:1179, 1208.

Carr L, Iacoboni M, Dubeau MC, Mazziotta JC, Lenzi GL. 2003. Neural mechanisms of empathy in humans: A relay from neural systems for imitation to limbic areas. *Proceedings of the National Academy of Sciences* 100(9):5497~5502.

Castelli F, Frith C, Happe F, Frith U. 2002. Autism, Asperger syndrome and brain mechanisms for the attribution of mental states to animated shapes. *Brain* 125:1839~49.

Chartrand TL, Bargh JA. 1999. The chameleon effect: The perception-behavior link and social interaction. *Journal of Personality and Social Psychology* 76(6):893~910.

Chong T, Cunnington R, Williams MA, Kanwisher N, Mattingley JB. 2008. fMRI adaptation reveals mirror neurons in human inferior parietal cortex. *Current Biology* 18(20):1576~1580.

Cutting JE, Kozlowski LT. 1977. Recognizing friends by their walk: Gait perception without familiarity cues. *Bulletin of the Psychonomic Society* 9:353~56.

Dapretto M, Davies MS, Pfeifer JH, Scott AA, Stigman M, Bookheimer SY. 2006. Understanding emotions in others: Mirror neuron dysfunction in children with autism spectrum disorders. *Nature Neuroscience* 9(1):28~30.

Decety J, Chaminade T. 2003. When the self represents the other: A new cognitive neuroscience view on psychological identification. *Conscious Cognition* 12:577~96.

De Gelder B. 2006. Towards the neurobiology of emotional body language. *Nature* 7:242~49.

Dimberg U, Thunberg M, Elmehed K. 2000. Unconscious facial reactions to emotional facial expressions. *Psychological Science* 11(1):86~89.

Flavell JH. 1999. Cognitive development: Children's knowledge about the mind. *Annual Review of Psychology* 50:21~45.

Fletcher PC, Happe F, Frith U, Baker SC, Dolan RJ, Frackowiak RSJ, Frith CD. 1995. Other minds in the brain: A functional imaging study of "theory of mind" in story comprehension. *Cognition* 57:109~28.

Freiwald WA, Tsao DY, Livingstone MS. 2009. A face feature space in the macaque temporal lobe. *Nature Neuroscience* 12(9):1187~96.

Frith C. 2007. *Making Up the Mind. How the Brain Creates Our Mental World.* Blackwell Publishing. Oxford.

Frith U. 1989. *Autism: Explaining the Enigma.* Blackwell Publishing. Oxford.

Frith U, Frith C. 2003. Development and neurophysiology of mentalizing. Philosophical Transactions of the Royal Society of London, Series B. *Biological Science* 358:439~47.

Gallagher HL, Frith CD. 2003. Functional imaging of "theory of mind." *Trends in Cognitive Science* 7:77~83.

Gombrich EH. 1987. In: *Reflections on the History of Art,* p. 211. R Woodfield, editor. Originally published as a review of Morse Peckham, *Man's Rage for Chaos: Biology, Behavior, and the Arts.* New York Review of Books. June 23, 1966.

Gombrich EH. 2004. *Art and Illusion: A Study in the Psychology of Pictoral Representation.* Phaidon Press. New York.

Gombrich EH, Hochberg J, Black M. 1972. *Art, Perception, and Reality.* Johns Hopkins University Press. Baltimore.

Gross C. 2009. *A Hole in the Head: More Tales in the History of Neuroscience,* Chap. 3, pp. 179~82. MIT Press. Cambridge, MA.

Gross C, Desimone R. 1981. Properties of inferior temporal neurons in the macaque. *Advances in Physiological Sciences* 17:287~89.

Iacoboni M. 2005. Neural mechanisms of imitation. *Current Opinion in Neurobiology* 15(6):632~37.

Iacoboni M, Molnar-Szakacs I, Gallese V, Buccino G, Mazziotta JC, Rizzolatti G. 2005. Grasping the intentions of others with one's own mirror neuron system. *PloS Biology* 3(3):1~7.

Kanner L. 1943. Autistic disturbances of affective contact. *Nervous Child* 2:217~50.

Kanwisher N, McDermott J, Chun MM. 1997. The fusiform face area: A module in human extrastriate cortex specialized for face perception. *Journal of Neuroscience* 17(11):4302~11.

Klin A, Lim DS, Garrido P, Ramsay T, Jones W. 2009. Two-year-olds with autism orient to non-social contingencies rather than biological motion. *Nature* 459:257~61.

Langer SK. 1979. *Philosophy in a New Key: A Study in the Symbolism of Reason, Rite, and Art.* 3rd ed. Harvard University Press. Cambridge, MA.

Mitchell JP, Banaji MR, MacRae CN. 2005. The link between social cognition and selfreferential thought in the medial prefrontal cortex. *Journal of Cognitive Neuroscience* 17(8):1306~15.

Ochsner KN, Knierim K, Ludlow D, Hanelin J, Ramachandran T, Mackey S. 2004. Reflecting upon feelings: An fMRI study of neural systems supporting the attribution of emotion to self and other. *Journal of Cognitive Neuroscience* 16(10):1748~72.

Ohnishi T, Moriguchi Y, Matsuda H, Mori T, Hirakata M, Imabayashi E. 2004. The neural network for the mirror system and mentalizing in normally developed children: An fMRI study. *Neuroreport* 15(9):1483~87.

Pelphrey KA, Morris JP, McCarthy G. 2004. Grasping the intentions of others: The perceived intentionality of an action influences activity in the superior temporal sulcus during social perception. *Journal of Cognitive Neuroscience* 16(10):1706~16.

Pelphrey KA, Sasson NJ, Reznick JS, Paul G, Goldman BD, Piven J. 2002. Visual scanning of faces in autism. *Journal of Autism and Developmental Disorders* 32:249~61.

Perner J, Aichhorn M, Kronbichler M, Staffen W, Ladurner G. 2006. Thinking of mental and other representations. The roles of left and right temporoparietal junction. *Social Neuroscience* 1:245~58.

Perrett DI, Smith PA, Potter DD, Mistlin AJ, Head AS, Milner AD, Jeeves MA. 1985. Visual cells in the temporal cortex sensitive to face view and gaze direction. *Proceedings of the Royal Society of London, Series B: Biological Science* 223:293~317.

Piaget J. 1929. *Child's Conception of the World.* Routledge & Kegan Paul. London.

Puce A, Allison T, Asgari M, Gore JC, McCarthy G. 1996. Differential sensitivity of human visual cortex to faces, letter strings, and textures: A functional magnetic resonance imaging study. *Journal of Neuroscience* 16(16):5205~15.

Puce A, Allison T, Bentin S, Gore JC, McCarthy G. 1998. Temporal cortex activation in humans viewing eye and mouth movements. *Journal of Neuroscience* 18:2188~99.

Ramachandran VS. 2004. Beauty or brains. *Science* 305:779~80.

Riegl A. 1902. *The Group Portraiture of Holland*. EM Kain, D Britt, translators. 1999. Getty Research Institute. Los Angeles.

Rizzolatti G, Fadiga L, Gallese V, Fogassi L. 1996. Premotor cortex and the recognition of motor actions. *Cognitive Brain Research* 3(2):131~41.

Saxe R. 2006. Uniquely human social cognition. *Current Opinion in Neurobiology* 16:235~39.

Saxe R, Carey S, Kanwisher N. 2004. Understanding other minds: Linking developmental psychology and functional neuroimaging. *Annual Review of Psychology* 55:87~124.

Saxe R, Kanwisher N. 2003. People thinking about thinking people. The role of the temporo-parietal junction in "theory of mind." *NeuroImage* 19(4):1835~42.

Saxe R, Xiao DK, Kovacs G, Perrett DI, Kanwisher N. 2004. A region of right posterior temporal sulcus responds to observed intentional actions. *Neuropsychologia* 42(11): 1435~46.

Singer T, Seymour B, O'Doherty J, Kaube H, Dolan RJ, Frith C. 2004. Empathy for pain involves the affective but not sensory components of pain. *Science* 303:1157~62.

Strack F, Martin LL, Stepper S. 1988. Inhibiting and facilitating conditions of the human smile: A nonobtrusive test of the facial feedback hypothesis. *Journal of Personality and Social Psychology* 54(5):766~77.

Yarbus AL. 1967. *Eye Movements and Vision*. Plenum Press. New York.

Zaki J, Weber J, Bolger N, Ochsner K. 2009. The neural bases of empathic accuracy. *Proceedings of the National Academy of Sciences USA* 106(27):11382~87.

26 뇌는 감정과 감정이입을 어떻게 조절하는가

Berridge KC, Kringelbach ML. 2008. Effective neuroscience of pleasure: Rewards in humans and animals. *Psychopharmacology* 199:457~80.

Blakeslee S, Blakeslee M. 2007. *The Body Has a Mind of Its Own. How Body Maps in Your Brain Help You Do (Almost) Everything Better*. Random House. New York.

Cohen P. 2010. Next big thing in English: Knowing that they know that you know. *New York Times*. April 1, C1.

Damasio A. 1996. The somatic marker hypothesis and the possible functions of the prefrontal cortex. *Proceedings of the Royal Society of London* B 351:1413~20.

Damasio A. 1999. *The Feeling of What Happens: Body and Emotion in the Making of Consciousness*. Harcourt Brace. New York.

Darwin C. 1872. *The Expression of the Emotions in Man and Animals*. Appleton-Century-Crofts. New York.

Ditzen B, Schaer M, Gabriel B, Bodenmann G, Ehlert U, Heinrichs M. 2009. Intranasal oxytocin increases positive communication and reduces cortisol levels during couple conflict. *Biological Psychiatry* 65(9):728~31.

Donaldson ZR, Young LJ. 2008. Oxytocin, vasopressin, and the neurogenetics of sociality.

Science 322:900~04.

Gray JA, McNaughton N. 2000. *The Neuropsychology of Anxiety: An Enquiry into the Functions of the Septo-Hippocampal System.* 2nd ed. Oxford Psychology Series No. 33. Oxford University Press. Oxford.

Insel TR. 2010. The challenge of translation in social neuroscience: A review of oxytocin, vasopressin, and affiliative behavior. *Neuron* 65:768~79.

Jhou TC, Fields HL, Baxter MG, Saper CB, Holland PC. 2009. The rostromedial tegmental nucleus (RMTg), a GABAergic afferent to midbrain dopamine neurons, encodes aversive stimuli and inhibits motor responses. *Neuron* 61(5):786~800.

Kamin LJ. 1969. Predictability, Surprise, Attention, and Conditioning. In: *Punishment and Aversive Behavior,* pp. 279~96. BA Campbell, RM Church, editors. Appleton-Century-Crofts. New York.

Kampe KK, Frith CD, Dolan RJ, Frith U. 2001. Reward value of attractiveness and gaze. *Nature* 413:589.

Kandel ER. 2005. Biology and the Future of Psychoanalysis. In: *Psychiatry, Psychoanalysis, and the New Biology of Mind* (Chap. 3). American Psychiatric Publishing. Washington, DC.

Kirsch P, Esslinger C, Chen Q, Mier D, Lis S, Siddhanti S, Gruppe H, Mattay VS, Gallhofer B, Meyer-Lindenberg A. 2005. Oxytocin modulates neural circuitry for social cognition and fear in humans. *Journal of Neuroscience* 25:11489~93.

Kosfeld M, Heinrichs M, Zak PJ, Fischbacher U, Fehr E. 2005. Oxytocin increases trust in humans. *Nature* 435:673~76.

Kosterlitz HW, Hughes J. 1975. Some thoughts on the significance of enkephalin, the endogenous ligand. *Life Sciences* 17(1):91~96.

Kris E. 1952. *Psychoanalytic Explorations in Art.* International Universities Press. New York.

Linden DJ. 2011. *The Compass of Pleasure: How Our Brains Make Fatty Foods, Orgasm, Exercise, Marijuana, Generosity, Vodka, Learning and Gambling Feel So Good.* Viking Press. New York.

Natter T. 2002. Portraits of Characters, Not Portraits of Faces: An Introduction to Kokoschka's Early Portraits. In: *Oskar Kokoschka: Early Portraits of Vienna and Berlin, 1909 ~1914.* Neue Galerie. New York.

Ochsner KN, Bunge SA, Gross JJ, Gabrieli JDE. 2002. Rethinking feelings: An fMRI study of the cognitive regulation of emotion. *Journal of Cognitive Neuroscience* 14(8):1215~29.

Ochsner KN, Knierim K, Ludlow DH, Hanelin J, Ramachandran T, Glover G, Mackey SC. 2004. Reflecting upon feelings: An fMRI study of neural systems supporting the attribution of emotion to self and other. *Journal of Cognitive Neuroscience* 16(10):1746~72.

Olds J. 1955. "Reward" from brain stimulation in the rat. *Science* 122:878.

Olds J, Milner P. 1954. Positive reinforcement produced by electrical stimulation of the septal area and other regions of the rat brain. *Journal of Comparative and Physiological Psychology* 47:419~27.

Olsson A, Phelps EA. 2007. Social learning of fear. *Nature Neuroscience* 10:1095~1102.

Pavlov IP. 1927. Conditioned Reflexes: An Investigation of the Physiological Activity of the Cerebral Cortex. GV Anrep, translator. Oxford University Press. London.

Pert CB, Snyder SH. 1973. Opiate receptor: Demonstration in nervous tissue. *Science* 179(77):1011~14.

Ramachandran VS. 1999. The science of art: A neurological theory of aesthetic experience. *Journal of Consciousness Study* 6:15~51.

Rodrigues SM, Saslow LR, Garcia N, John OP, Keltner D. 2009. Oxytocin receptor genetic variation relates to empathy and stress reactivity in humans. *Proceedings of the National Academy of Sciences* 106(50):21437~41.

Rolls ET. 2005. *Emotion Explained*. Oxford University Press. Oxford.

Schachter S, Singer JE. 1962. Cognitive, social, and physiological determinants of emotional states. *Psychological Review* 69:379~99.

Schultz W. 1998. Predictive reward signal of dopaminergic neurons. *Journal of Neurophysiology* 80:1~27.

Schultz W. 2000. Multiple reward signals in the brain. *Nature Reviews Neuroscience* 1:199~207.

Singer T, Seymour B, O'Doherty J, Kaube H, Dolan RJ, Frith C. 2004. Empathy for pain involves the affective but not sensory components of pain. *Science* 303:1157~62.

Whalen PJ, Kagan J, Cook RG, Davis C, Kim H, Polis S, McLaren DG, Somerville LH, McLean AA, Maxwell JC, Johnston T. 2004. Human amygdala responsivity to masked fearful eye whites. *Science* 306:2061.

Young LJ, Young M, Hammock EA. 2005. Anatomy and neurochemistry of the pair bond. *Journal of Comparative Neurology* 493:51~57.

27 예술의 보편성과 오스트리아 표현주의 화가들

Aiken NE. 1998. *The Biological Origins of Art*. Praeger. Westport, CT.

Cohen P. 2010. Next big thing in English: Knowing they know that you know. *New York Times*. April 1, C1.

Darwin C. 1859. *On the Origin of Species by Means of Natural Selection*. Appleton-Century-Crofts. New York.

Darwin C. 1871. *The Descent of Man and Selection in Relation to Sex*. Appleton-Century-Crofts. New York.

Darwin C. 1872. *The Expression of the Emotions in Man and Animals*. Appleton-Century-Crofts. New York.

Dijkstra B. 1986. *Idols of Perversity: Fantasies of Feminine Evil in Fin-de-Siècle Culture*. Oxford University Press. New York.

Dissanayake E. 1988. *What Is Art For?* University of Washington Press. Seattle.

Dissanayake E. 1995. *Homo Aestheticus: Where Art Came from and Why*. University of Washington Press. Seattle.

Dutton D. 2009. *The Art Instinct: Beauty, Pleasure, and Human Evolution*. Bloomsbury Press.

New York.

Fechner GT. 1876. *Introduction to Aesthetics.* Breitkoff & Hartel. Leipzig.

Hughes R. 1987. *Lucian Freud: Paintings.* Thames and Hudson. New York.

Iverson S, Kupfermann I, Kandel ER. 2000. Emotional States and Feelings. In: *Principles of Neural Science* (Chap. 50), pp. 982~97. 4th ed. Kandel ER, Schwartz JH, Jessell T, editors. McGraw-Hill. New York.

Kimball R. 2009. Nice things. *Times Literary Supplement.* March 20, pp. 10~11.

Kris E. 1952. *Psychoanalytic Explorations in Art.* International Universities Press. New York.

Kris E, Gombrich EH. 1938. The Principles of Caricature. *British Journal of Medical Psychology* 17:319~42. In: *Psychoanalytic Explorations in Art.*

Lang PJ. 1994. The varieties of emotional experience: A meditation on James-Lange theory. *Psychological Review* 101:211~21.

Lindauer MS. 1984. Physiognomy and art: Approaches from above, below, and sideways. *Visual Art Research* 10:52~65.

Mellars P. 2009. Archaeology: Origins of the female image. *Nature* 459:176~77.

Natter T. 2002. Portraits of Characters, Not Portraits of Faces: An Introduction to Kokoschka's Early Portraits. In: *Oskar Kokoschka: Early Portraits of Vienna and Berlin, 1909~1914.* Neue Galerie. New York.

Pinker S. 1999. *How the Mind Works.* W. W. Norton. New York.

Pinker S. 2002. *The Blank Slate.* Viking Penguin. New York.

Ramachandran VS. 1999. The science of art: A neurological theory of aesthetic experience. *Journal of Consciousness Study* 6:15~51.

Ryan TA, Schwartz CB. 1956. Speed of perception as a function of mode of representation. *American Journal of Psychology* 69(1):60~69.

Riegl A. 1902. *The Group Portraiture of Holland.* E Kain, D Britt, translators. 1999. Introduction by W Kemp. Getty Research Institute for the History of Art and the Humanities. Los Angeles.

Singer T, Seymour B, O'Doherty J, Kaube H, Dolan RJ, Frith CD. 2004. Empathy for pain involves the affective but not sensory components of pain. *Science* 303:1157~1162.

Stocker M. 1998. *Judith: Sexual Warriors: Women and Power in Western Culture.* Yale University Press. New Haven.

Tooby J, Cosmides L. 2001. Does beauty build adapted minds? Toward an evolutionary theory of aesthetics, fiction and the arts. *SubStance* 94/95(30):6~27.

Zeki S. 1999. *Inner Vision: An Exploration of Art and the Brain.* Oxford University Press. New York.

28 창의적인 뇌

Andreasen NC. 2005. *The Creating Brain: The Neuroscience of Genius.* Dana Press. New York.

Andreasen NC. 2011. *A Journey into Chaos: Creativity and the Unconscious.* In preparation.

Berenson B. 1930. *The Italian Painters of the Renaissance.* Oxford University Press. Oxford.

Bever TG, Chiarello RJ. 1974. Cerebral dominance in musicians and nonmusicians. *Science* 185(4150):537~9.

Bowden EM, Beeman MJ. 1998. Getting the right idea: Semantic activation in the right hemisphere may help solve insight problems. *Psychological Science* 9(6):435~40.

Bowden EM, Jung-Beeman M. 2003. Aha! Insight experience correlates with solution activation in the right hemisphere. *Psychonomic Bulletin and Review* 10(3):730~37.

Bowden EM, Jung-Beeman M, Fleck J, Kounios J. 2005. New approaches to demystifying insight. *Trends in Cognitive Sciences* 9(7):322~28.

Bower B. 1987. Mood swings and creativity: New clues. *Science News.* October 24, 1987.

Changeux JP. 1994. Art and neuroscience. *Leonardo* 27(3):189~201.

Christian B. 2011. Mind vs. machine: Why machines will never beat the human mind. *Atlantic Magazine.* March 2011.

Damasio A. 1996. The somatic marker hypothesis and the possible functions of the prefrontal cortex. *Proceedings of the Royal Society of London* B 351:1413~20.

Damasio A. 2010. *Self Comes to Mind: Constructing the Conscious Brain.* Pantheon Books. New York.

De Bono E. 1973. *Lateral Thinking: Creativity Step by Step.* Harper Colophon. New York.

Edelman G. 1987. *Neural Darwinism: The Theory of Neuronal Group Selection.* Basic Books. New York.

Fleck JI, Green DL, Stevenson JL, Payne L, Bowden EM, Jung-Beeman M, Kounios J. 2008. The transliminal brain at rest: Baseline EEG, unusual experiences, and access to unconscious mental activity. *Cortex* 44(10):1353~63.

Freedman DJ, Riesenhuber M, Poggio T, Miller EK. 2001. Categorical representation of visual stimuli in the primate prefrontal cortex. *Science* 291:312~16.

Gardner H. 1982. *Art, Mind, and Brain: A Cognitive Approach to Creativity.* Basic Books. New York.

Gardner H. 1983. *Frames of Mind: The Theory of Multiple Intelligences.* Basic Books. New York.

Gardner H. 1993. *Creating Minds: An Anatomy of Creativity as Seen Through the Lives of Freud, Einstein, Picasso, Stravinsky, Eliot, Graham, and Gandhi.* Basic Books. New York.

Gardner H. 2006. *Five Minds for the Future.* Harvard Business School Press. Boston.

Geake JG. 2005. The neurological basis of intelligence: Implications for education: An abstract. *Gifted and Talented* (9)1:8.

Geake JG. 2006. Mathematical brains. *Gifted and Talented* (10)1:2~7.

Goldberg E, Costa LD. 1981. Hemisphere differences in the acquisition and use of descriptive systems. *Brain Language* 14:144~73.

Gombrich EH. 1950. *The Story of Art.* Phaidon Press. London.

Gombrich EH. 1960. *Art and Illusion: A Study in the Psychology of Pictorial Representation.* Princeton University Press. Princeton and Oxford.

Gombrich EH. 1996. *The Essential Gombrich: Selected Writings on Art and Culture.* R

Woodfield, editor. Phaidon Press. London.

Gross C. 2009. Left and Right in Science and Art. In: *A Hole in the Head,* Chap. 6 (with M Bornstein), pp. 131~60. MIT Press. Cambridge, MA.

Hawkins J, Blakeslee S. 2004. *On Intelligence.* Henry Holt. New York.

Holton G. 1978. *The Scientific Imagination: Case Studies.* Cambridge University Press. Cambridge.

Jackson JH. 1864. Loss of speech: Its association with valvular disease of the heart, and with hemiplegia on the right side. Defects of smell. Defects of speech in chorea. Arterial regions in epilepsy. *London Hospital Reports* Vol. 1(1864):388~471.

James W. 1884. What is an emotion? *Mind* 9:188~205.

Jamison KR. 2004. *Exuberance: The Passion for Life.* Vintage Books. Random House. New York.

Jung-Beeman M, Bowden EM, Haberman J, Frymiare JL, Arambel-Liu S, Greenblatt R, Reber PJ, Kounios J. 2004. Neural activity observed in people solving verbal problems with insight. *PloS Biology* 2(4):0500~10.

Jung-Beeman M. 2005. Bilateral brain processes for comprehending natural language. *Trends in Cognitive Sciences* 9(11):512~18.

Kounios J, Fleck JI, Green DL, Payne L, Stevenson JL, Bowden EM, Jung-Beeman M. 2007. The origins of insight in resting-state brain activity. *Neuropsychologia* 46:281~91.

Kounios J, Frymiare JL, Bowden EM, Fleck JI, Subramaniam K, Parrish TB, Jung-Beeman M. 2006. The prepared mind: Neural activity prior to problem presentation predicts subsequent solution by sudden insight. *Psychological Science* 17:882~90.

Kris E. 1952. *Psychoanalytic Explorations in Art,* p. 190. International Universities Press. New York.

Kurzweil R. 2005. *The Singularity Is Near: When Humans Transcend Biology.* Viking. New York.

Lehrer J. 2008. The Eureka hunt: Why do good ideas come to us when they do? *New Yorker.* July 28, pp. 40~45.

Markoff J. 2011. Computer wins on "Jeopardy!" Trivial, it's not. *New York Times.* February 17, A1.

Martin A, Wiggs CL, Weisberg J. 1997. Modulation of human medial temporal lobe activity by form, meaning, or experience. *Hippocampus* 7:587~93.

Martinsdale C. 1999. The Biological Basis of Creativity. In: *Handbook of Creativity.* RJ Steinberg, editor. Cambridge University Press. New York.

Max DT. 2011. A chess star that emerges from the post-computer age. *New Yorker.* May 21, pp. 40~49.

McGilchrist I. 2009. *The Master and His Emissary: The Divided Brain and the Making of the Western World.* Yale University Press. New Haven and London.

Miller AI. 1996. *Insights of Genius: Imagery and Creativity in Science and Art.* Copernicus. New York.

Miller EK, Cohen JD. 2001. An integrative theory of prefrontal cortex function. *Annual Review of Neuroscience* 24:167~202.

Podro M. 1998. *Depiction*. Yale University Press. New Haven.

Rabinovici GD, Miller BL. 2010. Frontotemporal lobar degeneration: Epidemiology, pathophysiology, diagnosis, and management. *CNS Drugs* 24(5):375~98.

Ramachandran VS. 2003. *The Emerging Mind*. The Reith Lectures. BBC in association with Profile Books. London.

Ramachandran VS. 2004. *A Brief Tour of Human Consciousness: From Impostor Poodles to Purple Numbers*. Pearson Education. New York.

Ramachandran VS, Hirstein W. 1999. The science of art: A neurological theory of aesthetic experience. *Journal of Consciousness Studies* 6(6~7):15~51.

Ramachandran V and colleague. Undated Correspondence.

Riegl A. 1902. *The Group Portraiture of Holland*. E Kain, D Britt, translators. 1999. Introduction by W Kemp. Getty Research Institute for the History of Art and the Humanities. Los Angeles.

Sacks O. 1995. *An Anthropologist on Mars: Seven Paradoxical Tales*. Alfred A. Knopf. New York.

Schooler JW, Ohlsson S, Brooks K. 1993. Thoughts beyond words: When language overshadows insight. *Journal of Experimental Psychology* 122:166~83.

Searle JR. 1980. Minds, brains, and programs. *Behavioral and Brain Sciences* 3:417~24.

Sinha P, Balas B, Ostrovsky Y, Russell R. 2006. Face recognition by humans: Nineteen results all computer vision researchers should know about. *Proceedings of the IEEE* 94(11):1948~62.

Smith RW, Kounios J. 1996. Sudden insight: All-or-none processing revealed by speedaccuracy decomposition. *Journal of Experimental Psychology* 22:1443~62.

Snyder A. 2009. Explaining and inducing savant skills: Privileged access to lower level, less processed information. *Philosophical Transactions of the Royal Society* B 364:1399~1405.

Subramaniam K, Kounios J, Parrish TB, Jung-Beeman M. 2008. A brain mechanism for facilitation of insight by positive affect. *Journal of Cognitive Neuroscience* 21(3):415~32.

Treffert DA. 2009. The savant syndrome: an extraordinary condition. A synopsis: past, present, future. *Philosophical Transactions of the Royal Society* 364:1351~57.

Warrington E, Taylor EM. 1978. Two categorical stages of object recognition. *Perception* 7:695~705.

29 인지적 무의식과 창의적인 뇌

Baars BJ. 1997. In the theater of consciousness: Global workspace theory, a rigorous scientific theory of consciousness. *Journal of Consciousness Studies* 4(4):292~309.

Blackmore S. 2004. *Consciousness: An Introduction*. Oxford University Press. New York.

Blackmore S. 2007. Mind over Matter? Many philosophers and scientists have argued that free will is an illusion. Unlike all of them, Benjamin Libet has found a way to test it.

Commentary. *Guardian Unlimited*. August 28, 2007.

Boly M, Balteau E, Schnakers C, Degueldre C, Moonen G, Luxen A, Phillips C, Peigneux P, Maquet P, Laureys S. 2007. Baseline brain activity fl uctuations predict somatosensory perception in humans. *Proceedings of the National Academy of Sciences USA* 104: 12187~92.

Crick F, Koch C. 2003. A framework for consciousness. *National Neuroscience* 6:119~26.

Crick F, Koch C. 2005. What is the function of the claustrum? *Philosophical Transactions of the Royal Society of London, Biological Sciences* 360:1271~79.

Damasio A. 2010. *Self Comes to Mind: Constructing the Conscious Brain*. Pantheon Books. New York.

Dehaene S, Changeux JP. 2011. Experimental and theoretical approaches to conscious processing. *Neuron* 70(2):200~27.

Dennett DC. 1991. *Consciousness Explained*. Back Bay Books. Little Brown. Boston and London.

Dijksterhuis A. 2004. Think different: The merits of unconscious thought in preference development and decision making. *Journal of Personality and Social Psychology* 87(5): 586~98.

Dijksterhuis A, Bos MW, Nordgren LF, van Baaren RB. 2006. On making the right choice: The deliberation-without-attention effect. *Science* 311(5763):1005~07.

Dijksterhuis A, Meurs T. 2006. Where creativity resides: The generative power of unconscious thought. *Consciousness and Cognition* 15:135~46.

Dijksterhuis A, Nordgren LF. 2006. A theory of unconscious thought. *Association for Psychological Science* 1(2):95~109.

Dijksterhuis A, van Olden Z. 2006. On the benefi ts of thinking unconsciously: Unconscious thought can increase post-choice satisfaction. *Journal of Experimental Social Psychology* 42:627~31.

Edelman G. 2006. *Second Nature: Brain Science and Human Knowledge*. Yale University Press. New Haven.

Epstein S. 1994. Integration of the cognitive and the psychodynamic unconscious. *American Psychologist* 49:709~24.

Fried I, Mukamel R, Kreiman G. 2011. Internally generated preactivation of singleneurons in human medial prefrontal cortex predicts volition. *Neuron* 69:548~62.

Gombrich EH. 1960. *Art and Illusion: A Study in the Psychology of Pictorial Representation*. Princeton University Press. Princeton and Oxford.

Haggard P. 2011. Decision time for free will. *Neuron* 69:404~06.

Kornhuber HH, Deecke L. 1965. Hirnpotentialandeerungen bei Wilkurbewegungen und passiv Bewegungen des Menschen: Bereitschaftspotential und reafferente Potentiale. *Pfl ugers Archiv fur Gesamte Psychologie* 284:1~17.

Libet B. 1981. The experimental evidence for subjective referral of a sensory experience backward in time: Reply to PS Churchland. *Philosophy of Science* 48:182~97.

Libet B. 1985. Unconscious cerebral initiative and the role of conscious will in voluntary action. *Behavioral and Brain Sciences* 8:529~66.

Moruzzi G, Magain HW. 1949. Brain stem reticular formation and activation of the EEG. *Electroencephalography and Clinical Neurophysiology* 1:455~73.

Piaget J. 1973. The affective unconscious and the cognitive unconscious. *Journal of the American Psychoanalytic Association* 21:249~61.

Sadaghiani S, Hesselmann G, Kleinschmidt A. 2009. Distributed and antagonistic contributions of ongoing activity fl uctuations to auditory stimulus detection. *Journal of Neuroscience* 29:13410~17.

Sadaghiani S, Scheeringa R, Lehongre K, Morillon B, Giraud AL, Kleinschmidt A. 2010. Intrinsic connectivity networks, alpha oscillations, and tonic alertness: A simultaneous electroencephalography/functional magnetic resonance imaging study. *Journal of Neuroscience* 30:10243~50.

Schopenhauer A. 1970. *Essays and Aphorisms*. RJ Hollingdale, translator. Penguin Books. London. (Original work published 1851.)

Shadlen MN, Kiani R. 2011. Consciousness as a decision to engage. In: *Characterizing Consciousness: from Cognition to the Clinic? Research Perspectives in Neurosciences*. S Dehaene and Y Christen (eds.) Springer-Verlag. Berlin Heidelberg.

Wegner DM. 2002. *The Illusion of Conscious Will*. Bradford Books. MIT Press. Cambridge, MA.

30 창의성의 뇌 회로

Andreasen NC. 2005. *The Creating Brain: The Neuroscience of Genius*. Dana Press. New York.

Bever TG, Chiarello RJ. 1974. Cerebral dominance in musicians and nonmusicians. *Science* 185(4150):537~39.

Bowden EM, Beeman MJ. 1998. Getting the right idea: Semantic activation in the right hemisphere may help solve insight problems. *Psychological Science* 9(6):435~40.

Bowden EM, Jung-Beeman M. 2003. Aha! Insight experience correlates with solution activation in the right hemisphere. *Psychonomic Bulletin and Review* 10(3):730~37.

Bowden EM, Jung-Beeman M, Fleck J, Kounios J. 2005. New approaches to demystifying insight. *Trends in Cognitive Sciences* 9(7):322~28.

Bower B. 1987. Mood swings and creativity: New clues. *Science News*. October 24, 1987.

Damasio A. 1996. The somatic marker hypothesis and the possible functions of the prefrontal cortex. *Proceedings of the Royal Society of London* B 351:1413~20.

Damasio A. 2010. *Self Comes to Mind: Constructing the Conscious Brain*. Pantheon Books. New York.

Fleck JI, Green DL, Stevenson JL, Payne L, Bowden EM, Jung-Beeman M, Kounios J. 2008. The transliminal brain at rest: Baseline EEG, unusual experiences, and access to unconscious mental activity. *Cortex* 44(10):1353~63.

Freedman DJ, Riesenhuber M, Poggio T, Miller EK. 2001. Categorical representation of visual stimuli in the primate prefrontal cortex. *Science* 291:312~16.

Gardner H. 1982. *Art, Mind, and Brain: A Cognitive Approach to Creativity.* Basic Books. New York.

Gardner H. 1983. *Frames of Mind: The Theory of Multiple Intelligences.* Basic Books. New York.

Gardner H. 1993. *Creating Minds: An Anatomy of Creativity Seen Through the Lives of Freud, Einstein, Picasso, Stravinsky, Eliot, Graham, and Gandhi.* Basic Books. New York.

Gardner H. 2006. *Five Minds for the Future.* Harvard Business School Press. Boston.

Geake JG. 2005. The neurological basis of intelligence: Implications for education: An abstract. *Gifted and Talented* (9)1:8.

Geake JG. 2006. Mathematical brains. *Gifted and Talented* (10)1:2~7.

Goldberg E, Costa LD. 1981. Hemisphere differences in the acquisition and use of descriptive systems. *Brain Language* 14:144~73.

Hawkins J, Blakeslee S. 2004. *On Intelligence.* Henry Holt. New York.

Hebb DO. 1949. *Organization of Behavior.* New York: John Wiley and Sons.

Jackson JH. 1864. Loss of speech: Its association with valvular disease of the heart, and with hemiplegia on the right side. Defects of smell. Defects of speech in chorea. Arterial regions in epilepsy. *London Hospital Reports* Vol. 1 (1864):388~471.

Jamison KR. 2004. *Exuberance: The Passion for Life.* Vintage Books. Random House. New York.

Jung-Beeman M. 2005. Bilateral brain processes for comprehending natural language. *Trends in Cognitive Sciences* 9(11):512~18.

Jung-Beeman M, Bowden EM, Haberman J, Frymiare JL, Arambel-Liu S, Greenblatt R, Reber PJ, Kounios J. 2004. Neural activity observed in people solving verbal problems with insight. *PloS Biology* 2(4):0500~10.

Kapur N. 1996. Paradoxical functional facilitation in brain-behavior research. *Brain* 119: 1775~90.

Katz B. 1982. Stephen William Kuffler: Biographical Memoirs of Fellows of the Royal Society 28:225~59.

Kounios J, Fleck JI, Green DL, Payne L, Stevenson JL, Bowden EM, Jung-Beeman M. 2007. The origins of insight in resting-state brain activity. *Neuropsychologia* 46:281~91.

Kounios J, Frymiare JL, Bowden EM, Fleck JI, Subramaniam K, Parrish TB, Jung-Beeman M. 2006. The prepared mind: Neural activity prior to problem presentation predicts solution by sudden insight. *Psychological Science* 17:882~90.

Lehrer J. 2008. The Eureka hunt: Why do good ideas come to us when they do? *New Yorker.* July 28, pp. 40~45.

Martin A, Wiggs CL, Weisberg J. 1997. Modulation of human medial temporal lobe activity by form, meaning, or experience. *Hippocampus* 7:587~93.

Martinsdale C. 1999. The Biological Basis of Creativity. In: *Handbook of Creativity.* RJ

Steinberg, editor. Cambridge University Press.

McMahan UJ, editor. 1990. *Steve: Remembrances of Stephen W. Kuffl er*. Sinauer Associates. Sunderland, MA.

Miller AI. 1996. *Insights of Genius: Imagery and Creativity in Science and Art*. Copernicus. New York.

Miller EK, Cohen JD. 2001. An integrative theory of prefrontal cortex function. *Annual Review of Neuroscience* 24:167~202.

Orenstein R. 1997. *The Right Mind: Making Sense of the Hemispheres*. Harcourt Brace. New York.

Rabinovici GD, Miller BL. 2010. Frontotemporal lobar degeneration: Epidemiology, pathophysiology, diagnosis and management. *CNS Drugs* 24(5):375~98.

Ramachandran VS, Hirstein W. 1999. The science of art: A neurological theory of aesthetic experience. *Journal of Consciousness Studies* 6(6~7):15~51.

Ramachandran VS. 2003. *The Emerging Mind*. The Reith Lectures. BBC in association with Profile Books. London.

Ramachandran VS. 2004. *A Brief Tour of Human Consciousness: From Impostor Poodles to Purple Numbers*. Pearson Education. New York.

Rubin N, Nakayama K, Shapley R. 1997. Abrupt learning and retinal size specificity in illusory-contour perception. *Current Biology* 7:461~67.

Sacks O. 1995. *An Anthropologist on Mars: Seven Paradoxical Tales*. Alfred A. Knopf. New York.

Schooler JW, Ohlsson S, Brooks K. 1993. Thoughts beyond words: When language overshadows insight. *Journal of Experimental Psychology* 122:166~83.

Schopenhauer A. 1970. *Essays and Aphorisms*. RJ Hollingdale, translator. Penguin Books. London. (Original work published 1851.)

Sherrington CS. 1906. *The Integrative Action of the Nervous System*. Yale University Press. New Haven.

Sinha P, Balas B, Ostrovsky Y, Russell R. 2006. Face recognition by humans: Nineteen results all computer vision researchers should know about. *Proceedings of the IEEE* 94(11):1948~62.

Smith RW, Kounios J. 1996. Sudden insight: All-or-none processing revealed by speedaccuracy decomposition. *Journal of Experimental Psychology* 22:1443~62.

Snyder A. 2009. Explaining and inducing savant skills: Privileged access to lower level, less processed information. *Philosophical Transactions of the Royal Society* B 364:1399~1405.

Subramaniam K, Kounios J, Parrish TB, Jung-Beeman M. 2008. A brain mechanism for facilitation of insight by positive affect. *Journal of Cognitive Neuroscience* 21(3):415~32.

Treffert DA. 2009. The savant syndrome: An extraordinary condition. A synopsis: Past, present, and future. *Philosophical Transactions of the Royal Society* 364:1351~57.

Warrington E, Taylor EM. 1978. Two categorical stages of object recognition. *Perception* 7:695~705.

Yarbus AL. 1967. *Eye Movements and Vision*. Plenum Press. New York.

31 재능, 창의성, 뇌발달

Akiskal HS, Cassano GB, editors. 1997. *Dysthymia and the Spectrum of Chronic Depressions*. Guilford Press. New York.

Andreasen NC. 2005. *The Creating Brain: The Neuroscience of Genius*. Dana Press. New York.

Baron-Cohen S, Ashwin E, Ashwin C, Tavassoli T, Chakrabarti B. 2009. Talent in autism: Hyper-systemizing, hyper-attention to detail and sensory hypersensitivity. *Philosophical Transactions of the Royal Society* 364:1377~83.

Bleuler E. 1924. *Textbook of Psychiatry*, p. 466. AA Brill, translator. Macmillan. New York.

Close C. 2010. Personal communication.

Enard W, Przeworski M, Fisher SE, Lai CS, Wiebe V, Kitano T, Monaco AP, Svante P. 2002. Molecular evolution of FOXP2, a gene involved in speech and language. *Nature* 418:869~72.

Frith U, Happe F. 2009. The beautiful otherness of the autistic mind. *Philosophical Transactions of the Royal Society* 364:1345~50.

Gardner H. 1983. *Frames of Mind: The Theory of Multiple Intelligences*. Basic Books. New York.

Gardner H. 1984. *Art, Mind, and Brain: A Cognitive Approach to Creativity*. Basic Books. New York.

Gardner H. 1993. *Creating Minds: An Anatomy of Creativity Seen Through the Lives of Freud, Einstein, Picasso, Stravinsky, Eliot, Graham, and Gandhi*. Basic Books. New York.

Gombrich E. 1996. The miracle at Chauvet. *New York Review of Books* 43(18), November 14, 1996, http://www.nybooks.com/articles/archives/1996/nov/14/the-miracle-at-chauvet/ (accessed September 16, 2011).

Gross CG. 2009. Left and Right in Science and Art. In: *A Hole in the Head: More Tales in the History of Neuroscience*. In: Chap. 6, pp. 131~60. With MH Bornstein. MIT Press. Cambridge, MA.

Happe F, Vital P. 2009. What aspects of autism predispose to talent? *Philosophical Transactions of the Royal Society* 364:1369~75.

Heaton P, Pring L, Hermelin B. 1998. Autism and pitch processing: a precursor for savant musical ability. *Music Perception* 15:291~305.

Hermelin B. 2001. *Bright Splinters of the Mind. A Personal Story of Research with Autistic Savants*. Jessica Kingsley. London.

Holton G. 1978. *The Scientific Imagination: Case Studies*. Cambridge University Press. London.

Howlin P, Goode S, Hutton J, Rutter M. 2009. Savant skills in autism: Psychometric approaches and parental reports. *Philosophical Transactions of the Royal Society* 364: 1359~67.

Humphrey N. 1998. Cave art, autism and the evolution of the human mind. *Cambridge Archeological Journal* 8:165~91.

Jamison KR. 1993. *Touched with Fire: Manic-Depressive Illness and the Artistic Temperament.* Free Press. New York.

Jamison KR. 2004. *Exuberance: The Passion for Life.* Alfred A. Knopf. New York.

Miller AI. 1996. *Insights of Genius: Imagery and Creativity in Science and Art.* Copernicus. New York.

Mottron L, Belleville S. 1993. A study of perceptual analysis in a high-level autistic subject with exceptional graphic abilities. *Brain and Cognition* 23:279~309.

Nettelbeck T. 1999. Savant Syndrome—Rhyme Without Reason. In: *The Development of Intelligence,* pp. 247~73. M Anderson, editor. Psychological Press. Hove, UK.

Pugh KR, Mencl WE, Jenner AR, Katz L, Frost SJ, Lee JR, Shaywitz SE, Shaywistz BA. 2001. Neurobiological studies of reading and reading disability. *Journal of Communication Disorders* 34(6):479~92.

Ramachandran VS. 2003. *The Emerging Mind.* The Reith Lectures. BBC in association with Profile Books. London.

Ramachandran VS. 2004. *A Brief Tour of Human Consciousness: From Impostor Poodles to Purple Numbers.* Pearson Education. New York.

Ramachandran VS, Hirstein W. 1999. The science of art: A neurological theory of aesthetic experience. *Journal of Consciousness Studies* 6(6~7):15~51.

Richards R. 1999. Affective Disorders. In: *Encyclopedia of Creativity,* pp. 31~43. MA Runco, SR Pritzker, editors. Academic Press. San Diego.

Richards R (ed.) 2007. *Everyday Creativity and New Views of Human Nature: Psychological, Social, and Spiritual Perspectives.* American Psychological Association. Washington, DC.

Sacks O. 1995. *An Anthropologist on Mars: Seven Paradoxical Tales.* Alfred A. Knopf. New York.

Selfe L. 1977. *Nadia: Case of Extraordinary Drawing Ability in an Autistic Child.* Academic Press. London.

Smith N, Tsimpli IM. 1995. *The Mind of a Savant: Language Learning and Modularity.* Blackwell. Oxford.

Snyder A. 2009. Explaining and inducing savant skills: Privileged access to lower level, less processed information. *Philosophical Transactions of the Royal Society* B 364: 1399~1405.

Treffert DA. 2009. The savant syndrome: An extraordinary condition. A synopsis: Past, present, future. *Philosophical Transactions of the Royal Society* 364:1351~57.

Wiltshire S. 1987. *Drawings.* Introduction by H Casson. JM Dent & Sons. London.

Wolff U, Lundberg I. 2002. The prevalence of dyslexia among art students. *Dyslexia* 8:34~42.

Zaidel DW. 2005. *Neuropsychology of Art: Neurological, Cognitive and Evolutionary Perspectives.* Psychology Press. Hove, UK.

32 예술과 과학의 새로운 대화: 우리 자신을 알기 위하여

Berlin I. 1978. *Concepts and Categories: Philosophical Essays.* Hogarth Press. London.

Berlin I. 1997. The Divorce Between Science and the Humanities. In: Berlin I. *The Proper Study of Mankind: An Anthology of Essays,* pp. 326~358. Farrar, Straus and Giroux. New York.

Brockman J. 1995. *The Third Culture: Beyond the Scientific Revolution.* Simon and Schuster. New York.

Cohen IB. 1985. *Revolution in Science.* Belknap Press of Harvard University. Cambridge, MA, and London.

Edelman GM. 2006. *Second Nature, Brain Science and Human Knowledge.* Yale University Press. New Haven.

Gleick J. 2003. *Isaac Newton.* Vintage Books. Random House. New York.

Gould SJ. 2003. *The Hedgehog, the Fox, and the Magister's Pox.* Harmony Books. New York.

Greene B. 1999. *The Elegant Universe: Superstrings, Hidden Dimensions, and the Quest for the Ultimate Theory.* Vintage Books. Random House. New York.

Holton G. 1992. Ernst Mach and the Fortunes of Positivism in America. *Isis* 83(1):27~60.

Holton G. 1995. On the Vienna Circle in Exile. In: *The Foundational Debate,* pp. 269~92. W. Depauli-Schimanovich et al., editors. Kluwer Academic Publishers. Netherlands.

Holton G. 1996. Einstein and the Goal in Science. In: *Einstein, History, and Other Passions*: *The Rebellion Against Science at the End of the Twentieth Century,* pp. 146~169. Harvard University Press. Cambridge, MA.

Holton G. 1998. *The Advancement of Science and Its Burdens.* Harvard University Press. Cambridge, MA.

Johnson G. 2009. *The Ten Most Beautiful Experiments.* Vintage Books. New York.

Newton I. 1687. *Philosophiae Naturalis, Principia Mathematica.* A Motte, translator. 2007. Kessinger Publishing. Whitefish, MT.

Pauling L. 1947. *General Chemistry.* Dover Publications. New York.

Prodo I. 2006. *Ionian Enchantment: A Brief History of Scientific Naturalism.* Tufts University Press. Medford, MA.

Singer T, Seymour B, O'Doherty J, Kaube H, Dolan RJ, Frith C. 2004. Empathy for pain involves the affective but not sensory components of pain. *Science* 303:1157~62.

Snow CP. 1959. *The Two Cultures and the Scientific Revolution* 1998. Cambridge University Press. Cambridge.

Snow CP. 1963. *The Two Cultures: A Second Look.* Cambridge University Press. Cambridge.

Vico GB. 1744. *The New Science of Giambattista Vico.* TG Bergin, MH Fisch, translators. 1948. Cornell University Press. Ithaca, NY.

Weinberg S. 1992. *Dreams of a Final Theory: The Scientist's Search for the Ultimate Laws of Nature.* Vintage Books. Random House. New York.

Wilson EO. 1978. *On Human Nature.* Harvard University Press. Cambridge, MA.

Wilson EO. 1998. *Consilience: The Unity of Knowledge.* Alfred A. Knopf. New York.

도판 목록

그림 9-1. 요아네스 아모스 코메니우스, 《그림으로 보는 세계(Orbis Sensualium Pictus)》(1672)에 실린 삽화.

그림 9-2. 오스카어 코코슈카, 〈턱에 손을 대고 선 나체(Standing Nude with Hand on Chin)〉, 1907년. ⓒ Oskar Kokoschka / ProLitteris, Zürich - SACK, Seoul, 2014.

그림 9-3. 오스카어 코코슈카, 〈머리 뒤에 손을 올리고 바닥에 앉은 여성 나체(Female Nude Sitting on the Floor with Hands behind her Head)〉, 1913년. ⓒ Oskar Kokoschka / ProLitteris, Zürich - SACK, Seoul, 2014.

그림 9-4. 오스카어 코코슈카, 〈누워 있는 여성 나체(Reclining Female Nude)〉, 1909년. ⓒ Oskar Kokoschka / ProLitteris, Zürich - SACK, Seoul, 2014.

그림 9-5. 오스카어 코코슈카, 《꿈꾸는 소년들(Die Träumenden Knaben)》(1908)에 실린 삽화. ⓒ Oskar Kokoschka / ProLitteris, Zürich - SACK, Seoul, 2014.

그림 9-6. 오스카어 코코슈카, 《꿈꾸는 소년들》(1908, 1917년 출간)에 실린 삽화. ⓒ Oskar Kokoschka / ProLitteris, Zürich - SACK, Seoul, 2014.

그림 9-7. 오스카어 코코슈카, 1920년경.

그림 9-8. 오스카어 코코슈카, 〈전사로서의 자화상〉, 1909년. Photograph by Sharon Mollerus, Permission granted under CCL.

그림 9-9. 프란츠 사버 메서슈미트, 〈무력한 바순 연주자(The Incapable Bassoonist)〉, 1771~77년.

그림 9-10. 오스카어 코코슈카, 〈몰입한 연주자, 에른스트 라인홀트의 초상화(The Trance Player, Portrait of Ernst Reinhold)〉, 1909년. ⓒ Oskar Kokoschka / ProLitteris, Zürich - SACK, Seoul, 2014.

그림 9-11. 오스카어 코코슈카, 〈루돌프 블륌너(Rudolf Blumner)〉, 1910년. ⓒ Oskar Kokoschka / ProLitteris, Zürich - SACK, Seoul, 2014.

그림 9-12. 오스카어 코코슈카, 〈오귀스트 앙리 포렐의 초상화(Portrait of Auguste Henri Forel)〉, 1910년. ⓒ Oskar Kokoschka / ProLitteris, Zürich - SACK, Seoul, 2014.

그림 9-13. 오스카어 코코슈카, 〈루트비히 리터 폰 야니코프스키(Ludwig Ritter von Janikowski)〉, 1909년. ⓒ Oskar Kokoschka / ProLitteris, Zürich - SACK, Seoul, 2014.

그림 9-14. 오스카어 코코슈카, 잡지 〈슈투름(Der Sturm)〉의 표지 포스터, 1911년. ⓒ Oskar Kokoschka / ProLitteris, Zürich - SACK, Seoul, 2014.

그림 9-15. 오스카어 코코슈카, 〈손을 입에 대고 있는 자화상(Self-Portrait with Hard Near Mouth)〉, 1918~19년. ⓒ Oskar Kokoschka / ProLitteris, Zürich - SACK, Seoul, 2014.

그림 9-16. 오스카어 코코슈카, 〈연인(알마 말러)과의 자화상(Self-Portrait with Lover)〉, 1913년. ⓒ Oskar Kokoschka / ProLitteris, Zürich - SACK, Seoul, 2014.

그림 9-17. 오스카어 코코슈카, 〈바람의 약혼녀(The Wind's Fiancée)〉, 1914년. ⓒ Oskar Kokoschka / ProLitteris, Zürich - SACK, Seoul, 2014.

그림 9-18. 오스카어 코코슈카, 〈자화상(Self-Portrait)〉, 1917년. ⓒ Oskar Kokoschka / ProLitteris, Zürich - SACK, Seoul, 2014.

그림 9-19. 빈센트 반 고흐, 〈파이프를 물고 귀에 붕대를 한 자화상(Self-Portrait with Bandaged Ear and Pipe)〉, 1889년.

그림 9-20. 오스카어 코코슈카, 〈부모의 손 안에 있는 아기(Child in the Hands of Its

Parents)〉, 1909년. ⓒ Oskar Kokoschka / ProLitteris, Zürich – SACK, Seoul, 2014.

그림 9-21. 오스카어 코코슈카, 〈한스 티체와 에리카 티체콘라트(Hans Tietze and Erica Tietze-Conrat)〉, 1909년. ⓒ Oskar Kokoschka / ProLitteris, Zürich – SACK, Seoul, 2014.

그림 9-22. 오스카어 코코슈카, 〈노는 아이들(Children Playing)〉, 1909년. ⓒ Oskar Kokoschka / ProLitteris, Zürich – SACK, Seoul, 2014.

그림 10-1. 에곤 실레, 1914년경.

그림 10-2. 에곤 실레, 〈오토 베네슈와 하인리히 베네슈 부자의 2인 초상화(Double Portrait of Otto and Heinrich Benesch)〉, 1913년.

그림 10-3. 에곤 실레, 〈게르티 실레(Gerti Schiele)〉, 1909년.

그림 10-4. 에곤 실레, 〈화가 안톤 페슈카의 초상화(Portrait of the Artist Anton Peschka)〉, 1909년.

그림 10-5. 에곤 실레, 〈검은 웃옷을 입은 반나체 자화상(Self-Portrait as Semi-Nude with Black Jacket)〉, 1911년.

그림 10-6. 에곤 실레, 〈무릎을 꿇은 자화상(Kneeling Self-Portrait)〉, 1910년.

그림 10-7. 에곤 실레, 〈앉아 있는 자화상, 나체(Sitting Self-Portrait, Nude)〉, 1910년.

그림 10-8. 에곤 실레, 〈줄무늬 토시를 낀 자화상(Self-Portrait with Striped Armlets)〉, 1915년.

그림 10-9. 에곤 실레, 〈자화상, 머리(Self-Portrait, Head)〉, 1910년.

그림 10-10. 에곤 실레, 〈비명을 지르는 자화상(Self-Portrait Screaming)〉.

그림 10-11. 프란츠 사버 메서슈미트, 〈하품하는 사람(The Yawner)〉, 1770년 이후. Budapest, Museum of Fine Arts Budapest (Szepmueveszeti Muzeum). N. inv.: 53,655,S3. Photo: Jozsa Denes ⓒ 2014. The Museum of Fine Arts Budapest/Scala, Florence.

그림 10-12. 에곤 실레, 〈머리를 기울인 채 웅크린 여성 나체(Crouching Female Nude with Bent Head)〉, 1918년.

그림 10-13. 에곤 실레, 〈성교(Love Making)〉, 1915년.

그림 10-14. 에곤 실레, 〈죽음과 처녀(Death and the Maiden)〉, 1915년.

그림 10-15. 에곤 실레, 〈죽음과 남자(자기 응시자들 II)(Death and Man(Self-Seers II))〉, 1911년.

그림 10-16. 에곤 실레, 〈은둔자들(에곤 실레와 구스타프 클림트)(Hermits(Egon Schiele and Gustav Klimt))〉, 1912년.

그림 10-17. 에곤 실레, 〈추기경과 수녀(애무)(Cardinal and Nun(The Caress))〉, 1912년.

그림 10-18. 구스타프 클림트, 〈키스〉, 1907~08년.

그림 11-1. 알로이스 리글.

그림 11-2. 디르크 야코브스, 〈시민군(Civic Guards)〉, 1529년.

그림 11-3. 에른스트 크리스. Courtesy Anna Kris Wolff.

그림 11-4. 프란츠 사버 메서슈미트, 〈하품하는 사람(The Yawner)〉, 1770년 이후. Budapest, Museum of Fine Arts Budapest (Szepmueveszeti Muzeum). N. inv.: 53,655,S3. Photo: Jozsa Denes ⓒ 2014. The Museum of Fine Arts Budapest/Scala, Florence.

그림 11-5. 프란츠 사버 메서슈미트, 〈대악당(Arch-Villain)〉, 1770년 이후.

그림 11-6. 언스트 곰브리치.

ProLitteris, Zürich - SACK, Seoul, 2014.

그림 18-12. 오스카어 코코슈카, 〈루트비히 리터 폰 야니코프스키〉, 1909년. ⓒ Oskar Kokoschka / ProLitteris, Zürich - SACK, Seoul, 2014.

그림 18-13. 오스카어 코코슈카, 〈바람의 약혼녀〉, 1914년. ⓒ Oskar Kokoschka / ProLitteris, Zürich - SACK, Seoul, 2014.

그림 18-14. 에곤 실레, 〈성교〉, 1915년.

그림 20-1. 오스카어 코코슈카, 〈손을 입에 대고 있는 자화상〉, 1918~19년. ⓒ Oskar Kokoschka / ProLitteris, Zürich - SACK, Seoul, 2014.

그림 20-2. 에곤 실레, 〈무릎을 꿇은 자화상〉, 1910년.

그림 20-3. 오스카어 코코슈카, 〈몰입한 연주자, 에른스트 라인홀트의 초상화〉, 1909년. ⓒ Oskar Kokoschka / ProLitteris, Zürich - SACK, Seoul, 2014.

그림 20-4. 오스카어 코코슈카, 〈펠릭스 알브레히트 하르타의 초상화(Portrait of Felix Albrecht Harta)〉, 1909년. ⓒ Oskar Kokoschka / ProLitteris, Zürich - SACK, Seoul, 2014.

그림 20-5. 오스카어 코코슈카, 〈아버지 히르슈(Father Hirsch)〉, 1909년. ⓒ Oskar Kokoschka / ProLitteris, Zürich - SACK, Seoul, 2014.

그림 20-6. 관람자의 눈 운동. Springer and Plenum, 1967, pp. 179~81, *Eye Movements and Vision*, A. L. Yarbus, figures 114~17, ⓒ 1967 Plenum Press, with permission from Springer Science+Business Media B.V.

그림 20-7. 관람자의 눈 운동. Springer and Plenum, 1967, pp. 179~81, *Eye Movements and Vision*, A. L. Yarbus, figures 114~17, ⓒ 1967 Plenum Press, with permission from Springer Science+Business Media B.V.

그림 20-8. 관람자의 눈 운동. Springer and Plenum, 1967, pp. 179~81, *Eye Movements and Vision*, A. L. Yarbus, figures 114~17, ⓒ 1967 Plenum Press, with permission from Springer Science+Business Media B.V.

그림 20-9. 오스카어 코코슈카, 〈여배우 헤르미네 쾨르너의 초상(Portrait of the Actress Hermine Körner)〉, 1920년. ⓒ Oskar Kokoschka / ProLitteris, Zürich - SACK, Seoul, 2014. Minneapolis Institute of Arts, Gift of Bruce B. Dayton, 1955, P.12360. Photo: Minneapolis Institute of Arts

그림 20-10. 오스카어 코코슈카, 〈한스 티체와 에리카 티체콘라트〉, 1909년. ⓒ Oskar Kokoschka / ProLitteris, Zürich - SACK, Seoul, 2014.

그림 20-11. 오스카어 코코슈카, 〈부모의 손 안에 있는 아기〉, 1909년. ⓒ Oskar Kokoschka / ProLitteris, Zürich - SACK, Seoul, 2014.

그림 20-12. 오스카어 코코슈카, 〈노는 아이들〉, 1909년. ⓒ Oskar Kokoschka / ProLitteris, Zürich - SACK, Seoul, 2014.

그림 20-13. 빈센트 반 고흐, 〈고흐의 방(The Bedroom)〉, 1888년.

그림 21-1. 제임스 랑게 이론의 현대적 관점. Joseph LeDoux, *The Emotional Brain*, p. 51.

그림 21-2. 뇌섬엽

그림 21-3. 편도체의 감정 조율

그림 22-1. 선조체

그림 22-2. 전전두엽

William P. Banks, *Theory of Mind (Neural Basis)*, p. 402, 2009, with permission from Elsevier.

그림 26-1. 감정 조절 회로의 구성 요소. Illust Sonia Epstein.

그림 26-2. 신경 회로의 상향 및 하향 조절.

그림 26-3. 신경세포의 분포.

그림 26-4. 도파민 신경세포의 반응. Columbia Art Department.

그림 27-1. 홀레펠스의 비너스

그림 28-1. 오스카어 코코슈카, 〈토마시 가리구에 마사리크의 초상(Portrait of Tomáš Garrigue Masaryk)〉 1935~36년. ⓒ Oskar Kokoschka / ProLitteris, Zürich – SACK, Seoul, 2014.

그림 29-1. 단어 지각에 따른 뉴런의 활성. Reprinted from *Neuron*, 70(2), Stanislas Dehaene, Jean-Pierre Changeux, "Experimental and Theoretical Approaches to Conscious Processing," pp. 200~27, Copyright 2011, with permission from Elsevier.

그림 30-1. 뇌 기능 fMRI에 검출된 통찰. "Neural Activity Observed in People Solving Verbal Problems with Insight," Mark Jung-Beeman, Edward M. Bowden, Jason Haberman, Jennifer L. Frymiare, Stella Arambel-Liu, Richard Greenblatt, Paul J. Reber, John Kounios, *PLoS Biology* 2(4): 0500 – 0510. 2004. p. 0502&0505.

그림 30-2. 전상측두회의 활성. "Neural Activity Observed in People Solving Verbal Problems with Insight," Mark Jung-Beeman, Edward M. Bowden, Jason Haberman, Jennifer L. Frymiare, Stella Arambel-Liu, Richard Greenblatt, Paul J. Reber, John Kounios, *PLoS Biology* 2(4): 0500 – 0510. 2004. p. 0502&0505.

그림 31-1. 나디아와 레오나르도 다빈치, 정상적인 아동의 말 그림. *Nadia: A Case of Extraordinary Drawing Ability in an Autistic Child*, 1977, (ISBN 9780126357509), Selfe ed, p. 20, drawing by Nadia of horse and rider, copyright Elsevier.

그림 31-2. 쇼베 동굴의 말 그림. Nicholas Humphrey, "Cave Art, Autism, and the Evolution of the Human Mind," *Cambridge Archaeological Journal*, 8(2), p. 166, reproduced with permission, *Cambridge Archaeological Journal*.

그림 31-3. 나디아의 말 그림. Nicholas Humphrey, "Cave Art, Autism, and the Evolution of the Human Mind," *Cambridge Archaeological Journal*, 8(2), p. 166, reproduced with permission, *Cambridge Archaeological Journal*.

그림 31-4. 클로디아가 그린 유타 프리스. Uta Frith, *Autism: Explaining the Enigma*, Wiley-Blackwell Publishing.

찾아보기

통찰의 시대

1판 1쇄 발행 2014년 10월 10일
1판 10쇄 발행 2025년 3월 1일

지은이 에릭 캔델
옮긴이 이한음

발행인 양원석
편집장 김건희
영업마케팅 조아라, 이서우, 박소정, 김유진, 원하경

펴낸 곳 ㈜알에이치코리아
주소 서울시 금천구 가산디지털2로 53, 20층 (가산동, 한라시그마밸리)
편집문의 02-6443-8932 **도서문의** 02-6443-8800
홈페이지 http://rhk.co.kr
등록 2004년 1월 15일 제2-3726호

ISBN 978-89-255-5373-3 (03400)